鸟哥的LINUX私房菜

——服务器架设篇（第三版）

鸟哥　著

机 械 工 业 出 版 社

您已有 Linux 基础，想要进一步学习服务器架设？还想了解如何维护与管理您的服务器？《鸟哥的 Linux 私房菜——服务器架设篇（第三版）》是您最佳的选择。

目前有关 Linux 架站的书籍大多只教导读者如何架设服务器，很少针对服务器的维护与管理，以及发生问题时的应对策略加以说明，以至于一旦服务器遭受攻击，眼见的就是一场手忙脚乱。因此，作者先从系统基础以及网络基础讲起，再谈到网络攻击与防火墙防护主机后，才进入服务器的架设。本书共分为四篇：第一篇，服务器搭建前的进修专区，主要介绍架设服务器之前必须具备的基本知识，看完这一篇，不论您的 Linux 是以何种方式进行 Internet 连接，都将不成问题；第二篇，主机的简易安全防护措施，这一篇鸟哥将告诉您如何保护您的主机，以及如何养成良好的操作习惯，使您的主机能够百毒不侵，安然渡过一次次的考验；第三篇，局域网内常见服务器的搭建，介绍内部网络经常使用的远程连接服务（SSH、VNC、XRDP），网络参数设置服务（DHCP、NTP），网络磁盘服务（Samba、NFS、iSCSI），以及代理服务器等服务。其中 SSH 密钥系统，对于异地备份更是相当有帮助，您绝对不能错过；第四篇，常见因特网服务器的搭建，介绍 DNS、WWW、FTP 及 Mail Server 等常见的服务。

本书版权登记号：图字：01-2012-2642

图书在版编目（CIP）数据

鸟哥的Linux私房菜——服务器架设篇（第三版）/ 鸟哥著. —北京：机械工业出版社，2012.7

ISBN 978-7-111-38499-1

I. ①鸟… II. ①鸟… III. ①Linux操作系统 IV.①TP316.89

中国版本图书馆CIP数据核字（2012）第106553号

机械工业出版社（北京市西城区百万庄大街22号　邮政编码100037）

责任编辑：夏非彼　迟振春

中国电影出版社印刷厂印刷

2012年7月第1版第1次印刷

188mm×260mm · 51.5印张

标准书号：ISBN 978-7-111-38499-1

定价：108.00元

凡购本书，如有缺页、倒页、脱页，由本社发行部调换

客服热线：（010）88378991；82728184

购书热线：（010）68326294；88379649；68995259

投稿热线：（010）82728184；88379603

读者信箱：booksaga@126.com

作 者 序

关于本书

服务器的架设并不容易，除了需要了解每个服务器的工作原理与目的之外，还需要熟悉网络以及系统管理的基础操作等。虽然目前有很多的书籍以及参考范例在教大家如何架设一个可用的服务器，但这些范例却没有就服务器的维护与管理，还有发生问题时应该如何处理的流程做详细解释。因此，架设服务器是很容易的，不过，被攻击也是很常见的事，所以，这本书就从操作系统基础以及网络基础讲起，再谈到网络攻击以及防火墙防护主机后，最后才切入搭建服务器的相关内容。

这本书是以 CentOS 6 为范例来介绍的，这个版本的 Linux 有很多与以前不一样的服务配置，常常会让人找不到以往熟悉的配置文件位置。笔者使用 SELinux 默认启动的模式来进行服务器的配置，加入 SELinux 后，整个服务器的配置就显得有些难度了。此外，以前没有使用过的 NetworkManager 服务也来凑热闹，所以总是会让人搞到脑子混乱，笔者光是重复测试之前的版本与此版本的区别，就花去不少时间呢！希望这样的测试结果，能够帮大家简化自行探索的过程，早点搭建好您自己的服务器。

这次第三版的改版幅度不算太大，主要是将前面几章网络安全的部分内容进行整合，加入了在第二版被删掉的代理服务器章节，删减了邮件服务器的高级内容（说实在的，邮件服务器的架设真的可以不用学太多），并加入了相当重要的 iSCSI 这种磁盘提供者的仿真器，同时在 VSFTPD 中加入了 SSL 的加密支持，并且将服务器的应用范围进行了区分（如内部网络或因特网），以方便用户了解所需服务常用于哪些应用上。这些分类都是笔者近期在学校进行专题分析研究时经过观察后所做的改动，希望能够对读者有些帮助。

谁适合这本书

这本书既然是深入讨论服务器搭建的规划、流程、技巧与维护等工作，那么比较基础的 Linux 操作与相关的 Shell 语法，在这本书里就不可能谈论得很多，毕竟，《鸟哥的 Linux 私房菜——基础学习篇》已经完成了，没有必要在这本书里重复提及，所以，当您尝试阅读这本书的时候，请注意，**您最好已经具备了 Linux 操作系统的相关知识，以及 BASH Shell 的相关技巧。还有，必须了解一些 Unix-Like 的工作流程，例如日志文件的产生与存储的位置、服务的启动与关闭方式、计划任务的使用方法以及其他相关的事项**。也就是说，如果您从未接触过 Linux，那么建议您由《鸟哥的 Linux 私房菜——基础学习篇》开始 Linux 的探索历程，否则，这本书对您而言，可能会比较难以理解。

另外，很多时候本书会提到一些简单的概念而不是僵化的流程，尤其是每个人对于站点的要求都不相同，也就是说，每个人的站点其实都是带有个人风格的，因此僵化的流程并没有太大的意义，只要能够依据这些简单的概念来进行站点的架设就可以了。鸟哥认为，您的主机设置应该不会有太大的问题。怕的是什么呢？没有碰过 Linux，却想直接参考服务器搭建的程序来完成站点架设的朋友，这些朋友最容易忽略后续的维护与管理工作，这也容易造成站点不稳定或者是造成被网络黑客 (Cracker) 入侵的主要原因。

这本书的主要目的是引导用户进入 Linux 强大的网络功能世界，书内的范例都是鸟哥自己实际测试过没有问题才写出来的。不过，毕竟每个人的网络环境与操作习惯不同，因此，鸟哥不敢说书内的范例一定可以在您的系统上操作成功，然而，书内会提到一些基本概念，只要理解这些基本概念，并且对于 Linux 的操作熟悉，相信您一定可以利用书中的范例来开发出适合您自己的服务器设置。不过，对于没有碰过 Linux 的朋友，还是建议从头学起，至于为什么一定要从头学起，本书在第 1 章内会仔细进行说明喔。

章节安排

本书在章节的规划上面，主要分为四篇，第一篇——服务器搭建前的进修专区，第二篇——主机的简易安全防护措施，第三篇——局域网内常见服务器的搭建，第四篇——常见因特网服务器的搭建，前两篇的所有内容都是很基础的网络概念与实际网络配置，包括很重要的网络自我检测以及防火墙设置等，与您的服务器能不能工作关系很大，所以，您在开始服务器的架设之前，请务必将前面两篇共 10 章先阅读一遍。

在第一篇——服务器搭建前的进修专区当中，我们会介绍简单的网络基础，包含硬件的选择与布线、在 Linux 中连上 Internet 的方法，以及在 Linux 发生无法连接 Internet 的问题时简易的查验方法。看完这一篇之后，您的 Linux 不论以何种方式来进行 Internet 的连接，都应该不成问题了，而且，鸟哥希望看完这一篇之后，您可以了解 Linux 的网络问题，并自行解决。

在第二篇——主机的简易安全防护措施当中，我们会介绍在 Linux 的强大网络功能下可能会发生的网络入侵问题。了解了这些问题之后，当然就需要来解决它啰！所以，我们会针对 TCP/IP、Port、软件漏洞的修补与防火墙等来进行说明。那么该如何做好 Linux 主机的防护呢？**“没有永远安全的主机”**是正确的言论，所以，即使您的主机只是一个小小的站点，也千万不能忽略这个防火墙的作用。

在第三篇——局域网内常见服务器的搭建当中，我们会介绍内部网络经常使用的远程连接服务 (SSH、VNC、XRDP)、网络参数配置服务 (DHCP, NTP)、网络驱动器服务 (Samba、NFS、iSCSI)以及代理服务器等服务。这些章节虽然跳着看是没有问题的，但鸟哥建议第 11 章的连接服务器要花些时间瞧瞧，尤其是 SSH 的密钥系统对于异地备份是有很大帮助的！

在第四篇——常见因特网服务器的搭建当中，我们会介绍 DNS、WWW、FTP 及 Mail

Server 等常见的服务。因特网上面需要使用好记的主机名来连接，因此，DNS 服务器相当重要！在这一版的 DNS 中加入了 View 的简单概念，适用于局域网内的主机联网，可以参考看看。

本书的章节仍然是由浅入深来进行编排的，因此，还是希望读者可以由前往后慢慢阅读，不要着急翻到后面去抄看一些架设流程。

感谢

感谢自由软件社区志愿者们的软件开发，让我们能有这么棒的操作系统来搭建服务器。也要感谢广大读者的反馈，让鸟哥能够在 Linux 服务器的原理与配置方面有更深入地了解。感谢 Study Area 酷学园伙伴们的支持，包括 netman 大大、酷学园版主群、鸟园讨论版主群以及参加实体活动的诸位朋友。感谢台湾地区昆山科大的张世熙主任与各位老师、伙伴们对我在研究方面的支持，更要感谢鸟哥的学生们，正因为有你们的帮忙，鸟哥才可以有较多的时间来撰写一些服务器测试方面的文章。

最后，亲爱的鸟嫂，谢谢你多年来的付出，尤其是这两年帮家里添了两个可爱的宝贝：宸宸与轩轩！ 希望鸟窝一家，以及所有的朋友们平安、幸福！

另外，关于本书的勘误信息，请参考： http://linux.vbird.org/book/。

鸟哥

2012/1/18

目　录

第二篇 主机的简易安全防护措施

第三篇 局域网内常见服务器的搭建

第四篇 常见因特网服务器的搭建

第一篇

服务器搭建前的进修专区

搭建服务器需要很强的 Linux 基础概念以及基础网络知识，否则的话，当网络断断续续的时候，您永远也不会知道是哪里出了问题！而当某个服务器软件出问题的时候，您永远也不晓得是发生了什么事情！老人常说“对症下药才有效”，随便吃药是不可能“无病强身”的！因此，对于网络服务器来说最重要的基础文件权限、程序的启动关闭与管理、Bash shell 的操作与 script、用户账号的管理等，您都必须要具备最基础的认知才行，否则，服务器真的不好碰。

在这一篇当中，鸟哥会介绍一下搭建服务器之前你必须要具备的基本概念，以及重要的网络基础，当然，一大堆的网络命令是需要熟悉的。这些网络命令不是要你背下来，而是希望在你需要的时候可以很快速地查阅到，并了解如何使用。无论如何，请您务必在搭建服务器前要读过“Linux 基础篇”及“网络基础篇”的文章，否则很难与他人沟通讨论！这部分内容鸟哥放在最前面，希望大家务必学习！

第1章 搭建服务器前的准备工作

很多朋友因为自身或所服务单位的需求，总会遇到搭建各种网络服务器的问题，这个时候大多数的前辈都会推荐他们使用 Linux 作为搭建服务器的操作系统。但因为这些朋友很多都没有受过 Linux 操作系统使用方面的训练，因此总觉得反正都是操作系统，所以 Linux 应该也跟 Windows 差不多，那么就硬着头皮使用图形界面去配置众多的服务器，也有可能参考网络上的一些文章，通过文字界面进行配置，也能够很轻松地做好服务器的搭建。问题是，这样的一台服务器其实是很容易被绑架的。而且，如果网络不通，你如何自行将问题克服（trouble shooting）？难道出问题只能无语问苍天？所以，除非你只是暂时需要搭建网络服务器，可以请朋友或其他信息公司帮忙，如果你本身就是信息方面的服务提供商，那鸟哥建议你在进行服务器正式部署之前，看一看这篇，试试看，你到底是否具备了配置网络服务器的基本技能。

1.1　Linux 的功能

很多刚接触 Linux 的朋友常常会问的一句话就是：“我学 Linux 就是为了搭建服务器，既然只是为了搭建服务器，为什么我还要学习 Linux 的其他功能？例如：计划任务、Bash Shell，又干嘛去认识所有的登录文件等等，我又用不到！此外，既然有好用的 Web 接口的 Server 配置软件，可以简单地将网站搭建起来，为什么我还要去学习 vim 手动的编辑一些配置文件？干嘛还需要去理解服务器的工作原理？”上面这些话对于刚刚学会搭建网站的人来说，真是替他们道出了**一个新手的心声**啊。不过，对于任何一个曾经有过搭建发布到 Internet 上的网站的朋友来说，上面这些话，**真的是会害死人**！为什么呢？下面我们就来分析一下。

1.1.1　用 Linux 搭建服务器需要的能力

如果有人问你：“**Linux 最强大的功能是什么？**”大概大家都会回答：“**是网络功能**”，如果对方再问：“**学 Linux 就是为了搭建服务器吗？**”这个问题可就见仁见智了！说穿了，Linux 其实就是一套非常稳定的操作系统，任何工作只要能在 Linux 这个操作系统上面运行，那它就是 Linux 可以实现的功能之一！所以 Linux 的作用远不止于提供网络服务器功能这么简单。

举例来说，在 Linux 上面开发跨平台的数值计算模型（model）诸如大型的大气仿真计算模型，由于 Linux 的稳定与完善的资源分配功能，使得在 Linux 上面开发出来的程序在运行方面又快又稳定。此外，诸如 KDE、GNOME 等漂亮的图形接口，搭配诸如 Open Office 等办公室软件，Linux 立刻摇身一变而成为优秀的办公室桌面计算机了（Desktop）。此外，Google 制作出专门给手机系统用的 Android 也是以 Linux 为基础开发的。所以说，千万不要小看了 Linux 在功能上的多样性。

不过，不管怎么说，Linux 的强大网络功能确实是使得 Linux 能够在服务器领域内占有一席之地的重要因素。既然如此，我们就来探索一下 Linux 的网络世界吧！首先，Linux 到底可以实现哪些网络功能呢？这可就多了！不论是 WWW、Mail、FTP、DNS，或者是 DHCP、NAT 与 Router 等等，Linux 系统都可以实现，而且，只要一台 Linux 就能够实现上面所有的功能！当然，那是在不考虑网络安全与效率的情况下，你可以使用一台 Linux 主机来实现所有的网络功能。

但是，对于一个服务器而言“**搭建容易维护难**”！更深一层来说，**维护还好、除错更难！**搭建一个服务器难吗？即使你完全没有摸过 Linux，只要参考鸟哥的书籍或者是网站，而且一步一步照着做，保准你一个下午就可以搭建完成 5 个以上的网络服务！所以说，搭建服务器没什么难的。但是，这样的一个网络服务，多则三天，少则数小时，很快就会被入侵了！此外，被入侵之后，或许可以利用一些工具来帮你将 root 的密码救回来，可惜的是，这样的一个服务器还是有可能被作为一个中继站点进而危害网络中其他主机的安全。

另外，如果你使用工具（例如 Webmin）却怎么也搭建不起来某个网络服务时，要怎么解决？如果你不懂该 **Server 的工作原理与 Linux 系统的排错信息**，那么难道只能无语问苍天？不要怀疑这种情况的可能性，参考一下各大论坛上面的留言就可以很清楚地知道这种情况的存在有越来越明显的趋势。

所以说，搭建服务器之前还是有一些基本的技能是需要学会的！而且这些技能是一旦**学会之后，真正是终身受用**！只要花一个学期（3~6 个月）就能学会一辈子可以使用的技能，真的是很值得。

举例来说，鸟哥在 2003 ~ 2005 年跑去当兵了，当兵期间很少碰 Linux 啦！等到退伍后接到的第一个班要带 Linux 国际认证时，几乎所有的命令都很陌生。不过，懂得学习方法的鸟哥，通过 man、google，以及通过以前学习的一些概念，遇到问题几乎都可以在一分钟内解决，同学也不会有突然不知所云的困扰。你说，这样是不是很好呢？

Linux 不是很好学，根据鸟哥过去教学的经验，很多同学在学 Linux 时真是非常的痛苦，不过学完之后，以前在 Windows 上面遇到的困难却也自然而然的迎刃而解！因为 Linux 训练我们时，是要我们去解决一个发现的问题，这过程需要很多基础知识的培养，所以学完之后，你会觉得很多事情都变得很简单。但如果使用 Windows 的懒人方案，很多问题就不可能了解为啥会发生与为啥可以这样处理了。我们会在下一节分析一下搭建服务器的流程，也会提供相对应的你应该要会的 Linux 技能喔！

1.1.2 搭建服务器难不难呢

不管是 Windows 还是 Linux，要搭建好一台堪称完美的服务器，基本功课还是得做的，这包括了：

- **网络的基本概念，以方便进行联网与配置及排错。**
- **熟悉操作系统的基本操作：包括登录控制、账号管理、文本编辑器的使用等技巧。**
- **信息安全方面：包括防火墙与软件更新方面的相关知识等。**
- **该服务器协议所需软件的基本安装、配置、排错等。**

这才有办法实际部署，而且，每一个项目里面所需要学习的技巧还很多。不要以为信息管理人员整天闲着没事干，大家可是天天在卖技术的，同时，还得天天应付随时可能会发生的各种漏洞与网络攻击方法！想干好，真的会累死人的。

这样看来，搭建服务器真的是挺难的。事实上，搭建服务器其实又是挺简单的。为什么这样说呢？其实“搭建服务器很难”是由于我们学习的角度有偏差。还记得当初进入理工学院的时候，天天在念的东西是基础物理、基础化学、工程数学与流体力学等基础科目，这些科目花了我们 1~2 学期的时间，而且内容还很难，都是一大堆的理论。我们进理工学院是为了求得更高深的知识，那么这些基础知识学了有什么用呢？当然有用，因为更高深的知识都是建构在这些基本科目的理论上面的，如果**基础的科目没有读好，那么专业科目里面提到的基本理论就不可能听懂。**

这样说应该就比较容易理解了，认识操作系统与该操作系统的基本操作，还有网络基础知识，就是我们在搭建服务器前的“基础科目”。所以说，在进入 Linux 的服务器世界之前，不能够略过网络基础的相关知识，同时，也必须掌握 Linux 系统的基本技能。

或许，你还是对于 Linux 系统里面“**什么是很重要的知识**”不甚了解，果真如此的话，那么我们就举个简单的例子来说明一下。下面列出一般的搭建服务器流程，让我们在搭建服务器的流程当中，来看一看什么是重要的 Linux 相关技能。

> 在这一章当中，鸟哥不再就 Linux 基础命令进行解析，因为在《鸟哥的 Linux 私房菜——基础学习篇》里面已经详细的介绍过了！如果继续介绍命令，简直是浪费篇幅，所以下面仅对 Linux 基础学习的重要性进行一下分析。

1.2 搭建服务器的基本流程

虽然不同的服务器提供的服务并不相同，而且每种服务的原理也不见得都一样，不过，每种服务器由规划、搭建到后续的安全维护，其实整个流程是大同小异的。下面我们就来一项一项地进行分析。

1.2.1 网络服务器成功连接的分析

下面我们就针对整个服务器的简易搭建流程来做一个分析，以明确**为什么了解操作系统的基础对于服务器的维护是相当重要的呢**？首先，到底我们是如何连接到服务器的？连接到服务器要取得什么资源？我们先以如下图示（见图 1-1）来做个简单的说明。

先来理解一下，到底我们连接到服务器想要得到什么？举例来说，你连接到 Youtube 想要看视频，所以对方就提供视频数据流给你；你连接到 Yahoo 想要看新闻，所以对方就提供新闻的文本文件给你；你连接到无名小站想要看图片，对方将图片文件发送给你；你连接到 Facebook 想要去偷菜，对方就参考你之前留下来的记录，从数据库里面将你的记录检索出来传送给你。看到没有，**你连接到服务器，重点在取得服务器上的数据，而一般数据的存在就是使用文件**！那你有没有权限取得？最终是与该文件系统的设置有关啦！

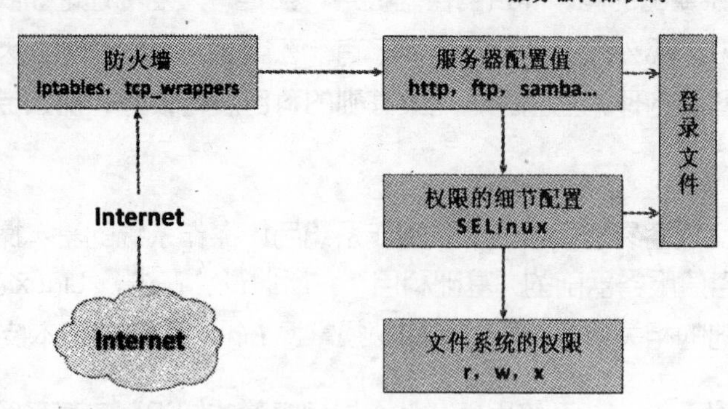

图 1-1　通过网络连接至服务器所需经过的各项环节

图 1–1 显示的是：首先，客户端到服务器的网络要能够连通，等到客户端访问到服务器后，会先由服务器的防火墙判断该连接能否放行，等到放行之后才能使用到服务器软件的功能。而该功能又需要通过 SELinux 这个细节权限配置的项目后，才能够读取到文件系统。但能不能读到具体文件呢？这又跟文件系统的权限（rwx）有关！上述的每个部分都要能够成功，否则就无法顺利读取数据。

所以，根据上面的流程我们大概可以将整个连接分为几个部分，包括：网络、服务器本身、内部防火墙软件设置、各项服务配置文件、细节权限的 SELinux 以及最重要的文件权限。下面就分别来谈谈每一个部分。

1. 网络：了解网络基础知识与所需服务的通信协议

既然要搭建服务器，首先当然需要了解一下因特网。因为不管是哪种操作系统，若想要与因特网连接，首先要求掌握网络基础知识。举例来说，“子网”是经常会谈到的概念，当你发现一个配置为 192.168.1.0/255.255.255.0 的项目时，知道那是什么鬼东西吗？ 如果不知道的话，呵呵！绝对无法配置好网络服务的，另外，为何你需要服务器？当然是想要达成某项网络服务。举例来说，传输文件可以用 FTP，那 WWW 可以传输文件吗？网上邻居可以传输吗？每个网络服务的用途为何？哪个在传输文件方面比较方便？ 对于客户或老板来说，我们所搭建的服务能否满足他们的需求等等，这都需要了解，否则你将一头雾水啊！因此这部分你就需要了解：

- 基本的网络基础知识：包括以太网络硬件与协议、TCP/IP、网络连接所需参数等。
- 各网络服务所对应的通信协议的工作原理，以及实现各通信协议的具体应用程序。

2. 服务器本身：了解搭建网络服务器的目的以配合主机的安装规划

想要搭建服务器吗？那...搭建什么样的服务器？这个服务器要不要对 Internet 开放？这个服务要不要对客户提供访问账号？要不要针对不同的访问账号进行，例如磁盘容量、可用空间与可用系统资源进行限制？如果要进行各项资源的限制，那服务器操作系统应该要如何安装与设置？问题很多吧！所以，只有首先了解你所需要搭建服务器的各项预期功能之后，后续的规划才能陆续出炉。不过，如果配置服务器只是为了“练功”而已，呵呵！那就不需要考虑太多了。

3. 服务器本身：了解操作系统的基本操作

网络服务软件是需要运行在操作系统上面的，所以需要对操作系统基本的管理与操作技术有一个掌握！包括软件如何安装与删除，如何管理系统的计划任务，如何根据服务器的服务目的规划文件系统，如何让文件系统具有可扩展性（LVM 之类），系统如何管理各项服务的启动，系统的开机流程是什么，系统出错时，该如何进行快速复原等，这些都是需要了解的。

4. 内部防火墙设置：管理系统的可共享资源

一台主机可以允许多种服务器软件同时运行其中，而很多 Linux distributions 出厂的默认值就已经开放了很多服务给 Internet 使用了，不过这些服务可能并不是你想要开放的。我们在了解网络基础与所需服务的预期目的之后，接下来就是通过防火墙来规范可以使用本服务器服务的用户，以让系统在使用上拥有较佳的可控环境。此外，**不管你的防火墙系统设置的再怎么严格，只要是你要开放的服务，那防火墙对于该服务就没有保护的效果。**因此，在线更新软件机制就一定要定期进行！否则你的系统将会非常的不安全！

5. 服务器软件设置：学习设置技巧与开机是否自动执行

刚刚第一点就提到我们需要知道每种服务所能实现的功能，如此一来才能够搭建你所需要的服务站点。那你所需要的服务是由哪个软件实现的？同一个服务可否有不同的实现软件？每种软件可以实现的目的是否相同？依据所需要的功能如何设置你的服务器软件？搭建过程中如果出现错误，你该如何观察与排错？可否定期地分析服务器相关的登录信息，以方便了解该服务器的使用情况与错误发生的原因？能否通知多个用户进行连接测试，以取得较佳的服务器配置值？所以这里你可能就需要知道：

- 软件如何安装；如何查询相关配置文件所在位置。
- 服务器软件如何设置。
- 服务器软件如何启动；如何设置自动开机启动；如何观察启动的端口。
- 服务器软件激活失败如何排错；如何查看日志；如何通过日志进行除错。
- 通过客户端进行连接测试，如果失败该如何处理？连接失败的原因是服务器还是防火墙。
- 服务器的设置修改是否有相关的日志；相关日志是否要定期分析。
- 服务器所提供或共享的数据有无定期备份；如何定期自动备份或远程备份。

6. 细节权限设置：包括 SELinux 与文件权限

等到你的服务器全部设置妥当，最后你所提供的文件数据权限却是给了“000”的权限值，那鸟哥很肯定地说，大家都无法读到你所提供的数据！此外，新的 distributions 都建议你要启动 SELinux，SELinux 是什么呢？如果你的数据放置于非正规的目录，那该如何处理 SELinux 的问题？又如何让文件具有保密性或共享性（文件权限概念与 ACL 等）等，这也都是需要厘清观念的。

在上述的服务器搭建流程中，其实除了第 5 点之外，其他步骤在各种服务器的设置过程中都需要了解。而且都是一样的内容。因此，这些基础如果学会了，最终，你只要知道第 5 点里面那个软件的基本设置，你的服务器一下子就可以设置完成了。所以说，基础学习很重要。

1.2.2 一个常见的服务器设置案例分析

上面讲完后或许你还是不很清楚到底这些技能如何串起来？鸟哥这里提供一个简单的案例来分析一下，这样你就会比较容易清楚地知道为何需要学习这些东西。

- **网络环境**：假设你的环境里面（不管是家里还是宿舍）共有 5 台计算机，这 5 台计算机需要通过网络连接在一起，且都可以对外提供连接访问。
- **对外网络**：你的环境只有一个对外的连接，这里假设是比较流行的 ADSL 或 10M 的光纤这种通过电话线的连接。
- **额外服务**：你想要让这 5 台计算机都可以上网，而且其中还有一台主机可以作为文件服务器，为同学或家人作数据备份与数据共享之用。
- **服务器管理**：由于你可能需要进行远程管理，因此你这台服务器需要开放连接机制，以让远程计算机可以连接到这部主机来进行维护。
- **防火墙管理**：因为担心作为文件共享服务器的系统被攻击，因此你需要针对源 IP 来进行登录控制。
- **账号管理**：由于同学的数据有隐秘与共享之分，因此你还需要为每个同学提供专门的访问账号，且每个账号都有磁盘容量的使用限制。
- **后台分析**：由于担心系统出问题，所以你需要让系统自动定期分析磁盘的使用量、日志文件参数信息等。

在上述的环境中，你要考虑的东西有哪些呢？依据本小节一开始谈到的 6 个步骤来分析的话，你可能需要掌握下面一些内容。

1.2.2.1 了解网络基础

1. 硬件规划

我们想要将 5 台计算机连接在一起，但是却又只有一个可以对外提供连接，此时就需要购买集线器（Hub）或者是交换器（Switch）来连接所有的计算机。但是这两者有何不同？为何 Switch 比较贵？我们所用的网线有等级之分，这个等级要怎么分辨？不同等级的线缆速度有没有差异？等到这些硬件基础了解之后，你才能够针对你的环境来进行连接的设计。这部分我们等到下一章再来介绍。

2. 连接规划

由于只有一条对外连接的线路，因此通常我们建议你可以用如图 1-2 的方式来连接你的网络。

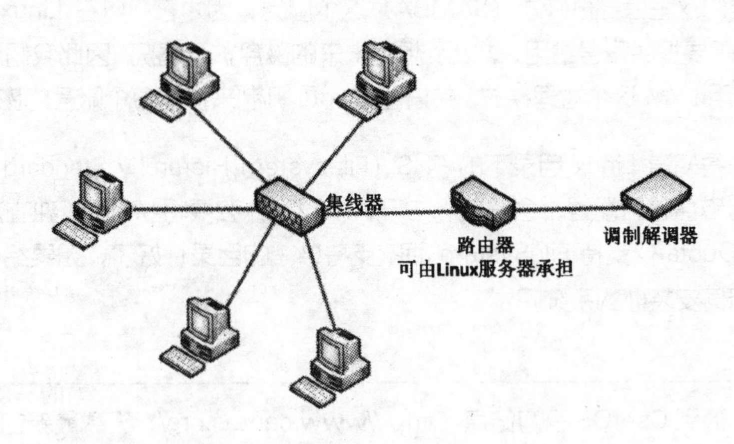

图 1-2　硬件的网络连接示意图

通过路由器，我们的 5 台计算机就都能够上网了。此时你需要注意，能否上网与 Internet 有关，其核心就是那著名的 TCP/IP 通信协议，而想要了解网络就需要知道什么是 OSI 七层协议。我们也知道能连上 Internet 与所谓的 IP 有关，那么我们内部这 5 台计算机所取得的 IP 能不能拿来作为服务器的 IP？也就是说，IP 有没有不同种类？如果路由器突然宕机了，那你的这 5 台计算机能不能连接玩游戏？这就涉及你的网络参数配置问题了。

3. 网络基础

如果你的同学或家人跑来跟你说，网络不通了！你直觉会是什么？硬件问题？软件问题？还是啥莫名其妙的问题？ 如果你不懂网络基础的 IP 相关参数，包括路由设置以及域名系统 (DNS) 的话，肯定不知道是怎么进行连接测试的。所以，此时你就会被骂说："什么都不懂还想要管理我们家网络"...那时不是很糗吗？所以要学好一些嘛！这部分就很复杂了，包括 TCP/IP, Network IP, Netmask IP, Broadcast IP, Gateway, DNS IP 等等，都需要理解喔。

了解了这些原理之后，你才能够进行排错（debug）的工作。最常见的错误，例如，你的主机明明就可以使用 ping 这个命令去连接远程主机（ping IP），但是就是无法使用 ping hostname 去连接远程主机，那么，这个原因是什么呢？了解网络基础的朋友一看就知道应该是 DNS 出问题了。既然知道出问题的地方，就能够针对该问题去处理了。

网络基础会影响到你的网络设置是否正确，这是很重要的。因为，如果你的网络不通，那么即使服务器搭建成功了，别人也是无法访问的。所以说，要搭建服务器，真的得对网络基础的部分下一些功夫才行。关于网络基础这部分我们在基础篇并没有谈过，所以我们会在下一章网络基础时再详加说明。

1.2.2.2 服务器本身的安装规划与服务器目的的搭配

如图 1-2 所示，Server 端是在那五台计算机之中，而且 Server 必须要针对不同账号分配磁盘空间，我们这里会提供共享（SAMBA）这个服务，因为它可以在 Linux/Windows 之间通用。且由于需要提供账号给用户，以及想到未来的磁盘扩展情况，因此我们想要将 /home 独立出来，且使用 LVM 这个管理模式，并搭配 Quota 机制来控制每个账号的磁盘使用情况。

所以说，你得知道 Linux 目录下的 FHS（Filesystem Hierarchy Standard）的规范，否则错误的目录与磁盘分区配置，会造成无法开机！那为什么要将 /home 独立放入一个分区呢？那是因为 Quota 仅支持 FileSystem 而不支持单一的目录！好了，如果给你一台全新的主机，那你该如何安装你的系统呢？

例题

全新安装：请到 CentOS 官方站点（http://www.centos.org/）下载最新的 Linux 镜像文件来进行刻录（2011/07 可下载最新版为 CentOS 6.0），并且依据上述的需求安装好你的 Linux 系统（最重要的其实就是那个磁盘分区问题，其他的工作可以在安装完成后再说）。

答：由于 Linux 的安装我们已经在基础篇的第 4 章介绍过了，这里我们不再使用图形界面来说明，仅使用文字说明来介绍在每个项目应该完成的操作。此外，由本书上一个版本的读者反馈发现，学习者经常只有一台主机，因此，这里我们建议使用 Virtualbox（http://www.virtualbox.org/）虚拟机系统来模拟出一台实体主机，以安装测试环境。并请注意，这台主机将会在本书各个章节的测试中被使用。

Virtualbox 的安装与配置请自行参考其官网上面的 Documentation 介绍，这里不再赘述。只是需要注意的是，若（1）需要搭建服务器来上网，建议网络使用桥接模式（bridge），且网卡类型使用 Intel 的桌面计算机类型即可。（2）由于我们未来会引入 NAT 服务器，因此最好有两张网卡，一张使用 bridge，一张使用内网（intnet）较合适。（3）磁盘配置建议使用 SATA 类型，且容量在 25GB 以上。（4）内存至少为 512MB 以上，最好有 1GB 来测试。其他的请参考官网文件，或者使用默认配置即可。当然，如果你有独立的实体机器来安装就更好了，就不需考虑这一小段文字的说明了。

默认配置如下：

- 分区表请依如下方式进行：
  - /　　: 2GB。
  - /boot: 200MB。

- /usr : 4GB。
- /var : 2GB。
- /tmp : 1GB。
- swap : 1GB。
- /home: 5GB，并且使用 LVM 模式建置。
- 其他容量请保留，未来再进行额外练习。

■ 软件挑选时，请选择“basic server”项目即可。

■ 信息安全部分，防火墙选择“启动”，SELinux 选择“强制（Enforce）”。

■ 假设路由器有自动分配 IP 地址的功能，则网络参数先选择 DHCP 即可，未来再自己修改。

实际流程大致如下（鸟哥以 CentOS 6.0 为例说明）：

1）由于我们使用光驱开机来安装系统，因此要先进入 BIOS，选择光驱开机，并且将 CentOS 6.x 的 DVD 放入光驱中。

2）在启动安装的画面中，选择“Install or upgrade an existing system”选项来安装新系统。

3）出现“Disc Found”字样，此时建议可以选择“Skip”即可跳过。

4）在“欢迎”画面单击“Next”按钮。

5）语系数据可以选择“**Chinese（简体）（中文（简体））**”。

6）键盘格式保留“**美式英文**”。

7）安装使用的设备类型，直接选择默认的“**基本存储设备**”即可。

8）因为我们是全新的硬盘，因此会出现一个找不到分区表的错误，此时选择“**重新初始化**”。

9）进入网络主机名的设置，先保留“localhost.localdomain”，同界面中还有一个“配置网络”的选项，我们先不要动它；等未来谈到网络设置再来处理。

10）进入时区选择，选择“**亚洲/上海**”。

11）出现 root 密码设置，这里我们先设定为“centos”；这个密码太简单，系统会出现警告，选择“**无论如何都使用**”即可，另外，也可以将密码设置为复杂密码。

12）出现哪种类型的安装，因为我们有自己的分区考虑，所以，请选择“**创建自定义布局**”来处理。

13）在分区界面中，选择“sda”项目，然后单击“**创建**”的按钮，在出现的窗口中，再点选“**标准分区**”选项，然后单击“**生成**”。在最后的窗口中填写挂载点、容量等信息后，最后单击“确定”按钮即可。最终画面如图 1–3 所示。

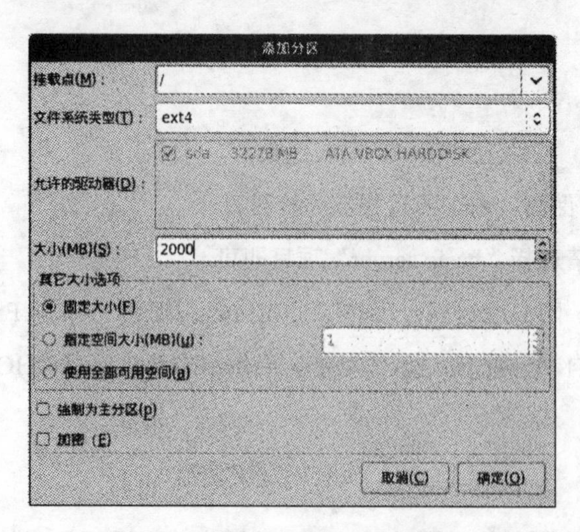

图 1-3 分割的参数下达示意图

14） 依据前面的分区规划，持续进行上述的动作，将所有的分割都处理完毕，除了 /home 之外。

15） 由于 /home 想要使用 LVM 的方式来建立文件系统，因此点选“创建”后，选择“**LVM 物理卷**”项目，按下生成，在出现的分区窗口中容量填写“5000MB”，如图 1–4 所示。

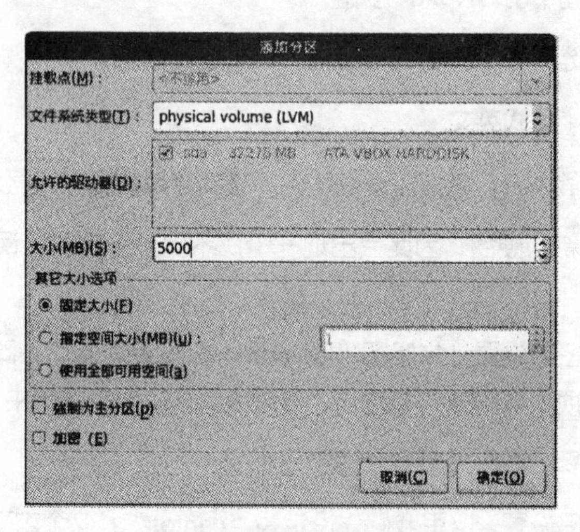

图 1-4 划分 LVM 分区

接下来回到原本的分区界面后，按下“创建”并选择“**LVM 卷组**”项目，在出现的界面中，卷组名称填写“server”，并且在右下方的逻辑卷部分按下“添加”，又会额外出现一个窗口，此时就填入 /home 的相关参数。注意，逻辑卷标我们这里设定为“myhome”，如图 1–5 所示。

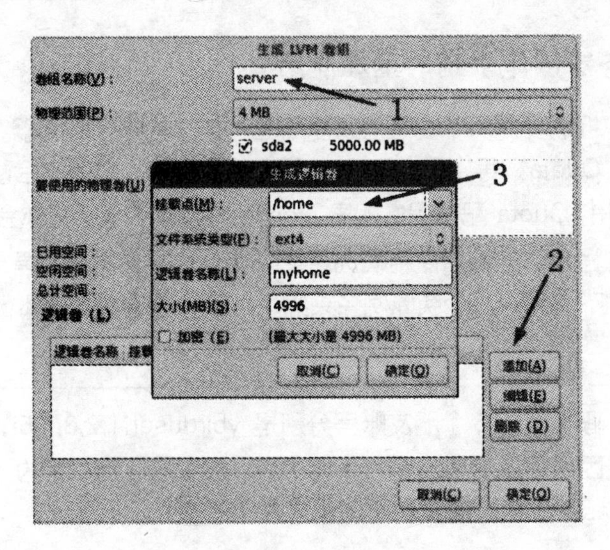

图 1-5 建立最终的 LVM 的 LV 与 /home

回到原本的分区界面，最终的显示如图 1-6 所示，然后单击“下一步”按钮继续。但由于新建分区需要格式化，所以又会出现一个警告窗口！选择“**格式化**”以及“**将修改写入磁盘**”。

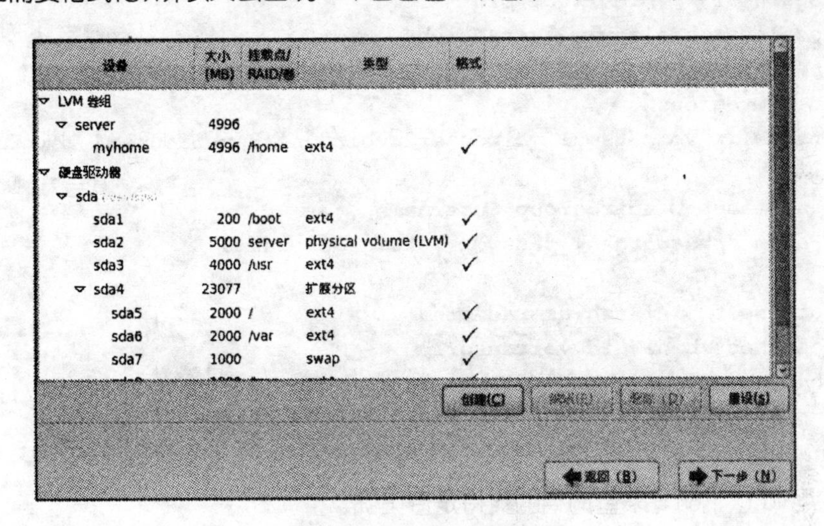

图 1-6 分区的最终结果

16） 出现装载引导程序操作，都使用默认值即可，单击“**下一步**”按钮。

17） 出现安装类型，因为我们主机的角色为服务器，因此选择“Basic Server”项目；其他项目保留默认，然后单击“下一步”按钮就开始进行安装程序了。

18） 经过一段时间的等待，出现重新启动提示后，就可以重新启动了，启动前要记得将 DVD 拿出来喔。鸟哥第一次安装后，竟然发现电源管理有问题，要在 kernel 处增加 noapic 才能顺利开机。

19） 装好并重新启动后，就会进入 runlevel 3 的纯文本界面。

1.2.2.3 服务器操作系统的基本使用

既然我们这部主机需要提供不同账号来使用他们自己的网络驱动器，因此还需要建立账号、使用磁盘配额（Quota）等。那么你会不会建立账号呢？你会不会配置共享目录呢？你能不能处理每个账号的 Quota 配额呢？如果 /home 的容量不足了，你会不会扩充 /home 的容量呢？有没有办法将系统的磁盘使用情况定期以邮件的形式发送给管理员呢？这些都是基本的维护行为。我们下面就以几个实际例子来练习一下，看看你的基本能力。

例题

批量创建账号：假设我的 5 个朋友账号分别是 vbirduser{1,2,3,4,5}，且这 5 个朋友未来想要共享一个目录，因此应该要加入同一个用户组，假设这个用户组为 vbirdgroup，且这 5 个账号的密码均为 password 。那该如何创建这 5 个账号？

答：你可以写一个脚本程序来进行上述的工作。

```
[root@localhost ~]# mkdir bin
[root@localhost ~]# cd /root/bin
[root@localhost bin]# vim useradd.sh
#!/bin/bash
groupadd vbirdgroup
for username in vbirduser1 vbirduser2 vbirduser3 vbirduser4 vbirduser5
do
        useradd -G vbirdgroup $username
        echo "password" | passwd --stdin $username
done
[root@localhost bin]# sh useradd.sh
[root@localhost bin]# id vbirduser1
uid=501(vbirduser1)gid=502(vbirduser1)groups=502(vbirduser1),501(vbirdgroup)
context=root:system_r:unconfined_t:SystemLow-SystemHigh
```

最后利用 id 这个命令来查询组的支持是否正确。

例题

共享目录的权限：这 5 个朋友的共享目录位于 /home/vbirdgroup 这个目录，这个目录只能给这 5 个人使用，且每个人均可在该目录内进行任何操作，而其他人则无权使用（没有权限）该目录，那该如何设置这个目录的权限呢？

答：考虑到共享目录，因此目录需要有 SGID 的权限才行，否则个别组的数据会让这 5 个人之间彼此无法修改对方的数据。因此需要这样做：

```
[root@localhost ~]# mkdir /home/vbirdgroup
[root@localhost ~]# chgrp vbirdgroup /home/vbirdgroup
[root@localhost ~]# chmod 2770 /home/vbirdgroup
[root@localhost ~]# ll -d /home/vbirdgroup
drwxrws---. 2 root vbirdgroup 4096 2011-07-14 14:49 /home/vbirdgroup/
# 上面加粗字体的部分就是需要注意的部分！特别注意那个权限的 s 功能。
```

例题

Quota 操作：假设这 5 个用户均需要进行磁盘配额限制，每个用户的配额为 2GB（hard）以及 1.8GB（soft），该如何处理？

答：该操作实现起来比较复杂，因为必须要包括文件系统的支持、Quota 数据文件设置、Quota 启动、建立用户 Quota 信息等过程。整个过程在基础篇已经讲过了，这里快速地带领大家操作一次吧！

```
# 1. 启动 filesystem 的 Quota 支持
[root@localhost ~]# vim /etc/fstab
UUID=01acf085-69e5-4474-bbc6-dc366646b5c8 /      ext4  defaults  1 1
UUID=eb5986d8-2179-4952-bffd-eba31fb063ed /boot  ext4  defaults  1 2
/dev/mapper/server-myhome /home     ext4  defaults,usrquota,grpquota  1 2
UUID=605e815f-2740-4c0e-9ad9-14e069417226 /tmp   ext4  defaults  1 2
....(以下省略)....
# 因为是要处理用户的磁盘，所以采用的是 /home 这个目录来进行限额。
# 另外，CentOS 6.x 以后，默认使用 UUID 的磁盘代号而非使用文件名。
# 不过，你还是能使用类似 /dev/sda1 之类的文件名！
[root@localhost ~]# umount /home; mount -a
[root@localhost ~]# mount | grep home
/dev/mapper/server-myhome on /home type ext4 (rw,usrquota,grpquota)
# 完成后使用 mount 去检查一下 /home 所在的 filesystem 有没有上述的挂载属性！

# 2. 制作 Quota 配额文件，并启动文件系统的 Quota 支持
[root@localhost ~]# quotacheck -avug
quotacheck: Scanning /dev/mapper/server-myhome [/home] done
....(以下省略)....
# 会出现一些错误的警告信息，但那是正常的！出现上述的提示信息就对了！
[root@localhost ~]# quotaon -avug
/dev/mapper/server-myhome [/home]: group quotas turned on
/dev/mapper/server-myhome [/home]: user quotas turned on

# 3. 为用户定义 Quota 配额
[root@localhost ~]# edquota -u vbirduser1
Disk quotas for user vbirduser1 (uid 500):
```

```
  Filesystem                   blocks    soft      hard    inodes  soft  hard
  /dev/mapper/server-myhome        20  1800000  2000000        5     0     0
# 因为 Quota 使用的单位是 KB ，所以这里要补上好多 0，看得眼都花了。

[root@localhost ~]# edquota -p vbirduser1 vbirduser2
# 持续作几次，将 vbirduser{3,4,5} 全部添加上去！

[root@localhost ~]# repquota -au
*** Report for user quotas on device /dev/mapper/server-myhome
Block grace time: 7days; Inode grace time: 7days
                        Block limits                File limits
User            used    soft    hard  grace    used  soft  hard  grace
----------------------------------------------------------------------
root      --      24       0       0              3     0     0
vbirduser1 --     20 1800000 2000000              5     0     0
vbirduser2 --     20 1800000 2000000              5     0     0
vbirduser3 --     20 1800000 2000000              5     0     0
vbirduser4 --     20 1800000 2000000              5     0     0
vbirduser5 --     20 1800000 2000000              5     0     0
# 看到了吗？上述的结果就是发现了设定的 Quota 值了！整个流程就是这样！
```

例题

文件系统的扩充（LVM）：假设我们的 /home 不够用了，想要将 /home 扩充到 7GB 可行不可行呢？

答：因为当初就担心这个问题，所以 /home 被定义为使用 LVM 的方式进行管理。此时我们要来瞧瞧 VG 够不够用。如果够用的话，那就可以继续进行；如果不够用，就需要从 PV 着手了！整个流程可以是这样来观察的。

```
# 1. 先看看 VG 的量够不够用
[root@localhost ~]# vgdisplay
  --- Volume group ---
  VG Name               server
  System ID
  Format                lvm2
....(中间省略)....
  VG Size               4.88 GiB   <==只有区区 5G 左右
  PE Size               4.00 MiB
  Total PE              1249
  Alloc PE / Size       1249 / 4.88 GiB
  Free  PE / Size       0 / 0      <==完全没有剩余的容量了！
  VG UUID               SvAEou-2quf-Z1Tr-Wsdz-2UY8-Cmfm-Ni0Oaf
# 真惨！已经没有多余的 VG 容量可以使用了；因此，我们需要增加 PV 才行。
```

```
# 2. 开始制作出作为 PV 用的 partition
[root@localhost ~]# fdisk /dev/sda  <==详细流程我不写了，自己瞧吧！

Command (m for help): p
   Device Boot      Start     End      Blocks   Id  System
....(中间省略)....
/dev/sda8            1812    1939     1024000   83  Linux <==最后一个柱面

Command (m for help): n
First cylinder (1173-3264, default 1173): 1940  <==上面查到的柱面值加 1
Last cylinder, +cylinders or +size{K,M,G} (1940-3264, default 3264): +2G

Command (m for help): t
Partition number (1-9): 9
Hex code (type L to list codes): 8e

Command (m for help): p
   Device Boot  Start    End   Blocks   Id  System
/dev/sda9        1940   2201  2104515  8e  Linux LVM <==得到 /dev/sda9

Command (m for help): w

[root@localhost ~]# partprobe <==在虚拟机上面需要 reboot 才行！

# 3. 将 /dev/sda9 加入 PV，并将该 PV 加入 server 这个 VG
[root@localhost ~]# pvcreate /dev/sda9
[root@localhost ~]# vgextend server /dev/sda9
[root@localhost ~]# vgdisplay
....(前面省略)....
  VG Size               6.88 GiB        <==这个 VG 最大就是 6.88G
....(中间省略)....
  Free  PE / Size       513 / 2.00 GiB <==有多出 2GB 的容量可用了！

# 4. 准备扩充 /home，开始前，还是先观察一下才增加 LV 容量较好
[root@localhost ~]# lvdisplay
  --- Logical volume ---
  LV Name                /dev/server/myhome <==这是 LV 的名字！
  VG Name                server
....(中间省略)....
  LV Size                4.88 GiB  <==只有 5GB 左右，需要增加 2GB
....(下面省略)....
# 看起来，是需要增加容量了！我们使用 lvresize 来扩大容量吧！

[root@localhost ~]# lvresize -L 6.88G /dev/server/myhome
  Rounding up size to full physical extent 6.88 GiB
```

```
  Extending logical volume myhome to 6.88 GiB  <==处理完毕了。
  Logical volume myhome successfully resized
# 看来确实是扩大到 6.88GB 了，开始处理文件系统吧！

# 5. 扩充文件系统
[root@localhost ~]# resize2fs /dev/server/myhome
resize2fs 1.41.12 (17-May-2010)
Filesystem at /dev/server/myhome is mounted on /home; on-line resizing required
old desc_blocks = 1, new_desc_blocks = 1
Performing an on-line resize of /dev/server/myhome to 1804288 (4k) blocks.
The filesystem on /dev/server/myhome is now 1804288 blocks long.

[root@localhost ~]# df -h
文件系统            Size  Used Avail Use% 挂载点
/dev/mapper/server-myhome
                    6.8G  140M  6.4G   3% /home
....(其他省略)....
# 可以看到文件系统确实扩充到 6.8G 了。
```

做完上面的操作之后，现在你知道为什么在基础篇的时候，我们一直强调一些有用的不能没有？因为那些东西在这里都用的上！如果本章这些内容你都不会，甚至连为什么要做这些东西都不懂的话，那得赶紧回去阅读基础篇。

1.2.2.4 服务器内部的资源管理与防火墙规划

你可知道本章的第一个例子安装好了 Linux 之后，系统到底开放了多少服务？这些服务有没有对外面的世界开放监听？这些服务有没有漏洞或者是能不能进行网络在线更新？这些服务如果没有用到，能不能关闭？此外，这些服务能不能仅开放给部分的原用户而不是对整个 Internet 开放？这都是需要了解的。接下来我们就以几个小案例来了解一下，到底哪些数据是必须要熟悉的。

例题

不同 runlevel 下服务的管理：在当前的 runlevel 之下，有哪些服务是默认启动的呢？此外，如果我的系统当前不想启动自动网络挂载（autofs）机制，则如何让该服务在系统启动时不被自动加载启动呢？

答：默认的 runlevel 可以使用 runlevel 这个命令来处理，那我们默认使用 3 号的 runlevel，因此可以这样做：

```
[root@localhost ~]# LANG=C chkconfig --list | grep '3:on'
```

在上面命令的输出信息中，会有 autofs 服务是在启动的状态，如果想要关闭它，可以这样做：

```
[root@localhost ~]# chkconfig autofs off
[root@localhost ~]# /etc/init.d/autofs stop
```

上面提到的只是已经启动的服务，如果想要了解已启动的网络监听服务（网络监听服务在下章会谈到），那该如何处理？可以参考下面这个练习题。

例题

查询已启动的网络监听服务：我想要检查当前我这台主机启动的所有网络监听服务有哪些，并且关闭不需要的网络监听程序，该如何进行？

答：网络监听服务及其所使用的端口情况，可以使用如下方式查询到：

```
[root@localhost ~]# netstat -tulnp
Active Internet connections (only servers)
Proto Recv-Q Send-Q Local Address   Foreign Address   State  PID/Program name
tcp        0      0 0.0.0.0:111       0.0.0.0:*       LISTEN 1005/rpcbind
tcp        0      0 0.0.0.0:22        0.0.0.0:*       LISTEN 1224/sshd
tcp        0      0 127.0.0.1:25      0.0.0.0:*       LISTEN 1300/master
tcp        0      0 0.0.0.0:35363     0.0.0.0:*       LISTEN 1023/rpc.statd
tcp        0      0 :::111            :::*            LISTEN 1005/rpcbind
tcp        0      0 :::22             :::*            LISTEN 1224/sshd
tcp        0      0 ::1:25            :::*            LISTEN 1300/master
tcp        0      0 :::36985          :::*            LISTEN 1023/rpc.statd
udp        0      0 0.0.0.0:5353      0.0.0.0:*              1108/avahi-daemon:
udp        0      0 0.0.0.0:58474     0.0.0.0:*              1108/avahi-daemon:
....(以下省略)....
```

现在假设想要关闭 avahi-daemon 这个服务以删除该服务所使用的端口，该操作应该要如同上题一样，利用 /etc/init.d/xxx stop 关闭，再使用 chkconfig 去处理开机不启动的行为。不过，因为启动的服务名称与实际命令可能不一样，我们在 netstat 上面看到的 program 项目是实际程序的执行文件，可能与 /etc/init.d/ 下面的服务脚本文件名不同，因此可能需要使用 grep 去撷取数据，或者通过 tab 按键去取得相关的服务文件名才行。

```
[root@localhost ~]# /etc/init.d/avahi-daemon stop
[root@localhost ~]# chkconfig avahi-daemon off
```

我们常常会开玩笑说，如果对外开放的软件没有更新，那防火墙形同虚设。所以，软件更新是相当重要的。在 CentOS 内，我们已经有 yum 来进行在线更新了，你当然可以自己利用更改配置文件来指定 yum 要去查询的镜像站点（mirror site），不过这里鸟哥建议使用默认的设定值即可，因为系统会主动判断较近的镜像站点（虽然常常会误判），不需要人工微调。

例题

利用 yum 进行系统更新： 假设你的网络已经通了，目前你想要进行整个系统的更新，同时需要每天凌晨 2:15 自动进行整个系统的更新，该怎样做？

答： 整个系统更新使用 yum update 即可。但是由于 yum update 需要用户手动输入 y 去确认所要进行的安装，因此在 crontab 里定义相关的任务时，就需要使用 yum –y update 了。

```
[root@localhost ~]# yum -y update
# 第一次进行该操作会有一个较长的等待时间！因为系统有些数据要更新！

[root@localhost ~]# vim /etc/crontab
15 2 * * * root /usr/bin/yum -y update
```

不过这里还是要额外提醒一下，如果你的系统曾经更新过内核（kernel）这个软件，务必要重新启动，因为内核是在开机时加载的，一经载入就无法在这次的操作中更改版本。

对于 crontab 文件的处理，以及 crontab –e 命令的应用、内容的写法、字段值的定义，请自行参考基础篇的说明。

在通过了上述的各项设置后，我们的 Linux 系统应该是比较稳定了，再接下来，我们要开始来配置资源的保护了。例如 ssh 这个远程登录服务需要限制住可登录的源 IP，以及制订防火墙规则等。这部分则是本书后续要着重介绍的部分，留待后面章节再来详述。

> 程序设计师所撰写的程序并非十全十美，所以，总是可能有些地方没有设计好，因此就造成所谓的“程序漏洞”。程序漏洞所造成的问题有大有小，小问题可能是造成主机的宕机，大问题则可能造成主机的机密数据外流，或者主机的控制权被 cracker 取得。在现今网络发达的年代，程序的漏洞问题已成为主机被攻击、入侵的最主要因素之一了。因此，快速、有效地针对程序漏洞进行修补，是一个很重要的维护课题。

1.2.2.5 服务器软件设置：学习设置技巧与开机是否自动执行

这部分是整个服务器搭建篇的重要内容。前一小节也曾谈过，在服务器搭建部分你需要熟悉相当多的信息，否则未来维护会显得很麻烦。我们以本章提到的大前提为例，若想要提供一个网络文件服务器，那么网络文件服务器使用的机制有哪些呢？常见的除了网页形式的共享磁盘之外，还有常见的网上邻居以及 Linux 的 NFS 方式（后面章节都会陆续谈到）。

假设局域网内的操作系统大部分是 Windows ，因此网上邻居应该是个比较合理的磁盘共享机制。那么网上邻居究竟启动了几个端口？是如何持续提供网上邻居数据的？访问的账号有没有限制？访问的权限该如何设置？ 是否可规定谁可以登录某些特定目录？针对网上邻居服务的端口该如何设置防火墙？如果系统出错该如何查询错误信息？ 这个网上邻居在 Linux 下要使用什么服务来实现？这都是需要学习的。

事实上，网上邻居的实现在 Linux 环境中是由 Samba 这套软件来完成的。Samba 的详细设置我们会在后续章节介绍。 这里要告诉你的是，搭建一个网上邻居服务器，你应该要掌握的基础知识有哪些？以及告诉你，你可以背下来的搭建流程中，理论上应该要经过哪些步骤与过程，这样对你未来处理服务器设置时才会有点帮助。

1. 软件安装与查询

以上让我们已经知道网上邻居需要安装的是 Samba 这个软件，那么该如何查询有没有安装呢？如果没有安装又该如何安装呢？ 那就来做处理。

例题

查询你的系统中有没有 Samba 这个软件，若无，请自行查找与安装该软件。

答：已安装的软件可以使用 rpm 去查询，尚未安装的则可以使用 yum 功能。所以可以这样操作：

```
[root@localhost ~]# rpm -qa | grep -i samba
samba-common-3.5.4-68.el6_0.2.x86_64
samba-client-3.5.4-68.el6_0.2.x86_64
samba-winbind-clients-3.5.4-68.el6_0.2.x86_64
# 看起来 samba 主程序尚未被安装！此时就要这样做：

[root@localhost ~]# yum search samba   <==先查一下有没有相关的软件
[root@localhost ~]# yum install samba  <==找到之后，那就安装吧！

# 那么如何找出配置文件呢？因为我们总是需要修改配置文件，可以这样做：
[root@localhost ~]# rpm -qc samba samba-common
/etc/logrotate.d/samba
/etc/pam.d/samba
/etc/samba/smbusers
/etc/samba/lmhosts
/etc/samba/smb.conf
/etc/sysconfig/samba
```

2. 服务器的基本配置与相关配置

这部分有点麻烦，因为你要清楚地知道，你到底需要的服务是什么，针对该服务需要设置的项目有哪些？这些设置需要用到什么命令或配置文件等。一般来说，你需要先察看这个服务使用的通信协议是什么，然后了解该如何设置，接下来编辑主配置文件，根据主配置文件的数据去执行相对应的命令来取得正确的环境设置。以我们这里的网上邻居为例，我们需要设置工作组，然后需要设置可以使用网上邻居的身份为非匿名，接下来就能够开始处理主配置文件。因此需要：

i. 先使用 vim 去编辑 /etc/samba/smb.conf 配置文件。

ii. 利用 useradd 建立所需要的网上邻居实体用户。

iii. 利用 smbpasswd 建立可用网上邻居的实体账户。

iv. 利用 testparm 测试一下所有数据语法是否正确。

v. 检查看看在网上邻居内共享的目录权限是否正确。

这些设置都完成之后，才能够继续进行启动与观察的动作！而想要了解更多关于 Samba 的相关配置技巧与应用，除了 Google 之外，/usr/share/doc 内的文件，以及 man 这个好用的家伙的文档都必须要去阅读一番。

3. 服务器的启动与观察

在设置妥当之后，接下来当然就是启动该服务器了。一般服务器的启动大多是使用 stand alone 的模式，如果是比较少用的服务，如 Telnet，就比较有可能使用到 super daemon 的服务启动类型。我们这里依旧以 Samba 为例，来看看如何启动它吧。

例题

如何启动 Samba 这个服务？并且设置好开机就启动它。

答：想要了解如何启动，需要使用 rpm 去找一下软件的启动方式，然后再去处理启动的行为。

```
# 先查询一下启动的方式是什么：
[root@localhost ~]# rpm -ql samba | grep '/etc'
/etc/logrotate.d/samba
/etc/openldap/schema
/etc/openldap/schema/samba.schema
/etc/pam.d/samba
/etc/rc.d/init.d/nmb
/etc/rc.d/init.d/smb   <==所以说是 stand alone 且文件名为 smb、nmb 两个！
/etc/samba/smbusers
```

```
# 开始启动它，且设置为开机就启动。
[root@localhost ~]# /etc/init.d/smb start
[root@localhost ~]# /etc/init.d/nmb start
[root@localhost ~]# chkconfig smb on
[root@localhost ~]# chkconfig nmb on
# 接下来，让我们观察一下有没有启动相关的端口。
[root@localhost ~]# netstat -tlunp | grep '[sn]mbd'
tcp    0    0 :::139              :::*           LISTEN    1484/smbd
tcp    0    0 :::445              :::*           LISTEN    1484/smbd
udp    0    0 0.0.0.0:137         0.0.0.0:*                1492/nmbd
udp    0    0 0.0.0.0:138         0.0.0.0:*                1492/nmbd
```

最终我们可以看到启动的端口为 137，138，139，445。

4. 客户端的连接测试

接下来就是要找一台机器作为客户端，然后尝试使用该机器提供的网上邻居的功能，这样才能够了解配置的对错。相关的客户端连接与服务器提供的服务有关，例如 WWW 服务器就要使用 browser 去测试，网上邻居当然就需要使用网上邻居客户端程序，这部分也是本服务器篇要讲的基本内容。

但是很多时刻，客户端连接测试不成功并非是服务器配置的问题，很多是由于客户端使用方式不对，包括客户端自己的防火墙没开、客户端的账号权限密码等记错等。总体来说：**"教育你的 Client 用户具有最基础的 Linux 账号、组、文件权限等概念，才是一个彻底解决问题的方法"**，但这也是最难的部分。

5. 错误的解决与查看日志文件

一般来说，如果 Linux 上面的服务出现问题，通常会在屏幕上面直接提示错误的原因为何，所以你要注意屏幕信息。屏幕信息通常就已经告诉你该如何处理了。如果还不能处理，可以参考下面的方法来发现错误的原因：

- 先看看相关日志文件有没有错误信息，举例来说，Samba 除了会在 /var/log/messages 里面列出相关信息外，大部分的日志信息应该是放置在 /var/log/samba/ 这个目录下，因此你就得先去查阅一番。通常在日志文件内的信息，会比在屏幕上的还要详细。
- 将信息带入 Google 查询，通常可以解决日志中出现的但是你没有办法解决的问题，达标率可达 95% 以上。
- 如果还是不成功，那就到各大讨论区去发问吧，建议到酷学园（http://phorum.study-area.org）。

◆ 最常出现的其实是 SELinux 的错误。此时就需要使用 SELinux 的方法来尝试处理了，这也是本服务器篇后续会稍微提到的内容。

经过上面的流程可知，搭建好一台主机需要知道：**①各个 process 与 signal 的观念；②账号与组的概念与相关性；③文件与目录的权限，这当然包含与账号相关的特性；④软件管理的学习；⑤Bash 的语法与 Shell Scripts 的语法，还有很重要的 vim；⑥开机的流程分析，以及日志文件的设置与分析；⑦还要知道类似 Quota 以及文件系统连接等的概念**。需要知道的很多，而且还是不能省略的步骤。

1.2.2.6 详细权限与 SELinux

如果有些特殊的使用情况时，权限配置就是个很重要的因素。举例来说，我们系统上面，现在有 vbirduser{1,2,3,4,5} 以及 student 等账号，而共享目录为 /home/vbirdgroup。现在，vbirdgroup 的组想要让 student 这个用户可以进入该共享目录查阅，但是不能够更改他们原本的数据，你该如何进行呢？你或许可以这样想：

- 让 student 加入 vbirdgroup 群组即可。但如此一来，student 具有 vbirdgroup 的 rwx 权限，也就可以写入与修改，因此这个方案行不通。
- 将 /home/vbirdgroup 的权限改为 2775 即可。如此一来 student 拥有其他人的权限（rx），但其他所有任何人均拥有 rx 权限，这个方案也行不通。

传统的身份与权限概念就只有上面两种解决方案，我们没有办法针对 student 进行权限设定，此时就需要使用 ACL 了。

例题

单一用户、组的权限设定 ACL：想要让 student 可以进入 /home/vbirdgroup 进行查询，但不可写入。同时 vbirduser5 在 /home/vbirdgroup 内，不具有任何权限。

答：只能使用 ACL。由于安装时默认的格式化就加上 acl 的文件系统功能支持，因此你可以直接处理如下的各项指令。如果你是使用后来新添加的 partition 或 filesystem，或许需要在 /etc/fstab 内额外增加 acl 控制参数才行。

```
[root@localhost ~]# useradd student
[root@localhost ~]# passwd student
[root@localhost ~]# setfacl -m u:student:rx /home/vbirdgroup
[root@localhost ~]# setfacl -m u:vbirduser5:- /home/vbirdgroup
[root@localhost ~]# getfacl /home/vbirdgroup
# file: home/vbirdgroup
# owner: root
# group: vbirdgroup
# flags: -s-
user::rwx
```

```
user:vbirduser5:---
user:student:r-x       <==就是这两行，额外的权限参数。
group::rwx
mask::rwx
other::---

[root@localhost ~]# ll -d /home/vbirdgroup

drwxrws---+ 2 root vbirdgroup 4096 2011-07-14 14:49 /home/vbirdgroup
```

上面说的是正确的权限控制行为。那万一系统管理员并不知道权限的重要性时，常常会因为某些特殊需求，就将整个目录设定为 777 的情况！举例来说，如果是一个不怎么想要负责的网管人员，为了自己方便、大家方便，就将 /home/vbirdgroup 设定为 777，认为大家都喜欢。此时，如果你没有加上任何管理机制，呵呵！这个组成员工作的成果，通通可以被大家所窃取，真是要命了！

为了预防这种心不在焉的管理员，于是就有了 SELinux。SELinux 主要在控制特殊的权限，它可以针对某些程序要读取的文件来设计 SELinux 类别，当程序与文件的类别形态可以相符合时，该文件才能够开始被读取。如此一来，当你配置文件的权限为 777，但是因为程序与文件的 SELinux 不符，所以没关系的，因为该程序还是读不到该文件。所以我们在图 1-1 才会将 SELinux 的图示绘制到 daemon 与 file permission 中间。

事实上 SELinux 还挺复杂的，但是我们如果仅是想要应用而已，那么 SELinux 的处理方式全部可以通过日志来处置！所以 SELinux 出现问题的机会非常大，但是解决技巧却很简单，就是通过日志内的说明去做即可。详细的做法我们在后续章节再持续讲解。

1.2.3　系统安全与备份处理

老实说，以鸟哥管理服务器的经验来说，硬件问题要比操作系统与软件问题还来得严重，而人的问题又比硬件问题严重。举例来说，如果你的老板跟你说："我要的账号是 eric，而且我的密码也要是 eric！这样比较好记嘛！"这时你应该要怎样处理呢？你要教育自己说服老板别这样。

因此，在系统安全方面，首要的工作是通过日常生活的社交活动中，慢慢透露一些安全方面的困扰，并提供老板一些制订安全规则方面的信息，这样未来比较好鼓吹安全条件的制订。下面我们就先由严格的密码来建议。

"猜密码"仍是一个不可忽视的入侵手段。例如 SSH 如果对 Internet 开放的话，你又没有将 root 的登录权限关闭，那么对方将可能以 root 尝试登录你的 Linux 主机，这个时候对方最重要的步骤就是猜出你 root 的密码了。如果你 root 的密码设定成“1234567”想不被人侵都很难！所以当然需要严格的规范用户密码的设置。那么如何规范严格的密码规则呢？可以使用①修改 /etc/login.defs 文件里面的规则，以让用户需要每半年更改一次密码，且密码长度需要大于 8 个字符！②利用 /etc/security/limits.conf 来规范每个用户的相关权限，让你的 Linux 可以较为安全一点。③利用 pam 模块来额外的进行密码的验证工作。

另外，虽然“防火墙无用论”常常被提及，但是 netfilter（Linux 的核心内置防火墙）其实仍有它存在的必要。因此你还是要根据你自己的主机环境来设计专属于自己的防火墙规则，例如上面提到的 SSH 服务中，你可以仅针对某个局域网络或某个特定 IP 开放连接功能即可。

最后，备份是不可忽略的一环。本节开头就讲到了，鸟哥遇到过常常莫名其妙自动重开机或系统不稳，经常都不是被攻击，而是硬件内部的电子元件老化所造成的系统不稳定……此时，冗余备份、备用机器的接管等，就显得很重要了。

例题

系统中比较重要的目录有 /etc、/home、/root、/var/spool/mail 等，你现在想要在每天 2:45am 进行备份，且备份数据存到 /backup 内，并使用 tar 将备份数据打包，那该如何处理？

答：鸟哥通常是使用 Shell Script 来进行备份数据的汇总，范例如下：

```
[root@localhost ~]# mkdir /root/bin; vim /root/bin/backup.sh
#!/bin/bash
backdir="/etc /home /root /var/spool/mail"
basedir=/backup
[ ! -d "$basedir" ] && mkdir $basedir
backfile=$basedir/backup.tar.gz
tar -zcvf $backfile $backdir

[root@localhost ~]# vim /etc/crontab
45 2 * * * root sh /root/bin/backup.sh
```

无论如何，以现今的网络功能及维护来看，**搭建一个“功能性强”的主机，还不如搭建一个“稳定且安全的主机”比较好一点**！因此，对于主机的安全要求就需要严格的要求。就鸟哥的观点来看，如果你的主机是用来替你赚钱的，例如某些研究单位的大型 Cluster 运算主机，那么即使搭建一个甚至让你觉得很不方便的防火墙系统，都是合理的手段。因为主机被人侵就算了，若数据被窃取，那可不是闹着玩的。

由上面的整个服务搭建流程来看，由规划到安装、主机设置、账号与文件权限的管理、后续安全性维护与管理以及重要的备份工作等等，必须每个环节都很清楚，才能够配置出一个较为稳定且可正常工作的服务器。而上面的每一个工作都涉及相当多的 Linux 基础操作与相关的概念。所以说，**想要学服务器配置，绝对不能省略了 Linux 的基础知识的学习，这也是为什么我们一再强调 Linux 新手不要一头栽入想要单纯搭建服务器的迷思当中！**如果你对于上面谈到的几个基础概念不是很清楚的话，那么建议你由下面的两个网站学起：

- http://www.study-area.org
- http://linux.vbird.org

1.3　自我评估是否已经具备服务器搭建的能力

网管人员需要什么能力？我想，搭建几个服务器跟做一个称职的网管人员，相差还是很远的。搭建服务器是一件很简单的事情，看着书本一步一步地做下去，一定可以成功的。但是，很多人都只晓得"**如何搭建服务器**"却不知道"**如何维护一个站点的安全**"。事实上，维护一个已经搭建好的站点的正常运作，真的要比搭建一个站点难多了。你需要随时知道你的系统状况，随时注意是否有新的软件漏洞而去修补它，随时注意各种服务的日志文件（logfile）以了解系统的运行情况。得知道发生问题的时候，到底问题是出现在哪里。比如说宕机了，那么你知道宕机的原因吗？即使不知道，也要能猜得出来大致哪个地方出了问题。如果安全出了问题，被入侵了，除了 **format + 重装**之外，能有办法在不删除系统的情况下修补漏洞吗？这些都是网管人员需要学习的。而且，通常都是需要经验的累积才会知道问题的所在。此外，保持身心的活力，随时注意在线公布的安全防护信息等。

此外，网管人员其实最需要的是"**道德感与责任感**"。你要知道机器上所有人的隐私都在你的监控之下，如果你本身就已经有偷窥欲的话，这就很可怕了。另外，如果没有责任感的人作为一个网管，可能会疯掉，因为不论何时何地，只要是你监控的主机出了问题，你一定是第一个被想到的人物。所以，你得随时随地做好会被召唤回主机面前的心理准备。更可笑的是，如果你服务的人群中，有几个连开机的时候软盘驱动器塞了一块不可开机的软盘，导致无法正常开机，也都会跟你抱怨说"**嘿！你经手的计算机怎么这么烂，动不动就不能开机**"的时候，你需要有容人的雅量，说说冷笑话解解闷吧。总之，网管人员并不是只要会搭建服务器就可以了，道德感、责任感还有耐心，这些都是必须的。

好了，如果你了解了上面鸟哥所想要表达的想法之后，接下来详估一下，看你是否适合当一个称职的网管人员吧！

1. 是否具有 Linux 的基础概念

这应当包含很多部分，例如账号管理、BASH、权限的概念、Process 与 signal 的概念、简易的硬件与 Linux 相关性（如 mount）的认识、日志文件的解析、daemon 的认识等等，都需要有一定程度的了解。

2. 是否具备基础网络知识

没有网络知识想要管理服务器，那是天方夜谭。请确认你已经熟悉 IP、Netmask、route、DNS、daemon 与 port、TCP 数据包的概念等基础知识。

3. 是否能全身心投入

网管人员必须要随时注意网站的相关信息，这包括网站软件的漏洞修补、网络上公告的网络安全通报等，还有，必须每天分析主机的登录文件，你是否已经具备了随时注意这些信息的“耐心”呢？

4. 是否具有道德感与责任感

如果你还是具有一点点的偷窥欲，努力克服吧。另外，如果老板想要请你“偷窥”时，请想尽任何方法，让他理解这么做是多么的可笑。

最后再强调一次，搭建一个 Linux 服务器是很简单的，但是维护的工作除了全身心投入，还要拥有高标准的道德感，否则……网站倒塌是可以预见的一个后果。

第2章 网络的基本概念

你的服务器是放到网络上来提供服务的，所以，如果没有网络或者是网络不通，那么你的服务器当然是英雄无用武之地了。此外，服务器上的网络服务都是用来实现某项因特网的通信协议，以提供相对应的服务。所以，你当然需要掌握这个最基本的网络概念，否则，当服务器的服务出现问题时，就不知道该如何解决了。这部分最重要的是 TCP/IP 与 OSI 七层协议的相关概念了，这部分很难。在这一章中，鸟哥以较为口语的方式来介绍这些基础网络架构，希望能帮助朋友们快速了解网络的基本概念。当然，想要更深入地了解网络相关功能的话，本章最后的参考资料可以仔细阅读。

2.1 网络

全世界的人种多样，人类使用的语言种类也很多。那如果你想要跟外国人沟通时，除了指手画脚之外，你要如何跟对方讲话？大概只有两种方式，一种是强迫他学中文，一种则是我们学他的语言，这样才能沟通。

这个观念延伸到网络上面也是行得通的，全世界的操作系统多得很，不是只有Windows/Linux系统而已，还有苹果计算机自己的操作系统，Unix like的操作系统也非常多！**那么多的操作系统（人种）要如何进行网络沟通（语言）呢？那就需要制订共同遵守的标准才行。这个标准是由国际组织规范的，你的系统里面只要提供可以加入该标准的程序代码，那你就能够通过这个标准与其他系统进行沟通。**所以，网络是跨平台的，并不是只有Linux才这么做！因此，这部分的内容学完后，是可以应用在所有操作系统上面的。

另外，本章节旨在引导网络新人快速进入网络的世界，所以鸟哥写得比较浅显一些，对于网络硬件与通信协议并没有被包含在本章内容中。如果你的求知欲已经高过本章节，那么请自行寻找适合你自己的书籍来阅读。当然，你也可以在因特网上面找到你所需要的内容。也可以参考在本章最后的参考文献。

2.1.1 什么是网络

我们都知道，**网络就是几部计算机主机或者是网络打印机之类的接口设备，通过网线或者是无线网络技术，将这些主机与设备连接起来，使得数据可以通过网络介质（网线以及其他网卡等硬件）来传输的一种方式。**请你想象一下，如果你家里只有计算机、打印机、传真机等机器，却没有网络连接这些硬件，那么使用上会不会很麻烦？如果将这个场景移到需要工作的办公室时，计算机的数据无法使用网络连接到打印机来打印，那是否很伤脑筋呢？是吧，想想就觉得很麻烦。不幸的是，这些麻烦事在20世纪70年代以前确实是存在的。

- 各自为政的“网络硬件与软件”技术发展：Ethernet & Token-Ring

  在1970年前后，为了解决这个烦人的数据传输问题，几个主要的与信息技术相关的公司都在研究各自的网络连接技术，以使自家的产品可以在办公室的环境下组织起来。其中比较有名的就是施乐公司的Ethernet技术，以及IBM研发的Token-Ring技术。但是这些技术都有个很大的问题，那就是它们彼此不认识对方的网络技术。也就是说，万一你的办公室购买了整合Ethernet技术的计算机主机，但是其他的计算机却是使用IBM的机器时，想要在这两者之间进行数据的沟通传输，在早期来说那是不可能的。

- 以“软件”技术将硬件整合：ARPANET & TCP/IP

  为了解决上述的网络硬件整合问题，在20世纪60年代末期美国国防部就开始研究一

个可以在这些不同的网络硬件上面运行的软件技术，使得不同公司的计算机或数据可以通过这个软件来实现数据沟通。这个研究由美国国防部远景规划局（Defense Advanced Research Project Agency，DARPA）负责，他们将该网络系统称为 ARPANET，这就是目前熟知的 TCP/IP 技术的雏形。在 1975 年左右，ARPANET 已可以在常见的 Ethernet 与 Token-Ring 等硬件平台下互通数据了。**DARPA 在 1980 年正式推出 TCP/IP 技术后，由于想要推广此项技术，因此与伯克利（Berkeley）大学合作，将 TCP/IP 植入著名的 BSD Unix 系统内**，由于大学乃是人才培养的摇篮，所以，TCP/IP 技术便吸引了越来越多的使用者投入其中研究开来，**而这种连接网络的技术也被称之为 Internet。**

没有任何约束的因特网：Internet

现在我们知道 Internet 就是使用 TCP/IP 的网络连接技术所连接起来的一个网络世界，在 20 世纪 80 年代之后由于对 E-mail 的需求以及浏览器图形接口的兴起，因此在计算机的世界中快速地蔓延。但是，Internet 有没有人管理呢？很不巧的是，Internet 的管理相当松散。只要你能够使用任何支持 TCP/IP 技术的硬件与操作系统，并且实际连接上网络后，你就进入 Internet 的世界了。在该世界当中，没有任何约束的限制和王法的保护，你的实际数据如果接上 Internet，在任何时刻都需要自己保护自己，免得中了“流弹”而受伤。

为什么说 Internet 没有王法呢？这是因为 Internet 仅是提供一个网络的连接接口，所以你只要连接上 Internet 后，全世界都可以任你遨游，不过也因为如此，“跨海”而来的攻击就成了简单的事件。简单说，中国的法律仅适用中国对吧？但是计算机黑客（cracker）可以在国外通过 Internet 对你的主机进行攻击，我们的法律可管不到国外地区啊！虽然可以通过很多国际渠道来寻求协助，不过，还是很难协助你缉拿凶手。因此，在你的主机要连上 Internet 之前，请先询问自己，真的是否有必要连上 Internet。

软硬件标准制定的成功带来的影响：IEEE 标准规范

现在我们常常听到“你要上网？那你要去买网卡，还需要连接到 Internet 才行。”这个网卡就是市面上随处可见的一个适配卡而已，至于连接 Internet 则是需要去向网络服务提供商（Internet Service Provider，ISP）申请账号密码，凭账号密码才能连接。问题是，是否就只有通过网卡与 Internet 才能上网？当然不是，网络硬件与软件非常多，不过，**最成功的却是以太网络（Ethernet）与 Internet，这是为什么呢？这两者的技术比较好吗？当然不是，这是因为这两者都被“标准”所支持的缘故。**

以太网络（Ethernet）最初是由施乐公司（Xerox PARC）所构建出来的，而后通过 DEC、Intel 与 Xerox 合作将以太网络标准化。**再经由 IEEE（Institute of Electrical and Electronic Engineers）这个国际著名的专业组织利用一个 802 的项目制定出标准，之后有 19 家公司宣布支持 IEEE 所发布的 802.3 标准**，并且到了 1989 年国际标准化组织 ISO（International Organization for Standard）将以太网络编入 ISO 8023 标准，这表示以太网络已经是一项公认的标准接口了，如此一来，大家都可以依据这个标准来设定与开发自己的硬件，只要硬件符合这个标准，理论上，它就能够加入以太网络的世界，所以，购买以太网络时，仅需要查看这个以太网卡支持哪些标准就能够知道这个硬件的功能有哪些，而不必知道这个以太网卡是由哪家公司所制造的。

标准是个很重要的东西，真要感谢这些维护标准的专业组织。当有公司想要开发新的硬件时，它可以参考标准组织所发布与维护的文件资料，通过这些文件数据，该公司就知道要制作的硬件需要符合哪些标准，同时也知道如何设计这些硬件，让它可以“兼容”于目前的机器，让使用者不会无所适从。软件也有标准，早期 Linux 在开发时就是通过了解 POSIX 这个标准来设计内核的，这使得 Linux 上可以执行大多数的标准接口软件。

除了硬件之外，TCP/IP 这个 Internet 的通信协议也是有标准的，这些标准大部分都以 RFC（Request For Comments）形式发布的标准文件。通过这些文件的帮助，任何人只要会写程序，就有可能开发出自己的 TCP/IP 软件，并且连接上 Internet。早期的 Linux 为了要连接上 Internet，Linux 团队就自己编写出 TCP/IP 的程序代码，借助的就是这些基础文件的标准依据。举例来说，RFC 1122 这个建议文件就指出一些可以连接到 Internet 的主机应该要注意的相关协议与基本需求，让想要编写网络应用程序的设计师有一个可遵循的标准方向。

2.1.2 计算机网络组成组件

接下来，让我们来谈谈组成计算机网络的组件有哪些？这些组件的定义是什么？我们首先应知道有哪些硬件，这有助于我们理解下面的内容。在这里，以图 2-1 来进行说明。

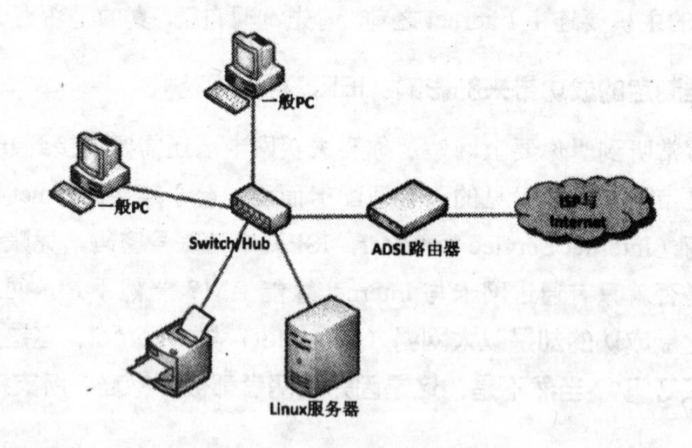

图 2-1 计算机网络连接示意图

在图中，我们重点需要注意到的硬件大致有以下几种：

- **节点（node）**：节点主要是具有网络地址（IP）的设备的统称，图 2-1 中的一般 PC、Linux 服务器、ADSL 调制解调器与网络打印机等都是网络中的节点，那集线器（Hub）是不是节点呢？因为它不具有 IP，因此不是节点。
- **服务器主机（server）**：就网络连接的方向来说，提供数据以“响应”给用户的主机，都可以被称为是一台服务器。例如，Yahoo 是个 WWW 服务器，Linux 内核的 FTP（ftp://ftp.kernel.org/pub/）是个文件服务器等。
- **工作站（workstation）或客户端（client）**：任何可以在计算机网络输入的设备都可以是工作站，若以连接发起的方向来说，主动发起连接去“要求”数据的，就可以称为是客户端（client）。例如，一般 PC 打开浏览器对 Yahoo 要求新闻数据，那一般 PC 就是客户端。
- **网卡（Network Interface Card, NIC）**：内置或者是外接在主机上面的一个设备，主要用于提供网络连接，目前大都使用具有 RJ-45 接口的以太网卡。一般节点上都具有一个以上的网卡，以实现网络连接的功能。
- **网络接口**：利用软件设计出来的网络接口，主要是提供网络地址（IP）的任务。一张网卡至少可以搭配一个以上的网络接口；而每部主机内部其实也都拥有一个内部的网络接口，那就是 loopback（lo）这个循环测试接口。
- **网络形态或拓扑（topology）**：各个节点在网络上面的链接方式，一般讲的是物理连接方式。例如，图 2-1 中显示的是一种被称为星形连接（star）的方式，主要是通过一个中间连接设备，以放射状的方式连接各个节点的一种形态，这就是一种拓扑。
- **网关（gateway）**：具有两个以上的网络接口，可以连接两个以上不同的网段的设备，例如 IP 路由器就是一个常见的网关设备。那 ADSL 调制解调器算不算网关呢？其实应该不能算，因为调制解调器通常视为一个在主机内的网卡设备，我们可以在一般 PC 上面通过拨号软件，将调制解调器仿真成为一张实体网卡（PPP）。

网络设备其实非常多也非常复杂，不过如果以小型企业角度来看，我们能够了解图 2-1 中各设备的角色，那应该也就足够了。接下来，让我们继续来讨论一下网络范围的大小。

2.1.3 计算机网络的范围

由于各个节点的距离不同，连接的线缆与方式也有所差异，由于线缆的差异也导致网络速度的不同，让网络的应用方向也不一样。根据这些差异，早期我们习惯依据网络的大小范围将网络的种类定义如下几种：

- **局域网络（Local Area Network, LAN）**

  节点之间的传输距离较近，例如一栋大楼内，或一个学校的校区内。可以使用较为昂贵的连接介质，例如光纤或是高质量网线（CAT 6）等。网络速度较快，连接质量较佳且可靠，因此可应用于科学运算的群集式系统、分布式系统、云端负载均衡系统等。

- 广域网（Wide Area Network, WAN）

  传输距离较远，例如城市与城市之间的距离，因此使用的连接介质的成本要低廉，例如经常使用的电话线就是一例。由于线缆质量较差，因此网络速度较慢且可靠性较低，网络应用方面大多为类似 E-mail、FTP、WWW 浏览等功能。

除了这两种之外，还有所谓的城域网网络（Metropolitan Area Network，MAN），不过近来比较少提及，因此你只要知道有 LAN 及 WAN 即可。这两个名词应用面很广，改天你回家看看家里的 ADSL 调制解调器或 IP 路由器后面的插孔，能够看到有 WAN 与 LAN 的插孔，就知道为啥有这两个信号灯插孔了。

一般来说，LAN 指的是区域范围较小的环境，例如一栋大楼或一间学校，所以在我们生活的周围有着许许多多的 LAN 存在。那这些 LAN 彼此连接在一起，全部的 LAN 连接在一块就是一个大型的 WAN 了。简单地说，就是这样分的。

不过，现在的环境跟以前不一样了，举例来说，不久前宣布光纤的速度已经可以到达 100Mbps/10Mbps 的下载/上传带宽了；再举例来说，中国的教育网络都是连接在一块的。鸟哥在北京大学连接到清华大学下载 CentOS 镜像文件时，下载的速度每秒钟可高达 100Mbps 左右！这已经是一个局域网的速度了。所以，用以前的观点来看，其实对目前的网络环境有点不符合前述的定义了。因此，目前**你可以使用"速度"作为一个网络区域范围的评价标准**。或许现在我们可以说，整个中国的教育网络（CERNE）可以视为是一个局域网了。

2.1.4 计算机网络协议：OSI 七层协议

讲完了网络需要制订的标准、网络连接的组件以及网络的范围之后，接下来就要讲到各个节点之间是如何沟通信息的了。其实就是通过标准的通信协议，但是，整个网络连接的过程相当复杂，包括硬件、软件数据封装与应用程序的互相链接等，如果想要写一个将网络连接的全部功能都集中在一起的程序，那么当某个小环节出现问题时，整个程序都需要改写，这是非常麻烦的。

那怎么办？没关系，我们可以将整个网络连接过程分成数个层次（layer），每个层次都有特定的独立的功能，而且每个层次的程序代码可以独立撰写，因为每个层次之间的功能并不会互相干扰。如此一来，当某个小环节出现问题时，只要将该层次的程序代码重新撰写即可。所以程序撰写也容易，整个网络概念也就更清晰。这就是目前常听到的 **OSI 七层协议**（Open System Interconnection）的概念。

这 7 个层次的相互关系如图 2-2 所示。

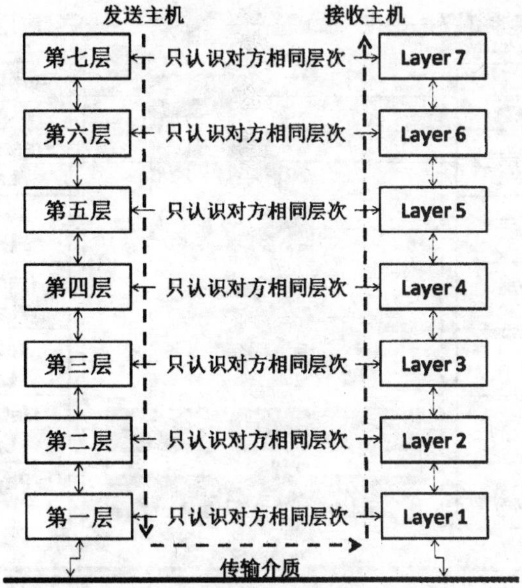

发送主机 接收主机

发送主机		接收主机
第七层	只认识对方相同层次	Layer 7
第六层	只认识对方相同层次	Layer 6
第五层	只认识对方相同层次	Layer 5
第四层	只认识对方相同层次	Layer 4
第三层	只认识对方相同层次	Layer 3
第二层	只认识对方相同层次	Layer 2
第一层	只认识对方相同层次	Layer 1

传输介质

图 2-2 OSI 七层协议各层次的相关性

依据定义来说，越接近硬件的层次为底层（layer 1），越接近应用程序的则是高层（layer 7）。不论是接收端还是发送端，**每一层次只认识对方的同一层次的数据**。而整个传送的过程就好像人们在玩整人游戏一般，我们通过应用程序将数据放入第七层的包裹，再将第七层的包裹放到第六层的包裹内，依序一直放到第一层的最大的包裹内，然后传送出去给接收端。接收端的主机就得由第一个包裹开始，依序将每个包裹拆开，然后一个一个交给对应负责的层次来查看。这就是 OSI 七层协议在层次定义方面需要注意的特色。

既然说是包裹，那我们都知道，包裹表面都会有个重要的信息，这些信息包括有来自哪里、要去哪里、接收者是谁等，而包裹里面才是真正的数据。同样的，在七层协议中，每层都会有自己独特的头部数据（header），告知对方这里面的信息是什么，而真正的数据就附在后头。我们可以使用图 2-3 所示的来表示这七层每一层的名字，以及数据是如何放置到每一层包裹内的。

仔细看图 2-3 中每个数据包的部分，上层的包裹是放入下层的数据中，而数据前面则是这个数据的报头。其中比较特殊的是第二层，因为第二层（数据链路层）主要是位于软件包（packet）以及硬件数据帧（frame）中间的一个阶层，它必须要将软件包装的包裹放入到硬件能够处理的包裹中，因此这个层次又分为两个子层来处理相对应的数据。因为比较特殊，所以可以看出，第二层的数据格式比较不一样，尾端还出现一个检查码呢。

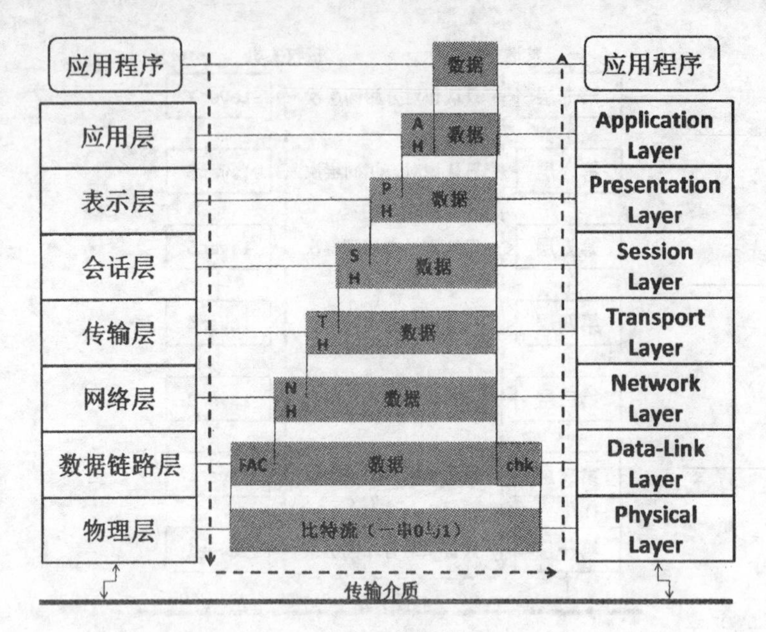

图 2-3 OSI 七层协议中数据的传递方式

每一个层次所负责的任务是什么呢？简单地说，每一层负责的任务如表 2-1 所示。

表 2-1 OSI 七层协议

分层	负责内容
Layer 1 物理层 Physical Layer	由于网络传输介质只能传送 0 与 1 这种比特位，因此物理层必须定义所使用的传输设备的电压与信号等，同时还必须了解数据帧转成比特流的编码方式，最后连接实际传输介质并发送/接收比特信号
Layer 2 数据链路层 Data-Link Layer	这一层是比较特殊的一个层，因为其下层是实体的定义，而其上层则是软件封装的定义。因此第二层又分两个子层进行数据的转换操作。在偏硬件介质部分，主要负责的是 MAC（Madia Access Control)，我们称这个数据包裹为 MAC 数据帧（frame)，MAC 是网络接口设备所能处理的主要数据包裹，这也是最终被物理层编码成比特流的数据。MAC 必须要经过通信协议来取得网络介质的使用权，目前最常使用的则是 IEEE 802.3 的以太网络协议。详细的 MAC 与以太网络请参考下节说明 至于偏向软件的部分则是由逻辑链接层（Logical Link Control, LLC）所控制，主要在多任务处理来自上层的数据包数据（packet）并转成 MAC 的格式，负责的工作包括信息交换、流量控制、失误问题的处理等
Layer 3 网络层 etwork Layer	这一层是我们最感兴趣的了，因为我们提及的 IP（Internet Protocol）就是在这一层定义的。同时也定义出计算机之间的连接建立、终止与维持等，数据数据包的传输路径选择等，因此这个层次当中最重要的除了 IP 之外，就是数据包能否到达目的地的路由（route）概念了

（续表）

分层	负责内容
Layer 4 传输层 Transport Layer	这一个分层定义了发送端与接收端的连接技术(如 TCP、UDP 技术)，同时包括该技术的数据包格式、数据包的发送、流程的控制、传输过程的侦测检查与重新传送等，以确保各个资料数据包可以正确无误的到达目的端
Layer 5 会话层 Session Layer	在这个层次当中主要定义了两个地址之间的连接信道的连接与中断，此外，也可建立应用程序之间的会话、提供其他加强型服务如网络管理、建立与断开、会话控制等。如果说传输层是在判断数据数据包是否可以正确的到达目标，那么会话层则是在确定网络服务建立连接的确认
Layer 6 表示层 Presentation Layer	我们通过应用程序生成出来的数据格式不一定符合网络传输的标准编码格式，所以，在这个层次当中，主要的操作就是：将来自本地端应用程序的数据格式转换(或者是重新编码)成为网络的标准格式，然后再交给下面的传输层等的协议来进行处理。所以，在这个层次上面主要定义的是网络服务(或程序)之间的数据格式的转换，包括数据的加解密也是在这个层次上处理
Layer 7 应用层 Application Layer	应用层本身并不属于应用程序所有，而是在定义应用程序如何进入该层的沟通接口，以将数据接收或发送给应用程序，并最终展示给用户

事实上，OSI 七层协议只是一个参考的模型（model），目前的网络社会并没有什么很知名的操作系统在使用 OSI 七层协议的连接程序代码。不过，OSI 所定义出来的七层协议在解释网络传输的情况方面，可以解释得非常棒。因此大家都拿 OSI 七层协议来作为网络的教学与概念的理解。至于实际的联网程序代码，那就交给 TCP/IP 吧。

2.1.5　计算机网络协议：TCP/IP

虽然 OSI 七层协议的架构非常严谨，是学习网络的好材料。但是也就是因为太过严谨了，因此程序撰写相当不容易，所以造成它在发展上面的一些困扰。而由 ARPANET 发展而来的 TCP/IP 又如何呢？其实 TCP/IP 也是使用 OSI 七层协议的观念，所以同样具有分层的架构，只是将它简化为四层，在结构上面比较没有这么严谨，程序撰写会比较容易些。后来在 20 世纪 90 年代由于 E-mail、WWW 的流行，使 TCP/IP 这个标准为大家所接受，这也造就了目前我们的网络社会。

既然 TCP/IP 是由 OSI 七层协议简化而来，那么这两者之间有什么相关性呢？它们的相关性如图 2-4 所示，同时这里也列出目前在这架构下常见的通信协议、数据包格式与相关标准。

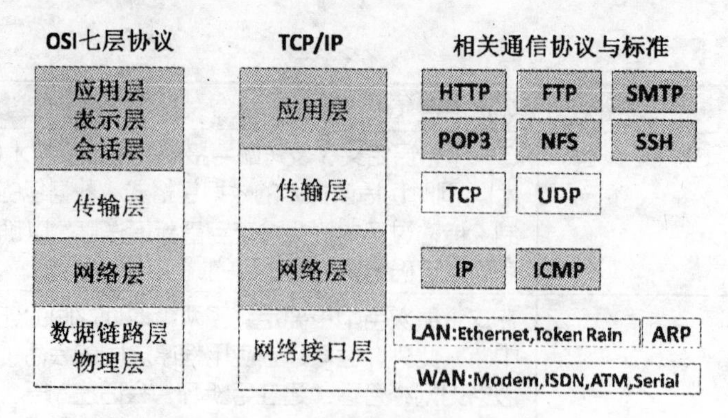

图 2-4 OSI 与 TCP/IP 协议的相关性

从图 2-4 中，我们可以发现 TCP/IP 将应用、表示、会话三层整合成一个应用层，在应用层上面工作的协议程序有 HTTP、SMTP、DNS 等。传输层则没有变，不过依据传送的可靠性又将数据报格式分为面向连接的 TCP 及无连接的 UDP 包格式。网络层也没有变，主要内容是提供了 IP 数据包，并可选择最佳路由来到达目标 IP 地址。数据链路层与物理层则整合成为一个网络接口层，包括定义硬件信号、数据帧转换为比特流的编码等，因此主要与硬件（不论是局域网还是广域网）有关。

那 TCP/IP 是如何工作的呢？我们就拿常常连接的 Yahoo 网站来做个说明吧，整个连接的状态可以这样看：

- **应用程序阶段**：打开浏览器，在浏览器的地址栏中输入网址，按下“Enter”键。此时网址信息与相关数据会被浏览器包成一个数据，并向下传给 TCP/IP 的应用层。
- **应用层**：由应用层提供的 HTTP 通信协议，将来自浏览器的数据封装起来，并给予一个应用层报头，再向传输层丢去。
- **传输层**：由于 HTTP 为可靠连接，因此将该数据丢入 TCP 封装内，并给予一个 TCP 封装的报头，向网络层丢去。
- **网络层**：将 TCP 数据封装到 IP 数据包内，再给予一个 IP 包头（主要就是来源与目标的 IP），向网络接口层丢去。
- **网络接口层**：如果使用以太网络时，此时 IP 会依据 CSMA/CD 的标准，封装到 MAC 数据帧中，并给予 MAC 帧头，再转成比特流后，利用传输介质发送到远程主机上。

等到 Yahoo 收到你的数据包后，再以相反方向拆解开来，然后交给对应的层次进行分析，最后就让 Yahoo 的 WWW 服务器软件获知你所想要的数据，该服务器软件再根据你的要求，取得正确的资料后，又依循上述的流程，一层一层地封装起来，最后传送到你的手上。

根据这样的流程，我们就需要知道每个层次中所需要了解的基础知识。所以，下面我们会依据 TCP/IP 的网络接口层、网络层、传输层来进行说明，应用层的协议则在后续章节对应的协议中来谈。同时我们也知道，网络介质一次传输的数据量是有限的，因此如果要被传输的数据太大时，我们在各层的封装中，就需要将数据先拆开放到不同的数据包中，再给数据包一个序号，好让目的端的主机能够利用这些序号再重新将数据整合回来。很有趣吧！接下来就让我们一层一层来介绍吧。

一般来说，因为应用程序与程序员的关系比较密切，而网络层以下的数据则主要是操作系统提供的，因此，我们又将 TCP/IP 当中的应用层视为用户层，而底下的三层才是我们主要谈及的网络基础，所以这个章节主要就是介绍这三层。

2.2　TCP/IP 的网络接口层的相关协议

TCP/IP 最底层的网络接口层主要与硬件的关系比较密切，因此下面我们主要介绍一些 WAN 与 LAN 的硬件。同时会介绍一个重要的 CSMA/CD 的以太网协议，以及相关的硬件与 MAC 数据帧格式等。

2.2.1　广域网使用的设备

在 2.1.3 节我们曾经提到过，广域网使用的设备价格较为低廉。不过广域网使用到的设备非常多，一般用户通常会接触到的主要是 ADSL 调制解调器或者是光纤到接入，以及 Cable Modem 等。在这里我们先介绍一些比较常见的设备，如果以后你有机会接触到其他设备，再根据需求自行查阅相关用书吧。

1. 传统电话拨号连接：通过 PPP 协议

早期网络大概都只能通过调制解调器加上电话线以及计算机的九针串行端口（以前接鼠标或游戏杆的插孔），然后通过 Point-to-Point Protocol（PPP 协议）配合拨号程序来取得网络 IP 参数，这样就能够上网了。不过这样的速度非常慢，而且当电话拨号连接建立后，就不能够使用电话了。因为 PPP 支持 TCP/IP、NetBEUI、IPX/SPX 等通信协议，所以使用度非常广。

2. 整合服务数字网络（Integrated Services Digital Network，ISDN）

也是利用现有的电话线路来实现网络连接的目的，只是连接的两端都需要有 ISDN 的调制解调器来提供连接功能。ISDN 的传输有多种信道可供使用，并且可以将多个信道整合应用，因此速度可以成倍成长。基本的 B 信道速度约为 64Kbps，但如美国规格使用 23 个以上的信道来实现连接，此时速度可达 1.5Mbps 左右。

3. 非对称数字用户环路（Asymmetric Digital Subscriber Line，ADSL）：使用 PPPoE 协议

也是通过电话线来拨号后取得 IP 的一个方法，只不过这个方式使用的是电话的高频部分，与一般语音电话的频率不同。因此你可以一边使用 ADSL 上网同时通过同一个电话号码来打电话聊天。在中国，由于上传/下载的带宽不同，因此才称为非对称的环路。ADSL 同样使用调制解调器，只是它通过的是 PPPoE（PPP over Ethernet）的方法。将 PPP 仿真在以太网卡上，因此你的主机需要通过一张网卡来连接到调制解调器，并通过拨接程序来取得新的接口（ppp0）。

4. 电缆调制解调器（Cable Modem）

主要通过有线电视使用的缆线作为网络信号介质，同样需要具备调制解调器来连接到 ISP，以取得网络参数来上网。Cable Modem 的带宽主要是共享型的，所以通常具有区域性，并不是想装就能装的。

2.2.2 局域网使用的设备——以太网

在局域网的环境中，我们最常使用的就是以太网。当然啦，在某些超高速网络应用的环境中，还可能会用到价格相当昂贵的光纤信道。只是如同前面提到的，以太网因为已经标准化了，设备设置费用相对低廉，所以平时听到的网线或者是网络介质，几乎都是使用以太网来搭建的环境。只是这里还是要提醒您，**整个网络世界并非仅有以太网这个硬件接口**。事实上，想了解整个以太网的发展，建议你可以直接查找阅读《Switched & Fast 以太网》有关的技术书籍。下面我们仅做个简单的介绍。

1. 以太网的速度与标准

以太网的流行主要原因是它已经成为国际公认的标准。早先 IEEE 所制订的以太网络标准为 802.3 的 IEEE 10BASE5，这个标准主要的定义是：**10 代表传输速度为 10Mbps，BASE 表示采用基带信号来进行传输，至于 5 则是指每个网络节点之间最长可达 500 米。**

由于网络的传输信息就是 0 与 1，因此，**数据传输的单位为每秒多少 bit，亦即是 M bits/second（Mbps）的意思**。那么为何制订成为 10Mbps 呢？这是因为早期的网线压制的方法以及相关的制作方法，还有以太网卡制作的技术并不是很好，加上当时的数据传输需求并没有像现在这么高，所以 10Mbps 已经可以符合大多数人的需求了。

我们看到的网络提供者 (Internet Services Provider, ISP) 所宣称他们的 ADSL 传输速度可以达到 下行/上行 2Mbps/128Kbps (Kbits per second) 时，那个 Kb 指的可不是 bytes 而是 bits。所以 2M/128K 在实际的文件大小传输速度上面，理论上的最大传输速率为 256KBps/16 KBps(KBytes per second)，所以正常下载的速度约在每秒 100~200 KBytes 之间。同样的道理，在网卡或者是一些网络媒体的广告上面，他们都会宣称自己的产品可以自动识别传输速度为 10/100 Mbps (Mega-bits per second)，该数值还是得再除以 8 才是我们一般常用的文件容量计算的单位 bytes。

早期的网线使用的是旧式的同轴电缆线，这种线路现在几乎已经看不到了。取而代之的是类似传统电话线的双绞线（Twisted Pair Ethernet），IEEE 将这种线路的以太网络传输方法制订成为 10BASE-T 的标准。10BASE-T 使用的是 10 Mbps 全速运行且采用非屏蔽双绞线（UTP）的网线。此外，10BASE-T 的 UTP 网线可以使用**星形连接（star），也就是以一个集线器为中心来连接各网络设备的一个方法**，图 2-1 就是星形连接的一个示意图。

不同于早期以一条同轴电缆线链接所有的计算机的总线（bus）连接，通过星形连接的帮助，我们可以很简单地添加或者是移除其他设备，而不会影响到其他的设备，这对网络设备的扩充性与排错来说，都是一项相当棒的设计。也因此 10BASE-T 让以太网设备的销售额大幅提升。

后来 IEEE 制订了 **802.3u 这个支持到 100Mbps 传输速度的 100BASE-T 标准**，这个标准与 10BASE-T 差异不大，只是双绞线制作需要更精良，同时也已经支持使用了四对绞线的网线了，也就是目前很常见的 8 蕊网线。这种网线我们常称为五类（Category 5，CAT5）的网线。这种传输速度的以太网络就被称为 Fast Ethernet。至于目前我们常常听到的 Gigabit 网络速度 1000 Mbps 又是什么？那就是 Gigabit Ethernet。只是 Gigabit Ethernet 的网线需要更加精良。

各种以太网的速度与网线等级如表 2-2 所示。

表 2-2　各种以太网的速度与网线等级

名称	速度	网线等级
以太网(Ethernet)	10Mbps	–
快速以太网(Fast Ethernet)	100Mbps	CAT 5
G 比特以太网(Gigabit Ethernet)	1000Mbps	CAT 5e/CAT 6

为什么每当传输速度增加时，网线的要求就更严格呢？这是因为当传输速度增加时，线材的电磁效应相互干扰会增强，因此在网线的制作时就得需要特别注意线的材料以及内部线芯之间的缠绕情况配置等，使电子流之间的电磁干扰降到最小，才能使传输速度提升到应有的 Gigabit 。所以说，在以太网世界当中，如果你想要提升原有的 Fast Ethernet 到 Gigabit

Ethernet 的话，除了网卡需要升级之外，主机与主机之间的网线，以及连接主机线路的集线器/交换器等，都必须要提升到可以支持 Gigabit 速度等级的设备。

2. 以太网的网线接头（交叉/直连线）

前面提到，网络的速度与线缆是有一定程度的相关性的，那么线缆的接头又是怎样的呢？目前在以太网上最常见到的接头就是 RJ-45 的网络接头，共有 8 蕊，有点像是胖了的电话线接头，如图 2-5 所示。

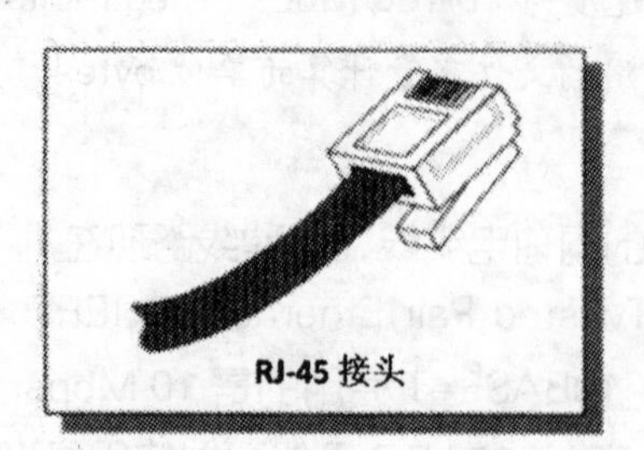

图 2-5 RJ-45 接头示意图

而 RJ-45 接头又因为每条蕊线的对应不同而分为 568A 与 568B 接头，这两款接头内的蕊线顺序对应如表 2-3 所示。

表 2-3 接头与蕊线的对应关系

接头名称\蕊线顺序	1	2	3	4	5	6	7	8
568A	白绿	绿	白橙	蓝	白蓝	橙	白棕	棕
568B	白橙	橙	白绿	蓝	白蓝	绿	白棕	棕

事实上，虽然目前的以太网线有 8 蕊且两两成对，但实际使用的只有 1、2、3、6 蕊而已，其他的则是某些特殊用途的场合才会使用到。但由于主机与主机连接以及主机与集线器连接时，所使用的网线“线序”定义并不相同，因此由于接头的不同网线又可分为两种：

- **交叉线：一边为 568A 一边为 568B 的接头时称为交叉线，用在直接连接两台主机的网卡。**
- **直连线：两边接头同为 568A 或同为 568B 时称为直连线，用在链接主机网卡与集线器之间的线缆。**

2.2.3 以太网络的传输协议：CSMA/CD

整个以太网的重心就是以太网卡。所以说，以太网的传输主要就是网卡对网卡之间的数据传递而已。每张以太网卡出厂时，就会赋予一个独一无二的卡号，那就是所谓的 MAC（Media Access Control）。理论上，网卡卡号是不能修改的，不过某些笔记本电脑的网卡卡号是能够修改的。那么以太网网卡之间的数据是如何传输的呢？那就需要谈一下 IEEE 802.3 的标准 **CSMA/CD（Carrier Sense Multiple Access with Collision Detection）**了。我们以图 2-6 来作为简介，图中的中心点为集线器，各个主机都是连接到集线器，然后通过集线器的功能向所有主机发起连接。

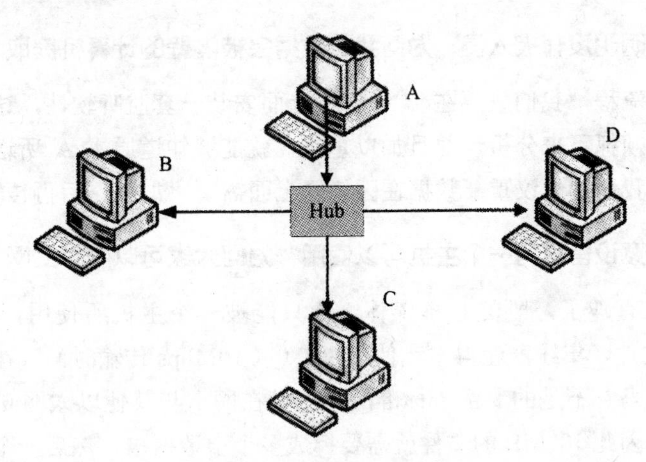

图 2-6 CSMA/CD 连接示意图（由 A 发送数据给 D 时，注意箭头方向）

集线器是一种网络共享介质设备，那么什么是网络共享介质设备？想象一下上述的环境就像一个十字路口，而集线器就是那个路口，这个路口一次只允许一辆车通过，如果两辆车同时使用这个路口，那么就会发生碰撞的车祸事件。这就是所谓的共享介质。也就是说，**网络共享介质在单一时间点内，仅能被一台主机所使用。**

理解了共享介质的意义后，我们再来讨论一下以太网的网卡之间是如何传输的？我们以图 2-6 中的 A 要发给 D 网卡为例。简单地说，CSMA/CD 搭配上述的环境，它的传输情况需要有以下的流程：

1）**监听介质使用情况（Carrier Sense）**：A 主机要发送网络数据包前，需要先对网络介质进行监听，确认没有人在使用后，才能够发送出数据帧。

2）**多点传输（Multiple Access）**：A 主机所发送的数据会被集线器复制一份，然后发送给所有连接到此集线器的主机。也就是说，A 所送出的数据，B、C、D 三部计算机都能够接收到，但由于目标是 D 主机，因此 B 与 C 会将此数据帧丢弃，而 D 则会抓下来处理。

3）**冲突检测（Collision Detection）**：该数据帧附有检测能力，若其他主机例如 B 计算机也刚好在同时间发送数据帧时，那么 A 与 B 送出的数据冲突（出车祸），此时这些数据帧就被损毁，那么 A 与 B 就会各自随机等待一个时间，然后重新通过第一步再传送一次该数据帧。

了解这个程序很重要。我们通过以下情况来谈一谈。

■ 网络忙碌时，集线器信号灯闪个不停，但我的主机明明没有使用网络

通过上述的流程我们会知道，不管哪一台主机发送出数据帧，所有的计算机都会接收到，因为集线器会复制一份该数据给所有计算机。因此，虽然只有一台主机在对外连接，但是在集线器上面的所有计算机的信号灯就都会闪个不停。

- **我的计算机明明没有被入侵，为何我的数据会被隔壁的计算机窃取**

通过上述的流程，我们只要在 B 计算机上面安装一套监听软件，这套软件将原本要丢弃的数据帧抓下来分析，并且加以重组，就能够知道原本 A 所送出的信息了。这也是为什么我们都建议重要数据在因特网上面需要“加密”后再传输。

- **既然共享带宽设备只有一个主机可以使用，为何大家可以同时上网**

这个问题就有趣了，既然共享媒体一次只能被一个主机所使用，那么万一我传输 100MB 的文件，集线器就得被我使用 80s（以 10Mbps 传输时），在这期间其他人都不可以使用吗？不是的，由于标准的数据帧在网卡与其他以太网媒体一次只能传输 1500bytes，因此 100MB 的文件就需要拆成多个小数据报，然后一个一个的传送，每个数据报传送前都要经过 CSMA/CD 的机制。所以，这个集线器的使用权是大家抢着用的。即使只有一台主机在使用网络媒体时，那么这部主机每发送一个数据包前也是需要等待一段时间的（96 bit time）。

- **数据帧要多大比较好？能不能修改数据帧的长度**

数据帧的大小能不能改变呢？因为如果数据帧的容量能够增大，那么小数据包的数量就会减少，那每个数据帧传送间的等待就可以减少了，但是以太网络标准数据帧确实定义在 1500 bytes，但近来的超高速以太网络媒体若支持 Jumbo frame（巨型数据帧）的话，那么就能够将数据帧大小改为 9000bytes 了。但不建议大家随便对此进行修改，此中原因我们在 2.2.5 节中谈。

2.2.4 MAC 的封装格式

上面提到的 CSMA/CD 发送出去的数据帧，其实就是 MAC。MAC 就是我们上面一直讲到的数据帧（frame）。只是这个数据帧上面有两个很重要的数据，就是目标与来源的网卡卡号，因此我们又简称网卡卡号为 MAC 地址。简单地说，你可以把 MAC 想成是一个在网线上面传递的包裹，而这个包裹是**整个网络硬件上面传送数据的最小单位**。也就是说，网线可想成是一条“一次仅可通过一个人”的独木桥，而 MAC 就是在这个独木桥上面走动的人。MAC 数据帧的内容如图 2-7 所示。

前导码	目的地址	源地址	长度指示	LLC数据	帧校验序列
8 Bytes	6 Bytes	6 Bytes	2 Bytes	46-1500 Bytes	4 Bytes

图 2-7 以太网的 MAC 数据帧

图 2-7 中的目的地址与来源地址指的就是网卡卡号（Hardware Address，硬件地址），

我们前面提到，每一张网卡都有一个独一无二的卡号，卡号会在数据帧的帧头数据中使用到。硬件地址最小由 00:00:00:00:00:00 到 FF:FF:FF:FF:FF:FF（十六进制），这 6 bytes 当中，前 3 bytes 为厂商的代码，后 3bytes 则是该厂商自行定义的配置码。

在 Linux 当中，可以使用 ifconfig 命令来查看网卡卡号。**特别注意，在这个 MAC 的传送中，仅在局域网络内生效，如果跨过不同的子网（这个后面 IP 的部分时会介绍），那么来源与目的的硬件地址就会跟着改变了。这是因为变成不同网卡之间的交流了，所以卡号当然不同！**如图 2-8 所示。

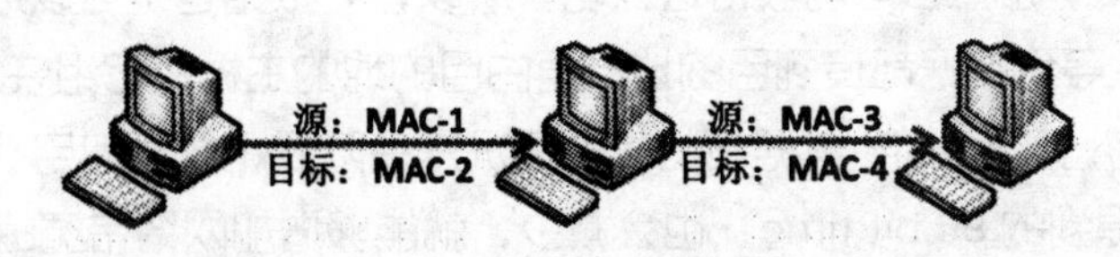

图 2-8　同一数据帧在不同子网的主机间传送时，数据帧头部的变化

在图 2-8 中，我的数据要由计算机 A 通过 B 后才送达 C，而 B 计算机有两块网卡，其中 MAC-2 与 A 计算机的 MAC-1 互通，至于 MAC-3 则与 C 计算机的 MAC-4 互通。但是 MAC-1 不能与 MAC-3 与 MAC-4 互通，这是因为 MAC-1 这块网卡并没有与 MAC-3 及 MAC-4 使用相同的 Switch/Hub 连接。所以，数据的传输过程就变成：

- 先由 MAC-1 传送到 MAC-2，此时来源是 MAC-1 而目的地是 MAC-2。
- B 计算机接收后查看该数据帧，发现目标其实是 C 计算机，而为了与 C 计算机通信，它会将数据帧内的来源 MAC 改为 MAC-3，而目的改为 MAC-4，如此就可以直接传送到 C 计算机了。

也就是说，当通过 B（就是路由器）将数据包发送到另一个子网（IP 部分会讲）去的时候，数据帧内的硬件地址将会被改变，然后才能够在同一个子网里面直接进行数据帧的收发。

由于网卡卡号是跟着网卡走的，并不会因为重装操作系统而改变，所以防火墙软件大多也能够针对网卡来进行策略的定义。不过针对网卡的限制仅能在局域网内进行，因为 MAC 不能跨 Router。

数据帧内的数据容量最大可达 1500bytes，这我们现在知道了，那为何要规范最小数据为 46bytes 呢？这是由 CSMA/CD 机制算出来的。在这个机制上面可算出若要实现冲突检测，则数据帧总数据量最小需要有 64bytes，那再扣除目的地址、来源地址、校验码（前导码不算）后，就可得到数据量最小需要有 46bytes。也就是说，如果你要传输的数据小于 46bytes，那我们的系统会主动的填上一些填充码，以补齐至少 46bytes 的容量。

2.2.5 MTU（最大传输单位）

通过上面 MAC 封装的定义，现在我们知道标准以太网数据帧所能传送的数据量最大可以到达 1500 bytes，这个数值就被我们称为 MTU（Maximum Transmission Unit，**最大传输单元**）。需要注意的是，每种网络接口的 MTU 都不相同，因此有的时候在某些文章上面你会看到 1492 bytes 的 MTU 等。不过，在以太网上，标准的定义就是 1500 bytes。

在后面介绍到的 IP 数据包最大可以到 65535 bytes，比 MTU 还要大！既然礼物（IP）都比盒子（MAC）大，那怎么可能放得进去呢？所以，IP 数据包是可以进行拆解的，然后才能放到 MAC 当中。等到数据都传到目的地，再由目的地的主机将它组装回来就行了。所以，如果 MTU 能够大的话，那么 IP 数据包的拆解情况就会降低，数据包与数据包传送之间的等待时间（前一小节提到的 96 bit time）也会减少，就能够增加网络带宽的使用。

为了这个目的，所以才有 Gigabit 以太网对 Jumbo frame 的支持。这个 Jumbo frame 一般都定义到 9000bytes。那你会说，既然如此，我们的 MTU 能不能改成 9000bytes 呢？这样一来不就能够减少数据包的拆解，以增加网络使用率吗？是这样没错，而且，你也确实可以在 Linux 系统上更改 MTU，但是，如果考虑到整个网络，那么我们不建议你修改这个数值。为什么呢？

我们的数据包总是需要在 Internet 上面传送的，但是你无法确认所有的网络设备都是支持那么大的 MTU。如果 9000 bytes 数据包通过一个不支持 Jumbo frame 的网络设备时，好一点的是该网络设备（例如 Switch/Router 等）会主动的帮你重组后再进行传送，差一点的可能就直接回报这个数据包无效而丢弃了，这问题可就严重了。所以，MTU 设定为 9000bytes 这种事情，大概仅能在内部网络的环境中部署，举例来说，很多的内部群集系统（cluster）就将他们的内部网络环境 MTU 设定为 9000，但是对外的网卡可还是原本的标准 1500 喔。

也就是说，不论你的网络媒体支持 MTU 到多大，你必须要考虑到你的数据包需要传到目的地时，所需要经过的所有网络设备，然后再来决定你的 MTU 配置才行。所以，我们才不建议你修改标准以太网络的 MTU。

> 早期某些网络设备（例如 IP 分享器）支持的是 802.2, 802.3 标准所组合成的 MAC 封装，它的 MTU 就是 1492，而且这些设备可能不会进行数据包重组，因此早期网络上面常常有朋友问说，他们连上某些网站时，总是会连接超时而断线。但通过修改客户端的 MTU 成为 1492 之后，上网就没有问题了。原因是什么呢？读完上面的内容，您应该能理解了吧。

2.2.6 集线器、交换器与相关机制

1. 共不共享很重要，集线器还是交换器

刚刚我们上面提到了，当一个很忙碌的网络在工作时，集线器（Hub）这个网络共享设备就可能会发生冲突的情况，这是因为 CSMA/CD 的缘故。那有没有办法避免发生这种莫名其妙的数据包冲突情况呢？有的，那就使用非共享的交换器（Switch）。

交换器（Switch）等级非常多，我们这里仅探讨支持 OSI 第二层的交换器。交换器与集线器最大的差异，在于交换器内有一个特别的内存，**这个内存可以记录每个 Switch port 与其连接的 PC 的 MAC 地址**，所以，当来自 Switch 两端的 PC 要互传数据时，每个数据帧将直接通过交换器的内存数据而传送到目标主机上！所以 Switch 不是共享设备，且 Switch 的每个端口（port）都具有独立的带宽。

举例来说，10/100Mbps 的 Hub 上连接 5 台主机，那么整个 10/100Mbps 是分给这 5 台主机的，所以这 5 台主机总共只能使用 10/100Mbps 而已。那如果是 Switch 呢？由于“每个 port 都具有 10/100Mbps 的带宽”，所以就看当时的传输行为是如何的了。比如，如果是如图 2-9 所示的状况时，每个连接都是 10/100 Mbps 的。

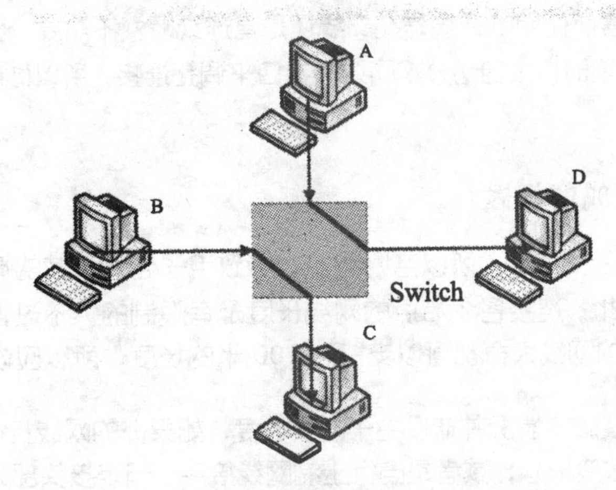

图 2-9 交换器每个端口的带宽使用示意图

A 传送到 D 与 B 传送到 C 都独自拥有 10/100Mbps 的带宽，两边并不会互相影响。不过，如果是 A 与 D 都传给 C 时，由于 C port 就仅有 10/100Mbps，等于 A 与 D 都需要抢 C 节点的 10/100Mbps 来用的意思。总之，需要记住的是，Switch 已经克服了数据包冲突的问题，因为有 Switch port 对应 MAC 的相关功能，所以 Switch 并非共享设备。同时需要记住的是，现在的 Switch 规格很多，在选购的时候，一定要记得选购可以支持全双工/半双工，以及支持 Jumbo frame 的为佳。

2. 什么是全双工/半双工(full-duplex/half-duplex)

我们知道 8 蕊的网线实际上仅有两对被使用，一对是用于发送，另一对则是用于接收。

如果两端的 PC 同时支持全双工时，那表示 Input/Output 均可达到 10/100Mbps，亦即数据的传送与接收同时均可达到 10/100Mbps，总带宽则可达到 20/200Mbps（注意，因为 Input 可达 10/100Mbps，output 可达 10/100Mbps，而不是 Input 可直接达到 20/200Mbps！）如果你的网络环境想要达到全双工时，使用共享带宽的 Hub 是不可能的，因为网线线序的关系，无法使用共享带宽设备来达到全双工。如果你的 Switch 也支持全双工模式，那么在 Switch 两端的 PC 才能达到全双工喔！

3. 自动协调速度机制 (auto-negotiation)

我们都知道现在的以太网卡是可以向下兼容的，也就是 Gigabit 网卡可以与早期的 10/100Mbps 网卡连接而不会发生问题。但是，此时的网络速度是怎样判断呢？早期的 Switch/Hub 必须要手动切换才行，新的 Hub/Switch 因为有支持 Auto-negotiation（又称为 N-Way）的功能，它可自动的协调出最高的传输速度来通信。如果有 Gigabit 与 10/100Mbps 在 Switch 上面，则 N-Way 会先使用最高的速度（Gigabit）测试是否能够全部支持，如果不行的话，就降速到下一个等级亦即 100 Mbps 的速度来工作。

4. 自动分辨网线的交叉或直连接口 (Auto MDI/MDIX)

我们是否需要注意所使用的线缆是交叉线还是直连线呢？不需要。因为 Switch 若含有 Auto MDI/MDIX 的功能时，会自动分辨网线的接口来调整连接，所以你就不需要管网线是交叉线还是直连线了。

5. 信号衰减造成的问题

由于电子信号是会衰减的，所以当网线过长导致电子信号衰减的情况严重时，就会导致连接质量不良。因此，连接各个节点的网线长度是有限制的。不过，一般来说，现今的以太网络 CAT5 等级的网线大概都可以支持到 100 米的长度，所以应该无须担心。

但是，造成信号衰减的情况并非仅由于网线长度，如果你的网线折得太严重（例如在门边常常被门板压，导致变形），或者是自行压制网线接头，但是接头部分的 8 蕊蕊线缠绕度不足导致电磁干扰严重，或者是网线放在户外风吹日晒导致老化的情况等，都会导致电子信号传递的不良而造成连接质量恶劣，此时常常就会出现偶尔可以连接有时却又无法连接的问题了。因此，当你需要架设企业内部使用的局域网时，注意结构化布线是非常重要的问题。

6. 结构化布线

所谓的结构化布线指的是将各个网络的组件分别拆开，分别安装与布置到企业内部，则未来想要升级网络硬件等级或者是移动某些网络设备时，只需要更改机柜的相关配线架，以及末端的墙上的预留孔与主机设备的连接就能够达到目的了。如图 2-10 所示。

在墙内的布线需要特别注意，因为可能一布线完成后就使用 5~10 年以上，那你需要注意的仅有末端墙上的预留孔以及配线端部分。事实上，光是结构化布线所需要选择的网络设备与网线的等级，还有机柜、机架，以及美化与隐藏网线的材料等的挑选，以及实际施工所需要注意的事项，还有所有硬件、施工所需要注意的标准规范等，已经可以写满厚厚一本书，而鸟哥这里的文章旨在介绍一个中小企业内部主机数量较少的环境，所以仅提到最简单的以一个或两个交换器（Swtich）连接所有网络设备的小型星形连接拓扑而已。

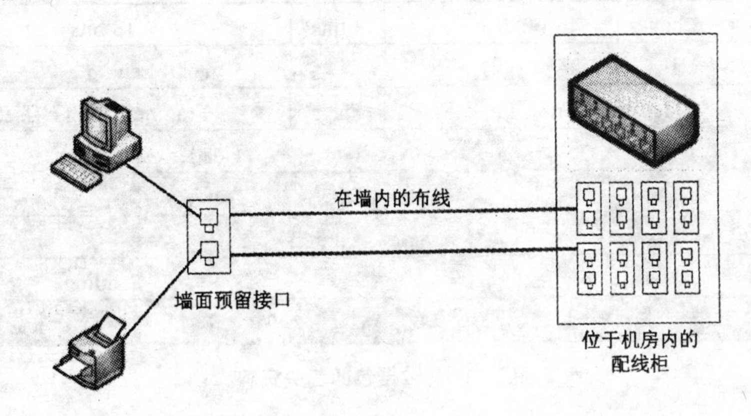

图 2-10 结构化布线简易图示

如果你需要相关硬件结构化布线的信息，可以阅读参考“Swtich and Fast 以太网”方面的技术资料的后半段。至于网络上的高手，可以前往酷学园请教 ZMAN（http://http://wordpress.morezman.com/）。

2.3 TCP/IP 的网络层相关数据包与数据

我们现在知道要有网络，就必须要有网络相关的硬件，而目前最常见的网络硬件接口为以太网，包括网线、网卡、Hub/Switch 等。而以太网上面的传输使用网卡卡号为标准的 MAC 数据帧，配合 CSMA/CD 的标准来传送数据帧，这就是硬件部分。在软件部分，Internet 其实就是 TCP/IP 这个通信协议的通称，Internet 是由 Inter NIC 所统一管理的，但其实它仅是负责分配 Internet 上面的 IP 以及提供相关的 TCP/IP 技术文件而已。不过 Internet 最重要的就是 IP，所以，这个小节就让我来讲讲网络层的 IP 与路由吧。

2.3.1 IP 数据包的封装

目前因特网环境的 IP 有两种版本，一种是目前使用最广泛的 IPv4（Internet Protocol version 4，因特网协议第四版），一种则是预期未来会热门的 IPv6。IPv4 记录的地址由于仅有 32 位，预计在 2020 年前后就会分配完毕，如此一来，新兴国家或者是新的网络公司，将没有网络可以使用。为了避免这个问题发生，因此就有 IPv6 的产生。IPv6 的地址可以达到 128 位，可以多出 2 的 96 次方倍的地址数量，这样的 IP 数量几乎是用不完的。虽然 IPv6 具有前瞻性，但目前主流媒体大多还是使用 IPv4，因此本文主要谈到的 IP 都指 IPv4 而言。

我们在前一小节谈到 MAC 的封装，那么 IP 数据包的封装也需要来了解一下，才能知道 IP 到底是如何产生的。IP 数据包可以达到 65535 bytes，在比 MAC 大的情况下，我们的操作系统会对 IP 进行拆解的动作。至于 IP 封装报头数据绘制如图 2-11 所示（图中第一行为每个字段的比特数）。

4 bits	4 bits	8 bits	3 bits	13 bits
Version	IHL	Type of Service	Total Length	
Identification			Flags	Fragmentation Offset
Time To Live		Protocol	Header Checksum	
Source Address				
Destination Address				
Options				Padding
Data				

图 2-11 IP 数据包的包头资料

在图 2-11 中有个地方要注意，那就是“**每一行所占用的位数为 32 bits**”，报头各个字段的内容分别介绍如下：

- **Version（版本）**

  声明这个 IP 数据包的版本，例如目前惯用的 IPv4 其信息就反映在此处。

- **IHL（Internet Header Length, IP 包头的长度）**

  告知这个 IP 数据包的报头长度，以 4 字节为一个单位来记录 IP 报头的长度。

- **Type of Service（服务类型）**

  这个项目的内容为“PPPDTRUU”，表示这个 IP 数据包的服务类型，主要分为：

  - PPP：表示此 IP 数据包的优先级，目前很少使用。
  - D：若为 0 表示一般延迟(delay)，若为 1 表示为低延迟。
  - T：若为 0 表示为一般传输量 (throughput)，若为 1 表示为高传输量。
  - R：若为 0 表示为一般可靠度(reliability)，若为 1 表示高可靠度。
  - UU：保留尚未被使用。

  举例来说，gigabit 以太网络的种种相关规格可以让这个 IP 数据包加速且降低延迟，某些特殊的标志就是在这里说明的。

- **Total Length（总长度）**

  指这个 IP 数据包的总容量，包括报头与数据（Data）部分。最大可达 65535 bytes。

- **Identification（识别码）**

我们前面提到 IP 袋子必须要放在 MAC 袋子当中。不过，如果 IP 袋子太大的话，就得先要将 IP 再重组成较小的袋子然后再放到 MAC 当中。而当 IP 被重组时，每个来自同一个 IP 的小袋子就需要有个标识符以告知接收端这些小袋子其实是来自同一个 IP 数据包才行。也就是说，假如 IP 数据包其实是 65536 那么大（前一个 Total Length 有规定），那么这个 IP 就需要再被分成更小的 IP 分段后才能塞进 MAC 数据帧中。那么每个小 IP 分段是否来自同一个 IP 资料，那就是这个标识符的作用了。

■ Flags（特殊标志）

这个地方的内容为“0DM”，其意义为：

- D：若为 0 表示可以分段，若为 1 表示不可分段。
- M：若为 0 表示此 IP 为最后分段，若为 1 表示非最后分段。。

■ Fragment Offset（分段偏移）

表示目前这个 IP 分段在原始的 IP 数据包中所占的位置。就有点像是序号，有这个序号才能将所有的小 IP 分段组合成为原本的 IP 数据包大小。通过 Total Length、Identification、Flags 以及 Fragment Offset 就能够将小 IP 分段在接收端组合起来了。

■ Time To Live（TTL, 生存时间）

表示这个 IP 数据包的生存时间，范围为 0~255。**当这个 IP 数据包通过一个路由器时，TTL 就会减 1，当 TTL 为 0 时，这个数据包将会被直接丢弃。**说实在的，要让 IP 数据包通过 255 个路由器，还挺难的。

■ Protocol Number（协议代码）

来自传输层与网络层本身的其他数据都是放置在 IP 数据包中，我们可以在 IP 报头记载这个 IP 数据包内的数据是什么，在这个字段就是记载每种数据包的内容了。在这个字段记载的代码与相关的数据包协议名称如表 2-4 所示。

表 2-4 IP 协议代码与相关数据包协议名称

IP 内的代码	数据包协议名称（全名）
1	ICMP (Internet Control Message Protocol)
2	IGMP (Internet Group Management Protocol)
3	GGP (Gateway-to-Gateway Protocol)
4	IP (IP in IP encapsulation)
6	TCP (Transmission Control Protocol)
8	EGP (Exterior Gateway Protocol)
17	UDP (User Datagram Protocol)

当然，我们比较常见到的还是 TCP、UDP 和 ICMP 。

- **Header Checksum（报头校验码）**

  用于检查这个 IP 报头是否存在错误。

- **Source Address（来源的 IP 地址）**

  从这里我们也知道 IP 是 32 位。

- **Destination Address**

  有来源还需要有目标才能传送，这里就是目标的 IP 地址。

- **Options（其他参数）**

  这个是额外的功能，提供包括安全处理机制、路由记录、时间戳、严格与宽松的来源路由等。

- **Padding（补齐项目）**

  由于 Options 的内容不一定有多大，但是我们知道 IP 每个数据都必须要是 32 bits，所以，若 Options 的数据不足 32 bits 时，则由 Padding 主动补齐。

你只要知道 IP 报头里面含有 TTL、Protocol、来源地址与目标地址也就够了！通过 IP 报头的来源与目标 IP，以及判断通过多少路由器的 TTL，就能了解到这个 IP 将被如何传送到目的端。后续各小节我们将介绍 IP 的组成与范围，还有 IP 数据包如何传送的机制（路由）等。

2.3.2 IP 地址的组成与分级

现在我们知道 IP 其实是一种网络数据包，而这个数据包的报头最重要的就是那个 32 位的来源与目标地址。为了方便记忆，所以我们也称这个 32 bits 的数值为 IP 网络地址。因为网络是人类发明的，所以很多概念与邮政系统类似，IP 其实就类似所谓的“门牌号码”。那么，IP 有哪些重要的地方需要了解的呢？下面我们就来谈一谈。

既然 IP 的组成是 32 bits 的数值，也就是由 32 个 0 与 1 组成的一连串数字，那么当我们思考所有跟 IP 有关的参数时，就应该要将该参数想成是 32 位的数据。不过，因为人类对于二进制不怎么熟悉，所以为了顺应人们对于十进制的依赖性，因此，就将 32 bits 的 IP 分成四小段，每段含有 8 个 bits，将 8 个 bits 换算成为十进制，并且每一段中间以小数点隔开，那就成了目前大家所熟悉的 IP 的书写模样了。如下所示：

```
IP 的表示式：
00000000.00000000.00000000.00000000   ==> 0.0.0.0
11111111.11111111.11111111.11111111   ==> 255.255.255.255
```

所以 IP 最小可以由 0.0.0.0 一直到 255.255.255.255。但在这一串数字中，其实还可以分为 Net_ID（网络号码）与 Host_ID（主机号码）两部分。我们先以 192.168.0.0 ~ 192.168.0.255 这个 Class C 的网络为例子来说明。

```
192.168.0.0~192.168.0.255 这个 Class C 的说明：
11000000.10101000.00000000.00000000


11000000.10101000.00000000.11111111
|----------Net_ID---------|-host--|
```

在上面的例子当中，前面三组数字（192.168.0）就是网络号码，最后面一组数字则称为主机号码。至于同一个网络的定义是**"在同一个物理网段内，主机的 IP 具有相同的 Net_ID，并且具有独特的 Host_ID"**，那么这些 IP 群就是同一个网络内的 IP 网段。

什么是物理网段呢？当所有的主机都是使用同一个网络设备连接在一起，这个时候这些主机在物理设备上面其实是连接在一起的，那么就可以称为这些主机在同一个物理网段内了。同时请注意，同一个物理网段之内，可以依据不同的 IP 的设置，而设置成多个"IP 网段"。

上面例子当中的 192.168.0.0、192.168.0.1、192.168.0.2、....、192.168.0.255（共 256 个），这些 IP 就是同一个网络内的 IP 群（同一个网络也称为同一个网段），请注意，同一个 Net_ID 内，不能具有相同的 Host_ID，否则就会发生 IP 冲突，可能会造成两部主机都没有办法使用网络。

1. IP 在同一网络的意义

同一网络该怎么设定，与将 IP 设定在同一个网络之内有什么意义和好处呢？

- **Net_ID 与 Host_ID 的限制**

  在同一个网段内，Net_ID 是不变的，而 Host_ID 则是不可重复的，此外，Host_ID 在二进制的表示法当中，不可同时为 0 也不可同时为 1，因为全为 0 表示整个网段的地址（Network IP），而全为 1 则表示为广播的地址（Broadcast IP）。例如上面的例子当中，192.168.0.0（Host_ID 全部为 0）以及 192.168.0.255（Host_ID 全部为 1）不可用来作为网段内主机的 IP 值，也就是说，这个网段内可用来作为主机 IP 使用的值的范围为 192.168.0.1 到 192.168.0.254。

- **在局域网内通过 IP 广播传递数据**

  在相同物理网段的主机如果使用相同的网络 IP 范围（不可重复），则这些主机都可以通过 CSMA/CD 的功能直接在局域网内用广播进行网络的连接，亦即可以直接网卡对网卡传递数据（通过 MAC 数据帧）。

- **使用不同局域网在相同物理网段的情况**

  在同一个物理网段之内，如果两部主机使用不同的 IP 网段地址，则由于广播地址的不同，导致无法通过广播的方式来进行连接。此时需要通过路由器（Router）来进行沟通才能将两个网络连接在一起。

- **网络的大小**

  当 Host_ID 所占用的位越大，亦即 Host_ID 数量越多时，表示同一个网络内可用以设定主机的 IP 数量越多。

所以说，单位公司内的计算机群，或者是你宿舍或家里面的所有计算机，当然都设置在同一个网络内是最方便的，因为如此一来每一台计算机都可以直接通过 MAC 来进行数据的交流，而不必经由 Router（路由器）来进行数据包的转递了（Router 在第 8 章才会讲到）。

2. IP 与门牌号码的联想

刚接触到 IP 组成的朋友都很困扰，又分什么网络号码与主机号码，真烦！其实，可以使用门牌号码的概念来联想。IP 就好比是门牌，比如说，我们的门牌是："台南市永康区大湾路 949 号"，假设整个大湾路是同一个巷子，那么我们这个门牌的网络号码就是"台南市永康区大湾路"，而我的主机号码就是"949 号"，那么整条大湾路上面只要是开头为"台南市永康区大湾路"的，就跟我们是同一个网络了。当然，门牌号码不可能有第二个 949 号。

另外，Host_ID 全为 0 与全为 1（二进制的概念）时，代表整条巷子的第一个与最后一个门牌，而第一个门牌我们让他代表整条巷子，所以又称为 Network IP，就是巷子口那个 XXX 巷的立牌啦！至于最后一个 IP，则代表巷子尾，亦即本条巷子的最后一个门牌，那就是我们在巷子内广播时的最后一个 IP，又称为 Broadcast IP。

在我们这个巷子内，我们可以通过大声公用广播的方式跟大家沟通信息，例如前几年很热门的张君雅小姑娘的泡面广告，在巷子内通过广播告诉张君雅小姑娘，你奶奶将泡面煮好了，赶快回家吃面去！那如果不是张君雅小姑娘呢？就将该信息略过吧。这样有没有联想到 CSMA/CD 的概念呢？

那如果你的数据不是要给本巷子内的门牌呢？此时你就需要将资料拿给巷子内的邮局（路由器），由邮局帮你传送，你只要知道巷子内的那间邮局在哪里即可，其他的就让邮局自己帮你把信件传出去就行了。这就是整个局域网与门牌对应的联想。通过以上介绍是否有了一个比较清晰的认识呢？

3. IP 的分级

你应该要想到一个问题，那就是我的总门牌"台南市永康区大湾路 949 号"中，到哪里是巷子而到哪里是门牌？如果到"台南市"是巷子，那么我的门牌将有好多乡镇的组成，如果巷子号码到“台南市永康区”时，那么我们的门牌就又少了点。所以说，这个“巷子”的大小，将会影响到我们主机号码的数量。

为了解决这个问题，以及为了 IP 管理与发放注册的方便性，Inter NIC 将整个 IP 网段分为五种等级，每种等级的范围主要与 IP 的 32 bits 数值的前面几个位有关，基本定义如下：

```
以二进制说明 Network 第一个数字的定义：
Class A : 0xxxxxxx.xxxxxxxx.xxxxxxxx.xxxxxxxx  ==> NetI_D 的开头是 0
          |--net--|---------host------------|
Class B : 10xxxxxx.xxxxxxxx.xxxxxxxx.xxxxxxxx  ==> NetI_D 的开头是 10
          |------net-------|------host------|
Class C : 110xxxxx.xxxxxxxx.xxxxxxxx.xxxxxxxx  ==> NetI_D 的开头是 110
          |-----------net-----------|-host--|
Class D : 1110xxxx.xxxxxxxx.xxxxxxxx.xxxxxxxx  ==> NetI_D 的开头是 1110
Class E : 1111xxxx.xxxxxxxx.xxxxxxxx.xxxxxxxx  ==> NetI_D 的开头是 1111
五种分级使用十进制表示为：
Class A :   0.xx.xx.xx ~ 127.xx.xx.xx
Class B : 128.xx.xx.xx ~ 191.xx.xx.xx
Class C : 192.xx.xx.xx ~ 223.xx.xx.xx
Class D : 224.xx.xx.xx ~ 239.xx.xx.xx
Class E : 240.xx.xx.xx ~ 255.xx.xx.xx
```

根据以上说明，可以知道，你只要知道 IP 的第一个十进制数，就能够大概了解到该 IP 属于哪一个等级，以及同网络 IP 数量有多少。这也是为什么我们上面选了 192.168.0.0 这一 IP 网段来说明时，会将巷子定义到第三个数字的原因。不过，**上面定义中你只要记忆三种等级，也就是 Class A、B、C 即可**，因为 Class D 是用来作为组播（multicast）的特殊功能之用（最常用在大批计算机的网络还原），至于 Class E 则是保留没有使用的网段。因此，能够用来设定在一般系统上面的，就只有 Class A、B、C 三种等级的 IP。

2.3.3　IP 的种类与取得方式

接下来要跟大家谈一谈也是很容易困扰大家的一个部分，那就是 IP 的种类。很多朋友常常听到“真实 IP、实体 IP、虚拟 IP、假的 IP....烦都烦死了。其实不要太紧张，实际上，在 IPv4 里面就只有两种 IP 的类别，分别是：

- **Public IP**：公共 IP，经由 Inter NIC 所统一规划的 IP，有这种 IP 才可以连上 Internet。
- **Private IP**：私有 IP 或保留 IP，不能直接连上 Internet 的 IP，主要用于局域网络内的主机连接规划。

早在 IPv4 规划的时候就担心 IP 会有不足的情况，而且为了应付某些企业内部的网络配置，于是就有了私有 IP（Private IP）。私有 IP 也分别在 A、B、C 三个 Class 当中各保留一段作为私有 IP 网段，那就是：

- Class A：10.0.0.0~10.255.255.255
- Class B：172.16.0.0~172.31.255.255
- Class C：192.168.0.0~192.168.255.255

由于这三段 Class 的 IP 是预留使用的，所以**并不能直接作为 Internet 上面的连接使用**，不然的话，到处就都有相同的 IP，网络岂不混乱？所以，这三个 IP 网段就只作为内部私有网络的 IP 地址使用。简单地说，它有下面的几个限制：

- **私有 IP 的路由信息不能对外散播（只能存在内部网络）。**
- **使用私有 IP 作为来源或目的地址的数据包，不能通过 Internet 来传送（不然网络会混乱）。**
- **关于私有 IP 的参考纪录（如 DNS），只能限于内部网络使用。**

这个私有 IP 有什么好处呢？由于它的私有路由不能对外直接提供信息，所以，你的内部网络将不会直接被 Internet 上面的 Cracker 所攻击。但是，你也就无法以私有 IP 来“直接上网”。因此相当适合一些尚未具有 Public IP 的企业内部用来规划其网络的设置，否则当你随便指定一些可能是 Public IP 的网段来规划你企业内部的网络设置时，万一哪一天真的连上 Internet 了，那么岂不是可能会造成跟 Internet 上面的 Public IP 相同了吗？

此外，在没有可用的公开网络的情况下，如果你想要跟同学玩联网游戏怎么办？也就是说，在局域网内自己玩自己的连接游戏，此时你只要规范好所有同学在同一段私有 IP 网段中，就能够顺利的玩网络游戏了。就这么简单。

那么万一你又要将这些私有 IP 送上 Internet 呢？这个简单，设定一个简单的防火墙加上 NAT（Network Address Transfer）服务，你就可以通过 IP 伪装（在后面也会提到）来使你的私有 IP 的计算机也可以连上 Internet 了。

1. 特殊的 Loopback IP 网段

除了预留的 IP 网段的问题之外，还有没有什么其他的东西呢？当然有，不然鸟哥干嘛浪费时间呢？没错，还有一个奇怪的 Class A 的网络，即 lo 网络，lo 网络是当初被用来作为测试操作系统内部循环所用的一个网络，同时也能够提供给系统内部原本就需要使用网络接口的服务（daemon）所使用。

简单地说，如果你没有在机器上安装网卡，但是你又希望可以测试一下在你的机器上面设置的服务器环境到底可不可以顺利工作，这时就可以利用这个所谓的内部环回网络了。这个网段在 127.0.0.0/8 这个 Class A，而且默认的主机（localhost）的 IP 是 127.0.0.1 。所以，当你启动了你的 WWW 服务器，然后在你的主机的 X-Window 上面执行 http://localhost 就可以直接看到你的主页了。而且不需要安装网卡，测试很方便。

此外，你的内部使用的 mail 怎么发送邮件呢？例如你的主机系统如何发 E-mail 给 root 这个人呢？这时也可以使用这一个内部环回地址。当要测试你的 TCP/IP 数据包与状态是否正常时，也可以使用这个。所以哪一天有人问你：“嘿！你的主机上面没有网卡，那么你可以测试你的 WWW 服务器设置是否正确吗？”这个时候可得回答：“当然可以了，使用 127.0.0.1 这个 Address 呀！”

2. IP 的取得方式

讲完了 IP 的种类与等级还有相关的子网概念后，接下来我们就需要来了解一下，主机的 IP 是如何设置的呢？ 基本上，主机的 IP 与相关网络的设置方式主要有：

- 直接手动配置（static）

  你可以直接向你的网管询问可用的 IP 相关参数，然后直接编辑配置文件（或使用某些软件功能）来设定你的网络。常见于校园网络的环境中，以及向 ISP 申请固定 IP 的连接环境。

- 通过拨号取得

  向你的 ISP 申请注册，取得账号密码后，直接拨接到 ISP，你的 ISP 会通过他们自己的设置，让你的操作系统取得正确的网络参数。 此时你并不需要手动去编辑与配置相关的网络参数了。目前中国台湾地区的 ADSL 拨号、光纤到大楼、光纤入户等，大部分都是使用拨号的方式。为满足用户的需求，某些 ISP 也提供很多不同的 IP 分配机制。包括 hinet、seednet 等都有提供 ADSL 拨号后取得固定 IP 的方式。详情请向你的 ISP 咨询。

- 自动取得网络参数（DHCP）

  在局域网络内会有一台主机负责管理所有计算机的网络参数，你的网络启动时就会主动向该服务器要求 IP 参数，若取得网络相关参数后，你的主机就能够自行设定好所有服务器给你的网络参数了。最常使用于企业内部、IP 路由器后端、 校园网络与宿舍环境，及缆线宽带等连接方式。

不管是使用上面哪种方式取得的 IP，你的 IP 都只有所谓的“Public 与 Private IP”而已。而其他如浮动式、固定式、动态式等，就只是告诉你这个 IP 取得的方式而已。举例来说，台湾地区 ADSL 拨号后取得的 IP 通常是 Public IP，但是鸟哥曾接到香港网友的来信，他们 ADSL 拨号后，取得的 IP 是 Private ，所以导致无法架设网站。

2.3.4 Netmask、子网与 CIDR (Classless Interdomain Routing)

我们前面谈到 IP 是有等级的，而配置在一般计算机系统上面的则是 Class A、B、C。如果我们定义一个局域网，使用的是 Class A，那么我们很容易就会想到，哪有这么多计算机可以设定在同一个 Class A 的网段内（256 × 256 × 256−2=16777214）？而且，假设真有这么多计算机，回想一下 CSMA/CD，你的网络恐怕会一直非常停顿，因为你需要接到一千多万台计算机对你的广播！这样的网络还能使用吗？一定是特别没效率。

此外，分为 Class 的 IP 等级，是为了管理方面的考虑。事实上，我们不可能将一个 Class A 仅划定为一个局域网。举例来说，我们取得的 Public IP 是 120.xxx 开头的，但是其实我们只有 120.114.xxx.xxx 而已，并没有取得整个 Class A。因为用不了这么多。这个时候，我们就需要理解一下了，怎么将 Class A 的网段变小？换句话说，我们如何将网络切的更细呢？这样不就可以分出更多段的局域网给大家使用了吗？

前面我们提到 IP 这个 32 位的数值中分为网络号码与主机号码，其中 Class C 的网络号码占了 24 位，而其实我们还可以将这样的网络切的更细，就是**让第一个 Host_ID 被拿来作为 Net_ID**，所以，整个 Net_ID 就有 25 bits，至于 Host_ID 则减少为 7 bits。在这样的情况下，**原来的一个 Class C 的网络就可以被划分为两个子网**，而每个子网就有“256/2−2 = 126”个可用的 IP 了！这样一来，就能够将原本的一个网络切为两个较细小的网络，方便分门别类的设计。

1. Netmask

到底是什么参数来实现子网的划分呢？那就用到 Netmask（或称为 Subnet mask，即子网掩码）了。这个 Netmask 是用来定义网络的最重要的一个参数了，不过也最难理解。为了帮助大家比较容易记住 Netmask 的设置依据，接下来我们介绍一个比较容易记忆的方法。同样以 192.168.0.0 ~ 192.168.0.255 这个网络为范例，如下所示，这个 IP 网段可以分为 Net_ID 与 Host_ID，既然 Net_ID 是不可变的，那就假设它所占据的位已经被用完了（全部为 1），而 Host_ID 是可变的，就将它想成是保留着（全部为 0），所以，Netmask 的表示就成为：

```
192.168.0.0~192.168.0.255 这个 Class C 的 Netmask 说明
第一个 IP：11000000.10101000.00000000.00000000
最后一个 ：11000000.10101000.00000000.11111111
          |----------Net_ID---------|-host--|
Netmask  ：11111111.11111111.11111111.00000000  <== Netmask 二进制
         ：  255   .  255   .  255   .   0       <== Netmask 十进制
特别注意，netmask 也是 32 位，在数值上，位于 Net_ID 的为 1 而 Host_ID 为 0
```

将它转成十进制的话，就成为“255.255.255.0”了，这样记忆就简单多了。照这样的记忆方法，那么 Class A、B、C 的 Netmask 表示就成为这样：

```
Class A, B, C 三个等级的 Netmask 表示方式：
Class A : 11111111.00000000.00000000.00000000 ==> 255.  0.  0.  0
Class B : 11111111.11111111.00000000.00000000 ==> 255.255.  0.  0
Class C : 11111111.11111111.11111111.00000000 ==> 255.255.255.  0
```

所以说，192.168.0.0 ~ 192.168.0.255 这个 Class C 的网络中，它的 Netmask 就是 255.255.255.0。我们刚刚提到了当 **Host_ID 全部为 0 以及全部为 1 的时候该 IP 是不可以使用的，因为 Host_ID 全部为 0 的时候，表示 IP 是该网段的 Network，至于全部为 1 的时候就表示该网段最后一个 IP，也称为 Broadcast**，所以说，在 192.168.0.0 ~ 192.168.0.255 这个 IP 网段里面的相关网络参数就有：

```
Netmask:   255.255.255.0    <==网络定义中，最重要的参数
Network:   192.168.0.0      <==第一个 IP
Broadcast: 192.168.0.255    <==最后一个 IP
可用以设定成为主机的 IP 数：
192.168.0.1 ~ 192.168.0.254
```

2. 子网划分

刚刚提到 Class C 还可以继续进行子网（Subnet）的划分，以 192.168.0.0 ~192.168.0.255 这个情况为例，它要如何再细分为两个子网呢？我们已经知道 Host_ID 可以拿来当作 Net_ID，那么 Net_ID 使用了 25 bits 时，就会如下所示：

```
原本的Class C 的 Net_ID 与 Host_ID 的分别：
11000000.10101000.00000000.00000000        Network:   192.168.0.0
11000000.10101000.00000000.11111111        Broadcast: 192.168.0.255
|----------Net_ID---------|-host--|

换分成两个子网之后的 Net_ID 与 Host_ID:
11000000.10101000.00000000.0 0000000   多了一个 Net_ID 了，为 0 (第一个子网)
11000000.10101000.00000000.1 0000000   多了一个 Net_ID 了，为 1 (第二个子网)
|----------Net_ID-----------|-host--|

第一个子网
Network:   11000000.10101000.00000000.0 0000000    192.168.0.0
Broadcast: 11000000.10101000.00000000.0 1111111    192.168.0.127
           |----------Net_ID-----------|-host-|
Netmask:   11111111.11111111.11111111.1 0000000    255.255.255.128

第二个子网
Network:   11000000.10101000.00000000.1 0000000    192.168.0.128
Broadcast: 11000000.10101000.00000000.1 1111111    192.168.0.255
           |----------Net_ID-----------|-host-|
Netmask:   11111111.11111111.11111111.1 0000000    255.255.255.128
```

所以说，当再细分下去时，就会得到两个子网，而两个子网还可以再细分下去（Net_ID 用掉 26 bits ....）。如果你真的能够理解 IP、Network、Broadcast、Netmask 的话，恭喜你，

未来的服务器学习之路已经顺畅了一半了。

例题

请计算出 172.16.0.0，当 Net_ID 占用 23 个位时，这个网络的 Netmask、Network、Broadcast 等参数。

答：由于 172.16.xxx.xxx 是在 Class B 的等级当中，亦即 Net_ID 是 16 位才对。不过题目给的 Net_ID 占用了 23 个位，等于是向 Host_ID 借了（23-16=）7 个位用在 Net_ID 当中。所以整个 IP 的地址会变成这样：

```
预设：
              172  .  16   .0000000 0.00000000
           |----Net_ID--------------|--Host---|
Network:      172  .  16   .0000000 0.00000000   172.16.0.0
Broadcast:    172  .  16   .0000000 1.11111111   172.16.1.255
Netmask:   11111111.11111111.1111111 0.00000000   255.255.254.0
```

鸟哥在这里有点偷懒了，因为这个 IP 段的前 16 个位不会被改变，所以并没有计算成二进制（172.16）。粗体部分代表了 host_ID。

其实子网的计算是有技巧的，我们知道 IP 是二进制，每个位就是 2 的次方。又由于 IP 数量都是平均分配到每个子网去，所以，如果我们以 192.168.0.0 ~ 192.168.0.255 这个网段来说，要是给予 Net_ID 是 26 位时，总共分为几段呢？ 因为 26-24=2，所以总共用掉两个位，因此有 2 的 2 次方，得到 4 个网段。再将 256 个 IP 平均分配到 4 个网段去，那我们就可以知道这 4 个网段分别是：

- 192.168.0.0~192.168.0.63
- 192.168.0.64~192.168.0.127
- 192.168.0.128~192.168.0.191
- 192.168.0.192~192.168.0.255

是不是很简单？那你再想想，如果同样一个网段，Net_ID 变成 27 个位时，又该如何计算呢？自己算算看吧。

3. 无类别域间路由 CIDR (Classless Interdomain Routing)

一般来说，如果我们知道了 Network 以及 Netmask 之后，就可以定义出该网络的所有 IP 了！因为由 Netmask 就可以推算出来 Broadcast 的 IP。因此，我们常常会以 Network 以及 Netmask 来表示一个网络，例如这样的写法：

```
Network/Netmask
192.168.0.0/255.255.255.0
192.168.0.0/24      <==因为 Net_ID 共有 24 个 bits
```

另外，既然 Netmask 里面的 Net_ID 都是 1，那么 Class C 共有 24 bits 的 Net_ID，所以啦，就有类似上面 192.168.0.0/24 这样的写法了。这就是一般网络的表示方法。同理可证，在上述的计算网络方法中，4 个网段的写法就可以写成：

- 192.168.0.0/26
- 192.168.0.64/26
- 192.168.0.128/26
- 192.168.0.192/26

事实上，由于网络细分的情况太严重，为了担心路由信息过于庞大导致网络效能不佳。因此，某些特殊情况下，我们反而是将 Net_ID 借用来作为 Host_ID，这样就能够将多个网络写成一个了。举例来说，我们将 256 个 Class C 的私有 IP（192.168.0.0~192.168.255.255）写成一条路由信息的话，那么这个网段的写法就会变成：192.168.0.0/16，反而将 192 开头的 Class C 变成 Class B。这种打破原本 IP 代表等级的方式（通过 Netmask 的规范）就被称为无类别域间路由（CIDR）。

老实说，你无须理会什么是无类别域间路由，其实，Network/Netmask 的写法，通常就是 CIDR 的写法！然后，你也要知道如何通过 Netmask 去计算出 Network、Broadcast 及可用的 IP 等，那你的 IP 概念就相当完整了。

2.3.5　路由概念

我们知道在同一个局域网里面，可以通过 IP 广播的方式来实现数据传递的目的。但如果是非局域网内的数据呢？这时就需要通过那个所谓的邮局（路由器）来帮忙了。这也是网络层非常重要的概念。先来看看局域网。

例题

请问 192.168.10.100/25 与 192.168.10.200/25 是否在同一个网络内？

答：如果经过计算，会发现 192.168.10.100 的 Network 为 192.168.10.0，但是 192.168.10.200 的 Network 却是 192.168.10.128，由于 Net_ID 不相同，所以当然不在同一个网段内。关于 Network 与 Netmask 的算法则请参考上一小节。

如上题所述，那么这两个网段的数据无法通过广播来实现数据的传递了，此时就需要经过 IP 的路径选择（routing）功能了。我们以图 2–12 所示的例子来做说明。图 2–12 中共有两个不同的网段，分别是 Network A 与 Network B，这两个网段是通过一台路由器（Server A）来进行数据传递的。那么当 PC01 这部主机想要传送数据到 PC11 时，它的 IP 数据包该如何传输呢？

我们知道 Network A（192.168.0.0/24）与 Network B（192.168.1.0/24）是不同网段，所以 PC01 与 PC11 是不能直接传递数据的。不过，PC01 与 PC11 是如何知道它们两个不在同一个网段内？这当然是通过 Net_ID 来发现的。那么当主机想要发送数据时，它主要的参考是什么？是“路由表（Route table）”，**每台主机都有自己的“路由表”**。让我们来看一看默认的情况下，PC01 是怎样将数据传送到 PC11 的。

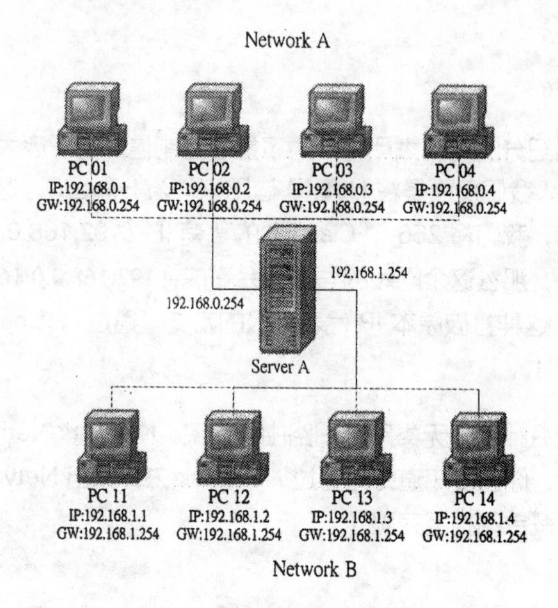

图 2-12 简易的路由示意图

1）查询 IP 数据包的目标 IP 地址

当 PC01 有 IP 数据包需要发送时，主机会查阅 IP 数据包报头的目标 IP 地址。

2）查询是否位于本机所在的网络路由表中

PC01 主机会分析自己的路由表，当发现目标 IP 与本机 IP 的 Net_ID 相同时（同一网络），则 PC01 会直接通过局域网功能，将数据直接传送给目的地主机。

3）查询默认路由（Default Gateway）

但在本案例中，PC01 与 PC11 并非同一网络，因此 PC01 会分析路由表当中是否有其他相符合的路由设置值，如果没有的话，就直接将该 IP 数据包送到默认路由器（Default Gateway）去，在本案例当中 Default Gateway 则是 Server A 这一台。

4）送出数据包至 Default Gateway 后，不理会数据包流向

当 IP 由 PC01 送给 Server A 之后，PC01 就不理会接下来的工作。而 Server A 接收到这个数据包后，会依据上述的流程，也分析自己的路由信息，然后向后继续传输到正确的目的地主机上面。

Gateway / Router：网关/路由器的功能就是在负责不同网络之间的数据包转递(IP Forwarding)，由于路由器具有 IP Forwarding 的功能，并且具有管理路由的能力，所以可以将来自不同网络之间的数据包进行转递。此外，你的主机与你主机配置的 Gateway 一定要在同一个网段内。

大致的情况就是这样，所以每一台主机里面都会存在着一个路由表，数据的传递将依据这个路由表进行传送。而一旦数据包已经经由路由表的路由条目发送出去后，那么主机本身就已经不再管数据包的流向了，因为该数据包的流向将是下一台主机（也就是 Router）来进行传送，而 Router 在传送时，也是依据 Router 自己的路由表来判断该数据包应该经由哪里传送出去，如图 2–13 所示。

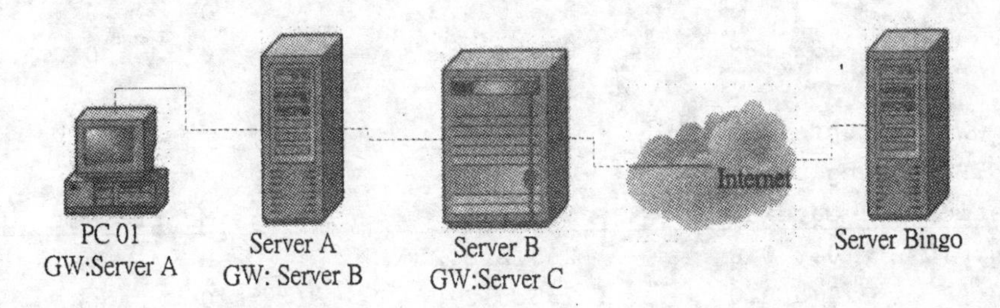

图 2-13　路由的概念

PC 01 要将资料送到 Server Bingo 去，则依据自己的路由表，将该数据包送到 Server A 去，Server A 再继续送到 Server B，然后在一个一个地接力送下去，最后总是可以到达 Server Bingo 的。

上面的案例是一个很简单的路由概念，事实上，Internet 上面的路由协议与变化是相当复杂的，因为 Internet 上面的路由并不是静态的，它可以随时因为环境的变化而修订每个数据包的传送方向。例如，数年前在中国台湾地区的新竹县因为土木施工导致台湾西部整个网络缆线的中断。不过南北的网络竟然还是能通，为什么呢？因为路由已经判断出西部缆线的终止，因此他自动改为使用台湾东部的花莲路线了，虽然如此一来绕了一大圈，而且造成网络的大塞车，不过数据包还是通了。这个例子仅是想告诉大家，我们上面提的路由仅是一个很简单的静态路由情况，如果想要更深入地了解 Route，请自行参考相关书籍。

此外，在属于 Public 的 Internet 环境中，由于最早时的 IP 分配都已经配置妥当，所以

各单位的路由一经设定妥当后，上层的路由则无须担心。IP 的分配可以参考下面的网页：

- 中国台湾地区 IP 配置情况：http://rms.twnic.net.tw/twnic/User/Member/Search/main7.jsp?Order=inet_aton（Startip）。

2.3.6 观察主机路由：Route

既然路由是这么的重要，**而且路由一旦设置错误，将会造成某些数据包完全无法正确的送出去**。所以我们当然需要好好的来观察一下我们主机的路由表了。还是要注意一下，**每一台主机都有自己的路由表**。观察路由表的命令很简单，就是 Route，这个命令用法很多，我们在后面章节再继续介绍，这里仅说明一些比较简单的用法：

```
[root@www ~]# route [-n]
选项与参数：
-n ：将主机名以 IP 的方式显示

[root@www ~]# route
Kernel IP routing table
Destination     Gateway         Genmask         Flags Metric Ref   Use Iface
192.168.0.0     *               255.255.255.0   U     0      0       0 eth0
127.0.0.0       *               255.0.0.0       U     0      0       0 lo
default         192.168.0.254   0.0.0.0         UG    0      0       0 eth0

[root@www ~]# route -n
Kernel IP routing table
Destination     Gateway         Genmask         Flags Metric Ref   Use Iface
192.168.0.0     0.0.0.0         255.255.255.0   U     0      0       0 eth0
127.0.0.0       0.0.0.0         255.0.0.0       U     0      0       0 lo
0.0.0.0         192.168.0.254   0.0.0.0         UG    0      0       0 eth0

# 上面输出的数据共有八个字段，你需要注意的有几个地方：
# Destination ：其实就是 Network 的意思。
# Gateway     ：就是该接口的 Gateway 的 IP，若为 0.0.0.0 表示不需要额外的 IP。
# Genmask     ：就是 Netmask，与 Destination 组合成为一台主机或网络。
# Flags       ：共有多个标志可以来表示该网络或主机代表的意义。
#               U：代表该路由可用。
#               G：代表该网络需要经由 Gateway 来帮忙转递。
#               H：代表该行路由为一台主机，而非一整个网络。
# Iface       ：就是 Interface（接口）的意思。
```

在上面的例子当中，鸟哥是以 PC 01 这部主机的路由状态来进行说明。由于 PC 01 为 192.168.0.0/24 这个网络，所以主机已经建立了这个网络的路由了，那就是"192.168.0.0 * 255.255.255.0 ..."这一行所显示的信息。当你下达 Route 时，屏幕上说明了这部机器上面共有三个路由规则，第一栏为“**目的地的网络**”，例如 192.168.0.0 就是一个网络，最后一栏显示的是“**要去到这个目的地要使用哪一个网络接口**”。例如 eth0 就是网卡的设备名称。如果我们要传送的数据包在路由规则里面的 192.168.0.0/255.255.255.0 或者 127.0.0.0/255.0.0.0 里面时，因为第二栏 Gateway 为 *，所以就会直接以后面的网络接口来传送出去，而不通过 Gateway。

万一我们要传送的数据包目的地 IP 不在路由规则里面，那么就会将数据包传送到“default”所在的那个路由规则去，也就是 192.168.0.254 那个 Gateway。所以，几乎每一台主机都会有一个 Default Gateway 来帮它们负责所有非网络内的数据包转递。这是很重要的概念喔。关于更多的路由功能与设定方法，我们在第 8 章当中会再次的提及。

2.3.7 IP 与 MAC：网络接口层的 ARP 与 RARP 协议

现在我们知道 Internet 上面最重要的就是 IP 了，也会计算所谓的局域网与路由。但是，事实上用于传递数据的分明就是以太网。以太网主要是用网卡卡号（MAC），那这两者（IP 与 MAC）势必存在一定的关联性吧？是的，那就是我们要谈到的 **ARP（Address Resolution Protocol，网络地址解析）协议**，以及 RARP（Revers ARP，反向网络地址解析）协议。

当我们想要了解某个 IP 配置于哪张以太网卡上时，我们的主机会对整个局域网发送出 ARP 数据包，对方收到 ARP 数据包后就会返回它的 MAC 给我们，我们的主机就会知道对方所在的网卡，那接下来就能够开始传递数据了。如果每次要传送都需要重新来一遍这个 ARP 协议那是很烦的。因此，当使用 ARP 协议取得目标 IP 与它的网卡卡号后，就会将该笔记录写入我们主机的 ARP table 中（内存内的数据），记录 20 分钟。

例题

如何取得自己本机的网卡卡号（MAC）？

答：

```
在 Linux 环境下
[root@www ~]# ifconfig eth0
eth0      Link encap:Ethernet  HWaddr 00:01:03:43:E5:34
          inet addr:192.168.1.100  Bcast:192.168.1.255  Mask:255.255.255.0
          inet6 addr: fe80::201:3ff:fe43:e534/64 Scope:Link
          UP BROADCAST RUNNING MULTICAST  MTU:1500  Metric:1
.....

在 Windows 环境下
C:\Documents and Settings\admin..> ipconfig /all
....
       Physical Address. . . . . . . . . : 00-01-03-43-E5-34
```

....

那如何取得本机的 ARP 表格内的 IP/MAC 对应数据呢？就是通过 ARP 这个命令。

```
[root@www ~]# arp -[nd] hostname

[root@www ~]# arp -s hostname(IP) Hardware_address
选项与参数：
-n ：将主机名以 IP 的形态显示
-d ：将 hostname 的 hardware_address 由 ARP table 当中删除掉
-s ：设定某个 IP 或 hostname 的 MAC 到 ARP table 当中

范例一：列出当前主机上面缓存的 IP/MAC 对应的 ARP 表格
[root@www ~]# arp -n
Address          HWtype  HWaddress           Flags Mask    Iface
192.168.1.100    ether   00:01:03:01:02:03     C           eth0
192.168.1.240    ether   00:01:03:01:DE:0A     C           eth0
192.168.1.254    ether   00:01:03:55:74:AB     C           eth0

范例二：将 192.168.1.100 那部主机的网卡卡号直接写入 ARP 表格中
[root@www ~]# arp -s 192.168.1.100  01:00:2D:23:A1:0E
# 这个指令的目的在建立静态 ARP
```

如同上面提到的，当你发送 ARP 数据包取得的 IP/MAC 对应，这个记录的 **ARP table 是动态的信息**（一般保留 20 分钟），它会随时随着你的网络里面计算机的 IP 变动而变化，所以，即使你常常更改你的计算机 IP，不要担心，因为 ARP table 会自动地重新对应 IP 与 MAC 的表格内容。但如果你有特殊需求的话，也可以利用“ arp –s”这个选项定义静态的 ARP 来对应。

2.3.8 ICMP 协议

ICMP 的全称是 Internet Control Message Protocol，**即因特网信息控制协议**。基本上，ICMP 是一个错误检测与报告的机制，最大的功能就是可以确保我们网络的连接状态与连接的正确性。ICMP 也是网络层的重要数据包之一，不过，这个数据包并非独立存在，而是纳入到 IP 的数据包中。也就是说，ICMP 同样是通过 IP 数据包来进行数据传送的。因为在 Internet 上面有传输能力的就是 IP 数据包了。ICMP 有相当多的类别可以检测与报告，表 2–5 是比较常见的几个 ICMP 的类别（Type）。

表 2-5　常见的 ICMP 类别

类别代号	类别名称与意义
0	Echo Reply (代表一个响应信息)
3	Destination Unreachable (表示目的地不可到达)
4	Source Quench (当 Router 的负载过高时，此类别码可用来让发送端停止发送信息)
5	Redirect (用来重新构建路由的路径信息)
8	Echo Request (请求响应消息)
11	Time Exceeded for a Datagram (当数据包在某些路由传送的过程中造成超时状态，此类别码可告知来源设备该数据包已被忽略的信息)
12	Parameter Problem on a Datagram (当一个 ICMP 数据包重复之前的错误时，会回复来源主机关于参数错误的信息)
13	Timestamp Request (要求对方送出时间信息，用以计算路由时间的差异，以满足同步性协议的要求)
14	Timestamp Reply (此信息纯粹是响应 Timestamp Request 用的)
15	Information Request (在 RARP 协议应用之前，此信息是用来在开机时取得网络信息)
16	Information Reply (用以响应 Information Request 信息)
17	Address Mask Request (这信息是用来查询子网 mask 的配置信息)
18	Address Mask Reply (响应子网 mask 的查询信息)

那么我们是如何利用 ICMP 来检验网络的状态呢？最简单的指令就是 ping 与 traceroute 了，这两条指令可以通过 ICMP 数据包的辅助来确认与回报网络主机的状态。在设定防火墙的时候，我们最容易忽略的就是这个 ICMP 的数据包了，因为只会记住 TCP/UDP 而已。事实上，ICMP 数据包可以帮助连接报告状态，除了上述的 8 可以考虑关闭之外，基本上，ICMP 数据包也不应该全部都过滤掉。

2.4　TCP/IP 的传输层相关数据包与数据

网络层的 IP 数据包只负责将数据送到正确的目标主机去，但这个数据包到底会不会被接受，或者是有没有被正确接收，那就不是 IP 的任务了，那是传输层的任务之一。从 图 2-4 我们可以看到传输层有两个重点，一个是面向连接的 TCP 数据包，一个是无连接的 UDP 数据包，这两个数据包很重要，数据能不能正确的被送达目的地，与这两个数据包有很大关系。

2.4.1　面向连接的可靠的 TCP 协议

在前面的 OSI 七层协议中，在网络层的 IP 之上则是传输层，而传输层的数据打包成什么？最常见的就是 TCP 数据包了。这个 TCP 数据包数据必须要能够放到 IP 的数据袋当中才行，所以，我们将图 2-4 简化一下，将 MAC、IP 与 TCP 的数据包数据这样看，如图 2-14。

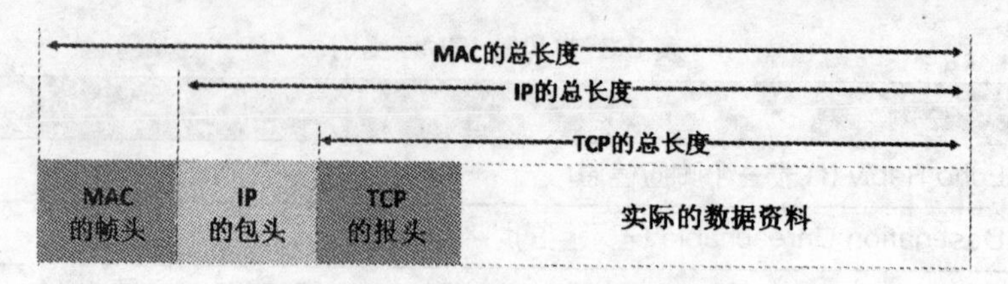

图 2-14 各数据包之间的相关性

TCP 也有报头数据来记录该数据包的相关信息，TCP 数据包的报头如图 2-15 所示。

4 bits	6 bits	6 bits	8 bits	8 bits
Source Port			Destination Port	
Sequence Number				
Acknowledge Number				
Data Offset	Reserved	Code	Window	
Checksum			Urgent Pointer	
Options			Padding	
Data				

图 2-15 TCP 数据包的报头信息

图 2-15 就是一个 TCP 数据包的报头数据，各个项目的 Source Port、Destination Port 及 Code 是比较重要的项目，下面我们就分别来谈一谈各个报头数据的内容。

- **Source Port & Destination Port（源端口 & 目标端口）**

  什么是端口(port)？我们知道 IP 数据包的传送主要是利用 IP 地址连接两端，但是到底这个连接的通道是连接到哪里去呢？就是连接到 port 上面。举例来说，鸟哥的网站有开放 WWW 服务器，这表示鸟站的主机必须要启动一个可以让 Client 端连接的端口，这个端口就是 port (中文翻译成为端口)。同样的，客户端想要连接到鸟哥的网站时，就必须要在 Client 主机上面启动一个 port，这样这两个主机才能够利用这条“通道”来传递数据包数据。这个目标与来源 port 的记录，可以说是 TCP 数据包上最重要的参数了。

- **Sequence Number（数据包序号）**

  由于 TCP 数据包必须要带入 IP 数据包当中，所以如果 TCP 数据太大时(大于 IP 数据包的容许程度)，就需要进行分段。这个 Sequence Number 就是记录每个数据包的序号，可以让接收端重新将 TCP 的数据组合起来。

■ Acknowledge Number（回应序号）

为了确认主机端确实收到我们 Client 端所发出的数据包，我们 Client 端当然希望能够收到主机方面的响应，那就是这个 Acknowledge Number 的用途了。当 Client 端收到这个确认码时，就能够确定之前传递的数据包已经被正确的收下了。

■ Data Offset（数据补偿）

在图 2-15 倒数第二行有个 Options 字段，这个 Options 的字段长度是非固定的，而为了要确认整个 TCP 数据包的大小，就需要这个标志来说明整个数据包字段的起始位置。

■ Reserved（保留）

未使用的保留字段。

■ Code（Control Flag, 控制标志码）

当我们在进行网络连接的时候，必须要说明这个连接的状态，好让接收端了解这个数据包的主要动作。这是一个非常重要的句柄。这个字段共有 6 个 bits，分别代表 6 个句柄，若为 1 则为启动。分别说明如下：

- URG(Urgent)：若为 1 则代表该数据包为紧急数据包，接收端应该要紧急处理，且图 2-15 当中的 Urgent Pointer 字段也会被启用。
- ACK(Acknowledge)：若为 1 代表这个数据包为响应数据包，则与上面提到的 Acknowledge Number 有关。
- PSH(Push function)：若为 1 时，代表要求对方立即传送缓冲区内的其他对应数据包，而无须等待缓冲区满了才送。
- RST(Reset)：如果 RST 为 1 的时候，表示连接会被马上结束，而无须等待终止确认手续。也就是说，这是个强制结束的连接，且发送端已断线。
- SYN(Synchronous)：若为 1，表示发送端希望双方建立同步处理，也就是要求建立连接。通常带有 SYN 标志的数据包表示“主动”要连接到对方的意思。
- FIN(Finish)：若为 1，表示传送结束，所以通知对方数据传毕，是否同意断线，只是发送者还在等待对方的响应而已。

其实每个项目都很重要，不过我们这里仅对 ACK/SYN 有兴趣而已，这样未来在谈到防火墙的时候，你才会比较清楚为什么每个 TCP 数据包都有所谓的“状态”条件。那是因为连接方向的不同所致。下面我们会进一步讨论。至于其他的数据，请您自行查询网络相关书籍。

■ Window（滑动窗口）

主要是用来控制数据包的流量的，可以告知对方目前本机的缓冲器 (Receive Buffer) 还可以接收数据包。当 Window=0 时，代表缓冲器已经额满，所以应该要暂停传输数据。

Window 的单位是 byte。

- **Checksum（确认校验码）**

  当数据要由发送端送出前，会进行一个校验的动作，并将该动作的校验值标注在这个字段上；而接收者收到这个数据包之后，会再次的对数据包进行验证，并且比对原发送的 Checksum 值是否相符，如果相符就接受，若不符就会假设该数据包已经损毁，进而要求对方重新发送此数据包。

- **Urgent Pointer（紧急数据）**

  这个字段是在 Code 字段内的 URG = 1 时才会产生作用。可以告知紧急数据所在的位置。

- **Options（任意数据）**

  目前此字段仅应用于表示接收端可以接收的最大数据段容量，若此字段不使用，表示可以使用任意数据段的大小。这个字段较少使用。

- **Padding（补足字段）**

  如同 IP 数据包需要有固定的 32bits 包头一样，Options 由于字段为非固定，所以也需要 Padding 字段来加以补齐才行。同样也是 32 bits 的整数。

谈完了 TCP 报头数据后，再来让我们了解一下这个报头里面最重要的端口信息。

1. 通信端口

在图 2–15 的 TCP 报头数据中，最重要的就属那 16 位的两个东西，也就是来源与目标的端口。由于是 16 位，因此目标与来源端口最大可达 65535 号（2 的 16 次方）。那这个端口有什么用途呢？上面稍微提到过，网络是双向的，服务器与客户端要达成连接的话，两边应该要有一个对应的端口来达成连接信道，好让数据可以通过这个信道来进行沟通。

那么这个端口怎么打开呢？就是通过程序的执行。举例来说，鸟哥的网站上，必须要启动一个 WWW 服务器软件，这个服务器软件会主动唤起 port 80 来等待客户端的连接。你想要看我网站上的数据，就需要利用浏览器，填入网址，然后浏览器也会启动一个端口，并将 TCP 的报头填写目标端口为 80，而来源端口是你主机随机启动的一个端口，然后将 TCP 数据包封装到 IP 后，送出到网络上。等鸟哥网站主机接收到你这个数据包后，再依据你的端口给予回应。

这么说你或许不好理解，我们换个说法。假如 IP 是网络世界的门牌，那么这个端口就是那个门牌号码上建筑物的楼层。每个建筑物都有 1~65535 层楼，你需要什么网络服务，就需要去该对应的楼层取得正确的数据。但那个楼层里面有没有人在服务你呢？这就需要看有没有程序在执行了。所以，**IP 是门牌，TCP 是楼层，真正提供服务的，是在该楼层的那个人（程序）**。

曾经有一个朋友问过我说：“一台主机上面这么多服务，那我们跟这台主机进行连接时，该主机怎么知道我们要的数据是 WWW 还是 FTP 啊？”其实就是通过端口啊！因为每种 Client 软件它们所需要的数据都不相同，例如上面提到的浏览器所需要的数据是 WWW，所以该软件默认就会向服务器的 port 80 请求数据；而如果你是使用 filezilla 来进行与服务器的 FTP 数据请求时，filezilla 当然默认就是向服务器的 FTP 相关端口（默认就是 port 21）进行连接的动作了！所以当然就可以正确无误地取得 Client 端所需要的数据了。

再举个例子来说，一台主机就好像是一间多功能银行，该银行内的每个负责不同业务的窗口就好像是通信端口，而我们民众就好像是 Client 端传来的数据包。当你进入银行想要缴纳信用卡账单时，一到门口服务人员就会指示你直接到该窗口去缴纳，当然，如果你是要取钱，服务人员就会请你到取钱的窗口去填写数据，你是不会跑错的。万一跑错了怎么办？当然该窗口就会告诉你“我不负责这个业务，你请回去”，所以该次的连接就会“无法成功”了。

2. 特权端口（Privileged Ports）

你现在了解了端口的意义后，再来想想，网络既然是双向的，一定有一个发起端。问题是，到底要连接到服务器取得什么呢？也就是说，哪段程序应该在哪个端口执行，以让大家都知道该端口就是提供那个服务，如此一来，才不会造成广大用户的困扰。所以，Internet 上面已经有很多规范好的固定 port（well-known port），这些 port number 通常小于 1024，且是提供给许多知名的网络服务软件用的。 在我们的 Linux 环境下，各网络服务与 port number 的对应默认给它写在 /etc/services 文件内。鸟哥在下表列出几个常见的 port number 与网络服务的对应，如表 2-6 所示。

表 2-6 常见的端口与网络服务的对应

端口	服务名称与内容
20	FTP-data，文件传输协议所使用的主动数据传输端口
21	FTP，文件传输协议的命令端口
22	SSH，较为安全的远程连接服务
23	Telnet，早期的远程连接服务器软件
25	SMTP，简单邮件传递协议，用在作为 Mail Server 的端口
53	DNS，用在作为名称解析的域名服务器
80	WWW，就是全球信息网服务器
110	POP3，邮件接收协议，办公室用的收信软件都是通过它
443	HTTPS，有安全加密机制的 WWW 服务器

另外一点比较值得注意的是，**小于 1024 以下的端口要启动时，启动者的身份必须要是**

root才行，所以才叫做特权端口。这个限制挺重要的，大家不要忘记了。不过如果是 Client 端的话，由于 Client 端都是主动向 Server 端要数据，所以 Client 端的 port number 就使用随机取一个大于 1024 且没有在用的 port number 即可。

3. Socket Pair

由于网络是双向的，要达成连接的话需要服务器与客户端均提供了 IP 与端口才行。因此，我们常常将这个成对的数据称之为 Socket Pair。

- **来源 IP + 来源端口**（Source Address + Source Port）
- **目的 IP + 目的端口**（Destination Address + Destination Port）

由于 IP 与端口常常连在一起说明，因此网络寻址常常使用“ IP:port”来说明，例如想要连上鸟哥的网站时，正确的鸟哥网站写法应该是：“ linux.vbird.org:80”。

2.4.2 TCP 的三次握手

TCP 被称为可靠的数据传输协议，主要是通过许多机制来实现的，其中最重要的就是三次握手的功能。当然，TCP 传送数据的机制非常复杂，有兴趣的朋友请自行参考相关网络书籍。那么如何利用 TCP 的报头来确认这个数据包已经被对方接收，并进一步与对方主机实现连接呢？ 我们以图 2-16 来说明。

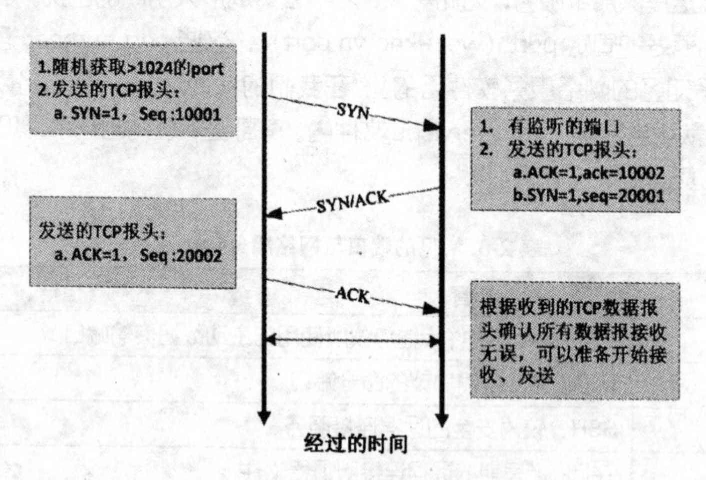

图 2-16 三次握手的数据包连接模式

在上面的数据包连接模式当中，在建立连接之前都必须要通过三个确认的动作，所以这种连接方式也就被称为三次握手（Three-way handshake）。那么我们将整个流程依据上面的 A、B、C、D 四个阶段来说明一下：

A：数据包发起。

当客户端想要对服务器端连接时，就必须要送出一个要求连接的数据包，此时客户端必须随机取用一个大于 1024 的端口来作为程序沟通的接口。然后在 TCP 的报头当中，必须要带有 SYN 的主动连接（SYN=1），并且记下发送出连接数据包给服务器端的序号（Sequence number = 10001）。

B：数据包接收与确认数据包传送。

当服务器接到这个数据包，并且确定要接收这个数据包后，就会开始制作一个同时带有 SYN=1，ACK=1 的数据包，其中那个 Acknowledge 的号码是要给 Client 端确认用的，所以该数字会比 A 步骤里面的 Sequence 号码多一号（ack = 10001+1 = 10002），那我们服务器也必须要确认客户端确实可以接收我们的数据包才行，所以也会发送出一个 Sequence（seq=20001）给客户端，并且开始等待客户端给我们服务器端的回应。

C：回送确认数据包。

当客户端收到来自服务器端的 ACK 数字后（10002）就能够确认之前那个要求数据包被正确接收了，接下来如果客户端也同意与服务器端建立连接时，就会再次发送一个确认数据包（ACK=1）给服务器，亦即是 Acknowledge = 20001+1 = 20002。

D：取得最后确认。

若一切都顺利，在服务器端收到带有 ACK=1 且 ack=20002 序号的数据包后，就能够建立起这次的连接了。

也就是说，你必须要了解**“网络是双向的”**这个事实。所以不论是服务器端还是客户端，都必须要通过一次 SYN 与 ACK 来建立连接，所以总共会进行三次交谈！在设定防火墙或者是追踪网络连接的问题时，这个“双向”的概念最容易被忽略，而常常导致无法成功连接的问题。

鸟哥上课谈到 TCP 最常做的事就是，叫一个同学起来，实际表演三次握手给大家看！

鸟哥说：A 同学你在不在？

A 同学说：我在！那鸟哥你在不在？

鸟哥说：我也在。

此时两个人就确认彼此都可以听到对方在讲什么，这就是可靠连接。

2.4.3　无连接的 UDP 协议

UDP 的全称是 **User Datagram Protocol，即用户数据报协议**。UDP 与 TCP 不一样，UDP

不提供可靠的传输模式，因为它不是面向连接的机制，这是因为在 UDP 的传送过程中，接收端在接收到数据包之后，不会回复响应数据包（ACK）给发送端，所以数据包并没有像 TCP 数据包有较为严密的检查机制。UDP 的报头数据如图 2-17 所示。

16 bits	16 bits
Source Port	Destination Port
Message Length	Checksum
Data	

图 2-17　UDP 数据包的报头资料

TCP 数据包确实是比较可靠的，因为通过三次握手。不过，也由于三次握手的缘故，TCP 数据包的传输速度会较慢。至于 UDP 数据包由于不需要确认对方是否正确的收到数据，故报头数据较少，所以 UDP 就可以在 Data 处填入更多的数据了。同时 UDP 比较适合需要实时反应的一些数据流，例如影像实时传输软件等，就可以使用这类的数据包传送。也就是说，UDP 传输协议并不考虑连接要求、连接终止与流量控制等特性，所以使用的情况是当数据的正确性不很重要的时候，例如网络摄影机。

另外，很多的软件其实是同时提供 TCP 与 UDP 的传输协议的，举例来说，查询主机名的 DNS 服务就同时提供了 UDP/TCP 协议。由于 UDP 较为快速，所以我们 Client 端可以先使用 UDP 来与服务器连接。但是当使用 UDP 连接却还是无法取得正确的数据时，便转换为较为可靠的 TCP 传输协议来进行数据的传输了。这样可以同时兼顾快速与可靠的传输。

上课时怎么介绍 UDP 呢？很简单。鸟哥就会说：“现在老师就是在进行 UDP 的传送，因为老师一直讲一直讲，我也没有注意到你有没有听到，也不需要等待你的响应数据包。就这样一直讲，当然，你没有听到鸟哥讲啥，我也不会知道”。

2.4.4　网络防火墙与 OSI 七层协议

由上面的说明当中，我们知道数据的传送其实就是数据包的发出与接收的动作，并且不同的数据包上面都有不一样的头部（header）信息。此外，数据包上面通常都会具有四个基本的信息，那就是 Socket Pair 里面提到的“来源与目的 IP 以及来源与目的端的 port number”。当然，如果是可靠性连接的 TCP 数据包，还包含 Control Flag 里面的 SYN/ACK 等重要的信息。开始动一动脑筋，有没有想到“**网络防火墙**”的字眼呢？

数据包过滤式的网络防火墙可以阻挡掉一些可能有问题的数据包，Linux 系统上面是怎么阻挡掉数据包的呢？其实说来也是很简单，既然数据包的头部上面已经有这么多的重要信息，那么我就利用一些防火墙机制与软件来进行数据包报头的分析，并且设定分析的规则，当发现某些特定的 IP、特定的端口或者是特定的数据包信息（SYN/ACK 等），那么就将该数据包丢弃，这就是最基本的防火墙原理。

举例来说，大家都知道 Telnet 这个服务器是挺危险的，而 Telnet 使用的 port number 为 23，所以，当我们使用软件去分析要送进我们主机的数据包时，只要发现该数据包的目的地是我们主机的 port 23，就将该数据包丢掉。这就是最基本的防火墙案例。如果以 OSI 七层协议来说，每一层可以阻挡的数据有：

- **第二层：可以针对来源与目标的 MAC 进行阻挡。**
- **第三层：主要针对来源与目标的 IP，以及 ICMP 的类别（type）进行阻挡。**
- **第四层：针对 TCP/UDP 的端口进行阻挡，也可以针对 TCP 的状态（code）来处理。**

更多的防火墙信息我们会在第 9 章防火墙与第 7 章认识网络安全当中进行更多的说明。

2.5 连上 Internet 前的准备事项

讲了这么多，其实我们最需要的仅是“连接上 Internet”。在 Internet 上面其实使用的是 TCP/IP 这个通信协议，所以我们就需要 Public IP 来连接上 Internet。不过，你有没有发现一件事，那就是“为什么我不知道 Yahoo 的主机 IP，但是我的主机却可以连到 Yahoo 主机上？”如果你已经发现了这个问题的话，就可以准备开始设置网络了。

2.5.1 IP 地址、主机名与 DNS 系统

讲完了上面的基本数据，现在知道要连上 Internet 就需要有 TCP/IP 才行，尤其是重要的 IP。问题是，计算机网络是依据人类的需要来建立的，不过人类对于 IP 这一类的数字并不具有敏感性，即使 IP 已经被简化为十进制了，但是人类就是对数字没有办法。怎么办？没关系，反正计算机都有主机名称。那么我就将主机名称与它的 IP 对应起来，未来要连接上该计算机时，只要知道该计算机的主机名称就好了，因为 IP 已经对应到主机名称了。所以人类也容易记忆文字类的主机名，计算机也可以通过解析来找到它必须要知道的 IP。

这个主机名称（Host Name）对应 IP 的系统，就是鼎鼎有名的 Domain Name System（DNS）了。也就是说，DNS 这个服务的最大功能就是在进行“主机名称与该主机 IP 的解析”的一项协议。DNS 在网络环境当中是经常被使用到的。举个例子来说，鸟哥常常会连到雅虎台湾地区的 WWW 网站去看最新的新闻，那么我一定需要将雅虎台湾地区的 WWW 网站的 IP 背下来吗？鸟哥的忘性这么大，怎么可能将 IP 背下来？不过，如果是要将雅虎网站的主机名称背下来的话，那就容易得多了。不就是 http://tw.yahoo.com 吗？而既然计算机主机只认识 IP 而已，因此当我在浏览器上面输入了“http://tw.yahoo.com”的时候，我的计算机首先就会通过向 DNS 主机查询 tw.yahoo.com 的 IP 后，再将查询到的 IP 结果回应给我的浏览器，那

么我的浏览器就可以利用该 IP 来连接上主机了。

这里，**我的计算机需要向 DNS 服务器查询 Host Name 对应 IP 的信息**！那么那部 DNS 主机的 IP 就必须要在我的计算机里面设置好才行，并且需要是输入 IP，不然我的计算机怎么连到 DNS 服务器去要求数据呢？在 Linux 里面，DNS 主机 IP 的设定就是在 /etc/resolv.conf 这个文件里面。

目前各大 ISP 都会提供他们的 DNS 服务器的 IP 给他们的用户，好设定客户自己计算机的 DNS 查询主机，不过，如果你忘记了或者是你使用的环境中并没有提供 DNS 主机呢？没有关系，那就设定 Hinet 那个最大的 DNS 服务器吧，**IP 是 168.95.1.1**。要设定好 DNS 之后，未来上网浏览时，才能使用主机名。不然就得需要使用 IP 才能上网。DNS 是很重要的，它的原理也挺复杂的，更详细的原理我们在第 19 章 DNS 服务器里面进行更多更详细的说明，这里仅提个大概。

2.5.2 连上 Internet 的必要网络参数

从上面的说明当中，我们知道一台主机要能够使用网络，必须要有 IP，而在 IP 的设置当中，就必须要有 IP、Network、Broadcast、Netmask 等参数，此外，还需要考虑到路由里面的 Default Gateway 才能够正确地将非同网络的数据包传送出去。另外，考虑到主机名与 IP 的对应，你还必须要给系统一个 DNS 服务器的 IP 才行。所以说，一组合理的网络设置需要以下这些数据。

- IP
- Netmask
- Network
- Broadcast
- Gateway
- DNS

其中，由于 Network 与 Broadcast 可以通过 IP/Netmask 的计算而得到，因此需要设定于你 PC 端的网络参数，主要就是 IP、Netmask、Default Gateway、DNS 这 4 个。

如果你是使用 ADSL 拨号上网的话，上面这些数据都是由 ISP 直接给你的，那你只要使用拨号程序进行拨号到 ISP 的工作之后，这些数据就自动在你的主机上面设定完成了。但是如果是静态 IP（如学术网络）的话，那么就得自行使用上面的参数来设定你的主机了，缺一不可。以 192.168.1.0/24 这个 Class C 为例，那么你就必须要在你的主机上面设定好以下参数：

- IP: 由 192.168.1.1~192.168.1.254。

- Netmask：255.255.255.0。
- Network：192.168.1.0。
- Broadcast：192.168.1.255。
- Gateway：每个环境都不同，请自行询问网络管理员。
- DNS：可以直接设定成 168.95.1.1。

2.6　重点回顾

- 虽然目前的网络媒体多以以太网为标准，但网络媒体不只有以太网而已。
- Internet 主要是由 Internet Network Information Center（INTERNIC）所维护。
- 以太网的 RJ-45 网线，由于 568A/568B 接头的不同而又分为直连线与交叉线。
- 以太网上最重要的传输数据为 Carrier Sence Multiple Access with Collision Detect（CSMA/CD）技术，至于传输过程当中，最重要的 MAC 数据帧内以硬件地址（hardware address）数据最为重要。
- 通过 8 蕊的网线（Cat 5 以上等级），现在的以太网可以支持全双工模式。
- OSI 七层协议为一个网络模型（model），并非硬性规定。这七层协议可以协助软硬件开发建立一个基本的准则，且每一分层各自独立，方便使用者开发。
- 现今的网络基础是架构在 TCP/IP 这个通信协议上面。
- 数据链路层里重要的信息为 MAC（Media Access Control），亦可称为硬件地址，而 ARP Table 可以用来记录 MAC 与软件地址（IP）。
- 在网络媒体方面，Hub 为共享带宽设备，因此可能会有数据包冲突的问题，至于 Switch 由于加入了 Switch Port 与 MAC 的对应，因此已经克服了数据包冲突的问题，也就是说，Switch 并不是共享带宽设备。
- IP 为 32 bits 所组成的，为了适应人类的记忆，因此转成四组十进制的数据。
- IP 主要分为 Net_ID 与 Host_ID 两部分，加上 Netmask 这个参数后，可以设置“网段”的概念。
- 根据 IP 网络的大小，可将 IP 的等级分为 A、B、C 三种常见的等级。
- Loopback 这个网段在 127.0.0.0/8，用在每个操作系统内部的环回测试中。
- 网络可继续分成更小的网络（Subnetwork），主要是通过将 Host_ID 借位成为 Net_ID 的技术。
- IP 只有两种，就是 Public IP 与 Private IP，中文应该翻译为公共 IP 与私有（或保留）IP，私有 IP 与私有路由不可以直接连接到 Internet 上。
- 每一台主机都有自己的路由表，这个路由表规定了数据包的传送途径，在路由表当中，最重要者为默认网关（Gateway/Router）。

- TCP 协议的表头数据当中，Code（control flags）所带有的 ACK、SYN、FIN 等为常见的标志，可以控制数据包的连接成功与否。
- TCP 与 IP 的 IP address/Port 可以组成一对 Socket Pair。
- 网络连接都是双向的，在 TCP 的连接当中，需要进行客户端与服务器端两次的 SYN/ACK 数据包发送与确认，所以一次 TCP 连接确认时，需要进行三次握手的流程。
- UDP 通信协议由于不需要连接确认，因此适用于快速实时传输且不需要数据可靠的软件中，例如实时通信。
- ICMP 数据包最主要的功能是汇报网络的检测状况，故不要使用防火墙将它完全阻挡。
- 一般来说，一台主机里面的网络参数应该有 IP、Netmask、Network、Broadcast、Gateway、DNS 等。
- 在主机的 port 当中，只有 root 可以启用小于 1024 的 port。
- DNS 主要的目的在于进行 Host Name 与对应的 IP 的解析功能。

2.7 参考数据与延伸阅读

- 粘添寿著，《Internet 网络原理与实务》，台湾旗标出版社。
- Robert Breyer & Sean Riley 著，风信子，张民人译，《Switched & Fast 以太网》，台湾旗标出版社
- IEEE 标准的网站连接：http://standards.ieee.org/。
- Request For Comment（RFC）技术文件：http://www.rfc-editor.org/。
- RFC-1122 标准的文件数据：ftp://ftp.rfc-editor.org/in-notes/rfc1122.txt。
- 中国教育和科研计算机网（CERNET）：http://www.cernet.com/aboutus/gyce_jj.htm。
- Study Area 的网络基础：http://www.study-area.org/network/network.htm。
- 维基百科对 OSI 协定的说明：http://en.wikipedia.org/wiki/OSI_model。
- Phil Dykstra, Gigabit Ethernet Jumbo Frames：http://sd.wareonearth.com/~phil/jumbo.html。
- Hub 与 Switch 的迷思：http://www.study-area.org/Tips/hub_switch.htm。
- 管理 IP 的单位与相关说明：http://www.internic.org/, http://www.icann.org/, http://www.iana.org/, http://en.wikipedia.org/wiki/IPv4。
- 管理 IP 的单位：http://www.iana.org/，台湾地区 IP 分配情况：http://rms.twnic.net.tw/twnic/User/Member/Search/main7.jsp?Order=inet_aton（Startip）。
- http://en.wikipedia.org/wiki/Classless_Inter-Domain_Routing。
- PPPoE，http://en.wikipedia.org/wiki/Point-to-Point_Protocol_over_Ethernet。

第 3 章

局域网架构简介

在这一章当中，我们会继续讨论在一个小型企业或家庭里面的小型局域网的规划，以让你的所有计算机主机都可以直接利用以太网进行数据的连接。一般来说，内部局域网都希望直接使用私有 IP 来设定通信环境，直接以简单的星形拓扑作为网络施工的主要类型，下面就谈一谈如何规划你的主机在星形连接中所应有的状态。最后，我们也列出本书所需要的局域网连接架构图。

3.1 局域网的连接

谈完了第 2 章网络基础后，现在就让我们通过实际操作来将家里或者小型企业内部的全部计算机连接起来吧。当然，我们这里主要介绍的是小型局域网的架构，如果是比较大型的企业内部，那么将“配线架、线路设计、墙上网络接口”分别拆开施工的结构化布线会比较妥当。不过，结构化布线并非本文所想要讨论的，如果你的企业有这类需求的话，可以向专业人士寻求协助，例如，酷学园（http://phorum.study-area.org）的 ZMAN 兄就是一位很棒的网络布线专家。无论如何，先来将所有的网络硬件连接起来吧。

3.1.1 局域网的布线规划

从前一章的探讨中，你现在应该已经知道局域网的定义了。大部分狭义的定义中，都将局域网定位在一个采用星形拓扑连接的实体网络中，再通过 IP 网段来连接在一起的情况。所以，这个网络是怎么连接在一块的，以及 IP 网段是如何规划的，就显得非常重要。

记得以前听 ZMAN 大哥某场演讲的时候提到，网络布线是“数十年大计”中最重要的一环，因为**“服务器主机能力不够时换主机就好了，Switch 交换力不足时换 Switch 就好了，但如果布线不良，难道要拆掉房子将管线挖出来重新安装设置？”**所以说，最初规划的布线严谨度会影响到未来网络的扩展。

所以说，如果你的企业“整栋大楼需要重新布线”时，建议你务必要请网络布线专家帮忙规划设计，因为连一个小小的机柜配线架都有大学问。设计的好的话，每部独立的主机要改线路、要换插孔都变得很简单。而且主机到墙上插孔的距离也会变得很短，维护也会很方便，线段也会很美观。当然，如此一来，线材的选择也就不能够用太差的，而且网络布线经过折角区时，也需要特别留意施工。

本文讨论的是一些比较小的局域网环境，这样的环境可以是在一间办公室内，所以我们这里谈到的大多是比较单纯的布线状态，并没有考虑到办公室外部的环境，所以参考本文时，请特别留意这种差异性。

在这样单纯的环境中，我们可以利用一个以 Switch 为中心来连接所有设备的星形拓扑（star topology）结构来设计局域网，需要考虑的只是我的 **Linux 服务器放置的地方**，会考虑 Linux 服务器是因为鸟哥假设你需要在你的局域网内搭建对 Internet 开放的网络服务，而 Linux 是否具有 Public IP 对于主机的维护与配置的复杂程度有很大的影响，所以当然需要考虑了。下面鸟哥以目前比较流行的 ADSL 上网为例来说明几种联机状态。

在下面的环境当中，鸟哥假设我们仅有一条 ADSL 的对外连接，也就是说，我们的 Linux 与一般 PC（不论何种操作系统）都是通过同一条线路连到 Internet 上的。

3.1.1.1 Linux 直接联网——让 Linux 与一般 PC 的地位相同

如果你使用的 ADSL 是多 IP 的情况（例如拨号可以给予 2~8 个 IP），那么最简单的连接方式如图 3-1 所示。

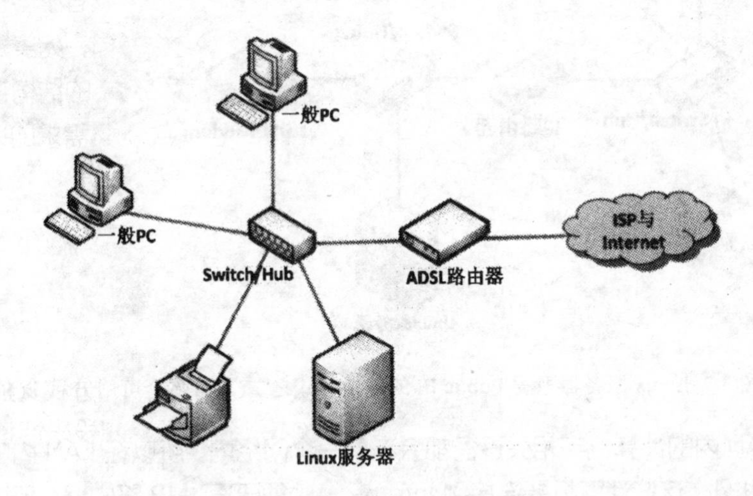

图 3-1 Linux 服务器取得 Public IP 的连接方式之一（具有多个可用 IP 情况）

在这种连接模式当中，Linux 与一般 PC 或打印机都是同等地位，并没有谁的地位比较高的情况。如果不急着连上 Internet，那么**每个设备都给予一个相同网络的私有 IP 就可以进行网络连接的工作了**，你也可以很快乐地使用打印机或者是网络上的网上邻居等进行工作。此外，Linux 服务器也可以作为内部的文件服务器或者是打印服务器等使用。

当需要连上 Internet 时，每台计算机（包括 PC 与 Linux 主机）都可以自己直接通过拨号程序连接到 Internet，而由于拨号是在每台机器上面**“额外增加一个实体的 ppp0 接口”**，此时，你的系统内就会有两个可以使用的 IP 了（一个是 Public，一个是 Private IP）。因此，拨号上网之后每部主机还是可以使用原有的局域网内的各项服务，而无须变更原本设置妥当的私有 IP 。这样的情况对于一般家庭用户来说，可以算是最佳的解决方案，因为如果你的 Linux 主机宕机了，其他人的 PC 也不会受到影响。

不过这样的环境对于小型企业应用来说，却不好管理。因为无法掌握每个员工实际上网的情况，而且对于防火墙来说，**“根本就是一个没有防火墙的环境”**，所以，没有办法对员工进行任何实际网络控制的，并且由于网络内外部（LAN 与外部环境）并没有明确的界限，网管人员对于进入客户端的数据包是没有任何管理能力的，所以对于网络安全来说，是很难控制的一种环境。因此对于企业来说，不建议采用这种环境。

3.1.1.2 Linux 直接联网——让 Linux 与一般 PC 处于不同的地位

如果你有多个可用的 Public IP，并且你的 Linux 服务器主要是提供 Internet 的 WWW 或 Mail 服务，而不是作为内部的文件服务器使用，那么将 Linux 服务器与内部网络分开也是个可行的方法，而且 Linux 拥有 Public IP，在配置与维护上面也不困难，如图 3-2 所示。

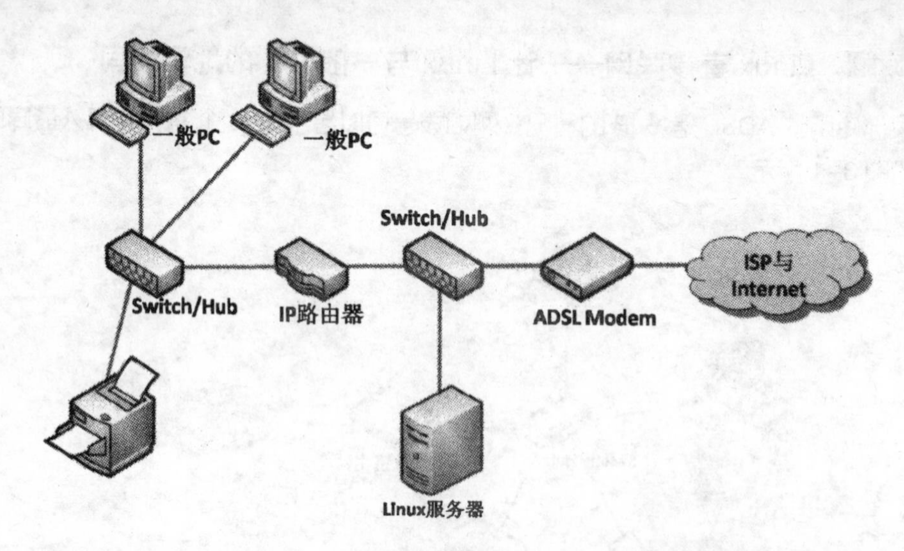

图 3-2 Linux 服务器取得 Public IP 的连接方式之二(具有多个可用 IP 情况)

所有的 LAN 内的计算机与相关设备都会在同一个网络内，所以在 LAN 内的传输速度是没有问题的，此外，这些计算机要连接到 Internet，必须要通过 IP 路由器，所以你也可以在 IP 路由器上面定义简单的防火墙规则，如果 IP 路由器可以更换为功能全面的路由设备时，那么你就可以在该设备上面定义较为完整的防火墙规则，完善对内部主机的管理，并且方便维护。

3.1.1.3 Linux 直接联网——让 Linux 直接管理 LAN

如果你不想购买 IP 路由器的话，那么可以直接利用 Linux 服务器来管理。这种连接的拓扑结构如图 3-3 所示。

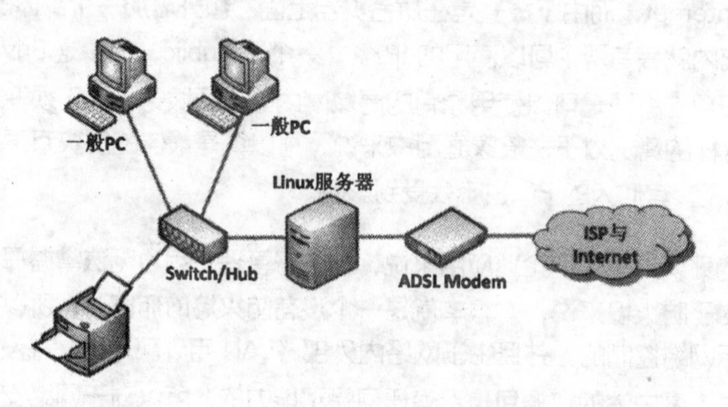

图 3-3 让 Linux 管理 LAN 的布线情况

这种情况下，不论你有多少个 IP 都可以适用的，尤其是当你只有一个 Public IP 时，就非得使用这种方式不可。让 Linux 作为 IP 路由器的功能相当简单，同时 Linux 必须具备两张网卡，分别是对外与对内。由于 Linux 依旧具有 Public IP，所以在服务器的配置与维护上相当简单，同时 Linux 服务器可以作为内部网络对外的防火墙之用，由于 Linux 防火墙的效率比较高加上配置也很简单，所以其功能是很不错的。因此，网络管理人员可以实现比较完善的安全控制，并且，Linux 服务器也要比高级的硬件防火墙便宜多了！鸟哥个人是比较喜欢这种连接方式的。

不过，我们都知道，**服务器提供的网络服务越简单越好**，因为这样一来主机的资源可以完全被某个程序所使用，不会互相影响，而且当主机被攻击时，也能够立即了解是哪个环节出了问题。但是如图 3-3 所示的状况，由于内部的 LAN 是需要通过 Linux 才能连接到 Internet，所以当 Linux 宕机时，整个对外的连接也就中断了，此外，这也会造成 Linux 的服务结构的复杂化，进而会造成维护上的困难。但对于小型局域网来说，图 3-3 这种架构还是有一定应用价值的。

3.1.1.4 Linux 放在防火墙后——让 Linux 使用 Private IP

我们可以将 Linux 服务器放在 LAN 里面，什么？有没有搞错？没有搞错。比较大型的企业通常会将他们的服务器主机放置在机房内，主要是在 LAN 的环境下，再通过防火墙的代理功能，将来自 Internet 的数据包先经过防火墙过滤后才进入到服务器，如此一来可在防火墙端就过滤掉一堆莫名其妙的探测与攻击，当然会比较安全。这种架构还依防火墙的多寡又可分为非军事化隔离区（DMZ）的配置，不过，太麻烦了，不建议初学者直接使用。下面我们仅以图 3-4 所示的较简单的架构来进行说明。

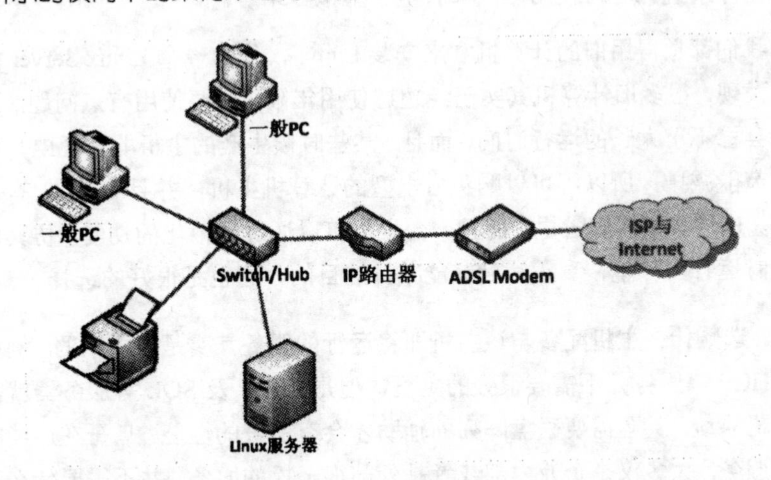

图 3-4 Linux 主机放在 LAN 里面的布线情况

这里我们以一个较简单的图示来说明，所以利用的还是 IP 路由器，可能的话，你可以将 IP 路由器换成 Linux 主机来架设防火墙，也是一个不错的选择。现在计算机天天在升级，升级后的旧配备其实就可以作为 Linux 防火墙之用。反正防火墙又不需要什么硬盘与高清的显示或者 CPU，只要有不错的网络接口就能够达到不错的防火墙性能。

不过这里再次强调，Linux 服务器主机若放在 LAN 里面（使用 Private IP），则当你要对 Internet 提供网络服务时，防火墙的规则将变得相当复杂，因为需要进行数据包传递的任务，在某些比较麻烦的协议当中，可能会造成配置方面的困扰。所以，在开始接触 Linux 服务器时，**不建议新手使用这种拓扑结构**，避免由于失去信心而没有动力学习。

每种连接方式都有其适用的用户群，所以没有哪个是比较好的，完全是看你自己的网络环境而定。我们现在知道要连上以太网组成的局域网，就需要有网卡、网线、网络连接设备（Hub/Switch）、连上 Internet 的调制解调器等，在这里鸟哥将防火墙、路由器等设备归类为主机，因为基本上，这些组件内部一定会含有一个网卡，只是操作系统的精简程度与软件功能的有所不同。那么这些所需要的网络硬件又该如何挑选呢？

3.1.2 网络设备选购建议

在开始下面的介绍之前，你必须要对交叉线、直连线、RJ-45 网线、Hub/Switch 的优劣等有一定程度的了解，请再返回第 2 章网络基础看一看。此外，不在我们局域网内的设备，例如调制解调器，那就得向 ISP 询问了。一般来说，调制解调器是 ISP 提供给用户的，然而由于 **ISP 因为不同批次安装的调制解调器模块不同，所以会有不一样的连接与线缆处理方式**（交叉线与直连线有差异喔），所以须特别向 ISP 询问才行。下面主要针对局域网内的网络设备来进行介绍与说明。

- **主机硬件系统**：考虑使用年限、省电、虚拟技术等。

  过去我们都觉得用旧的计算机拿来安装 Linux，作为一个 Linux Server 挺不错。后来鸟哥发现，很多旧计算机其实已经超过使用年限，硬要使用有点问题，因为电子零件恐怕会撑不了太长的运行时间。而且，某些时候生产的主机非常耗电！现在我们都强调要节能减排，所以，可以购买省电型的计算机主机，并且 CPU 含有虚拟化能力的更好。这样不但比较省电，而且一台主机可以通过虚拟化的功能，仿真出多部操作系统同时运行的环境，真正达到节能减排的目的，这也是很好的选择。

  不过，选购什么主机配备与该主机即将运行的服务其实是有关系的，例如防火墙系统与 DHCP 等服务并不需要很强的主机，但是 Proxy 及 SQL 等服务器就需要强而有力的主机系统，甚至需要磁盘阵列的辅助才会有良好的性能。鸟哥在后续的章节所要介绍的服务，大多仅是企业内部或者是外部很轻松的服务，并不需要什么高效的主机系统，因此目前的双核入门级机种，已经非常棒了。所以，花太多时间来介绍主机硬件就变得没有什么意义！你只要记得，新购买主机时，最好选有伪指令集的 CPU 即可。

- **Linux 操作系统**：考虑稳定、可网络升级、能够快速取得协助支持。

  你可以将目前的 distribution 分成两大类，一类是多功能新鲜产品，例如 Fedora，一种是强调性能稳定但软件功能较旧的企业用途产品，包括 RHEL、CentOS、SuSE 及 B2D 等。

  一般来说，我们会建议你如果想要架设服务器时，选择稳定性较高的企业版较佳，因为功能新且强的版本例如 Fedora 由于太强调新鲜，所以核心与软件的变动情况较为频繁，很容易造成一些困扰，因为很多用户自行安装的软件可能无法在新的内核上面运行，所以，只要内核一升级，很多已经编译的软件就都需要再重新编译，有点麻烦。

由于鸟哥用惯了 RPM 以及 Red Hat 系统的缘故，所以在这里推荐你使用 RHEL/CentOS/SuSE 这几个 Linux distributions，因为它比较稳定且配置不难。不过，里面的软件版本可能就不会是最新的，这点你可能就需要自行想办法解决了。比较特别的是 CentOS，它不但标榜完全相同于 RHEL，并且可以直接通过 yum 软件进行完整版本的网络升级，既不会影响到原有的配置，升级时所花费的时间又短，所以，目前鸟哥都是以这个版本来进行服务器的搭建。

- **网卡**：考虑服务器用途、内置与否、驱动程序的取得等。

一般来说，目前的新主机几乎都是内置吉兆速度（Gigabit）的以太网卡了，所以不需要额外购买网卡。不过，使用内置的网卡时，需要注意到该网卡是否为特殊的网络芯片，根据以往的经验，内置网卡的芯片通常是比较特殊的，所以可能导致 Linux 内置的网卡驱动程序无法顺利驱动该网卡，那就比较麻烦了。因为你必须要在额外安装网卡驱动程序之后，才能够顺利地使用该款网卡。

如果是想要作为 Linux 服务器的话，那么网卡可能需要购买好一点的。例如，某些主板内置便宜的 Gigabit 网络接口，但是便宜的网络接口可能会消耗较多的 CPU 资源，如果能够购买类似 Intel/3Com 等知名品牌的 Gigabit 网卡，不但传输较为稳定，并且在降低系统资源的耗用方面也是有一定程度的帮助的。另外，如果强调高速的话，甚至可以选用 PCI-Express 的网卡，而不使用传统的 PCI 接口，因为 PCI-Express 的传输带宽更高。

你知道吗？鸟站 (http://linux.vbird.org) 使用的主机硬件是旧式的 AthlonXP 2000+，内存也仅有 1.5G，使用的网卡则是早期的 3Com 3c905C 芯片，速度仅有 10/100 Mbps。但是，使用到目前流量传输是很顺畅的！不要总看品牌，有时产品的用料实在与否也很重要。

不过，如果是一般家用，或者是准备用来作为学习机之用的主机，那么万一网卡芯片无法驱动时，**请先买个螃蟹卡（芯片是 Real Tek 8139）来作为练习之用**，因为 Linux 本身就支持 Real Tek 8139 的芯片，不需要额外的驱动程序，这样会方便学习啊！而且该网卡也很便宜（大卖场一片不到 30 元人民币）。

如果要想比较顺畅地使用 Linux，请不要坚持使用 Linux 默认无法加载驱动的网卡。否则那份失望的心情 ......会让你失去很多很多的耐性与信心。螃蟹卡最好认的地方在于其芯片上面有个类似螃蟹的 Logo，以前鸟哥曾经在大卖场上逛大街时，还“踢飞”过一整排螃蟹卡，便宜到都放在地上卖。

- **Switch/Hub**：考虑主机数量、传输带宽、网管功能等。

  就如同第 2 章网络基础里面曾经谈到的，Hub 是共享带宽设备而 Switch 是具有独立带宽的非共享设备。因此从性能以及带宽角度来看，当然是 Switch 比较好用。不过，如果你是一般家庭用户，只是要做简单的上网等工作，是没有必要购买太好的 Switch 的，建议使用一般大卖场可以买到的 5 port 的 Hub 即可（差不多 100 块人民币就可以了）。

  不过如果你常常在局域网内传送大量的数据，例如一次传输就需要传送吉字节（GB）的数据时，那么网络的整体速度需要周全的考虑，包括网卡最好使用 GB 速率的，当然中间的连接设备最好买支持到 GB 速度的 Switch。因为 10/100/1000Mbps 的 Switch 要比 10/100Mbps 的设备快上 10 倍，速度可是差很多的。如果设备还需要更快时，例如鸟哥之前服务的实验室内部的 Cluster（群集式计算机群），则购买的 Switch 甚至需要支持 Jumbo frame 的硬件架构才行，否则速度上不来。

- **网线**：考虑与速度相配的等级、线缆形状、施工配线等。

  在所有连接网络的设备当中，网线是最重要的，但也是最容易被忽略的。除了网线的等级会影响到连接速度外，**网线是否容易被压折？是否容易有信号衰减？自己压制的 RJ-45 接头是否通过测试？网线是否缠绕情况严重？这些都会影响到网络传输的优劣**。所以，虽然我们常常讲要确认主机与 Switch 是否连接成功可以看 Switch 上的信号灯，但是很多时候虽然信号灯是亮的，不过由于网线折损严重，也会导致连接质量不良。

  一般来说，“个体户”与小型企业网线通常是直接放在外面的，这种情况下如果你发现网络怪怪的，可以直接更换线路。不过，如果是如同中大型企业将网线直接埋在墙内或者是在管线当中，发现问题时会很麻烦，需要专业人员的辅助。

一般来说，等级越高的网线，越不要自行制作，因为一个小小的 RJ-45 接头的压制，由于蕊线裸露程度的不同，就会影响到电子屏蔽效应的优劣了。Cat 5 等级的线材还可以自行压制，比它还高等级的，最好还是买现成的吧。

- **无线网络相关设备**：无线网络相关设备要考虑速度、标准、安全性等。

  现在的网络环境除了传统的有线网络之外，其实还有一个也是很常见的，那就是无线网络。无线网络会流行，主要的原因除了笔记本电脑能力越来越强，使得很多朋友直接以笔记本电脑取代台式计算机之外，无线网络的速度目前已经可以达到 54 ~ 300 Mbps（就 802.11n 的标准而言），对于一般只是上网看新闻与聊天的上班族来说，这样的速度实在是非常快了（一般的 ADSL 仅是 2M/256Kbps 而已），所以要买无线网络设备（含 AP 与在 Client 端的无线网卡）来做成局域网，也是可以的。而且还可以省去网线的施工费。

  不过，无线网络最大的问题常常在于“无线的安全性”方面，因为是无线的设备，所以“**AP 如果没有做好防护措施的话，常常会导致 LAN 内的主机数据被窃取**”，这是非常大的问题，千万不要小看这个问题，吃上官司常常是由于忘记网络安全。记得购买无线网络 AP 时，注意它是否“限制 MAC”，如此一来，至少可以锁网卡，只让指定的网卡使用你的 AP，比较安全。

- **其他配件**。

  事实上，整个网络环境可不止上面提到的这些设备，还包括硬件防火墙、路由器、网桥等，当然，这些设备贵的话要上百万，但你的环境是否需要用到这么好的设备，那就见仁见智了。此外，为了环境的美观与生活的便利，你总不希望走在路上被网线所绊倒，也不希望因为网线绊倒你导致网络设备被摔坏，结果再损失一堆人民币吧。所以，在网线的转角处必须特别注意线缆的保护，在平地上则需要使用压条将网线固定住，在牵线施工的时候尽量让线缆沿着墙角或者是墙面上的既有物品，如此则除了保持工作场所的美观之外，还能够增加工作场所的安全性。

  此外，**计算机上网的速度并非完全取决于网络带宽**。举例来说，玩在线游戏时，大家都以为网络带宽需要很高规格，其实根本不需要。因为 3D 联机游戏最主要的速度瓶颈应该是在于“3D 显示”而不是网络。这是因为网络仅传送一些数据给主机，而主机再在自己的硬盘里面将图形取出，并且使用 3D 显卡将画面绘制到屏幕上。所以，显示速度或者是 CPU 不给力时，才会发生联机游戏的延迟。否则就是联机游戏服务器本身的负载（Loading）太大，导致主机响应有较多延迟，就产生 Lag（延迟）的问题。

  另外，与主机使用的数据是否具有快速的传输接口也有关。例如，如果你的主机使用 USB 1.1（最大传输 12Mbps），但网络速度可达 10/100/1000Mbps，那当你要在远程使用这部计算机的 USB 设备内的数据时，最大速度会是 12Mbps，也就是最慢的那一个组件。所以，**网络速度慢的时候，不要以为只要增加网络带宽就好了，要找出问题的根源**。

事实上，选购网络媒体所需要考虑的参数实在太多了，并且没有一定的依据，完全与使用者的使用环境与未来的功能性扩展有关。不过，如果着眼在单纯的硬件速度上面的话，那么选购时考虑“我的网络速度可接受的最低速度是多少？”如果行有余力的话，再来考虑“我的环境需要多稳定的设备来构建？”其他的，就需要靠你自己摸索了。

3.2 本书使用的内部连接网络参数与通信协议

除非你已经具有相当熟练的 Linux 系统与服务器配置维护经验，否则不建议你使用图 3-4 所介绍的连接模式，对于刚接触 Linux 服务器搭建与维护的朋友来说，将你的连接模式配置成图 3-3 应该是个不错的选择，除了可以让你顺利地将服务器搭建成功之外，也可以让你以 Linux 作为内部 LAN 的防火墙管理中心，对于未来的学习成长方面较有帮助。

3.2.1 网络联机参数与通信协议

为使你的服务器学习之旅较有连贯性，因此鸟哥将后续章节会使用到的局域网环境以图 3-3 为模板，设计一个局域网，包括相关的网络参数，如图 3-5 所示。

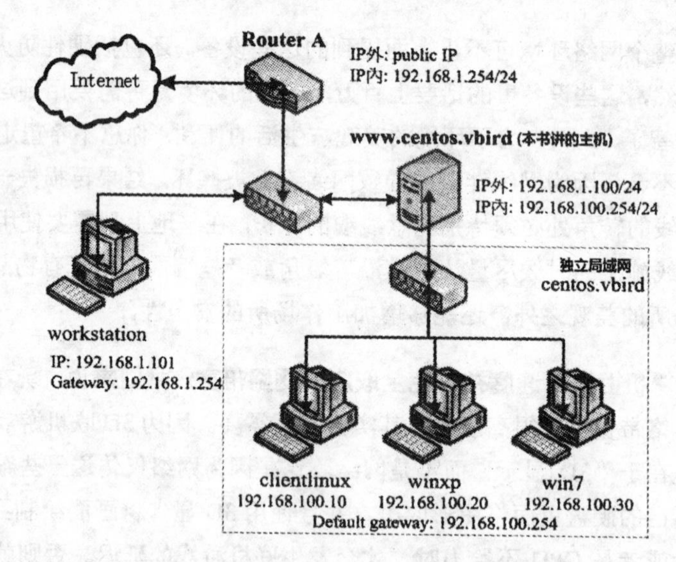

图 3-5 本书所使用的局域网环境与参数设定

在图 3-5 的环境下，我们主要介绍的是 www.centos.vbird 那台 Linux 主机，该主机必须要有 Router 的功能，所以当然要有两个接口，一个接口与 Internet 沟通，另一个接口则与内部的 LAN 沟通。那么为什么鸟哥说的是**“两个网络接口”**而不是**“两张网卡”**呢？原因很简单，**因为一张网卡可以设定多个 IP**。因此，在 Linux 当中，一张网卡可以具有一个以上的 IP。由于一个 IP 即为一个网络接口，因此只要两个网络接口（不论有几张网卡）即可进行 NAT（类似 IP 路由器功能）的设定了，所以只用一个网卡就可以了。不过，鸟哥个人还是比较喜欢并且建议用两张网卡，将内外网络环境完整的分开，这样内部网络性能要好一点。

关于与 Internet 的连接方面，就如第 2 章谈到的，目前在中国台湾地区最常见的有 ADSL、Cable Modem、学术网络的固定 IP 等，这些连接的方式我们将在后续章节继续介绍。至于内部的 LAN，我们则建议使用 Private IP 来配置。鸟哥通常喜欢使用 192.168.1.0/24 及 192.168.100.0/24 这几个 Class C 的网络，没什么特殊原因，只是因为喜欢。在选定了 Private IP 的网段后，必须要有 IP、Network、Netmask、Broadcast、Default Gateway 以及 DNS 服务器的 IP 等的设置值。假设 Linux 主机的对内 IP 为 192.168.100.254，则在图 3-5 中 LAN 内的 PC 的网络相关配置参数为：

- IP：配置为 192.168.100.1~192.168.100.253，但 IP 不可重复。
- Netmask：255.255.255.0。
- Network：192.168.100.0。
- Broadcast：192.168.100.255。
- Default Gateway：192.168.100.254（路由器的 IP）。
- DNS：暂时使用 168.95.1.1。

鸟哥 你能有如图 3-5 这么多的计算机来测试你的服务器环境吗？当然不可能。那如何实现上述的功能呢？通过虚拟化技术。鸟哥是用 Virtualbox 这套软件来处理整个局域网所有主机的安装与测试，主要虚拟出来的机器有 www.centos.vbird、Clientlinux、Winxp、Win7 这四部。要注意的是，www.centos.vbird 有两张网卡，一张为对外联机的使用 bridge 模式，一张与其他三部主机联机，选择“Intnet”，这样就能搞定局域网环境与实验了。

◆ **安装通信协议**

目前网络社会最通用的通信协议就是 TCP/IP。因此你如果要连上 Internet，你的系统就需要支持 TCP/IP 才行。但在局域网内部时，事实上还可以通过简单的通信协议来达到数据传输的目的，例如 NetBEUI 就是一个常见的简易通信协议。

在 Linux 系统当中，只要将网络参数设定妥当，那么 TCP/IP 就已经被启用了，所以不需要额外再安装其他通信协议。不过，如果需要将 Linux 系统中的硬盘空间分享给同网络的 Windows PC 时，那么就需要额外安装 SAMBA 这个服务器软件才行。相关的 SAMBA 配置我们会在后面的章节提及。反正不管怎么说，目前 Internet 就是通过 TCP/IP 来进行连接的，而 Linux 本身就支持了 TCP/IP，所以不需要额外安装通信协议。

至于在 Windows 部分就比较麻烦一点，因为在较大型的企业当中，还需要额外考虑到 Windows Server 所提供的服务，那么在 Windows Clients 端就需要相应的启动某些通信协议才行。一般来说，在 Windows Client 系统里面，最常见的两个通信协议就是 TCP/IP 以及 NetBEUI 了。如果你只想让 Windows 与 Linux 能够通过网上邻居功能互通有无，那么启动 TCP/IP 也就够了（因为 SAMBA 是通过 NetBIOS over TCP/IP 来达成数据传输的），不过，也可以同时启动 NetBEUI 这个通信协议。

3.2.2 Windows 个人计算机网络配置范例

我们这本书谈论的是以 Linux 主机提供的服务器为主，所以关于 LAN 里面的 Windows 我都将其假设为 Client，并且不提供网络服务，所以都先以固定的 Private IP 来设定 Windows 操作系统，如果你的 LAN 有其他的考虑，那么下面的设置就需要看看了。

我们在 Windows 系统上所需要的网络参数除了 IP、Netmask、DNS 之外，还需要“**工作组（Workgroup）与计算机名称（Netbios name）**”等的设置，此外，我们也可以加上 LAN 里面很常见的 NetBIOS（NetBEUI）这个通信协议。因此，除非你确定你的网络内还有其他的工作站，否则**只要安装 TCP/IP 以及 NetBEUI 这两个协议就行了**，安装太多反而会有问题。下面我们假设网卡都安装好了，并以图 3-5 中那台内部局域网的 winxp 主机为例来介绍。

- **与网络有关的参数设定如下。**
  - IP: 192.168.100.20。
  - Netmask: 255.255.255.0。
  - DNS: 168.95.1.1。
  - Gateway: 192.168.100.254。
  - 工作组：vbirdhouse。
  - 计算机名称：winxp。
- **详细的设置流程如下。**

1）依次打开“**开始**”→“**控制面板**”→“**网络连接**”→“**本地连接**”选项后，会出现如图 3-6 所示的对话框。

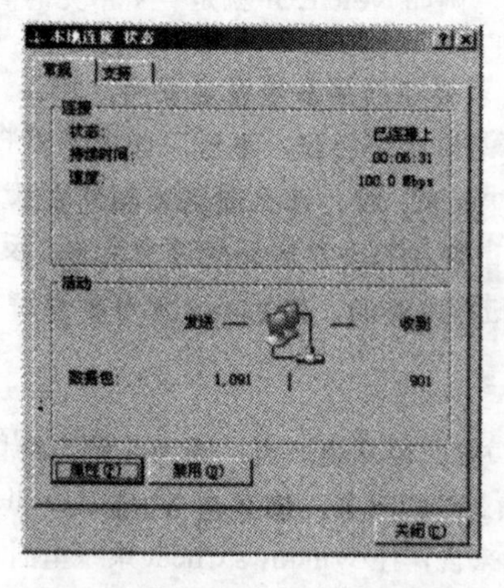

图 3-6 “本地连接状态”对话框

2）在图 3–6 中单击“**属性**”按钮，进入如图 3–7 所示的配置界面。

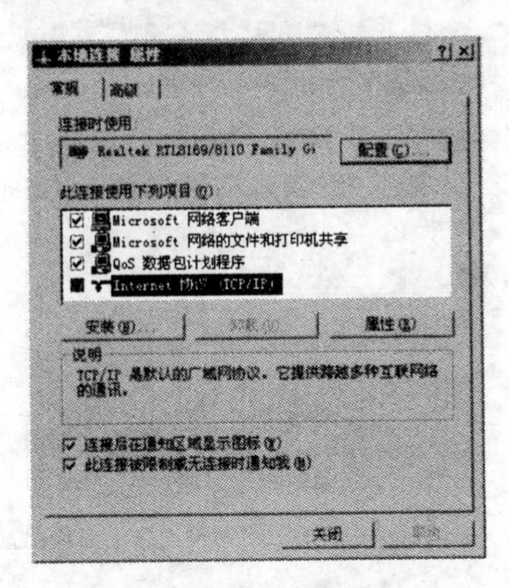

图 3-7 “本地连接属性”对话框

3）在图 3–7 中选择“**连接后在通知区域显示图标**”复选框，双击“**Interne 协议（TCP/IP）**”选项，出现如图 3–8 所示的对话框。在该对话框中填上我们需要的各项 IP 参数，然后单击“确定”按钮，就设置好了。

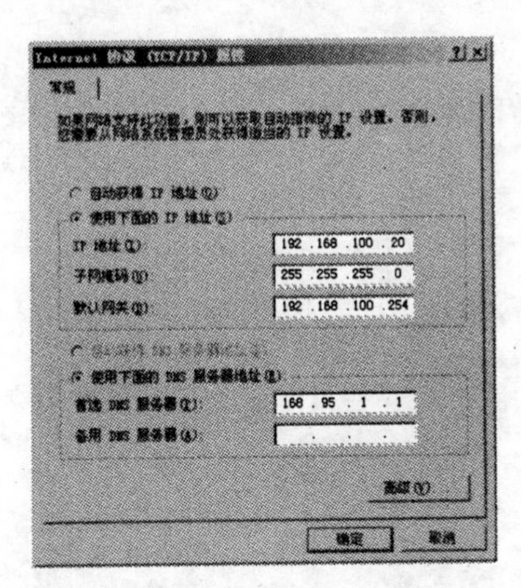

图 3-8 本地连接 TCP/IP 属性配置

4）设置好参数后，需要编辑网络识别。依次打开“**开始**”→“**控制面板**”→双击“**系统**”，出现如图 3–9 所示的“系统属性”对话框，打开“计算机名”选项卡，再单击“更改”按钮来修改工作组与计算机名称。输入正确之后，只要重新启动，就可以使用局域网了。

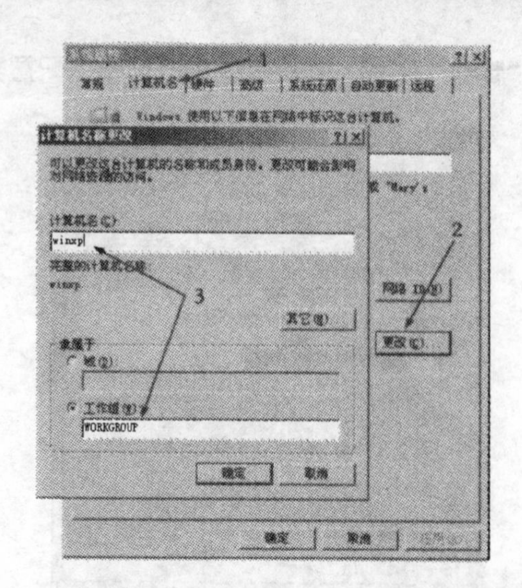

图 3-9 局域网中计算机名称与工作组名称配置

基本上，Windows 的网络参数配置是相当简单的，鸟哥在这里仅介绍修改 IP 与相关网络参数的方式。未来如果还需要搭配 DHCP、NAT 主机等服务器的设置，会再次提醒用户 Windows 的配置信息，尤其是 SAMBA 主机的设置中，Windows 的网络识别就显得相当重要了。

第 4 章

连接 Internet

终于来到配置 Linux 网络参数的章节了！在第 2 章的网络基础中，我们知道主机要连上 Internet 需要配置正确的网络参数，Windows 操作系统上的网络参数配置在第 3 章的局域网架构中已经说明了。在这一章中，我们则主要以固定 IP 的配置方式来修改 Linux 的网络参数，同时，也会介绍如何使用 ADSL 的拨号方式来上网，此外，因为 Cable Modem 的用户也不在少数，所以我们也要说明一下 Cable Modem 在 Linux 下的配置方式。最后，由于笔记本电脑用户大增，且因为笔记本电脑常使用无线网络，因此本文也加入了无线网络连接的介绍。

4.1 Linux 连接 Internet 前的注意事项

由前面几章的介绍我们知道，想要连接 Internet 需要配置一组合法的 IP 参数，主要是 IP、Netmask、Gateway、DNS IP 以及主机名称等。我们也知道，其实整个主机最重要的配置，就是“先要驱动网卡”，否则主机连网卡都识别不到时，怎么配置 IP 参数都是没有用的。所以接下来我们就来谈一谈，要如何确定网卡已经被 Linux 操作系统捕捉到（即发现网卡的存在并加载了相应的网卡驱动程序），而 Linux 主机的网络参数又该如何配置？

4.1.1 Linux 的网卡

你怎么确认 Linux 已经捕捉到网卡？Linux 操作系统中的网卡的名称是什么？我们先来了解一下。

1. 认识网卡设备的名称

在 Linux 操作系统中的各种设备几乎都是以文件名来表示的，例如 /dev/hda 代表 IDE1 接口的第一个 master 硬盘等。不过，**网卡（Network Interface Card，NIC）的名称却是以网卡内核模块对应的设备名称来表示的，而默认的网卡名称为** eth0，第二张网卡则为 eth1，以此类推。

2. 关于网卡的内核模块 (驱动程序)

我们知道，网卡其实是硬件，所以当然需要内核的支持才能驱动它。一般来说，目前新版的 Linux distributions 默认可以支持的网卡芯片组的种类与数量已经很完备了，包括大厂的 3COM、Intel 以及低端的 RealTek、D-Link 等网卡芯片，所以用户可以很容易地设置好网卡。不过，万一你的网卡芯片组开发商不愿意释放出开放源代码（Open Source）的硬件驱动程序，或者是该网卡太新了，使得 Linux 内核来不及支持时，那么你需要通过以下方式让内核支持该网卡：

- 重新编译内核。
- 编译网卡的内核模块。

但是，重编内核或编译网卡内核模块都不是简单的工作，而且有时源代码又可能无法在每台主机上编译成功，所以万一你的网卡真的不被默认的 Linux 网络芯片所支持，那么鸟哥建议直接换一块被 Linux 支持的网卡，例如很便宜的螃蟹卡，免得花太多时间在硬件确认上面，划不来。

另外，其实有的时候 Linux 的默认网卡模块可能无法完全发挥网卡的功能，所以，有的时候你还是需要自行编译网卡的模块。当然，那个网卡的模块就需要由网卡开发商的官方网站下载。不过，如果你的网卡是自行编译安装的，**那么每次重新安装其他版本的内核时，都**

必须要重新手动编译该模块。因为模块与内核是有相关性的。

3. 观察内核所捕捉到的网卡信息

假设你的网卡已经在主机上面，不论是内置的还是自行安插到 PCI 或 PCI-X 或 PCI-E 接口上的，那么如何确认该网卡已经被内核捕捉到了呢？很简单，利用 dmesg 来查看即可：

```
[root@www ~]# dmesg | grep -in eth
377:e1000: eth0: e1000_probe: Intel(R) PRO/1000 Network Connection
383:e1000: eth1: e1000_probe: Intel(R) PRO/1000 Network Connection
418:e1000: eth0 NIC Link is Up 1000 Mbps Full Duplex, Flow Control: RX
419:eth0: no IPv6 routers present
```

从上面的第 377 及 383 这两行，我们可以查到这部主机的两张网卡都使用模块为 e1000，而使用的芯片就是 Intel 的网卡了。此外，这个网卡的速度可达到 1000Mbps 的全双工模式（418 行）。除了使用 dmesg 来查询内核检测硬件产生的信息外，我们也可以通过 lspci 来查询相关的设备芯片数据，如下所示：

```
[root@www ~]# lspci | grep -i ethernet
00:03.0 Ethernet controller: Intel Corporation 82540EM Gigabit Ethernet
Controller (rev 02)
```

请注意，鸟哥这里使用的是 Virtualbox 虚拟机的主机环境（请参考第 1 章 1.2.2 节），因此使用的是模拟出来的 Intel 网卡。如果你是使用自己的实际硬件设备安装的主机，那么应该会看到不同的芯片，那是正常的。

4. 观察网卡的模块

从上面的 dmesg 的输出信息中，我们知道鸟哥这部主机所使用的模块是 e1000，那么内核是否已经将其顺利的加载了呢？可以利用 lsmod 去查看。此外，这个模块的相关信息又是如何呢？可以使用 modinfo 来查看。

```
[root@www ~]# lsmod | grep 1000
e1000                  119381  0   <==确实已经加载到内核中！

[root@www ~]# modinfo e1000
filename:      /lib/modules/2.6.32-71.29.1.el6.x86_64/kernel/drivers/net/e1000/e1000.ko
version:       7.3.21-k6-NAPI
license:       GPL
description: Intel(R) PRO/1000 Network Driver
.....(以下省略).....
```

上面输出信息的重点在于文件名（filename）的部分！这一长串的文件名目录，就是我们驱动程序所放置的目录。需要注意的是，“2.6.32-71.29.1.el6.x86_64”是内核版本，因此，**不同的内核版本使用的驱动程序是不一样的。所以，我们一直强调更改内核后，你自己编译的硬件驱动程序需要重新编译。**

那你如何知道你的网卡卡号呢？很简单，不管有没有启动网卡，都可以使用“ifconfig eth0”来查询网卡卡号。如果你照着上面的信息来做，结果发现网卡已经驱动了，恭喜你，可以准备到下一节去设置网络了。如果没有捕捉到网卡呢？那就需要准备自己编译网卡驱动程序了。

4.1.2 编译网卡驱动程序(Option)

一般来说，如果没有特殊需求，鸟哥不建议你自己编译网卡的驱动程序。为什么呢？因为想到每次更新内核都需要重新编译一次网卡驱动程序，光是想想都觉得烦。所以，没有被 Linux 内核默认支持的网卡，就先放着吧。

> 鸟哥之前买了一张内置网卡的主板，该网卡并没有被当时的 Linux 内核默认支持，所以就需要自己编译内核。因为 CentOS 很少更新内核，所以第一次编译完毕之后就忘记有这回事了。等到过了数周有新的内核出现后，鸟哥很开心地自动升级内核，然后远程进行 reboot，结果呢？没有网卡驱动程序了！我的主机无法连网，需要到主机前用 tty 登录后才能进行编译，唉！

如果你真的很有求知欲，而且该网卡的官网也提供了 Linux 的驱动程序源代码；或者是你很想要某些官网提供的驱动程序才有的特殊功能；又或者是你真的很不想要再买一张额外的网卡。此时，就需要重新编译网卡的驱动程序了。

> 事实上，在你购买硬件时，请先查阅一下硬件包装上面是否提及支持 Linux 的字样，因为有些硬件厂商在推出新硬件时，常常会漏掉该设备的 Linux 驱动程序。如果包装上面提到支持的话，那么至少你会获得官方网站所提供的驱动程序源代码。

因为我们这里使用的网卡是 Intel 的 82540EM Gigabit Ethernet 控制芯片，假设你需要的驱动程序需要由 Intel 官网取得最新的版本，而不使用默认的内核所提供的版本时，那你该如何处理呢？请注意，鸟哥这个小节只是一个范例简介，不同的厂商推出的驱动程序安装方式有点不太一样，你需要参考驱动程序的说明文件（READ ME）或相关文件来安装才行。此外，如果默认驱动程序已经捕捉到了网卡，鸟哥建议使用默认的驱动程序就好了。

另外，由于编译程序需要编译程序以及内核相关信息，因此需要预安装 Gcc、Make、

Kernel-Header 等软件才行。但是我们选择的安装模式为“basic server”，这些软件默认都没有安装，所以你需要先安装这些软件才行。这些软件可以简单地使用“yum groupinstall 'Development Tools'”来安装，需要通过原版光盘一个一个去处理 RPM 属性依赖的问题来解决，很麻烦。不然的话，就需要通过更改 yum 配置文件，使用本机文件的类型来取得原版光盘的 yum 软件列表。鸟哥这里假设你已经安装了所需要的编译程序了，接下来进行以下操作。

1. 取得官方网站的驱动程序

再次说明，你可以复制鸟哥的环境，通过 Virtualbox 虚拟机模拟而来。我们这里使用的是 Intel 的网卡，你可以到如下的网站去下载：

- http://downloadcenter.intel.com/SearchResult.aspx?lang=eng&keyword='e1000-'

  2011 年 7 月下载的版本为 8.0.30，确实比上个小节提到的版本还要新。下载的文件名为“e1000-8.0.30.tar.gz”，鸟哥将它放在 /root 目录下，然后就准备来处理编译过程。

2. 解压缩与编译

使用 root 的身份进行如下工作：

```
[root@www ~]# tar -zxvf e1000-8.0.30.tar.gz -C /usr/local/src
[root@www ~]# cd /usr/local/src/e1000-8.0.30/
# 此时在该目录下有个 README 的文件，记得看一看，这个文件内会说明很多信息
# 包括如何编译，以及这个模块所支持的芯片组
[root@www e1000-8.0.30]# cd src
[root@www src]# make install
```

最后这个模块会被编译完成且安装在如下的文件路径：/lib/modules/$（uname -r）/kernel/drivers/net/e1000/e1000.ko。 接下来我们需要重新加载这个新的模块。

3. 模块的测试与处理

由于这个模块已经被加载了，所以我们需要先删除旧的模块后，才能够重新加载这个模块。使用的方法如下：

```
# 1. 先删除已经加载在内存中的旧模块
[root@www ~]# rmmod e1000
# 此时已经捕捉到的网卡会整个消失不见，因为驱动程序被卸载了

# 2. 加载新模块，并且查阅一下有没有捕捉到正确的版本
[root@www ~]# modprobe e1000
[root@www ~]# modinfo e1000
filename:
/lib/modules/2.6.32-71.29.1.el6.x86_64/kernel/drivers/net/e1000/e1000.ko
version:        8.0.30-NAPI   <==就是这里！
```

```
license:        GPL
description:    Intel(R) PRO/1000 Network Driver
```

与前一小节对比一下，就会发现已经捕捉到正确的版本了。不过，这个模块在下次新的内核推出后就会失效。为什么呢？因为新内核会给一个新的驱动程序，就不是你现在这个8.0.30的版本了。这点还是要再次说明的。

4. 设定开机自动启动网卡模块 (Option)

如果你在开机时就能够正确地取得这个模块的话，那么网卡就没有问题啦！这个步骤是可以略过的。如果内核还是捕捉不到网卡，那就需要自己处理一下模块的关系才行。怎么处理呢？很简单，在 /etc/modprobe.d/ 目录下建立一个名为 ether.conf 的文件，内容将模块与网卡代号链接在一块即可。如下处理：

```
[root@www ~]# vim /etc/modprobe.d/ether.conf
alias eth0 e1000
alias eth1 e1000  <==因为鸟哥有两张网卡

[root@www ~]# sync; reboot
```

为了测试一下刚刚的配置是否会生效，通常鸟哥都会尝试一次重新启动，在开机完成之后观察一下是否正确启动了网卡，并观察一下模块加载的情况，如果一切都顺利，那就太完美了！

5. 尝试配置 IP

等到一切就绪之后，需要查看网卡模块是否可以顺利地配置好 IP。所以我们先手动给它一个私有 IP：

```
[root@www ~]# ifconfig eth0 192.168.1.100
[root@www ~]# ifconfig
eth0      Link encap:Ethernet  HWaddr 08:00:27:71:85:BD
          inet addr:192.168.1.100  Bcast:192.168.1.255  Mask:255.255.255.0
....(以下省略)....
```

设置妥当后，利用 ping 这个指令去 ping 一下网络内的其他计算机，看看能不能有响应，就知道你的网卡是否配置好了。一般是没有问题的。

4.1.3 Linux 网络相关配置文件

我们知道 TCP/IP 的重要参数主要是 IP、Netmask、Gateway、DNS IP，而且千万不要忘记你这台主机也应该要有主机名（Host Name）。此外，我们也知道 IP 的获取方法有手动配置、DHCP 自动分配等。那么这些参数主要是写在哪些配置文件中呢？如何定义呢？下面就让我们来处理一下，如表 4-1 所示。

表 4-1　网络参数与配置文件对应关系

所需网络参数	主要配置文件名	重要参数
IP Netmask DHCP Gateway 等	/etc/sysconfig/network-scripts/ifcfg-eth0	DEVICE=网卡的名称 BOOTPROTO=是否使用 dhcp HWADDR=是否加入网卡 MAC 地址 IPADDR= IP 地址 NETMASK=子网掩码 ONBOOT=要不要默认启动此接口 GATEWAY=网关地址 NM_CONTROLLED=额外的网管软件，鸟哥建议取消这个项目
主机名	/etc/sysconfig/network	NETWORKING= 要不要使用网络 NETWORKING_IPV6=是否支持 IPv6 HOSTNAME=主机名
DNS IP	/etc/resolv.conf	Name Server DNS 的 IP 地址
私有 IP 对应的主机名	/etc/hosts	私有 IP 主机名 别名

主要需要修改的就是上面这 4 个文件，因此不是很困难。详细的配置后续小节再来讲，这里先熟悉一下概念即可。除此之外，还有些文件也应该知道一下。

- **/etc/services**

  这个文件是记录构建在 TCP/IP 上面的各种协议，包括 HTTP、FTP、SSH、Telnet 等服务所定义的 port number，都是这个文件所规划出来的。如果你想要自定义一个新的协议与 port 相对应，就需要改这个文件了。

- **/etc/protocols**

  这个文件是在定义 IP 数据包协议的相关数据，包括 ICMP/TCP/UDP 的数据包协议的定义等。

大概知道上面这几个文件后，未来要修改网络参数时，那就简单了。至于网络方面的启动命令，记住以下几个简单的命令即可。

- /etc/init.d/network restart

  这个 script 最重要，因为可以一口气重新启动整个网络的参数。它会主动地去读取所有的网络配置文件，所以可以很快地恢复系统默认的参数值。

- ifup eth0（ifdown eth0）

启动或者是关闭某个网络接口，可以通过这个简单的 script 来处理。这两个 script 会主动到 /etc/sysconfig/network-scripts/ 目录下，读取适当的配置文件来处理（例如 ifcfg-eth0）。

你只要大概知道这些基本的命令与文件，网络参数的设置就很简单了。不过，最好你还是要了解 shell script。这样可以追踪整个网络的设置条件，这是因为每个 distributions 的设置内容可能都不太相同，不过却都以 /etc/init.d/network 作为启动的 script，因此，只要清楚了该文件的内容，很容易就追踪出配置文件所需要的内容。

另外，新版的 CentOS 6.x 还额外推出一个名称为 Network Manager 的软件机制来管理网络，不过，鸟哥还是比较喜欢手动打造自己的网络环境，所以建议将该软件关闭。还好，我们安装的“basic server”（第 1 章的 1.2.2 节）就没有安装该软件。

4.2 连接 Internet 的设置方法

在前几章我们谈过，连上因特网的主要方法有①**学术网**、②**ADSL 固接与拨号**、③**Cable Modem** 等方式，同时，手动配置 IP 参数是很重要的学习，因此，以下的各节中，第一节的手动配置固定 IP 一定要做过一次，其他的请依照您的环境去配置学习。

此外，由于目前使用 Linux Notebook 的用户大增，而 Notebook 通常是以无线网络来联机的，所以鸟哥在这里也尝试使用一款无线网络来进行连接配置。至于传统的 56 Kbps 拨号则因为速度较慢且使用频率越来越低，所以在这里就不多做介绍了。

4.2.1 手动配置固定 IP 参数

所谓的固定 IP 就是指在网络参数当中，只要输入既定的 IP 参数即可。那么这个既定的 IP 来自哪里呢？一般来说，它可能来自于：

1）**学术网**：由学校单位直接给予的一组 IP 网络参数。

2）**固定 IP 地址的 ADSL**：向 ISP 申请的一组固定 IP 的网络参数。

3）**企业内部或 IP 路由器内部的局域网**：例如企业内部局域网使用私有 IP 时，那么我们的 Linux 当然也就需要向企业的网管人员申请一组固定的 IP 网络参数了。

也就是说，取得的固定 IP 参数并非一定是 Public IP。它只是一组可接受的固定 IP。所以在配置环境之前，请先注意所有网络参数来源的正确性。好了，那么 IP 要如何配置呢？返回去翻翻第 3 章 3.2.1 节里面的图 3-5，我们对外网卡（eth0）的信息为：

```
IP:         192.168.1.100
Netmask:    255.255.255.0
```

```
Gateway:  192.168.1.254
DNS IP:   168.95.1.1
Hostname: www.centos.vbird
```

那么要修改的 4 个文件与相关的启动脚本，以及重新启动后需要用什么指令查看的重点，鸟哥再次使用一个简单的表格来说明（如表 4-2 所示），只要记住这个表格内的重要文件与指令，以后在修改网络参数时，就不会出现错误了。

表 4-2　相关参数的配置文件与启动脚本及指令

修改的参数	配置文件与重要启动脚本	查看结果的指令
IP 相关参数	/etc/sysconfig/network-scripts/ifcfg-eth0 /etc/init.d/network restart	ifconfig (IP/Netmask) route -n (gateway)
DNS	/etc/resolv.conf	dig www.google.com
主机名	/etc/sysconfig/network /etc/hosts	hostname (主机名) ping $(hostname) reboot

下面我们就分别针对上面的各项配置来进行文件的重新修改。

1. IP/Netmask/Gateway 的配置、启动与查看

设定网络参数需要修改 /etc/sysconfig/network-scripts/ifcfg-eth0，注意，这个 ifcfg-eth0 与文件内的 DEVICE 名称定义需相同，并且，在这个文件内的所有配置，基本上就是 bash 的变量定义规则（**注意大小写**）。

```
[root@www ~]# vim /etc/sysconfig/network-scripts/ifcfg-eth0
DEVICE="eth0"                  <==网卡名称，必须要 ifcfg-eth0 相对应
HWADDR="08:00:27:71:85:BD"     <==就是网卡 MAC 地址，若只有一张网卡，可省略此项目
NM_CONTROLLED="no"             <==不要受到其他软件的网络管理
ONBOOT="yes"                   <==是否默认启动此接口的意思
BOOTPROTO=none                 <==取得 IP 的方式，其实关键字只有 dhcp，手动可输入 none
IPADDR=192.168.1.100           <==就是 IP 啊
NETMASK=255.255.255.0          <==就是子网掩码
GATEWAY=192.168.1.254          <==就是默认路由
# 重点是上面这几个配置项目，下面的则可以省略
NETWORK=192.168.1.0            <==就是该网段的第一个 IP，可省略
BROADCAST=192.168.1.255        <==就是广播地址啰，可省略
MTU=1500                       <==就是最大传输单元的设定值，若不更改则可省略
```

上面的资料比较好理解。**请注意每个变量（左边的英文）都应该要大写**，否则我们的 script 会判断错误。事实上鸟哥的配置值只有最上面的 8 个而已，其他的如 NETWORK、

BROADCAST、MTU 鸟哥都没有设置。至于参数的说明方面，IPADDR、NETMASK、NETWORK、BROADCAST 在这里就不再多说，要谈的是以下几个重要的定义值。

- DEVICE：这个配置值后面接的设备名称需要与文件名（ifcfg-eth0）那个设备名称相同，否则可能会出现设备名找不到的问题。
- BOOTPROTO：启动该网络接口时，使用何种协议？如果是手动配置 IP 的环境，请输入 static 或 none，如果在自动分配 IP 的环境中，请输入 dhcp（不要写错字，因为这是最重要的关键字）。
- GATEWAY：代表的是整个主机系统的 Default Gateway，所以，配置这个项目时，请特别留意不要有重复配置的情况发生。也就是当你有 ifcfg-eth0、ifcfg-eth1 等多个文件，**只要在其中一个文件设定 GATEWAY 即可**。
- GATEWAYDEV：如果你不是使用固定的 IP 作为 Gateway，而是使用网络设备作为 Gateway（通常 Router 常有这种配置），那也可以使用 GATEWAYDEV 来定义网关设备，不过这个配置项目很少使用。
- HWADDR：这是网卡的 MAC 地址。在仅有一张网卡的情况下，这个配置值没有什么功能，可以忽略。但**如果主机上面有两张一模一样的网卡，使用的模块是相同的，此时，你的 Linux 很可能会将 eth0、eth1 搞混，而造成网络配置的问题**。如何解决呢？由于 MAC 是直接写在网卡上的，因此指定 HWADDR 到这个配置文件中，就可以很好地区分不同的网卡了，很方便。

配置完成之后，现在让我们来重新启动网络接口，这样才能更新整个网络参数。

```
[root@www ~]# /etc/init.d/network restart
Shutting down interface eth0:                  [  OK  ]   <== 先关闭界面
Shutting down loopback interface:              [  OK  ]
Bringing up loopback interface:                [  OK  ]   <== 再开启界面
Bringing up interface eth0:                    [  OK  ]
# 针对这部主机的所有网络接口（包含 lo）与网关进行重新启动，所以网络会停顿后重新启动
```

这样就配置完成了，那接下来当然就是查看刚刚的配置是否正确了。

```
# 检查一：当然是要先查看 IP 参数是否正确，重点是 IP 与 Netmask
[root@www ~]# ifconfig eth0
eth0      Link encap:Ethernet  HWaddr 08:00:27:71:85:BD
          inet addr:192.168.1.100  Bcast:192.168.1.255  Mask:255.255.255.0
          inet6 addr: fe80::a00:27ff:fe71:85bd/64 Scope:Link
          UP BROADCAST RUNNING MULTICAST  MTU:1500  Metric:1
          RX packets:655 errors:0 dropped:0 overruns:0 frame:0
          TX packets:468 errors:0 dropped:0 overruns:0 carrier:0
          collisions:0 txqueuelen:1000
          RX bytes:61350 (59.9 KiB)  TX bytes:68722 (67.1 KiB)
```

```
# 只有出现上头那个 IP 的数据才是正确的启动；特别注意 inet addr 与 Mask 项目
# 这里如果没有成功，得回去看看配置文件有没有错误，然后再重新 network restart

# 检查二：检查一下路由定义是否正确
[root@www ~]# route -n
Kernel IP routing table
Destination     Gateway         Genmask         Flags Metric Ref    Use Iface
192.168.1.0     0.0.0.0         255.255.255.0   U     0      0        0 eth0
169.254.0.0     0.0.0.0         255.255.0.0     U     1002   0        0 eth0
0.0.0.0         192.168.1.254   0.0.0.0         UG    0      0        0 eth0
# 重点就是上面的加粗字体！前面的 0.0.0.0 代表默认路由的配置值

# 检查三：测试看看与路由器之间是否能够连接成功呢
[root@www ~]# ping -c 3 192.168.1.254
PING 192.168.1.254 (192.168.1.254) 56(84) bytes of data.
64 bytes from 192.168.1.254: icmp_seq=1 ttl=64 time=2.08 ms
64 bytes from 192.168.1.254: icmp_seq=2 ttl=64 time=0.309 ms
64 bytes from 192.168.1.254: icmp_seq=3 ttl=64 time=0.216 ms

--- 192.168.1.254 ping statistics ---
3 packets transmitted, 3 received, 0% packet loss, time 2004ms
rtt min/avg/max/mdev = 0.216/0.871/2.088/0.861 ms
# 注意啊！当出现 ttl 才是正确的响应！如果出现“Destination Host Unreachable”
# 表示没有成功的连接到 GATEWAY，那表示出问题了，赶紧检查有无配置错误
```

要注意，第三项检查如果失败，可能要看路由器是否已经关闭？或者是 Switch/Hub 是否有问题，或者是网线是否错误，还是由于路由器的防火墙配置错误了？要记得去解决。这三项检查做完而且都成功之后，TCP/IP 参数就已经配置完毕，这表示你可以使用 IP 上网了，只是还不能够使用主机名上网。接下来就是要定义 DNS 了。

2. DNS 服务器 IP 的定义与查看

这个 /etc/resolv.conf 很重要，它会影响到你是否可以查询到主机名称与 IP 的映射。通常采用如下定义就可以了。

```
[root@www ~]# vim /etc/resolv.conf
nameserver 202.96.199.133
nameserver 202.106.196.115
```

我们以中国电信的 DNS 服务器的 IP 为例。请注意，如果你不知道离你最近的 DNS 服务器的 IP，那么直接输入 nameserver 202.96.199.133 这个中国电信的 DNS 主机即可。不过如果你公司内部存在禁止 DNS 请求数据包的防火墙规则时，那么你就需要请教公司的网管单位，以便清楚你应该使用的 DNS 服务器的 IP 地址。然后赶紧测试看看你定义的 DNS 服务

器能否为你提供域名解析：

```
# 检查四：看看 DNS 能否为你提供域名解析？很重要的测试
[root@www ~]# dig www.google.com
....(前面省略)....
;; QUESTION SECTION:
;www.google.com.                        IN      A

;; ANSWER SECTION:
www.google.com.         428539  IN      CNAME   www.l.google.com.
www.l.google.com.       122     IN      A       74.125.71.106
....(中间省略)....

;; Query time: 30 msec
;; SERVER: 202.96.199.133#53(202.96.199.133)  <==这里的项目也很重要！
;; WHEN: Mon Jul 18 01:26:50 2011
;; MSG SIZE  rcvd: 284
```

上面的输出有两个重点，一个是问题查询的是 www.google.com 的 A（Address）参数，并且从回答（Answer）中得到我们所需的 IP 参数。最后面一段的 Server 项目非常重要，你需要看是否与你定义的那台 DNS 服务器的 IP 一样。以上面的输出为例，鸟哥使用中国电信的 DNS 服务器，所以就出现 202.96.199.133 的 IP 地址了。

3. 主机名的修改、启动与查看

修改主机名就需要改 /etc/sysconfig/network 以及 /etc/hosts 这两个文件，这两个文件的内容非常简单。

```
[root@www ~]# vim /etc/sysconfig/network
NETWORKING=yes
HOSTNAME=www.centos.vbird

[root@www ~]# vim /etc/hosts
192.168.1.100    www.centos.vbird
# 特别注意，这个文件的原本内容不要删除！只要添加额外的数据即可
```

修改完毕之后需要重新启动才可以。为什么需要重新启动呢？因为系统已经有非常多的服务启动了，这些服务如果需要主机名，都是到这个文件去读取的。而我们知道配置文件更新后，服务都需要重新启动才行。因此，已经启动而且已经读到这个文件的服务就需要重新启动，有点麻烦。因此，最简单的方法就是重新启动。但重新开机之前还需要进行一项工作，否则，你的系统开机会花掉很多时间的。

```
[root@www ~]# hostname
localhost.localdomain
```

```
# 还是默认值，尚未更新成功！我们还需要进行下面的动作

# 检查五：看看你的主机名有没有对应的 IP 呢？没有的话，开机流程会很慢
[root@www ~]# ping -c 2 www.centos.vbird
PING www.centos.vbird (192.168.1.100) 56(84) bytes of data.
64 bytes from www.centos.vbird (192.168.1.100): icmp_seq=1 ttl=64 time=0.015 ms
64 bytes from www.centos.vbird (192.168.1.100): icmp_seq=2 ttl=64 time=0.028 ms

--- www.centos.vbird ping statistics ---
2 packets transmitted, 2 received, 0% packet loss, time 1000ms
rtt min/avg/max/mdev = 0.015/0.021/0.028/0.008 ms
# 因为我们已经定义了 /etc/hosts 文件，明确了 www.centos.vbird 的 IP
# 所以才会有本地主机的主机名对应的正确 IP！这时才能够 reboot，这点很重要
```

上面的信息中，检查的内容总共有五个步骤，这五个步骤每一步都要成功后才能够继续往下操作。至于最重要的一点，**当你修改过 /etc/sysconfig/network 里面的 HOSTNAME 后，务必要重新启动**（reboot）。但是重新启动之前，请务必 ping 主机名且得到 time 的响应才行。

4.2.2　自动取得 IP 参数(DHCP 方法，适用 Cable Modem、IP 路由器的环境)

可自动取得 IP 的环境是怎么回事？很简单，位于 IP 路由器后面的内网主机在配置时，不是都会选择“自动获取 IP 地址”吗？那就是可自动取得 IP 的各种参数。那么自动取得是怎么回事？也不难了解，其实就是有一台主机提供 DHCP 服务给整个网络内的计算机。例如 IP 路由器就可能是一台 DHCP 主机。DHCP 是 Dynamic Host Configuration Protocol 的简写，即动态主机配置协议。详细的 DHCP 功能我们会在第 12 章说明。这个方法适合的连接方式主要有以下这些。

- **Cable Modem**：使用有线电视网络实现网络连接的方式。
- **ADSL 多 IP 的 DHCP 方式**：据鸟哥所知，很多 ISP 都推出一种项目，可以让 ADSL 用户以 DHCP 的方式来自动取得 IP，不需要拨号。这就是使用的这种方法。
- **IP 路由器或 NAT 搭建了 DHCP 服务时**：当你的主机位于 IP 路由器的后端，或者是你的 LAN 当中有 NAT 主机且 NAT 主机搭建了 DHCP 服务时，那取得 IP 的方法就是这样的。

你依旧需要前一小节手动配置 IP 的主机名设置（第三步），至于 IP 参数与 DNS 则不需要额外设置，仅需要修改 ifcfg-eth0 即可。处理如下：

```
[root@www ~]# vim /etc/sysconfig/network-scripts/ifcfg-eth0
DEVICE=eth0
HWADDR="08:00:27:71:85:BD"
```

```
NM_CONTROLLED="no"
ONBOOT=yes
BOOTPROTO=dhcp
```

只要这几个项目即可，其他的都注解（#）掉，尤其是那个 GATEWAY 一定不能设置，避免互相干扰。然后重新启动网络服务：

```
[root@www ~]# /etc/init.d/network restart
Shutting down interface eth0:                 [ OK ]  <== 先关闭界面
Shutting down loopback interface:             [ OK ]
Bringing up loopback interface:               [ OK ]  <== 再开启界面
Bringing up interface eth0:                   [ OK ]
Determining IP information for eth0.. [ OK ]  <== 重要！是 DHCP 的特点
# 你可以通过最后一行去判断我们是否是通过 DHCP 协议取得的 IP
```

局域网内的 IP 路由器或 DHCP 主机，就会立刻帮 Linux 主机做好网络参数的规划，包括 IP 参数与 GATEWAY 等，就都配置妥当了，很方便也很简单。

基本上，/etc/resolv.conf 默认会被 DHCP 所修改，因此你不需要修改 /etc/resolv.conf。甚至连主机名都会被 DHCP 所修改。不过，如果你有特殊需求，那么 /etc/sysconfig/network 以及 /etc/hosts 可以自行修改。

4.2.3 ADSL 拨号上网(适用 ADSL 拨号以及光纤接入)

现在来谈谈最热门的 ADSL 拨号上网，来谈一谈如何在 Linux 上拨号上网。要拨号上网时，可以使用 rp-pppoe 这套软件来帮忙，所以，需要确认 Linux distributions 上面已经安装了该软件。CentOS 本身就含有 rp-pppoe，请使用原版光盘，或者是使用 yum 来进行安装。

```
[root@www ~]# mount /dev/cdrom /mnt
[root@www ~]# cd /mnt/Packages
[root@www ~]# rpm -ivh rp-pppoe* ppp*
[root@www ~]# rpm -q rp-pppoe
rp-pppoe-3.10-8.el6.x86_64     <==确实已经安装了
```

当然，很多 distributions 都已经将拨号操作归类到图形界面里面去了，所以可能没有提供 rp-pppoe 这个软件，没关系，你可以到下面的网站去取得。

- http://www.roaringpenguin.com/pppoe/
- http://freshmeat.net/projects/rp-pppoe/

然后再自行手动安装即可。安装的过程鸟哥在这里就不谈了，请自行前往基础篇的源代码与 Tarball 章节查阅相关资料。另外请注意，虽然整个连接是由主机的以太网卡连接到 ADSL 调制解调器上，然后再通过电话线路联机到 ISP 的机房去，最后在主机上以 rp-pppoe 拨号实现连接，但是 **rp-pppoe 使用的是 Point to Point（ppp）over Ethernet 的点对点协议所产生的网络接口，因此当顺利地拨号成功之后，会多产生一个网络接口 ppp0。**

而由于 ppp0 是构建在以太网卡上的，必须要有以太网卡，同时，即使拨号成功后，也不能将没有用到的 eth0 关闭。因此，拨号成功后就会有如下接口。

- **内部环回测试用的 lo 接口。**
- **网卡 eth0 这个接口。**
- **拨号之后产生的通过 ISP 对外连接的 ppp0 接口。**

虽然 ppp0 是构建在以太网卡上面的，但**上面这 3 个接口在使用上是完全独立的，互不相干**，所以关于 eth0 使用上的思考如下。

1. 这张网卡（假设是 eth0）可以连接内部网络（LAN）

举例来说，如果局域网如同第 3 章的图 3-1 所示，也就是说，你的 ppp0 可以连上 Internet ，但是内网则使用 eth0 来跟其他内部主机连接时，那么你的 IP 配置参数 /etc/sysconfig/network-scripts/ifcfg-eth0 应该要给予一个私有 IP 以使内部的 LAN 也可以通过 eth0 来进行连接。所以鸟哥会这样配置：

```
[root@www ~]# vim /etc/sysconfig/network-scripts/ifcfg-eth0
DEVICE=eth0
BOOTPROTO=none
NM_CONTROLLED=no
IPADDR=192.168.1.100
NETMASK=255.255.255.0
ONBOOT=yes
```

并请记得一件事情，那就是**“千万不要定义 GATEWAY”**，因为 ppp0 拨号成功后，ISP 会主动给予 ppp0 接口一个可以连上 Internet 的 Default Gateway，如果你又定义另一个 Default Gateway，两个网关可能会造成网络不通。

2. 这台主机仅连接 ADSL 调制解调器，并没有接入内部网络

如果这台 Linux 主机是直接连接到 ADSL 调制解调器上面，并没有任何内部主机与其连接，也就是说，eth0 有没有 IP 都没有关系时，那么上面的配置当中的那个“ONBOOT=yes”直接改成“ ONBOOT=no”就行了。那拨号不会有问题吗？ 没关系，因为拨号启动 ppp0 时，系统会主动唤醒 eth0，只是 eth0 不会有 IP 信息。

至于其他的文件请参考 4.2.1 节手动配置 IP 连接的方法来处理即可。当然啦，拨号之前，请确认 ADSL 调制解调器已经与主机连接妥当，并取得账号与密码，也安装好了 rp-pppoe。接下来就来进行以下处理。

1）配置连接到 ADSL 调制解调器那张网卡 (暂定为 eth0)

说实在的，鸟哥建议将内外网络分得清清楚楚比较好，所以，通常我都是主机上面接两块网卡，一张对内一张对外，对外的那张网卡默认是不启动的（ONBOOT=no）。考虑到你可能仅有一张网卡，那么鸟哥给你建议，直接给 eth0 一个私有 IP 地址，配置就如同本节稍早提到的那样。

2）设置拨号的账号与密码

下面来设置账号与密码。这个动作只要在第一次建立账号/密码时处理即可，未来除非账号密码改变了，否则这个定义不需要重新配置（留意一下，拨号的配置命令已经改变了，与之前的 adsl-setup 不一样）。

```
[root@www ~]# pppoe-setup
Welcome to the PPPoE client setup.  First, I will run some checks on
your system to make sure the PPPoE client is installed properly...

LOGIN NAME  (填入从 ISP 处取得的账号)
Enter your Login Name (default root): T1234567
# 注意，这个账号名称是 ISP 分配的

INTERFACE  (ADSL 调制解调器所接的网卡代号)
Enter the Ethernet interface connected to the PPPoE modem
For Solaris, this is likely to be something like /dev/hme0.
For Linux, it will be ethX, where 'X' is a number.
(default eth0): eth0

Enter the demand value (default no): no

DNS  (就填入 ISP 处取得的 DNS 号码吧)
Enter the DNS information here: 168.95.1.1
Enter the secondary DNS server address here: <==若无第二台就按 enter

PASSWORD  (从 ISP 处取得的密码)
Please enter your Password: <==输入密码两次，屏幕不会有星号 *
Please re-enter your Password:

USERCTRL  (要不要让一般用户启动与关闭？最好是不要)
Please enter 'yes' (three letters, lower-case.) if you want to allow
normal user to start or stop DSL connection (default yes): no
```

```
FIREWALLING  (防火墙方面，先取消，之后我们将根据自己的需求定义)
The firewall choices are:
0 - NONE: This script will not set any firewall rules.  You are responsible
          for ensuring the security of your machine.  You are STRONGLY
          recommended to use some kind of firewall rules.
1 - STANDALONE: Appropriate for a basic stand-alone web-surfing workstation
2 - MASQUERADE: Appropriate for a machine acting as an Internet gateway
                for a LAN
Choose a type of firewall (0-2): 0

Start this connection at boot time (要不要开机立即启动拨号程序？)
Do you want to start this connection at boot time?
Please enter no or yes (default no):yes

** Summary of what you entered **
Ethernet Interface: eth0
User name:          T1234567
Activate-on-demand: No
Primary DNS:        168.95.1.1
Firewalling:        NONE
User Control:       no
Accept these settings and adjust configuration files (y/n)? y
Adjusting /etc/sysconfig/network-scripts/ifcfg-ppp0
Adjusting /etc/resolv.conf
  (But first backing it up to /etc/resolv.conf.bak)
Adjusting /etc/ppp/chap-secrets and /etc/ppp/pap-secrets
  (But first backing it up to /etc/ppp/chap-secrets.bak)
  (But first backing it up to /etc/ppp/pap-secrets.bak)
# 上面具有加粗字体的文件主要功能是：
# ifcfg-ppp0  ：也就是 ppp0 这个网络接口的配置文件；
# resolv.conf ：这个文件会被备份，然后以刚刚我们上面输入的 DNS 数据取代；
# pap-secrets, chap-secrets：我们输入的密码就放在这里！
```

这样配置就完成了。很简单的。唯一需要注意的是在上面的 User name，千万注意，不同的 ISP 的配置不一样，否则会无法正确连接。此外，由于我们在未来还会有 firewall 的配置，所以这里不太需要使用到防火墙，否则也可能无法连上 Internet。另外，注意一下，一般拨号需要的身份验证机制通过的是 chap 与 pap（注 2），在 rp-pppoe 这套软件中，就将两种认证机制所需的数据都记录下来了。那就是 chap-secrets、pap-secrets，你可以分别察看两个文件的内容，就知道其内容结构了。

3）通过 adsl-start, pppoe-start 或 network restart 开始拨号上网

启动 ADSL 的方法很多，通常鸟哥都是使用 /etc/init.d/network restart 处理。不过，如果发生一些不明的错误，也可以使用 pppoe-stop 关闭后再以 pppoe-start 立即启动拨号试

试看。

通常比较容易出问题的地方是硬件的连接方面，请先确认所有的硬件连接没有问题。通常，如果你使用 ADSL 调制解调器（ATU-R）时，请使用交叉线连接网卡与 ATU-R。另外一个容易出错的地方在于输入的账号与密码，账号与密码都是 ISP 给的，并且注意大小写（可以到 /etc/ppp/{chap,pap}-secrets 察看一下是否配置正确）。

4）开始检查的步骤

上面的步骤做完就可以连上 Internet 了。如果担心配置方面有问题，可以通过手动配置 IP 的那个小节的 5 个步骤去检查看看，指令分别是：

```
[root@www ~]# ifconfig
[root@www ~]# route -n
[root@www ~]# ping GW 的 IP
[root@www ~]# dig www.google.com
[root@www ~]# hostname
```

比较特殊的是，因为 ADSL 拨号是通过点对点（ppp）协议，所谓的点对点，就是 ppp0 直接连接到 ISP 的某个点（IP），所以，理论上，ppp0 是个独立的 IP，并没有子网。因此，当查看 ppp0 的网络参数时，它会变成这样：

```
[root@www ~]# ifconfig ppp0
ppp0      Link encap:Point-to-Point Protocol
          inet addr:111.255.69.90  P-t-P:168.95.98.254  Mask:255.255.255.255
          UP POINTOPOINT RUNNING NOARP MULTICAST  MTU:1492  Metric:1
          RX packets:59 errors:0 dropped:0 overruns:0 frame:0
          TX packets:59 errors:0 dropped:0 overruns:0 carrier:0
          collisions:0 txqueuelen:3
          RX bytes:7155 (6.9 KiB)  TX bytes:8630 (8.4 KiB)
```

如上所示，那个 inet addr 就是你的 IP，而 P-t-P 就是 Gateway 的意思。还会看到，Mask 是 255.255.255.255，没有子网。

5）取消拨号功能 (Option)

如果你明明没有 ADSL 连接，但是却做了上面的操作，那么需要注意，因为每次重新启动网络都会花很多时间在探测 ADSL 调制解调器上。所以，我们需要修改 ppp0 的配置文件。动作很简单，将 /etc/sysconfig/network-scripts/ifcfg-ppp0 内的 ONBOOT 改成 no，然后进行：

```
[root@www ~]# vim /etc/sysconfig/network-scripts/ifcfg-ppp0
DEVICE=ppp0
```

```
ONBOOT=no
....(其他省略)....

[root@www ~]# chkconfig pppoe-server off
```

这样你就已经做好 ADSL 拨号上网的操作了，但是不要忘记，你的主机若还没有更新（update）系统，恐怕在安全方面会有些问题。所以，赶紧学习以下两个章节吧。

4.3　无线网络——以笔记本电脑为例

除了使用实体 RJ-45 接口线路来连接网络之外，由于笔记本电脑渐渐广为使用，因此在笔记本电脑上面的无线网络（Wireless Local Area Network，WLAN）也越来越重要。针对无线网络所提出的标准中，早期是 IEEE 802.11b / 802.11g 较为重要，其中 802.11g 这个标准的传输速度已经可以达到 54Mbps 的水平。不过，近期以来还有新的标准，那就是 802.11n，这个标准的理论传输速度甚至可达 300Mbps！所以，我们也需要对无线网络做一些介绍。

无线网络的机制非常多，我们现在常听到的主要有 Wi-Fi（可想成是 802.11 相关标准）以及 WiMAX（802.16）等，在下面的内容中我们主要介绍的是目前使用较广泛的 Wi-Fi 相关无线网卡。

4.3.1　无线网络所需要的硬件：AP、无线网卡

我们知道在 RJ-45 接口的以太网环境中，以 Switch/Hub 以及网卡与网络线最重要，该架构中主要以 Switch/Hub 连接所有的网络设备。那么在无线网络中，当然也需要一个接收信号的设备，那就是**无线接入点（Wireless Access Point，简称 AP）**，另一个设备当然就是安装在计算机主机上面的无线网卡了。

其实无线接入点本身就是个 IP 路由器，它本身会有两个接口，一个可以与外部的 IP 做沟通，另外一个则是作为 LAN 内部其他主机的 GATEWAY。那其他主机上面只要安装了无线网卡，并且顺利地连上 AP 后，自然就可以通过 AP 来连上 Internet 了。整个传输的情况如图 4-1 所示。

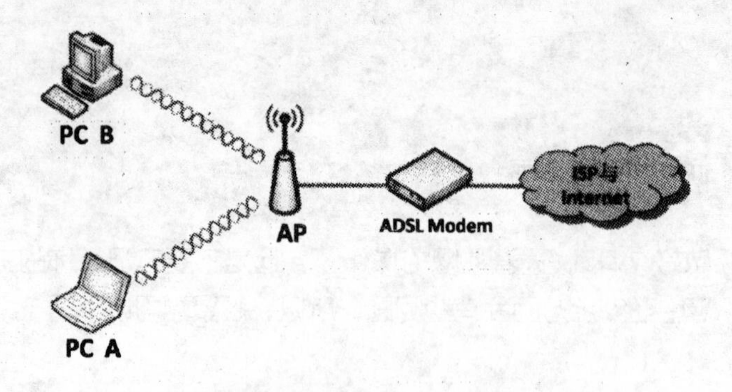

图 4-1 无线网络的连接图示

在图 4-1 中，假设 PC A 与 PC B 这两台主机都安装有无线网卡，因此它们可以扫描到局域网内的 AP 存在，所以可以通过这个 AP 来连上 Internet 。在不考虑 LAN 内部连接的情况下，AP 如何连上 Internet 呢？虽然每个 AP 的控制接口都不相同，不过绝大部分的 AP 都提供了 Web 设置界面，因此可以参考每部 AP 的说明书来进行配置，在这里鸟哥就不多说了。

鸟哥就以手边的设备来说明这个项目，使用的设备如下：

- AP：TP-Link（TL-WR840N）。
- USB 的无线网卡：D-Link（DWA-140），使用 RT3070sta 驱动程序。

比较凄惨的是，CentOS 6.x 默认不支持 DWA-140 这个 USB 的无线网卡，因此我们还需要自行手动下载 USB 无线网卡的驱动程序！更怪的是，我们的内核检测到的模块是 rt2870sta，但实际上该硬件使用的是 rt3070sta 模块。为了这个，花了鸟哥两、三天的时间去解决问题。还好，由世界上热心的网友提供了支持 Linux 的无线网卡网站说明，发现这个 USB 是支持 Linux 的。而且，已经有公司将这个网卡编译成 CentOS 6.x 可以使用的 RPM 文件了。相关网址如下：

- 网友们热心提供：http://linux-wless.passys.nl/query_part.php?brandname=D-Link。
- 帮我们打包成 RPM 的公司：http://rpm.pbone.net/index.php3。
- Ralink 官网的下载地址：http://www.ralinktech.com/support.php?s=2。

鸟哥最终由上面第二个网址下载的两个文件是：kmod-rt3070sta-2.5.0.1-2.el6.elrepo.x86_64.rpm、rt2870-firmware-22-1.el6.elrepo.noarch.rpm。鸟哥将它放置于 /root 目录下，等一下再来安装。

> 这块 USB 无线网卡把鸟哥搞得头大。基本上，Linux 内核默认不支持的设备，建议不要购买，否则很难处理！鸟哥觉得这个 DWA-140 就是块恶魔卡，好怪，好难搞...

4.3.2 关于 AP 的设置：网络安全方面

如果你留心一下图 4-1，就可以发现一件事情，那就是“**如果 AP 不设置任何连接限制，那任何拥有无线网卡的主机都可以通过这个 AP 连接上你的 LAN**”。要知道，通常我们都会认为 LAN 是可信任的网络，所以内部是没有防火墙的，亦即是不设防的状态，如果刚好有人拿着笔记本电脑经过你的 AP 可以接收信号的范围，那么他就可以轻易地通过你的 AP 连接上你的 LAN，并且可以通过你的 AP 连上 Internet，如果他刚好是个喜欢搞破坏的 Cracker，那么当他使用你的 AP 去攻击别人时，最后被发现的跳板是你的 AP！这就比较麻烦，而且你内部主机的数据也很有可能被窃取。

所以，**无线网络的安全性一定是具有很大的漏洞的**，没办法，因为无线网络的传输并不是通过实体的网线，而是通过无线信号，实体网线很好控制，无线信号却不好控制。因此，请你务必在你的 AP 上面做好连接限制的设置，一般可以进行如下限制：

- **在 AP 上面使用网卡卡号（MAC）来作为是否可以访问 AP 的限制。**

  如此一来，就只有你允许的网卡才能够访问你的 AP，当然会安全不少。不过这个方法有个问题，那就是当有其他主机想要通过这个 AP 连接 Internet 时，你就需要手动登录 AP 去进行 MAC 的设置，在经常有移动设备的环境中（例如公司或学校），这个方法比较麻烦。

- **设置你的 AP 连接加密机制与密钥。**

  另一个比较可行的办法就是设置连接时所需要的验证密钥。这个密钥不但可以在网络连接的数据当中加密，使得即使你的数据被窃听，对方也是仅能得到一堆乱码，同时由于 Client 端也需要知道密钥并且在连接阶段输入密钥，因此也可以被用来限制可连接的用户。

当然，上面两种方法你可以同时使用，也就是不但需要连接的密码，而且在 AP 处也设置能够访问的 MAC 地址，这样一来，就安全的多了。接下来让我们来介绍一下 AP 里面经常要了解的数据，那就是 ESSID/SSID。

如果你有两台 AP 在同一个局域网内，那么当你的无线网卡在上网时，会通过哪一台 AP 连接出去呢？这个问题是不是很困扰？其实每台 AP 都会有一个联机的名字，那就是 SSID 或 ESSID，这个 SSID 可以提供给 Client 端，当 Client 端需要进行无线连接时，它必须说明它要利用哪一台 AP，ESSID 就是那时需要输入的数据。在鸟哥的案例当中，我将我的 AP 设置为 vbird_tsai 这个名字，并且给予一个密钥密码，设置的方法如图 4-2 所示。

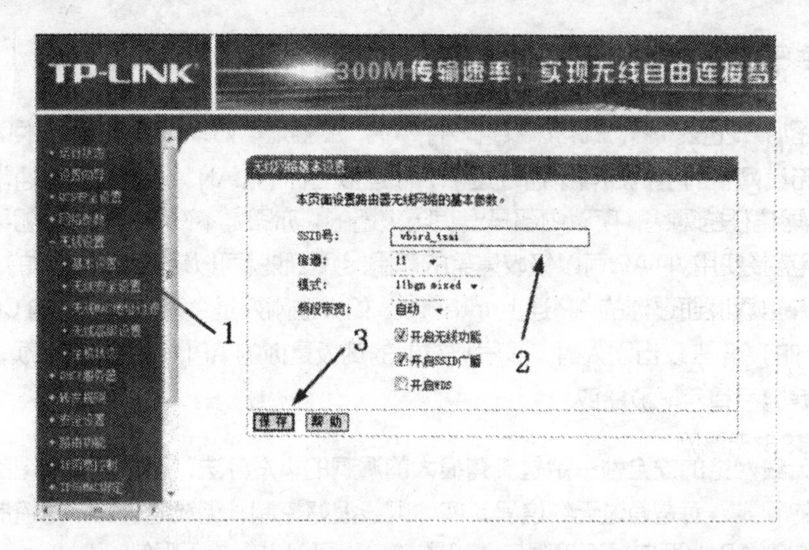

图 4-2 无线网络 AP 的 SSID 设置项目

在图 4-2 中，在登录了 AP 的设置项目后，依序（1）先选择无线设置里面的“基本设置”，然后在右边的窗口当中（2）填写正确的 SSID 号，然后单击（3）“保存”按钮即可。然后就是密码项目设置。密码项目的设置界面图 4-3 所示。

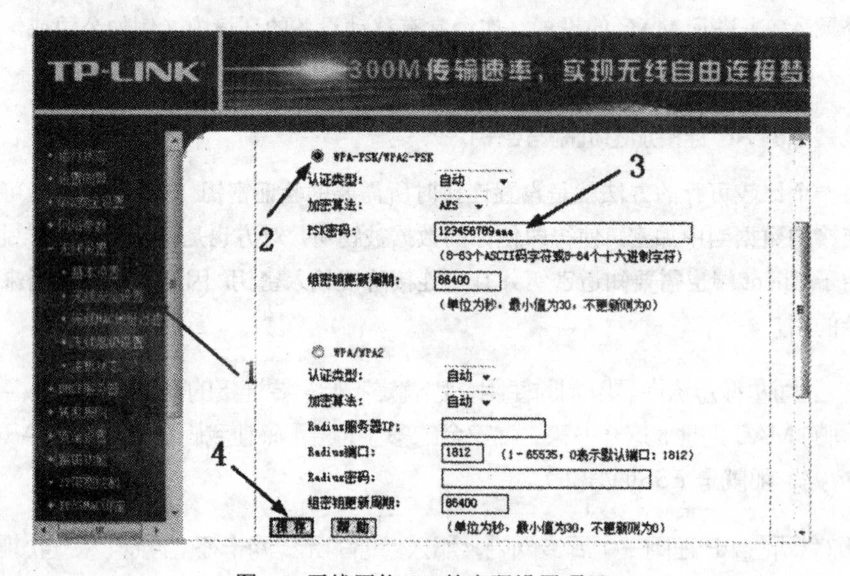

图 4-3 无线网络 AP 的密码设置项目

我们先选择（1）“无线安全设置”，然后在右边窗口（2）单选“WPA-PSK/WPA2-PSK”的加密方式，然后（3）输入加密的密钥，鸟哥这里填写的是极简单的密码，朋友们不要学喔！填完后（4）单击“保存”按钮即可。这个时候我们就会有下面两个数据：

- **SSID**：vbird_tsai。
- **密钥密码**：123456789aaa。

这仅是个范例说明。AP 设置就到此为止，如果您的设置有不同的地方，请自行查询您 AP

的操作手册吧。

4.3.3　利用无线网卡开始连接

无线网卡有很多模式，鸟哥选择的是 USB 无线网卡，所以想要知道主要有没有捕捉到这张网卡，就需要使用 lsusb 来检查，如果内核默认不支持，还需要自行编译驱动程序。如前所述，我们的驱动程序已经存放在 /root 目录下了。

1. 检查无线网卡设备

使用 USB 无线网卡的检查方式如下：

```
[root@www ~]# lsusb
Bus 002 Device 001: ID 1d6b:0001 Linux Foundation 1.1 root hub
Bus 001 Device 003: ID 07d1:3c0a D-Link System DWA-140 RangeBooster
N Adapter(rev.B2) [Ralink RT2870]
Bus 001 Device 001: ID 1d6b:0002 Linux Foundation 2.0 root hub
# 已经检测到了！只是，已经被内核加载了吗？不知道呢！继续往下检查看看
```

2. 查看模块与相对应的网卡代号（modinfo 与 iwconfig）

知道内核检测到这张网卡，但是能不能正确地加载模块呢？来看看：

```
[root@www ~]# iwconfig
lo        no wireless extensions.
eth0      no wireless extensions.
# 要出现名为 wlan0 之类的网卡才是捕捉到！所以没有加载正确模块
```

因为没有加载正确的驱动程序，现在让我们来安装刚刚下载的 RPM 驱动程序。请先将 USB 拔出来，然后再安装 RPM 文件。安装的方法如下：

```
[root@www ~]# rpm -ivh kmod-rt3070sta* rt2870-firmware*
# 这个操作会进行很长时间，似乎程序在检测硬件的样子
# 这个做完之后，请将 USB 网卡插入 USB 插槽

[root@www ~]# iwconfig
lo        no wireless extensions.
eth0      no wireless extensions.
ra0       Ralink STA
```

这个 iwconfig 是用于无线网络设置的一个命令，与 ifconfig 类似，不过，当我们使用 iwconfig 时，如果发现上述的加粗字体，那就代表该网络接口使用的是无线网卡。虽然有时你会看到无线网卡为 wlan0 之类的代号，不过这张网卡却使用 ra0 作为代号，挺有趣的。

3. 利用 iwlist 侦测 AP

好了，接下来看看我们的无线网卡是否能够找到 AP。首先我们要启动无线网卡，就利用 ifconfig 即可：

```
[root@www ~]# ifconfig ra0 up
```

启动网卡后才能以这个网卡来搜索整个区域内的无线接入点。接下来，直接使用 iwlist 命令来使用这个无线网卡搜寻看看。

```
[root@www ~]# iwlist ra0 scan
ra0       Scan completed :
          Cell 01 - Address: 74:EA:3A:C9:EE:1A
                    Protocol:802.11b/g/n
                    ESSID:"vbird_tsai"
                    Mode:Managed
                    Frequency:2.437 GHz (Channel 6)
                    Quality=100/100  Signal level=-45 dBm  Noise level=-92 dBm
                    Encryption key:on
                    Bit Rates:54 Mb/s
                    IE: WPA Version 1
                        Group Cipher : CCMP
                        Pairwise Ciphers (1) : CCMP
                        Authentication Suites (1) : PSK
                    IE: IEEE 802.11i/WPA2 Version 1
                        Group Cipher : CCMP
                        Pairwise Ciphers (1) : CCMP
                        Authentication Suites (1) : PSK
....(省略)....
```

从上面可以看到以下内容：①这个无线 AP 的协议；②ESSID 的名称是否错误；③得知加密的机制是 WPA2-PSK，这与前一小节的 AP 设置是相符合的；④使用的无线频道是 6 号。接下来就需要去修改配置文件，这部分很麻烦，请参考如下的网页来设置：

- https://wiki.archlinux.org/index.php/Rt2870。

```
[root@www ~]# ifconfig ra0 down && rmmod rt3070sta
[root@www ~]# vim /etc/Wireless/RT2870STA/RT2870STA.dat
Default
Region=5
RegionABand=7
Code=TW            <==中国台湾的编码代号
ChannelGeography=1
SSID=vbird_tsai            <== AP 的 ESSID
NetworkType=Infra
WirelessMode=9             <==与无线 AP 支持的协议有关！参考上述网址说明
```

```
Channel=6                  <==与 Region 及检测到的频道有关的设定
....(中间省略)....
AuthMode=WPAPSK            <==我们的 AP 提供的认证模式
EncrypType=AES             <==传送认证码的加密机制
WPAPSK="123456780aaa"      <==密钥密码！最好用双引号括起来较佳
....(省略)....
# 鸟哥实际修改的，就是上面有特别说明的地方，其余的地方都保留默认值即可
# 更奇怪的是，每次 ifconfig ra0 down 后，这个文件会莫名其妙地修改掉

[root@www ~]# modprobe rt3070sta && ifconfig ra0 up
[root@www ~]# iwconfig ra0
ra0       Ralink STA  ESSID:"vbird_tsai"  Nickname:"RT2870STA"
          Mode:Auto  Frequency=2.437 GHz  Access Point: 74:EA:3A:C9:EE:1A
          Bit Rate=1 Mb/s
          RTS thr:off   Fragment thr:off
          Encryption key:off
          Link Quality=100/100  Signal level:-37 dBm  Noise level:-37 dBm
          Rx invalid nwid:0  Rx invalid crypt:0  Rx invalid frag:0
          Tx excessive retries:0  Invalid misc:0   Missed beacon:0
```

如果顺利出现上面的数据，那就表示你的无线网卡已经与 AP 连接上了。然后则是设置网卡的配置文件了。

4. 设定网卡配置文件 (ifcfg-ethn)

因为我们的网卡使用的代号是 ra0，所以也是需要在 /etc/sysconfig/network-scripts 设置好相对应的文件才行。而由于我们的这块网卡其实是无线网卡，所以很多设置值都与以太网卡不同，详细的各项变量设置你可以自行参考一下下面的文件：

- /etc/sysconfig/network-scripts/ifup-wireless。

网卡设置是这样的：

```
[root@www ~]# cd /etc/sysconfig/network-scripts
[root@www network-scripts]# vim ifcfg-ra0
DEVICE=ra0
BOOTPROTO=dhcp
ONBOOT=no     <== 若需要每次都自动启动，改成 yes 即可
ESSID=vbird_tsai
RATE=54M      <== 可以严格指定传输的速率，要与上面 iwconfig 相同，单位 b/s
```

要注意的是那个 ONBOOT=no 的设定，如果你想要每次开机时，无线网卡都会自动启动，那就将它设置为 yes，否则就设置为 no。开机后再以 ifup ra0 来启动即可。到此为止，你的无线网卡已经可以顺利启动了。

其实上面那个配置文件的内容都是在规划出 iwconfig 的参数而已，所以你除了可以查阅 ifup-wireless 的内容外，还可以通过 man iwconfig 查询更详细的信息。而最重要的参数当然就是 ESSID 及 KEY 了。

5. 启动与查看无线网卡

使用 ifup wlan0 命令来启动网卡，要查看就用 iwconfig 及 ifconfig 分别查看，如下：

```
[root@www ~]# ifup ra0
Determining IP information for ra0... done.
```

整个流程就是这么简单。一般来说，目前比较常见的笔记本电脑内置的 Intel 无线网络模块（Centrino）适用于 Linux 的 ipw2200/ipw21000 模块，所以设定上也是很快。因为 CentOS 6.x 默认就已经支持，所以不必重新安装无线网卡驱动程序，直接通过上述方式来处理无线网络即可，又快速又方便。本章结尾的参考资料处，鸟哥还是列出许多与无线网卡有关的连接，你可以自行前往查阅与无线网卡有关的信息。

4.4 常见问题说明

这个小节很重要，它可以让你在阅读完理论后，了解一下如何利用那些概念来查询你的网络设置问题。下面就针对几个常见的问题来进行说明。

4.4.1 内部网络使用某些服务（如 FTP、POP3）所遇到的连接延迟问题

你或许曾经听过这样的问题：**“我在我的内部局域网中有几台计算机，这几台计算机明明都是在同一个网段之内，而且系统都没有问题，为什么我使用 POP3 或者是 FTP 连接我的 Linux 主机时会停顿好久才连上？但是连上之后，速度就又恢复正常了呢。”**

由于网络在连接时，两部主机之间会互相询问对方的主机名及该主机名所对应的 IP 地址信息，以确认对方的身份。在目前的因特网上面，大多使用 Domain Name System（DNS）系统提供主机名与其对应的 IP 地址信息的解析工作，而 DNS 服务器的 IP 地址就是我们在上面提到的 /etc/resolv.conf 文件内定义的，如果没有指定正确的 DNS IP 的话，那么我们就无法查询到主机名与 IP 的对应信息了。

公开的因特网可以这样设置，但是如果是我们内部网络的私有 IP 主机呢？因为是私有 IP 的主机，所以当然无法使用 /etc/resolv.conf 的设置来查询到这部主机的名称。那怎么办？要知道，**如果两部主机之间无法查询到正确的主机名与 IP 的对应信息，那么将可能发生持续查**

询主机名对应的动作，这个动作一般需要持续 30~60s，因此，你的该次联机将会持续检查主机名 30s，也就会造成奇怪的延迟的情况。

这个问题最常发生在内部的 LAN，例如使用 192.168.1.1 的主机联机到 192.168.1.2 的主机。这个问题虽然可以通过修改软件的设置来略过主机名的检查，但是绝大多数的软件都是默认启用这个机制的，因此，内部主机总是**连接过程很慢，连接成功后速度就会恢复正常**，通常就是这个问题。尤其是在 FTP 及 POP3 等网络服务软件上最常见。

那么如何避免这种情况？最简单的方法就是**给予内部的每台主机一个名称与 IP 的对应**即可。举例来说，我们知道每台主机都有一个主机名为 Localhost，对应到 127.0.0.1，为什么呢？因为这个 127.0.0.1 与 Localhost 的对应就被写到 /etc/hosts 内。当我们需要主机名与 IP 的对应时，系统就会先到 /etc/hosts 文件查询对应的设置值，如果找不到，才会使用 /etc/resolv.conf 的设置去因特网查询。也就是说，只要修改了 /etc/hosts，加入每台主机与 IP 的对应，就能够加快主机名的检查了。

所以，需要将你的私有 IP 的计算机与计算机名称写入你的 /etc/hosts 中了。这也是为啥我们在主机名设置的地方，特别强调第 5 个检查步骤的缘故。我们来看一看 /etc/hosts 原本的设置内容：

```
[root@www ~]# cat /etc/hosts
# Do not remove the following line, or various programs
# that require network functionality will fail.
127.0.0.1               localhost.localdomain     localhost
# 主机的 IP              主机的名称                主机的别名
```

在上面的情况中很容易就发现了设置的方法，那就是 IP 对应主机名。现在知道为什么我们给它 ping Localhost 的时候，地址会写出 127.0.0.1 了吧。那就是因为已经写在这个文件中了。**而且 Localhost 那一行不能去掉，否则系统的某些服务可能就会无法启动**。将局域网内的所有的计算机 IP 都写进去。并且，每一台给它取一个你喜欢的名字，**即使与 Client 的计算机名称设置不同也没关系**。以鸟哥为例，如果我还额外加设了 DHCP 的时候，那么我就干脆将 C Class 的所有网段全部写入/etc/hosts 中，代码如下：

```
[root@www ~]# vim /etc/hosts
# Do not remove the following line, or various programs
# that require network functionality will fail.
127.0.0.1               localhost.localdomain   localhost
192.168.1.1    linux001
192.168.1.2    linux002
192.168.1.3    linux003
........
........
```

```
192.168.1.254  linux254
```

这样，不论哪一台计算机连上来，不论是在同一个网段的哪一个 IP，我都可以很快速地查找到。这样内部网络互连时，就不会延迟太多了。

4.4.2 域名无法解析的问题

很多朋友常问的一个问题“**咦！我可以拨号上网了，也可以 ping 到雅虎的 IP，但为何就是无法直接用网址连上 Internet 呢？**”前面不是一直强调 DNS 解析的问题吗？这就是域名解析不对的问题，赶快改一下 /etc/resolv.conf 文件吧。使用上层 ISP 分配的 DNS 主机的 IP 即可。例如，Hinet 的 168.95.1.1 及 Seednet 的 139.175.10.20，代码如下：

```
[root@www ~]# vi /etc/resolv.conf
nameserver 168.95.1.1
nameserver 139.175.10.20
```

朋友们常常会在这个地方写错，因为很多书上都说这里要设定成为 NAT 主机的 IP，那根本就是不对的。你应该要将所有管理的计算机内，关于 DNS 的设置都直接使用上面的设置值。除非你的上层环境使用了防火墙，那才另外考虑。

4.4.3 默认网关的问题

记得我们在前两章提到的网络基础当中，讲了很多默认网关（Default Gateway）相关的说明。默认网关通常仅有一个，用来作为同一网络的其他主机传递非本网络的数据包网关。但在每个网络配置文件（/etc/sysconfig/network-scripts/ifcfg-ethx）内部都可以指定“GATEWAY”这个参数，若这个参数重复设置的话，那可就麻烦了。

举例来说，你的 ifcfg-eth0 用来作为内部网络的通信，所以你在该文件内设置 GATEWAY 为你自己的 IP，但是该主机为使用 ADSL 拨号，所以当拨号成功后会产生一个 ppp0 的接口，这个 ppp0 接口也有自己的 Default Gateway，当你要将数据包传送到 Yahoo 这个非本网络的主机时，这个数据包是要转到 eth0 还是 ppp0 呢？因为两个都有 Default Gateway。

很多朋友就是这里搞不懂了，常常会错乱。所以，请注意，**你的 Default Gateway 应该只能有一个，如果是拨号，请不要在 ifcfg-eth0 中指定 GATEWAY 或 GATEWAYDEV 等变量**，这非常重要。

更多的网络除错请参考后续第 6 章 Linux 网络排错的说明。

4.5　重点回顾

- Linux 以太网卡的默认代号为 eth0、eth1 等，无线网卡则为 wlan0、ra0 等。
- 在自行编译网卡驱动程序时，必须要先安装 Gcc、Make、Kernel-header 等软件。
- 内部网络的私有 IP 主机的"IP 与主机名的对应"，最好还是写入 /etc/hosts，可以克服很多软件的 IP 反查所花费的等待时间。
- IP 参数设置在 /etc/sysconfig/network-scripts/ifcfg-eth0 中，主机名设置在 /etc/sysconfig/network 中，DNS 设置在 /etc/resolv.conf 中，主机名与 IP 的对应设置在 /etc/hosts 中。
- 在 GATEWAY 这个参数的设置上面，务必检查妥当，仅设置一个 GATEWAY 即可。
- 可以使用 /etc/init.d/network restart 来重新启动整个系统的网络接口。
- 若使用 DHCP 协议时，则请将 GATEWAY 取消设置，避免重复出现多个 Default Gateway，反而造成无法连接的问题。
- ADSL 拨号后可以产生一个新的拨号接口，名称为 ppp0。
- 无线网卡与无线接入点之间的连接由于是通过无线接口，所以需要特别注意网络安全。
- 常见的无线接入点（AP）的连接防护，主要利用控制接入者的 MAC 或者是加上连接加密机制的密钥等方法。
- 设定网卡可以使用 ifconfig 这个指令，而设定无线网卡则需要 iwconfig，至于扫描接入点，可以使用 iwlist 这个指令。

4.6　参考数据与延伸阅读

- rp-pppoe 官方网站：http://www.roaringpenguin.com/pppoe。
- rp-pppoe 的安装方法：http://linux.vbird.org/linux_server/0130internet_connect/0130internet_connect. php#connect_adsl。
- 相关的认证说明：chap: http://en.wikipedia.org/wiki/Challenge-handshake_authentication_protocol；pap: http://en.wikipedia.org/wiki/Password_ authentication_protocol。
- 802.11n 在维基百科的说明：http://en.wikipedia.org/wiki/IEEE_802.11n-2009。
- Wi-Fi：http://zh.wikipedia.org/zh-tw/WiFi；WiMAX：http://zh.wikipedia.org/wiki/WiMAX?variant=zh-tw。
- 无线网络安全白皮书：http://www.cert.org.tw/document/docfile/Wireless_ Security.pdf。
- Intel Centrino 的无线网卡相关模块信息：http://ipw2100.sourceforge.net/、http://ipw2200.sourceforge.net。
- HP 的许多无线网络的计划链接：http://www.hpl.hp.com/personal/Jean_Tourrilhes/Linux/。

第 5 章

Linux 中常用的网络命令

Linux 的网络功能相当的强大，一时之间我们也无法完全介绍所有的网络命令，这个章节主要的目的是介绍一些常见的网络命令。至于每个命令的详细用途将在后续服务器搭建时，依照命令的相关性来进行说明。当然，本章节的主要目的是在于将所有的命令汇集在一起，比较容易集中掌握。这一章还有个相当重要的知识点，那就是数据包捕获的命令。若不熟悉也没关系，先放着，全部读完后再回来复习这一章的内容。

5.1　设置网络参数的命令

任何时刻如果你想要设置好你的网络参数，包括 IP 参数、路由参数与无线网络等，都需要了解下面这些相关的命令。其中以 ifconfig 及 route 这两个命令最为重要。当然，比较新鲜的做法，可以使用 ip 这个整合的命令来设置 IP 参数。

- ifconfig：查询、设置网卡与 IP 网络等相关参数。
- ifup, ifdown：这是两个 script 文件，其作用是通过更简单的方式来启动与关闭网络接口。
- route：查看、配置路由表（route table）。
- ip：整合式的命令，可以直接修改上述提到的功能。

5.1.1　手动/自动配置 IP 参数与启动/关闭网络接口：ifconfig、ifup、ifdown

这三个命令的用途都是启动网络接口，不过，ifup 与 ifdown 仅能就 /etc/sysconfig/network-scripts 内的 ifcfg-ethX（X 为数字）进行启动或关闭的操作，并不能直接修改网络参数，除非手动调整 ifcfg-ethX 文件才行。至于 ifconfig 则可以直接手动为某个接口配置 IP 或调整其网络参数。下面我们就分别来谈一谈。

1. ifconfig

ifconfig 主要是可以手动启动、查看与修改网络接口的相关参数，可以修改的参数很多，包括 IP 参数以及 MTU 等，它的语法如下：

```
[root@www ~]# ifconfig {interface} {up|down}   <== 查看与启动接口
[root@www ~]# ifconfig interface {options}     <== 设置与修改接口
选项与参数：
interface：网卡接口名称，包括 eth0, eth1, ppp0 等等
options   ：可以使用的参数，包括：
    up, down ：启动 (up) 或关闭 (down) 该网络接口(不涉及任何参数)
    mtu      ：可以设置不同的 MTU 数值，例如 mtu 1500 (单位为 byte)
    netmask  ：就是子网掩码
    broadcast：就是广播地址

# 范例一：查看所有的网络接口(直接输入 ifconfig)
[root@www ~]# ifconfig
eth0      Link encap:Ethernet  HWaddr 08:00:27:71:85:BD
          inet addr:192.168.1.100  Bcast:192.168.1.255  Mask:255.255.255.0
          inet6 addr: fe80::a00:27ff:fe71:85bd/64 Scope:Link
          UP BROADCAST RUNNING MULTICAST  MTU:1500  Metric:1
          RX packets:2555 errors:0 dropped:0 overruns:0 frame:0
          TX packets:70 errors:0 dropped:0 overruns:0 carrier:0
```

```
          collisions:0 txqueuelen:1000
          RX bytes:239892 (234.2 KiB)  TX bytes:11153 (10.8 KiB)
```

一般来说，**直接输入 ifconfig 就会列出当前已经被启动的网卡**，不论这个网卡是否有设置 IP，都会被显示出来。而**如果是输入 ifconfig eth0，则仅会显示出这块网卡的相关数据，而不管该网卡是否已经启动**。所以如果你想要知道某张网卡的 Hardware Address，直接输入"ifconfig "网络接口代号""即可。至于上述代码中出现的各项数据是这样的（数据排列由上而下、由左而右）。

- eth0：网卡的名称代号，也有 lo 这个 loopback。
- HWaddr：网卡的硬件地址，习惯称为 MAC 地址。
- inet addr：IPv4 的 IP 地址，后续的 Bcast、Mask 分别代表的是 Broadcast 与 Netmask。
- inet6 addr：是 IPv6 版本的 IP 地址，我们没有使用，所以略过。
- MTU：就是第 2 章谈到的网络接口的最大传输单元。
- RX：那一行代表的是网络由启动到目前为止的数据包接收情况，packets 代表数据包数量、errors 代表数据包发生错误的数量、dropped 代表数据包由于有问题而遭丢弃的数量等。
- TX：与 RX 相反，为网络由启动到目前为止的数据包发送情况。
- collisions：代表数据包冲突的情况，如果发生太多次，表示你的网络状况不太好。
- txqueuelen：代表用来传输数据的缓冲区的存储长度。
- RX bytes、TX bytes：接收、发送字节总量。

通过查看上述的资料，大致上可以了解到你的网络情况，尤其是那个 RX、TX 内的 error 数量，以及是否发生严重的冲突情况，都是需要注意的。

```
# 范例二：暂时修改网络接口，给予 eth0 一个 192.168.100.100/24 的参数
[root@www ~]# ifconfig eth0 192.168.100.100
# 如果不加任何其他参数，则系统会依照该 IP 所在的 class 范围，自动的计算出
# netmask 以及 network, broadcast 等 IP 参数，若想改其他参数则：

[root@www ~]# ifconfig eth0 192.168.100.100 \
> netmask 255.255.255.128 mtu 8000
# 设置网络接口的不同参数，同时设置 MTU 的数值

[root@www ~]# ifconfig eth0 mtu 9000
# 仅修改该接口的 MTU 数值，其他的保持不动

[root@www ~]# ifconfig eth0:0 192.168.50.50
# 仔细看那个网卡设备名称是 eth0:0。那就是在该实体网卡上，再仿真一个网络接口，
# 也就是在一张网卡上面设置多个 IP 的意思
```

```
[root@www ~]# ifconfig
eth0      Link encap:Ethernet  HWaddr 08:00:27:71:85:BD
          inet addr:192.168.100.100 Bcast:192.168.100.127 Mask:255.255.255.128
          inet6 addr: fe80::a00:27ff:fe71:85bd/64 Scope:Link
          UP BROADCAST RUNNING MULTICAST  MTU:9000  Metric:1
          RX packets:2555 errors:0 dropped:0 overruns:0 frame:0
          TX packets:70 errors:0 dropped:0 overruns:0 carrier:0
          collisions:0 txqueuelen:1000
          RX bytes:239892 (234.2 KiB)  TX bytes:11153 (10.8 KiB)

eth0:0    Link encap:Ethernet  HWaddr 08:00:27:71:85:BD
          inet addr:192.168.50.50  Bcast:192.168.50.255  Mask:255.255.255.0
          UP BROADCAST RUNNING MULTICAST  MTU:9000  Metric:1
# 仔细看，是否与硬件有关的信息都相同。没错。因为是同一张网卡
# 如果想要将刚刚建立的那块 eth0:0 网卡关闭，是否影响原有的 eth0 呢

[root@www ~]# ifconfig eth0:0 down
# 关掉 eth0:0 这个接口。如果想用默认值启动 eth1："ifconfig eth1 up"就可以实现

# 范例三：将手动的处理全部取消，使用原有的设置值重置网络参数：
[root@www ~]# /etc/init.d/network restart
# 使刚刚设置的数据全部失效，会以 ifcfg-ethX 的设置为主
```

使用 ifconfig 可以暂时手动来设置或修改某个适配卡的相关配置，并且也可以通过 eth0:0 这种虚拟的网络接口的方式在一块网卡上定义多个 IP。手动的方式很简单，并且设置错误也不要紧，因为可以利用 /etc/init.d/network restart 来重新启动整个网络接口，那么之前手动的设置数据会全部失效。另外，要启动某个网络接口，但又不让它具有 IP 参数时，直接使用 ifconfig eth0 up 即可。这个操作**在采用无线网卡的环境中会被经常使用**，因为我们必须要启动无线网卡让它去检测 AP 的存在与否。

2. ifup、ifdown

实时地手动修改一些网络接口参数，可以利用 ifconfig 来实现，如果是要直接以配置文件，也就是在 /etc/sysconfig/network-scripts 里面的 ifcfg-ethx 等文件的设置参数来启动网络接口的话，那就需要通过 ifup 或 ifdown 来完成了。

```
[root@www ~]# ifup   {interface}
[root@www ~]# ifdown {interface}

[root@www ~]# ifup eth0
```

ifup 与 ifdown 真是太简单了。这两个程序其实是 script，它会直接到 /etc/sysconfig/network-scripts 目录下查找对应的配置文件，例如 ifup eth0，它会读取

ifcfg-eth0 这个文件的内容，然后加以设置。关于 ifcfg-eth0 的设置则请参考第 4 章的说明。

不过，由于这两个程序主要是通过读取配置文件（ifcfg-ethX）来进行启动与关闭网络接口的，所以在使用前请确定 ifcfg-ethX 是否真的存在于正确的目录内，否则会启动失败。另外，**如果以 ifconfig eth0 的方式来设置或者是修改了网络接口后，那就无法再以 ifdown eth0 的方式来关闭了。**因为 ifdown 会分析比对当前的网络参数与 ifcfg-eth0 是否相符，不符的话，就会放弃本次操作。因此，使用 ifconfig 修改完毕后，应该要用 ifconfig eth0 down 才能够关闭该接口。

5.1.2 修改路由：route

我们在第 2 章网络基础的时候谈过关于路由的问题，两台主机之间一定要有路由才能够互通 TCP/IP 的协议，否则就无法进行连接。一般来说，只要有网络接口，该接口就会产生一个路由，所以我们安装的主机有一个 eth0 的接口，情况如下：

```
[root@www ~]# route [-nee]
[root@www ~]# route add [-net|-host] [网络或主机] netmask [mask] [gw|dev]
[root@www ~]# route del [-net|-host] [网络或主机] netmask [mask] [gw|dev]
查看的参数：
   -n  ：不要使用通信协议或主机名，直接使用 IP 或 port number;
   -ee ：显示更详细的信息
增加 (add) 与删除 (del) 路由的相关参数：
   -net     ：表示后面接的路由为一个网络
   -host    ：表示后面接的为连接到单部主机的路由
   netmask ：与网络有关，可以设置 netmask 决定网络的大小
   gw       ：gateway 的简写，后续接的是 IP 的数值喔，与 dev 不同
   dev      ：如果只是要指定由那一块网卡连接出去，则使用这个设置，后面接 eth0 等

# 范例一：单纯的查看路由状态
[root@www ~]# route -n
Kernel IP routing table
Destination     Gateway         Genmask         Flags Metric Ref    Use Iface
192.168.1.0     0.0.0.0         255.255.255.0   U     0      0        0 eth0
169.254.0.0     0.0.0.0         255.255.0.0     U     1002   0        0 eth0
0.0.0.0         192.168.1.254   0.0.0.0         UG    0      0        0 eth0

[root@www ~]# route
Kernel IP routing table
Destination     Gateway         Genmask         Flags Metric Ref    Use Iface
192.168.1.0     *               255.255.255.0   U     0      0        0 eth0
link-local      *               255.255.0.0     U     1002   0        0 eth0
default         192.168.1.254   0.0.0.0         UG    0      0        0 eth0
```

由上面的例子当中仔细查看 route 与 route -n 的输出结果，你可以发现使用 -n 参数会显示出 IP，至于只使用 route 命令，显示的则是“主机名”。也就是说，在默认的情况下，route 会解析出该 IP 的主机名，如果解析不到呢？其显示会有延迟（有点慢），所以说，鸟哥通常都直接使用 route –n。由上面看起来，我们也知道 default = 0.0.0.0/0.0.0.0，而上面的信息有哪些是你必须要知道的呢？

- Destination、Genmask：这两个参数就分别是 network 与 netmask 了。所以它们就组合成为一个完整的网络了。
- Gateway：该网络是通过哪个 Gateway 连接出去的？如果显示 0.0.0.0 表示该路由是直接由本机传送，也就是可以通过局域网的 MAC 直接发送；如果显示 IP 的话，表示该路由需要经过路由器（网关）的帮忙才能够发送出去。
- Flags：总共有多个标志，代表的意义如下。
  - U (route is up)：该路由是启动的。
  - H (target is a host)：目标是一台主机 (IP) 而非网络。
  - G (use gateway)：需要通过外部的主机来传递数据包。
  - R (reinstate route for dynamic routing)：使用动态路由时，恢复路由信息的标志。
  - D (dynamically installed by daemon or redirect)：动态路由。
  - M (modified from routing daemon or redirect)：路由已经被修改了。
  - ! (reject route)：这个路由将不会被接受(用来阻止不安全的网络)。
- Iface：这个路由传递数据包的接口。

此外，查看一下上面的路由排列顺序，**依序是由小网络（192.168.1.0/24 是 Class C），逐渐到大网络（169.254.0.0/16 Class B），最后则是默认路由（0.0.0.0/0.0.0.0）**。然后当我们要判断某个网络数据包应该如何发送的时候，该数据包会经过这个路由表来判断。举例来说，我上头仅有三条路由，若我有一个发往 192.168.1.20 的数据包，那首先会找 192.168.1.0/24 这个网络的路由，找到了，就直接由 eth0 传送出去。

如果是传送到 Yahoo 的主机呢？Yahoo 的主机 IP 是 119.160.246.241，我们通过判断不是 192.168.1.0/24，也不是 169.254.0.0/16，结果到达 0/0 时，发送出去了，通过 eth0 将数据包发送给 192.168.1.254 那台 Gateway 主机。所以说，路由是有顺序的。

因此当你重复设置多个同样的路由时，例如，在你的主机上的两张网卡设置为相同网络的 IP 时，会出现什么情况？会出现如下的情况：

```
Kernel IP routing table
Destination     Gateway         Genmask         Flags Metric Ref    Use Iface
192.168.1.0     0.0.0.0         255.255.255.0   U     0      0        0 eth0
192.168.1.0     0.0.0.0         255.255.255.0   U     0      0        0 eth1
```

也就是说，**由于路由是依照顺序来排列与传送的，所以不论数据包是由哪个接口（eth0、eth1）所接收，都会由上述的 eth0 传送出去**，所以，在一台主机上面设置两个相同网络的 IP 本身没有什么意义，多此一举。除非是类似虚拟机（Xen、VMware 等软件）所架设的多主机时，才会有这个必要。

```
# 范例二：路由的增加与删除
[root@www ~]# route del -net 169.254.0.0 netmask 255.255.0.0 dev eth0
# 上面这个命令可以删除掉 169.254.0.0/16 这个网络
# 请注意，在删除的时候，需要将路由表上面出现的信息都写入
# 包括 netmask、dev 等参数

[root@www ~]# route add -net 192.168.100.0 \
> netmask 255.255.255.0 dev eth0
# 通过 route add 来增加一条路由。请注意，这个路由的设置必须要能够与你的网络互通。
# 举例来说，如果我使用下面的命令就会显示错误：
# route add -net 192.168.200.0 netmask 255.255.255.0 gw 192.168.200.254
# 因为我的主机内仅有 192.168.1.11 这个 IP ，所以不能直接与 192.168.200.254
# 这个网段直接使用 MAC 连接

[root@www ~]# route add default gw 192.168.1.250
# 增加默认路由的方法。请注意，只要有一个默认路由就够了
# 同样的，那个 192.168.1.250 的 IP 也需要能与你的 LAN 沟通才行
# 在这个地方如果你随便设置后，记得使用下面的命令重新配置你的网络
# /etc/init.d/network restart
```

如果是要进行路由的删除与增加，那就可以参考上面的例子了，其实，使用 man route 里面的数据就很丰富了。仔细查阅一下啰。你只要记得，当出现“SIOCADDRT: Network is unreachable”这个错误时，肯定是由于 gw 后面接的 IP 无法直接与你的网络沟通（Gateway 并不在你的网络内），所以，赶紧检查一下输入的信息是否正确。

> 鸟哥 一般来说，鸟哥如果接触到一个新的环境内的主机，在不想更改原系统配置文件的情况下，打算使用本书的网络环境设置时，手动的处理就变成：“ifconfig eth0 192.168.1.100; route add default gw 192.168.1.254”，直接联网与测试。等到完成测试后，再使用 /etc/init.d/network restart 恢复原系统的网络即可。

5.1.3 网络参数综合命令：ip

这里的 ip 是个命令，并不是那个 TCP/IP 的 IP。这个 ip 命令的功能可多了。基本上，它就是综合了 ifconfig 与 route 这两个命令。不过，ip 可以实现的功能却又多的多，真是个相当厉害的命令。如果你有兴趣的话，请自行 vi /sbin/ifup ，就知道整个 ifup 是利用 ip 这个命

令来实现的。好了，如何使用呢？让我们来看看。

```
[root@www ~]# ip [option] [动作] [命令]
选项与参数：
option ：设置的参数，主要有：
    -s ：显示出设备的统计数据(statistics)，例如接收数据包的总数等；
操作：也就是可以针对哪些网络参数进行操作，包括：
    link  ：与设备 (device) 相关的设置，包括 MTU、MAC 地址等
    addr/address ：关于额外的 IP 协议，例如多 IP 的实现等
    route ：与路由有关的相关设置
```

由上面的语法我们可以知道，ip 除了可以设置一些基本的网络参数之外，还能够执行额外的 IP 协议，包括多 IP 的配置，真是太完美了！下面我们就分 3 个部分（link、addr、route）来介绍这个 ip 命令吧。

1. 关于接口设备 (device) 的相关设置：ip link

ip link 可以设置与设备（device）有关的相关参数，包括 MTU 以及该网络接口的 MAC 等，当然也可以启动（up）或关闭（down）某个网络接口。整个语法是这样的：

```
[root@www ~]# ip [-s] link show  <== 单纯地查看该设备的相关信息
[root@www ~]# ip link set [device] [动作与参数]
选项与参数：
show：仅显示出这个设备的相关属性，如果加上 -s 会显示更多统计数据
set ：可以开始设置项目，device 指的是 eth0、eth1 等设备名称
动作与参数：包括下面的这些动作：
   up|down   ：启动 (up) 或关闭 (down) 某个接口，其他参数使用默认的以太网
   address   ：如果这个设备可以更改 MAC 的话，用这个参数修改
   name      ：给予这个设备一个特殊的名字
   mtu       ：就是最大传输单元

# 范例一：显示本机所有接口的信息
[root@www ~]# ip link show
1: lo: <LOOPBACK,UP,LOWER_UP> mtu 16436 qdisc noqueue state UNKNOWN
    link/loopback 00:00:00:00:00:00 brd 00:00:00:00:00:00
2: eth0: <BROADCAST,MULTICAST,UP,LOWER_UP> mtu 1500 qdisc pfifo_fast state UP
qlen 1000
    link/ether 08:00:27:71:85:bd brd ff:ff:ff:ff:ff:ff
3: eth1: <BROADCAST,MULTICAST> mtu 1500 qdisc noop state DOWN qlen 1000
    link/ether 08:00:27:2a:30:14 brd ff:ff:ff:ff:ff:ff
4: sit0: <NOARP> mtu 1480 qdisc noop state DOWN
    link/sit 0.0.0.0 brd 0.0.0.0

[root@www ~]# ip -s link show eth0
2: eth0: <BROADCAST,MULTICAST,UP,LOWER_UP> mtu 1500 qdisc pfifo_fast state UP
qlen 1000
```

```
    link/ether 08:00:27:71:85:bd brd ff:ff:ff:ff:ff:ff
    RX: bytes  packets  errors  dropped overrun mcast
    314685     3354     0       0       0       0
    TX: bytes  packets  errors  dropped carrier collsns
    27200      199      0       0       0       0
```

使用 ip link show 可以显示出整个接口设备的硬件相关信息，如上所示，包括网卡地址（MAC）、MTU 等，比较有趣的应该是那个 sit0 的接口了，那个 sit0 的接口是用在 IPv4 与 IPv6 的数据包转换上的，对于我们仅使用 IPv4 的网络是没有作用的。lo 及 sit0 都是主机内部自行设置的。而如果加上 -s 的参数后，则这个网卡的相关统计信息就会被列出来，包括接收（RX）及发送（TX）的数据包数量等，详细的内容与 ifconfig 所输出的结果是相同的。

```
# 范例二：启动、关闭与配置设备的相关信息
[root@www ~]# ip link set eth0 up
# 启动 eth0 这个接口设备

[root@www ~]# ip link set eth0 down
# 这就关闭了eth0 这个接口，很简单

[root@www ~]# ip link set eth0 mtu 1000
# 更改 MTU 的值，达到 1000 bytes，单位就是 bytes
```

更新网卡的 MTU 使用 ifconfig 也可以实现。不过，如果是要更改网卡名称、MAC 地址的信息的话，那可就得使用 ip 了。不过，设定前可能需要先关闭该网卡，否则不会成功。如下所示：

```
# 范例三：修改网卡名称、MAC 等参数
[root@www ~]# ip link set eth0 name vbird
SIOCSIFNAME: Device or resource busy
# 因为该设备目前是启动的，所以不能做这样设置。你应该要这样做：

[root@www ~]# ip link set eth0 down          <==关闭接口
[root@www ~]# ip link set eth0 name vbird <==重新设置
[root@www ~]# ip link show                   <==查看一下
2: vbird: <BROADCAST,MULTICAST,UP,LOWER_UP> mtu 1500 qdisc pfifo_fast state UP
qlen 1000
    link/ether 08:00:27:71:85:bd brd ff:ff:ff:ff:ff:ff
# 怕了吧！连网卡名称都可以修改！不过，玩玩后记得改回来
# 因为我们的 ifcfg-eth0 还是使用原本的设备名称。为避免出现问题，要改回来

[root@www ~]# ip link set vbird name eth0 <==接口改回来

[root@www ~]# ip link set eth0 address aa:aa:aa:aa:aa:aa
[root@www ~]# ip link show eth0
```

```
# 如果你的网卡支持硬件地址(MAC)更改的话，上面这个操作就可以修改MAC 地址
# 不过，还是那句老话，测试完之后请立刻改回来
```

在这个设备的硬件相关信息设置上面，包括 MTU、MAC 以及传输的模式等，都可以在这里设置。有趣的是，那个 address 的项目后面接的可是硬件地址（MAC）而不是 IP 。很容易搞错。切记切记。更多的硬件参数可以使用 man ip 查阅一下与 ip link 有关的设定。

2. 关于额外 IP 的相关设定：ip address

如果说 ip link 是与 OSI 七层协议的第二层数据链路层有关的话，那么 ip address（ip addr）就是与第三层网络层有关的参数了。主要是在设置与 IP 有关的各项参数，包括 netmask、broadcast 等。

```
[root@www ~]# ip address show    <==就是查看 IP 参数
[root@www ~]# ip address [add|del] [IP 参数] [dev 设备名] [相关参数]
选项与参数:
show     : 仅显示接口的 IP 信息
add|del  : 进行相关参数的增加 (add) 或删除 (del) 设置，主要有:
   IP 参数: 主要就是网络的设置，例如 192.168.100.100/24 之类的设置
   dev     : 这个 IP 参数所要设置的接口，例如 eth0、eth1 等
   相关参数主要有下面这些:
      broadcast: 设置广播地址，如果设置值是 + 表示“让系统自动计算”
      label    : 也就是这个设备的别名，例如 eth0:0
      scope    : 这个选项的参数，通常是这几个大类:
                 global : 允许来自所有来源的连接
                 site   : 仅支持 IPv6 ，仅允许本主机的连接
                 link   : 仅允许本设备自我连接
                 host   : 仅允许本主机内部的连接
                 所以当然是使用 global 了。默认也是 global

# 范例一: 显示出所有接口的 IP 参数:
[root@www ~]# ip address show
1: lo: <LOOPBACK,UP,LOWER_UP> mtu 16436 qdisc noqueue state UNKNOWN
    link/loopback 00:00:00:00:00:00 brd 00:00:00:00:00:00
    inet 127.0.0.1/8 scope host lo
    inet6 ::1/128 scope host
       valid_lft forever preferred_lft forever
2: eth0: <BROADCAST,MULTICAST,UP,LOWER_UP> mtu 1500 qdisc pfifo_fast state UP
qlen 1000
    link/ether 08:00:27:71:85:bd brd ff:ff:ff:ff:ff:ff
    inet 192.168.1.100/24 brd 192.168.1.255 scope global eth0
    inet6 fe80::a00:27ff:fe71:85bd/64 scope link
       valid_lft forever preferred_lft forever
3: eth1: <BROADCAST,MULTICAST> mtu 1500 qdisc noop state DOWN qlen 1000
    link/ether 08:00:27:2a:30:14 brd ff:ff:ff:ff:ff:ff
```

```
4: sit0: <NOARP> mtu 1480 qdisc noop state DOWN
    link/sit 0.0.0.0 brd 0.0.0.0
```

看到上面那个加粗的字体了吗？没错，那就是 IP 参数，也是 ip address 最主要的功能。下面我们进一步来添加虚拟的网络接口来试试看：

```
# 范例二：添加一个接口，名称假设为 eth0:vbird
[root@www ~]# ip address add 192.168.50.50/24 broadcast + \
> dev eth0 label eth0:vbird
[root@www ~]# ip address show eth0
2: eth0: <BROADCAST,MULTICAST,UP,LOWER_UP> mtu 1500 qdisc pfifo_fast state UP
qlen 1000
    link/ether 08:00:27:71:85:bd brd ff:ff:ff:ff:ff:ff
    inet 192.168.1.100/24 brd 192.168.1.255 scope global eth0
    inet 192.168.50.50/24 brd 192.168.50.255 scope global eth0:vbird
    inet6 fe80::a00:27ff:fe71:85bd/64 scope link
       valid_lft forever preferred_lft forever
# 看到上面的加粗字体了吧？多出了一行新的接口，且名称是 eth0:vbird
# 至于那个 broadcast + 也可以写成 broadcast 192.168.50.255 啦！

[root@www ~]# ifconfig
eth0:vbird Link encap:Ethernet  HWaddr 08:00:27:71:85:BD
          inet addr:192.168.50.50  Bcast:192.168.50.255  Mask:255.255.255.0
          UP BROADCAST RUNNING MULTICAST  MTU:1500  Metric:1
# 如果使用 ifconfig 就能够看到这个怪东西了

# 范例三：将刚刚的接口删除
[root@www ~]# ip address del 192.168.50.50/24 dev eth0
# 删除就比较简单了
```

3. 关于路由的相关设定：ip route

这个项目当然就是路由的查看与设定了。事实上，ip route 的功能几乎与 route 这个命令差不多，但是，它还可以进行额外的参数设计，例如 MTU 的规划等，功能相当强大。

```
[root@www ~]# ip route show   <==单纯的显示出路由的设置而已
[root@www ~]# ip route [add|del] [IP 或网络号] [via gateway] [dev 设备]
选项与参数：
show ：单纯的显示出路由表，也可以使用 list
add|del ：添加 (add) 或删除 (del) 路由
    IP 或网络：可使用 192.168.50.0/24 之类的网络号或者是单纯的 IP 地址
    via      ：从那个 gateway 出去，不一定需要
    dev      ：由那个设备连出去，这就需要了
    mtu      ：可以额外的设置 MTU 的数值
```

```
# 范例一：显示出当前的路由信息
[root@www ~]# ip route show
192.168.1.0/24 dev eth0  proto kernel  scope link  src 192.168.1.100
169.254.0.0/16 dev eth0  scope link  metric 1002
default via 192.168.1.254 dev eth0
```

如以上输出所示，最简单的功能就是显示出当前的路由信息，其实跟 route 这个命令相同。输出信息中必须要注意几个小细节：

- proto：此路由的路由协议，主要有 Redirect、Kernel、Boot、Static、Ra 等，其中 Kernel 指的是直接由内核判断自动设定。
- scope：路由的范围，主要是 link，也就是与本设备有关的直接连接。

再来看一下如何进行路由的添加与删除吧。

```
# 范例二：添加路由，主要是本机直接可沟通的网络
[root@www ~]# ip route add 192.168.5.0/24 dev eth0
# 针对本机直接沟通的网络设定好路由，不需要通过外部的路由器
[root@www ~]# ip route show
192.168.5.0/24 dev eth0  scope link
....(以下省略)....

# 范例三：增加可以通往外部的路由，需通过 router
[root@www ~]# ip route add 192.168.10.0/24 via 192.168.5.100 dev eth0
[root@www ~]# ip route show
192.168.5.0/24 dev eth0  scope link
....(其他省略)....
192.168.10.0/24 via 192.168.5.100 dev eth0
# 仔细看喔，因为我有 192.168.5.0/24 的路由存在 (我的网卡直接联系)，
# 所以才可以将 192.168.10.0/24 的路由丢给 192.168.5.100
# 那部主机来帮忙传递，与之前提到的 route 命令是一样的

# 范例四：添加默认路由
[root@www ~]# ip route add default via 192.168.1.254 dev eth0
# 那个 192.168.1.254 就是我的默认路由器 (gateway) 的意思
# 记住，只要一条默认路由就 OK

# 范例五：删除路由
[root@www ~]# ip route del 192.168.10.0/24
[root@www ~]# ip route del 192.168.5.0/24
```

事实上，这个 ip 的命令实在是太博大精深了。刚接触 Linux 网络的朋友，可能会看的有点晕，不要紧。你先学会使用 ifconfig、ifup、ifdown 与 route 即可，等以后有经验了，再继续回来用 ip 这个命令吧！有兴趣的话，也可以自行参考 ethtool 这个命令（man ethtool）。

5.1.4 无线网络：iwlist, iwconfig

如果要使用这两个命令你必须要有无线网卡才行。这两个命令的用途如下：

- iwlist：利用无线网卡进行无线 AP 的检测与取得相关的数据。
- iwconfig：设置无线网卡的相关参数。

这两个命令的应用我们在第 4 章中的无线网卡设置里已经谈了很多了，所以这里我们不再详谈，有兴趣的朋友应该先使用 man iwlist 与 man iwconfig 了解一下语法，然后再到前一章的无线网络小节查一查相关的用法就可以了。

5.1.5 DHCP 客户端命令：dhclient

如果你是使用 DHCP 协议在局域网内获取 IP 的话，那么是否一定要去编辑 ifcfg-eth0 内的 BOOTPROTO 呢？有个更快速的做法，就是利用 dhclient 这个命令。因为这个命令才是真正发送 DHCP 请求的。它的用法很简单，如果不考虑其他的参数，使用下面的方法即可：

```
[root@www ~]# dhclient eth0
```

很简单吧。这样就可以立刻让我们的网卡以 DHCP 协议去尝试取得 IP。

5.2 网络排错与查看命令

在网络的互助论坛中，最常听到的一句话就是：**“高手求救！我的 Linux 不能连上网络了。”**我的天，不能连上网络的原因很多，而要完全搞懂也不是一件简单的事情，不过，事实上我们可以自己使用测试软件来跟踪可能的错误原因，而很多的网络检测命令其实在 Linux 里头都已经默认存在了，只要你好好的学一学基本的检测命令，那么一些朋友在告诉你如何排错的时候，你就应该立刻知道如何来搞定它了。

其实我们在第 4 章谈到的五个检查步骤已经是相当详细的网络排错流程了，只是还有些重要的检测命令也需要来了解一下。

5.2.1 两台主机的两点沟通：ping

ping 是很重要的命令，ping 主要通过 ICMP 数据包来进行整个网络的状态报告，当然，最重要的就是 ICMP type 0、8 这两个类型，分别是要求回送与主动回送网络状态是否存在的特性。要特别注意的是，ping 还是需要通过 IP 数据包来传送 ICMP 数据包的，而 IP 数据包里面有个相当重要的 TTL 属性，这是很重要的一个路由特性，详细的 IP 与 ICMP 报头数据请参考第 2 章网络基础的详细介绍。

```
[root@www ~]# ping [选项与参数] IP
选项与参数:
-c 数值: 后面接的是执行 ping 的次数, 例如 -c 5
-n     : 在输出数据时不进行 IP 与主机名的反查, 直接使用 IP 输出(速度较快)
-s 数值: 发送出去的 ICMP 数据包大小, 默认为 56bytes, 不过可以放大此数值
-t 数值: TTL 的数值, 默认是 255, 每经过一个节点就会少 1
-W 数值: 等待响应对方主机的秒数
-M [do|dont] : 主要在检测网络的 MTU 数值大小, 两个常见的项目是:
   do  : 代表传送一个 DF (Don't Fragment) 标志, 让数据包不能重新拆包与打包
   dont: 代表不要传送 DF 标志, 表示数据包可以在其他主机上拆包与打包

# 范例一: 检测一下 168.95.1.1 这部 DNS 主机是否存在
[root@www ~]# ping -c 3 168.95.1.1
PING 168.95.1.1 (168.95.1.1) 56(84) bytes of data.
64 bytes from 168.95.1.1: icmp_seq=1 ttl=245 time=15.4 ms
64 bytes from 168.95.1.1: icmp_seq=2 ttl=245 time=10.0 ms
64 bytes from 168.95.1.1: icmp_seq=3 ttl=245 time=10.2 ms

--- 168.95.1.1 ping statistics ---
3 packets transmitted, 3 received, 0% packet loss, time 2047ms
rtt min/avg/max/mdev = 10.056/11.910/15.453/2.506 ms
```

ping 最简单的功能就是发送 ICMP 数据包去要求对方主机回应是否存在于网络环境中，在上面的响应消息当中，几个重要的项目如下：

- **64 bytes**：表示这次发送的 ICMP 数据包大小为 64 bytes，这是默认值。在某些特殊场合中，例如要搜索整个网络内最大的 MTU 时，可以使用 -s 2000 之类的数值来取代。
- **icmp_seq=1**：ICMP 检测的次数，第一次编号为 1。
- **ttl=243**：TTL 与 IP 数据包内的 TTL 是相同的，每经过一个带有 MAC 的节点（node）时，例如 router、bridge 时，TTL 就会减少 1，默认的 TTL 为 255，你可以通过 -t 150 之类的方法来重新设置 TTL 数值。
- **time=15.4 ms**：响应时间，单位有 ms（0.001s）及 us（0.000001s），一般来说，越小的响应时间，表示两部主机之间的网络连接越良好。

如果你忘记加上 -c 3 这样的规定检测次数，那就需要使用 [ctrl]-c 将它结束掉了。

例题

写一支脚本程序 ping.sh，通过这支脚本程序，你可以用 ping 检测整个网络的主机是否有响应。此外，每台主机的检测仅等待 1s，也仅检测一次。

答：由于仅检测一次且等待 1s，因此 ping 的选项为：-W1 -c1，而位于本机所在的局域网为 192.168.1.0/24，所以可以这样写（vim /root/bin/ping.sh）：

```
#!/bin/bash
for siteip in $(seq 1 254)
do
        site="192.168.1.${siteip}"
        ping -c1 -W1 ${site} &> /dev/null
        if [ "$?" == "0" ]; then
                echo "$site is UP"
        else
                echo "$site is DOWN"
        fi
done
```

特别注意一下，**如果你的主机与待检测主机并不在同一个网络内，那么 TTL 默认使用 255，如果是同一个网络内，那么 TTL 则默认使用 64**。

用 ping 跟踪路径中的最大 MTU 数值。

我们由第 2 章的网络基础里面谈到加大数据帧（frame）时，对于网络效率是有帮助的，因为数据包打包的次数会减少，加上如果整个传输的设备都能够接受这个 frame 而不需要重新进行数据包的拆解与重组的话，那么效率当然会更好，那个修改 frame 大小的参数就是 MTU。

现在我们知道修改网卡的 MTU 可以通过 ifconfig 或者是 ip 等命令来完成，那么跟踪整个网络传输的最大 MTU 时，又该如何查询呢？最简单的方法当然是通过 ping 发送一个大数据包，并且不许中继路由器或 Switch 将该数据包重组，就能够处理了。可以这样做：

```
# 范例二：找出最大的 MTU 数值
[root@www ~]# ping -c 2 -s 1000 -M do 192.168.1.254
PING 192.168.1.254 (192.168.1.254) 1000(1028) bytes of data.
1008 bytes from 192.168.1.254: icmp_seq=1 ttl=64 time=0.311 ms
# 如果有响应，那就是可以接受这个数据包，如果无响应，那就表示这个 MTU 太大了。

[root@www ~]# ping -c 2 -s 8000 -M do 192.168.1.254
PING 192.168.1.254 (192.168.1.254) 8000(8028) bytes of data.
From 192.168.1.100 icmp_seq=1 Frag needed and DF set (mtu = 1500)
# 这个错误信息是说，本地端的 MTU 才到 1500 而已，你要检测 8000 的 MTU
# 根本就是无法达成的！那要如何是好？用前一小节介绍的 ip link 来进行 MTU 设置吧！
```

不过，需要知道的是，由于 IP 数据包包头（不含 options）就已经占用了 20 bytes，再加上 ICMP 的报头有 8 bytes，所以**当你在使用 -s size 的时候，那个数据包的大小就需要先扣除（20+8=28）的大小了。因此如果要使用的 MTU 为 1500 时，就需要下达“ping -s 1472 -M do xx.yy.zz.ip”命令才行。**

另外，由于本地端的网卡 MTU 也会影响到检测，所以如果想要检测整个传输设备的 MTU 数值，那么每个可以调整的主机就需要先使用 ifcofig 或 ip 先将 MTU 调大，然后再进行检测，否则就可能会出现像上面提供的案例中出现的错误信息。

不过，MTU 不要随便调整，除非真的有问题。通常调整 MTU 的设置是在以下几种情况中：

- **因为全部的主机都是在内部的局域网，例如群集架构（cluster）的环境下，由于内部的网络节点都是我们可以控制的，因此可以通过修改 MTU 来提高网络效率。**
- **因为操作系统默认的 MTU 与网络不符，导致某些网站可以顺利连接，某些网站则无法连接。以 Windows 操作系统作为连接共享的主机时，在 Client 端容易出现这个问题。**

如果是要连接 Internet 的主机，注意不要随便调整 MTU，因为我们无法知道 Internet 上面的每台机器能够支持 MTU 到多大，这不是我们能够管得到的。另外，每种连接方式都有不同的 MTU 值，常见的各种接口的 MTU 值如表 5-1 所示。

表 5-1 常见各种接口的 MTU 值

网络接口	MTU
Ethernet	1500
PPPoE	1492
Dial-up(Modem)	576

5.2.2 两主机间各节点分析：traceroute

我们前面谈到的命令大多数都是针对主机的网络参数设置的，而 ping 是两台主机之间的连通性判断，那么有没有命令可以跟踪两台主机之间通过的各个节点（node）的通信状况的好坏呢？举例来说，如果我们连接到 Yahoo 的速度比平常慢，你觉得是①自己的网络环境有问题，②还是外部的 Internet 有问题？如果是网络环境的问题，我们就需要检查自己的网络环境了，看看是否是中毒了？但如果是 Internet 的问题呢？那只有“等等等”了。判断是①还是②这个问题就需要使用 traceroute 这个命令。

```
[root@www ~]# traceroute [选项与参数] IP
选项与参数：
-n ：可以不必进行主机的名称解析，单纯用 IP ，速度较快
-U ：使用 UDP 的 port 33434 来进行检测，这是默认的检测协议
-I ：使用 ICMP 的方式来进行检测
-T ：使用 TCP 来进行检测，一般使用 port 80 测试
-w ：若对方主机在几秒钟内没有回应就声明不通...默认是 5 秒
-p 端口号：若不想使用 UDP 与 TCP 的默认端口号来检测，可在此改变端口号
-i 设备：用在比较复杂的环境，如果网络接口很多很复杂时，才会用到这个参数；
        举例来说，你有两条 ADSL 可以连接到外部，那你的主机会有两个 ppp，
        你可以使用 -i 来选择是 ppp0 还是 ppp1
```

```
-g 路由：与 -i 的参数相仿，只是 -g 后面接的是 gateway 的 IP 就是了。

# 范例一：检测本机至 yahoo 去的各节点的连接状态
[root@www ~]# traceroute -n tw.yahoo.com
traceroute to tw.yahoo.com (119.160.246.241), 30 hops max, 40 byte packets
 1  192.168.1.254  0.279 ms  0.156 ms  0.169 ms
 2  172.20.168.254  0.430 ms  0.513 ms  0.409 ms
 3  10.40.1.1  0.996 ms  0.890 ms  1.042 ms
 4  203.72.191.85  0.942 ms  0.969 ms  0.951 ms
 5  211.20.206.58  1.360 ms  1.379 ms  1.355 ms
 6  203.75.72.90  1.123 ms  0.988 ms  1.086 ms
 7  220.128.24.22  11.238 ms  11.179 ms  11.128 ms
 8  220.128.1.82  12.456 ms  12.327 ms  12.221 ms
 9  220.128.3.149  8.062 ms  8.058 ms  7.990 ms
10  * * *
11  119.160.240.1  10.688 ms  10.590 ms 119.160.240.3  10.047 ms
12  * * * <==可能有防火墙设备等情况发生所致
```

这个 traceroute 挺有意思的，这个命令会针对欲连接的目标的所有 node 进行 UDP 的超时等待，例如在上面的例子当中，由鸟哥的主机连接到 Yahoo 时，它会经过 12 个节点以上，traceroute 会主动对这 12 个节点做 UDP 的响应等待，并检测回复的时间，每节点检测三次，最终返回如上头显示的结果。你可以发现每个节点其实回复的时间大约在 50 ms 以内，算是不错的 Internet 环境了。

比较特殊的是第 10 和 12 个，会返回星号，代表该 node 可能设有某些防护措施，让我们发送的数据包信息被丢弃掉。因为我们是直接通过路由器传递数据包，并没有进入路由器去取得路由器的使用资源，所以某些路由器仅支持数据包转递，并不会接受来自客户端的各项检测，此时就会出现上述的问题。因为 traceroute 默认使用 UDP 数据包，如果你想尝试使用其他数据包，那么可以用–I 或 –T 试试看。

由于目前 UDP/ICMP 的攻击层出不穷，因此很多路由器可能就此取消这两个数据包的响应功能。所以我们可以使用 TCP 来检测。例如使用同样的方法，通过等待时间 1s，以及 TCP 80 端口的情况，可以这样做：

```
[root@www ~]# traceroute -w 1 -n -T tw.yahoo.com
```

5.2.3 查看本机的网络连接与后门：netstat

如果某个网络服务明明已经启动了，但是就是无法进行连接，那应该怎么办？首先你应该要查询一下网络接口所监听的端口（port），来看看是否真的已经启动，因为有时候屏幕上面显示的“OK”并不一定真的就 OK 了。

```
[root@www ~]# netstat -[rn]       <==与路由有关的参数
[root@www ~]# netstat -[antulpc]  <==与网络接口有关的参数
选项与参数：
与路由 (route) 有关的参数说明：
-r  ：列出路由表(route table)，功能如同 route 这个命令
-n  ：不使用主机名与服务名称，使用 IP 与 port number ，如同 route -n
与网络接口有关的参数
-a  ：列出所有的连接状态，包括 tcp/udp/unix socket 等
-t  ：仅列出 TCP 数据包的连接
-u  ：仅列出 UDP 数据包的连接
-l  ：仅列出已在 Listen (监听) 的服务的网络状态
-p  ：列出 PID 与 Program 的文件名
-c  ：可以设置几秒钟后自动更新一次，例如 -c 5 为每 5s 更新一次网络状态的显示

# 范例一：列出当前的路由表状态，且以 IP 及 port number 进行显示：
[root@www ~]# netstat -rn
Kernel IP routing table
Destination     Gateway         Genmask         Flags   MSS Window  irtt Iface
192.168.1.0     0.0.0.0         255.255.255.0   U         0 0          0 eth0
169.254.0.0     0.0.0.0         255.255.0.0     U         0 0          0 eth0
0.0.0.0         192.168.1.254   0.0.0.0         UG        0 0          0 eth0
# 其实这个参数就跟 route -n 一模一样，对吧。这不是 netstat 的主要功能

# 范例二：列出当前的所有网络连接状态，使用 IP 与 port number
[root@www ~]# netstat -an
Active Internet connections (servers and established)
Proto Recv-Q Send-Q Local Address      Foreign Address     State
....(中间省略)....
tcp        0      0 127.0.0.1:25       0.0.0.0:*           LISTEN
tcp        0     52 192.168.1.100:22   192.168.1.101:1937  ESTABLISHED
tcp        0      0 :::22              :::*                LISTEN
....(中间省略)....
Active UNIX domain sockets (servers and established)
Proto RefCnt Flags     Type    State      I-Node Path
unix  2      [ ACC ]  STREAM  LISTENING  11075  @/var/run/hald/dbus-uukdg1qMPh
unix  2      [ ACC ]  STREAM  LISTENING  10952  /var/run/dbus/system_bus_socket
unix  2      [ ACC ]  STREAM  LISTENING  11032  /var/run/acpid.socket
....(省略)....
```

netstat 的输出主要分为两大部分，分别是 TCP/IP 的网络接口部分，以及传统的 Unix socket 部分。还记得我们在基础篇里面曾经谈到文件的类型吗？那个 socket 与 FIFO 文件还记得吧？那就是在 Unix 接口用来作为程序数据交流的接口了，也就是上头表格内看到的 Active Unix domain sockets 的内容。

通常鸟哥都是建议加上“-n”这个选项的，因为可以避免主机名与服务名称的反查，直

接以 IP 及端口号码（port number）来显示，显示的速度会快很多！至于在输出的信息当中，我们先来谈一谈关于网络连接状态的输出部分，它主要是分为下面几个大项：

- Proto：该连接的数据包协议，主要为 TCP/UDP 等数据包。
- Recv-Q：由非用户程序连接所复制而来的总 bytes 数。
- Send-Q：由远程主机发送而来，但不具有 ACK 标志的总 bytes 数，亦指主动连接 SYN 或其他标志的数据包所占的 bytes 数。
- Local Address：本地端的地址，可以是 IP（-n 选项存在时），也可以是完整的主机名。使用的格式就是“IP:port”，只是 IP 的格式有 IPv4 及 IPv6 的差异。如上述代码所示，在 port 22 的接口中，使用的“:::22”就是针对 IPv6 的显示，事实上，它就相当于 0.0.0.0:22。至于 port 25 仅针对 lo 接口开放，意指 Internet 基本上是无法连接到本机的 25 端口的。
- Foreign Address：远程的主机 IP 与 port number 。
- stat：状态栏，主要的状态有：

  ESTABLISED：已建立连接的状态。

  SYN_SENT：发出主动连接（SYN 标志）的连接数据包。

  SYN_RECV：接收到一个要求连接的主动连接数据包。

  FIN_WAIT1：该套接字服务（socket）已中断，该连接正在断线当中。

  FIN_WAIT2：该连接已挂断，但正在等待对方主机响应断线确认的数据包。

  TIME_WAIT：该连接已挂断，但 socket 还在网络上等待结束。

  LISTEN：通常用在服务的监听 port，可使用“ –l”参数查阅。

基本上，我们常常谈到的 netstat 的功能，就是查看网络的连接状态，而网络连接状态中，又以查看**“我目前开了多少 port 在等待客户端的连接”**以及**“目前我的网络连接状态中，有多少连接已建立或产生问题”**最常见。那如何了解与查看呢？通常鸟哥是这样处理的：

```
# 范例三：显示出目前已经启动的网络服务
[root@www ~]# netstat -tulnp
Active Internet connections (only servers)
Proto Recv-Q Send-Q Local Address   Foreign Address    State   PID/Program name
tcp        0      0 0.0.0.0:34796   0.0.0.0:*          LISTEN 987/rpc.statd
tcp        0      0 0.0.0.0:111     0.0.0.0:*          LISTEN 969/rpcbind
tcp        0      0 127.0.0.1:25    0.0.0.0:*          LISTEN 1231/master
tcp        0      0 :::22           :::*               LISTEN 1155/sshd
udp        0      0 0.0.0.0:111     0.0.0.0:*                 969/rpcbind
....(省略)....
# 上面最重要的其实是那个 -l 的参数，因为可以仅列出处于 Listen 状态的 port
```

你可以发现很多的网络服务其实仅针对本机的 lo 开放而已，因特网是连接不到该端口与服务的。而由上述的数据我们也可以看到，启动 port 111 的，其实就是 rpcbind 那个程序，那如果想要关闭这个端口，你可以使用 kill 删除 PID 969，也可以使用 killall 删除 rpcbind 这个程序。如此一来，你就能很轻松地知道哪个程序启动了哪些端口了。

```
# 范例四：查看本机上所有的网络连接状态
[root@www ~]# netstat -atunp
Active Internet connections (servers and established)
Proto Recv-Q Send-Q Local Address   Foreign Address     State       PID/Program
tcp        0      0 0.0.0.0:111     0.0.0.0:*           LISTEN      969/rpcbind
tcp        0      0 0.0.0.0:22      0.0.0.0:*           LISTEN      1155/sshd
tcp        0      0 127.0.0.1:25    0.0.0.0:*           LISTEN      1231/master
tcp        0     52 192.168.1.100:22  192.168.1.101:1937  ESTABLISHED 4716/0
....(下面省略)....
```

看到上面的加粗字体了吗？那代表目前已经建立连接的一条网络连接，它是由远程主机 192.168.1.101 启动的一个大于 1024 的端口向本地端主机 192.168.1.100 的 port 22 发起的一条连接，你必须要想起来的是：**Client 端是随机开放一个大于 1024 的 port 进行连接**，此外**只有 root 可以启动小于 1024 的 port**，这样就看得懂上面那条连接了。如果你想要断开这条连接的话，查看最右边的 4716/0 后直接 kill 就可以了。

至于传统的 Unix socket 的数据，使用 man netstat 查阅一下吧。这个 Unix socket 通常是用在一些仅在本机上工作的程序所开启的套接字接口文件，例如 X Window 不都是在本机上运行吗？那何必启动网络的 port 呢？当然可以使用 Unix socket 了，另外，对于 Postfix 这一类的网络服务器，由于很多操作都是在本机上来完成的，所以会占用很多的 Unix socket。

例题

请说明在 Linux 中，服务名称与 port number 的对应关系是由那个文件来设置的？

答：/etc/services。

5.2.4 检测主机名与 IP 的对应：host、nslookup

关于主机名与 IP 的对应关系，我们主要介绍的是 DNS 客户端命令 dig 。不过除了这个命令之外，其实还有两个更简单的命令，那就是 host 与 nslookup。接下来让我们来说说这两个命令吧。

1. host

这个命令可以用来查出某个主机名的 IP。举例来说，我们想要知道 www.yahoo.com 的

IP 时，可以这样做：

```
[root@www ~]# host [-a] hostname [server]
选项与参数：
-a ：列出该主机详细的各项主机名设置数据
[server] ：可以使用不是由 /etc/resolv.conf 文件定义的 DNS 服务器 IP 来查询

# 范例一：列出 www.yahoo.com 的 IP
[root@www ~]# host www.yahoo.com
www.yahoo.com is an alias for www-cidr.fyap.b.yahoo.com.
www-cidr.fyap.b.yahoo.com is an alias for www-tpe-fo.fyap.b.yahoo.com.
tw-tpe-fo.fyap.b.yahoo.com has address 72.30.2.43
```

可以看出，IP 是 72.30.2.43。很简单就可以查询到 IP 了。那么这个 IP 是向谁查询的呢？其实就是写在 /etc/resolv.conf 那个文件内的 DNS 服务器 IP。如果不想要使用该文件内的主机来查询，也可以这样做：

```
[root@www ~]# host www.yahoo.com 211.161.46.84
Using domain server:
Name: 211.161.46.84
Address: 211.161.46.84#53
Aliases:

www.yahoo.com is an alias for www-cidr.fyap.b.yahoo.com.
www-cidr.fyap.b.yahoo.com is an alias for www-tpe-fo.fyap.b.yahoo.com.
www-tpe-fo.fyap.b.yahoo.com has address 211.161.46.84
```

它会告诉我们用来查询的主机是哪一台，这样就够清楚了吧！不过，再怎么清楚也比不过 dig 这个命令的，所以这个命令仅是参考。

2. nslookup

这条命令的用途与 host 基本上是一样的，就是用来作为 IP 与主机名对应的检查，同样是使用 /etc/resolv.conf 这个文件来作为 DNS 服务器的来源选择。

```
[root@www ~]# nslookup [-query=[type]] [hostname|IP]
选项与参数：
-query=type：查询的类型，除了传统的 IP 与主机名对应外，DNS 还有很多信息，
             所以我们可以查询很多不同的信息，包括 mx、cname 等，
             例如，-query=mx 的查询方法。

# 范例一：找出 www.google.com 的 IP
[root@www ~]# nslookup www.google.com
Server:         168.95.1.1
Address:        168.95.1.1#53
```

```
Non-authoritative answer:
www.google.com  canonical name = www.l.google.com.
Name:   www.l.google.com
Address: 74.125.71.106
....(下面省略)....

# 范例二：找出 168.95.1.1 的主机名
[root@www ~]# nslookup 168.95.1.1
Server:         168.95.1.1
Address:        168.95.1.1#53

1.1.95.168.in-addr.arpa name = dns.hinet.net.
```

怎么样，看起来与 host 差不多吧！不过，这个 nslookup 还可以由 IP 找出主机名。例如范例二，它的主机名是：dns.hinet.net。目前大家都建议使用 dig 这个命令来取代 nslookup，我们会在第 19 章 DNS 服务器中再来好好谈一谈。

5.3　远程连接命令与即时通信软件

什么是远程连接呢？其实就是在不同的计算机之间进行登录。我们可以通过 Telnet、SSH 或者是 FTP 等协议来进行远程主机的登录。接下来我们就分别来介绍一下这些基本的命令。这里只谈到客户端功能，相关的服务器我们则会在后续中进行说明。

5.3.1　终端机与 BBS 连接：telnet

telnet 是早期我们在个人计算机上面要连接到服务器工作时，最重要的一个软件了。它不但可以直接连接到服务器上，还可以用来连接 BBS。不过，telnet 本身的数据在传输过程中使用的是明文（原始的数据，没有加密），所以数据在 Internet 上面传输的时候，会比较危险一点（就怕被别人监听啊）。更详细的数据我们会在第 11 章远程连接服务器中做介绍。

```
[root@www ~]# telnet [host|IP [port]]

# 范例一：连接到当前热门的 PTT BBS 站点 ptt.cc
[root@www ~]# yum install telnet   <==默认没有安装这软件
[root@www ~]# telnet ptt.cc
    欢迎来到 批踢踢实业坊 目前有【100118】名使用者与您一同对抗炎炎夏日。

请输入用户名，或以 guest 参观，或以 new 注册：
[高手召集令] 黑客年会 暑假与你一起骇翻 http://reg.hitcon.org/hit2011
要学计算机，首选台湾大学信息训练班！  http://tinyurl.com/3z42apw
```

如上所示，我们可以通过 telnet 轻易地连接到 BBS 上面，**而如果你的主机已经开启了 telnet 服务的话**，同样利用“telnet IP”并且输入账号与密码之后，就能够登录主机了。另外，在 Linux 上的 telnet 软件还提供了 Kerberos 的认证方式，有兴趣的话请自行参阅 man telnet 的说明。

除了连接到服务器以及连接到 BBS 站点之外，telnet 还可以用来连接到某个 port（服务）上。举例来说，我们可以用 telnet 连接到 port 110，看看这个 port 是否正确启动了。

```
# 范例二：检测本地主机的 110 这个 port 是否正确启动
[root@www ~]# telnet localhost 110
Trying 127.0.0.1...
telnet: connect to address 127.0.0.1: Connection refused
# 如果出现这样的信息，代表这个 port 没有启动或者是这个连接有问题，
# 因为你看到那个 refused 了

[root@www ~]# telnet localhost 25
Trying ::1...
Connected to localhost.
Escape character is '^]'.
220 www.centos.vbird ESMTP Postfix
ehlo localhost
250-www.centos.vbird
250-PIPELINING
250-SIZE 10240000
....(中间省略)....
250 DSN
quit
221 2.0.0 Bye
Connection closed by foreign host.
```

根据输出的结果，我们就能够知道这个通信协议（port number 提供的通信协议功能）是否已经成功地启动了。而每个 port 所监听的服务都有其特殊的指令集，例如上述的 port 25 就是在本机接口所提供的电子邮件服务，那个服务所支持的命令就如同上面使用的数据一样，但是其他的 port 就不见得支持这个“ehlo”的命令，因为不同的 port 有不同的程序嘛，所以当然支持的命令就不同了。

5.3.2 FTP 连接软件：ftp、lftp

现在的人们由于有大容量的 E-mail 可以用，因此传送文件可以很轻松地通过 E-Mail。不过 E-Mail 还是有单封邮件容量的限制，如果想要一口气发送几百 MB 的文件，恐怕还是需要通过 FTP 这个通信协议才行。文字接口的 FTP 软件主要有 ftp、lftp 两个，图形接口的呢？在 CentOS 上面默认有 gftp 这个好用的软件。在这里我们仅介绍文字接口

的两个命令。

1. ftp

ftp 这个命令很简单，用于处理 FTP 服务器的下载数据。由于鸟哥所在的位置在昆山科大，因此这里使用昆山科大的 FTP 服务器：

```
[root@www ~]# ftp [host|IP] [port]

# 范例一：连接到昆山科大去看看
[root@www ~]# yum install ftp
[root@www ~]# ftp ftp.ksu.edu.tw
Connected to ftp.ksu.edu.tw (120.114.150.21).
220---------- Welcome to Pure-FTPd [privsep] ----------
220-You are user number 1 of 50 allowed.
220-Local time is now 16:25. Server port: 21.
220-Only anonymous FTP is allowed here  <==信息要看啊！这个 FTP 仅支持匿名访问
220-IPv6 connections are also welcome on this server.
220 You will be disconnected after 5 minutes of inactivity.
Name (ftp.ksu.edu.tw:root): anonymous  <==鸟哥这里用匿名登录!.
230 Anonymous user logged in            <==嗯！确实是匿名登录了！
Remote system type is UNIX.
Using binary mode to transfer files.
ftp>                     <==最终登录的结果看起来是这样
ftp> help                <==提供可用命令的说明，可以常参考
ftp> dir                 <==显示远程服务器的目录内容 （文件名列表）
ftp> cd /pub             <==切换目录到 /pub 当中
ftp> get filename        <==下载单一文件，文件名为 filename
ftp> mget filename*      <==下载多个文件，可使用通配符 *
ftp> put filename        <==上传 filename 这个文件到服务器上
ftp> delete file         <==删除主机上的 file 这个文件
ftp> mkdir dir           <==建立 dir 这个目录
ftp> lcd /home           <==切换到“本地主机”的/home 目录进行操作
ftp> passive             <==启动或关闭 passive 模式
ftp> binary              <==数据传输模式设置为 binary 格式
ftp> bye                 <==结束 ftp 软件的使用
```

FTP 其实是一个很麻烦的协议，因为它使用两个 port 分别进行命令与数据的通信，详细的数据我们会在第 21 章的 FTP 服务器中详谈，这里我们先单纯地介绍一下如何使用 ftp 这个软件。首先我们当然是需要登录，所以在上头的表格当中我们需要填入账号与密码。不过由于昆山科大仅提供匿名登录，而匿名用户的账号就是“anonymous”，所以直接填写那个账号即可。如果是私人的 FTP 时，才需要提供一组完整的账号与密码。

登录 FTP 主机后，就能够使用 ftp 软件的功能进行上传与下载的操作，几个常用的 ftp 内部命令如上述输出所示，不过，鸟哥建议你可以连到大学的 FTP 网站后，使用 help（或问号 ?）

来参考可用的命令，然后尝试下载以测试使用一下这个命令吧，这样以后没有浏览器的时候，你也可以到 ftp 下载。另外需要注意的是，离开 ftp 软件时，要输入“bye”，而不是“exit”。

如果由于某些理由，让你的 FTP 主机的 port 使用了非正规的端口时，那你就可以利用下面的方式来连接到主机：

```
[root@www ~]# ftp hostname 318
# 假设对方主机的 ftp 服务使用了 318 这个 port
```

2. lftp (自动化脚本)

单纯使用 ftp 总是觉得很麻烦，有没有更快速的 ftp 客户端软件，让我们可以使用类似网址的方式来登录 FTP 服务器呢？有的，那就是 lftp。lftp 默认使用匿名登录 FTP 服务器，可以使用类似网址的方式取得数据，比单纯的 ftp 要好用些。此外，由于可在命令列输入账号/密码，所以，也可以辅助进行程序脚本的设计。

```
[root@www ~]# lftp [-p port] [-u user[,pass]] [host|IP]
[root@www ~]# lftp -f filename
[root@www ~]# lftp -c "commands"
选项与参数：
-p  ：后面可以直接接上远程 FTP 主机提供的 port
-u  ：后面则是接上账号与密码，就能够连接上远程主机了
      如果没有加账号密码，lftp 默认会使用 anonymous 尝试匿名登录
-f  ：可以将命令写入脚本中，这样可以帮助进行 shell script 的自动处理
-c  ：后面直接加上所需要的命令

# 范例一：利用 lftp 登录昆山科大的 FTP 服务器
[root@www ~]# yum install lftp
[root@www ~]# lftp ftp.ksu.edu.tw
lftp ftp.ksu.edu.tw:~>
# 瞧！一下子就登录了！你同样可以使用 help 去查阅相关内部命令
```

至于登录 FTP 主机后，一样可以使用“help”来显示出可执行的命令，与 ftp 很类似，不过多了书签的功能，而且也非常类似于 bash。除了这个好用的文字接口的 FTP 软件之外，事实上还有很多图形接口的好用软件呢！最常见的就是 gftp 了，非常容易上手。CentOS 本身就提供了 gftp，你可以拿出原版的光盘来安装，然后进入 X Window 后，启动一个 shell，输入“gftp”就会发现它非常好用。

如果你想要定时去获取昆山科大 FTP 网站下的 /pub/CentOS/RPM-GPG*文件时，那么脚本应该要怎么写呢？我们尝试来写写看吧。

```
# 使用文件配合 lftp 去处理时：
[root@www ~]# mkdir lftp; cd lftp
[root@www lftp]# vim lftp.ksu.sh
```

```
open ftp.ksu.edu.tw
cd /pub/CentOS/
mget -c -d RPM-GPG*
bye
[root@www lftp]# lftp -f lftp.ksu.sh
[root@www lftp]# ls
lftp.ksu.sh    RPM-GPG-KEY-CentOS-3 RPM-GPG-KEY-CentOS-4 RPM-GPG-KEY-CentOS-6
RPM-GPG-KEY-beta RPM-GPG-KEY-centos4  RPM-GPG-KEY-CentOS-5

# 直接将要处理的动作加入 lftp 命令中
[root@www lftp]# vim lftp.ksu.sh
lftp -c "open ftp.ksu.edu.tw
cd /pub/CentOS/
mget -c -d RPM-GPG*
bye"
[root@www lftp]# sh lftp.ksu.sh
```

若为非匿名登录时，则可以使用“open -u username,password hostname”修改 lftp.ksu.sh 的第一行；如果再将这个脚本写入 crontab 当中，就可以定时地用 FTP 进行上传/下载了，这就是文字命令的好处。

5.3.3　图形接口的即时通信软件：Pidgin（gaim 的延伸）

大家现在应该都知道什么是 MSN、雅虎实时通以及其他的通信软件吧，那么要连上这些服务器时，该怎么处理呢？很简单，在 X Window 下面使用 Pidgin 就行了，非常简单。请先进入 X Window 系统，然后依次选择“应用程序”→“Internet”→“Pidgin 互联网通信程序”启动它即可（请注意你必须已经安装 Pidgin 了，可用 yum install pidgin 处理）。

不过，伤脑筋的是，我们所安装的 basic server 类型的 CentOS 6.x 主要作为服务器之用，连图形接口也没有。所以，鸟哥又用另外一台主机安装成 Desktop 的模式，利用该台主机来测试 Pidgin 。因此，下面的练习你也可以先略过，等到你安装另一台 Desktop linux 时再来做。

Pidgin 的欢迎界面如图 5-1 所示。

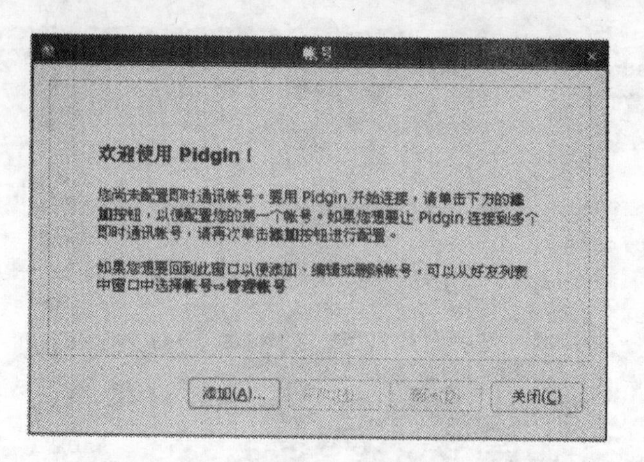

图 5-1 Pidgin 的欢迎界面

在图 5-1 中单击“添加”按钮，打开如图 5-2 所示的界面。

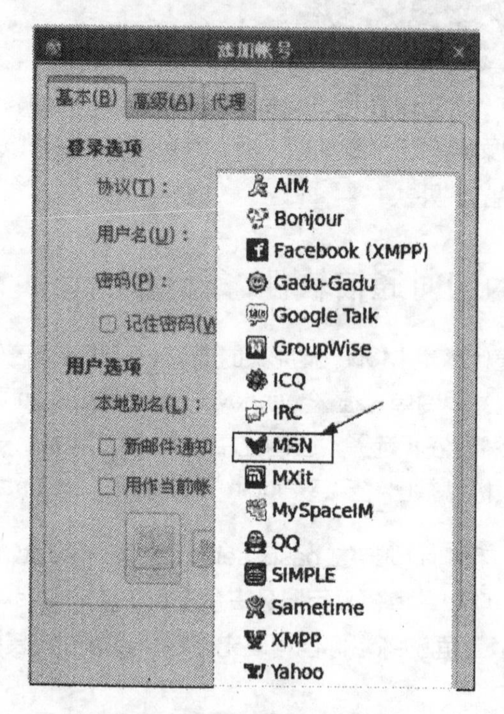

图 5-2 Pidgin 支持的即时通信程序

Pidgin 支持的通信程序确实很多。我们利用 MSN 来做个说明，如图 5-3 所示。

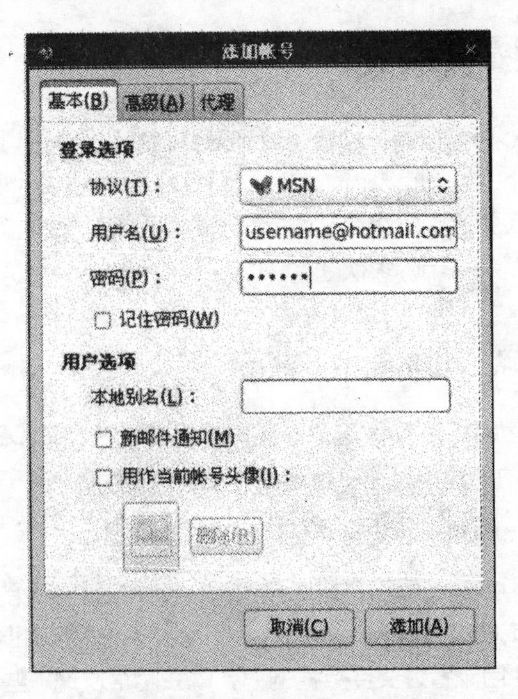

图 5-3 设置 MSN 的账号示意图

在图 5-3 中输入账号与密码，如果是在公用的计算机上，千万不要选中“记住密码”复选框。单击“添加”按钮后，Pidgin 默认就会尝试登录了。登录后的画面如图 5-4 所示。

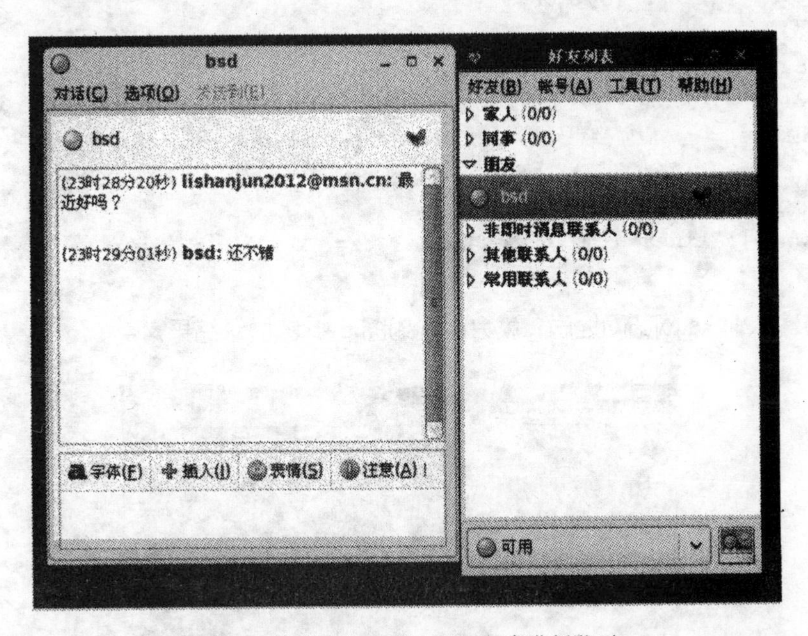

图 5-4 使用 Pidgin 的 MSN 方式进行聊天

如果想要注销了，那么就单击图 5-4 最右边那个窗口，勾选“bsd”选项，就直接注销了。

5.4 文字接口网页浏览

什么？文字接口竟然有浏览器！别逗了好不好？呵呵！谁有那个时间在逗你，真的有这个东西，是在文字接口下上网浏览的好工具，它们分别是 links 及 wget 这两个宝贝，但是，你必须要确定你已经安装了这两个套件才行。在 CentOS 中，这两个套件是默认安装的。下面就让我们来聊一聊这两个好用的家伙吧。

5.4.1 文字浏览器：links

其实早期鸟哥最常使用的是 lynx 这个文字浏览器，不过 CentOS 从 5.x 以后默认使用的文字浏览器是 links，这两个浏览器的使用方式非常类似，因此，在这一版当中，我们就仅介绍 links。若对 lynx 有兴趣的话，请自己去查阅 man 手册吧。

这个命令可以让我们来浏览网页，但鸟哥认为，这个文件最大的功能是在**查阅 Linux 本机上面以 HTML 语法写成的文件数据（document）**，怎么说呢？如果你曾经到 Linux 本机下面的 /usr/share/doc 这个目录看过文件数据的话，就会常常发现一些网页文件，使用 vi 去查阅时，老是看到一堆 HTML 的语法，有碍阅读。这时候使用 links 就是个好方法，可以看得清清楚楚。

```
[root@www ~]# links [options] [URL]
选项与参数：
-anonymous [0|1]：是否使用匿名登录的意思
-dump [0|1]     ：是否将网页的数据直接输出到 standard out 而非 links 软件功能
-dump_charset   ：后面接想要通过 dump 输出到屏幕的语系编码，简体中文使用 cp936

# 范例一：浏览 Linux kernel 网站
[root@www ~]# links http://www.kernel.org
```

当直接输入 links 网站网址后，就会出现如图 5-5 的显示结果。

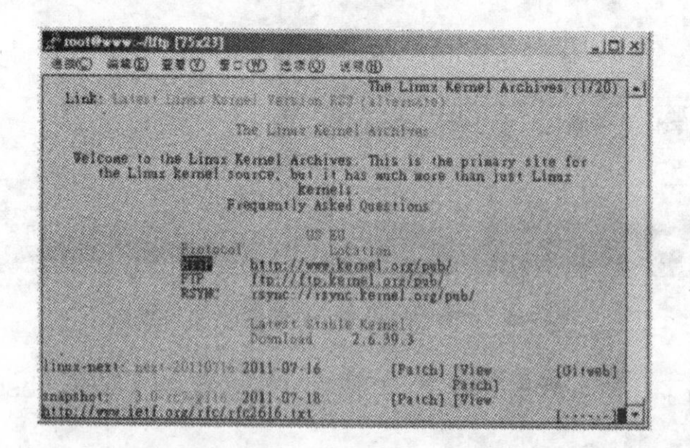

图 5-5 使用 links 查询网页数据的显示结果

对图 5-5 的基本说明如下：

- 进入画面之后，由于是文字界面，所以编排可能会有点位移，不过不要紧，不会影响我们查看信息。
- 这个时候可以使用“上下键”来让光标停在上面的选项当中（如邮箱、书签等），然后按下 Enter 键就进入该页面。
- 可以使用“左右键”来移动“上一页或下一页”。
- 一些常见功能按键：
  - h：history，曾经浏览过的 URL 就显示到画面中。
  - g：Goto URL，按 g 后输入网页地址(URL)，如 http://www.abc.edu/等。
  - d：download，将该链接数据下载到本机成为文件。
  - q：Quit，离开 links 这个软件。
  - o：Option，进入功能参数的设置值修改中，最终可写入/.elinks/elinks.conf 中。
  - Ctrl+C：强迫中止 links 的执行。
  - 方向键:

    上：移动光标至本页中“上一个可连结点”。

    下：移动光标至本页中“下一个可连结点”。

    左：back，跳回上一页。

    右：进入反白光标所链接的网页。

    Enter：同鼠标“右”键。

至于如果是浏览 Linux 本机上面的网页文件，那就可以使用如下的方式：

```
[root@www ~]# links /usr/share/doc/HTML/index.html
```

在鸟哥的 CentOS 6.x 当中，有这么一个文件，我就可以利用 links 来取出查看了。显示的结果如图 5-6 所示。

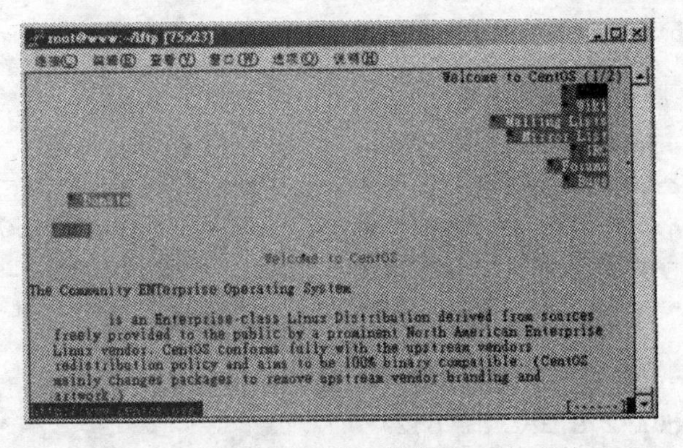

图 5-6 使用 links 查询本机的 HTML 文件

当然啦，因为你的环境可能是在 Linux 本机的 tty1~tty6，所以无法显示出中文，这个时候你就需要设置为“LANG=en_US”之类的语系才行。另外，如果某些时候你必须上网点选某个网站以自动取得更新时，举例来说，早期的自动在线更新主机名系统，仅支持网页更新，那你如何进行更新呢？可以使用 links，利用 -dump 这个参数处理：

```
# 通过 links 将 WWW.yahoo.com 的网页内容整个抓下来存储
[root@www ~]# links -dump http://WWW.yahoo.com > yahoo.html

# 某个网站通过 GET 功能可以上传账号为 user 密码为 pw ，用文字接口处理为：
[root@www ~]# links -dump \
> http://some.site.name/web.php?name=user&password=pw > testfile
```

上面的网站后面有个问号（?）对吧？后面接的则是利用网页的“GET”功能取得的各项变量数据，利用这个功能，我们就可以直接点选到该网站上了，非常方便！而且会将执行的结果输出到 testfile 文件中，不过如果网站提供的数据是以“POST”为主的话，那鸟哥就不知道如何搞定了。GET 与 POST 是 WWW 通信协议中，用来将数据通过浏览器上传到服务器端的一种方式，一般来说，目前讨论区或博客等，大多使用可以支持较多数据的 POST 方式上传。关于 GET 与 POST 的相关信息我们会在第 20 章 WWW 服务器当中再次地提及！

5.4.2 文字接口下载器：wget

如果说 links 是在进行网页的“浏览”，那么 wget 就是在进行“网页数据的取得”。举例来说，我们的 Linux 核心是放置在 www.kernel.org 内，主要同时提供 FTP 与 HTTP 来下载。我们知道可以使用 lftp 来下载资料，但如果想要用浏览器来下载呢？那就利用 wget 吧。

```
[root@www ~]# wget [option] [网址]
选项与参数：
若想要连接的网站有提供账号与密码的保护时，可以利用这两个参数来输入
--http-user=usrname
--http-password=password
--quiet ：不要显示 wget 在捕获数据时候的显示信息
更多的参数请自行参考 man wget

# 范例一：请下载 2.6.39 版的内核
[root@www ~]# wget  \
> http://www.kernel.org/pub/linux/kernel/v2.6/linux-2.6.39.tar.bz2
--2011-07-18 16:58:26--  http://www.kernel.org/pub/linux/kernel/v2.6/..
Resolving www.kernel.org... 130.239.17.5, 149.20.4.69, 149.20.20.133, ...
Connecting to www.kernel.org|130.239.17.5|:80... connected.
HTTP request sent, awaiting response... 200 OK
Length: 76096559 (73M) [application/x-bzip2]
Saving to: `linux-2.6.39.tar.bz2'
```

```
88% [==================================>          ] 67,520,536  1.85M/s  eta 7s
```

你看，多好啊！不必通过浏览器，只要知道网址，立即可以进行文件的下载，又快速又方便，还可以通过 proxy 的帮助来下载呢！通过修改 /etc/wgetrc 来设置你的代理服务器：

```
[root@www ~]# vim /etc/wgetrc
#http_proxy = http://proxy.yoyodyne.com:18023/  <==找到下面这几行，大约在 78 行
#ftp_proxy = http://proxy.yoyodyne.com:18023/
#use_proxy = on

# 将他改成类似下面的模样，记得，你必须要有可接受的 proxy 主机才行
http_proxy = http://proxy.ksu.edu.tw:3128/
use_proxy = on
```

5.5 数据包捕获功能

很多时候由于我们的网络连接出现问题，使用类似 ping 的软件功能却又无法找出故障点，最常见的是因为路由与 IP 转发后所产生的一些困扰（请参考防火墙与 NAT 主机部分），这个时候要怎么办？最简单的方法就是**分析数据包的流向**。通过分析数据包的流向，我们可以了解一条连接应该是如何进行双向的连接的操作，也就会清楚地了解到可能发生的问题所在了。下面我们就来谈一谈这个 tcpdump 与图形接口的数据包分析软件吧。

5.5.1 文字接口数据包捕获器：tcpdump

说实在的，对于 tcpdump 这个软件，你甚至可以说这个软件其实就是个黑客软件，因为它不但可以分析数据包的流向，连数据包的内容也可以进行监听，如果你使用明文传输数据的话，在 Router 或 Hub 上面就可能被别人监听走了！我们在第 2 章谈到的 CSMA/CD 流程中，不是说过有所谓的“监听软件”吗？这个 tcpdump 就是！很可怕吧。所以，我们也要来了解一下这个软件（注：这个 tcpdump 必须使用 root 的身份执行）。

```
[root@www ~]# tcpdump [-AennqX] [-i 接口] [-w 存储文件名] [-c 次数] \
                      [-r 文件] [所要摘取的数据包数据格式]
选项与参数：
-A ：数据包的内容以 ASCII 显示，通常用来抓取 WWW 的网页数据包数据
-e ：使用数据链路层 (OSI 第二层) 的 MAC 数据包数据来显示
-nn：直接以 IP 及 port number 显示，而非主机名与服务名称
-q ：仅列出较为简短的数据包信息，每一行的内容比较精简
-X ：可以列出十六进制 (hex) 以及 ASCII 的数据包内容，对于监听数据包内容很有用
-i ：后面接要监听的网络接口，例如 eth0、lo、ppp0 等的界面
-w ：如果你要将监听所得的数据包数据存储下来，用这个参数就对了，后面接文件名
-r ：从后面接的文件将数据包数据读出来。这个文件是已经存在的文件，
```

```
      并且这个文件是由 -w 所制作出来的
 -c ：监听的数据包数，如果没有这个参数，tcpdump 会持续不断的监听，
      直到用户输入 [ctrl]-c 为止
所欲捕获的数据包数据格式：我们可以专门针对某些通信协议或者是 IP 来源进行数据包捕获，
      那就可以简化输出的结果，并取得最有用的信息。常见的表示方法有：
      'host foo'、'host 127.0.0.1' ：针对单台主机来进行数据包捕获
      'net 192.168' ：针对某个网络来进行数据包的捕获
      'src host 127.0.0.1' 'dst net 192.168'：同时加上来源(src)或目标(dst)限制
      'tcp port 21'：还可以针对通信协议检测，如 tcp、udp、arp、ether 等
      还可以利用 and 与 or 来进行数据包数据的整合显示

# 范例一：以 IP 与 port number 获取 eth0 这个网卡上的数据包，持续 3s
[root@www ~]# tcpdump -i eth0 -nn
tcpdump: verbose output suppressed, use -v or -vv for full protocol decode
listening on eth0, link-type EN10MB (Ethernet), capture size 65535 bytes
17:01:47.360523 IP 192.168.1.101.1937 > 192.168.1.100.22: Flags [.], ack 196,
win 65219,
17:01:47.362139 IP 192.168.1.100.22 > 192.168.1.101.1937: Flags [P.], seq
196:472, ack 1,
17:01:47.363201 IP 192.168.1.100.22 > 192.168.1.101.1937: Flags [P.], seq
472:636, ack 1,
17:01:47.363328 IP 192.168.1.101.1937 > 192.168.1.100.22: Flags [.], ack 636,
win 64779,
<==按下 [ctrl]-c 之后结束
6680 packets captured                 <==获取到的数据包数量
14250 packets received by filter      <==由过滤所得的总数据包数量
7512 packets dropped by kernel        <==被内核所丢弃的数据包
```

如果你是第一次看 tcpdump 的 man page 时，肯定会晕，因为 tcpdump 几乎都是分析数据包的报头数据，用户如果没有简易的网络数据包基础，要看懂很难！所以，至少你需要回到网络基础里面去将 TCP 数据包的报头数据理解理解才好。至于范例一所产生的输出中，我们可以大概区分为数个字段，现以范例一当中那个特殊字体行来说明一下：

- 17:01:47.362139：这是该数据包被捕获的时间，“时:分:秒”的单位。
- IP：通过的通信协议是 IP。
- 192.168.1.100.22 > ：传送端是 192.168.1.100 这个 IP，而传送的 port number 为 22，大于（>）的符号指的是数据包的传输方向。
- 192.168.1.101.1937：接收端的 IP 是 192.168.1.101，且该主机开启 port 1937 来接收。
- [P.], seq 196:472：这个数据包带有 PUSH 的数据传输标志，且传输的数据为整体数据的 196~472 byte。
- ack 1：ACK 的相关资料。

最简单的说法，就是该数据包是由 192.168.1.100 传到 192.168.1.101，通过的 port 是

由 22~1937，使用的是 PUSH 的标志，而不是 SYN 之类的主动连接标志。不容易看得懂吧！所以，我上面才会讲请务必到“TCP 报头数据”的章节去看一看。

接下来，在一个网络状态很忙的主机上面，你想要取得某台主机对你连接的数据包数据时，使用 tcpdump 配合管道命令与正则表达式也可以，不过，毕竟不好获取。我们可以通过 tcpdump 的表示法功能，就能够轻易地将所需要的数据独立的取出来。在上面的范例一当中，我们仅针对 eth0 做监听，所以整个 eth0 接口上面的数据都会被显示到屏幕上，但这样不好分析，那么我们可以简化吗？例如，只取出 port 21 的连接数据包，可以这样做：

```
[root@www ~]# tcpdump -i eth0 -nn port 21
tcpdump: verbose output suppressed, use -v or -vv for full protocol decode
listening on eth0, link-type EN10MB (Ethernet), capture size 96 bytes
01:54:37.96 IP 192.168.1.101.1240 > 192.168.1.100.21: . ack 1 win 65535
01:54:37.96 IP 192.168.1.100.21 > 192.168.1.101.1240: P 1:21(20) ack 1 win 5840
01:54:38.12 IP 192.168.1.101.1240 > 192.168.1.100.21: . ack 21 win 65515
01:54:42.79 IP 192.168.1.101.1240 > 192.168.1.100.21: P 1:17(16) ack 21 win
65515
01:54:42.79 IP 192.168.1.100.21 > 192.168.1.101.1240: . ack 17 win 5840
01:54:42.79 IP 192.168.1.100.21 > 192.168.1.101.1240: P 21:55(34) ack 17 win
5840
```

看！这样就仅提出 port 21 的信息而已，如果仔细看的话，你会发现数据包的传递都是双向的，Client 端发出要求而 Server 端则予以响应，所以，当然是有去有回了。而我们也就可以通过这个数据包的流向来了解到数据包运作的过程。例如：

1）我们先在一个终端窗口输入“tcpdump -i lo -nn”的监听。

2）再另开一个终端窗口来对本机（127.0.0.1）登录“ssh localhost”。

那么输出的结果如何呢？

```
[root@www ~]# tcpdump -i lo -nn
 1 tcpdump: verbose output suppressed, use -v or -vv for full protocol decode
 2 listening on lo, link-type EN10MB (Ethernet), capture size 96 bytes
 3 11:02:54.253777 IP 127.0.0.1.32936 > 127.0.0.1.22: S 933696132:933696132(0)
   win 32767 <mss 16396,sackOK,timestamp 236681316 0,nop,wscale 2>
 4 11:02:54.253831 IP 127.0.0.1.22 > 127.0.0.1.32936: S 920046702:920046702(0)
   ack 933696133 win 32767 <mss 16396,sackOK,timestamp 236681316
236681316,nop,
   wscale 2>
 5 11:02:54.253871 IP 127.0.0.1.32936 > 127.0.0.1.22: . ack 1 win 8192 <nop,
   nop,timestamp 236681316 236681316>
 6 11:02:54.272124 IP 127.0.0.1.22 > 127.0.0.1.32936: P 1:23(22) ack 1 win 8192
   <nop,nop,timestamp 236681334 236681316>
 7 11:02:54.272375 IP 127.0.0.1.32936 > 127.0.0.1.22: . ack 23 win 8192 <nop,
```

```
nop,timestamp 236681334 236681334>
```

以上输出显示的头两行是 tcpdump 的基本说明，然后：

- 第 3 行显示的是来自 Client 端，带有 SYN 主动连接的数据包。
- 第 4 行显示的是来自 Server 端，除了响应 Client 端之外（ACK），还带有 SYN 主动连接的标志。
- 第 5 行则显示 Client 端响应 Server 确定连接建立（ACK）。
- 第 6 行以后则开始进入数据传输的步骤。

从第 3~5 行的流程来看，熟不熟悉啊？没错！那就是三次握手的基础流程，有趣吧！不过 tcpdump 之所以被称为黑客软件之一远不止上面介绍的功能。上面介绍的功能可以用来作为我们主机的数据包连接与传输的流量分析，这将有助于我们了解到数据包的运作过程，同时了解到主机的防火墙设置规则是否有需要修订的地方。

还有更神奇的用法。如果我们使用 tcpdump 在 Router 上面监听明文的传输数据时，例如 FTP 传输协议，你觉得会发生什么问题呢？ 我们先在主机端执行“tcpdump –i lo port 21 –nn –X”，然后再以 ftp 登录本机，并输入账号与密码，结果你就可以发现如下的状况：

```
[root@www ~]# tcpdump -i lo -nn -X 'port 21'
    0x0000:  4500 0048 2a28 4000 4006 1286 7f00 0001  E..H*(@.@.......
    0x0010:  7f00 0001 0015 80ab 8355 2149 835c d825  ........U!I.\.%
    0x0020:  8018 2000 fe3c 0000 0101 080a 0e2e 0b67  .....<.........g
    0x0030:  0e2e 0b61 3232 3020 2876 7346 5450 6420  ...a220.(vsFTPd.
    0x0040:  322e 302e 3129 0d0a                      2.0.1)..

    0x0000:  4510 0041 d34b 4000 4006 6959 7f00 0001  E..A.K@.@.iY....
    0x0010:  7f00 0001 80ab 0015 835c d825 8355 215d  .........\.%.U!]
    0x0020:  8018 2000 fe35 0000 0101 080a 0e2e 1b37  .....5.........7
    0x0030:  0e2e 0b67 5553 4552 2064 6d74 7361 690d  ...gUSER.dmtsai.
    0x0040:  0a                                       .

    0x0000:  4510 004a d34f 4000 4006 694c 7f00 0001  E..J.O@.@.iL....
    0x0010:  7f00 0001 80ab 0015 835c d832 8355 217f  .........\.2.U!.
    0x0020:  8018 2000 fe3e 0000 0101 080a 0e2e 3227  .....>........2'
    0x0030:  0e2e 1b38 5041 5353 206d 7970 6173 7377  ...8PASS.mypassw
    0x0040:  6f72 6469 7379 6f75 0d0a                 ordisyou..
```

上面的输出结果已经被简化过了，你必须要自行在你的输出结果当中搜寻相关的字符串才行。从上面输出结果的特殊字体中，我们可以发现**该 FTP 软件使用的是 vsFTPd，并且使用者输入 dmtsai 这个账号名称，且密码是 mypasswordisyou**。你说可不可怕啊。如果使用的是明文的方式来传输你的网络数据呢？所以我们才常常讲，网络是很不安全的。

另外你得了解，为了让网络接口可以让 tcpdump 监听，所以执行 tcpdump 时网络接口会启动在“混杂模式（promiscuous）”，所以你会在 /var/log/messages 里面看到很多的警告信息，通知你说你的网卡被设置成为混杂模式！别担心，那是正常的。至于更多的应用，请参考 man tcpdump 吧。

例题

如何使用 tcpdump①监听来自 eth0 网卡且②通信协议为 port 22，③目标数据包来源为 192.168.1.101 的数据包数据？

答：tcpdump –i eth0 –nn 'port 22 and src host 192.168.1.101'。

5.5.2　图形接口数据包捕获器：wireshark

tcpdump 是文字接口的数据包捕获器，那么有没有图形接口的呢？有，那就是 wireshark 这套软件。这套软件早期称为 ethereal，目前是同时提供文字接口的 tethereal 以及图形接口的 wireshark 两个软件。由于我们当初安装时默认并没有装这套，因此你必须要先使用 yum 去网络安装。也可以用光盘来安装。有两套需要安装，分别是文字接口的 wireshark 以及图形接口的 wireshark-gnome 软件。安装方式如下：

```
[root@www ~]# yum install wireshark wireshark-gnome
```

启动这套软件的方法很简单，你只要在 X Window 下面，依次选择“应用程序”→“因特网”→“wireshark network analyzer”就可以启动了。启动的画面如图 5-7 所示。

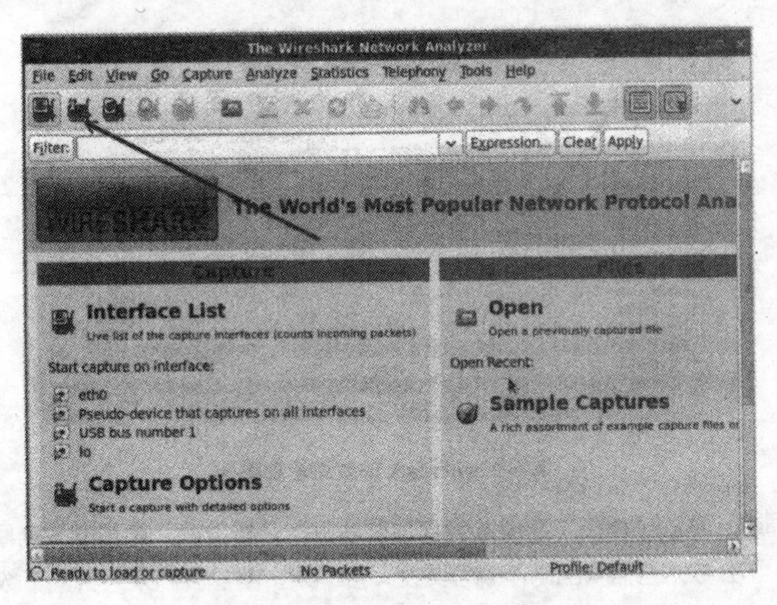

图 5-7 wireshark 的使用示意图 1

其实这一套软件功能非常强大，鸟哥这里仅讲简单的用法，若有特殊需求，请自己查找数据。开始捕获数据包前，需要设置一下监听的接口，因此单击图 5-7 画面中的“网卡”小图标,就会出现如图 5-8 所示的画面。

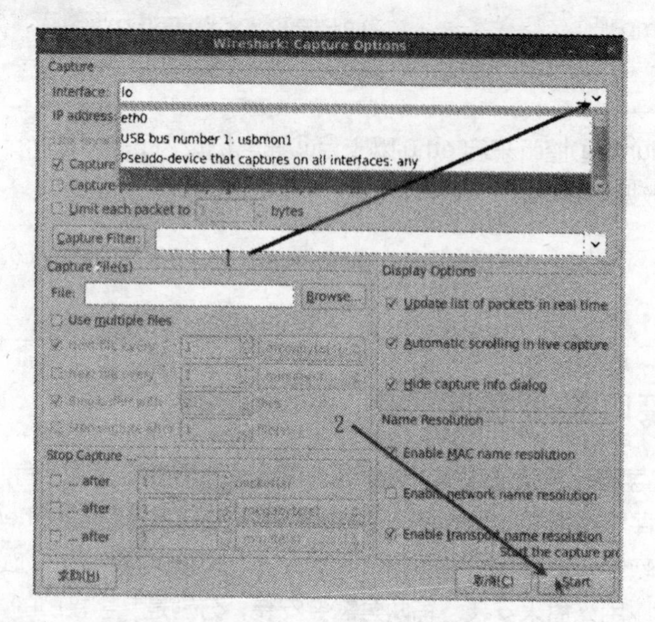

图 5-8 wireshark 的使用示意图 2

在图 5-8 中，先选择想要监听的接口，鸟哥这里因为担心外部的数据包太多导致画面很乱，因此这里使用内部的 lo 接口作为范例。不过要注意，lo 平时是很安静的。所以，鸟哥在单击了“start”按钮之后，还有打开终端机，之后使用“ ssh localhost”来尝试登录，这样才能够获得数据包。如图 5-9 所示。

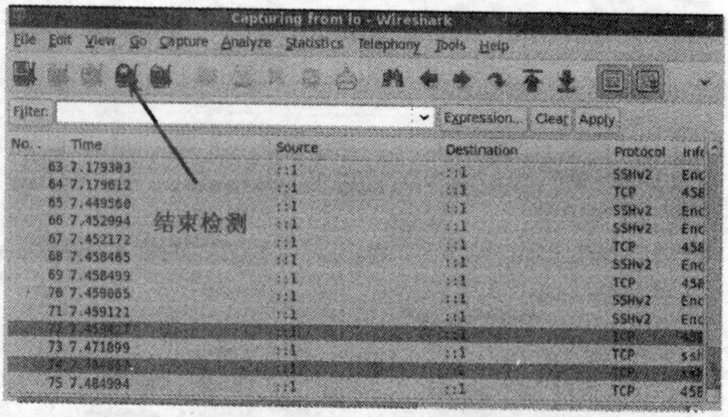

图 5-9 wireshark 的使用示意图 3

若没有问题，等到你捕获了足够的数据包想要进行分析之后，单击图 5-9 画面中的“停止”小图标，那么数据包捕获的动作就会终止，接下来，就让我们来分析一下数据包吧。

整个分析的画面如图 5-10 所示，画面总共分为三大区块，你可以将鼠标光标移动到每个区块中间的滚动条，就可以调整每个区块的范围大小了。第一区块主要显示的是数据包的报头数据，内容有点类似 tcpdump 的显示结果；第二区块则是详细的报头数据，包括数据帧、通信协议的内容以及 Socket pair 等信息；第三区块则是十六进制与 ASCII 码的显示结果（详细的数据包内容）。

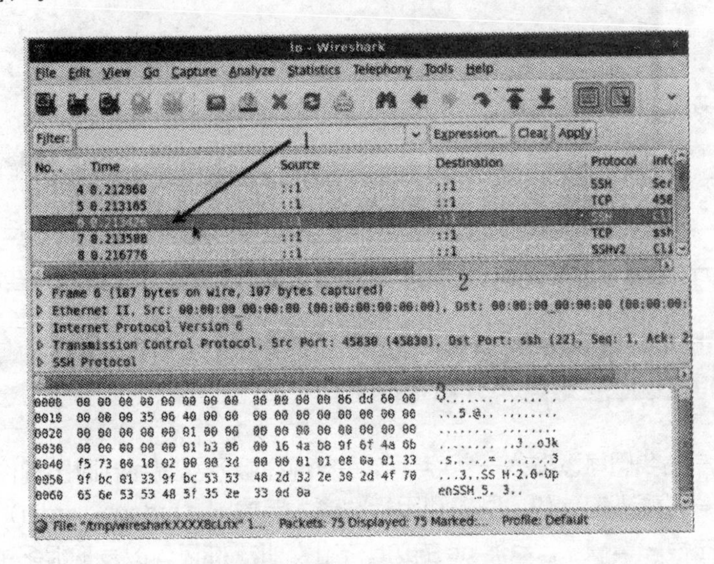

图 5-10 wireshark 的使用示意图 4

如果你觉得某个数据包有问题，在图 5-10 中画面 1 的地方点选该数据包（图例中是第 6 个数据包），那么画面 2 与 3 就会跟着变动！由于鸟哥测试的数据包是加密数据的数据包，因此画面 2 显示出数据包报头，但画面 3 的数据包内容就是乱码了。通过 wireshark 你就可以一口气得到所需要的所有数据包内容了，而且还是图形接口的，很方便吧。

5.5.3 任意启动 TCP/UDP 数据包的端口连接：nc、netcat

nc 命令可以用来作为某些服务的检测，因为它可以连接到某个 port 来进行通信，此外，还可以自行启动一个 port 来监听其他用户的连接。非常不错。如果在编译 nc 软件的时候给予“GAPING_SECURITY_HOLE”参数的话，这个软件还可以用来取得客户端的 bash。可怕吧。我们的 CentOS 默认并没有给予上面的参数，所以我们不能够用它来作为黑客软件。但是 nc 用来取代 telnet 也是个很棒的功能（有的系统将执行文件 nc 改名为 netcat 了）。

```
[root@www ~]# nc [-u] [IP|host] [port]
[root@www ~]# nc -l [IP|host] [port]
选项与参数：
-l ：作为监听之用，也就是打开一个 port 来监听用户的连接
-u ：不使用 TCP 而是使用 UDP 作为连接的数据包状态

# 范例一：与 telnet 类似，连接本地端的 port 25 查阅相关信息
```

```
[root@www ~]# yum install nc
[root@www ~]# nc localhost 25
```

这个最简单的功能与 telnet 几乎一样，可以去检查某个服务。不过，还有更神奇的，我们可以建立两个连接来传递信息！例如，我们先在服务器端启动一个 port 来进行侦听：

```
# 范例二：激活一个 port 20000 来监听用户的连接要求
[root@www ~]# nc -l localhost 20000 &
[root@www ~]# netstat -tlunp | grep nc
tcp        0      0 ::1:20000           :::*        LISTEN      5433/nc
# 在本机上启动一个 port 20000
```

接下来你再开另外一台终端机，也利用 nc 来连接服务器，并且输入一些命令看看。

```
[root@www ~]# nc localhost 20000
█  <==这里可以开始输入字符串了
```

此时，在客户端我们可以输入一些字，你会发现在服务器端会同时出现你输入的文字。如果你同时给予一些额外的参数，例如利用标准输入与输出（stdout、stdin），那么就可以通过这个连接来做很多事情了。当然 nc 的功能不止如此，你还可以发现很多的用途。请自行到你主机内的 /usr/share/doc/nc-1.84/scripts/ 目录下看看这些 script，有帮助的，不过，如果你需要额外编译出含有 GAPING_SECURITY_HOLE 的功能，以使两端连接可以进行额外命令的执行时，就需要自行下载源代码来编译了。

5.6 重点回顾

- 修改网络接口的硬件相关参数，可以使用 ifconfig 这个命令，包括 MTU 等。
- ifup 与 ifdown 其实只是 script，在使用时，会主动去 /etc/sysconfig/network-scripts 下找到相对应的设备配置文件，才能够正确地启动与关闭。
- 路由的修改与查阅可以使用 route，此外，route 亦可进行添加、删除路由的工作。
- ip 命令可以用来作为整个网络环境的设置，利用 ip link 可以修改网络设备的硬件相关功能，包括 MTU 与 MAC 等；可以使用 ip address 修改 TCP/IP 方面的参数，包括 IP 以及网络参数等；ip route 则可以修改路由。
- ping 主要是通过 ICMP 数据包来进行网络环境的检测工作，并且可以使用 ping 来查询整体网络可接受最大的 MTU 值。
- 查看每个节点的连接状况，可以使用 traceroute 这个命令来追踪。
- netstat 除了可以查看本机的启动接口外，还可以查看 Unix 的传统 socket 接口数据。
- host 与 nslookup 默认都是通过 /etc/resolv.conf 内设置的 DNS 主机来进行主机名与 IP

的查询。

- lftp 可以用来匿名登录远程的 FTP 主机。
- links 主要的功能是浏览，包括本机上 HTML 语法的文件；wget 则主要用来下载 WWW 的资料。
- 捕获数据包以分析数据包的流向，可使用 tcpdump，至于图形接口的 wireshark 则可以进行更为详细的解析。
- 通过 tcpdump 分析三次握手，以及明文传输的数据，可发现网络加密的重要性。
- nc 可用来取代 telnet 进行某些服务端口的检测工作。

5.7　参考数据与延伸阅读

wireshark 的官网网址：http://www.wireshark.org/。

第 6 章

Linux 网络排错

虽然我们在第 4 章讲了连接 Internet 的方法，也大概介绍了网络检查的 5 个主要步骤，不过，网络是很复杂的东西，鸟哥也是接触了 Linux 多年之后才对网络与通信协议有些许认识的，要说到熟悉与了解，那还有好长一段路要走呢。总之，为了让大家对网络问题的解决有个可以进行处理的方向，鸟哥下面列出一些常见的网络问题，希望能对大家有点帮助。

6.1 无法连接网络的原因分析

经常看到有朋友在网络上抱怨说："我的网络不通啊！"还有比较奇怪的是："怎么网络时通时不通"之类的问题。这类问题其实主要可以归类为硬件问题与软件设置问题。硬件的问题比较麻烦，因为需要通过一些专门的设备来分析硬件；至于软件方面，绝大部分都是设置错误或者是观念错误而已，比较好处理（第 4 章谈到的就是软件问题）。我们先来看看网络在哪里可能会出问题吧。

6.1.1 硬件问题：网线、网络设备、网络布线等

在第 2 章的网络基础当中我们曾提到很多的网络基础概念，以及一些简单的硬件维护问题。以一个简单的星型连接为例，我们可以假设它的架构如图 6-1 所示。

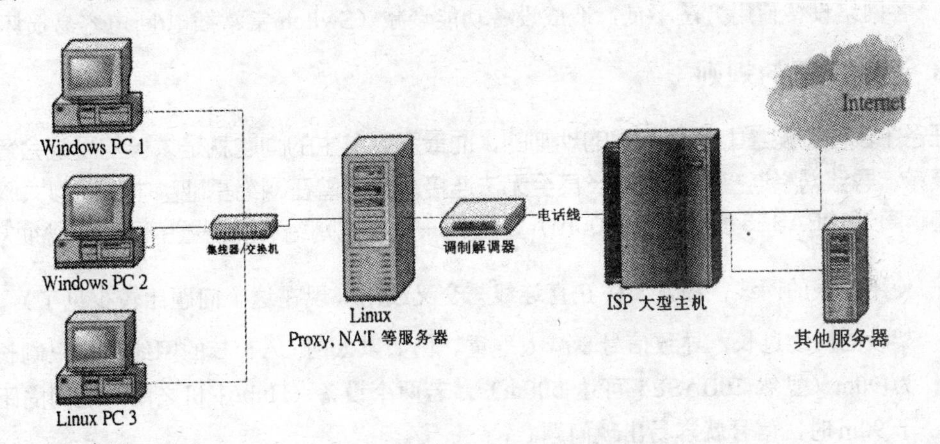

图 6-1 局域网的连接状态示意图

在上面的图示当中，"Linux PC3"要连到 Internet 的话，需要通过网线、交换器、NAT 主机（Linux 服务器或 IP 路由器）、ADSL 调制解调器、电话线路、ISP 自己的机房交换机，以及 Internet 上面的所有节点设备（包括路由器、网桥、其他网线等）；那么哪些地方可能会出问题呢？

1. 网线的问题

通过图 6-1 可以发现，网络接口设备中使用最多的就是网线了。要注意**网线分成直连线与交叉线（RJ-45 接头），并不是所有的设备都支持自动分辨交叉线与直连线的功能的**，所以你必须要了解到你的设备（Hub/Switch/调制解调器）所支持的网线；另外，如果你的网线经过门缝处或者是容易凹折处，那很有可能由于压坏导致电子信号不良，所以你需要注意以下这些事情：

- 网线被截断。

- 网线过度扭曲变形造成信号不良。
- 自制网络接头（如 RJ-45 跳线头）品质不良。
- 网络接头与设备（如 Hub）接触不良。

2. 网卡、Hub 及 Router 等网络设备的问题

另外，还有一些网络设备也会有问题，常见的问题如下：

- 网卡不稳定、质量不佳，或者与整体系统的兼容性不好（网卡也是会坏的）。
- 各网络设备的接头质量不佳，接触不良，造成信号衰减（经常插拔就有可能发生这种情况）。
- 由于网络设备所在环境恶劣（例如过热）导致的宕机问题（鸟哥经常遭遇到 Switch 热宕的问题）。
- 各网络设备使用方法不良，造成设备功能衰减（Switch 常常插电/断电容易损坏）。

3. 设备配置的规则

在各个设备的配置上是有一定的规则的，而最容易发生的问题就是太长的网线会造成信号的衰减，导致网络连接的时间太长甚至无法连接。我们曾在网络基础当中谈过以太网最长的支持距离（10BASE5 最长可达 500m），还有一些其他网络节点配置的问题也必须知道：

- 使用错误的网线，最常发生在直连线与交叉线中（现在这个问题比较少见了）。
- 架设的网线过长，导致信号衰减太严重。例如以太网 CAT5E 的网线理论限制长度约为 90m（虽然 10BASE5 可达 500m），若两个设备（Hub/主机之间）之间的距离大于 90m 时，信号就容易出现问题。
- 其他噪声的干扰，最常发生在网线或者网络设备旁边有太强的电磁场时。
- 局域网上面，节点或者其他的设备太多，过去我们常以所谓的 543 原则来说明：
  - 5 个网段（Segment）。所谓 Segment 就在物理连接上最接近的一组计算机，在一个 BNC 网段里面最多只能连接 30 台计算机，且网线总长不能超过 185m。
  - 4 个增益器（Repeater）。也就是将信号放大的设备。
  - 3 个计算机群体（Population）。这个不好理解，也就是说前面所说的 5 个 Segment 之中，只能有 3 个网段可以安装计算机，其他两个不行。

上述是一些最常见的硬件问题，当然啦，有的时候是设备本身就有问题，而我们在网络基础里面谈到的那个很重要的“网络布线”的情况，也是造成网络停顿或通顺与否的重要原因，所以，硬件问题的判断比较困难。下面我们再来聊一聊软件设置的相关问题。

6.1.2 软件问题：IP 参数设置、路由设置、服务器与防火墙设置等

所谓的软件问题，绝大部分就是 IP 参数设置错误、路由设置错误、DNS 的 IP 设置错误等，这些问题都属于软件设置问题。只要将设置改一改，利用一些检测软件查一查，就知道问题出在哪里了。基本的问题有如下几个。

1. 网卡的 IP/Netmask 设置错误

例如，同一个 IP 在同一个网段中出现 IP 冲突、子网掩码设置错误、网卡的驱动程序使用错误、网卡的 IRQ 和 I/O Address 的设置冲突等。

2. 路由的问题（Route Table）

最常见的就是默认路由（Default Gateway）设置错误了，或者是因路由接口不符所导致的问题，使得数据包没有办法顺利发送出去。

3. 通信协议不相符

最常发生在不同操作系统之间进行通信传输时，例如早期 Windows 98 与 Windows 2000 之间的“网上邻居”若要实现沟通，则 Windows 98 必须要加装 NetBEUI 这个通信协议才行。又例如两台 Linux 主机要通过 NFS 通信协议传输数据时，两边都需要支持 rpcbind 这个启动 RPC 协议的程序才行。这些通信协议我们会在后面的章节分别介绍。

4. 网络负荷的问题（Loading）

当同时有大量的数据包涌进 Server、Hub 或者是同一个网络中时，就有可能造成网络的停顿甚至故障。另外，如果局域网内有人使用 BT（P2P 软件）或者是有人中毒导致蠕虫充满整个局域网，也会造成网络的停顿问题。

5. 其他问题

例如，一些 Port 被防火墙挡住了，造成无法执行某些网络资源；应用程序本身的 Bug 问题；应用程序中用户的网络设置错误；以及不同的操作系统的兼容性问题等。

6.1.3 问题的处理

既然问题发生了，就要去处理它。那如何处理呢？以图 6-1 的星型连接拓扑为例，应把握两个原则：

- 先从自身的环境开始检测。可以由自身 PC 上的网卡查起，再到网络、Hub 、调制解调器等硬件。在这个步骤当中，最好用的软件就是 ping ，而你最好能有两台以上的主机来进行连接的测试。

- 确定硬件没问题后，再来思考软件的设置问题。

实际上，如果网络不通时，你可以依序这样处理：

1）**了解问题**：这个问题是刚刚发生，还是因为之前我做了什么动作而导致无法连接？例如之前鸟哥曾经更新过一个内核，结果该内核并不能驱动鸟哥的新网卡。

2）**确认 IP**：先看看自己的网卡有无驱动？能否取得正确的 IP 相关参数来连接？

3）**确认局域网连接**：利用 ping 来沟通两台主机（或路由器），确定网络与中继器的 Hub/Switch 工作是否正常。

4）**确认对外连接**：看主机或 IP 路由器能否依据第 4 章的方法顺利取得 IP 参数，并以 ping 的方法确定对外连接是可以成功的（例如 ping 168.95.1.1）。

5）**确认 DNS 查询**：利用 nslookup、host 或 dig 检查 www.google.com。

6）**确认 Internet 节点**：可以利用 traceroute 检查各节点是否有问题。

7）**确认对方服务器**：是否对方服务器太忙了？或他的机器宕机了？

8）**确认我方服务器**：如果是别人连不上我这台主机，那检查主机的某些服务是否正确启动了？可利用 netstat 检查。是否某些安全机制的软件没有设置好，例如 SELinux 机制。

9）**防火墙或权限的问题**：是否由于权限设置错误所致？是否由于你的机器有防火墙忘记启用可连接的端口所致？这个可以通过 tcpdump 来处理。

通过以上操作，一般来说，应该都可以解决你无法上网的问题了。当然，如果是硬件的问题，那么鸟哥也无法帮你，你最需要的可能就是**送修**了吧。

6.2 处理流程

上面已经谈到几个需要注意的要点，接下来就可以逐个进行处理了。下面我们就一步一个脚印地开始检查流程。

6.2.1 步骤 1：网卡工作确认

其实，网络一旦出了问题，你应该从最容易检查的地方着手，因此，最重要的地方就是检查你的网卡是否能正常工作。检查网卡是否正常工作的方法如下。

1. 确定网卡已经驱动成功

如果网卡没有驱动成功，其他的问题就不用谈了，所以你需要驱动你的网卡才行。确认网卡是否被驱动，可以利用 lspci 以及 dmesg 来查询相关的设备与模块的对应。详情请参考第 4 章的相关说明。再次强调，获取不到网卡驱动程序时，除了自己编译之外，再购买一张便宜的网卡也是不错的想法。

2. 确定可以手动直接建立 IP 参数

在顺利加载网卡的模块，并且取得网卡的代号之后，我们可以利用 ifconfig 或 ip 来直接给予该网卡一个网络地址。看能否给予 IP 设置呢？例如：

```
[root@www ~]# ifconfig eth0 192.168.1.100
```

可直接建立该网卡的 IP，然后直接输入 ifconfig 看能否查阅到刚刚设置好的参数即可。如果可以建立起该 IP，就以 ping 来检测看看：

```
[root@www ~]# ping 192.168.1.100
```

如果有响应的话，那表示这个网卡的设置应该是没有问题了。接下来则是开始检测一下局域网内的各个硬件连接了。

6.2.2 步骤 2：局域网内各项连接设备检测

在确认完了最重要的网卡设置之后，并且确定网卡是正常的之后，接下来则是局域网内的网络连接情况了。假设你是按照 图 6-1 所设置的星型连接局域网络架构，那么你必须要知道整个网络的概念！

1. 关于网段的概念

能否成功的架设出局域网，与网段的概念有关，所以，你要知道所谓的 192.168.1.0/24 这种网络的表达方式所代表的意义，且子网掩码（Netmask）的意义也得了解。如果忘记了，请返回第 2 章。

2. 关于 Gateway 与 DNS 的设置

Gateway 与 DNS 最容易被搞混。这两个并非是填写你的 Linux 主机的 IP，应该是在 Gateway 填写 IP 路由器（或 NAT 主机）的 IP，在 DNS 的 IP 设置当中填写 168.95.1.1。不要搞错了。

3. 关于 Windows 端的工作组与计算机名称

假如你还需要资源共享，那么你就必须在 Windows 系统中开放文件共享，并且建议所有的计算机将“工作组”设置相同，但“计算机名称”则不能相同。不过，这个只与网上邻居及 SAMBA 服务器有关。

假设你的局域网内所有的主机 IP 都设置正确了，那么接下来你就可以使用 ping 来测试两个局域网内主机的连接，这个连接的动作可以让你测试两台主机间的各项设备，包括网络、Hub/Switch 等。如果无法测试成功，那就请了解一下以下几项设置。

1）IP 参数是否设置正确

再次强调，先确定 IP/Netmask 是对的。鸟哥在上课的时候常常发现同学无法连接到我的主机上，一经使用 ifconfig 才发现他们与我的 IP 不在同一个网段内。

2）连接的线缆问题

包括我们前面提到的网线本身折损、过度缠绕造成的信号衰减问题等，另外，有些比较旧的 Hub/Switch 或者是 ADSL 调制解调器，由于没有 Auto MDI/MDIX 的功能，所以无法自动分辨是否为交叉线，那么当你用错网线的时候，也就无法接通了。另外，**先前我们常常会说，判断每台主机是否顺利连接到 Hub/Switch 最简单的方法是通过连接到 Switch 上的灯来判断**，不过，由于有时候网络本身信号不良，虽然灯还是会亮，不过就是无法连接到 Switch（鸟哥自己就曾发生过），此时，跟朋友借一条好的网线来测试看看吧。

3）网卡或 Hub/Switch 本身出问题

有一次鸟哥无法在外部连接到鸟哥的主机，怀疑是宕机了，结果冲到主机所在办公室查看，主机是好好的，那怎么会无法连接呢？原因是室内环境通风不良，加上 Switch 所在处温度过高，再加上 Switch 刚好风扇坏了，就这样“Switch 宕机”在重新启动 Switch（拔掉再插上电源线）后就正常了，所以，很多情况都是会发生的，而局域网内的环境也很容易影响到连接质量。

确定自己主机的 IP 与网卡没有问题，加上内部局域网通过 ping 也测试过没有问题，接下来就是要取得可以对外连接的 IP 参数，这个很重要。

6.2.3 步骤 3：取得正确的 IP 参数

什么叫取得正确的 IP 参数啊？还记得我们谈过如果要顺利连接上 Internet 的话，必须可以跟 Public IP 进行沟通才行，而与 Public IP 取得沟通的方法，比较常见的有 ADSL、Cable Modem、学术网络、电话拨号等。在 CentOS 当中，我们可以通过修改 /etc/sysconfig/network-scripts/ifcfg-eth0，或者是利用 rp-pppoe 来进行拨号，无论如何都**要连接到某个 ISP 中去**。

在你确认所有的局域网配置没有问题之后，请参考一下第 4 章的介绍，连上之后，立即用 ifconfig 看看有没有获取到正确的 IP。如果使用 ADSL 连接的话，你应该可以顺利地取得一组正确的 Public IP 参数。

曾有国外的华人朋友来信说到，他们使用 ADSL 拨号之后竟然取得一组 Private IP，害得他们没有办法搭建服务器。他们想问这样的情况是否合理。如果你熟悉路由相关的概念之后，就会知道这是合理的，因为你取得的 IP 只是为了要连接到 ISP 去而已，而 ISP 与你的主机当然可以通过 Private IP 来连接啊。如果是这样的话，那么你就肯定无法架站了。

另外，最常发现无法顺利取得 IP 的错误就是 BOOTPROTO 的值设置错了。因为 static 与 DHCP 协议所产生的 IP 要求是不一样的，要特别留意在 ifcfg-eth0 里面的参数设置。另外，如果你是使用 ADSL 拨号的，但是总是无法拨号成功，那么建议你可以这样试一下。

- 将 ADSL 的调制解调器整个关机，将 Switch/Hub 也关掉电源。
- 静待 10 分钟，等这些设备比较“凉快”降温一点后，再重新插上电源。
- 在 ifcfg-eth0 内将 Linux 连接到 ADSL 的那块网卡（假设为 eth0），ONBOOT 设置为 no，重新启动网络（/etc/init.d/network restart），然后再执行 adsl-start。
- 如果还是无法拨号成功，并且你已经确认内部网络没有问题，那请 ISP 的工程人员来帮忙处理吧。

因为很多时候都是由于网络设备过热，也有可能是主机内部的一些网络参数有点问题，所以，干脆就不要启动网卡，让 adsl-start 自动去启动网卡即可。如果顺利取得 IP 后，却还是无法顺利连接到 Internet 时，你觉得还有哪些地方需要处理的呢？

为了避免 Switch 以及 ADSL 调制解调器热宕，鸟哥以及一些网络用户的朋友就买了桌上型小电扇，配合定时器（Timer）来向这两个设备定时吹风。为啥需要定时器？因为担心电风扇一直开着会烧掉。

6.2.4 步骤 4：确认路由表的规则

如果你已经顺利取得正确的 IP 参数的话，那么接下来就是测试一下是否可以连接上 Internet。鸟哥建议你可以尝试使用 ping 来连接 Hinet 的 DNS 主机，也就是 168.95.1.1 那台机器。

```
[root@www ~]# ping -c 3 168.95.1.1
```

如果有响应，那就表示你的网络基本上已经没有问题，可以连接到 Internet 了，那如果没有响应呢？明明取得了正确的 IP 却无法连接到外部的主机，肯定有问题。还记得我们在网络内传输数据时可以直接通过 MAC 来传送，但如果不在局域网内传输数据，则需要通过路由，尤其是那个默认路由（Default Route）来帮忙转递数据包，所以，**如果你的 Public IP 无法连接到外部（例如 168.95.1.1），可能的问题就出在路由与防火墙上面了。**假设你没有启动防火墙，那问题就缩小到只剩下路由了。那路由的问题如何检查呢？可用 route -n 来检查。

例题

假设有个使用 ADSL 拨号的 Linux 主机，它的路由表如下，你觉得出了什么问题？

```
Destination     Gateway         Genmask         Flags Metric Ref    Use Iface
59.104.200.1    0.0.0.0         255.255.255.255 UH    0      0        0 ppp0
192.168.1.0     0.0.0.0         255.255.255.0   U     0      0        0 eth0
169.254.0.0     0.0.0.0         255.255.0.0     U     0      0        0 eth0
127.0.0.0       0.0.0.0         255.0.0.0       U     0      0        0 lo
0.0.0.0         192.168.1.2     0.0.0.0         UG    0      0        0 eth0
```

答：仔细分析上面的路由输出，第一条是 ppp0 产生的 Public IP 接口，第二条是 eth0 的内部网络接口，再看到最后一条的 0.0.0.0/0.0.0.0 这个默认路由，竟然是内部网络的 eth0 为 Gateway？这不合理，最大的问题应该是出在 ifcfg-eth0 里面不小心设置了“GATEWAY=192.168.1.2”所致，解决的方法为：

1）删除 ifcfg-eth0 内 GATEWAY=192.168.1.2 那一行（该行亦可能出现在 /etc/sysconfig/network 内）。

2）重新启动网络 /etc/init.d/network restart。

3）重新进行拨号：adsl-stop; adsl-start。

另外一个可能发生的情况就是忘记设置默认路由。例如使用 ifconfig 手动重新设置过网卡的 IP 之后，其实路由规则是会被更新的，所以默认路由可能就会不见了，那个时候就要利用 route add 来添加默认路由了。

6.2.5 步骤 5：主机名与 IP 查询的 DNS 错误

如果你发现可以 ping 到 168.95.1.1 这个 Internet 上面的主机，却无法使用浏览器在地址栏浏览 http://www.google.com 的话，那 99% 以上问题是来自于 DNS 解析的困扰。解决的方法就是直接到 /etc/resolv.conf 去看看设置值对不对。一般常见的内容是这样的：

```
[root@www ~]# vim /etc/resolv.conf
nameserver 168.95.1.1
nameserver 139.175.10.20
```

最常见的错误是 nameserver 的字母拼写错了。另外，如果 Client 端是 Windows 系统呢？初学者经常会搞错的地方就是在 Windows 的设置了。要注意：**Windows 端的 DNS 设置与主机端 /etc/resolv.conf 的内容相同即可**。很多初学者都以为 TCP/IP 内的 DNS 主机是填上自己的 Linux 主机，这是不对的（除非你自己的 Linux 上面有 DNS 服务）。只要在 DNS 主机的 IP 位置填上你的 ISP 就可以了。

另外，每一台主机都会有主机名（Hostname），默认的主机名会是 localhost，这个主机名会有一个 127.0.0.1 的 IP 对应在 /etc/hosts 当中。如果你曾经修改过主机名，该主机名却无法有一个正确的 IP 对应，那么你的主机在开机时，可能会有好几十分钟的延迟，所以，那个 /etc/hosts 与你的主机名对应，对于内部私有网络来说，是相当重要的设置项目。

6.2.6 步骤 6：Linux 的 NAT 服务器或 IP 路由器出问题

NAT 服务器最简单的功能就是 IP 路由器。NAT 主机一定是台路由器，所以你必须要在 Linux 上面查看好正确的路由信息，否则肯定会有问题。另外，NAT 主机上面的防火墙设置是否合理、IP 路由器上面是否设置过滤的机制等，都会影响到对外连接是否能够成功的关键点。关于 NAT 与防火墙我们会在后续的章节继续介绍。

6.2.7 步骤 7：Internet 的问题

Internet 也会出问题。例如，好几年前中国台湾西岸因为施工的关系，导致南北网络骨干线缆被挖断，导致整个 Internet 流量的大塞车，这就是 Internet 的问题；还有，数年前 Study Area 网站放置的地点由于路由器设置出了点差错，导致连接缓慢。这都不是主机本身出问题，而是 Internet 上面某个节点出了问题。想要确认问题是否来自 Internet，可以使用 traceroute 查看问题是来自哪个地方。

6.2.8 步骤 8：服务器的问题

如果上述处理都没问题，却仍无法登录某台主机时，最大的可能是出现在主机的设置上了，例如以下几项。

- **服务器并没有开放该项服务**：例如主机关闭了 Telnet，那你使用 Telnet 去连接时是无法连接上的。
- **主机的权限设置错误**：例如你将某个目录设置为 drwx------，该目录属主为 root，你却将该目录开放给 WWW 来浏览，由于 WWW 无法进入该目录，所以当然无法正确地呈现给客户端。这是最典型的权限设置错误的情况。
- **安全机制设置错误**：例如 SELinux 是用来更细微控制主机访问的一种核心机制，结果你启动的是系统原先不支持的类型，那么 SELinux 反而会阻挡该服务的提供。而其他

例如 /etc/hosts.deny、PAM 模块等，都可能造成用户无法登录的问题。这就不是网络问题，而是主机造成连接无法成功。

- **防火墙问题**：防火墙设置错误也是一个很常见的问题，你可以使用 tcpdump 来跟踪数据包的流向，以顺利地了解防火墙是否设置错误。

基本上，一个网络环境的检测工作可不是三言两语就能讲完的，而且常常牵涉到很多经验的问题。你可经常听一些讲座，或去百度一下别人的解决方法，都有助于让你更轻易地解决网络问题。鸟哥也将上述的操作梳理成一个流程图，如图 6-2 所示，请大家参考。

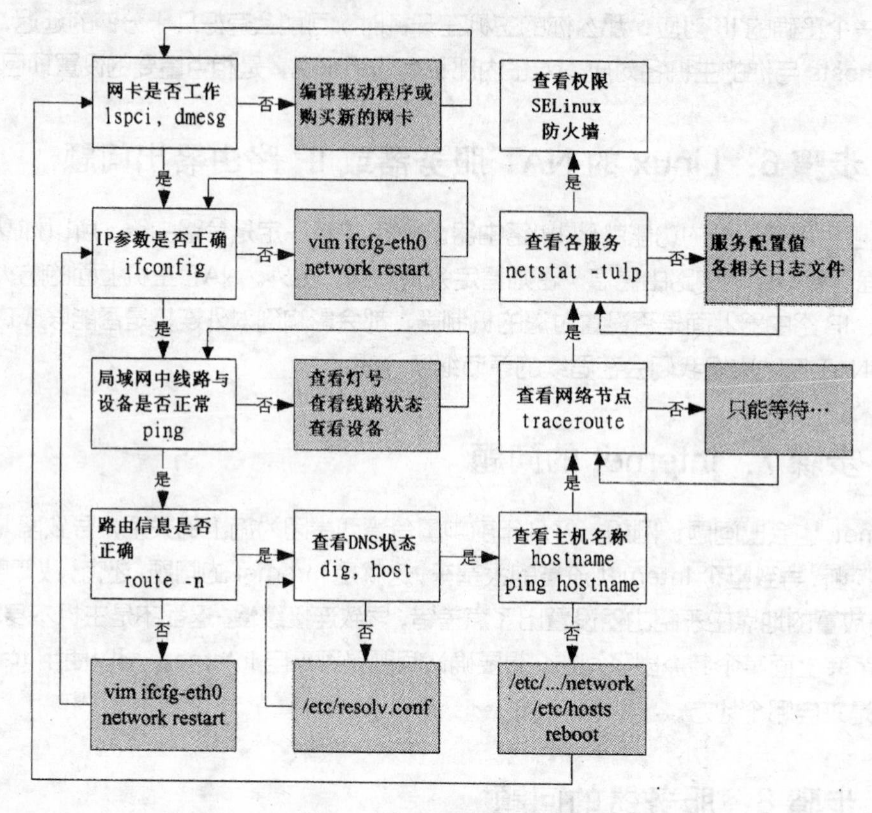

图 6-2 网络问题解决流程图

6.3 参考数据与延伸阅读

- 网中人的网络架构简介：http://www.study-area.org/network/network_ archi.htm。

第二篇

主机的简易安全防护措施

有很多团体都做过操作系统安全性检测方面的研究，研究发现一台没有经过更新与保护的 Linux/Windows 主机（不论是个人计算机还是服务器），只要一连上 Internet 几乎可以在数小时以内就被入侵或被当成跳板！您看看，网络世界多么危险！所以说，要好好保护自己的服务器主机才行。那应该如何保护你的服务器主机呢？基本上，你最需要知道的是你的服务器开了多少网络服务，而这些服务会启动什么端口？根据这层关系来关闭一些不必要的网络服务。再者，利用在线更新系统让你的 Linux 随时保持在最新的软件状态，这个小动作可以预防绝大部分的入侵攻击，这是最重要的一步！最后才是架设基础防火墙。

因为 Linux 的功能太强大了，如果你不好好保护主机，要是被入侵并且被当成跳板，这可能会让您吃上官司的！不要小看这个问题。虽然被入侵后只要将旧系统删除并且重装后，你的服务器主机就能够恢复正常，但是如果您的一些操作习惯不改的话，并不是重装就能够让你的服务器主机运行得好好的！所以，我们在搭建服务器之前，还是需要了解一下基本的网络防护措施，免得隔三差五地要重装、重装、重装……

第 7 章

网络安全与主机基本防护：限制端口、网络升级与 SELinux

通过第一篇的学习之后，现在你应该已经利用 Linux 连上 Internet 了。但是现在你的 Linux 恐怕还是不安全的。因此，在开始服务器设置之前，我们必须要让你的系统强壮些，以避免被恶意的 Cracker 所攻击。在这一章当中，我们会介绍数据包的流向，然后根据该流向来制订系统强化的流程，包括在线自动升级、服务管理以及 SELinux 等。

7.1 网络数据包连接进入主机的流程

在这一章当中我们要讨论的是，当一个来自网络上的连接要求进入我们的主机时，这个网络数据包在进入主机实际取得数据的整个流程是怎样的？了解了整个流程之后，你才会发现：**原来系统操作的基本概念如此重要**，而你才会了解如何保护你的主机安全。闲话少说，咱们赶紧来瞧一瞧。

7.1.1 数据包进入主机的流程

在第 1 章我们就谈过网络连接的流程，当时举的例子是希望你可以理解为什么架设服务器需要了解操作系统的基本概念。在这一章当中，我们要对该流程进行更细致的说明，因为通过这个流程分析，你会知道为什么我们的主机需要进行一些防护之后才能够比较强壮。此外，通过第 2 章的网络概念说明后，你也了解了网络是双向的，服务器与客户端都要有 IP:Port 才能够让彼此的软件互相沟通。那么现在，假设你的主机是 WWW 服务器，通过如图 7-1 所示的流程来看看网络数据包是如何进入你的主机的。

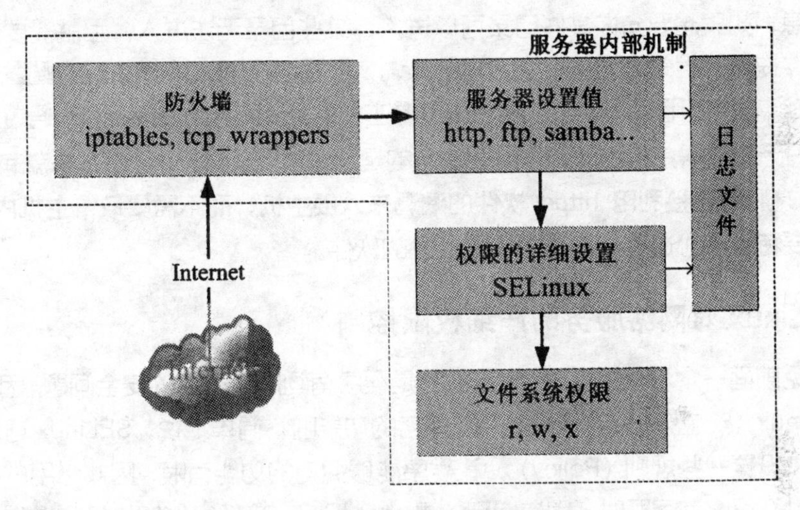

图 7-1 网络数据包进入主机的流程

1. 经过防火墙的分析

Linux 系统有内建的防火墙机制，因此你的连接能不能成功首先要通过防火墙才行。默认的 Linux 防火墙就有两个机制，这两个机制都是独立存在的，因此我们默认就有两层防火墙：第一层是数据包过滤式的 Net Filter 防火墙；第二层则是通过软件管理的 TCP Wrappers 防火墙。

- 数据包过滤防火墙：IP Filtering 或 Net Filter。

要进入 Linux 本机的数据包都会先通过 Linux 内核的预置防火墙，即 Net Filter。简单地说，就是 iptables 这个软件所提供的防火墙功能。为何称为数据包过滤防火墙呢？因为它主要是针对 TCP/IP 的数据包头部来进行过滤的机制，主要分析的是 OSI 的第二、三、四层，主要控制的就是 MAC、IP、ICMP、TCP 与 UDP 的端口与状态（SYN, ACK 等）等。详细的资料我们会在第 9 章进行介绍。

- **第二层防火墙：TCP Wrappers。**

  通过 Net Filter 之后，网络数据包会开始接受 Super Daemons 及 TCP Wrappers 的检验。这是什么功能呢？说穿了**就是 /etc/hosts.allow 与 /etc/hosts.deny 的配置文件功能**。这个功能也是针对 TCP 的 Header 进行再次的分析，同样你可以设置一些机制来过滤某些 IP 或 Port，好让来源端的数据包被丢弃或通过检验。

通过防火墙的控制，我们可以将大部分来自因特网的垃圾链接丢弃，只允许自己开放的服务链接进入本机，从而达到最基础的安全防护。

2. 服务的基本功能

内置的防火墙是 Linux 的内建功能，但防火墙主要管理的是 MAC、IP、Port 等数据包头部方面的信息，如果想要允许某些目录可以进入，某些目录无法进入，那就需要通过权限以及服务器软件提供的相关功能实现了。举例来说，你可以在 httpd.conf 这个配置文件之内规范某些 IP 来源不能使用 httpd 这个服务来取得主机的数据，那么即使该 IP 通过前面两层的过滤，它依旧无法取得主机的资源。但要注意的是，**如果 httpd 这个程序本来就有问题的话，那么 Client 端将可直接利用 httpd 软件的漏洞来入侵主机，而不需要取得主机内 root 的密码**！因此，要特别小心这些启动在因特网上面的软件。

3. SELinux 对网络服务的详细权限控制

为了避免前面一个步骤的权限误用，或者是程序有问题所造成的安全问题，因此 Security Enhanced Linux（安全强化 Linux）就来发挥它的功能啦！简单地说，SELinux 可以针对网络服务的权限来设置一些规则（Policy），让程序能够拥有的功能有限，因此当用户的文件权限设置错误，以及程序有问题时，即使使用的是 root 权限，该程序能够执行的操作也是被限制的。举例来说，假设前一个步骤的 httpd 真的被 Cracker 攻击而让对方取得 root 的使用权，但由于 httpd 已经被 SELinux 控制在/var/www/html 里面，且能够执行的操作已经被限制住了，因此 Cracker 就无法使用该程序来对系统进行进一步破坏了。

4. 使用主机的文件系统资源

想一想，你使用浏览器连接到 WWW 主机最主要的目的是什么？当然就是读取主机的 WWW 数据了。那 WWW 数据是什么呢？就是文件啊！所以，网络数据包最终是要向主机获取文件系统数据的。这里假设你要使用 httpd 程序来取得系统的文件数据，但 httpd 默认是由一个系统账号名称为 httpd 来启动的，所以，**你的网页数据的权限当然就是要让 httpd 这**

个程序可以读取才行。如果前面三步的设置都没问题，但最终权限设置错误，则用户依旧无法浏览到你的网页数据。

在这些步骤之外，Linux 以及相关的软件都还具有支持登录文件记录的功能。为了记录历史过程，以方便管理者在未来的错误查询与入侵检测，良好的分析日志文件的习惯是一定要建立的，尤其是 /var/log/messages 与 /var/log/secure 这些文件。虽然各大主要 Linux Distribution 大多有推出适合他们自己的登录文件分析软件，例如 CentOS 的 logwatch，不过毕竟该软件不能适合所有的 distributions, 所以鸟哥自己尝试编写了一个 logfile.sh 的 Shell Script，你可以在下面的网址下载该程序：

http://linux.vbird.org/download/index.php?action=detail&fileid=60

好了，那么根据这些流程，你觉得 Cracker 这些别有用心的人将如何攻击我们的系统呢？首先要知道对方想要怎么破坏，我们才能够想办法来增强系统的安全性。下面先讲讲常见的基本网络攻击手法。

7.1.2　常见的攻击手法与相关保护

我们由图 7-1 了解到数据传送到本机时所需要经过的几道防线后，权限就是最后的关键了。现在你应该比较清楚为何我们常常在基础篇里面一直谈**设置正确的权限可以保护你的主机**了吧？那么 Cracker 是如何通过上述的流程攻击你的系统的呢？下面就让我们来分析一下。

1. 取得账户信息后猜密码

由于很多人喜欢用自己的名字来作为账户信息，因此账号的取得是很容易的。举例来说，如果你的朋友将你的 E-mail Address 不小心泄露出去，例如：dmtsai@your.host.name 之类的样式，那么别人就会知道你有一台主机，名称为 your.host.name，且在这台主机上面会有一个用户账号，账号名称为 dmtsai，之后再利用某些特殊软件（例如 NMAP）来对你的主机进行 Port Scan 之后，他就可以开始通过主机中已启动的软件功能来猜账号的密码了。

另外，如果你常常查看主机日志文件的话，那你也会发现主机启动 Mail Server 的服务时，登录文件中会常常出现有些家伙尝试以常见账号在试图猜测你的密码，例如 admin、administrator、webmaster 之类的账号，尝试来窃取你的私人信件。如果你的主机真的有这类的账号，而且这类账号还没有良好的密码规划，那就很容易“中标”。

这种猜密码的攻击方式算是最早期的入侵模式之一了，攻击者知道你的账号，或者是可以猜出你的系统有哪些账号，缺少的就只是密码而已，因此他会很努力地去猜你的密码，此时，如果你的密码规划不好的话，就很容易被攻击了，主机也很容易被绑架，所以，**良好的密码设置习惯是很重要的**。

不过这种攻击方式比较费时，因为目前很多软件都有密码输入次数的限制，如果连续输入三次密码还不能成功登录，那该次连接就会被断线，所以，这种攻击方式日益减少，目前偶尔还会看到。这也是初级 Cracker 使用的方式之一。那我们要如何保护呢？基本方法如下。

- **减少信息的曝光机会**：例如不要将 E-mail Address 随意散布到 Internet 上。
- **建立较严格的密码设置规则**：包括 /etc/shadow、/etc/login.defs 等文件的设置，建议你可以参考基础篇的内容来规范你的用户密码变更时间等，如果主机够稳定且不会持续加入某些账号时，也可以考虑使用 chattr 来限制账号（/etc/passwd、/etc/shadow）的更改。
- **完善的权限设置**：由于这类攻击方式会取得你的某个用户账号的登录权限，所以如果你的系统权限设置得宜的话，那么攻击者也仅能取得一般用户的权限而已，对于主机的伤害比较有限，所以说，权限设置是重要的。

2. 利用系统的程序漏洞主动攻击

从图 7-1 里面的第二个步骤可以知道，如果你的主机开放了网络服务时，就必须要启动某个网络软件；由于软件因撰写方式等的问题，可能会产生一些被 Cracker 乱用的 Bug 程序代码，而这些 Bug 程序代码由于产生问题的大小，又分为 Bug（臭虫，可能会造成系统的不稳定或宕机）与 Security（安全问题，程序代码撰写方式会导致系统的权限被恶意者所掌握）等问题。

当程序的问题被公布后，某些较高水平的 Cracker 会尝试撰写一些针对这个漏洞的攻击程序代码，并且将这个程序代码放置到 Cracker 经常浏览的网站上面，借此展示自己的“功力”。鸟哥要提醒的是，这种程序代码**是很容易被取得的**。当更多闲着没事干的人取得这些程序代码后，他可能会尝试一下这个攻击程序的威力，所以就拿来“扫射”一番，如果你比较倒霉，可能就会不小心被攻击到。

这种攻击模式是目前最常见的，因为攻击者只要拿到攻击程序就可以进行攻击了，**而且由攻击开始到取得你系统的 root 权限（不需要猜密码），不超过两分钟就能够入侵成功**，所以 Cracker 最爱的就是这种方式了。但这种方式本身是靠主机的程序漏洞来攻击的，所以，如果你的主机随时保持在实时更新的阶段，或者是关闭大部分不需要的程序，那就可以避开这个问题。因此，你应该要这样做：

- **关闭不需要的网络服务。**
- **随时保持更新。**
- **关闭不需要的软件功能。**

3. 利用社会工程学欺骗

社会工程（Social Engineering）指的是通过人与人的互动来达到入侵的目的！人与人的互动可以入侵你的主机？鸟哥在糊弄你吗？当然不是。

目前在社会上经常看到某些人会以退税、中奖、花小钱买贵重物品等名义来欺骗善良的老百姓，社会工程也是类似的方法。例如，在大公司里面，你可能会接到这样的电话："我是人事部门的经理，我的账号为何突然间不能登录了？你给我看一看，恩，干脆直接帮我另建一个账号，我告诉你我要的密码是……"。如果你一时不查就给他账号、密码的话，你的主机可能就这样被绑走了。

社会工程的欺骗方法很多，包括使用"好心的 E-mail 通知"、"警告信函"、"中奖单"等，都是要骗取你的账号、密码，有的则利用钓鱼的方式来欺骗你在某些恶意网站上面输入你的账号密码。举例来说，我们计算机中心的 E-mail 常常会收到系统维护的信件，要我们将账号密码提交给系统管理员进行统一管理，这当然是假的！计算机中心根本不会寄出这样的信件，所以要注意了。那要如何防范呢？

- **追踪互动者：**不要一味地相信对方，你必须要有信心的向上呈报，不要一时心慌就中了计。
- **不要随意透露账号、密码等信息：**最好不要随意在 Internet 上面填写这些数据，真的很危险！因为在 Internet 上面，你永远不知道对方屏幕前面坐着的是谁。

4. 利用程序功能的"被动"攻击

什么？除了主动攻击之外，还有所谓的被动攻击吗？没错，那如何进行被动攻击呢？那就需要从恶意网站讲起了。如果你喜欢随意浏览网页的话，那么有的时候可能会连上一些广告，或者是一堆弹出式窗口的网站，这些网站有时还是很好心的，例如提供很多好用的软件下载与安装的功能，如果该网站是你所信任的，例如 Red Hat、CentOS、Windows 官网的话，那还好，如果是一个你也不清楚它是干嘛的网站，那你是否要同意下载安装该软件呢？

如果你经常注意一些网络危机处理的相关新闻时，常会发现 Windows 的浏览器（IE）有问题，有时则是全部的浏览器（Firefox、Netscape、IE 等）都会出现问题。那你会不会觉得奇怪啊，怎么浏览器也会有问题？这是因为很多浏览器会主动地答应对方 WWW 主机所提供的各项程序功能，或者是自动安装来自对方主机的软件，有时浏览器还可能由于程序发生安全问题，让对方的 WWW 浏览器得以发送恶意代码给你的主机来执行，使你的主机受到攻击。

你可能会想，那我干嘛浏览那样的恶意网站呢？总是会有粗心大意的时候。如果你今天不小心收到一个 E-mail，告诉你银行账号有问题，希望你赶紧连上某个网页去看看你的账号是否在有问题的行列中，你会不会去？如果今天有个网络消息说某网站在提供大特价商品，那你会不会去碰碰运气呢？都是可能的啊！不过，这也就很容易被对方攻击到了。

那如何防护啊？建立以下良好的习惯是最重要的。

- **随时更新主机上的所有软件：**如果你的浏览器是没有问题的，那对方传递恶意代码时，你的浏览器就不会执行，那自然安全多了。

- **较小化软件的功能**：举例来说，让你的收信软件不要主动下载文件，让你的浏览器在安装某些软件时，要通过你的确认后才安装，这样就比较容易克服一些小麻烦。
- **不要连接到不明的主机**：其实鸟哥认为这个才是最难的，因为很多时候我们都在网络上搜索问题，那你如何知道对方是否是骗人的？所以，前面两点防备还是很重要的，不要以为没有连接上恶意网站就不会有问题。

5. 蠕虫或木马的 Rootkit

Rootkit 是指可以取得 root 权限的一群工具组（Kit），如同前面主动攻击程序漏洞的方法一样，Rootkit 主要也是通过主机的程序漏洞进行攻击。不过，Rootkit 也会通过社会工程让用户下载、安装 Rootkit 软件，从而让 Cracker 得以轻易地绑架对方主机。

Rootkit 除了可以通过上述的方法来进行入侵之外，还会伪装或者是进行自我复制，例如，很多的 Rootkit 本身就是蠕虫或者是木马间谍程序。蠕虫会让你的主机一直发送数据包向外攻击，结果会让你的网络带宽被吃光，例如 Nimda、Code Red 等；至于木马程序（Trojan Horse）则会在你的主机中开启后门（开一个 Port 来让 Cracker 主动入侵），结果就是绑架、绑架、绑架。

Rootkit 其实很不好追踪，因为很多时候它会主动修改系统查看的命令，包括 ls、top、netstat、ps、who、w、last、find 等，让你看不到某些有问题的程序，如此一来，你的 Linux 主机就很容易被当成跳板。非常危险！那如何防备呢？

- **不要随意安装不明来源的文件或者是不明网站的文件数据。**
- **不要让系统有太多危险的命令**：例如 SUID/SGID 的程序，这些程序很可能会造成用户不当的使用，而使木马程序有机可乘。
- **可以定时以 RKHunter 之类的软件来追查**：有一个网站可提供 Rootkit 程序的检查，你可以去下载并分析你的主机：http://www.rootkit.nl/projects/rootkit_hunter.html。

6. DDoS 攻击法（Distributed Denial of Service）

这种类型的攻击中文翻译为“分布式拒绝服务攻击”，从字面意义来看，它就是通过分散在各地的僵尸计算机进行攻击，让你的系统所提供的服务被阻断而无法顺利地为其他用户提供服务的方式。这种攻击法很厉害，而且方法有很多，最常见的就是 SYN Flood 攻击法了。我们在网络基础里面曾提到，当主机接收了一个带有 SYN 的 TCP 数据包之后，就会启用对方要求的 Port 来等待连接，并且发送出回应数据包（带有 SYN/ACK 标志的 TCP 数据包），等待 Client 端的再次回应。

好了，在这个步骤当中我们来想一想，如果 Client 端在发送出 SYN 的数据包后，却将来自 Server 端的确认数据包丢弃，那么你的 Server 端就会一直空等，而且 Client 端可以通过软件功能，在短时间内持续发送出这样的 SYN 数据包，那么你的 Server 就会持续不断地发送确认数据包，并且开启大量的 Port 在空等！等到全部主机的 Port 都启用完毕，那么系统就“挂”了。

更可怕的是，通常攻击主机的一方不会只有一台。它会通过 Internet 上面的僵尸网络（已经成为跳板，但网站管理员却没有发现的主机）发动全体攻击，让你的主机在短时间内就立刻“挂掉”。这种 DDoS 的攻击手法比较类似于“玉石俱焚”的手段，**它不是入侵你的系统，而是要让你的系统无法正常提供服务**。最常被用来作为阻断式服务的网络服务就是 WWW 了，因为 WWW 通常要对整个 Internet 开放服务。

这种攻击方法也是最难处理的，因为要么需要系统核心有支持自动阻挡 DDoS 攻击的机制，要么需要自行撰写侦测软件来进行判断，非常麻烦。不过，除非你的网站非常大，并且“得罪不少人”，否则应该不会被 DDoS 攻击。

7. 其他

上面提到的都是比较常见的攻击方法，还有一些高等级的攻击法，不过那些攻击法都需要有比较高的技术水准，例如 IP 欺骗。它可以欺骗你的主机该数据包来源于信任网络，而且通过数据包回送的机制，由攻击的一方持续地主动发送出确认数据包与工作命令。如此一来，你的主机可能就会误判该数据包确实有响应，而且是来自内部的主机。

不过我们知道因特网是有路由的，而每台主机在每一个时段的 ACK 确认码都不相同，所以要利用这个方式实现登录会比较麻烦，所以，不太容易发生在我们这些小型主机上面。不过还是需要注意一下以下几个方面。

- **设置规则完善的防火墙**：利用 Linux 内建的防火墙软件 iptables 建立较为完善的防火墙，可以防范部分的攻击行为。
- **核心功能**：这部分比较复杂，你必须要对系统核心有很深入的了解才有办法设置好你的核心网络功能。
- **日志文件与系统监控**：你可以通过分析登录文件来了解系统的状况，另外也可以通过类似 MRTG 之类的监控软件来实时了解到系统是否有异常，这些工作都是很好的努力方向。

8. 小结

要让你的系统更安全是需要一些技术方法的。我们也一直在强调维护网站比架设网站还要重要的观念，因为“一人中标全员挂点”，不要以为你的主机没有什么重要数据，被人侵或被植入木马也没有关系，因为我们的服务器通常会对内部来源的主机规范的较为宽松，如果你的主机在公司内部，但是不小心被入侵的话，那么贵公司的服务器就会全部暴露在危险的环境当中了。

另外，在蠕虫很“发达”的年代，我们也会发现只要局域网里面有一台主机中标，整个局域网就会无法使用网络了，因为带宽已经被蠕虫塞爆。如果老板发现他今天没有办法收发邮件，且无法收发邮件的原因并非服务器挂点，而是因为内部人员的某台计算机中了蠕虫，那台主机中蠕虫的原因只是该用户不小心看了一下色情网站，那老板就该把这个员工解雇了。

所以，主机防护还是很重要的，不要小看了。下面提供几个方向给大家思考一下：

1. 建立完善的登录密码规则限制。

2. 完善的主机权限设置。

3. 设置自动升级与修补软件漏洞以及移除危险软件。

4. 在每项系统服务的设置当中，强化安全设置的项目。

5. 利用 iptables、TCP Wrappers 强化网络防火墙。

6. 利用主机监控软件（如 MRTG 与 logwatch）来分析主机状况与日志文件。

7.1.3 主机能执行的保护操作：软件更新、减少网络服务、启动 SELinux

根据本章前面的分析，现在你已知道数据包的流向以及主机需要进行的防护了。不过你或许还是有疑虑，那就是：既然我都已经有了防火墙，那么权限的管理、密码的严密性、服务器软件的更新、SELinux 等，是否就没有这么重要呢？毕竟防火墙是数据包进人的第一道关卡，若这道关卡把关严格，那后续是否可以稍微宽松呢？其实不是这样的。对于开放某些服务的服务器来说，防火墙根本就没有用。

1. 软件更新的重要性

根据如图 7-1 所示的流程，假设你需要对全世界开放 WWW，那么就需要执行提供 WWW 服务的 httpd 程序，并且，防火墙需要打开 Port 80 让全世界都可以连接到你的 Port 80，这样才是一台合理的 WWW 服务器。问题是：如果 httpd 程序有安全方面的问题时，请问防火墙有没有效用？当然没有。因为防火墙原本就需要开放 Port 80，此时防火墙对你的 WWW 一点防护也没有。那怎么办？

这时需要做的就是软件持续更新到最新。因为自由软件就是有这个好处，当你的程序有问题时，开发人员会在最短的时间内提供修补程序（Patch），并将该程序代码补充到软件更新数据库中，让一般用户可以直接通过网络来自动更新。因此，要克服这个服务器软件的问题，更新系统软件就可以了。

但是需要注意的是，你的系统能否更新软件与系统的版本有关。举例来说，2003 年左右发布的 Red Hat 9 目前已经没有支持了，如果你还是执意要安装 Red Hat 9 这套系统，那么很抱歉，你就需要手动将系统内的软件通过 make 动作来重新编译到最新版，因此，很麻烦。

同样的，Fedora 最新版虽然提供了网络自动更新，但是 Fedora 每一个版本的维护期较短，你可能需要经常大幅度地变更你的版本，这对服务器的设置也不妥当。因此一个企业版本的 Linux Distributions 就很重要。举例来说，鸟哥网站的主机截至 2011 年 7 月还是使用 CentOS 4.x，因为这个版本目前还在持续维护中。因为对服务器来说，稳定与安全比什么都重要。

想要了解软件的安全通报，可以参考：Red Hat 的官方说明：https://www.redhat.com/support/。

2. 认识系统服务的重要性

再返回到图 7-1，同时思考一下第 2 章网络基础里面谈到的网络连接是双向的，我们会得到一个答案，那就是在图 7-1 内的第二个步骤中，如果能够减少服务器上面的监听端口，此时因为服务器端没有可供连接的端口，客户端当然也就无法连接到服务器端了。那么如何限制服务器开启的端口呢？第 2 章就谈到了，关闭端口的方式是关闭网络服务，所以，减少网络服务可以避免很多不必要的麻烦。

3. 权限与 SELinux 的辅助

很多朋友在发生权限不足方面的问题后，都会将某个目录直接修订成为 chmod -R 777 /some/path/。如果这台主机只是测试用的没有上网提供服务，那还好。如果有上网提供某些服务时，可就麻烦了。因为目录的 wx 权限设置表示可以进行添加与删除的操作，而 777（rwxrwxrwx）代表所有的人都可以在该目录下进行添加与删除！万一不小心某个程序被攻击而被取得操作权，想想看，你的系统就可能被写入某些可怕的东西了，所以不要随便设置权限。

那如果由于当初规划的账号身份与组设置得太杂乱，导致无法使用单纯的三种身份的三种权限来设置系统时，那该怎么办？没关系的，ACL 可以针对单一账号或单一组进行特定的权限设置，相当好用。它可以辅助解决传统 Unix 的权限设置方面的困扰。详情请参考基础篇的相关内容。

那如何避免用户乱用系统、乱设置权限呢？这个时候就需要通过 SELinux 来控制了。SELinux 可以在程序与文件之间再加入一个权限控制，因此，即使程序与文件的权限符合，但如果程序与文件的 SELinux 类型（Type）不吻合，程序也无法读取该文件。此外，我们的 CentOS 也针对了某些常用的网络服务制订了许多的文件使用规则（Rule），如果这些规则没有启用，那么即使权限、SELinux 类型都对了，该网络服务的功能还是无法顺利启动。

根据以上分析我们可以知道，**随时更新系统软件、限制连接端口以及通过启动 SELinux 来限制网络服务的权限**，经过这三个简单的步骤，你的系统将可以获得相当大的保护。当然，后续的防火墙以及系统注册表文件分析工作仍是需要进行的。本章后续内容将依据这三点来深入介绍。

7.2 网络自动升级软件

在现在的因特网上 Cracker 实在是太多了。这些 Cracker 会利用已经存在的系统漏洞来进行检测、入侵主机。因此，除了未来架设防火墙之外，**最重要的 Linux 日常管理工作莫过于软件的升级**了。但如果用户需要自己每天查看网络安全通报，并主动去查询各大 Distribution 针对这些漏洞提供的升级软件包，那就太不人性化了。因此，目前有很多在线直接更新的机制出现。有了这些在线直接更新软件的手段与方法，系统管理员在管理主机系统方面可就轻松多了。

7.2.1 如何进行软件升级

通常鸟哥安装好 Linux 之后，会先开启系统默认的防火墙机制，然后第一件事情就是进行全系统更新！不论是哪一套 Linux 鸟哥都是这样做的，目的是要避免软件安全的问题。那么 Linux 上面的软件该如何进行更新与升级呢？还记得你是如何安装软件的吗？不就是 rpm、tarball 与 dpkg 吗？所以，如果想要升级，那就得依据当时你安装该软件的方式来进行。而每种方式都有其适用性，具体介绍如下。

- rpm

  这是目前最常见于 Linux Distribution 当中的软件管理方式，包括 CentOS / Fedora / SuSE / Red Hat / Mandriva 等，都是使用这个方式来管理的。

- tarball

  在您的系统上面编译与安装软件的官方网站给出的源代码，一般来说，由于软件是直接在自己的机器上面编译的，所以效率会比较好。不过，升级的时候就比较麻烦，因为需要重新下载新的源代码并且重新编译一次。这种安装模式常见于某些特殊软件（没有包含在 Distribution 当中）或者是 Gentoo 中（这个强调效率的 Distribution）。

- dpkg

  dpkg 是 debian 这个 Distribution 所使用的软件管理方式，与 rpm 很类似，都是通过预先编译的处理，可以让 End User 来直接使用、升级与安装。

举例来说，如果你的系统是 CentOS，并且知道系统使用的是 rpm 类型的软件管理模式，那如果你想要安装 B2D 的软件怎么办？注意，B2D 是使用 debian 的 dpkg 来管理软件的，两者并不相同，要互相安装太难了。所以说，要升级的话，得先了解系统上的软件安装与管理的方法才行。

不过，有个特殊案例，那就是旧版本的 Linux（例如 Red Hat 9）的软件升级是什么样的？由于旧版本的软件支持度本来就比较差，商业公司或者是社区也没有这么多精力放在旧版本的支持上，所以，这个时候可以选择：①**升级到较新的版本，例如 CentOS 6.x**；②**或者是利**

用 tarball 来自行升级核心软件。不过，建议升级到新版本，因为要自行以手动方式由 tarball 安装到最新的版本实在是很费时费力，而且还要常常查阅官方网站所推出的最新消息，漏过一则都可能发生无法预料的状况。

我们都知道在 Windows 的环境下提供一个 Live Update 的项目可以自动在线升级，甚至很多的防病毒软件与防木马软件也都推出实时的在线更新，如此一来可以让您的软件维持在最新版的状况，真是很不错。那 Linux 是否也有这样的功能？如果有的话，那么系统自动进行软件升级，不就可以很轻松了吗？没错，确实是这样的。所以就让我们来谈一谈 Linux 的在线升级机制吧。

在 Linux 最常见的软件安装方式，即 rpm / tarball / dpkg 当中，tarball 由于取得的是源代码，所以要用 tarball 来执行在线自动更新是不太可能的，所以仅能用 rpm 或 dpkg 这两种软件管理的方式来进行在线更新了。

但 rpm 与 dpkg 具有所谓的相依属性，不过这倒不需要担心，因为 rpm 与 dpkg 都有一些软件的基本信息，并同时记录了软件的相依属性（回想一下使用 rpm -q 的查询吧），所以当分析这些基本信息并使用一些机制将这些相依信息记录下来后，再通过一些额外的网络功能，就能够自动分析系统与修补软件之间的差异，帮你分析所需要升级与相依属性的软件，并可进一步实现自动升级了。

由于各个 Distributions 在管理系统上都有自己独特的想法，所以在分析 rpm 或 dpkg 软件与方式上面也有所不同，即下面这些不同的在线升级机制。

- yum

  CentOS 与 Fedora 所常用的自动升级机制，通过 FTP 或 WWW 来进行在线升级以及在线直接安装软件。

- apt

  最早由 debian 这个 Distribution 所发展，现在 B2D 也是使用 apt，同时由于 apt 的可移植性，所以只要 rpm 可以使用 apt 来管理的话，就可以自行建立 apt 服务器来供其他用户进行在线安装与升级。

- you

  所谓的 Yast Online Update（YOU）是由 SuSE 所自行开发出来的在线安装升级方式，经过注册取得一组账号、密码后，就能够使用 you 的机制来进行在线升级。不过如果是免费的版本，则仅有 60 天的试用期。

- urpmi

  这个是 Mandriva 所提供的在线升级机制。

讲了这些升级机制并且与 Distribution 做了对应后就可以了解到**每个 Distribution 可以使用的在线升级机制都不相同**，所以请参考 Distribution 所提供的文件来进行在线升级的设置，否则就需要手动下载安装了。

鸟哥这里都是使用 CentOS 这个 Red Hat 兼容的 Distributions 来介绍的，因此，下面仅介绍一下 yum 而已。不过，yum 已经能够适用于 CentOS、Red Hat Enterprise Linux、Fedora 等，功能也不小。另外，基础篇里面已经谈过 rpm 与 yum 的用法，所以在这里仅是加强介绍与更新有关的用法而已。

7.2.2 CentOS 的 yum 软件更新、镜像站点使用的原理

我们曾经在基础篇里面谈过 yum，它的基本原理是：CentOS 可在 yum 服务器上下载官方网站给出的 rpm 表头列表数据，该数据除了记载每个 rpm 软件的相依性之外，也说明了 rpm 文件所放置的容器（Repository）所在。因此通过分析这些数据，CentOS 就能够直接使用 yum 去下载与安装所需要的软件了。详细情况如图 7-2 所示。

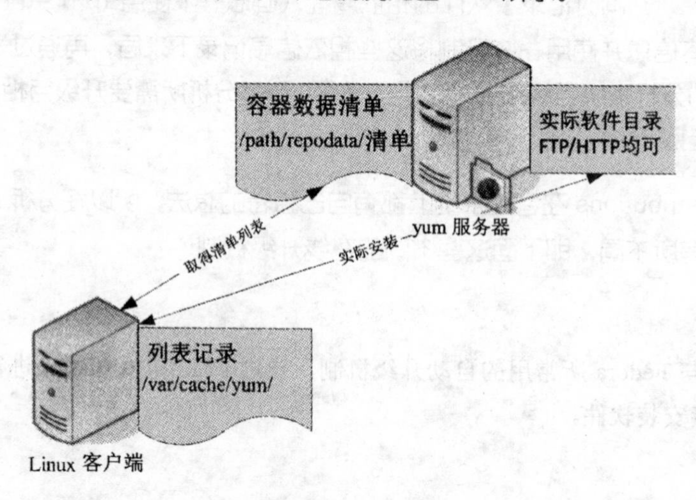

图 7-2 使用 yum 下载清单表头与取得容器相关资料示意图

详细流程如下：

1）先由配置文件判断 yum Server 所在 IP 地址。

2）连接到 yum Server 后，先下载新的 rpm 文件的表头数据。

3）分析比较用户所欲安装/升级的文件，并提供用户确认。

4）下载用户选择的文件到系统中的 /var/cache/yum，并进行实际安装。

由于所下载的清单当中已经含有所有官方网站所给出的 rpm 文件的表头相依属性的关系，所以如果你想要安装的软件包含某些尚未安装的相依软件时，yum 会顺便帮你下载所需要的其他软件，预安装后，再安装你所实际需要的软件。从分析、下载到安装，全部一口气

搞定！

不过，恐怕还是有问题。如果全世界使用 CentOS 的朋友通通连接到同一台 yum 服务器中去下载所需要的 rpm 文件，那带宽不就很容易被塞爆吗?那怎么办？没关系，可以通过所谓的镜像站点来解决。CentOS 在世界各地都有镜像站点，这些镜像站点会将官网的 yum 服务器的数据复制一份，同时在镜像站点上面也提供同样的 yum 功能，因此，你可以在任何一台 yum 服务器的镜像站点上面下载与安装软件。下面是 CentOS 官网上面列出的亚洲地区镜像站点一览表：

- http://www.centos.org/modules/tinycontent/index.php?id=32

yum 很聪明，它会自动分析离你的主机最近的那个镜像站点，然后直接使用该台镜像主机作为你的 yum 来源，因此，理论上你不需要更改任何设置，例如，在中国台湾，CentOS 就会自动使用台湾地区的 yum 服务器了，就这么简单。接下来就让我们直接来谈谈怎么使用 yum 吧。

yum 的原理与相关使用，我们在基础篇里面已经分门别类的介绍过了，因此下面仅就比较重要的部分介绍一下。

7.2.3 yum 的功能：安装软件组、全系统更新

Yum 不仅能够提供在线自动升级，它还可以用于查询、软件组的安装、整体版本的升级等，很好用的。先来谈论一下 yum 这个命令的用法：

```
[root@www ~]# yum [option] [查询的工作项目] [相关参数]
选项与参数：
option：主要的参数，包括有：
   -y ：当 yum 询问用户的意见时，主动回答 yes 而不需要由键盘输入

[查询的工作项目]：由于不同的使用条件，而有一些选择的项目，包括：
   install ：指定安装的软件名称，所以后面需接软件名称
   update  ：进行整体升级的行为；当然也可以接某个软件，仅升级一个软件
   remove  ：删除某个软件，后面需接软件名称
   search  ：搜寻某个软件或者是重要关键字
   list    ：列出目前 yum 所管理的所有的软件名称与版本，有点类似 rpm -qa
   info    ：同上，不过有点类似 rpm -qai 的执行结果
   clean   ：下载的文件被放到 /var/cache/yum，可使用 clean 将它移除
             可清除的项目有 packages | headers | metadata | cache 等

在[查询的工作项目]部分还可以具有整个组软件的安装方式，如下所示：
   grouplist   ：列出所有可使用的软件组，例如 Development Tools 之类
```

```
   groupinfo   : 后面接 group_name，则可了解该 group 内含的所有软件名
   groupinstall: 这个好用！可以安装一整组的软件组，相当的不错！
                 更常与 --installroot=/some/path 共享来安装新系统
   groupremove : 删除某个软件组

# 范例一：搜寻 CentOS 官网提供的软件名称是否有与 RAID 有关
[root@www ~]# yum search raid
Loaded plugins: fastestmirror
Loading mirror speeds from cached hostfile   <==这里就是在测试最快的镜像站点
 * base: ftp.isu.edu.tw                      <==共有四个容器内容
 * extras: ftp.isu.edu.tw                    <==每个容器都在 ftp.isu.edu.tw 上
 * updates: ftp.isu.edu.tw
base                           | 3.7 kB     00:00   <==下载软件的表头列表中
extras                         |  951 B     00:00
updates                        | 3.5 kB     00:00
================== Matched: raid =================<==找到的结果如下
dmraid.i686 : dmraid (Device-mapper RAID tool and library)
....(中间省略)....
mdadm.x86_64 : The mdadm program controls Linux md devices (software RAID
....(下面省略)....

# 范例二：上述输出结果中，mdadm 的功能是什么
[root@www ~]# yum info mdadm
Loaded plugins: fastestmirror
Loading mirror speeds from cached hostfile
 * base: ftp.twaren.net
 * extras: ftp.twaren.net
 * updates: ftp.twaren.net
Installed Packages   <==这里说明这是已经安装的软件
Name        : mdadm
Arch        : x86_64
Version     : 3.1.3
Release     : 1.el6
Size        : 667 k
Repo        : installed
From repo   : anaconda-CentOS-201106060106.x86_64
Summary     : The mdadm program controls Linux md devices (software RAID
URL         : http://www.kernel.org/pub/linux/utils/raid/mdadm/
License     : GPLv2+
Description: The mdadm program is used to create, manage, and monitor
....(下面省略)....
# 由上述加粗字体的 Summary 关键词可以知道，这款软件用于实现软件磁盘阵列功能
```

yum 真是个很好用的东西，它可以直接查询是否有某些特殊的软件名称。例如，你可以利用下面两个方式取得软件名称：

- yum search “一些关键词”。
- yum list（可列出所有的软件文件名）。

然后再以正则表达式取得关键词，或者是“yum info "软件名称"”就能够知道该软件的用途，最后再决定要不要安装。上面的范例一就是在查找磁盘阵列的管理软件。如果确定要安装时，那就参考下面的流程吧！

1. 利用 yum 进行安装

```
# 范例三：安装某个软件。以 mdadm 这个软件名为例：
[root@www ~]# yum install mdadm
....(前面省略)....
Setting up Install Process
Package mdadm-3.1.3-1.el6.x86_64 already installed and latest version
Nothing to do

[root@www ~]# yum install mdadma
Setting up Install Process
No package mdadma available.
Nothing to do
```

仔细看上述的两个命令，第二个命令鸟哥故意写错字，让软件名称由 mdadm 变成 mdadma，模仿打错字时的情况。由上述的信息可以知道，结果是“Nothing to do”，没有该软件（No package mdadma avaliable）。通过这个范例是希望朋友们能够仔细地看输出的信息。我们接下来安装一个不曾安装过的，以 javacc 软件为例。

```
[root@www ~]# yum list javacc*
Available Packages
javacc.x86_64              4.1-0.5.el6      base
javacc-demo.x86_64         4.1-0.5.el6      base
javacc-manual.x86_64       4.1-0.5.el6      base
# 共有三套软件，分别是 javacc、javacc-demo、javacc-manual，版本为 4.1-0.5.el6，
# 软件是放置到名称为 base 的容器当中的

[root@www ~]# yum install javacc
....(前面省略)....
Setting up Install Process
Resolving Dependencies
--> Running transaction check  <==开始检查有没有相依属性的软件问题
---> Package javacc.x86_64 0:4.1-0.5.el6 set to be updated
....(中间省略)....

==============================================================================
 Package                     Arch      Version               Repository  Size
==============================================================================
```

```
Installing:
 javacc                    x86_64   4.1-0.5.el6        base        895 k
Installing for dependencies:
 java-1.5.0-gcj            x86_64   1.5.0.0-29.1.el6   base        139 k
 java_cup                  x86_64   1:0.10k-5.el6      base        197 k
 sinjdoc                   x86_64   0.5-9.1.el6        base        705 k

Transaction Summary
========================================================================
Install       4 Package(s)  <==安装软件汇总，共安装 4 个，升级 0 个软件
Upgrade       0 Package(s)

Total download size: 1.9 M
Installed size: 5.6 M
Is this ok [y/N]: y  <==让你确认是否要下载
Downloading Packages:
(1/4): java-1.5.0-gcj-1.5.0.0-29.1.el6.x86_64.rpm      | 139 kB     00:00
(2/4): java_cup-0.10k-5.el6.x86_64.rpm                 | 197 kB     00:00
(3/4): javacc-4.1-0.5.el6.x86_64.rpm                   | 895 kB     00:00
(4/4): sinjdoc-0.5-9.1.el6.x86_64.rpm                  | 705 kB     00:00
------------------------------------------------------------------------
Total                                       3.1 MB/s | 1.9 MB     00:00
Running rpm_check_debug
Running Transaction Test
Transaction Test Succeeded
Running Transaction
  Installing    : java-1.5.0-gcj-1.5.0.0-29.1.el6.x86_64               1/4
  Installing    : 1:java_cup-0.10k-5.el6.x86_64                        2/4
  Installing    : sinjdoc-0.5-9.1.el6.x86_64                           3/4
  Installing    : javacc-4.1-0.5.el6.x86_64                            4/4

Installed:          <==主要需要安装的
  javacc.x86_64 0:4.1-0.5.el6

Dependency Installed: <==为解决相依性额外安装的
  java-1.5.0-gcj.x86_64 0:1.5.0.0-29.1.el6   java_cup.x86_64 1:0.10k-5.el6
  sinjdoc.x86_64 0:0.5-9.1.el6

Complete!
```

通过 yum，我们可以很轻松地安装好一个软件，并且这个软件已经主动帮我们做好相依属性，真是很方便。另外，CentOS 6.x 在默认的情况下，yum 下载的数据除了每个容器的表头清单文件之外，**所有下载的 rpm 文件都会在安装完毕之后予以删除**，这样你的系统就不会有容量被下载的数据塞爆的问题。但如果你想要下载的 rpm 文件继续保留在 /var/cache/yum 当中，就需要修改 /etc/yum.conf 配置文件了。

```
[root@www ~]# vim /etc/yum.conf    <==看看就好，不要真的做
[main]
cachedir=/var/cache/yum/$basearch/$releasever
keepcache=1
debuglevel=2
logfile=/var/log/yum.log
exactarch=1
obsoletes=1
....(下面省略)....
```

上述的加粗字体将 0 改成 1，这样就能够让 rpm 文件保存下来。不过，除非你有好多台主机需要更新，你想利用一台先 yum 升级且下载，然后将所有的 rpm 文件收集起来给内网的机器升级（rpm –Fvh *.rpm）之外，**上面的 yum.conf 配置文件不建议修改**，因为/var 恐怕会被塞爆！再次提醒！

2. yum 安装软件组

什么是“软件组”呢？由于 rpm 软件将一个大项目分成好几个小计划来执行，每个小计划都可以独立安装，这样做的好处是可以让用户与软件开发者安装不同的环境。举例来说，在桌面系统（Desktop）中，一般用户应该不会跑去开发软件吧？所以针对桌面计算机，软件群组又分为“Desktop Platform”与开发者“Desktop Platform Development”两部分，每个软件群组内又含有多个不同的 rpm 软件文件。这样做的用途是方便用户安装一整套的项目。

那么系统有多少软件组呢？又该如何查看某个软件组拥有的 rpm 文件呢？我们就利用 Desktop Platform 这个项目来说明一下：

```
# 范例四：查询系统的软件组有多少个
[root@www ~]# LANG=C yum grouplist
Installed Groups:                  <==这个是已安装的软件组
   Additional Development
   Arabic Support
   Armenian Support
   Base
....(中间省略)....
Available Groups:                  <==这个是尚未安装的软件组
   Afrikaans Support
   Albanian Support
   Amazigh Support
....(中间省略)....
   Desktop Platform
   Desktop Platform Development
....(后面省略)....

# 范例五：Desktop Platform 内含多少个 rpm 软件
```

```
[root@www ~]# yum groupinfo "Desktop Platform"
Group: 桌面环境平台
 Description: 受支援的 CentOS Linux 桌面平台函数库
 Mandatory Packages: <==主要会被安装的软件有这些
   atk
....(中间省略)....
 Optional Packages:  <==额外可选择的软件是这些
   qt-mysql
....(下面省略)....
# 如果你确定要安装这个软件组的话，那就这样做：

[root@www ~]# yum groupinstall "Desktop Platform"
# 因为这里在介绍服务器的环境，所以上面的动作鸟哥是按下 n 来拒绝安装的
```

利用“yum groupinstall "软件组名"”可以让你一口气安装很多软件，且不必担心某个软件忘记装了，实在是很不错。而且利用 groupinfo 的功能你也可以发现一些不错的软件数据，如此一来，你就可以更方便地管理你的 Linux 系统了，很不错吧。

3. 全系统更新

我们知道使用 yum update 可以进行软件的更新。不过，yum update 也可以直接进行同一版本的升级。例如，你可以从 6.0 升级到 6.1 版本，而且中间过程很简单，与一般软件升级没有什么不同。

不过，如果你是想要从较旧版的 CentOS 5.x 升级到 6.x 的话，那么可能就需要多费些功夫了。但老实说，不同版本间的升级最好还是不要尝试，重新安装可能是最好的方法。下面列出酷学园的前辈提供的升级方式，以及 CentOS 官网直接提供的升级方式作为参考：

- 酷学园 TWU2 兄提供的 Red Hat 9 升级到 CentOS 3.x 的方法：
  http://phorum.study-area.org/index.php/topic,28648.html。
- CentOS 官网提供的 CentOS 4.x 升级到 5.x 的方法：
  http://lists.centos.org/pipermail/centos-announce/2007-April/013660.html。
- CentOS 维基百科提供的 CentOS 4.4 升级到 5.1 的方法：
  http://wiki.centos.org/HowTos/MigrationGuide/ServerCD_4.4_to_5。

例题

请设置一下计划任务，让 CentOS 可以每天自动更新系统。

答：可以使用“crontab –e”来操作，也可以编辑“ vim /etc/crontab”来操作，由于这个更新是系统方面的，所以鸟哥习惯使用 vim /etc/crontab 来进行命令的说明。其实内容很简单：

```
40 5 * * * root yum -y update && yum clean packages
```

这样就可以自动更新了，时间设定在每天的凌晨 5:40。

7.2.4 挑选特定的镜像站点：修改 yum 配置文件与清除 yum 缓存

虽然 yum 是你的主机能够连接上 Internet 时就可以直接使用的，不过，由于 CentOS 的镜像站点可能会选错，例如，主机在中国台湾，但是 CentOS 的镜像站点却选择到了北京或者日本，有没有可能发生这种情况？有，鸟哥在教学过程中就常常遇到这样的问题，要知道，从台湾连接到北京或日本的速度是非常慢的，那怎么办？这时当然就是手动修改一下 yum 的配置文件就行了。

鸟哥熟悉的 CentOS 镜像站点主要有昆山科大、高速网络中心与义守大学。在学术网络之外，鸟哥近来比较偏好高速网络中心，似乎更新的速度比较快，而且连接台湾学术网络也非常迅速。因此，鸟哥建议台湾地区的朋友使用高速网络中心的 FTP 主机资源来作为 yum 服务器来源。不过，因为鸟哥的机器很多都在昆山科大，所以在学术网络上，使用的反而是昆山科大的 FTP。目前高速网络中心对于 CentOS 所提供的相关网址如下：

http://ftp.twaren.net/Linux/CentOS/6/

如果你连接到上述的网址后，就会发现里面有一堆连接，那些连接就是这个 yum 服务器所提供的容器了，所以高速网络中心也提供了 addons、centosplus、extras、fasttrack、os、updates 等容器，最好认的容器就是 os（系统默认的软件）与 updates（软件升级版本）。由于鸟哥在测试主机中使用 x86_64 的版本，因此单击 os 后就会得到如下可提供安装的网址：

http://ftp.twaren.net/Linux/CentOS/6/os/x86_64/

为什么在上述的网址内呢？有什么特色？**最重要的特色就是 repodata 的目录。该目录就是分析 rpm 软件后所产生的软件属性相依数据放置处。**因此，当你要找容器所在网址时，最重要的就是该网址下面一定要有个名为 repodata 的目录存在，那就是容器的网址了。现在让我们修改一下 yum 配置文件。

```
[root@www ~]# vim /etc/yum.repos.d/CentOS-Base.repo
[base]
name=CentOS-$releasever - Base
mirrorlist=http://mirrorlist.centos.org/?release=$releasever&arch=$basearch
&repo=os
#baseurl=http://mirror.centos.org/centos/$releasever/os/$basearch/
gpgcheck=1
gpgkey=file:///etc/pki/rpm-gpg/RPM-GPG-KEY-CentOS-6
```

如上述代码所示，鸟哥仅列出了 base 这个容器的原始内容，其他的容器内容请自行查阅。上面的数据中需要注意的是以下几项。

- [base]

  代表容器的名字，中括号一定要存在，里面的名称则可以随意取。但是不能有两个相同的容器名称，否则 yum 会不知道该到哪里去找容器相关软件列表文件。

- name

  只是说明一下这个容器的意义而已，重要性不高。

- mirrorlist=

  列出这个容器可以使用的镜像站点，如果不想使用，可以注释掉这行。由于下面我们是直接设置镜像站点，因此这行以后确实是需要注释掉的。

- baseurl=

  这个最重要，因为后面接的就是容器的实际网址，mirrorlist 是由 yum 程序自行去获取镜像站点，baseurl 则是指定固定的一个容器网址。我们将刚刚找到的网址放到这里来。

- enable=1

  就是启动这个容器。如果不想启动可以使用 enable=0。

- gpgcheck=1

  还记得 rpm 的数字签名吗？这就是指定是否需要查阅 rpm 文件内的数字签名。

- gpgkey=

  就是数字签名的公钥文件所在位置，使用默认值即可。

了解这个配置文件之后，接下来让我们修改整个文件的内容，让这台主机可以直接使用高速网络中心的资源。修改时鸟哥仅列出 base 这个容器项目而已，其他的项目请您自行依照上述的做法来处理即可。

```
[root@www ~]# vim /etc/yum.repos.d/CentOS-Base.repo
[base]
name=CentOS-$releasever - Base
baseurl=http://ftp.twaren.net/Linux/CentOS/6/os/x86_64/    <==就属它最重要
gpgcheck=1
gpgkey=file:///etc/pki/rpm-gpg/RPM-GPG-KEY-CentOS-6
# 下面其他的容器项目，请自行到高速网络中心去查询后自己处理

[root@www ~]# yum clean all   <==改过配置文件，最好清除已有清单
```

接下来当然就是给它测试一下了。如何测试呢？再次使用 yum 即可。

```
# 范例：列出目前 yum server 所使用的容器有哪些
[root@www ~]# yum repolist all
repo id          repo name                 status
base             CentOS-6 - Base           enabled: 6,019
c6-media         CentOS-6 - Media          disabled
centosplus       CentOS-6 - Plus           disabled
contrib          CentOS-6 - Contrib        disabled
debug            CentOS-6 - Debuginfo      disabled
extras           CentOS-6 - Extras         enabled:     0
updates          CentOS-6 - Updates        enabled: 1,042
repolist: 7,061
# 在 status 上写 enabled 才是启动的！由于 /etc/yum.repos.d/
# 有多个配置文件，所以你会发现还有其他的容器存在
```

由于我们是修改系统默认的配置文件，事实上，我们应该在 /etc/yum.repos.d/ 下面新建一个文件，该扩展名必须是 .repo 才行。但因为我们使用的是特定的镜像站点，而不是其他软件开发提供的容器，因此才修改系统默认的配置文件。但是可能由于使用的容器版本有新旧之分，yum 会先下载容器的清单到本机的 /var/cache/yum 里面去。那我们修改了网址却没有修改容器名称（中括号内的文字），可能就会造成本机的列表与 yum 服务器的列表不同步，此时就会出现无法更新的问题了。

那怎么办？很简单，清除掉本机上面的旧数据即可。不需要手动处理，通过 yum 的 clean 项目来处理即可。

```
[root@www ~]# yum clean [packages|headers|all]
选项与参数：
 packages：将已下载的软件文件删除
 headers ：将下载的软件文件头删除
 all     ：将所有容器数据都删除

# 范例：删除已下载过的所有容器的相关数据（含软件本身与列表）
[root@www ~]# yum clean all
```

例题

有一个网址：http://free.nchc.org.tw/drbl-core/i386/RPMS.drbl-stable/，里面包含了台湾地区的高速网络中心所发展的自由软件。请依据该网址提供的数据，做成系统可以自动安装的 yum 格式。

答：由于 http://free.nchc.org.tw/drbl-core/i386/RPMS.drbl-stable/ 里面就有 repodata/ 目录，因此，这个网址可以直接做成 yum 的容器配置文件。可以这么做：

```
[root@www ~]# vim /etc/yum.repos.d/drbl.repo
[drbl]
name=This is DRBL site
baseurl=http://free.nchc.org.tw/drbl-core/i386/RPMS.drbl-stable/
enable=1
gpgcheck=0

[root@www ~]# yum search drbl
Loaded plugins: fastestmirror
Loading mirror speeds from cached hostfile
========================== Matched: drbl ==============================
clonezilla.i386 : Opensource Clone System (ocs), clonezilla
drbl.i386 : DRBL (Diskless Remote Boot in Linux) package.
drbl-chntpw.i386 : Offline NT password and registry editor
....(下面省略)....

[root@www ~]# yum repolist all
Loaded plugins: fastestmirror
Loading mirror speeds from cached hostfile
repo id          repo name                   status
base             CentOS-6 - Base             enabled: 6,019
c6-media         CentOS-6 - Media            disabled
centosplus       CentOS-6 - Plus             disabled
contrib          CentOS-6 - Contrib          disabled
debug            CentOS-6 - Debuginfo        disabled
drbl             This is DRBL site           enabled:     36 <==新的在此！
extras           CentOS-6 - Extras           enabled:      0
updates          CentOS-6 - Updates          enabled: 1,042
repolist: 7,097
```

从上述代码可以看出，drbl 这个新增的容器里面拥有 36 个软件。这样够清楚吗？

7.3 限制连接端口（Port）

为什么我们的主机会响应网络上面的一些数据包要求呢？例如，我们设置了一台 WWW 主机后，当有来自 Internet 的 WWW 要求时，我们的主机就会予以响应。这是因为我们的主机已经启用了 WWW 的监听端口，所以，当我们启用一个 daemon 时，就可能会触发主机的端口进行监听的动作，此时该 daemon 就已经对网络上面提供服务了。万一这个 daemon 程序有漏洞，由于它提供 Internet 的服务，所以就容易被 Internet 上面的 Cracker 所攻击。所以，仔细检查自己系统上面的端口到底开了多少个，并且予以严格的管理，才能够降低被攻击的可能性。

7.3.1 什么是 Port

当你启动一个网络服务时，这个服务会依据 TCP/IP 的相关通信协议启动一个端口进行监听，那就是 TCP/UDP 数据包的 Port（端口）了。我们从第 2 章中知道网络连接是双向的，服务器端需要启动一个监听的端口，客户端需要随机启动一个端口来接收响应的数据才行。那么服务器端的服务是否需要启动在固定的端口？客户端的端口是否又是固定的呢？我们先将第 1 章中与 Port 有关的资料总结一下。

- **服务器端启动的监听端口所对应的服务是固定的**

  例如 WWW 服务开启在 Port 80、FTP 服务开启在 Port 21、E-mail 传送开启在 Port 25 等，都是通信协议上面的规范。

- **客户端启动程序时，随机启动一个大于 1024 以上的端口**

  客户端启动的 Port 是随机产生的，主要是开启大于 1024 以上的端口。这个 Port 也是由某些软件所产生的，例如浏览器、Filezilla 这个 FTP 客户端程序等。

- **一台服务器可以同时提供多种服务**

  所谓的“监听”是某个服务程序会一直常驻在内存当中，所以该程序启动的 Port 就会一直存在。只要服务器软件激活的端口不同，那就不会造成冲突。当客户端连接到此服务器时，通过不同的端口就可以取得不同的服务数据，所以，一台主机上面当然可以同时启动很多不同的服务。

- **共 65536 个 Port**

  从第 2 章的 TCP/UDP 报头数据中可以知道 Port 占用 16 个位，因此一般主机会有 65536 个 Port，而这些 Port 又分成两个部分，以 Port 1024 分开。

  - **只有 root 才能启动保留的 Port**：在小于 1024 的端口，都是需要以 root 的身份才能启动的，这些 port 主要是用于一些常见的通信服务，在 Linux 系统下，常见的协议与 Port 的对应是记录在 /etc/services 里面的。
  - **大于 1024 用于 Client 端的 Port**：大于 1024 以上的 Port 主要是作为 Client 端的软件激活端口。

- **是否需要三次握手**

  建立可靠的连接服务需要使用到 TCP 协议，也就需要所谓的三次握手了，如果是非面向连接的服务，例如 DNS 与视频系统，那只要使用 UDP 协议即可。

- **通信协议可以启用在非正规的 Port**

  我们知道浏览器默认会连接到 WWW 主机的 Port 80，那么 WWW 是否可以启动在非 80 的其他端口？当然可以，你可以通过 WWW 软件的设置功能将该软件使用的 Port

启动在非正规的端口，只是如此一来，您的客户端要连接到你的主机时，就需要在浏览器的地方额外指定你所启用的非正规的端口才行。这个启动在非正规的端口功能，常常被用在一些所谓的地下网站。另外，某些软件默认就启动大于 1024 以上的端口，如 MySQL 数据库软件就启动在 3306。

- **所谓的 Port 安全性**

  事实上，**没有所谓的 Port 安全性。因为 Port 的启用是由服务软件所造成的**，也就是说，真正影响网络安全的并不是 Port，而是启动 Port 的那个软件（程序）。或许你偶尔会听到："没有修补过漏洞的 bind 8.x 版，很容易被黑客所入侵，请尽快升级到 bind 9.x 以后版本"，所以，**对安全真正有危害的是某些不安全的服务而不是开了哪些 Port**。因此，没有必要的服务就将其关闭吧。尤其是某些网络服务还会启动一些 Port。另外，那些已启动的软件也需要持续的保持更新。

7.3.2 端口的查看：netstat、nmap

好了，我们现在知道 Port 是什么了，接下来就要了解一下我们的主机到底是开了多少 Port 呢？由于 Port 的启动与服务有关，那么服务跟 port 对应的文件是哪一个？再提醒一次，是/etc/services。而常用来查看 Port 的程序有两个。

- netstat：在本机上面以自己的程序监测自己的 Port。
- nmap：通过网络的检测软件辅助，可检测非本机上的其他网络主机，但有违法之虞。

怎么使用 nmap 会违法？由于 nmap 的功能太强大了，所以很多 Cracker 会直接以它来探测别人的主机，这个时候就可能造成违法了。只要你使用 nmap 的时候不去探测别人的计算机主机，那么就不会有问题了。下面我们分别来说一说这两个宝贝吧。

1. netstat

在作为服务器的 Linux 系统中，**开启的网络服务越少越好**，因为较少的服务容易排错（Debug）与了解安全漏洞，并可避免不必要的入侵管道。所以，这个时候请了解一下您的系统当中有没有哪些服务被开启了呢？要了解自己的系统当中的服务项目，最简便的方法就是使用 netstat 了，它不但简单，而且功能也是很不错的。这个命令的使用方法在第 5 章中提过了，下面我们仅介绍如何使用这个工具。

- **列出正在监听的网络服务**

```
[root@www ~]# netstat -tunl
ctive Internet connections (only servers)
Proto Recv-Q Send-Q Local Address          Foreign Address         State
tcp        0      0 0.0.0.0:111            0.0.0.0:*               LISTEN
tcp        0      0 0.0.0.0:22             0.0.0.0:*               LISTEN
```

```
tcp        0      0 127.0.0.1:25          0.0.0.0:*               LISTEN
....(下面省略)....
```

上面的代码说明主机至少启动了 Port 111、22、25 等，而且查看各连接接口后可发现 25 为 TCP 端口，但只针对内部循环测试网络提供服务，因特网是连不到该端口的。至于 Port 22 则有提供因特网的连接功能。

■ **列出已连接的网络连接状态**

```
[root@www ~]# netstat -tun
Active Internet connections (w/o servers)
Proto Recv-Q Send-Q Local Address          Foreign Address        State
tcp        0     52 192.168.1.100:22       192.168.1.101:2162     ESTABLISHED
```

从上面的数据来看，本地端服务器（Local Address, 192.168.1.100）目前仅有一条已建立的连接，那就是与 192.168.1.101 那台主机的连接，并且连接方向是由对方连接到我主机的 Port 22 来取用我服务器的服务。

■ **删除已建立或在监听当中的连接**

如果想要将已经建立，或者是正在监听当中的网络服务关闭的话，最简单的方法当然就是找出该连接的 PID，然后将他 kill 掉即可。例如下面的范例：

```
[root@www ~]# netstat -tunp
Active Internet connections (w/o servers)
Proto Recv-Q Send-Q Local Address    Foreign Address      State       PID/P name
tcp        0     52 192.168.1.100:22 192.168.1.101:2162  STABLISHED 1342/0
```

如上面的范例，我们可以找出来该连接是由 sshd 这个程序来启用的，并且它的 PID 是 1342，希望你不要心急的用 killall 这个命令，否则容易删错人（因为你的主机里面可能会有多个 sshd 存在），应该使用 kill 命令才对。

```
[root@www ~]# kill -9 1342
```

2. nmap

如果你要探测的设备并没有可让你登录的操作系统时，那该怎么办？举例来说，你想要了解一下公司的网络打印机是否开放某些协议时，那该如何处理啊？netstat 可以用来查阅本机上面的许多监听中的通信协议，那诸如网络打印机这样的非本机的设备，要如何查询啊？可以用 nmap。

nmap 的软件名称说明为“Network exploration tool and security / port scanner”，顾名思义，它是被系统管理员用来管理系统安全性检查的工具。在具体描述当中也提到了，nmap

可以通过程序内部自行定义的几个 Port 对应的指纹数据来查出该 Port 的服务为何，所以我们也可以借此了解 Port 到底是干什么用的，在 CentOS 里头是有提供 nmap 的，如果你没有安装，那么就使用 yum 去安装吧。

```
[root@www ~]# nmap [扫描类型] [扫描参数] [hosts 地址与范围]
选项与参数：
[扫描类型]：主要的扫描类型有下面几种：
    -sT：扫描 TCP 数据包已建立的连接 connect()
    -sS：扫描 TCP 数据包带有 SYN 卷标的数据
    -sP：以 ping 的方式进行扫描
    -sU：以 UDP 的数据包格式进行扫描
    -sO：以 IP 的协议 (protocol) 进行主机的扫描
[扫描参数]：主要的扫描参数有几种：
    -PT：使用 TCP 里头的 ping 的方式来进行扫描，可以获知目前有几台计算机存在(较常用)
    -PI：使用实际的 ping (带有 ICMP 数据包的) 来进行扫描
    -p ：这个是 port range，例如 1024-、80-1023、30000-60000 等的使用方式
[Hosts 地址与范围]：这个有趣多了，有几种类似的类型
    192.168.1.100  ：直接写入 HOST IP 而已，仅检查一台
    192.168.1.0/24 ：为 C Class 的形态
    192.168.*.*    ：嘿嘿！则变为 B Class 的形态了！扫描的范围变广了
    192.168.1.0-50,60-100,103,200 ：这种是变形的主机范围

# 范例一：使用默认参数扫描本机所启用的 port (只会扫描 TCP)
[root@www ~]# yum install nmap
[root@www ~]# nmap localhost
PORT    STATE SERVICE
22/tcp  open  ssh
25/tcp  open  smtp
111/tcp open  rpcbind
# 在默认的情况下，nmap 仅会扫描 TCP 的协议
```

nmap（注 1）的用法很简单，直接在命令后面接上 IP 或者是主机名即可。不过，在默认的情况下 nmap 仅会帮你分析 TCP 这个通信协议而已，例如上面这个例子的输出结果。但优点是可将开启该端口的服务也列出来了，真是好！那如果想要同时分析 TCP/UDP 这两个常见的通信协议呢？可以这样做：

```
# 范例二：同时扫描本机的 TCP/UDP 端口
[root@www ~]# nmap -sTU localhost
PORT    STATE SERVICE
22/tcp  open  ssh
25/tcp  open  smtp
111/tcp open  rpcbind
111/udp open  rpcbind  <==会多出 UDP 的通信协议端口
```

与前面的范例比较一下，你会发现这次多了几个 UDP 的端口，这样就好分析多了。然后，如果你想要了解一下到底有几台主机运行在你的网络当中时，则可以这样做：

```
# 范例三：通过 ICMP 数据包的检测，分析局域网内有几台主机是启动的
[root@www ~]# nmap -sP 192.168.1.0/24
Starting Nmap 5.21 ( http://nmap.org ) at 2011-07-20 17:05 CST
Nmap scan report for www.centos.vbird (192.168.1.100)
Host is up.
Nmap scan report for 192.168.1.101 <==这三行讲的是 192.168.101 的范例
Host is up (0.00024s latency).
MAC Address: 00:1B:FC:58:9A:BB (Asustek Computer)
Nmap scan report for 192.168.1.254
Host is up (0.00026s latency).
MAC Address: 00:0C:6E:85:D5:69 (Asustek Computer)
Nmap done: 256 IP addresses (3 hosts up) scanned in 3.81 seconds
```

看到了吗？鸟哥的环境当中有三台主机正在运行（Host is up），并且该 IP 所对应的 MAC 也会被记录下来，很不错吧。如果你还想要将各个主机的启动 Port 做一番检测的话，那就需要使用：

```
[root@www ~]# nmap 192.168.1.0/24
```

之后你就会看到一堆 Port Number 被输出到屏幕上了。如果想要随时记录整个网段的主机是否不小心开放了某些服务，可以利用 nmap 配合数据流重导向（>, >> 等）来输出成为文件，那就可以随时掌握局域网内每台主机的服务启动状况了。

请特别留意，这个 nmap 的功能相当强大，也是因为如此，所以很多刚在练习的黑客会使用这个软件来探测别人的计算机。这个时候请您特别留意，目前很多人已经都利用特别的方式来进行登录的工作，例如以 TCP Wrappers（/etc/hosts.allow、/etc/hosts.deny）的功能来记录曾经侦测过该 Port 的 IP，这个软件用来探测自己机器的安全性是很不错的，但是如果用来侦测别人的主机，可是会吃上官司的，请特别留意！

7.3.3　端口与服务的启动/关闭及开机时状态设定

从第 2 章的内容我们就知道，**其实 Port 是在执行某些软件之后被软件激活的，所以要关闭某些 port 时，可直接将某个程序关闭就好了。**关闭的方法当然可以使用 kill，不过这毕竟不是正统的解决之道，因为 kill 这个命令通常具有强制关闭某些程序的功能。若想正常关闭该程序，可利用系统给我们的 script 即可。在此同时，我们再来稍微复习一下，一般传统的服务有哪些类型。

1. stand alone 与 super daemon

我们在基础学习篇内谈到，在一般正常的 Linux 系统环境下，服务的启动与管理主要有两种方式。

- stand alone

  顾名思义，stand alone 就是直接执行该服务的可执行文件，让该执行文件直接加载到内存当中运行，用这种方式来启动的优点是可以让该服务具有较快速的响应。一般来说，这种服务的启动 script 都会放置到 /etc/init.d/ 这个目录下面，所以通常可以使用“/etc/init.d/sshd restart”之类的方式来重新启动这种服务。

- super daemon

  用一个超级服务作为总管来统一管理某些特殊的服务。在 CentOS 6.x 里面使用的是 xinetd 这个 super daemon。这种方式启动的网络服务虽然在响应速度上会比较慢，不过，可以通过 super daemon 额外提供一些管理，例如控制何时启动、何时可以进行连接、哪个 IP 可以连进来、是否允许同时连接等。通常个别服务的配置文件放置在 /etc/xinetd.d/ 当中，但设置完毕后需要以“/etc/init.d/xinetd restart”来重新启动才行。

关于更详细的服务说明，请参考基础篇的认识服务一文，鸟哥在这里不再赘述。好，那么如果我想要将系统上面的 Port 111 关闭的话，应该如何操作呢？最简单的方法就是先找出那个 Port 111 的启动程序。

```
[root@www ~]# netstat -tnlp | grep 111
tcp        0      0 0.0.0.0:111       0.0.0.0:*           LISTEN   990/rpcbind
tcp        0      0 :::111            :::*                LISTEN   990/rpcbind
# 原来用的是 rpcbind 这个服务程序

[root@www ~]# which rpcbind
/sbin/rpcbind
# 找到文件后，再以 rpm 处理

[root@www ~]# rpm -qf /sbin/rpcbind
rpcbind-0.2.0-8.el6.x86_64
# 找到了,就是这个软件！所以将它关闭的方法可能就是：

[root@www ~]# rpm -qc rpcbind | grep init
/etc/rc.d/init.d/rpcbind
[root@www ~]# /etc/init.d/rpcbind stop
```

通过上面的这个分析流程，就可以利用系统提供的很多方便的工具来完成某个服务的关闭。为什么这么麻烦？不是利用 kill -9 990 就可以删掉该服务了吗？是的，没错，不过，你知道该服务是做什么用的吗？你知道将它关闭之后你的系统会出什么问题吗？如果不知道的话，那么利用上面的流程就可以找出该服务软件，再利用 rpm 查询功能，就能够知道该服务的作用了。所以说，这个方式还是对您有帮助的。下面请您试着将 CentOS 或者是其他版本的 Linux 的 Telnet 打开试一下。

例题

我们知道系统的 Telnet 服务通常是以 super daemon 来管理的，请您试着启动系统的 Telnet。

答：

1）要启动 Telnet 首先必须要安装 Telnet 的服务器才行，所以请先以 rpm 查询一下是否安装 telnet-server："rpm -qa | grep telnet-server"。如果没有安装的话，请利用光盘来安装，或者使用"yum install telnet-server"安装一下。

2）由于是 super daemon 管理，所以请编辑 /etc/xinetd.d/telnet 这个文件，将其中的"disable = yes"改成"disable = no"，之后用"/etc/init.d/xinetd restart"重新启动 super daemon。

3）利用 netstat -tnlp 查看是否有启动 Port 23。

2. 默认启动的服务

刚刚上面的做法仅是立即将该服务启动或关闭，并不会影响到下次开机时这个服务是否默认启动的情况。如果你想要在开机的时候就启动或不启动某项服务，那就需要了解一下基础学习篇里面谈到的开机流程管理的内容了。在 Unix-Like 的系统当中我们都是通过 runlevel 来设置某些执行等级需要启动的服务，以 Red Hat 系统为例，这些 runlevel 启动的数据都是放置在 /etc/rc.d/rc[0-6].d/ 里面的，那如何管理该目录下的 script 呢？如果采用手动处理会很繁琐且容易出错，所以你必须要熟悉 chkconfig 或 Red Hat 系统的 ntsysv 这几个命令才行。

这几个命令不熟吗？这个时候鸟哥不得不说了："有 man 堪用直需用，莫待无 man 空自猜"，赶紧 man 一下吧。

例题

①如何查阅 rpcbind 这个程序是否一开机就启动？②如果开机就启动，那如何将它改为开机时不要启动？③如何立即关闭这个 rpcbind 服务？

答：

1）可以通过“chkconfig --list | grep rpcbind”与“runlevel”确认一下 rpcbind 是否启动。

2）如果已启动，可通过“chkconfig --level 35 rpcbind off”来设置开机时不要启动。

3）可以通过“/etc/init.d/rpcbind stop”来立即关闭它。

你一定会问：“鸟哥，你的意思是只要将系统所有的服务都关闭，那系统就会安全了？”当然不是！因为**很多的系统服务是必须存在的，否则系统将会出问题**。举例来说，那个保持系统可以具有计划任务的 crond 服务就一定要存在，而那个记录系统状况的 rsyslogd 也一定要存在，否则怎么知道系统出了什么问题？所以，除非你知道每个服务的目的是什么，否则不要随便关闭该服务。下面鸟哥列出几个常见的必须要存在的系统服务给大家参考，如表 7-1 所示，这些服务请不要关闭啊！

表 7-1 常见的必须要存在的系统服务

服务名称	服务内容
acpid	新版的电源管理模块，通常建议开启，不过，某些笔记本电脑可能不支持此项服务，那就得关闭
atd	在管理单一计划命令时执行的服务，应该要启动的
crond	是管理计划任务的重要服务，请务必要启动
haldaemon	用于系统硬件变更检测的服务，与 USB 设备关系很大
iptables	Linux 内建的防火墙软件，这个也可以启动
network	这个很重要，要网络就要有它
postfix	系统内部邮件传递服务，不要随便关闭
rsyslog	系统的登录文件记录，很重要的，务必启动
sshd	这是系统默认会启动的，可以让你在远程以文字界面的终端机登录
xinetd	就是 super daemon，所以也要启动

上面列出的是主机需要的重点服务，请您不要关闭它们，除非你知道关闭了之后会有什么后果。举例来说，你如果不需要管理电源，那么将 acpid 关闭也没有关系；如果你不需要提供远程连接功能，那么 sshd 也可以关闭。那其他你不知道的服务怎么办？没关系，只要不是网络服务，你都可以保留。如果是网络服务呢？那鸟哥建议你不知道的服务就先关闭它，以后我们谈到每个相关的服务时，再一个一个打开即可。下面我们就来介绍关闭网络服务这个部分。

7.3.4 安全性考虑——关闭网络服务端口

我们的 Linux Distribution 很好心地帮用户想到了很多，所以在安装完毕之后，系统会开启一堆网络服务，例如 rpcbind，这些东西你或许知道、或许不知道，不过它就是已开启。但我们的主机明明就是用来作为服务器的，这些本来预计要给 Client 使用的服务其实有点多此一举的感觉，所以，请你将它们关闭吧。下面我们通过一个简单的例子来处理，将你的网络服务关闭就好，其他在系统内部的服务就暂时保留吧。

例题

找出目前系统上面正在运行的服务，并且找到相对应的启动脚本（在 /etc/init.d 内的文件名之意）。

答：利用 netstat -tunlp 找出服务即可。以鸟哥从第 1 章安装的示范机为例，鸟哥目前启动的网络服务有下面这些：

```
[root@www ~]# netstat -tlunp
Active Internet connections (only servers)
Proto  Local Address          State      PID/Program name
tcp    0.0.0.0:22             LISTEN     1176/sshd
tcp    127.0.0.1:25           LISTEN     1252/master
tcp    0.0.0.0:37753          LISTEN     1008/rpc.statd
tcp    :::22                  LISTEN     1176/sshd
tcp    :::23                  LISTEN     1851/xinetd
tcp    ::1:25                 LISTEN     1252/master
tcp    :::38149               LISTEN     1008/rpc.statd
tcp    0.0.0.0:111            LISTEN     1873/rpcbind
tcp  0 :::111                 LISTEN     1873/rpcbind
udp  0 0.0.0.0:111                       1873/rpcbind
udp  0 0.0.0.0:776                       1873/rpcbind
udp  0 :::111                            1873/rpcbind
udp  0 :::776                            1873/rpcbind
udp    0.0.0.0:760                       1008/rpc.statd
udp    0.0.0.0:52525                     1008/rpc.statd
udp    :::52343                          1008/rpc.statd
# 上述的输出鸟哥有稍微简化一些喔，所以有些字段不见了
# 这个重点只是要展现出最后一个字段而已
```

看起来总共有 sshd、master、rpc.statd、xinetd、rpcbind 等这几个服务，对照前一小节的数据内容来看，master（Port 25）、sshd 不能关掉，那么其他的就予以关闭吧。通过前两个小节的介绍，使用 which 与 rpm 搜索一下，举例来说，rpc.statd 的启动脚本在“rpm -qc $（rpm -qf $（which rpc.statd））| grep init”，结果是在“/etc/rc.d/init.d/nfslock”这里找到。因此最终的结果如下：

```
rpc.statd /etc/rc.d/init.d/nfs
          /etc/rc.d/init.d/nfslock
          /etc/rc.d/init.d/rpcgssd
          /etc/rc.d/init.d/rpcidmapd
          /etc/rc.d/init.d/rpcsvcgssd
xinetd    /etc/rc.d/init.d/xinetd
rpcbind   /etc/rc.d/init.d/rpcbind
```

接下来就是将该服务关闭，并且设置为开机不启动。

```
[root@www ~]# vim bin/closedaemon.sh
for daemon in nfs nfslock rpcgssd rpcidmapd rpcsvcgssd xinetd rpcbind
do
        chkconfig $daemon off
        /etc/init.d/$daemon stop
done
[root@www ~]# sh bin/closedaemon.sh
```

做完上面的例子，你再次使用 netstat –tlunp 之后，会得到仅剩 Port 25、22 而已。因此，绝大部分服务器用不到的服务已被关闭，而且即使重新启动也不会被启动了。

7.4 SELinux 管理原则

SELinux 使用所谓的委任式访问控制（Mandatory Access Control, MAC），它可以针对特定的程序与特定的文件资源来进行权限的管理。也就是说，即使你是 root，那么在使用不同的程序时，你所能取得的权限也不一定是 root，需要视当时该程序的设置而定。如此一来，我们针对控制的主体就变成了程序而不是用户了。因此，这个权限的管理模式就特别适合网络服务的程序。因为，即使你的程序使用 root 的身份去启动，如果这个程序被攻击而被取得操作权，那该程序能做的事情还是有限的，因为被 SELinux 限制住了能执行的操作。

例如，WWW 服务器软件的实现程序为 httpd 这个程序，而默认情况下，httpd 仅能在 /var/www/ 这个目录下面访问文件，如果 httpd 这个程序想要到其他目录去访问数据时，除了规则设置要开放外，目标目录也需要设置成 httpd 可读取的模式（Type）才行，限制非常多，所以，即使不小心 httpd 被 Cracker 取得了控制权，Cracker 也无权浏览 /etc/shadow 等重要的配置文件。

7.4.1 SELinux 的工作模式

再次说明一下，SELinux 是通过 MAC 的方式来管理程序，它控制的主体是程序，而目标则是该程序能否读取的文件资源，所以先来说明一下它们之间的相关性吧。

- **主体（Subject）**

  SELinux 主要管理的就是程序，因此你可以将“主体”跟本章谈到的 Process 划上等号。

- **目标（Object）**

  主体程序访问的目标资源一般就是文件系统。因此这个目标项目可以跟文件系统划上等号。

- **策略（Policy）**

  由于程序与文件数量庞大，因此 SELinux 会依据某些服务来制订基本的访问安全性策略。这些策略内还会有详细的规则（Rule）来指定不同的服务开放某些资源的访问与否。在目前的 CentOS 6.x 里面仅提供 targeted 和 mls 两个主要的策略，一般来说，使用默认的 targeted 策略即可。

  - targeted：针对网络服务限制较多，针对本机限制较少，是默认的策略。
  - mls：完整的 SELinux 限制，限制方面较为严格。

- **安全性环境（Security Context）**

  我们刚刚谈到了主体、目标与策略，但是主体除了要符合指定策略之外，**主体与目标的安全性环境必须一致才能够顺利访问目标**。这个安全性环境（Security Context）有点类似于文件系统的 rwx。安全性环境的内容与设置是非常重要的，如果设置错误，你的某些服务（主体程序）就无法访问文件系统（目标资源），当然就会一直出现“权限不符”的错误信息了。

SELinux 工作的各组件的相关性如图 7–3 所示。

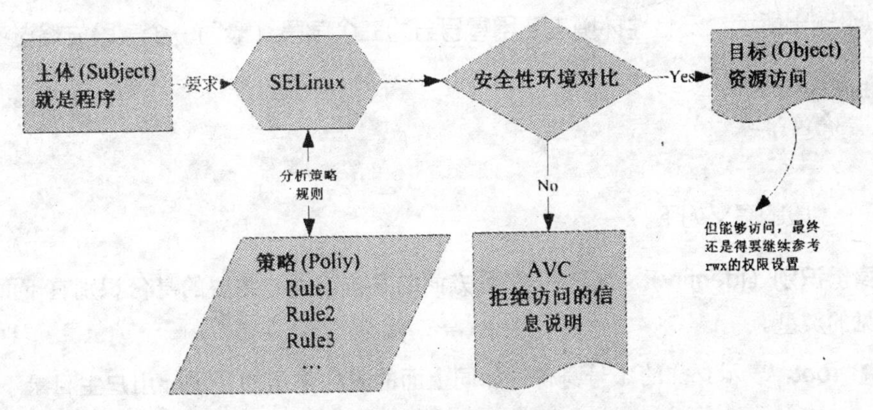

图 7-3　SELinux 工作的各组件的相关性（本图参考小州老师的上课讲义）

图 7-3 的重点是：主体如何取得目标的资源访问权限。由图 7-3 我们可以发现，①主体程序必须要通过 SELinux 策略内的规则放行后，才可以与目标资源进行安全性环境的比对，若比对失败则无法访问目标，②若比对成功则可以开始访问目标。问题是，最终能否访问目

标还是与文件系统的 rwx 权限设置有关。如此一来，加入了 SELinux 之后，出现权限不符的情况时，你就需要一步一步地分析问题可能的原因了。

1. 安全性环境（Security Context）

CentOS 6.x 的 targeted 策略已经帮我们制订好非常多的规则了，因此你只要知道如何开启/关闭某项规则即可。安全性环境比较麻烦，因为你可能需要自行配置文件的安全性环境。为何需要自行设置啊？举例来说，你不也常常进行文件的 rwx 的重新设置吗？**你可以将安全性环境看成 SELinux 内必备的 rwx**，这样比较好理解。

安全性环境存在于主体程序中与目标文件资源中。程序在内存内，所以安全性环境可以存入是没问题。那文件的安全性环境记录在哪里呢？事实上，**安全性环境是放置到文件的 inode 内的**，因此主体程序想要读取目标文件资源时，同样需要读取 inode 就可以比对安全性环境以及 rwx 等权限值是否正确，从而给予适当的读取权限依据。

那么安全性环境到底是如何存在呢？我们先来看看 /root 下面的文件的安全性环境。可使用“ls -Z”去查看查看安全性环境（注意：你必须已经启动了 SELinux 才行，若尚未启动，这部分请稍微看过一遍即可，下面会介绍如何启动 SELinux）：

```
[root@www ~]# ls -Z
-rw-------. root  root  system_u:object_r:admin_home_t:s0      anaconda-ks.cfg
drwxr-xr-x. root  root  unconfined_u:object_r:admin_home_t:s0 bin
-rw-r--r--. root  root  system_u:object_r:admin_home_t:s0      install.log
-rw-r--r--. root  root  system_u:object_r:admin_home_t:s0      install.log.syslog
# 上述加粗字体的部分，就是安全性环境的内容
```

如以下输出所示，安全性环境主要用冒号分为三个字段（最后一个字段先略过不看）：

```
Identify:role:type
身份识别:角色:类型
```

这三个字段的意义如下。

- **身份识别（Identify）**：相当于账号方面的身份识别。主要的身份识别有下面三种常见的类型。
  - **root**：表示 root 的账号身份，如同上面的表格显示的是 root 用户主目录下的数据。
  - **system_u**：表示系统程序方面的识别，通常就是程序。
  - **user_u**：代表的是一般用户账号相关的身份。
- **角色（Role）**：通过角色字段，我们可以知道这个数据是代表程序、文件资源还是用户。

- object_r：代表的是文件或目录等文件资源，这是最常见的。
- system_r：代表的就是程序了。不过，一般用户也会被指定成为 system_r。

- 类型（Type）：在默认的 targeted 策略中，Identify 与 Role 字段基本上是不重要的，重要的在于这个类型（Type）字段。基本上，一个主体程序能不能读取到这个文件资源，与类型字段有关，而类型字段在文件与程序中的定义不太相同，分别是：
  - Type：在文件资源（Object）中称为类型（Type）。
  - Domain：在主体程序（Subject）中则称为域（Domain）。

Domain 需要与 Type 搭配，该程序才能够顺利地读取文件资源。

2. 程序与文件 SELinux Type 字段的相关性

那么这三个字段如何利用呢？首先我们来瞧瞧主体程序在这三个字段的意义。通过身份识别与角色字段的定义，我们可以大概知道某个程序所代表的意义，如表 7-2 所示。

表 7-2 主体程序在三个字段的对应意义

身份识别	角色	该对应在 targeted 的意义
root	system_r	代表供 root 账号登录时所取得的权限
system_u	system_r	由于为系统账号，因此是非交互式的系统运行程序
user_u	system_r	一般可登录用户的程序

如上所述，其实最重要的字段是类型字段，主体与目标之间是否具有可以读写的权限，与程序的 Domain 及文件的 Type 有关。这两者的关系我们可以使用实现 WWW 服务器功能的 httpd 程序与 /var/www/html 网页存储目录来说明。首先，看看两者的安全性环境内容：

```
[root@www ~]# yum install httpd
[root@www ~]# ll -Zd /usr/sbin/httpd /var/www/html
-rwxr-xr-x. root root system_u:object_r:httpd_exec_t:s0 /usr/sbin/httpd
drwxr-xr-x. root root system_u:object_r:httpd_sys_content_t:s0 /var/www/html
# 两者的角色字段都是 object_r，代表都是文件！而 httpd 属于 httpd_exec_t 类型，
# /var/www/html 则属于 httpd_sys_content_t 这个类型
```

由以上输出可知，httpd 属于 httpd_exec_t 这个可以执行的类型，而 /var/www/html 则属于 httpd_sys_content_t 这个可以让 httpd 域（Domain）读取的类型。我们可以使用图 7-4 来说明这两者的关系。

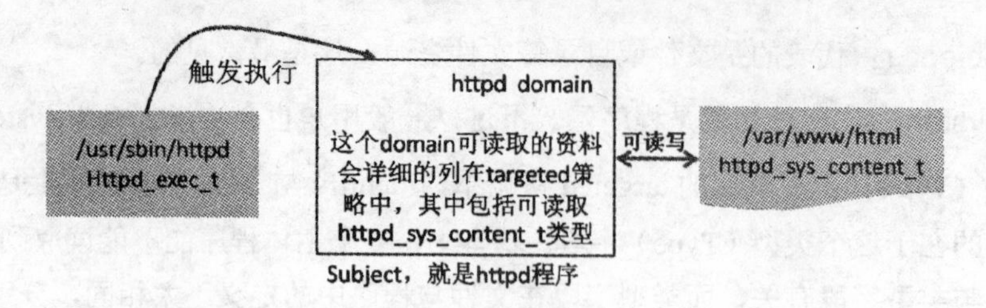

图 7-4 主体程序取得的 Domain 与目标文件资源的 Type 之间的关系

图 7–4 的意义如下。

1）首先，我们触发一个可执行的目标文件，即具有 httpd_exec_t 这个类型的 /usr/sbin/httpd。

2）该文件的类型会让这个文件所造成的主体程序（Subject）具有 httpd 这个域（Domain），我们的策略针对这个域已经制定了许多规则，其中包括这个领域可以读取的目标资源类型。

3）由于 httpd domain 被设置为可以读取 httpd_sys_content_t 这个类型的目标文件（Object），因此将网页放置到 /var/www/html/ 目录下，就能够被 httpd 程序所读取了。

4）但最终能不能读到正确的资料，还要看 rwx 是否符合 Linux 权限的规范。

上述的流程告诉我们几个重点：第一个是策略内需要制订详细的 domain/type 相关性；第二个是若文件的 Type 设置错误，那么即使权限设置为 rwx 全开的 777，该主体程序也无法读取目标文件资源。不过如此一来，也就可以避免用户将他的用户主目录设置为 777 时所造成的权限困扰。

7.4.2 SELinux 的启动、关闭与查看

并非所有的 Linux Distributions 都支持 SELinux 的，所以你必须要先查看一下你的系统版本是否支持 SELinux。鸟哥这里介绍的 CentOS 6.x 本身就支持 SELinux，所以你不需要自行编译 SELinux 到你的 Linux 核心中。目前 SELinux 支持三种模式，分别如下。

- **enforcing**：强制模式，代表 SELinux 运行中，且已经正确的开始限制 domain/type 了。
- **permissive**：宽容模式：代表 SELinux 运作中，不过仅会有警告信息并不会实际限制 Domain/Type 的访问。这种模式可以用来作为 SELinux 的 Debug 之用。
- **disabled**：关闭，SELinux 并没有实际运行。

那你怎么知道目前的 SELinux 模式呢？可通过 getenforce 得知：

```
[root@www ~]# getenforce
Enforcing  <==看！就显示出目前的模式为 Enforcing 了
```

另外，我们又如何知道 SELinux 的策略（Policy）为何呢？这时可以来查看配置文件：

```
[root@www ~]# vim /etc/selinux/config
SELINUX=enforcing        <==调整 enforcing|disabled|permissive
SELINUXTYPE=targeted     <==目前仅有 targeted 与 mls
```

上面是默认的策略与启动的模式。需要注意的是，如果改变了策略则需要重新启动；如果由 enforcing 或 permissive 改成 disabled，或由 disabled 改成其他两个，那也必须要重新启动。这是因为 SELinux 是整合到内核里面去的，你只可以在 SELinux 运行下切换成为强制（Enforcing）或宽容（Permissive）模式，不能够直接关闭 SELinux。如果你发现 getenforce 出现 disabled 时，请将上述文件修改成为 enforcing 然后再重新启动吧。

不过需要注意的是，如果从 disable 转到启动 SELinux 的模式时，由于系统必须要针对文件写入安全性环境的信息，因此开机过程会花费不少时间来等待重新写入 SELinux 安全性环境（有时也称为 SELinux Label），而且在写完之后还需要再次重新启动一次。这需要等待很长一段时间！等到下次开机成功后，再使用 getenforce 来查看是否成功启动到 Enforcing 的模式了。

如果你已经切换成 Enforcing 的模式，但是可能由于一些设置的问题导致 SELinux 让某些服务无法正常运行，此时你可以将 Enforcing 模式改为宽容（Permissive）模式，让 SELinux 只会警告无法顺利连接的信息，而不是直接过滤主体程序的读取权限。让 SELinux 模式在 Enforcing 与 Permissive 之间切换的方法为：

```
[root@www ~]# setenforce [0|1]
选项与参数：
0 ：转成 permissive 宽容模式
1 ：转成 Enforcing 强制模式

# 范例一：将 SELinux 在 Enforcing 与 Permissive 之间切换与查看
[root@www ~]# setenforce 0
[root@www ~]# getenforce
Permissive
[root@www ~]# setenforce 1
[root@www ~]# getenforce
Enforcing
```

不过请注意，setenforce 无法在 Disabled 的模式下面进行模式的切换。

在某些特殊的情况下，从 Disabled 切换成 Enforcing 之后，竟然有一堆服务无法顺利启动，提示你没有权限读取/lib/xxx 里面的数据，所以启动失败。这大多是由于在重新写入 SELinux Type（Relable）时出错之故，使用 Permissive 就没有这个错误。那如何处理呢？最简单的方法就是在 Permissive 的状态下，使用“restorecon -Rv /”重新还原所有 SELinux 的类型，就能够处理这个错误了。

7.4.3 SELinux Type 的修改

既然 SELinux 的类型字段（Type）这么重要，那如何修改与变更这个字段，当然就是最重要的一件事了。首先，我们来看看如果复制一个文件到不同的目录去，会发生什么状况吧。

```
# 范例：将 /etc/hosts 复制到 root 用户主目录，并查看相关的 SELinux 类型变化
[root@www ~]# cp /etc/hosts /root
[root@www ~]# ls -dZ /etc/hosts /root/hosts /root
-rw-r--r--. root root system_u:object_r:net_conf_t:s0  /etc/hosts
dr-xr-x---. root root system_u:object_r:admin_home_t:s0 /root
-rw-r--r--. root root unconfined_u:object_r:admin_home_t:s0 /root/hosts

# 范例：将 /root/hosts 移动到 /tmp 下，并查看相关的 SELinux 类型变化
[root@www ~]# mv /root/hosts /tmp
[root@www ~]# ls -dZ /tmp /tmp/hosts
drwxrwxrwt. root root system_u:object_r:tmp_t:s0       /tmp
-rw-r--r--. root root unconfined_u:object_r:admin_home_t:s0 /tmp/hosts
```

看到了吗？当你单纯地复制时，SELinux 的 Type 字段是会继承自目标目录，所以 /root/hosts 的类型就会变成 admin_home_t 这个类型了。但是如果是移动呢？那么连同 SELinux 的类型也会被移动过去，因此 /tmp/hosts 会依旧保持 admin_home_t 而不会变成 /tmp 的 tmp_t 这个类型。那么，如何将 /tmp/hosts 变更成为最原始的 net_conf_t 这个类型呢？那就需要使用 chcon 了。

1. chcon

```
[root@www ~]# chcon [-R] [-t type] [-u user] [-r role] 文件
[root@www ~]# chcon [-R] --reference=范例文件 文件
选项与参数：
-R  ：连同该目录下的子目录也同时修改
-t  ：后面接安全性环境的类型字段，例如 httpd_sys_content_t
-u  ：后面接身份识别，例如 system_u
-r  ：后面接角色，例如 system_r
--reference=范例文件：拿某个文件当范例来修改后续接的文件类型

# 范例：将刚刚的 /tmp/hosts 类型改为 etc_t 的类型
[root@www ~]# chcon -t net_conf_t /tmp/hosts
[root@www ~]# ll -Z /tmp/hosts
-rw-r--r--. root root unconfined_u:object_r:net_conf_t:s0 /tmp/hosts

# 范例：以 /var/spool/mail/ 为依据，将 /tmp/hosts 修改成该类型
[root@www ~]# ll -dZ /var/spool/mail
drwxrwxr-x. root mail system_u:object_r:mail_spool_t:s0 /var/spool/mail
[root@www ~]# chcon --reference=/var/spool/mail /tmp/hosts
```

```
[root@www ~]# ll -Z /tmp/hosts
-rw-r--r--. root root system_u:object_r:mail_spool_t:s0 /tmp/hosts
```

在 chcon 的修改方式中，我们必须要知道最终的 SELinux Type 是什么类型后才能够变更成功。如果想要进行**“恢复成原有的 SELinux Type”**的操作呢？那可以参考下面的命令来进行。

2. restorecon

```
[root@www ~]# restorecon [-Rv] 文件或目录
选项与参数：
-R  ：连同子目录一起修改
-v  ：将过程显示到屏幕上

# 范例：将刚刚 /tmp/hosts 移动至 /root 并以默认的安全性环境改正过来
[root@www ~]# mv /tmp/hosts /root
[root@www ~]# ll -Z /root/hosts
-rw-r--r--. root root system_u:object_r:mail_spool_t:s0 /root/hosts
[root@www ~]# restorecon -Rv /root
restorecon reset /root/hosts context system_u:object_r:mail_spool_t:s0->
system_u:object_r:admin_home_t:s0
# 上面这两行其实是同一行喔！表示将 hosts 由 mail_spool_t 改为 admin_home_t
```

3. semanage

通过上面这几个练习你就会知道，SELinux Type 恐怕会在文件的复制/移动时产生一些变化，因此需要善用 chcon、restorecon 等命令来进行修订。那你应该还是会想到一件事，那就是 restorecon 怎么会知道每个目录记载的默认 SELinux Type 类型呢？这是因为系统有记录嘛！记录在 /etc/selinux/targeted/contexts，但是该目录内有很多不同的数据，要使用文本编辑器去查阅很麻烦，此时，我们可以通过 semanage 这个命令的功能来查询与修改。

```
[root@www ~]# semanage {login|user|port|interface|fcontext|translation} -l
[root@www ~]# semanage fcontext -{a|d|m} [-frst] file_spec
选项与参数：
fcontext ：主要用在安全性环境方面，-l 为查询的意思
-a ：增加的意思，你可以增加一些目录的默认安全性环境类型设置
-m ：修改的意思
-d ：删除的意思

# 范例：查询一下 /var/www/ 的默认安全性环境设置为何
[root@www ~]# yum install policycoreutils-python
[root@www ~]# semanage fcontext -l | grep '/var/www'
SELinux fcontext          类型          Context
/var/www(/.*)?          all files    system_u:object_r:httpd_sys_content_t:s0
```

```
/var/www(/.*)?/logs(/.*)?  all files      system_u:object_r:httpd_log_t:s0
....(后面省略)....
```

从上面的输出我们知道，其实 semanage 可以处理非常多的任务，不过，在这个小节我们主要讲的是每个目录的默认安全性环境。如上面的范例所示，我们可以查询到每个目录的安全性环境，而目录的设置可以使用正则表达式去指定一个范围。那么如果我们想要增加某些自定义的目录的安全性环境呢？举例来说，我想要将 /srv/vbird 设置成为 public_content_t 的类型时，应该如何指定呢？

```
# 范例：利用 semanage 设置 /srv/vbird 目录的默认安全性环境为 public_content_t
[root@www ~]# mkdir /srv/vbird
[root@www ~]# ll -Zd /srv/vbird
drwxr-xr-x. root root unconfined_u:object_r:var_t:s0   /srv/vbird
# 如上所示，默认的情况应该是 var_t

[root@www ~]# semanage fcontext -l | grep '/srv'
/srv                    directory    system_u:object_r:var_t:s0 <==看这里
/srv/.*                 all files    system_u:object_r:var_t:s0
....(下面省略)....
# 上面则是默认的 /srv 下面的安全性环境数据，不过，并没有指定到 /srv/vbird

[root@www ~]# semanage fcontext -a -t public_content_t "/srv/vbird(/.*)?"
[root@www ~]# semanage fcontext -l | grep '/srv/vbird'
/srv/vbird(/.*)?            all files  system_u:object_r:public_content_t:s0

[root@www ~]# cat /etc/selinux/targeted/contexts/files/file_contexts.local
# This file is auto-generated by libsemanage
# Please use the semanage command to make changes
/srv/vbird(/.*)?    system_u:object_r:public_content_t:s0
# 其实就是写入这个文件的

[root@www ~]# restorecon -Rv /srv/vbird* <==尝试恢复默认值
[root@www ~]# ll -Zd /srv/vbird
drwxr-xr-x. root root system_u:object_r:public_content_t:s0 /srv/vbird
# 有默认值，以后用 restorecon 来修改比较简单
```

semanage 的功能很多，不过鸟哥主要用到的仅有 fcontext 这个项目的操作而已。如上面的输出所示，你可以使用 semanage 来查询所有的目录默认值，也能够使用它来增加默认值的设置。如果您已学会这些基础的工具，那么 SELinux 对你来说，也就不太难了。

7.4.4 SELinux 策略内的规则布尔值修订

前面讲到，要通过 SELinux 的验证之后才能开始文件权限 rwx 的判断，而 SELinux 的判断主要是策略内的规则与文件的 SELinux Type 要符合才能够放行。前一个小节谈的是

SELinux 的 Type，这个小节就是要谈一下策略内的规则了，包括如何查询与修改相关的规则放行。

1. 策略查阅

CentOS 6.x 默认使用 targeted 策略，那么这个策略提供多少相关的规则呢？此时可以通过 seinfo 来查询。

```
[root@www ~]# yum install setools-console
[root@www ~]# seinfo [-Atrub]
选项与参数：
-A  ：列出 SELinux 的状态、规则布尔值、身份识别、角色、类别等所有信息
-t  ：列出 SELinux 的所有类别 (type) 种类
-r  ：列出 SELinux 的所有角色 (role) 种类
-u  ：列出 SELinux 的所有身份识别 (user) 种类
-b  ：列出所有规则的种类 (布尔值)

# 范例一：列出 SELinux 在此策略下的统计状态
[root@www ~]# seinfo
tatistics for policy file: /etc/selinux/targeted/policy/policy.24
Policy Version & Type: v.24 (binary, mls)

   Classes:              77    Permissions:        229
   Sensitivities:         1    Categories:        1024
   Types:              3076    Attributes:         251
   Users:                 9    Roles:               13
   Booleans:            173    Cond. Expr.:        208
   Allow:            271307    Neverallow:           0
   Auditallow:           44    Dontaudit:       163738
   Type_trans:        10941    Type_change:         38
   Type_member:          44    Role allow:          20
   Role_trans:          241    Range_trans:       2590
....(下面省略)....
# 从上面我们可以看到这个策略是 targeted，此策略的 SELinux Type 有 3076 个
# 而针对网络服务的规则 (Booleans) 共制订了 173 条规则

# 范例二：列出与 httpd 有关的规则 (booleans) 有哪些
[root@www ~]# seinfo -b | grep httpd
Conditional Booleans: 173
   allow_httpd_mod_auth_pam
   httpd_setrlimit
   httpd_enable_ftp_server
....(下面省略)....
# 你可以看到，有非常多的与 httpd 有关的规则
```

从上面的输出我们可以看到与 httpd 有关的布尔值，同样的，如果你想要找到有 httpd 字

样的安全性环境类别时，就可以使用 seinfo -t | grep httpd 来查询了。如果查询到相关的类别或者是布尔值后，想要知道详细的规则时，就需要使用 sesearch 这个命令了。

```
[root@www ~]# sesearch [--all] [-s 主体类别] [-t 目标类别] [-b 布尔值]
选项与参数：
--all  ：列出该类别或布尔值的所有相关信息
-t   ：后面还要接类别，例如 -t httpd_t
-b   ：后面还要接布尔值的规则，例如 -b httpd_enable_ftp_server

# 范例一：找出目标文件资源类别为 httpd_sys_content_t 的有关信息
[root@www ~]# sesearch --all -t httpd_sys_content_t
Found 683 semantic av rules:
   allow avahi_t file_type : filesystem getattr ;
   allow corosync_t file_type : filesystem getattr ;
   allow munin_system_plugin_t file_type : filesystem getattr ;
....(下面省略)....
# allow  主体程序安全性环境类别  目标文件安全性环境类别
# 如上，说明这个类别可以被那个主题程序的类别所读取，以及目标文件资源的格式。
```

你可以很轻易地查询到某个主体程序（Subject）可以读取的目标文件资源（Object）。那如果是布尔值呢？里面又规范了什么？让我们来看看：

```
# 范例三：我知道有个布尔值为 httpd_enable_homedirs，请问该布尔值规范了什么？
[root@www ~]# sesearch -b httpd_enable_homedirs --all
Found 43 semantic av rules:
   allow httpd_user_script_t user_home_dir_t : dir { getattr search open } ;
   allow httpd_sys_script_t user_home_dir_t : dir { ioctl read getattr  } ;
....(后面省略)....
```

从这个布尔值的设置我们可以看到，里面规范了非常多的主体程序与目标文件资源的放行与否，所以你要知道，实际规范这些规则的就是布尔值的项目，那也就是我们之前所说的一堆规则。你的主体程序能否对某些目标文件进行访问，与这个布尔值非常有关系，因为布尔值可以将规则设置为启动（1）或者是关闭（0）。

2. 布尔值的查询与修改

上面我们通过 sesearch 知道，其实 Subject 与 Object 能否有访问的权限是与布尔值有关的，那么系统有多少布尔值可以通过 seinfo -b 来查询，每个布尔值是启动的还是关闭的呢？我们就来查询看看：

```
[root@www ~]# getsebool [-a] [布尔值条款]
选项与参数：
-a  ：列出目前系统上面的所有布尔值条款设置为开启或关闭值
```

```
# 范例一：查询本系统内所有的布尔值设置状况
[root@www ~]# getsebool -a
abrt_anon_write --> off
allow_console_login --> on
allow_cvs_read_shadow --> off
....(下面省略)....
# 您看，这就告诉你目前的布尔值状态了
```

那么如果查询到某个布尔值，并且利用 sesearch 知道该布尔值的用途后，想要关闭或启动它，又该如何设置？

```
[root@www ~]# setsebool [-P] 布尔值=[0|1]
选项与参数：
-P  ：直接将设置值写入配置文件，该设置数据未来会生效的

# 范例一：查询 httpd_enable_homedirs 是否为 on，若不为 on 请启动它
[root@www ~]# getsebool httpd_enable_homedirs
httpd_enable_homedirs --> off  <==结果是 off，依题意启动它

[root@www ~]# setsebool -P httpd_enable_homedirs=1
[root@www ~]# getsebool httpd_enable_homedirs
httpd_enable_homedirs --> on
```

这个 setsebool 最好记得一定要加上 -P 的选项，因为这样才能将此设置写入配置文件。这是非常棒的工具组，你一定要知道如何使用 getsebool 与 setsebool 才行。

7.4.5 SELinux 日志文件记录所需的服务

上述的命令功能当中，尤其是 setsebool、chcon、restorecon 等，都是为了当你的某些网络服务无法正常提供相关功能时才需要进行修改的一些命令动作。但是，我们怎么知道哪个时候才需要进行这些命令的修改啊？我们怎么知道系统是因为 SELinux 的问题而导致网络服务出问题的呢？如果都要到客户端连接失败才来处理，那也太没有效率了！所以，CentOS 6.x 提供了几个检测的服务来检测处理在登录 SELinux 时产生的错误，那就是 auditd 与 setroubleshoot。

1. setroubleshoot：将错误信息写入 /var/log/messages

几乎所有 SELinux 相关的程序都会以 se 为开头，这个服务也是以 se 为开头的。而 troubleshoot 大家都知道是错误克服，因此这个 setroubleshoot 自然就需要启动它了。这个服务会将关于 SELinux 的错误信息与克服方法记录到 /var/log/messages 与 /var/log/setroubleshoot/*中，所以你一定要启动这个服务才行。启动这个服务之前当然就是

要安装它了。它总共需要两个软件，分别是 setroublshoot 与 setroubleshoot-server，如果你没有安装，请自行使用 yum 安装吧。

此外，SELinux 信息本来是以两个服务来记录的，分别是 auditd 与 setroubleshoot。既然是同样的信息，因此 CentOS 6.x 将两者整合在 auditd 当中了。所以，setroubleshoot 的服务并不存在。因此，当你安装好了 setroubleshoot-server 之后，请记需要重新启动 auditd，否则 setroubleshoot 的功能不会被启动的。

```
[root@www ~]# yum install setroubleshoot setroubleshoot-server
[root@www ~]# /etc/init.d/auditd restart <==整合到 auditd 当中了
```

事实上，CentOS 6.x 对 setroubleshoot 的运作方式是：①先由 auditd 去呼叫 audispd 服务，②然后 audispd 服务去启动 sedispatch 程序，③sedispatch 再将原本的 auditd 信息转成 setroubleshoot 的信息，进一步存储下来。

那么如果有错误发生时，会出现什么信息呢？我们使用 httpd 程序产生的错误为例来进行说明。假设你需要启动 WWW 服务器，WWW 是由 httpd 服务提供的，因此你必须要安装且启动它才行：

```
[root@www ~]# /etc/init.d/httpd start
[root@www ~]# netstat -tlnp | grep http
tcp      0    0 :::80     :::*          LISTEN       2218/httpd
# 看到了吗？启动 Port 80 了，这是重点
```

这个时候 WWW 服务器就安装妥当了。我们的首页其实是放置到 /var/www/html 目录下的，且文件名必须要是 index.html。那如果我使用下面的模式来进行首页的处理时，可能就会产生 SELinux 的问题了。我们就来模拟一下出问题的状况。

```
[root@www ~]# echo "My first selinux check" > index.html
[root@www ~]# ll index.html
-rw-r--r--. 1 root root 23 2011-07-20 18:16 index.html  <==权限没问题
[root@www ~]# mv index.html /var/www/html
```

此时我们就可以打开浏览器，然后在浏览器上面输入 Linux 自己的 IP 来查看，看能不能连上自己的 WWW 首页。因为我们这次安装并没有图形接口，所以使用 links 来查看 http://localhost/index.html。你会得到如下的信息：

```
[root@www ~]# links http://localhost/index.html -dump
                                    Forbidden
```

```
You don't have permission to access /index.html on this server.

-----------------------------------------------------------------

Apache/2.2.15 (CentOS) Server at localhost Port 80
```

上面的输出最明显的地方就是告诉你，你并没有权限可以访问 index.html。见鬼了，明明权限是对的，怎么说没有权限？没关系，就通过 setroubleshoot 的功能去检查看看。此时请分析一下 /var/log/messages 的内容，如下所示：

```
[root@www ~]# cat /var/log/messages | grep setroubleshoot
Jul 21 14:53:20 www setroubleshoot: SELinux is preventing /usr/sbin/httpd
"getattr" access to /var/www/html/index.html. For complete SELinux messages.
run sealert -l 6c927892-2469-4fcc-8568-949da0b4cf8d
```

上面的错误信息是同一行，大意说的是"SElinux 被用来避免 httpd 读取到错误的安全性环境，想要查阅完整的数据，请执行 sealert –l ..."没错，重点就是 sealert –l 了。上面提供的信息并不完整，想要更完整的说明要靠 sealert 配合侦测到的错误代码来处理。实际处理后是这样的：

```
[root@www ~]# sealert -l 6c927892-2469-4fcc-8568-949da0b4cf8d
Summary:

SELinux is preventing /usr/sbin/httpd "getattr" access to
/var/www/html/index.html.    <==刚刚在 messages 里面看到的信息

Detailed Description:        <==接下来是详细的状况解析

SELinux denied access requested by httpd. /var/www/html/index.html may
be a mislabeled. /var/www/html/index.html default SELinux type is
httpd_sys_content_t, but its current type is admin_home_t. Changing
this file back to the default type, may fix your problem.
....(中间省略)....

Allowing Access:  <==超重要的项目，一定要看

You can restore the default system context to this file by executing the
restorecon command. restorecon '/var/www/html/index.html', if this file
is a directory, you can recursively restore using restorecon -R
'/var/www/html/index.html'.

Fix Command:

/sbin/restorecon '/var/www/html/index.html'  <==知道如何解决了吗
```

```
Additional Information:  <==还有一些额外的信息
....(下面省略)....

[root@www ~]# restorecon -Rv '/var/www/html/index.html'
restorecon reset /var/www/html/index.html context unconfined_u:object_r:
admin_home_t:s0->system_u:object_r:httpd_sys_content_t:s0
```

重点就是上面加粗字体显示的地方。你只要照着“Allowing Access”里面的提示去进行处理，就能够完成 SELinux 类型设置了。比对刚刚我们上个小节提到的 restorecon 与 chcon 你就能够知道，setroubleshoot 提供的信息是多么有效了吧。不管 SELinux 出了什么问题，在 setroubleshoot 的服务中都会告诉你绝大部分问题的解决之道，所以，很多东西都不用背。

2. 用 E-mail 或在命令列上面直接提供 setroubleshoot 错误信息

如果每次测试都要到 /var/log/messages 去分析，那真是挺麻烦的。没关系，我们可以通过 E-mail 或 console 的方式来产生信息。也就是说，我们可以让 setroubleshoot 主动发送产生的信息到我们指定的 E-mail，这样可以方便我们实时的分析。怎么才能办到呢？修改 setroubleshoot 的配置文件即可。你可以查阅 /etc/setroubleshoot/setroubleshoot. cfg 这个文件的内容，我们只需要修改的地方如下：

```
[root@www ~]# vim /etc/setroubleshoot/setroubleshoot.cfg
[email]
# 大约在 81 行左右，这行要存在才行
recipients_filepath = /var/lib/setroubleshoot/email_alert_recipients

# 大约在 147 行左右，将原本的 False 修改成 True
console = True

[root@www ~]# vim /var/lib/setroubleshoot/email_alert_recipients
root@localhost
your@email.address

[root@www ~]# /etc/init.d/auditd restart
```

之后你就可以通过分析 E-mail 来取得 SELinux 的错误信息了，非常简单。只是要注意，在上述填写 E-mail 的文件中不能只写账号，你要连同 @localhost 都写上，这样本机上面的 root 才能收到信件。

3. SELinux 错误克服的总结

我们来简单做个总结吧。因为你的网络连接要通过 SELinux 的权限判定后才能够继续 rwx 的权限比对，而 SELinux 的比对需要通过策略的各项规则比对后才能够进行 SELinux

Type 安全性环境的比对，这两项工作都需要正确才行。而后续的 SELinux 修改主要是通过 chcon、restorecon、setsebool 等命令来处理的。但是如何处理呢？可以通过分析 /var/log/messages 内提供的 setroubleshoot 的信息。这样就可以很轻松地管理 SELinux 了。

但是如果因为某些原因，例如 CentOS 没有规范到的 setroubleshoot 信息时，可能你还是无法了解到问题到底是出在哪里。此时建议这样处理：

1）在服务与 rwx 权限都没有问题，却无法成功的使用网络服务时，先使用 setenforce 0 设置为宽容模式。

2）再次使用该网络服务，如果这样就能用，表示 SELinux 出现问题，请往下继续处理；如果这样还不能用，那问题就不是在 SELinux 上面，请再找其他解决方法，下面的操作不适合你。

3）分析 /var/log/messages 内的信息，找到 sealert –l 相关的信息并且执行。

4）找到 Allow Access 的关键词，按照里面的动作来进行 SELinux 的错误克服。

5）处理完毕重新 setenforce 1，再次测试网络服务。

这样就能够很轻松地管理你的 SELinux 了。不需要想太多，分析日志文件就对啦。

当鸟哥第一次修改 SELinux 的部分时，sealert 部分一直出现错误，信息为：query_alert error (1003)。后来经过更新软件后，又发现无法以 UTF8 进行文字译码，实在伤脑筋。最后还是修改了 /etc/sysconfig/i18n，将里面的数据设置为：LANG=en_US 并且重新启动，才顺利恢复 sealert 的信息说明，真的是很怪异！

7.5 被攻击后的主机修复工作

如果主机被攻击而被取得操作权的话，那么该如何进行修复？如果你要修复的话，作为网管人员还需要哪些额外的技能？下面我们就来谈一谈。

7.5.1 网管人员应具备的技能

从本章第一小节的分析当中我们发现，网管还真的是很累的，他需要对操作系统有一定程度的熟悉，对于程序的运行与权限概念则需要更深入的了解，否则就麻烦了。那除了操作系统的基本概念之外，网管还需要什么特殊技巧呢？**其实一台主机最常发生问题的状况，都是由内部的网络误用所产生的**，所以，你如果只管好主机是没有办法杜绝问题的。下面就来谈谈网管人员所需要的技巧。

- **了解什么是需要保护的内容**

由刚刚我们知道的主机入侵方法当中不难了解，只要有人坐在你的主机前面，那么任何事都有可能发生。因此，如果你的主机相当重要，请不要让任何人靠近。你可以参考一下汤姆·克鲁斯在《不可能的任务》里面要窃取一台计算机内的数据的困难度。

- 硬件：能锁就锁吧。
- 软件：还包含最重要的数据。

- **预防黑客（Black Hats）的入侵**

这可不是开玩笑的，什么是黑客呀？原本在西部电影当中，坏人都是戴黑色帽子的，所以人们就称网络攻击者为 Black Hats（黑客）了。在预防这方面的攻击者时，除了严格管制网络的登录之外，还需要特别控制原主机中的用户。就我们小网站来说，不要以为好朋友就随便他了，他说要指定密码是跟他的账号相同比较好记，你如果答应他，等到人家用他的密码登录你的主机并破坏你的主机时，那可就得不偿失了。如果是大企业的话，那么员工使用网络时，也要分等级的。

- **主机环境安全化**

没什么好讲的，除了多关心，还是多关心。仔细分析日志文件，常常上网看看最新的安全通告，这都是最基本的工作。还包含以最快的速度更新有问题的软件。因为，越快更新软件，就越快可以杜绝黑客的入侵。

- **防火墙规则的制订**

这部分比较麻烦。因为你需要不断地测试、测试再测试，以取得优化的网络安全设置。也就是说，如果防火墙规则制定得太多，那么一个资料数据包就要经过越多的关卡才能完整地通过防火墙，最后进入到主机内部。这可是相当花费时间的，会造成主机性能的下降，需要特别留意这一点。

- **实时维护主机**

就像刚刚说的，需要随时维护主机，因为，防火墙不是一经设置之后就不用管了。因为，再严密的防火墙也会有漏洞。这些漏洞包括防火墙规则设置不合理、利用较新的侦测入侵技术、利用旧软件的服务漏洞等，所以，需要实时维护主机。这方面除了分析 Log Files 之外，也可以通过实时侦测来进行这个工作。例如 PortSentry 就是很不错的一套软件。

- **良好的教育训练课程**

不是所有的人都是计算机网络高手，虽然现在是信息爆炸时代，但是仍然有很多计算机“盲”。这个时候，我们对于内部网络通常没有太多的规范，那如果他用内部的计算机去做坏事怎么办？尽管有时候还是无心的，所以，需要特别的教育训练课程，这也是公司需要网管的主因之一。

- **完善的备份计划**

  天有不测风云，人有旦夕祸福。任何人都不知道什么时候会有大地震，我们也都不知道什么时候硬盘会突然坏掉，所以，完善的备份计划是相当重要的。此外，大概没有人会说他的主机是 100%安全的。如果系统被入侵造成数据的损毁时，要如何复原主机呢？一个良好的网站管理人员，无时无刻都会进行重要数据的备份，这很重要。这一台分请参考一下基础学习篇之 Linux 主机备份的内容。我们在后面的远程连接服务器章节内也会提到一个很棒的 rsync 工具，你可以看看。

7.5.2　主机受攻击后恢复的工作流程

所谓百密一疏啊，人不是神，总会有考虑不周的情况，万一主机因为疏忽导致被人侵了，那该怎么办？由上面的说明我们知道，木马的破坏是很严重的，因为它会在你的系统下开个后门（Back Door）让攻击者可以登录你的主机，而且还会篡改 Linux 上面的程序，让你找不到该木马程序。怎么办？

很多朋友都习惯“**只要将 root 的密码改回来就好了**”这样的观点，事实上，那样一台主机还是有被作为中继站的危险，所以，**万一主机被入侵了，最好的方法还是“重新安装 Linux”**。

如何重新安装呢？很多朋友一再地安装，却一再地被人侵，为什么呢？因为他没有吸取教训。下面我们就来谈一谈一台被人侵的主机应该如何修复比较好？

1. 立即拔除网线

既然发现被人侵了，那么第一件事情就是拿掉网络功能。拿掉网络功能最简单的做法自然就是拔掉网线了。事实上，拿掉网线最主要的功能除了保护自己之外，还可以保护同网络的其他主机。怎么说呢？举个 2003 年 8 月发病的疾风病毒好了，它会感染同网段之内的其他主机，所以，拔除网线之后，远程的攻击者立即就无法进入你的 Linux 主机，而且你还可以保护网络内的其他相关主机。

2. 分析日志文件信息，查找可能的入侵途径

被人侵之后，绝不是只要重新安装就好，还需要分析**主机被入侵的原因，对方是如何入侵的**？如果能够找出原因，那么不但 Linux 功能立刻增强了，主机也会越来越安全。而如果你不知道如何找出被人侵的可能途径，那么重新安装后，下次还是有可能被以同样的方法入侵。如何找出入侵的途径呢？

- **分析日志文件**：低级的 Cracker 通常仅是利用工具软件来入侵系统，所以我们可以通过分析一些主要的日志文件来找出对方的 IP 以及可能有问题的漏洞。可以分析 /var/log/messages、/var/log/secure 还有利用 last 命令来找出上次登录用户的信息。

- **检查主机开放的服务**：很多 Linux 用户常常不知道自己的系统上面开了多少服务，我们说过，每个服务都有其漏洞或者是不应该启用的增强型或者是测试型功能，所以，找出系统上面的服务，并且检查一下每个服务是否有漏洞，或者是否在设置上面有缺陷。然后一个一个的整理吧。
- **查询 Internet 上面的安全通报**：通过安全通报来了解一下最新的漏洞信息，说不定问题就在上面。

3. 重要数据备份

主机被入侵后，问题会相当严重，为什么呢？因为主机上面有相当重要的数据。如果主机上面没有重要的数据，那么直接重新安装就好了，所以，被入侵之后，检查完了入侵途径，接下来就是要备份重要的数据了。什么是**重要数据**？who、ps、ls 等命令是重要数据吗？还是 httpd.conf 等配置文件是重要数据？又或者是 /etc/passwd、/etc/shadow 才是重要数据？

事实上，重要的数据应该是**非 Linux 系统上面原有的数据**，例如 /etc/passwd、/etc/shadow、WWW 网页的数据、/home 里面的用户重要文件等，至于 /etc/*、/usr/、/var 等目录下的数据，就不见得需要备份了。注意，不要备份二进制可执行文件，因为 Linux 系统安装完毕后本来就有这些文件，此外，这些文件也很有可能已经被篡改过了，备份这些数据，反而会使下次系统不干净。

4. 重新安装

备份完了数据，接下来就是重新安装 Linux 系统了。而在这次的安装中，最好选择适合你自己的安装软件即可，不要全部软件都安装上去，那样会很危险。

5. 软件的漏洞修补

重新安装完毕之后，请立即更新系统软件，否则还有可能会被入侵。鸟哥喜欢先在其他比较干净的环境下将 Internet 上面的漏洞修补软件下载下来，然后刻录 CD，再拿到刚刚安装完成的系统上面，mount CD 会全部进行更新，并且设置了相关的防火墙机制，同时进行下一步骤**“关闭或移除不需要的服务”**后，才将网线插在主机的网卡上。因为鸟哥不敢确定在安装完毕后，连上 Internet 去更新软件前的这段时间，会不会又受到入侵攻击。

6. 关闭或删除不需要的服务

这个重要性不需要再讲了。启用越少的服务，系统被入侵的可能性就越低。

7. 数据恢复与恢复服务设置

刚刚备份的数据要赶紧复制到系统中来，同时将系统的服务再次重新开放，请注意，这些服务的设置最好能够再次确认一下，以避免一些不恰当的设置参数遗留在里面。

8. 连上 Internet

所有的工作都执行完毕了，那么将刚刚拿掉的网线接上，恢复主机的运行。

经过这一连串的操作后，主机应该会恢复到比较干净的环境，此时还不能掉以轻心，最好还是参考防火墙的设置，并且多方面参考 Internet 上面一些老手的经验，好让主机可以更安全一些。

7.6 重点回顾

- 要管制登录服务器的来源主机，需要了解网络数据包的特性，主要包括 TCP/IP 的数据包协议，以及重要的 Socket Pair，即来源与目标的 IP 与 Port 等。在 TCP 数据包方面，则还需要了解 SYN/ACK 等数据包状态。
- 网络数据包要进入 Linux 本机，至少需要通过防火墙、服务本身的管理、SELinux、取得文件的 rwx 权限等步骤。
- 主机的基本保护之一就是拥有正确的权限设置。而复杂的权限设置可以利用 ACL 或者是 SELinux 来辅助。
- 关闭 SELinux 可在 /etc/selinux/config 文件内设置，亦可在核心功能中加入 selinux=0 的项目。
- Rootkit 为一种取得 root 的工具组，可以利用 RKHunter 来查询主机是否被植入 Rootkit。
- 网管人员应该注意员工的教育训练以及主机的完善备份方案。
- 一些所谓的黑客软件，几乎都是通过 Linux 上面的软件漏洞来攻击 Linux 主机的。
- 软件升级是预防被入侵的最有效方法之一。
- 良好的日志分析习惯可以在短时间内发现系统的漏洞，并加以修复。

7.7 参考数据与延伸阅读

- nmap 的官方网站：http://insecure.org/nmap/。
- Fedora 的 SELinux FAQ：http://fedora.redhat.com/docs/selinux-faq/。
- SELinux 的发展网站：http://selinux.sourceforge.net/。
- Red Hat 之 RHEL 4 的 SELinux 指南：http://www.redhat.com/docs/manuals/enterprise/RHEL-4-Manual/selinux-guide/index.html。
- 美国国家安全局的 SELinux 简介：http://www.nsa.gov/selinux/。
- Rootkit Hunter：http://www.rootkit.nl/projects/rootkit_hunter.html。

第 8 章

路由的概念与路由器设置

如果说 IP 是门牌，那么邮差如何走到你家就是路由的功能了。如果把局域网比喻为巷子，那么路由器就是那条巷子内的邮局。其实本章应该是第 2 章网络基础的延伸，只不过是将网络的设置延伸到整个局域网的路由器上而已。那何时会用到路由器？如果你的环境中需要将整个 IP 再区分出不同的广播区域时，那么就需要通过路由器的数据包转发功能了。本章是下一章防火墙与 NAT 的基础，所以要好好学习。

8.1 路由

我们在第 2 章网络基础里面谈到过路由的相关概念，它最大的功能就是帮我们规划网络数据包的传递方式与方向。可以使用 route 这个命令来查阅与设置路由。好了，那么路由的形式有哪些？该如何确认路由是否正确呢？

8.1.1 路由表产生的类型

如同第 2 章网络基础里面谈到的，**每一台主机都有自己的路由表**，也就是说，你必须要通过自己的路由表将主机的数据包转发到下一个路由器。发送出去后，该数据包就要通过下一个路由器的路由表来传送了，此时与你自己主机的路由表就没有关系啦，所以说，如果网络上面的某一台路由器设置错误，那数据包的流向就会发生很大的问题。我们就需要通过 traceroute 来了解一下每个 Router 的数据包流向了。

那你自己主机的路由表到底有哪些部分呢？我们以下面这个路由表来说明：

```
[root@www ~]# route -n
Kernel IP routing table
Destination  Gateway        Genmask        Flags Metric Ref  Use Iface
192.168.1.0  0.0.0.0        255.255.255.0   U     0      0    0  eth0 <== 1
169.254.0.0  0.0.0.0        255.255.0.0     U     1002   0    0  eth0 <== 2
0.0.0.0      192.168.1.254  0.0.0.0         UG    0      0    0  eth0 <== 3
```

首先，我们得知道，在 Linux 系统下的路由表是由小网络排列到大网络的，例如上面的路由表当中，路由是由“192.168.1.0/24 --> 169.254.0.0/16 --> 0.0.0.0/0（默认路由）”来排列的。而当主机的网络数据包需要发送时，就会查阅上述的三个路由规则来了解如何将该数据包发送出去。你可能会觉得奇怪，为什么会有这几个路由呢？其实路由表主要按下面几种情况来设计的。

- **依据网络接口产生的 IP 而存在的路由**

  例如 192.168.1.0/24 这个路由的存在是由于鸟哥的这台主机上面拥有 192.168.1.100 这个 IP 的关系。也就是说，主机上面有几个网络接口存在时，该网络接口就会存在一个路由，所以说，如果主机有两个网络接口时，例如 192.168.1.100 和 192.168.2.100，那路由至少就会有：

```
[root@www ~]# ifconfig eth1 192.168.2.100
[root@www ~]# route -n
Destination    Gateway      Genmask         Flags Metric Ref    Use Iface
192.168.2.0    0.0.0.0      255.255.255.0   U     0      0        0 eth1
192.168.1.0    0.0.0.0      255.255.255.0   U     0      0        0 eth0
```

```
169.254.0.0     0.0.0.0         255.255.0.0     U     1002   0        0 eth0
0.0.0.0         192.168.1.254   0.0.0.0         UG    0      0        0 eth0
```

- **手动或默认路由（Default Route）**

你可以使用 route 这个命令手动给予额外的路由设置，例如那个默认路由（0.0.0.0/0）就是额外的路由。使用 route 命令时，最重要的一个概念是“**你所规划的路由必须要是你的设备（如 eth0）或 IP 可以直接沟通（Broadcast）的情况**”才行。举例来说，以上述的环境来看，环境里面仅有 192.168.1.100 及 192.168.2.100，如果想要连接到 192.168.5.254 这个路由器时，可以执行下面这个命令：

```
[root@www ~]# route add -net 192.168.5.0  \
> netmask 255.255.255.0 gw 192.168.5.254
SIOCADDRT: No such process
```

系统响应就会没有办法连接到该网络，因为我们的网络接口与 192.168.5.0/24 根本就没有关系。那如果 192.168.5.254 真的是与我们的实体网络连接，并且与我们的 eth0 连接在一起，那其实你应该是这样做：

```
[root@www ~]# route add -net 192.168.5.0  \
> netmask 255.255.255.0 dev eth0
[root@www ~]# route -n
Kernel IP routing table
Destination     Gateway         Genmask         Flags Metric Ref    Use Iface
192.168.5.0     0.0.0.0         255.255.255.0   U     0      0        0 eth0
192.168.2.0     0.0.0.0         255.255.255.0   U     0      0        0 eth1
192.168.1.0     0.0.0.0         255.255.255.0   U     0      0        0 eth0
169.254.0.0     0.0.0.0         255.255.0.0     U     1002   0        0 eth0
0.0.0.0         192.168.1.254   0.0.0.0         UG    0      0        0 eth0
```

这样你的主机就会直接用 eth0 这个设备去尝试连接 192.168.5.254 了。另外，上面路由输出的重点其实是那个“Flags 的 G”，因为那个 G 代表使用外部的设备作为 Gateway 的意思。而那个 Gateway（192.168.1.254）必须要在我们已存在的路由环境中。这是很重要的概念。

- **动态路由**

除了上面这两种可以直接使用命令的方法来增加路由规则之外，还有一种通过路由器与路由器之间的协商以实现动态路由的环境，不过，这就需要额外的软件支持了，例如：zebra（http://www.zebra.org/）或 CentOS 上面的 Quagga（http://www. quagga.net/）这几个软件。

事实上，Linux 的路由规则都是通过内核来实现的，所以这些路由表的规则都是在内核功能内，也就是运行在内存中。

8.1.2　一个网卡绑多个 IP：IP Alias 的测试用途

我们在第 5 章的 ifconfig 命令里面谈过 eth0:0 这个设备，这个设备可以在原本的 eth0 上面模拟出一个虚拟接口，使同一个网卡具有多个 IP，具有多个 IP 的功能就被称为 IP Alias。而这个 eth0:0 的设备可以通过 ifconfig 或 ip 这两个命令来实现，关于这两个命令的用途之前已经介绍过，这里不再浪费篇幅。

那你或许会问：这个 IP Alias 有什么用途呢？IP Alias 最大的用途就是可以用来应急。怎么说呢？我们就来聊一聊它的几个常见用途。

- **测试用**

  为什么说用来测试呢？举例来说，现在使用 IP 路由器的朋友很多，而 IP 路由器的设置通常是使用 WWW 接口来提供的。这个 IP 路由器通常会给予一个私有 IP，即 192.168.0.1 来让用户开启 WWW 接口的浏览。问题来了，那你要如何连接上这台 IP 路由器呢？在不修改既有的网络环境下，你可以直接利用以下方式：

```
[root@www ~]# ifconfig [device] [ IP ] netmask [netmask ip] [up|down]
[root@www ~]# ifconfig eth0:0 192.168.0.100 netmask 255.255.255.0 up
```

  这样就建立了一个虚拟的网络接口，可以立刻连接上 IP 路由器了，也不会影响到原来的网络参数设置值。

- **在一个实体网络中含有多个 IP 网络**

  如果网络环境是在补习班或者是学校单位的话，一般不允许修改主机的网络设置，那如果要让大家互通所有的计算机信息时，就可以让每个同学都通过 IP Alias 来设置同一网络的 IP，这样大家就可以在同一个网段内进行各项网络服务的测试了，很不错吧。

- **既有设备无法提供更多实体网卡时**

  如果某台主机需要连接多个网络，但该设备却无法提供安装更多的网卡时，你只好勉为其难的使用 IP Alias 来提供不同网段的连接服务了。

这时你要清楚**所有的 IP Alias 都是由实体网卡仿真的，所以当要启动 eth0:0 时，eth0 必须要先被启动才行。而当 eth0 被关闭后，所有 eth0:n 的模拟网卡也将同时被关闭**。这需要先了解才行，否则常常会搞错启动的设备。在路由规则的设置当中，常常需要进行一些测试，那这个 IP Alias 就派上用场了，尤其是在学校、单位的练习环境当中。

除非有特殊需求，否则建议你如果有多个 IP，最好在不同的网卡上面实现，如果你真的要使用 IP Alias 时，那么如何在**开机的时候就启动** IP Alias 呢？方法有很多种，包括将上面用

ifconfig 启动的命令写入 /etc/rc.d/rc.local 文件中（但使用 /etc/init.d/network restart 时，该 IP Alias 无法被重新启动），但鸟哥建议**通过建立 /etc/sysconfig/network-scripts/ifcfg-eth0:0 配置文件的**方式来处理。

举例来说，你可以通过下面这个方法来建立一个虚拟设备的配置文件：

```
[root@www ~]# cd /etc/sysconfig/network-scripts
[root@www network-scripts]# vim ifcfg-eth0:0
DEVICE=eth0:0              <==相当重要！一定要与文件名相同的设备代号
ONBOOT=yes
BOOTPROTO=static
IPADDR=192.168.0.100
NETMASK=255.255.255.0

[root@www network-scripts]# ifup eth0:0
[root@www network-scripts]# ifdown eth0:0
[root@www network-scripts]# /etc/init.d/network restart
```

关于设备的配置文件内的更多参数说明，请参考第 4 章 4.2.1 手动设置 IP 参数的相关说明，在此不再叙述。使用这个方法有个好处，就是当使用“ /etc/init.d/network restart”时，系统依旧会使用 ifcfg-eth0:0 文件内的设置值来启动虚拟网卡。另外，不论 ifcfg-eth0:0 内的 ONBOOT 设置值为何，**只要 ifcfg-eth0 这个实体网卡的配置文件中，ONBOOT 为 yes 时，开机就会将全部的 eth0:n 都启动。**

通过这个简单的方法，就可以在开机的时候启动虚拟接口而取得多个 IP 在同一张网卡上了。不过需要注意的是，如果这张网卡分别通过 DHCP 以及手动的方式来设置 IP 参数，那么 DHCP 的取得务必使用实体网卡，即是 eth0 之类的网卡代号，而手动的就以 eth0:0 之类的代号来设置较好。

在旧版的 CentOS 4.x 中，如果 eth0 是使用 DHCP 来取得 IP 参数的话，那么由于 ifup 及 /etc/init.d/network 这两个 script 内程序代码撰写的方式，将会导致 ifcfg-eth0:0 这个配置文件不会被使用到。不过这个问题在 CentOS 5.x 以后的版本中已经被克服了。

8.1.3 重复路由的问题

很多朋友可能都有一个想法：**可不可以利用两张网卡、两个相同网络的 IP 来增加主机的网络流量？**事实上这是一个可行的方案，不过必须要通过许多的设置来实现，若你有需求的话，可以参考网中人大哥写的这篇文章：

带宽负载均衡 http://www.study-area.org/Tips/multipath.htm

如果只是单纯地以为在同一个网络设置好两张网卡的 IP 就能够增加主机的两倍流量，那可就大错特错了，为什么呢？还记得我们在路由表规则里面提过网络数据包的传递主要是依据主机内的路由表规则吧。那如果你有两张网络卡时，有如下假设。

- eth0 : 192.168.0.100。
- eth1 : 192.168.0.200。

那你的路由规则会是如何呢？理论上会变成这样：

```
[root@www ~]# route -n
Kernel IP routing table
Destination     Gateway     Genmask         Flags Metric Ref    Use Iface
192.168.0.0     0.0.0.0     255.255.255.0   U     0      0        0 eth1
192.168.0.0     0.0.0.0     255.255.255.0   U     0      0        0 eth0
```

也就是说，①**当要主动发送数据包到 192.168.0.0/24 的网络时，都只会通过第一条规则，也就是通过 eth1 来传出去；②在响应数据包方面，不管是由 eth0 还是由 eth1 进来的网络数据包，都会通过 eth1 来转发**。这可能会造成一些问题，尤其是一些防火墙的规则方面，很可能会发生一些严重的错误，如此一来，根本没有办法实现负载均衡，也不会有增加网络流量的效果。更惨的是，还可能发生数据包传递错误的情况，所以，同一台主机上面设置相同的网络 IP 时，需要特别留意路由规则，一般来说，**不应该设置同一网段的不同 IP 在同一台主机上面**。例如上面的案例就是一个不好的示范。

为什么会特别强调这个概念呢？大约 2000 年鸟哥刚接触 Linux 时，由于当时的网络速度相当缓慢，为了提升网络流量鸟哥费尽心思。后来想到，如果有两块网卡不就可以增加流量了吗？于是就设置了两个同网络的 IP 在一台主机的两张网卡上，结果呢？很多服务都无法连通了！就是因为痛过，所以才有更强烈的印象啊！

8.2　路由器配置

我们知道在局域网里面的主机可以通过广播的方式来进行网络数据包的发送，但在不同网段内的主机想要互相连接时就需要通过路由器了。那么什么是路由器？它的主要功能是什么？下面我们就来聊一聊。

8.2.1　什么是路由器与 IP 路由器

既然主机想要将数据传送到不同的网段时需通过路由器帮忙，那么，路由器的主要功能就是**转发网络数据包**。也就是说，路由器会分析来源端数据包的 IP 包头，在包头内找出要送达的目标 IP 后，通过路由器本身的路由表（Routing Table）来将这个数据包向下一个目标（Next Hop）传送。这就是路由器的功能。那么路由器的功能如何实现呢？目前有两种方法。

- 硬件功能：如 Cisco、TP-Link、D-Link（注 2）等公司都生产硬件路由器，这些路由器内有嵌入式的操作系统，可以负责不同网段间的数据包翻译与传递等功能。
- 软件功能：如 Linux 这个操作系统的内核就提供了数据包传递的能力。

高级的路由器可以连接不同的硬件设备，并且可以翻译很多不同的数据包格式，通常价格也不便宜。在本章里面，我们并没有探讨这么高级的东西，仅讨论**在以太网中最简单的路由器功能：连接两个不同的网段**。这个功能在 Linux 个人计算机中就可以实现。那怎么实现呢？

就如同路由表是由 Linux 的内核功能所提供的，这个转发数据包的能力也是 Linux 内核所提供，那如何查看内核是否已经启动数据包转发呢？很简单，查看内核功能的显示文件即可，如下所示：

```
[root@www ~]# cat /proc/sys/net/ipv4/ip_forward
0   <== 0 代表没有启动，1 代表启动了
```

要让该文件的内容变成启动值 1 最简单的方法就是使用“echo 1 > /proc/sys/net/ipv4/ip_forward”。不过，这个设置结果在下次重新启动后就会失效。因此，鸟哥建议您直接修改系统配置文件的内容，即修改/etc/sysctl.conf 来实现开机启动数据包转发的功能。

```
[root@www ~]# vim /etc/sysctl.conf
# 将下面这个设置值修改正确即可(原来的值为 0，将它改为 1 即可)
net.ipv4.ip_forward = 1

[root@www ~]# sysctl -p  <==立刻让该设置生效
```

sysctl 这个命令是在内核工作时用来直接修改内核参数的一个命令，更多的功能可以参考 man sysctl 查询。只要执行这个操作，Linux 就具有最简单的路由器功能了。而由于 Linux 路由器的路由表设置方法的不同，通常路由器规划其路由的方式有两种。

- **静态路由**：直接以类似 route 这个命令来直接设置路由表到内核功能当中，设置值只要与网段环境相符即可。不过，当你的网段有变化时，路由器就要重新设置。

- **动态路由：** 通过类似 Quagga 或 zebra 软件的功能，这些软件可以安装在 Linux 路由器上，而这些软件可以动态检测网络的变化，并直接修改 Linux 内核的路由表信息，无须手动以 Route 来修改路由表信息。

了解了路由器之后，接下来需要了解什么是 **NAT（Network Address Translation，网络地址转换）** 服务器，NAT 是什么？其实 IP 路由器就是最简单的 NAT 服务器。NAT 可以实现 IP 共享的功能，而 NAT 本身就是一个路由器，只是 NAT 比路由器多了一个 IP 转换的功能。二者的差别详述如下：

- 一般来说，路由器会有两个网络接口，通过路由器本身的 IP 转发功能让两个网段可以互相沟通网络数据包。那如果两个接口一边是公共 IP（Public IP），但一边是私有 IP（Private IP）会怎样呢？由于私有 IP 不能直接与公共 IP 沟通其路由信息，此时就需要额外的“IP 转换”功能了。
- Linux 的 NAT 服务器可以通过修改数据包的 IP 包头数据的来源或目标 IP，让来自私有 IP 的数据包可以转成 NAT 服务器的公共 IP，直接连上 Internet。

所以说，**当路由器两端的网络分别是 Public IP 与 Private IP 时才需要 NAT 的功能**。NAT 功能我们会在防火墙一章谈及，本章节仅谈论一下路由器。

8.2.2 何时需要路由器

一般来说，计算机数量小于数十台的小型企业是无需路由器的，只需要利用 Hub/Switch 连接各台计算机，然后通过单一线路连接到 Internet 上即可。不过，如果是超过数百台计算机的大型企业环境，由于他们的环境通常需要考虑如下的状况，因此才需要路由器的架设。

- **实际线路的布线及效能的考虑**

  在一栋大楼的不同楼层要连接所有的计算机可能有点难度，那可以通过在每个楼层架设一台路由器，并将每个楼层路由器相连接，就能够简单地管理各楼层的网络；此外，如果各楼层不想配置路由器，而是直接以网线连接各楼层的 Hub/Switch 时，由于同一网段的数据是通过广播来传递的，当整个大楼的某一台计算机在广播时，所有的计算机将会予以响应，这样，会造成大楼内网络效能的问题，所以架设路由器将实际线路分隔，就有助于提高网络性能。

- **部门独立与保护数据的考虑**

  在阅读过第 2 章网络基础后你就会知道，只要实际线路是连接在一起的，那么**当数据通过广播时，就可以通过类似 tcpdump 的命令来监听数据包数据，并且予以窃取。** 所以，如果部门之间的数据需要独立，或者是某些重要的数据必须要在公司内部予以保护时，可以将那些重要的计算机放到一个独立的实际网段，并额外加设防火墙、路由器等连接上公司内部的网络。

路由器只是一个设备，如何使用需要视网络环境的规划而定。上面仅是举出一些应用案例。下面我们就先架设一个静态路由的路由器来看一看吧。

8.2.3 静态路由的路由器

假设在贵公司的网络环境当中，除了一般职员的工作用计算机是直接连接到对外的路由器来连接 Internet 外，在内部其实还有一个部门需要较安全的独立环境，这部分的网络规划如图 8-1 所示。

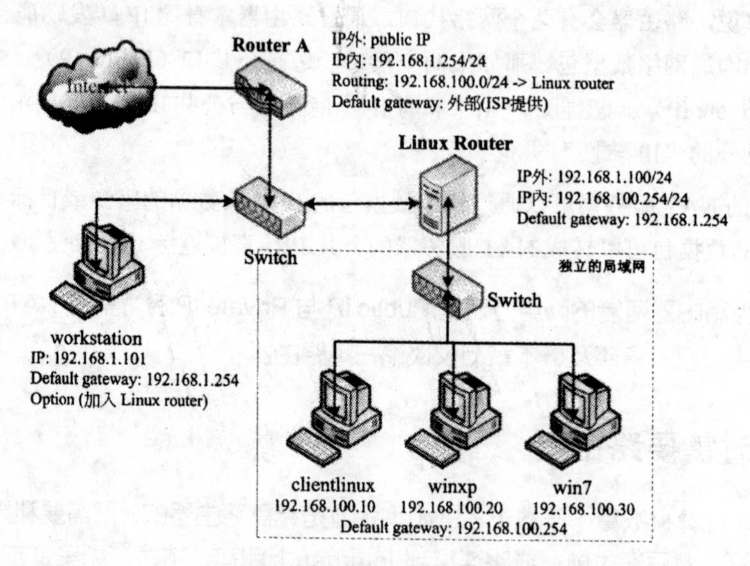

图 8-1 静态路由的路由器架构示意图

以图 8-1 的架构来说，这家公司主要有两个 Class C 的网段。

- **一般网络（192.168.1.0/24）**：由 Router A、Workstation 以及 Linux Router 三台主机所构成。
- **保护内网（192.168.100.0/24）**：由 Linux Router、ClientLinux、Windows XP、Windows 7 等主机所构成。

其中 192.168.1.0/24 是用来作为一般员工连接因特网用的，至于 192.168.100.0/24 则是给特殊的部门用的。Workstation 代表的是一般员工的计算机，ClientLinux 及 Windows XP、Windows 7 则是特殊部门的工作用计算机，Linux Router 是这个特殊部门用来连接到公司内部网络的路由器。在这样的架构下，该特殊部门的数据包就能够与公司其他部门进行实体的分隔了。

由图 8-1 也不难发现，只要是具有路由器功能的设备（如 Router A、Linux Router）都会具有两个以上的接口，分别用来沟通不同的网段，同时该路由器也都会具有一个默认路由。另外，还可以在 Linux Router 上加上一些防火墙的软件，以保护 ClientLinux、Windows XP、

Windows 7。

那我们先来探讨一下连接的机制，先从 ClientLinux 这台计算机谈起。如果 ClientLinux 想要连上 Internet，那么它的连接情况会是如何？

- **发起连接需求：** ClientLinux --> Linux Router --> Router A --> Internet。
- **响应连接需求：** Internet --> Router A --> Linux Router --> ClientLinux。

查看一下两台 Router 的设置，要实现上述功能，则 Router A 必须要有两个接口，一个是对外的 Public IP，另一个则是对内的 Private IP，因为 IP 的类别不同，因此 Router A 还需要额外增加 NAT 这个机制才行，这个机制我们在后续章节会继续谈到。除此之外，Router A 并不需要什么额外的设置。至于 Linux Router 就更简单了，将两块网卡设置两个 IP，并且启动内核的数据包转发功能，立刻就架设完毕了，非常简单，我们就来谈一谈这几个机器的设置吧。

1. Linux Router

在这台主机内需要有两块网卡，鸟哥在这里将它定义如下（假设你已经将刚刚添加的 eth0:0 取消掉了）。

- eth0: 192.168.1.100/24。
- eth1: 192.168.100.254/24。

```
# 1. 再看看 eth0 的设置吧！虽然我们已经在第 4 章就搞定了：
[root@www ~]# vim /etc/sysconfig/network-scripts/ifcfg-eth0
DEVICE="eth0"
HWADDR="08:00:27:71:85:BD"
NM_CONTROLLED="no"
ONBOOT="yes"
BOOTPROTO=none
IPADDR=192.168.1.100
NETMASK=255.255.255.0
GATEWAY=192.168.1.254     <==最重要的设置，通过这台主机连出去的

# 2. 再处理 eth1 这张之前一直都没有驱动的网卡
[root@www ~]# vim /etc/sysconfig/network-scripts/ifcfg-eth1
DEVICE="eth1"
HWADDR="08:00:27:2A:30:14"
NM_CONTROLLED="no"
ONBOOT="yes"
BOOTPROTO="none"
IPADDR=192.168.100.254
NETMASK=255.255.255.0
```

```
# 3. 启动 IP 转递，实际操作成功才行
[root@www ~]# vim /etc/sysctl.conf
net.ipv4.ip_forward = 1
# 找到上述的设置值，将默认值 0 改为上述的 1 即可，存储后离开
[root@www ~]# sysctl -p
[root@www ~]# cat /proc/sys/net/ipv4/ip_forward
1   <==这就是重点！要是 1 才可以

# 4. 重新启动网络，并且查看路由与 ping Router A
[root@www ~]# /etc/init.d/network restart
[root@www ~]# route -n
Kernel IP routing table
Destination     Gateway         Genmask         Flags Metric Ref    Use Iface
192.168.100.0   0.0.0.0         255.255.255.0   U     0      0        0 eth1
192.168.1.0     0.0.0.0         255.255.255.0   U     0      0        0 eth0
0.0.0.0         192.168.1.254   0.0.0.0         UG    0      0        0 eth0
# 上面的重点在于最后那个路由器的设置是否正确

[root@www ~]# ping -c 2 192.168.1.254
PING 192.168.1.254 (192.168.1.254) 56(84) bytes of data.
64 bytes from 192.168.1.254: icmp_seq=1 ttl=64 time=0.294 ms
64 bytes from 192.168.1.254: icmp_seq=2 ttl=64 time=0.119 ms <==有回应即可

# 5. 暂时关闭防火墙！这一步也很重要
[root@www ~]# /etc/init.d/iptables stop
```

够简单吧！而且通过最后的 ping 我们也知道 Linux Router 可以连上 Router A。这样 Linux Router 就 OK 了！此外，CentOS 6.x 默认的防火墙规则会将来自不同网卡的沟通数据包删除，所以还需要暂时关闭防火墙才行。接下来则是要设置 ClientLinux 这个被保护的内部主机网络了。

2. 受保护的网络，以 ClientLinux 为例

不论 ClientLinux 是哪一种操作系统，环境都应该是这样。

- IP: 192.168.100.10。
- Netmask: 255.255.255.0。
- Gateway: 192.168.100.254。
- Hostname: clientlinux.centos.vbird。
- DNS: 168.95.1.1。

以 Linux 操作系统为例，并且 ClientLinux 仅有 eth0 一块网卡时，它的设置是这样的：

```
[root@clientlinux ~]# vim /etc/sysconfig/network-scripts/ifcfg-eth0
DEVICE="eth0"
NM_CONTROLLED="no"
ONBOOT="yes"
BOOTPROTO=none
IPADDR=192.168.100.10
NETMASK=255.255.255.0
GATEWAY=192.168.100.254  <==这个设置最重要
DNS1=168.95.1.1          <==有这个就不用自己改 /etc/resolv.conf

[root@clientlinux ~]# /etc/init.d/network restart
[root@clientlinux ~]# route -n
Kernel IP routing table
Destination     Gateway         Genmask         Flags Metric Ref    Use Iface
192.168.100.0   0.0.0.0         255.255.255.0   U     1      0        0 eth0
169.254.0.0     0.0.0.0         255.255.0.0     U     1002   0        0 eth0
0.0.0.0         192.168.100.254 0.0.0.0         UG    0      0        0 eth0

[root@clientlinux ~]# ping -c 2 192.168.100.254 <==ping 自己的 gateway(会成功)
[root@clientlinux ~]# ping -c 2 192.168.1.254   <==ping 外部的 gateway(会失败)
```

最后一个操作有问题。怎么会没有办法 ping 到 Router A 的 IP 呢？如果连 ping 都没有办法给予响应的话，那么表示我们的连接是有问题的，再从刚刚的响应连接需求流程看一下吧。

- **发起连接**：ClientLinux --> Linux Router（OK）--> Router A（OK）。
- **响应连接：Router A（此时 Router A 要响应的目标是 192.168.100.10），Router A 仅有 Public 与 192.168.1.0/24 的路由，所以该数据包会由 Public 界面再传出去，因此数据包就回不来了。**

发现了吗？网络是双向的，此时数据包出的去，但是非常可怜的是数据包回不来。那怎么办呢？只好告知 Router A 当路由规则碰到 192.168.100.0/24 时，要将该数据包传给 192.168.1.100。

3. 特别的路由规则：Router A 所需路由

假设 Router A 对外的网卡为 eth1，而内部的 192.168.1.254 则是设置在 eth0 上面。那怎么在 Router A 中添加一条路由规则呢？很简单，直接使用 route add 去添加即可。如下所示的情况：

```
[root@routera ~]# route add -net 192.168.100.0 netmask 255.255.255.0 \
>  gw 192.168.1.100
```

不过这个规则并不会写入到配置文件，因此下次重新启动时这个规则就不见了，所以，应该要建立一个路由配置文件。由于这个路由是依附在 eth0 网卡上的，所以配置文件的文件名应该是 route-eth0。这个配置文件的内容当中，我们要设置 192.168.100.0/24 这个网络的 Gateway 是 192.168.1.100，且是通过 eth0，那么写法就会变成：

```
[root@routera ~]# vim /etc/sysconfig/network-scripts/route-eth0
192.168.100.0/24 via 192.168.1.100 dev eth0
目标网络                  通过的 gateway       设备

[root@routera ~]# route -n
Destination     Gateway         Genmask         Flags Metric Ref    Use Iface
120.114.142.0   0.0.0.0         255.255.255.0   U     0      0        0 eth1
192.168.100.0   192.168.1.100   255.255.255.0   UG    0      0        0 eth0
192.168.1.0     0.0.0.0         255.255.255.0   U     0      0        0 eth0
169.254.0.0     0.0.0.0         255.255.0.0     U     0      0        0 eth1
0.0.0.0         120.114.142.254 0.0.0.0         UG    0      0        0 eth1
```

上述查看的重点在于有没有出现 192.168.100.0 那行路由。如果有的话，请 ping 192.168.100.10 看看能不能有响应，然后再到 ClientLinux 上面去 ping 192.168.1.254 看看有没有响应，你就知道是否设置成功了。好了，既然内部保护网络已经可以连上 Internet 了，那么是否代表 ClientLinux 可以直接与一般员工的网络，例如 workstation 进行连接呢？我们依旧通过路由规则来探讨一下，当 ClientLinux 要直接连接到 Workstation 时，它的连接方向是这样的（参考图 8-1）：

- **连接发起**：ClientLinux --> Linux Router（OK）--> Workstation（OK）。
- **响应连接**：Workstation（连接目标为 192.168.100.10，因为并没有该路由规则，因此连接丢给 Default Gateway，也就是 Router A）--> Router A（OK）--> Linux Router（OK）--> ClientLinux。

有没有发现一个传输流程？连接发起是没有问题，不过，响应连接竟然会偷偷通过 Router A 来帮忙！这是因为 Workstation 与当初的 Router A 一样，并不知道 192.168.100.0/24 在 192.168.1.100 里面。不过，反正 Router A 已经知道了该网络在 Linux Router 内，所以，该数据包还是可以顺利地回到 ClientLinux。

4. 让 Workstation 与 ClientLinux 不通过 Router A 的沟通方式

如果不想让 Workstation 通过 Router A 才能够连接到 ClientLinux 的话，那么就要与 Router A 相同，添加一条路由规则了。如果是 Linux 的系统，那么如同 Router A 一样的设置如下：

```
[root@workstation ~]# vim /etc/sysconfig/network-scripts/route-eth0
192.168.100.0/24 via 192.168.1.100 dev eth0
```

```
[root@workstation ~]# /etc/init.d/network restart
[root@www ~]# route -n
Kernel IP routing table
Destination     Gateway         Genmask         Flags Metric Ref    Use Iface
192.168.1.0     0.0.0.0         255.255.255.0   U     0      0        0 eth0
192.168.100.0   192.168.1.100   255.255.255.0   UG    0      0        0 eth0
169.254.0.0     0.0.0.0         255.255.0.0     U     0      0        0 eth0
0.0.0.0         192.168.1.254   0.0.0.0         UG    0      0        0 eth0
```

最后只要 ClientLinux 使用 ping 就可以连到 Workstation，同样的，Workstation 也可以 ping 到 ClientLinux 的话，就表示你的设置是 OK 的了。通过这样的设置方式，你也可以发现：**路由是双向的，必须要了解出去的路由与回来时的路由规则**。举例来说，在默认的情况下（Router A 与 Workstation 都没有额外的路由设置时），其实数据包是可以由 ClientLinux 连接到 Workstation 的，但是 Workstation 却没有相关的路由可以响应到 ClientLinux，所以上面才需要在 Router A 或者是 Workstation 上面设置额外的路由规则。

利用 Linux 做一个静态路由的 Router 很简单。以上面的案例为例，我们在 Linux Router 上面几乎没有做什么额外的工作，只要将网络 IP 与网络接口对应好启动，然后加上 IP Forward 的功能，让 Linux 内核支持数据包传递，然后其他的工作 Linux Kernel 就主动帮你搞定了。

不过这里必须要提醒的是，**如果 Linux Router 设置了防火墙的话，而且还有设置类似 NAT 主机的 IP 伪装技术，那可要特别留意，因为还可能会造成路由误判的问题**。上述的 Linux Router 当中并没有使用到任何 NAT 的功能，特别要留意一下。

8.3　动态路由器架设

在一般的静态路由器上面，我们可以通过修改路由配置文件（route-ethN）来设置好既定的路由规则，让路由器工作顺利。不过，这样的方法总是觉得很讨厌，如果某天因为组织的改造导致需要重新规划子网网段，如此一来，你就要对图 8-1 的 Router A 与 Linux Router 再次进行处理与检查路由规则，真是够麻烦的。那能不能让路由器自己学习新的路由来实现自动添加该路由的信息呢？

上述的功能就是所谓的动态路由。动态路由通常是用在路由器与路由器之间的沟通，所以要让路由器具有动态路由的功能，必须要了解到对方路由器上面所提供的动态路由协议才行，这样两台路由器才能够通过该协议来沟通彼此的路由规则。目前常见的动态路由协议有 RIPv1、RIPv2、OSPF、BGP 等。

想要在 CentOS 上面搞定这些动态路由的相关机制，那就要使用 quagga 软件。这个软件是 zebra 计划的延伸，相关的官网说明可以参考文后的数据。既然要使用 quagga，自然就要先安装它。

```
[root@www ~]# yum install quagga
[root@www ~]# ls -l /etc/quagga
-rw-r--r--. 1 root   root      406 Jun 25 20:19 ripd.conf.sample
-rw-r-----. 1 quagga quagga     26 Jul 22 11:11 zebra.conf
-rw-r--r--. 1 root   root      369 Jun 25 20:19 zebra.conf.sample

.....(其他省略).....
```

这个软件所提供的各项动态路由协议都放置到 /etc/quagga/ 目录内，下面我们以较为简单的 RIPv2 协议为例来处理动态路由。需要注意的是，不论启动什么动态路由协议，都必须要先启动 zebra 才行。这是因为：

- **zebra 这个 daemon 的功能是更新内核的路由规则。**
- **RIP 这个 daemon 则是用于向附近的其他 Router 沟通协调路由规则的传送与否。**

而各个路由服务的配置文件都必须要以 /etc/quagga/*.conf 的文件名来存储才行，在上面的输出中我们可以发现 zebra 这个服务是设置好了，不过 ripd 的文件名却不是以.conf 结尾，所以我们必须要额外做些设置才行。

为了说明 quagga，当然需要设计一下可能的网络连接了。假设网络连接如图 8-2 所示，共有三个局域网的网段，其中最大的是 192.168.1.0/24 这个外部局域网，另有两个内部局域网，分别是 192.168.100.0/24 及 192.168.200.0/24。

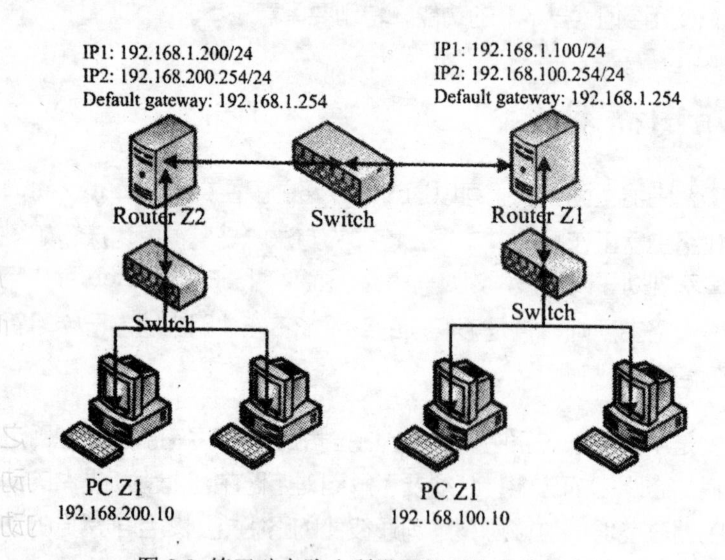

图 8-2 练习动态路由所设置的网络连接示意图

图 8-2 中的两台 Linux Router 分别负责不同的网络，其中 Router Z1 是上个小节设置好之后保留的，左边的 Router Z2 则是需要额外设置的路由器。两台 Router 可以通过

192.168.1.0/24 这个网络来沟通。在没有设置额外路由规则的情况下，PC Z1 与 PC Z2 是无法沟通的。另外，**quagga 必须要同时安装在两台 Linux Router 上面才行**，而且我们只要设置好这两台主机的网络接口（eth0、eth1）后，不需要手动输入额外的路由设置，通过 RIP 这个路由协议即可完成。

1. 将所有主机的 IP 设置妥当

这是最重要的。先将这 4 台主机（Router Z1、Router Z2、PC Z1、PC Z2）的网络参数，按照图 8-2 的模样设置妥当。设置的方式请参考本章上一小节，或者是依据第 4 章的 4.2.1，这里不再重复说明了。另外，在 Router Z1、Z2 的部分还需要加上修改 ip_forwrad 参数，即 /etc/sysctl.conf 的设置值。这个鸟哥也常常忘记。

2. 在两台 Router 上面设置 zebra

我们先设置图 8-2 右手边那一台 Router Z1，关于 zebra.conf 可以这样设置：

```
# 1. 先设置会影响动态路由服务的 zebra 并且启动 zebra
[root@www ~]# vim /etc/quagga/zebra.conf
hostname www.centos.vbird              <==给予这个路由器一个主机名，随便取
password linuxz1                       <==给予一个密码
enable password linuxz1                <==将这个密码生效
log file /var/log/quagga/zebra.log     <==将所有 zebra 产生的信息存到日志文件中

[root@www ~]# /etc/init.d/zebra start
[root@www ~]# chkconfig zebra on
[root@www ~]# netstat -tunlp | grep zebra
Active Internet connections (only servers)
Proto Recv-Q Send-Q Local Address   Foreign Address   State    PID/Program name
tcp        0      0 127.0.0.1:2601  0.0.0.0:*         LISTEN   4409/zebra
```

仔细看，由于 zebra 这个服务的任务主要是修改 Linux 系统内核内的路由，所以它仅监听本机接口而已，并不会监听外部的接口。另外，在 zebra.conf 这个文件中，我们所设置的密码是有作用的，可以让我们登录 zebra 这套软件。好了，我们来查一查这个 2601 的 Port 是否正确的启动。

```
[root@www ~]# telnet localhost 2601
Trying 127.0.0.1...
Connected to localhost.localdomain (127.0.0.1).
Escape character is '^]'.

Hello, this is Quagga (version 0.99.15).
Copyright 1996-2005 Kunihiro Ishiguro, et al.

User Access Verification
```

```
Password: <==在这里输入刚刚设置的密码
www.centos.vbird> ? <==在这边输入“ ?”就能够知道有多少命令可使用
  echo       Echo a message back to the vty
  enable     Turn on privileged mode command
  exit       Exit current mode and down to previous mode
  help       Description of the interactive help system
  list       Print command list
  quit       Exit current mode and down to previous mode
  show       Show running system information
  terminal   Set terminal line parameters
  who        Display who is on vty
www.centos.vbird> list <==列出所有可用命令
  echo .MESSAGE
....(中间省略)....
  show debugging zebra
  show history
  show interface [IFNAME]
....(中间省略)....
  show ip protocol
  show ip route
....(其他省略)....
www.centos.vbird> show ip route
Codes: K - kernel route, C - connected, S - static, R - RIP, O - OSPF,
       I - ISIS, B - BGP, > - selected route, * - FIB route

K>* 0.0.0.0/0 via 192.168.1.254, eth0                  <==内核直接设置的
C>* 127.0.0.0/8 is directly connected, lo              <==接口产生的路由
K>* 169.254.0.0/16 is directly connected, eth1         <==内核直接设置的
C>* 192.168.1.0/24 is directly connected, eth0         <==接口产生的路由
C>* 192.168.100.0/24 is directly connected, eth1 <==接口产生的路由
www.centos.vbird> exit
Connection closed by foreign host.
```

仔细观察，我们登录这个 zebra 的服务之后，输入“help”或问号“?”，zebra 就会显示出你能够执行的命令有哪些，比较常用的当然是查询路由规则了。用“ show ip route”来查阅结果，可以发现目前的接口与默认路由都被显示出来了，显示结果中的含义如下。

K：代表以类似 route 命令加入内核的路由规则，包括 route-ethN 所产生的规则。

C：代表由网络接口所设置的 IP 而产生的相关的路由规则。

S：以 zebra 功能所设置的静态路由信息。

R：就是通过 RIP 协议所增加的路由规则。

事实上，如果你还想要增加额外的静态路由的话，也可以通过 zebra 而不必使用 route 命

令。例如想要增加 10.0.0.0/24 给 eth0 来处理的话，可以这样做：

```
[root@www ~]# vim /etc/quagga/zebra.conf
# 添加下面这一行
ip route 10.0.0.0/24 eth0

[root@www ~]# /etc/init.d/zebra restart
[root@www ~]# telnet localhost 2601
Password: <==这里输入密码
www.centos.vbird> show ip route
K>* 0.0.0.0/0 via 192.168.1.254, eth0
S>* 10.0.0.0/24 [1/0] is directly connected, eth0
C>* 127.0.0.0/8 is directly connected, lo
K>* 169.254.0.0/16 is directly connected, eth1
C>* 192.168.1.0/24 is directly connected, eth0
C>* 192.168.100.0/24 is directly connected, eth1
```

立刻就多出了一个路由的规则，而且最右边会显示 S，即静态路由（Static Route）的意思。如此一来，系统管理员可就轻松多了。设置完右边 Router Z1 的 zebra 之后，不要忘记设置 Router Z2，同样的设置再来一遍，只是主机名与密码应该不要相同。因为过程都一样，鸟哥就不再重复设置。接下来我们可以开始看看 ripd 这个服务了。

3. 在两台 Router 上面设置 ripd 服务

ripd 这个服务可以在两台 Router 之间进行路由规则的交换与沟通，当然，如果网络环境里面有类似 Cisco 或者是其他有提供 RIP 协议的路由器的话，那么当然也是可以通过这个 RIP 让 Linux Router 与其他硬件路由器互相连通。只不过 CentOS 6.x 的 quagga 所提供的 ripd 服务使用的是 RIPv2 版本，这个版本默认要求进行身份验证的操作，但是对于小型网络，如果并不想加入这个身份验证的功能，那就需要增加某些设置值才能够顺利地启动 ripd。

先来设置 Router Z1。在 Router Z1 中，我们主要是通过 eth0 发送所有的网络路由信息，同时，我们管理的网络有 192.168.1.0/24、192.168.100.0/24。再加上取消身份验证的设置值后，我们的 ripd 就会变成这样：

```
[root@www ~]# vim /etc/quagga/ripd.conf
hostname www.centos.vbird            <==这里是设置 Router 的主机名
password linuxz1                     <==设置好自己的密码
debug rip events                     <==可以记录较多的错误信息
debug rip packet                     <==鸟哥通过这个信息解决很多问题
router rip                           <==启动 Router 的 rip 功能
 version 2                           <==启动的是 RIPv2 的服务（默认值）
 network 192.168.1.0/24              <==这两个就是我们管理的接口
 network 192.168.100.0/24
```

```
interface eth0                        <==针对外部的那个接口，要略过身份验证的方式
 no ip rip authentication mode        <==就是这个项目，不需要验证身份
log file /var/log/quagga/zebra.log    <==日志文件设置与 zebra 相同即可

[root@www ~]# /etc/init.d/ripd start
[root@www ~]# chkconfig ripd on
[root@www ~]# netstat -tulnp | grep ripd

Active Internet connections (only servers)
Proto Recv-Q Send-Q Local Address  Foreign Address State    PID/Program name
tcp        0      0 127.0.0.1:2602 0.0.0.0:*       LISTEN   4456/ripd
udp        0      0 0.0.0.0:520    0.0.0.0:*                4456/ripd
# 新版的 quagga 启动的 2602 仅在 127.0.0.1 主机中，是通过 Port 520 来传递信息
```

基本上，这样就完成一台路由器的 RIP 动态路由协议的设置了。在上面 ripd.conf 的设置中，它会主动以 eth0 及 192.168.1.0/24 这个网络的功能来进行搜索，如此一来，未来你进行任何路由规则的变动，或者是对整个网络的主机 IP 进行变动，都不需要重新到每台 Router 上修改。因为这些路由器会自动更新自己的规则。接下来，通过同样的操作对图 8-2 左边那台 Router Z2 进行设置。因为整个设置的流程都一样，所以这里鸟哥就省略啦。

4. 检查 RIP 协议的沟通结果

当两台 Linux Router 都设置妥当之后，就可以登录 zebra 去查看这两台主机的路由更新结果。举例来说，鸟哥登录图 8-2 右边那台 Router Z1，并且登录 zebra 后，查看路由会是这样的情况：

```
[root@www ~]# route -n
Kernel IP routing table
Destination     Gateway         Genmask         Flags Metric Ref    Use Iface
192.168.100.0   0.0.0.0         255.255.255.0   U     0      0        0 eth1
10.0.0.0        0.0.0.0         255.255.255.0   U     0      0        0 eth0
192.168.1.0     0.0.0.0         255.255.255.0   U     0      0        0 eth0
192.168.200.0   192.168.1.200   255.255.255.0   UG    2      0        0 eth0
0.0.0.0         192.168.1.254   0.0.0.0         UG    0      0        0 eth0
# 其实看路由就知道啦，那条有点线的就是新增的路由规则，很清楚

[root@www ~]# telnet localhost 2601
Password: <==不要忘记了密码
www.centos.vbird> show ip route
Codes: K - kernel route, C - connected, S - static, R - RIP, O - OSPF,
       I - ISIS, B - BGP, > - selected route, * - FIB route

K>* 0.0.0.0/0 via 192.168.1.254, eth0
S>* 10.0.0.0/24 [1/0] is directly connected, eth0
```

```
C>* 127.0.0.0/8 is directly connected, lo
K>* 169.254.0.0/16 is directly connected, eth1
C>* 192.168.1.0/24 is directly connected, eth0
C>* 192.168.100.0/24 is directly connected, eth1
R>* 192.168.200.0/24 [120/2] via 192.168.1.200, eth0, 00:02:43
```

如果你看到上述的输出结果，那就是成功啦。最左边的 R 代表的是通过 RIP 通信协议所设置的路由规则。这样，路由器设置就搞定了。如果一切都没有问题，想要开机就启动 zebra、ripd，那么还需要这样设置：

```
[root@www ~]# chkconfig zebra on
[root@www ~]# chkconfig ripd on
```

通过这个 quagga 以及 RIPv2 的路由协议的辅助，我们可以轻松地将路由规则分享到附近局域网的其他路由器上面，比起单纯使用 route 去修改 Linux 的内核路由表，这个操作当然要快很多。不过，如果是小型的网络环境，那么就不要使用 quagga，否则有点多此一举的感觉。如果你的企业网络规模较大，那么用 quagga 配合一些动态路由协议也是可行的。

鸟哥差一点被这一版的 ripd.conf 设置内容搞死。因为 CentOS 5.x 以后的版本默认的 RIPv2 会去进行身份验证，所以原先在 CentOS 4.x 的设置是不能用的，偏偏日志文件又看不出来。后来查到可以通过 ripd.conf 内的 debug 参数去设置排错登录，才发现 RIPv2 需要认证，最终 Google 一下才解决问题，好累啊！

8.4　特殊状况——路由器两边界面是同一个 IP 网段：ARP Proxy

如果一开始设计的网络环境就是同一个 Class C 的网络，例如 192.168.1.0/24，后来因为某些因素必须要将某些主机搬到内部的环境中，例如图 8-1 中的 ClientLinux、Windows XP、Windows 7。然后又因为某些因素，使你不能修改这些计算机的 IP，此时同一网段就会横跨在一个路由器的左右两边了，连接如图 8-3 所示。

Gatewaa: 192.168.1.254/24
外部 eth0
192.168.1.100/24
实际的192. 168. 1. 0/24网段
Linux
Router
内部 eth0
192.168.1.200/24
Switch
独立局域网
Switch
PC1
IP: 192.168.1.101
PC2
192.168.1.10
PC3
192.168.1.20
PC4
192.168.1.30
Default gateway: 192.168.1.254

图 8-3 路由器两个界面的 IP 是在同一个网段的特殊情况

乍一看，眼睛快要掉下来了。怎么路由器两边的主机 IP 设置都在同一个网段内？而且还被规定不能够更改原先的 IP 设置，真是难。这样，在 Linux Router 两边要如何制作路由呢？因为 **OSI 第三层网络层的路由是一条一条去设置比对的，所以如果两块网卡上面都是同一个网络的 IP 时，就会发生错误**。那如何处理呢？

我们先从两方面来说：第一个，当从正确的网段（PC1）连接到 PC2~PC4 时，应该要通过 Linux Router 那台主机的对外 IP（192.168.1.100）才行，而且 Linux Router 还必须要让该数据包通过内部 IP（192.168.1.200）连接到 PC2~PC4。此时，数据包传递的图示如图 8-4 所示。

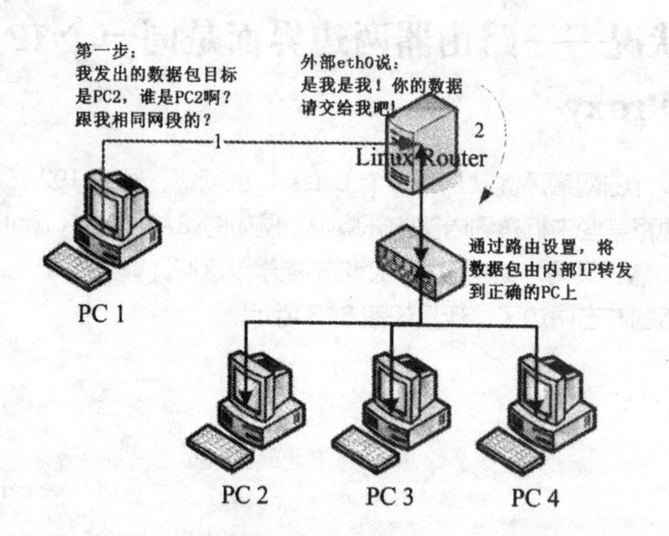

图 8-4 正常的网段想要传送到内部计算机去的数据包流向

在这个阶段，我们可以将 **PC2~PC4 的 IP 所对应的网卡卡号（MAC）都设置在 Router 的**

对外网卡上，因此，Router 的对外接口可以将给 PC2~PC4 的数据包“骗”过来。接下来，就简单地通过路由设置让数据包换个接口发送出去即可。这样 PC1→PC2 的问题解决了，但是 PC2 怎么传送到 PC1 呢？我们可以通过图 8-5 来看一看。

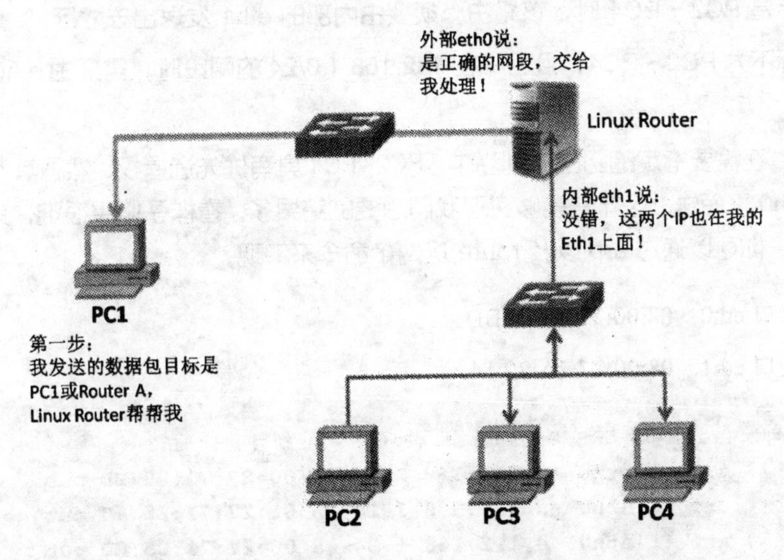

图 8-5　内部计算机想要发送到正常网络时的数据包流向

如果 PC2 要发送的数据包是给 PC3、PC4 的，那么这个数据包需要能够直接传递。但是如果需要传送到正常网段，就需要通过 Router 的对内网卡，再通过路由规则来将该数据包导向外部接口来传递才行。这个时候就变成内部的接口“欺骗”PC2 说，PC1 与 Linux Router 的 IP 是在内部这个接口上，然后再通过路由判断将该数据包通过外部接口来对外传递出去即可。假设 Linux Router 的对外接口为 eth0 而对内为 eth1 时，我们可以这样做：

1）**当 Linux Router 的 eth0 那个网络主机想要连接到 PC2~PC4 的主机时，由 Linux Router 负责接收。**

2）**当 Linux Router 要传送数据到 PC2~PC4 时，务必要由 eth1 来传送。**

3）**当内部计算机想要连接到 PC1 或 Router A 时，由 Linux Router 的 eth1 负责接收。**

4）**当 Linux Router 要传送的数据为 192.168.1.0/24，但并非 PC2~PC4 时，需要由 eth0 传送。**

上列的步骤与图示内的线条上的顺序相符合。其中的（1）与（3）就是通过 ARP Proxy（代理）的功能。什么是 ARP Proxy 呢？简单地说，就是让我的某张适配卡的 MAC 代理与其他主机的 IP 对应，让想要连接到这个 IP 的 MAC 数据包由我帮他接下来的意思。以图 8-3 为例，**就是在 Linux Router 的 eth0 接口上，规定 192.168.1.10、192.168.1.20、192.168.1.30 这三个 IP 都对应到 eth0 的 MAC 上，所以三个 IP 的数据包就会由 eth0 代为收下**，因此叫做 ARP 代理人，所以，每一台在 eth0 端的主机都会“误判”那三个 IP 是 Linux Router 所拥有，这样就能够让数据包传给 Linux Router 了。

接下来，Linux Router 必须要额外指定路由，设置情况为：

- **若目标是 PC2 ~ PC4 时，该路由必须要由内部的 eth1 发送出去才行。**
- **若目标不为 PC2 ~ PC4，且目标在 192.168.1.0/24 的网段时，需要由 eth0 发送出去才行。**

也就是说，在需要指定的路由规则当中，PC2~PC4 具有优先选择权，然后其他的同网段数据包才由 eth0 来传送。这样就能够实现我们想要的结果了。看样子似乎很难，其实设置方面还挺简单的，你可以通过 arp 以及 route 这两个命令来实现。

- 外部接口 eth0：08:00:27:71:85:BD。
- 内部接口 eth1：08:00:27:2A:30:14。

```
# 1. 先设置外部 eth0 的 ARP Proxy，让三个 IP 对应到自己的 MAC
[root@www ~]# arp -i eth0 -s 192.168.1.10 08:00:27:71:85:BD pub
[root@www ~]# arp -i eth0 -s 192.168.1.20 08:00:27:71:85:BD pub
[root@www ~]# arp -i eth0 -s 192.168.1.30 08:00:27:71:85:BD pub
[root@www ~]# arp -n
Address             HWtype  HWaddress          Flags Mask        Iface
192.168.1.30        *       *                  MP                eth0
192.168.1.10        *       *                  MP                eth0
192.168.1.20        *       *                  MP                eth0
# 首先需要让外部接口拥有三个 IP 的控制权，通过这三个命令来建立 ARP 对应

# 2. 开始处理路由，添加 PC2~PC4 的单机路由，经过内部的 eth1 来传递
[root@www ~]# route add -host 192.168.1.10 eth1
[root@www ~]# route add -host 192.168.1.20 eth1
[root@www ~]# route add -host 192.168.1.30 eth1
[root@www ~]# route -n
Kernel IP routing table
Destination     Gateway         Genmask         Flags Metric Ref    Use Iface
192.168.1.20    0.0.0.0         255.255.255.255 UH    0      0        0 eth1
192.168.1.10    0.0.0.0         255.255.255.255 UH    0      0        0 eth1
192.168.1.30    0.0.0.0         255.255.255.255 UH    0      0        0 eth1
192.168.1.0     0.0.0.0         255.255.255.0   U     0      0        0 eth0
192.168.1.0     0.0.0.0         255.255.255.0   U     0      0        0 eth1
0.0.0.0         192.168.1.254   0.0.0.0         UG    0      0        0 eth0
# 这样就处理好单向的单机路由了，不过有个问题，那就是 192.168.1.0/24
# 的网络，两个接口都可以传送。因此，等一下第 4 个步骤中需要将 eth1 删除才行

3. 设置一下内部的 ARP Proxy 工作 (绑在 eth1 上头)
[root@www ~]# arp -i eth1 -s 192.168.1.101 08:00:27:2A:30:14 pub
[root@www ~]# arp -i eth1 -s 192.168.1.254 08:00:27:2A:30:14 pub
# 这样可以骗过 PC2 ~ PC4，让这三台主机传递的数据包可以通过 router 来传递
```

```
4. 开始清除掉 eth1 的 192.168.1.0/24 路由
[root@www ~]# route del -net 192.168.1.0 netmask 255.255.255.0 eth1
```

所有的计算机都在同一个网段内，因此 Default Gateway 都是 192.168.1.254，而 Netmask 都是 255.255.255.0，只有 IP 不一样而已。最后，所有的计算机都可以直接跟对方连接，也能够顺利连上 Internet。这样的设置就能够满足上述的功能需求了。如果一切都没有问题，那么将上述的命令写成一个脚本文件，例如 /root/bin/network.sh，然后将该文件设置为可执行，并将它写入 /etc/rc.d/rc.local，同时每次重新启动网络后，就需要重新执行一次该脚本，即可实现所要的需求了。

通过这个案例可以知道，**能不能实现网络连接其实与路由有很大关系，而路由是双向的，所以，需要考虑到这个数据包如何回来的问题。**

8.5 重点回顾

- 网卡的代号为 eth0、eth1、eth2…，而第一块网卡的第一个虚拟接口为 eth0:0。
- 网卡的参数可使用 ifconfig 直接设置，也可使用配置文件如 /etc/sysconfig/network-scripts/ifcfg-ethn 来设置。
- 路由是双向的，所以由网络数据包发送处发送到目标的路由规划，必须要考虑回程时是否具有相对的路由，否则该数据包可能会遗失。
- 每台主机都有自己的路由表，此路由表（Routing Table）是作为数据包传送时的路径依据。
- 每台可对外 Internet 传送数据包的主机，其路由信息中应有一个默认路由（Default Gateway）。
- 要让 Linux 作为 Router 最重要的是启动内核的 IP Forward 功能。
- 重复路由可能会让网络数据包传递到错误的方向。
- 动态路由通常是用在两个 Router 之间沟通彼此的路由规则的，常见的 Linux 上的动态路由软件为 Zebra。
- ARP Proxy 可以通过 arp 与 route 的功能，让路由器两端都处于同一个网段内。
- 一般来说，路由器上都会有两个以上的网络接口。
- 事实上，Router 除了作为路由转换之外，还可以在 Router 上面架设防火墙，亦可在企业内部再分隔出多个需要安全（Security）的单位数据。

8.6 参考数据与延伸阅读

- 注 1：网中人编著的《带宽负载均衡》：http://www.study-area.org/Tips/multipath.htm。
- 注 2：一些生产网络硬设备的公司：思科（Cisco）：http://www.cisco.com/；友讯（D-Link）：http://www.dlinktw.com.tw/；普联技术（TP-Link）：http://www.tplink.com.tw/。
- 注 3：动态路由架设软件：动态路由软件 Quagga: http://www.quagga.net；动态路由软件 zebra: http://www.zebra.org；Ben 哥编写的《实作 Linux 动态路由》：http://linux.vbird.org/somepaper/20060714-linux_cisco_route.pdf；quagga 官方操作文件：http://www.quagga.net/docs/quagga.pdf。
- 酷学园的 ARP Proxy：http://phorum.study-area.org/viewtopic.php?t=5619。
- 酷学园 ericshei 的 ARP Proxy 分享：http://phorum.study-area.org/viewtopic.php?t=22943。

第 9 章

防火墙与 NAT 服务器

从第 7 章的图 7-1 我们可以知道防火墙是整个数据包要进入主机前的第一道关卡。但是，什么是防火墙？Linux 的防火墙有哪些机制？防火墙可以实现与无法实现的功能有哪些？防火墙能不能作为区域防火墙而不是仅针对单一主机呢？其实，Linux 的防火墙主要是通过 Netfilter 与 TCP Wrappers 两个机制来管理的。其中，通过 Netfilter 防火墙机制，我们可以实现让私有 IP 的主机上网（IP 路由器功能），并且也能够让 Internet 连到内部的私有 IP 所架设的 Linux 服务器（DNAT 功能）。真的很不错。本章很重要。

9.1 认识防火墙

网络安全除了随时注意相关软件的漏洞以及网络上的安全通报之外，最好能够依据自己的环境来设置防火墙机制。这样可使网络环境比较有保障。那么什么是防火墙呢？其实**防火墙就是通过定义一些有顺序的规则，并管理进入到网络内的主机数据数据包的一种机制**。更广义的来说，**只要能够分析与过滤进出我们管理的网络的数据包的数据，就可以称为防火墙。**

防火墙又可以分为硬件防火墙与本机的软件防火墙。硬件防火墙是由厂商设计好的主机硬件，这台硬件防火墙内的操作系统主要以提供数据包数据的过滤机制为主，并将其他不必要的功能拿掉。因为单纯作为防火墙功能使用，因此数据包过滤的效率较佳。至于软件防火墙，那就是我们本章节要来谈论的。软件防火墙本身就是保护系统网络安全的一套软件（或称为机制），例如 Netfilter 与 TCP Wrappers 都可以称为软件防火墙。

无论怎么分，防火墙就是用来保护网络安全的。本章主要介绍 Linux 系统本身提供的软件防火墙的功能，那就是 Netfilter。至于 TCP Wrappers 虽然在基础篇的第十八章认识系统服务里面谈过了，我们这里还会稍微简单地介绍一下。

9.1.1 关于本章的一些提醒事项

由于本章主要目的是介绍 Netfilter 这种数据包过滤式的防火墙机制，因此网络基础里面的许多数据包与数据帧的概念要非常清楚，包括网络的概念、IP 网络的撰写方式等。请到第 2 章加强一下对 MAC、IP、ICMP、TCP、UDP 等报头数据的认识，以及 Network/Netmask 的整体网络（CIDR）写法等。

另外，虽然 Netfilter 机制可以通过 iptables 命令的方式来进行规则的排序与修改，不过鸟哥建议你利用 Shell script 来撰写属于你自己的防火墙机制比较好，因为对于规则的排序与汇总有比较好的查看性，可以让防火墙规则比较清晰一点。所以在开始了解下面的数据之前，希望你已经学习过以下内容：

- 已经认识 Shell 以及 Shell script。
- 已经阅读过第 2 章网络基础的内容。
- 已经阅读过第 7 章认识网络安全的内容。
- 已经阅读过第 8 章路由器的内容，了解重要的路由概念。
- 最好拥有两部主机以上的小型局域网络环境，以方便测试防火墙。
- 作为区域防火墙的 Linux 主机最好有两块实体网卡，可以进行多种测试，并架设 NAT 服务器。

9.1.2　为何需要防火墙

仔细分析第 7 章的图 7-1 可以发现，数据包进入本机时，会通过防火墙、服务器软件程序、SELinux 与文件系统等。所以基本上，如果你的系统①**已经关闭不需要而且危险的服务**；②**已经将整个系统的所有软件都保持在最新的状态**；③**权限设置妥当且定时进行备份工作**；④**已经教育用户具有良好的网络、系统操作习惯**；那么你的系统实际上已经颇为安全了。要不要架设防火墙，那就见仁见智了。

不过，毕竟网络世界是很复杂的，而 Linux 主机也不是一个简单的东西，说不定哪一天你在进行某个软件的测试时，主机突然间就启动了一个网络服务，如果你没有管制该服务的使用范围，那么该服务就等于对所有 Internet 开放，那就麻烦了。因为该服务可能可以允许任何人登录你的系统，那岂不是挺危险？

所以，**防火墙最大的功能就是帮助你限制某些服务的访问来源**。例如：①你可以限制文件传输服务（FTP）只在子域内的主机才能够使用，而不对整个 Internet 开放；②你可以限制整台 Linux 主机仅可以接受客户端的 WWW 要求，其他的服务都关闭；③你还可以限制整台主机仅能主动对外连接，也就是说，若有客户端对我们主机发送主动连接的数据包状态（TCP 数据包的 SYN flag）就予以过滤等。这些就是最主要的防火墙功能。

所以鸟哥认为，防火墙最重要的任务就是规划出：

- **切割被信任（如子域）与不被信任（如 Internet）的网段。**
- **划分出可提供 Internet 的服务与必须受保护的服务。**
- **分析出可接受与不可接受的数据包状态。**

当然，Linux 的 iptables 防火墙软件还可以进行更深入的 NAT（Network Address Translation）的设置，并进行更弹性的 IP 数据包伪装功能，不过，对于单一主机的防火墙来说，最简单的任务就是上面那三项。所以，你需不需要防火墙呢？理论上，当然需要。而且你必须要知道系统哪些数据与服务需要保护，针对需要受保护的服务来设置防火墙的规则。下面我们先来谈一谈在 Linux 上常见的防火墙类型有哪些。

9.1.3　Linux 系统上防火墙的主要类别

基本上，依据防火墙管理的范围，我们可以将防火墙区分为网络型与单一主机型的管理。在单一主机型的管理方面，主要的防火墙有数据包过滤型的 Netfilter 与依据服务软件程序作为分析的 TCP Wrappers 两种。若以区域型的防火墙而言，由于此类防火墙都是充当路由器角色，因此防火墙类型则主要有数据包过滤的 Netfilter 与利用代理服务器（Proxy Server）进行访问代理的方式了。

1. Netfilter（数据包过滤机制）

所谓的数据包过滤，也就是分析进入主机的网络数据包，将数据包的头部数据提取出来进行分析，以决定该连接为放行或抵挡的机制。由于这种方式可以直接分析数据包头部数据，所以包括硬件地址（MAC）、软件地址（IP）、TCP、UDP、ICMP 等数据包的信息都可以进行过滤分析，因此用途非常广泛（其实主要分析的是 OSI 七层协议的 2、3、4 层）。

在 Linux 上面我们使用内核内建了 Netfilter 这个机制，而 Netfilter 提供了 iptables 这个软件来作为防火墙数据包过滤的命令。由于 Netfilter 是内核内建的功能，因此效率非常高，非常适合于一般小型环境的设置。Netfilter 利用一些数据包过滤的规则设置，来定义出什么数据可以接收，什么数据需要剔除，以达到保护主机的目的。

2. TCP Wrappers (程序管理)

另一种抵挡数据包进入的方法，是通过服务器程序的外挂（tcpd）来处置的。与数据包过滤不同，这种机制主要是分析谁对某程序进行访问，然后通过规则去分析该服务器程序谁能够连接、谁不能连接。由于主要是通过分析服务器程序来管理，**因此与启动的端口无关，只与程序的名称有关。**举例来说，我们知道 FTP 可以启动在非正规的 port 21 进行监听，当你通过 Linux 内建的 TCP Wrappers 限制 FTP 时，那么你只要知道 FTP 的软件名称（vsftpd），然后对它进行限制，则不管 FTP 启动在哪个端口，都会被该规则管理的。

3. Proxy（代理服务器）

其实代理服务器是一种网络服务，它可以代理用户的需求，代为前往服务器取得相关的资料。其工作原理如图 9-1 所示。

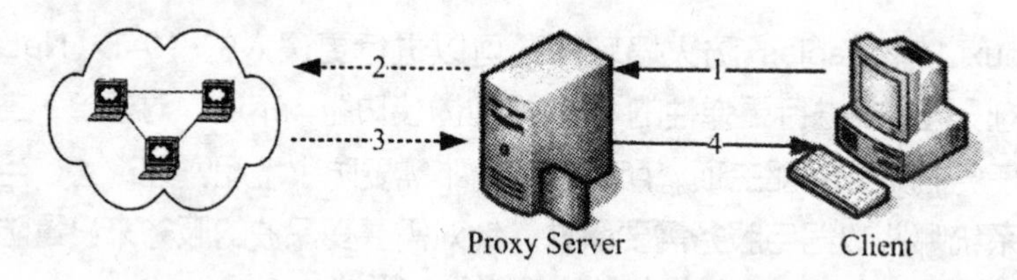

图 9-1 Proxy Server 的工作原理简介

从图 9-1 可以看出，当 Client 端想要前往 Internet 取得 Google 的数据时，流程是这样的：

1）Client 会向 Proxy Server 要求数据，请 Proxy 帮忙处理。

2）Proxy 可以分析用户的 IP 来源是否合法、用户想要去的 Google 服务器是否合法。如果这个 Client 的要求都合法的话，那么 Proxy 就会主动帮助 Client 前往 Google 取得资料。

3）Google 所返回的数据是传给 Proxy Server 的，所以 Google 服务器上面看到的是

Proxy Server 的 IP。

4）最后 Proxy 将 Google 返回的数据送给 Client。

这样了解了吗？没错，Client 并没有直接连上 Internet，所以在实线部分（步骤 1、4）只要 Proxy 与 Client 连接就可以了。此时 Client 甚至不需要拥有 Public IP。而当有人想要攻击 Client 端的主机时，除非他能够攻破 Proxy Server，否则是无法与 Client 连接的。

另外，一般 Proxy 主机通常仅开放 port 80、21、20 等 WWW 与 FTP 的端口，而且通常 Proxy 就架设在路由器上面，因此可以完整地掌控局域网内的对外连接，让 LAN 变得更安全。由于一般小型网络环境很少会用到代理服务器，因此本书并没有谈到 Proxy Server 的设置，有兴趣的话可以参考一下第 17 章 squid 这个软件的官网或 Google 一下。

9.1.4 防火墙的一般网络布线示意

由前面的说明中，你应该可以了解到一件事，那就是防火墙除了可以**保护防火墙机制本身所在的那台主机**之外，还可以**保护防火墙后面的主机**。也就是说，防火墙除了可以防备本机被入侵之外，**它还可以架设在路由器上面借以控制进出本地端网络的网络数据包**。这种规划对于内部私有网络的安全也有一定程度的保护作用。下面我们稍微谈一谈目前常见的防火墙与网络布线的配置。

1. 单一网络，仅有一个路由器

防火墙除了可以作为 Linux 本机的基本防护之外，还可以架设在路由器上面以管理整个局域网的数据包进出。因此，在这类的防火墙上通常至少需要有两个接口，将可信任的内部与不可信任的 Internet 分开，所以可以分别设置两块网络接口的防火墙规则。整个环境如图 9-2 所示。

在图 9-2 中，由于防火墙是设置在所有网络数据包都会经过的路由器上面，因此这个防火墙可以很轻易地掌控到局域网内的所有数据包，而且你只要管理这部防火墙主机，就可以很轻易地将来自 Internet 的不良网络数据包阻挡掉。只要管理一台主机就能够造福整个 LAN 里面的 PC，很划算的。

如果你想要将局域网控制得更严格的话，那可以在这台 Linux 防火墙上面架设更严格的代理服务器，让客户端仅能连上你所开放的 WWW 服务器，而且还可以通过代理服务器的日志文件分析功能，明确查出来那个用户在某个时间点曾经连上哪些 WWW 服务器。如果在这个防火墙上面再加装类似 MRTG 的流量监控软件，还能针对整个网络的流量进行监测。这样配置的优点是：

- **因为内外网络已经分开，所以安全维护在内部可以开放的权限较大。**
- **安全机制的设置可以针对 Linux 防火墙主机来维护即可。**

- 对外只看到 Linux 防火墙主机，所以对于内部可以达到有效的安全防护。

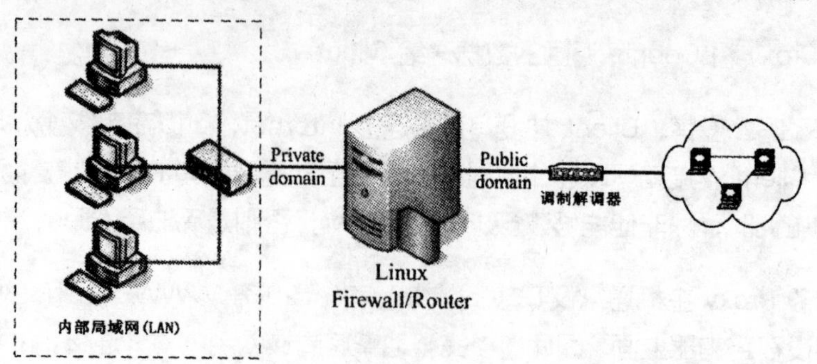

图 9-2 单一网络，仅有一个路由器的环境示意图

2. 内部网络包含安全性更高的子网，需内部防火墙切开子网

一般来说，防火墙对于 LAN 的防备都不会设置得很严格，因为是我们自己的 LAN 。所以是信任网络之一。不过，最常听到的入侵方法也是利用这样的一个信任漏洞，因为你不能保证所有使用企业内部计算机的用户都是公司的员工，也无法保证你的员工不会搞破坏。**更多时候是由于某些外来访客利用移动设备（笔记本电脑）连接到公司内部的无线网络来加以窃取企业内部的重要信息。**

所以，如果你有特别重要的部门需要更安全的保护网络环境，那么在 LAN 里面再加设一个防火墙，将安全等级分类，那么将会让重要数据获得更佳的保护。整个架构如图 9-3 所示。

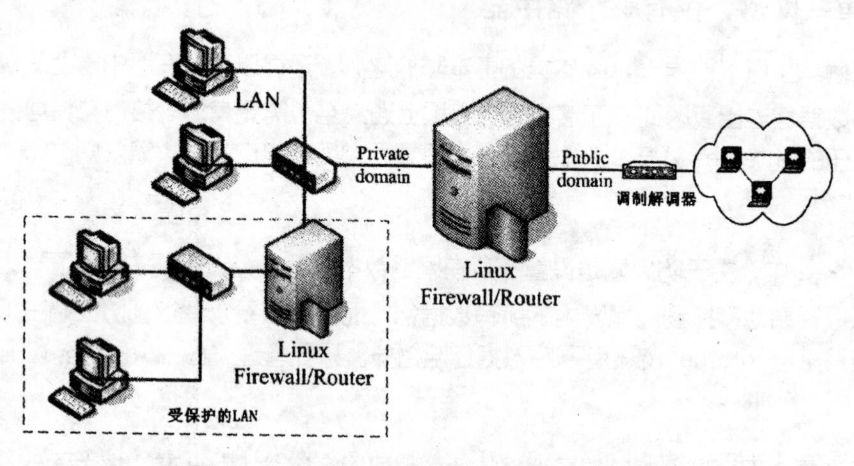

图 9-3 内部网络包含需要更安全的子网防火墙

3. 在防火墙的后面架设网络服务器主机

还有一种更有趣的设置，那就是将提供网络服务的服务器放在防火墙后面，这有什么好处呢？ 如图 9-4 所示，Web、Mail 与 FTP 都是通过防火墙连到 Internet 上面去的，所以，下面这 4 台主机在 Internet 上面的 Public IP 都是一样的（这个观念我们会在本章下面的 NAT 服务器中再次强调）。只是通过防火墙的数据包分析后，将 WWW 的要求数据包传送到 Web

主机，将 Mail 送给 Mail Server 去处理而已（通过 port 的不同来传递）。

因为 4 台主机在 Internet 上面显示的 IP 都相同，但是事实上却是 4 台不同的主机，而当有攻击者想要入侵 FTP 主机时，他使用各种分析方法去进攻的主机，其实攻击的都是防火墙所在的主机，攻击者想要攻击到内部的主机，除非他能够成功搞定防火墙，否则就很难入侵内部主机。

而且，由于主机放置在两台防火墙中间，内部网络如果发生状况时（例如某些用户不良操作导致中毒、被社会工程攻陷导致内部主机被绑架等），是不会影响到网络服务器的正常运作的。这种方式适用于比较大型的企业，因为对这些企业来说，网络主机能否提供正常稳定的服务是很重要的。

不过，在这种架构下所进行的设置就得包含 port 的传递，而且要有很强的网络逻辑概念，可以厘清数据包双向沟通时的流动方式。对于新手来说，设置上有一定的难度，鸟哥个人不太建议新手这么做，还是等有经验之后再来玩这种架构吧。

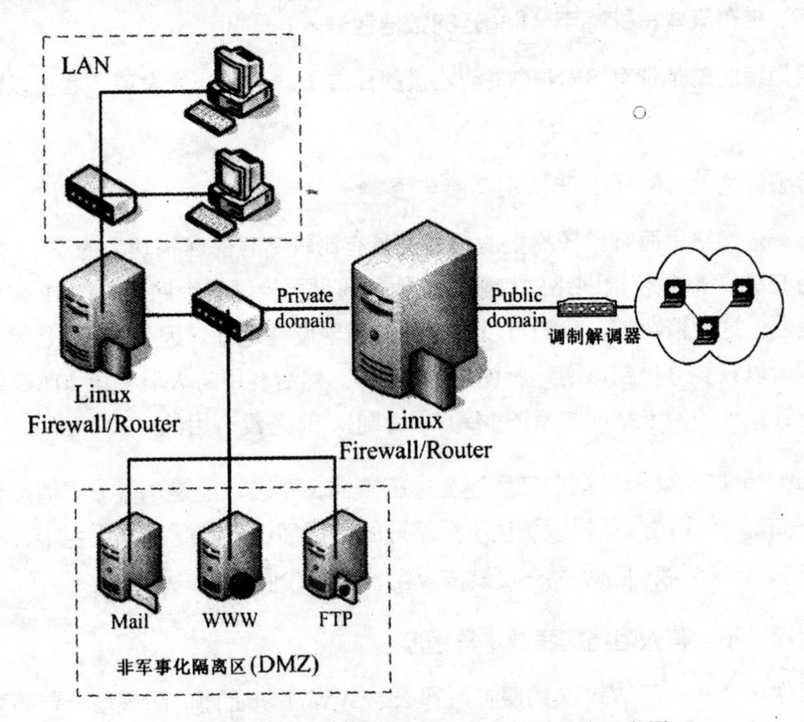

图 9-4 架设在防火墙后端的网络服务器环境示意图

通常图 9-4 环境中，将网络服务器独立放置在两个防火墙中间的网络，我们称之为非军事化隔离区（DMZ）。DMZ 的目的重点就在保护服务器本身，所以将 Internet 与 LAN 都隔离开来，如此一来，不论是服务器本身，或者是 LAN 被攻陷时，另一个区域还是完好无损的。

9.1.5 防火墙的使用限制

从前面的分析中，我们已经知道数据包过滤式防火墙主要分析 OSI 七层协议中的 2、3、4 层，既然如此，Linux 的 Netfilter 机制到底可以做些什么事情呢？其实可以进行的分析工作主要有：

- **拒绝让 Internet 的数据包进入主机的某些端口**

  这个应该不难了解吧。例如 port 21 这个 FTP 相关的端口，若只想要开放给内部网络的话，那么当 Internet 来的数据包想要进入 port 21 时，就可以将该数据数据包丢掉。因为我们可以分析到该数据包包头的端口号码。

- **拒绝让某些来源 IP 的数据包进入**

  例如，已经发现某个 IP 主要都是来自攻击行为的主机，那么只要是来自该 IP 的数据包，就将其丢弃。这样也可以达到基础的安全。

- **拒绝让带有某些特殊标志（flag）的数据包进入**

  最常拒绝的就是带有 SYN 的主动连接的标志了。只要一经发现，就可以将该数据包丢弃。

- **分析硬件地址（MAC）来决定连接与否**

  如果局域网络里面有比较捣蛋的但是又具有比较高强的网络功力的高手时，你想通过使用 IP 来限制他使用网络的权限，而他却通过更换同一个网段内的 IP 来成功绕过权限限制，这种情况下，我们可以绑定他的网卡硬件地址。因为 MAC 是焊在网卡上面的，所以只要分析到该用户所使用的 MAC，然后利用防火墙将该 MAC 锁住，除非他能够换他的网卡来取得新的 MAC，否则换 IP 是没有用的。

虽然 Netfilter 防火墙已经可以做到这么多的事情，不过，还是有很多事情没有办法通过 Netfilter 来完成。防火墙虽然可以防止不受欢迎的数据包进入我们的网络当中，不过，某些情况下，它并不能保证我们的网络一定就很安全。举几个例子来说明。

- **防火墙并不能有效阻挡病毒或木马程序**

  假设你已经开放了 WWW 的服务，那么 WWW 主机上面，防火墙一定需要将 WWW 服务的 port 开放给 Client 端登录，否则 WWW 主机设置根本无法连接。也就是说，只要进入你的主机的数据包是要求 WWW 数据的，就可以通过防火墙。那好了，万一 WWW 服务器软件有漏洞，或者请求 WWW 服务的数据包本身就是病毒程序的一台分时，防火墙可是一点办法也没有，因为本来设置的规则就是会让它通过。

- **防火墙对于来自内部 LAN 的攻击无能为力**

  一般来说，我们对于 LAN 里面的主机都没有什么防火墙的设置，因为是我们自己的

LAN，所以当然就设置为信任网络了。不过，LAN 里面总是可能有些网络盲，虽然他们不是故意要搞破坏，但是他们就是不懂。所以就乱用网络了。这个时候就很糟糕，因为防火墙对于内部的规则设置通常比较少，所以就容易造成内部员工对于网络误用或滥用的情况。

所以，还是回到第 7 章的图 7-1 的说明去看看，分析一下在你的 Linux 主机实地上网之前，需要：

- **关闭几个不安全的服务。**
- **升级几个可能有问题的软件。**
- **使用防火墙架设好最起码的安全防护。**

其他相关的信息请参考第 7 章“认识网络安全”的相关内容。

9.2 TCP Wrappers

在进入主题之前，我们先来介绍一个简单的防火墙机制，那就是 TCP Wrappers。如同前面说的，TCP Wrappers 通过客户端想要链接的程序文件名，然后分析客户端的 IP，看看是否需要放行。那么哪些程序支持 TCP Wrappers 的功能？TCP Wrappers 又该如何设置？我们这里先简单地谈谈（本节仅是简单地介绍一下 TCP Wrappers，更多相关内容请参考基础学习篇的第 18 章）。

9.2.1 哪些服务有支持

说穿了，TCP Wrappers 就是通过 /etc/hosts.allow、/etc/hosts.deny 这两个宝贝来管理的一个类似防火墙的机制，但并非所有的软件都可以通过这两个文件来管理，只有下面的软件才能够通过这两个文件来管理防火墙规则，分别是：

- **由 super daemon（xinetd）所管理的服务。**
- **支持 libwrap.so 模块的服务。**

通过 xinetd 管理的服务还好理解，配置文件在 /etc/xinetd.d/ 里面的服务就是 xinetd 所管理的。那么什么是有支持 libwrap.so 模块呢？我们通过对下面的例题的介绍，你就比较容易明白了。

例题

请查出系统有没有安装 xinetd，若没有请安装；安装完毕后，请查询 xinetd 管理的服务有哪些。

答：

```
[root@www ~]# yum install xinetd
Setting up Install Process
Package 2:xinetd-2.3.14-29.el6.x86_64 already installed and latest version
Nothing to do
# 画面中显示，已经是最新的 xinetd，所以，已经有安装了
# 接下来找出 xinetd 所管理的服务

[root@www ~]# chkconfig xinetd on    <==要先进行 xinetd on 后才能看到下面的
[root@www ~]# chkconfig --list
....(前面省略)....
xinetd based services:
        chargen-dgram:  off
        chargen-stream: off
....(中间省略)....
        rsync:          off    <==下一小节的范例就用这个来解释
        tcpmux-server:  off
        telnet:         on
```

上述结果最终输出的部分就是 xinetd 所管理的服务。上述服务的防火墙简易设置，都可以通过 TCP Wrappers 来管理。

例题

请问，rsyslogd、sshd、xinetd、httpd（若该服务不存在，请自行安装软件），这四个程序中有没有支持 TCP Wrappers 的阻挡功能的？

答：由于支持 TCP Wrappers 的服务必定包含 libwrap 这一个动态函数库，因此可以使用 ldd 来查看该服务即可。简单的使用方式为：

```
[root@www ~]# ldd $(which rsyslogd sshd xinetd httpd)
# 这个方式可以将所有的动态函数库取出来查阅，不过需要肉眼搜寻
# 通过下面的方式来处理更快

[root@www ~]# for name in rsyslogd sshd xinetd httpd; do echo $name; \
> ldd $(which $name) | grep libwrap; done
rsyslogd
sshd
        libwrap.so.0 => /lib64/libwrap.so.0 (0x00007fb41d3c9000)
xinetd
        libwrap.so.0 => /lib64/libwrap.so.0 (0x00007f6314821000)
httpd
```

上述的结果中，如果出现 libwrap 文件名的话，代表找到了该函数库，并支持 TCP Wrappers。所以，sshd、xinetd 支持，但是 rsyslogd、httpd 这两个程序则不支持。也就是说，httpd 与 rsyslogd 不能够使用 /etc/hosts.{allow|deny} 来进行防火墙机制的控制。

9.2.2　/etc/hosts.{allow|deny} 的设置方式

那如何通过这两个文件来阻挡有问题的 IP 来源呢？这两个文件的语法都一样，很简单的：

```
<service(program_name)>  : <IP, domain, hostname>
<服务    (也就是程序名称)>          : <IP 或 域 或主机名>
# 上头的 > < 是不存在于配置文件中的
```

我们知道防火墙的规则都是有顺序的，那这两个文件与规则的顺序优先级是怎样呢？基本上是这样的：

- **先以 /etc/hosts.allow 进行优先比对，该规则符合就予以放行。**
- **再以 /etc/hosts.deny 比对，规则符合就予以抵挡。**
- **若不在这两个文件内，亦即规则都不符合，最终则予以放行。**

我们拿 rsync 这个 xinetd 管理的服务来进行说明，请参考下面的例题。

例题

先开放本机的 127.0.0.1 可以进行任何本机的服务，然后，让局域网（192.168.1.0/24）可以使用 rsync，同时 10.0.0.100 也能够使用 rsync，但其他来源则不允许使用 rsync。

答：我们需要先知道 rsync 的服务启动的文件名为何，因为 TCP Wrappers 是通过启动服务的文件名来管理的。当我们查看 rsync 的配置文件时，可以发现：

```
[root@www ~]# cat /etc/xinetd.d/rsync
service rsync
{
        disable = yes
        flags           = IPv6
        socket_type     = stream
        wait            = no
        user            = root
        server          = /usr/bin/rsync    <==文件名叫做 rsync
        server_args     = --daemon
        log_on_failure  += USERID
}
```

因此程序字段的项目要写的是 rsync。因此，我们应该要这样设置的：

```
[root@www ~]# vim /etc/hosts.allow
ALL: 127.0.0.1      <==这就是本机全部的服务都接受
rsync: 192.168.1.0/255.255.255.0 10.0.0.100

[root@www ~]# vim /etc/hosts.deny
rsync: ALL
```

以上例题有几个重点，首先，TCP Wrappers 理论上不支持 192.168.1.0/24 这种通过 bit 数值来定义的网络，只支持 Netmask 的地址显示方式。另外，如果有多个网络或者是单一来源，可以通过空格来累加。如果想要写成多行呢？也可以，多写几行“kshd: IP”的方式也可以，不必将所有数据集中在一行，因为 TCP Wrappers 也是一条一条规则比对的。

一般地，只要理解这些数据即可。因为绝大部分的情况，我们都建议使用下面介绍的 Netfilter 的机制来阻挡数据包。那让我们来看看 iptables 数据包过滤防火墙吧。

9.3 Linux 的数据包过滤软件：iptables

上面谈了这么多，主要介绍的是防火墙是什么，而且你也会知道防火墙并非万能的。好了，下面我们来瞧一瞧目前我们 2.6 版的这个 Linux 内核到底是使用什么内核功能来进行防火墙设置的。

9.3.1 不同 Linux 内核版本的防火墙软件

Linux 的防火墙的功能为什么好？这是因为它本身就是由 Linux 内核所提供，直接通过内核来处理，因此性能非常好。不过，不同内核版本所使用的防火墙软件是不一样的，因为内核支持的防火墙是不断演变的。

- Version 2.0：使用 ipfwadm 这个防火墙机制。
- Version 2.2：使用的是 ipchains 这个防火墙机制。
- Version 2.4 与 2.6：主要是使用 iptables 这个防火墙机制，不过在某些早期的 Version 2.4 版本的 distributions 当中，亦同时支持 ipchains（编译成为模块），好让用户仍然可以使用来自 2.2 版的 ipchains 的防火墙规划。不过，不建议在 2.4 以上的内核版本使用 ipchains。

因为不同的内核使用的防火墙机制不同，且支持的软件命令与语法也不相同，所以在 Linux 上设置防火墙规则时，一定要先用 uname -r 追踪一下内核版本。如果安装的是 2004 年以后推出的 distributions，那就不需要担心了，因为这些 distributions 几乎都使用 kernel 2.6 版的内核。

9.3.2　数据包进入流程：规则顺序的重要性

前面的几个小节里面我们一直谈到防火墙规则，那么什么是规则呢？因为 iptables 利用的是数据包过滤的机制，所以它会分析数据包的报头数据。根据报头数据与定义的规则来决定该数据包是否可以进入主机或者是被丢弃。也就是说，**根据数据包的分析资料“比对”预先定义的规则内容，若数据包数据与规则内容相同则进行动作，否则就继续下一条规则的比对。**重点在比对与分析顺序。

举个简单的例子，假设预先定义了 10 条防火墙规则，那么当 Internet 来了一个数据包想要进入主机时，那么防火墙是如何分析这个数据包的呢？我们以图 9-5 来说明。

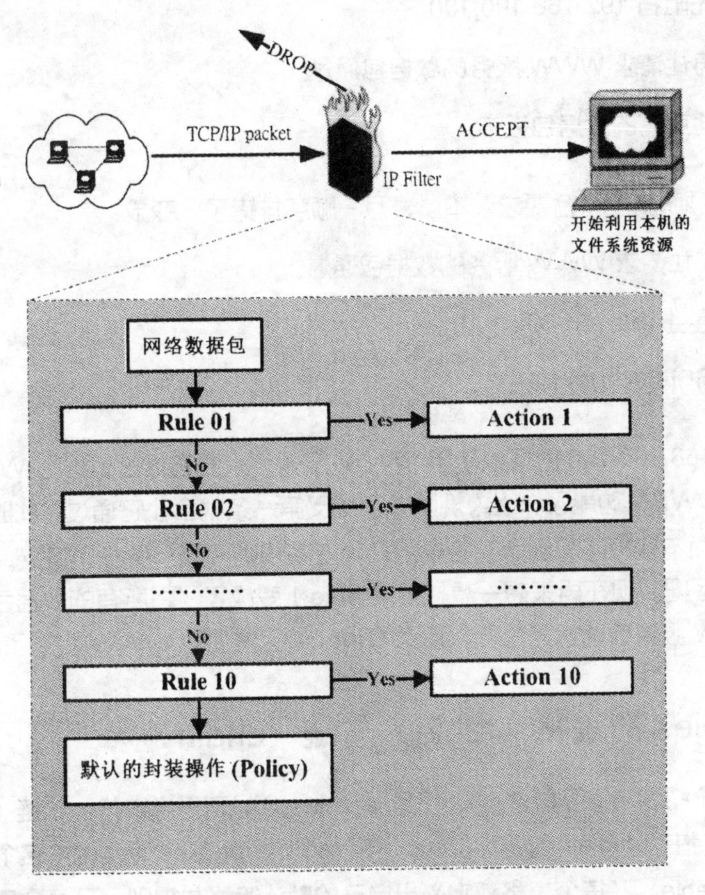

图 9-5　数据包过滤的规则操作及分析流程

当一个网络数据包要进入到主机之前，会先经过 Netfilter 进行检查，那就是 iptables 的规则。检查通过则接受（ACCEPT）进入本机取得资源，如果检查不通过，则可能予以丢弃（DROP）。从图 9-5 可以看出：规则是有顺序的。例如，当网络数据包开始 Rule 1 的比对时，如果**比对结果符合 Rule 1，此时这个网络数据包就会进行 Action 1 的动作，而不会理会后续的** Rule 2、Rule 3 **等规则了。**

而如果这个数据包并不符合 Rule 1 的比对，那就会进入 Rule 2 的比对了。如此一个一个规则比对下去。那如果所有的规则都不符合怎么办？此时就会通过默认操作（数据包策略，Policy）来决定这个数据包的去向。所以，**当规则顺序排列错误时，就会产生很严重的错误。**怎么说呢？让我们看看下面这个例子。

假设 Linux 主机提供了 WWW 的服务，那么自然就要针对 port 80 来启用通过的数据包规则，但是发现 IP 来源为 192.168.100.100 的主机总是恶意尝试入侵系统，所以就想要将该 IP 拒绝往来，最后，所有的非 WWW 的数据包都要被丢弃，就这三个规则来说，需要如何设置防火墙检验顺序呢？

1）Rule 1 先阻挡 192.168.100.100。

2）Rule 2 再让请求 WWW 服务的数据包通过。

3）Rule 3 将所有的数据包丢弃。

这样的排列顺序就能符合要求，不过，万一顺序排错了，变成：

1）Rule 1 先让请求 WWW 服务的数据包通过。

2）Rule 2 阻挡 192.168.100.100。

3）Rule 3 将所有的数据包丢弃。

此时，192.168.100.100 就可以使用 WWW 服务。只要它对主机送出 WWW 请求数据包，就可以使用 WWW 功能了，因为规则顺序定义第一条就会让它通过，此时，数据包因符合第一条规则，而不会被匹配到第二条规则。第二条规则实际上失去了意义。这样可以理解规则顺序的作用了吧。现在再来想一想，如果 Rule 1 变成了“将所有的数据包丢弃”，Rule 2 才设置“WWW 服务数据包通过”，那么 Client 就无法使用 WWW 服务了。

9.3.3 iptables 的表格（table）与链（chain）

事实上，那个图 9-5 所列出的规则仅是 iptables 众多表格当中的一个链（chain）而已。什么是链呢？这得由 iptables 的名称说起。为什么称为 iptables 呢？因为**这个防火墙软件里面有多个表格（table），每个表格都定义出自己的默认策略与规则，且每个表格的用途都不相同，**如图 9-6 所示。

图 9-5 的规则内容仅只是图 9-6 内的某个链而已。默认的情况下，Linux 的 iptables 至少就有 3 个表格，包括管理本机进出的 Filter、管理后端主机（防火墙内部的其他计算机）的 NAT、管理特殊标志使用的 Mangle（较少使用）。更有甚者，我们还可以自定义额外的链。每个表格与其中链的用途分别如下。

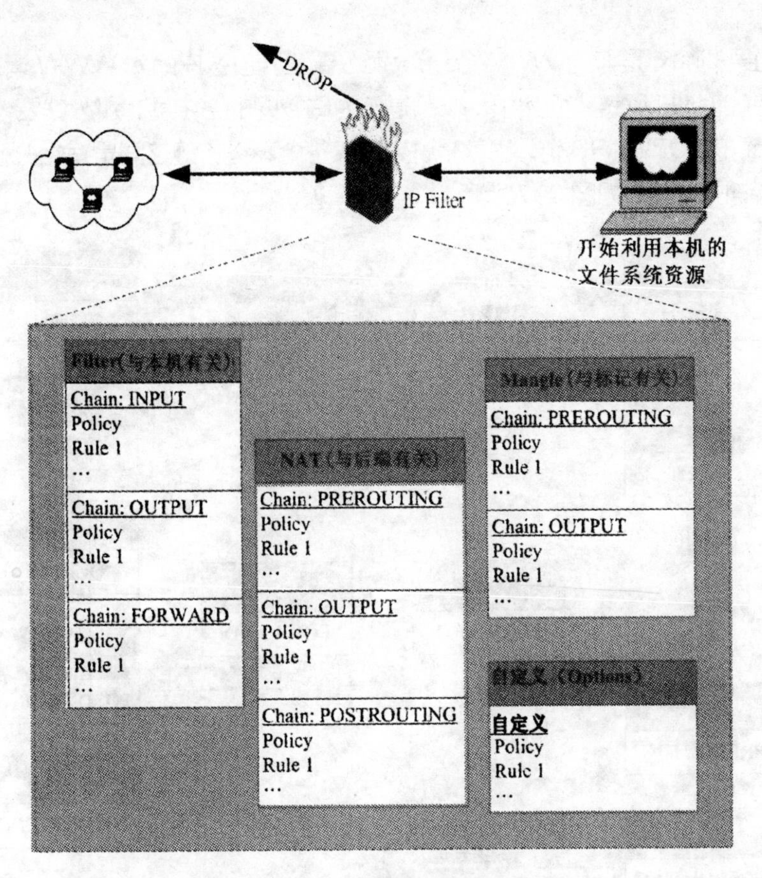

图 9-6 iptables 的表格与相关链示意图

- **Filter（过滤器）**：主要跟进入 Linux 本机的数据包有关，是默认的 table。

  INPUT：主要与想要进入 Linux 本机的数据包有关。

  OUTPUT：主要与 Linux 本机所要送出的数据包有关。

  FORWARD：与 Linux 本机没有关系，它可以传递数据包到后端的计算机中，与 NAT 的 table 相关性较高。

- **NAT（地址转换）**：是 Network Address Translation 的缩写，这个表格主要用来进行来源与目的地的 IP 或 port 的转换，与 Linux 本机无关，主要与 Linux 主机后的局域网内计算机相关。

  PREROUTING：在进行路由判断之前所要进行的规则(DNAT/REDIRECT)。

  POSTROUTING：在进行路由判断之后所要进行的规则(SNAT/MASQUERADE)。

  OUTPUT：与发送出去的数据包有关。

- **Mangle（破坏者）**：这个表格主要是与特殊的数据包的路由标志有关，早期仅有 PREROUTING 及 OUTPUT 链，不过从 kernel 2.4.18 之后加入了 INPUT 及 FORWARD 链。由于这个表格与特殊标志相关性较高，所以在我们讨论的这种单纯的环境当中，较少使用 Mangle 这个表格。

所以，如果 Linux 是作为 WWW 服务，那么要让开放客户端对 WWW 请求有响应，就需要处理 Filter 的 INPUT 链；而如果 Linux 是作为局域网的路由器，那么就要分析 NAT 的各个链以及 Filter 的 FORWARD 链。也就是说，其实各个表格的链之间是有相关性的。iPtables 内建各表格与链的相关性如图 9-7 所示。

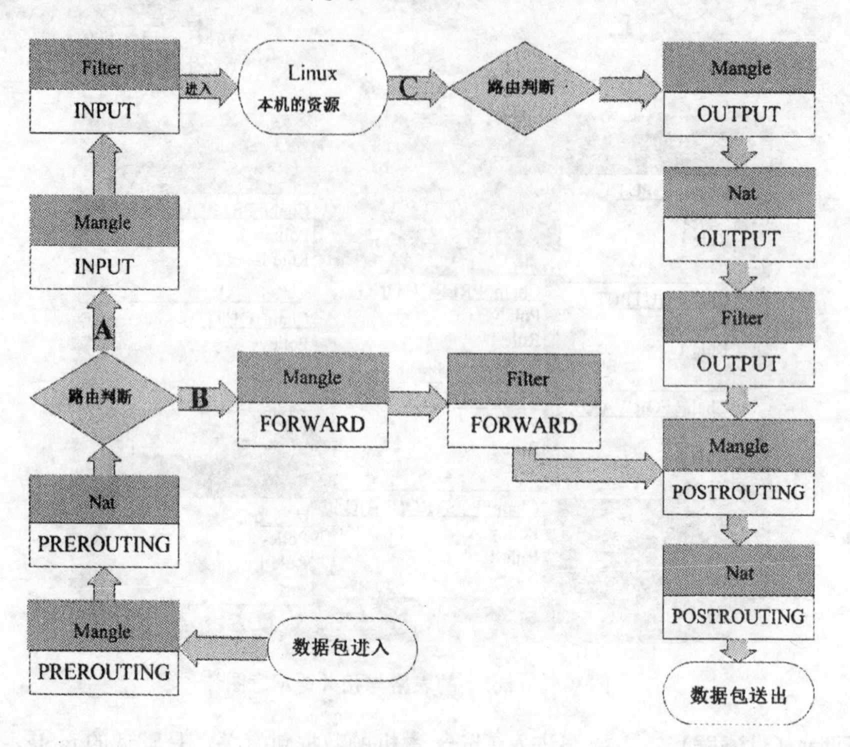

图 9-7 iptables 内建各表格与链的相关性

图 9-7 很复杂。不过从中基本上可以看出来，iptables 可以控制 3 种数据包的流向。

- **数据包进入 Linux 主机使用资源（路径 A）**：在路由判断后确定是向 Linux 主机请求数据的数据包，主机就会通过 Filter 的 INPUT 链来进行控制。
- **数据包通过 Linux 主机的转递，没有使用主机资源，而是向后端主机流动（路径 B）**：在路由判断之前进行数据包报头的修订后，发现数据包主要是要通过防火墙而去后端，此时数据包就会通过路径 B 来移动。也就是说，该数据包的目标并非 Linux 本机。主要经过的链是 Filter 的 FORWARD 以及 NAT 的 POSTROUTING、PREROUTING。路径 B 的数据包流向使用情况，我们会在本章的 9.5 小节来跟大家作简单的介绍。
- **数据包由 Linux 本机发送出去（路径 C）**：例如响应客户端的要求，或者是 Linux 本机主动送出的数据包，都是通过路径 C 来进行的。先是通过路由判断，决定了输出的路径后，再通过 Filter 的 OUTPUT 链来传送。当然，最终还是会经过 NAT 的 POSTROUTING 链。

有没有发现有两个路由判断呢？因为网络是双向的，所以进与出要分开来看。因此，进入的数据包需要路由判断，送出的数据包当然也要进行路由判断才能够发送出去。

由于 Mangle 这个表格很少被使用，如果将图 9-7 的 Mangle 拿掉的话，那就容易看得多了，如图 9-8 所示。

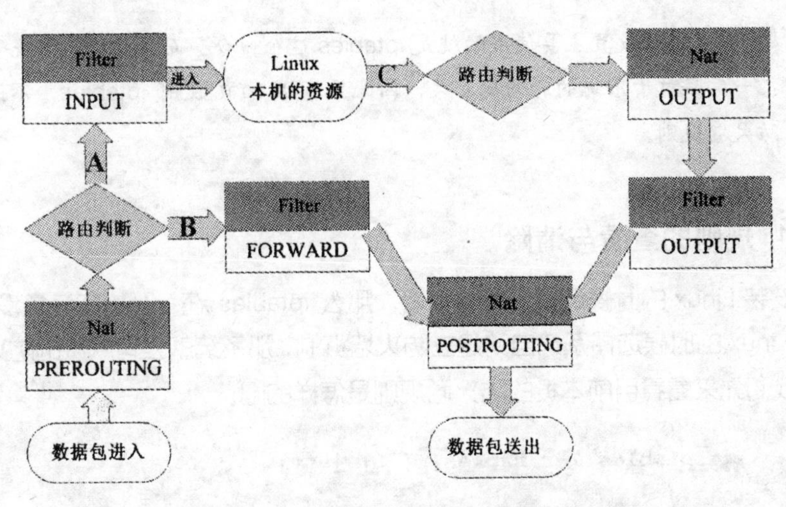

图 9-8 iptables 内建各表格与链的相关性(简图)

通过图 9-8 可以很轻松地了解到，事实上与本机最有关的其实是 Filter 表格内的 INPUT 与 OUTPUT 这两条链，如果 iptables 只是用来保护 Linux 主机本身的话，根本就不需要理 NAT 规则，直接设置为开放即可。

不过，如果防火墙是用来管理 LAN 内的其他主机的话，那么就必须要再针对 Filter 的 FORWARD 这条链，还有 NAT 的 PREROUTING、POSTROUTING 以及 OUTPUT 进行额外的规则制订。NAT 表格的使用需要很清晰的路由概念才能够设置好，建议新手先不要碰。最多就是先玩一玩最简单的 NAT 功能，即 IP 路由器的功能。这部分我们在本章的最后一小节会介绍。

9.3.4 本机的 iptables 语法

理论上，当安装好 Linux 之后，系统应该会主动启动一个简单的防火墙规则，不过这个简单的防火墙可能不是我们想要的模式，因此我们需要额外对其进行一些修订。不过，在开始进行下面的练习之前，鸟哥这里有个很重要的事情要讲一下。因为 iptables 的命令会对网络数据包进行过滤及阻挡的操作，所以，**请不要在远程主机上进行防火墙的练习**，因为很有可能一不小心将自己关在家门外。尽量在本机前面登录 tty1~tty6 终端机进行练习，否则常常会发生悲剧。鸟哥以前刚刚玩 iptables 时，就常常因为不小心规则设置错误而导致常常要请远程的朋友帮忙重新启动。

刚刚提到 iptables 至少有 3 个默认的 table（Filter、NAT、Mangle），较常用的是本机的 Filter 表格，这也是默认表格。另一个则是后端主机的 NAT 表格，至于 Mangle 较少使用，所以本章我们并不会讨论 Mangle。由于不同的 table 的链不一样，导致使用的命令语法或多或少都有点差异。在本节当中，我们主要将针对 Filter 这个默认表格的 3 条链来做介绍。

防火墙的设置主要使用的就是 iptables 这个命令。而防火墙是系统管理员的主要任务之一，且对于系统的影响相当大，因此只能让 root 使用 iptables，不论是设置还是查看防火墙规则。

9.3.4.1 规则的查看与清除

如果在安装 Linux 的时候选择没有防火墙，那么 iptables 在一开始应该是没有规则的；如果在安装 Linux 的时候选择系统自动建立防火墙机制，那系统就会有默认的防火墙规则了。无论如何，我们先来看看目前本机的防火墙规则是怎样的吧。

```
[root@www ~]# iptables [-t tables] [-L] [-nv]
选项与参数：
-t ：后面接 table，例如 nat 或 filter，若省略此项目，则使用默认的 filter
-L ：列出目前的 table 的规则
-n ：不进行 IP 与 HOSTNAME 的反查，显示信息的速度会快很多
-v ：列出更多的信息，包括通过该规则的数据包总位数、相关的网络接口等

范例：列出 filter table 3 条链的规则
[root@www ~]# iptables -L -n
Chain INPUT (policy ACCEPT)    <==针对 INPUT 链，且默认策略为可接受
target  prot opt source       destination <==说明栏
ACCEPT  all  --  0.0.0.0/0  0.0.0.0/0   state RELATED,ESTABLISHED <==第 1 条规则
ACCEPT  icmp --  0.0.0.0/0  0.0.0.0/0                             <==第 2 条规则
ACCEPT  all  --  0.0.0.0/0  0.0.0.0/0                             <==第 3 条规则
ACCEPT  tcp  --  0.0.0.0/0  0.0.0.0/0   state NEW tcp dpt:22      <==以下类推
REJECT  all  --  0.0.0.0/0  0.0.0.0/0   reject-with icmp-host-prohibited

Chain FORWARD (policy ACCEPT)  <==针对 FORWARD 链，且默认策略为可接受
target  prot opt source       destination
REJECT  all  --  0.0.0.0/0  0.0.0.0/0   reject-with icmp-host-prohibited

Chain OUTPUT (policy ACCEPT)  <==针对 OUTPUT 链，且默认策略为可接受
target  prot opt source       destination
```

```
范例：列出 nat table 3 条链的规则
[root@www ~]# iptables -t nat -L -n
Chain PREROUTING (policy ACCEPT)
target     prot opt source               destination

Chain POSTROUTING (policy ACCEPT)
target     prot opt source               destination

Chain OUTPUT (policy ACCEPT)
target     prot opt source               destination
```

在上面的输出中，每一个 Chain 就是前面提到的每个链。Chain 那一行括号里面的 policy 就是默认的策略，那下面的 target、prot 代表什么呢？

- target：代表进行的操作，ACCEPT 是放行，而 REJECT 则是拒绝，此外，尚有 DROP（丢弃）的项目。
- prot：代表使用的数据包协议，主要有 TCP、UDP 及 ICMP 3 种数据包格式。
- opt：额外的选项说明。
- source：代表此规则是针对哪个来源 IP 进行限制。
- destination：代表此规则是针对哪个目标 IP 进行限制。

在输出结果中，第一个范例因为没有加上 -t 的选项，所以默认就是 Filter 这个表格内的 INPUT、OUTPUT、FORWARD 3 条链的规则。若针对单机来说，INPUT 与 FORWARD 算是比较重要的管制防火墙链，所以你可以发现最后一条规则的策略是 REJECT（拒绝）。虽然 INPUT 与 FORWARD 的策略是放行（ACCEPT），不过最后一条规则就已经将全部的数据包都拒绝了。

不过这个命令的查看只是做格式化的查阅，要详细解释每个规则会比较不容易。举例来说，我们将 INPUT 的 5 条规则依据输出结果来说明一下，结果会变成：

1）只要是数据包状态为 RELATED、ESTABLISHED 就予以接受。

2）只要数据包协议是 ICMP 类型的，就予以放行。

3）无论任何来源（0.0.0.0/0）且要去任何目标的数据包，不论任何数据包格式（prot 为 all），一律都接受。

4）只要是传给 port 22 的主动式连接 TCP 数据包就接受。

5）全部的数据包信息一律拒绝。

最有趣的应该是第 3 条规则了，怎么会所有的数据包信息都予以接受呢？如果都接受的话，那么后续的规则根本就没有用了。其实那条规则是仅针对每部主机都有的内部循环测试网络（lo）接口，如果没有列出接口，那么我们就很容易搞错了。所以，鸟哥建议使用 iptables-save 这个命令来查看防火墙规则。因为 iptables-save 会列出完整的防火墙规则，只是并没有格式化输出而已。

```
[root@www ~]# iptables-save [-t table]
选项与参数：
-t ：可以仅针对某些表格来输出，例如仅针对 NAT 或 Filter 等

[root@www ~]# iptables-save
# Generated by iptables-save v1.4.7 on Fri Jul 22 15:51:52 2011
*filter                      <==星号开头的指的是表格，这里为 Filter
:INPUT ACCEPT [0:0]          <==冒号开头的指的是链，3 条内建的链
:FORWARD ACCEPT [0:0]        <==3 条内建链的策略都是 ACCEPT
:OUTPUT ACCEPT [680:100461]
-A INPUT -m state --state RELATED,ESTABLISHED -j ACCEPT <==针对 INPUT 的规则
-A INPUT -p icmp -j ACCEPT
-A INPUT -i lo -j ACCEPT  <==这条很重要,针对本机内部接口开放
-A INPUT -p tcp -m state --state NEW -m tcp --dport 22 -j ACCEPT
-A INPUT -j REJECT --reject-with icmp-host-prohibited
-A FORWARD -j REJECT --reject-with icmp-host-prohibited <==针对 FORWARD 的规
则
COMMIT
# Completed on Fri Jul 22 15:51:52 2011
```

由上面的输出来看，加粗字体部分且内容含有 lo 的那条规则当中，-i lo 指的就是由 lo 适配卡进来的数据包。这样看就清楚多了。因为有写到接口的关系，不像之前的 iptables -L -n 。不过，既然这个规则不是我们想要的，那该如何修改呢？鸟哥建议，先删除规则再慢慢建立各个需要的规则。那如何清除规则呢？这样做：

```
[root@www ~]# iptables [-t tables] [-FXZ]
选项与参数：
-F ：清除所有的已制订的规则
-X ：除掉所有用户“自定义”的 chain （应该说的是 tables ）
-Z ：将所有的 chain 的计数与流量统计都归零

范例：清除本机防火墙 (filter) 的所有规则
[root@www ~]# iptables -F
[root@www ~]# iptables -X
[root@www ~]# iptables -Z
```

由于这三个命令会将本机防火墙的所有规则都清除，但却不会改变默认策略（policy），所以如果你不是在本机使用这 3 行命令时，很可能会将自己挡在家门外(若 INPUT 设置为 DROP)。

一般来说，我们在重新定义防火墙的时候，都会先将规则清除掉。我们前面谈到，**防火墙的规则顺序是有特殊意义的**，所以，应该先清除掉规则，然后一条一条来设置会比较容易一点。下面就来谈谈如何定义默认策略。

9.3.4.2 定义默认策略 (policy)

清除规则之后，接下来就是设置规则的策略。还记得策略指的是什么吗？**当数据包不在我们设置的规则之内时，则该数据包的通过与否，是以 Policy 的设置为准**，在本机的默认策略中，假设对于内部的用户有信心，那么 Filter 内的 INPUT 链方面可以定义得比较严格一点，而 FORWARD 与 OUTPUT 则可以制订得松一些。通常鸟哥都是将 INPUT 的 policy 定义为 DROP，其他两个则定义为 ACCEPT。至于 NAT table 则暂时先不理会。

```
[root@www ~]# iptables [-t nat] -P [INPUT,OUTPUT,FORWARD] [ACCEPT,DROP]
选项与参数：
-P ：定义策略( Policy )。注意，这个 P 为大写
ACCEPT ：该数据包可接受
DROP   ：该数据包直接丢弃，不会让 Client 端知道为何被丢弃

范例：将本机的 INPUT 设置为 DROP，其他设置为 ACCEPT
[root@www ~]# iptables -P INPUT   DROP
[root@www ~]# iptables -P OUTPUT  ACCEPT
[root@www ~]# iptables -P FORWARD ACCEPT
[root@www ~]# iptables-save
# Generated by iptables-save v1.4.7 on Fri Jul 22 15:56:34 2011
*filter
:INPUT DROP [0:0]
:FORWARD ACCEPT [0:0]
:OUTPUT ACCEPT [0:0]
COMMIT
# Completed on Fri Jul 22 15:56:34 2011
# 由于 INPUT 设置为 DROP 而又尚未有任何规则，所以上面的输出结果显示：
# 所有的数据包都无法进入主机，是不通的防火墙设置(网络连接是双向的)
```

看到输出的结果了吧？INPUT 的设置被修改了。其他的 NAT table 3 条链的默认策略设置也是一样的方式，例如，iptables -t nat -P PREROUTING ACCEPT 就设置了 NAT table 的 PREROUTING 链为可接受。默认策略设置完毕后，来谈一谈关于各规则的数据包基础比对设置。

9.3.4.3 数据包的基础比对：IP、网络及接口设备

下面来进行防火墙规则的数据包比对设置。既然是因特网，那么我们就先由最基础的 IP、网络及端口，亦即是 OSI 的第 3 层谈起，再来谈谈设备（网络卡）的限制等。这一小节与下一小节的语法一定要记住，因为这是最基础的比对语法。

。

```
[root@www ~]# iptables [-AI 链名] [-io 网络接口] [-p 协议] \
> [-s 来源 IP/网络] [-d 目标 IP/网络] -j [ACCEPT|DROP|REJECT|LOG]
选项与参数:
-AI 链名:针对某条链进行规则的 “插入”或“累加”
    -A :新增加一条规则,该规则增加在原规则的最后面。例如原来已经有四条规则,
        使用 -A 就可以加上第五条规则
    -I :插入一条规则。如果没有指定此规则的顺序,默认是插入变成第一条规则。
        例如原本有四条规则,使用 -I 则该规则变成第一条,而原本 4 条变成第 2~5 条
    链 :有 INPUT、OUTPUT、FORWARD 等,此链名称又与 -io 有关,请看下面

-io 网络接口:设置数据包进出的接口规范
    -i :数据包所进入的那个网络接口,例如 eth0、lo 等接口。需与 INPUT 链配合
    -o :数据包所传出的那个网络接口,需与 OUTPUT 链配合

-p 协定:设置此规则适用于哪种数据包格式
   主要的数据包格式有:tcp、udp、icmp 及 all。

-s 来源 IP/网络:设置此规则之数据包的来源地,可指定单纯的 IP 或网络,例如:
   IP  :192.168.0.100
   网络:192.168.0.0/24、192.168.0.0/255.255.255.0 均可。
   若规范为“不许”时,则加上“!”即可,例如:
   -s ! 192.168.100.0/24 表示不接受 192.168.100.0/24 发来的数据包;

-d 目标 IP/网络:同 -s,只不过这里指的是目标的 IP 或网络。

-j :后面接操作,主要的操作有接受(ACCEPT)、丢弃(DROP)、拒绝(REJECT)及记录(LOG)
```

iptables 的基本参数就如同上面输出所示,仅谈到 IP 、网络与设备等的信息,至于 TCP、UDP 数据包特有的端口(port number)与状态(如 SYN 标志)则在下小节介绍。接下来,先让我们来看看最基础的几个规则,例如开放 lo 这个本机的接口以及某个 IP 来源。

```
范例:设置 lo 成为受信任的设备,亦即进出 lo 的数据包都予以接受
[root@www ~]# iptables -A INPUT -i lo -j ACCEPT
```

仔细看上面并没有列出 –s、–d 等的规则,这表示:**不论数据包来自何处或去到哪里,只要是来自 lo 这个接口,就予以接受**。这个概念挺重要的,就是“没有指定的项目,则表示该项目完全接受”。例如这个案例当中,关于 –s、–d 等的参数没有规定时,就代表不论什么值都会被接受。

这就是所谓的信任设备。假如主机有两张以太网卡,其中一张是对内部的网络,假设该网卡的代号为 eth1,如果内部网络是可信任的,那么该网卡的进出数据包就通通会被接受,那就可以用 iptables –A INPUT –i eth1 –j ACCEPT 来将该设备设置为信任设备。不过,使用这个命令前要特别注意,因为这样等于该网卡没有任何防备了。

```
范例：只要是来自内网的 (192.168.100.0/24) 的数据包就通通接受
[root@www ~]# iptables -A INPUT -i eth1 -s 192.168.100.0/24 -j ACCEPT
# 由于是内网就接受，因此也可以称之为“信任网络”

范例：只要是来自 192.168.100.10 就接受，但来自 192.168.100.230 这个“恶意”来源的就丢弃
[root@www ~]# iptables -A INPUT -i eth1 -s 192.168.100.10 -j ACCEPT
[root@www ~]# iptables -A INPUT -i eth1 -s 192.168.100.230 -j DROP
# 针对单一 IP 来源，可视为信任主机或者是不信任的恶意来源

[root@www ~]# iptables-save
# Generated by iptables-save v1.4.7 on Fri Jul 22 16:00:43 2011
*filter
:INPUT DROP [0:0]
:FORWARD ACCEPT [0:0]
:OUTPUT ACCEPT [17:1724]
-A INPUT -i lo -j ACCEPT
-A INPUT -s 192.168.100.0/24 -i eth1 -j ACCEPT
-A INPUT -s 192.168.100.10/32 -i eth1 -j ACCEPT
-A INPUT -s 192.168.100.230/32 -i eth1 -j DROP
COMMIT
# Completed on Fri Jul 22 16:00:43 2011
```

这就是最简单的防火墙规则的设置与查看方式。不过，在上面的案例中，其实也可以发现到有两条规则可能有问题，那就是上面的特殊字体圈起来的规则顺序。明明已经放行了 192.168.100.0/24，所以 192.168.100.230 的规则就不可能会被用到了。这就是防火墙设置的问题。那该怎么办？重打。那如果想要记录某个规则的记录怎么办？可以这样做：

```
[root@www ~]# iptables -A INPUT -s 192.168.2.200 -j LOG
[root@www ~]# iptables -L -n
target prot opt source          destination
LOG    all  --  192.168.2.200   0.0.0.0/0    LOG flags 0 level 4
```

在输出结果的最左边出现 LOG。只要有数据包来自 192.168.2.200 这个 IP 时，那么该数据包的相关信息就会被写入到内核日志文件，亦即/var/log/messages 这个文件当中。**然后该数据包会继续进行后续的规则比对**。所以说，LOG 这个动作仅在进行日志记录而已，并不会影响到这个数据包的其他规则比对。接下来我们分别来看看 TCP、UDP 以及 ICMP 数据包的其他规则比对。

9.3.4.4 TCP、UDP 的规则比对：针对端口设置

我们在第 2 章网络基础里谈过各种不同的数据包格式，在谈到 TCP 与 UDP 时，比较特殊的就是那个端口（port），在 TCP 方面则另外有所谓的连接数据包状态，包括最常见的 SYN

主动连接的数据包格式。那么如何针对这两种数据包格式进行防火墙规则的设置呢？可以这样看：

```
[root@www ~]# iptables [-AI 链] [-io 网络接口] [-p tcp,udp] \
> [-s 来源 IP/网络] [--sport 端口范围] \
> [-d 目标 IP/网络] [--dport 端口范围] -j [ACCEPT|DROP|REJECT]
选项与参数：
--sport 端口范围：限制来源的端口号码，端口号码可以是连续的，例如 1024:65535
--dport 端口范围：限制目标的端口号码
```

事实上就是多了--sport 及 --dport 这两个选项，重点在 port 上面。不过需要特别注意是，**因为仅有 TCP 与 UDP 数据包具有端口，因此要想使用 –dport、--sport 时，需要加上 -p tcp 或 -p udp 的参数才会成功**。下面让我们来进行几个小测试：

```
范例：想要连接进入本机 port 21 的数据包都阻挡掉：
[root@www ~]# iptables -A INPUT -i eth0 -p tcp --dport 21 -j DROP

范例：想连到本台主机的网上邻居 (upd port 137,138 tcp port 139,445) 就放行
[root@www ~]# iptables -A INPUT -i eth0 -p udp --dport 137:138 -j ACCEPT
[root@www ~]# iptables -A INPUT -i eth0 -p tcp --dport 139 -j ACCEPT
[root@www ~]# iptables -A INPUT -i eth0 -p tcp --dport 445 -j ACCEPT
```

我们不但可以利用 UDP 与 TCP 协议所拥有的端口号码来进行某些服务的开放或关闭，还可以综合处理。例如，只要来自 192.168.1.0/24 的 1024:65535 端口的数据包，且想要连接到本机的 ssh port 就予以阻挡，可以这样做：

```
[root@www ~]# iptables -A INPUT -i eth0 -p tcp -s 192.168.1.0/24 \
> --sport 1024:65534 --dport ssh -j DROP
```

如果忘记加上 –p tcp 就使用了 --dport 时，会发生以下错误：

```
[root@www ~]# iptables -A INPUT -i eth0 --dport 21 -j DROP
iptables v1.4.7: unknown option `--dport'
Try 'iptables -h' or 'iptables --help' for more information.
```

你应该会觉得很奇怪，怎么“—dport”会是未知的参数（arg）呢？这是因为没有加上 –p tcp 或 –p udp 的缘故。这一点很重要。

除了端口之外，TCP 数据包还有特殊的标志。最常见的就是主动连接的 SYN 标志了。在 iptables 里面还支持“–syn”的处理方式，我们以下面的例子来说明：

```
范例：将来自任何地方来源 port 1:1023 的主动连接到本机端的 1:1023 连接丢弃
[root@www ~]# iptables -A INPUT -i eth0 -p tcp --sport 1:1023 \
```

```
> --dport 1:1023 --syn -j DROP
```

一般来说，Client 端启用的 port 都大于 1024，而 Server 端启用的端口都小于 1023。所以我们可以丢弃来自远程的小于 1023 的端口数据的主动连接，但不适用于 FTP 的主动连接中。这部分我们在 21 章的 FTP 服务器中再来谈。

9.3.4.5 iptables 外挂模块：mac 与 state

在 kernel 2.2 以前使用 ipchains 管理防火墙时，通常会让系统管理员相当头痛。因为 ipchains 没有所谓的数据包状态模块，因此我们必须要针对数据包的进、出方向进行控制。例如，如果想要连接到远程主机的 port 22 时，必须要针对两条规则来设置：

- 本机端的 1024:65535 到远程的 port 22 必须要放行（OUTPUT 链）。
- 远程主机 port 22 到本机的 1024:65535 必须放行（INPUT 链）。

这会很麻烦。如果要连接到 10 台主机的 port 22 时，假设 OUTPUT 为默认开启（ACCEPT），那么就需要填写 10 行规则，让那 10 台远程主机的 port 22 可以连接到本地端主机上。如果开启全部的 port 22，则又担心某些恶意主机会主动以 port 22 连接到本地主机。同理，如果要让本地端主机可以连到外部的 port 80（WWW 服务），那就更不得了，因为网络连接是双向的。

iptables 可以帮我们免除这个困扰。它可以通过一个状态模块来分析**这个想要进入的数据包是否为刚刚发出去的响应**，如果是刚刚发出去的响应，那么就可以予以接受放行。这样就不用考虑远程主机是否连接进来的问题了。那如何实现呢？看看下面的语法：

```
[root@www ~]# iptables -A INPUT [-m state] [--state 状态]
选项与参数：
-m ：一些 iptables 的外挂模块，主要常见的有：
     state ：状态模块
     mac   ：网卡硬件地址 (hardware address)
--state ：一些数据包的状态，主要有：
     INVALID     ：无效的数据包，例如数据破损的数据包状态
     ESTABLISHED：已经连接成功的连接状态
     NEW         ：想要新建立连接的数据包状态
     RELATED     ：这个最常用、表示这个数据包是与主机发送出去的数据包有关

范例：只要已建立连接或与已发出请求相关的数据包就予以通过，不合法数据包就丢弃
[root@www ~]# iptables -A INPUT -m state \
> --state RELATED,ESTABLISHED -j ACCEPT
[root@www ~]# iptables -A INPUT -m state --state INVALID -j DROP
```

这样，iptables 就会主动分析出该数据包是否为响应状态，若是的话，就直接予以接受。这样就不需要针对响应的数据包来撰写个别的防火墙规则了。下面我们继续谈一下 iptables

的另一个外挂，那就是针对网卡来进行放行与防御：

```
范例：针对局域网内的 aa:bb:cc:dd:ee:ff 主机开放其连接
[root@www ~]# iptables -A INPUT -m mac --mac-source aa:bb:cc:dd:ee:ff \
> -j ACCEPT
选项与参数：
--mac-source ：就是来源主机的 MAC
```

如果局域网当中有某些网络高手，总是通过修改 IP 去尝试通过路由器往外跑，那这时该怎么办？难道将整个局域网拒绝？并不需要的，可以通过之前谈到的 ARP 相关概念，去捕捉到那部主机的 MAC，然后通过以上这个机制，将该主机整个 DROP 掉即可。不管他改了什么 IP，除非他知道是用网卡的 MAC 来管理的，否则他是出不去的。

其实 MAC 也是可以伪装的，可以通过某些软件来修改网卡的 MAC。不过，这里我们是假设 MAC 是无法修改的情况来说明的。此外，MAC 是不能跨路由的，因此上述的案例中才特别说明是在局域网内，而不是指 Internet 外部的来源。

9.3.4.6 ICMP 数据包规则的比对：针对是否响应 ping 来设计

在第 2 章 ICMP 协议当中我们知道 ICMP 的类型很多，而且很多 ICMP 数据包的类型都是用来进行网络检测的，所以最好不要将所有的 ICMP 数据包都丢弃。如果主机不是作为路由器时，通常我们会把 ICMP type 8（echo request）拿掉，这样远程主机就不知道我们是否存在，也不会接受 ping 的响应。ICMP 数据包格式的处理是这样的：

```
[root@www ~]# iptables -A INPUT [-p icmp] [--icmp-type 类型] -j ACCEPT
选项与参数：
--icmp-type ：后面必须要接 ICMP 的数据包类型，也可以使用代号，
              例如 8  代表 echo request 的意思。

范例：让 0,3,4,11,12,14,16,18 的 ICMP type 可以进入本机：
[root@www ~]# vi somefile
#!/bin/bash
icmp_type="0 3 4 11 12 14 16 18"
for typeicmp in $icmp_type
do
   iptables -A INPUT -i eth0 -p icmp --icmp-type $typeicmp -j ACCEPT
done

[root@www ~]# sh  somefile
```

这样就能够开放部分的 ICMP 数据包格式进入本机进行网络检测的工作了。不过，如果

主机是作为局域网的路由器，那么建议 ICMP 数据包还是要全部放行才好，因为客户端检测网络时，常常会使用 ping 来测试到路由器的线路是否畅通。所以不要将路由器的 ICMP 关掉，会导致相关应用异常。

9.3.4.7　超简单的客户端防火墙设计与防火墙规则存储

经过上述的本机 iptables 语法分析后，接下来我们来想想，如果将 Linux 主机作为客户端且不提供网络服务时，应该如何设计防火墙呢？其实，只要分析一下 CentOS 默认的防火墙规则就会知道，理论上，应该要有的规则如下。

1）**规则归零**：清除所有已经存在的规则（iptables –F 等）。

2）**默认策略**：除了将 INPUT 这个自定义链设为 DROP 外，其他默认为 ACCEPT。

3）**信任本机**：由于 lo 对本机来说是相当重要的，因此 lo 必须设置为信任设备。

4）**回应数据包**：让本机通过主动向外发出请求而响应的数据包可以进入本机（ESTABLISHED、RELATED）。

5）**信任用户**：这是非必要的，可在想要让本地网络的来源使用主机资源时设置。

这就是最简单的防火墙，通过第 2 步骤可以阻挡所有远程的来源数据包，而通过第 4 步骤可以允许远程主机响应数据包进入主机，再让本机的 lo 这个内部循环设备放行，这样，一台 Client 专用的防火墙规则就配置好了。具体设置时，可以在某个 script 上面这样做：

```
[root@www ~]# vim bin/firewall.sh
#!/bin/bash
PATH=/sbin:/bin:/usr/sbin:/usr/bin; export PATH

# 1. 清除规则
iptables -F
iptables -X
iptables -Z

# 2. 设置策略
iptables -P   INPUT DROP
iptables -P  OUTPUT ACCEPT
iptables -P FORWARD ACCEPT

# 3~5. 制订各项规则
iptables -A INPUT -i lo -j ACCEPT
iptables -A INPUT -i eth0 -m state --state RELATED,ESTABLISHED -j ACCEPT
#iptables -A INPUT -i eth0 -s 192.168.1.0/24 -j ACCEPT

# 6.. 写入防火墙规则配置文件
/etc/init.d/iptables save
```

```
[root@www ~]# sh bin/firewall.sh
iptables: Saving firewall rules to /etc/sysconfig/iptables:[  OK  ]
```

其实防火墙也是一个服务，并可以通过 chkconfig --list iptables 去查看。因此，若要让这次修改的各种设置在下次开机时还保存，那就需要对/etc/init.d/iptables save 这个命令加参数。因此，鸟哥现在都是将存储的操作写入 firewall.sh 这个脚本中，这样比较单纯些。通过以上设置，现在，Linux 主机已经有相当的保护了，只是如果想要作为服务器，或者是作为路由器，那就需要自行加上某些自定义的规则。

> 其实，如果你对 Linux 够熟悉的话，直接去修改 /etc/sysconfig/iptables，然后重启 iptables 这个服务，那防火墙规则就会在开机后持续存在了。不过，鸟哥个人还是喜欢写 scripts。

制订好规则后就需要开始进行测试了。那么如何测试呢？

1）**先由主机向外面主动连接。**

2）**再由私有网络内的 PC 向外面主动连接。**

3）**最后，由 Internet 上面的主机，主动连接到 Linux 主机。**

一步一步做下来，看看问题出在哪里，然后再根据问题去改进。网络上也有很多不错的资料可以参考。本节的介绍很简单，大部分还停留在介绍阶段。鸟哥在本章的参考数据当中列出了几个有用的防火墙网页，希望大家有空多去看看，会很有帮助的。

9.3.5 IPv4 的内核管理功能：/proc/sys/net/ipv4/*

除了 iptables 这个防火墙软件之外，Linux kernel 2.6 还提供了很多内核默认的攻击阻挡机制。由于是内核的网络功能，所以相关的设置数据都是放置在 /proc/sys/net/ipv4/ 这个目录当中。至于该目录下各个文件的详细资料，可以参考内核的说明文件（你需要先安装 kernel-doc 软件）：

- /usr/share/doc/kernel-doc-2.6.32/Documentation/networking/ip-sysctl.txt

  鸟哥的网站上也放了一份备份：

- http:/linux.vbird.org/linux_server/0250simple_firewall/ip-sysctl.txt

  有兴趣的话请自行去查看。我们下面来介绍几个简单的文件。

1. /proc/sys/net/ipv4/tcp_syncookies

我们在前面谈到所谓的阻断式服务（DoS）攻击法当中的一种方式，就是利用 TCP 数据包的 SYN 三次握手原理实现的，这种方式称为 SYN Flooding。那如何预防这种方式的攻击呢？我们可以启用内核的 SYN Cookie 模块。这个 SYN Cookie 模块可以在系统用来启动随机连接的端口（1024:65535）即将用完时自动启动。

当启动 SYN Cookie 时，主机在发送 SYN/ACK 确认数据包前，会要求 Client 端在短时间内回复一个序号，这个序号包含许多原 SYN 数据包内的信息，包括 IP、port 等。若 Client 端可以回复正确的序号，那么主机就确定该数据包为可信的，因此会发送 SYN/ACK 数据包，否则就不理会此数据包。

通过这一机制可以大大降低无效的 SYN 等待端口，避免 SYN Flooding 的 DoS 攻击。那么如何启动这个模块呢？很简单，这样做即可：

```
[root@www ~]# echo "1" > /proc/sys/net/ipv4/tcp_syncookies
```

但是这个设置值由于违反 TCP 的三次握手（因为主机在发送 SYN/ACK 之前需要先等待 Client 的序号响应），所以可能会造成某些服务的延迟现象，例如 SMTP（Mail Server）。不过总的来说，这个设置值还是不错的，**只是不适合用在负载已经很高的服务器内**。因为负载太高的主机有时会让内核误判遭受 SYN Flooding 的攻击。

如果是为了系统的 TCP 数据包连接优化，则可以参考 tcp_max_syn_backlog、tcp_synack_retries、tcp_abort_on_overflow 这几个设置值的意义。

2. /proc/sys/net/ipv4/icmp_echo_ignore_broadcasts

阻断式服务常见的是 SYN Flooding，不过，我们知道系统其实可以接受使用 ping 的响应，而 ping 的数据包数据量可以很大。想象一个状况，如果有个搞破坏的人使用 1000 台主机传送 ping 给你的主机，而且每个 ping 都高达数百 Kbytes 时，你的网络带宽会怎样？要么就是带宽被吃光，要么系统可能会宕机。这种方式分别被称为 ping flooding（不断发 ping）及 ping of death（发送大的 ping 数据包）。

那如何避免呢？取消 ICMP 类型 8 的 ICMP 数据包回应就是了。我们可以通过防火墙来阻挡，这也是建议的方式。当然也可以让内核自动取消 ping 的响应。不过，**某些局域网络内常见的服务（例如动态 IP 分配 DHCP 协议）会使用 ping 的方式来侦测是否有重复的 IP，所以最好不要取消所有的 ping 响应。**

内核取消 ping 回应的设置值有两个，分别是/proc/sys/net/ipv4 内的 icmp_echo_ignore_broadcasts（仅有 ping broadcast 地址时才取消 ping 的回应）及 icmp_echo_ignore_all（全部的 ping 都不回应）。鸟哥建议设置 icmp_echo_ignore_broadcasts。你可以这么做：

```
[root@www ~]# echo "1" > \
> /proc/sys/net/ipv4/icmp_echo_ignore_broadcasts
```

3. /proc/sys/net/ipv4/conf/网络接口/*

Linux 的内核还可以针对不同的网络接口进行不一样的参数设置。网络接口的相关设置放置在 /proc/sys/net/ipv4/conf/中，每个接口都以接口代号作为其代表，例如 eth0 接口的相关设置数据在 /proc/sys/net/ipv4/conf/eth0/ 内。那么网络接口的设置数据有哪些需要注意的呢？大概有下面这几个。

- rp_filter：称为逆向路径过滤（Reverse Path Filtering），可以通过分析网络接口的路由信息，配合数据包的来源地址，来分析该数据包是否为合理。举例来说，你有两张网卡，eth0 为 192.168.1.10/24，eth1 为 public IP。那么当有一个数据包自称来自 eth1，但是其 IP 来源为 192.168.1.200，那这个数据包就不合理，应予以丢弃。这个设置值建议启动。
- log_martians：这个设置数据可以用来启动记录不合法的 IP 来源的功能，举例来说，包括来源为 0.0.0.0、127.x.x.x，及 Class E 的 IP 都是不合法的，因为这些来源的 IP 不应该应用于 Internet。记录的数据默认放置到内核放置的日志文件 /var/log/messages。
- accept_source_route：或许某些路由器会启动这个设置值，不过目前的设备很少使用到这种来源路由，可以取消这个设置值。
- accept_redirects：当你在同一个实体网络内架设一台路由器，但这个实体网络有两个 IP 网段，例如 192.168.0.0/24、192.168.1.0/24。此时 192.168.0.100 想要向 192.168.1.100 传送信息时，路由器可能会传送一个 ICMP redirect 数据包告知 192.168.0.100 直接传送数据给 192.168.1.100 即可，而不需通过路由器。因为 192.168.0.100 与 192.168.1.100 确实是在同一个实体线路上（两者可以直接互通），所以路由器会告知来源 IP 使用最短路径去传递数据。但由于那两台主机在不同的 IP 网段，所以还是无法实际传递信息。这个设置也可能会产生一些轻微的安全风险，所以建议关闭。
- send_redirects：与上一个类似，只是此值为发送一个 ICMP redirect 数据包。同样建议关闭（事实上，鸟哥就曾经为了这个 ICMP redirect 的问题伤透脑筋。其实关闭 redirect 的这两个项目就可以了）。

虽然可以使用 “echo "1" > /proc/sys/net/ipv4/conf/???/rp_filter” 来启动这个项目，不过，鸟哥比较建议修改系统设置值，即/etc/sysctl.conf 这个文件。假设我们仅有 eth0 这个以太接口，而且上述的功能要全部启动，那可以这样做：

```
[root@www ~]# vim /etc/sysctl.conf
# Adding by VBird 2011/01/28
net.ipv4.tcp_syncookies = 1
```

```
net.ipv4.icmp_echo_ignore_broadcasts = 1
net.ipv4.conf.all.rp_filter = 1
net.ipv4.conf.default.rp_filter = 1
net.ipv4.conf.eth0.rp_filter = 1
net.ipv4.conf.lo.rp_filter = 1
....(以下省略)....

[root@www ~]# sysctl -p
```

9.4　设置单机防火墙的一个实例

介绍了这么多的防火墙语法与相关的注意事项后，终于要来架设防火墙了。鸟哥还是比较偏好使用脚本来撰写防火墙，然后通过最终的 /etc/init.d/iptables-save 来将结果存储到 /etc/sysconfig/iptables 中去。而且这样还可以用于呼叫其他的 scripts，可以让防火墙规则具有较为灵活的使用方式。下面就来谈谈如何设置防火墙规则。

9.4.1　规则草拟

鸟哥下面介绍的这个防火墙，可以用来作为路由器上的防火墙，也可以用来作为本机的防火墙。假设硬件连接如图 9-9 所示，Linux 主机本身也是内部 LAN 的路由器，也就是一个简单的 IP 路由器的功能。假设目前网络接口有下面这些：

- 外部网络使用 eth0（如果是拨号，有可能是 ppp0，请针对具体环境来设置）。
- 内部网络使用 eth1，且内部使用 192.168.100.0/24 这个 Class。
- 主机默认开放的服务有 WWW、SSH、HTTPS 等。

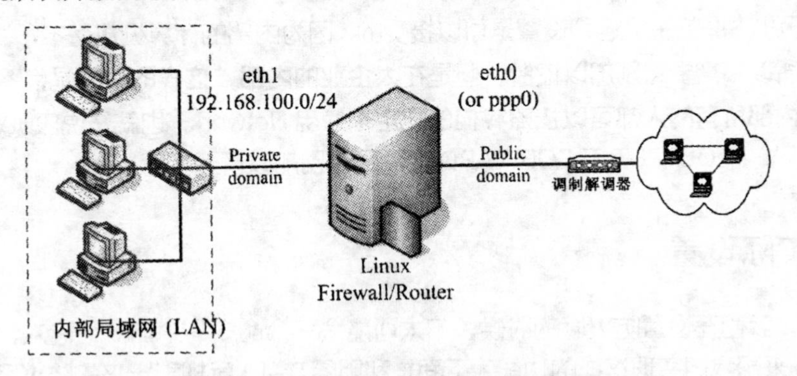

图 9-9　一个局域网络的路由器架构示意图

由于希望将信任网络（LAN）与不信任网络（Internet）完全分开，所以建议在 Linux 主机上面安装两块以上的实体网卡，将两块网卡接在不同的网络，这样可以避免很多问题。最重要的防火墙策略是：**关闭所有的连接，仅开放特定的服务模式。**而且假设内部用户已经受过良好的训练，因此在 filter table 的 3 条链中默认策略是：

- INPUT 为 DROP。
- OUTPUT 及 FORWARD 为 ACCEPT。

整个防火墙流程如图 9-10 所示。

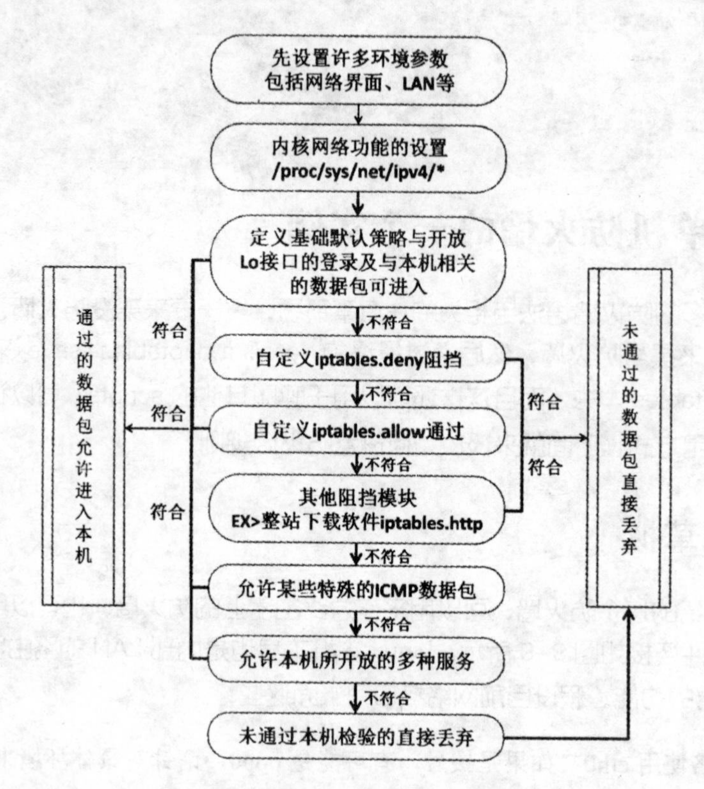

图 9-10 本机的防火墙规则流程示意图

原则上，内部 LAN 主机与主机本身的开放度很高，因为 OUTPUT 与 FORWARD 是完全开放的。对于小家庭的主机这种设置是可以接受的，因为内部的计算机数量不多，而且人员都是熟悉的，所以不需要特别加以控制。但是**在大企业的内部，这样的规划是很不合理的，因为不能保证内部所有的人都可以按照我们的规定来使用 Network，**也就是说家贼难防。因此，在这种环境下，连 OUTPUT 与 FORWARD 都需要特别加以管理才行。

9.4.2 实际设置

事实上，我们在设置防火墙的时候，不太可能会一个命令一个命令地输入，通常是利用 shell scripts 来帮我们实现这样的功能。下面是利用图 9-10 所规划出来的防火墙脚本，参考一下，但是需要将环境修改成适合自己的环境才行。此外，为了未来修改维护的方便，鸟哥将整个 script 拆成 3 部分。

- iptables.rule：设置最基本的规则，包括清除防火墙规则、加载模块、设置服务可接受等。

- iptables.deny：设置阻挡某些恶意主机的进入。
- iptables.allow：设置允许某些自定义的后门来源主机进入。

鸟哥个人习惯是将这个脚本放置到 /usr/local/virus/iptables 文件目录下，你也可以自行放置到自己习惯的位置。那下面就来瞧瞧这个脚本是怎么写的。

```
[root@www ~]# mkdir -p /usr/local/virus/iptables
[root@www ~]# cd /usr/local/virus/iptables
[root@www iptables]# vim iptables.rule
#!/bin/bash

# 请先输入相关参数，不要输入错误
  EXTIF="eth0"              # 这个是可以连上 Public IP 的网络接口
  INIF="eth1"               # 内部 LAN 的连接接口；若无则写成 INIF=""
  INNET="192.168.100.0/24"  # 若无内部网络接口，请填写成 INNET=""
  export EXTIF INIF INNET

# 第一台分，针对本机的防火墙设置##########################################
# 1. 先设置好内核的网络功能
  echo "1" > /proc/sys/net/ipv4/tcp_syncookies
  echo "1" > /proc/sys/net/ipv4/icmp_echo_ignore_broadcasts
  for i in /proc/sys/net/ipv4/conf/*/{rp_filter,log_martians}; do
        echo "1" > $i
  done
  for i in /proc/sys/net/ipv4/conf/*/{accept_source_route,accept_redirects,\
send_redirects}; do
        echo "0" > $i
  done

# 2. 清除规则、设置默认策略及开放 lo 与相关的设置值
  PATH=/sbin:/usr/sbin:/bin:/usr/bin:/usr/local/sbin:/usr/local/bin; export
PATH
  iptables -F
  iptables -X
  iptables -Z
  iptables -P INPUT   DROP
  iptables -P OUTPUT  ACCEPT
  iptables -P FORWARD ACCEPT
  iptables -A INPUT -i lo -j ACCEPT
  iptables -A INPUT -m state --state RELATED,ESTABLISHED -j ACCEPT

# 3. 启动额外的防火墙 script 模块
  if [ -f /usr/local/virus/iptables/iptables.deny ]; then
        sh /usr/local/virus/iptables/iptables.deny
  fi
  if [ -f /usr/local/virus/iptables/iptables.allow ]; then
```

```
      sh /usr/local/virus/iptables/iptables.allow
  fi
  if [ -f /usr/local/virus/httpd-err/iptables.http ]; then
      sh /usr/local/virus/httpd-err/iptables.http
  fi

# 4. 允许某些类型的 ICMP 数据包进入
  AICMP="0 3 3/4 4 11 12 14 16 18"
  for tyicmp in $AICMP
  do
    iptables -A INPUT -i $EXTIF -p icmp --icmp-type $tyicmp -j ACCEPT
  done

# 5. 允许某些服务的进入，请依照自己的环境开启
# iptables -A INPUT -p TCP -i $EXTIF --dport  21 --sport 1024:65534 -j ACCEPT # FTP
# iptables -A INPUT -p TCP -i $EXTIF --dport  22 --sport 1024:65534 -j ACCEPT # SSH
# iptables -A INPUT -p TCP -i $EXTIF --dport  25 --sport 1024:65534 -j ACCEPT # SMTP
# iptables -A INPUT -p UDP -i $EXTIF --dport  53 --sport 1024:65534 -j ACCEPT # DNS
# iptables -A INPUT -p TCP -i $EXTIF --dport  53 --sport 1024:65534 -j ACCEPT # DNS
# iptables -A INPUT -p TCP -i $EXTIF --dport  80 --sport 1024:65534 -j ACCEPT # WWW
# iptables -A INPUT -p TCP -i $EXTIF --dport 110 --sport 1024:65534 -j ACCEPT # POP3
# iptables -A INPUT -p TCP -i $EXTIF --dport 443 --sport 1024:65534 -j ACCEPT # HTTPS


# 第二部分，针对后端主机的防火墙设置###############################
# 1. 先加载一些有用的模块
  modules="ip_tables iptable_nat ip_nat_ftp ip_nat_irc ip_conntrack
ip_conntrack_ftp ip_conntrack_irc"
  for mod in $modules
  do
      testmod=`lsmod | grep "^${mod} " | awk '{print $1}'`
      if [ "$testmod" == "" ]; then
            modprobe $mod
      fi
  done

# 2. 清除 NAT table 的规则
  iptables -F -t nat
  iptables -X -t nat
  iptables -Z -t nat
  iptables -t nat -P PREROUTING  ACCEPT
  iptables -t nat -P POSTROUTING ACCEPT
  iptables -t nat -P OUTPUT      ACCEPT

# 3. 若有内部接口的存在（双网卡）开放成为路由器，且为 IP 分享器
  if [ "$INIF" != "" ]; then
```

```
    iptables -A INPUT -i $INIF -j ACCEPT
    echo "1" > /proc/sys/net/ipv4/ip_forward
    if [ "$INNET" != "" ]; then
        for innet in $INNET
        do
            iptables -t nat -A POSTROUTING -s $innet -o $EXTIF -j MASQUERADE
        done
    fi
  fi
  # 如果你的 MSN 一直无法连接，或者是某些网站 OK 某些网站不 OK，
  # 可能是 MTU 的问题，那可以将下面这一行取消批注来启动 MTU 限制范围
  # iptables -A FORWARD -p tcp -m tcp --tcp-flags SYN,RST SYN -m tcpmss \
  #          --mss 1400:1536 -j TCPMSS --clamp-mss-to-pmtu

# 4. NAT 服务器后端的 LAN 内对外之服务器设置
# iptables -t nat -A PREROUTING -p tcp -i $EXTIF --dport 80 \
#          -j DNAT --to-destination 192.168.1.210:80 # WWW

# 5. 特殊的功能，包括 Windows 远程桌面所产生的规则，假设桌面主机为 1.2.3.4
# iptables -t nat -A PREROUTING -p tcp -s 1.2.3.4  --dport 6000 \
#          -j DNAT --to-destination 192.168.100.10
# iptables -t nat -A PREROUTING -p tcp -s 1.2.3.4  --sport 3389 \
#          -j DNAT --to-destination 192.168.100.20

# 6. 最后将这些功能存储下来
  /etc/init.d/iptables save
```

特别留意上面程序代码的特殊字体部分，基本上，只要修改一下最上方的接口部分，就能够运行这个防火墙了。不过因为每个人的环境都不相同，因此在设置完成后，依旧需要测试一下才行，不然，出了问题可就麻烦了。再来看一下关于 iptables.allow 的内容。假如我要让 140.116.44.0/24 这个网络的所有主机来源可以进入本机主机的话，那么这个文件的内容可以写成这样：

```
[root@www iptables]# vim iptables.allow
#!/bin/bash
# 下面则填写允许进入本机的其他网络或主机
  iptables -A INPUT -i $EXTIF -s 140.116.44.0/24 -j ACCEPT

# 下面则是关于阻挡的文件设置法
[root@www iptables]# vim iptables.deny
#!/bin/bash
# 下面填写的是你要阻挡的那个东西
  iptables -A INPUT -i $EXTIF -s 140.116.44.254 -j DROP

[root@www iptables]# chmod 700 iptables.*
```

将这 3 个文件的权限设置为 700 且只属于 root 的权限后，就能够直接执行 iptables.rule 了。不过要注意的是，在上面的案例当中，鸟哥默认将所有的服务的通道都关闭。所以你必须要到本机防火墙的第 5 步骤处将一些批注符号（#）取消才行。同样地，如果有其他更多的 port 想要开启时，同样需要增加额外的规则。

不过，还是如同前面所说的，这个 firewall 仅能提供基本的安全防护，其他的相关问题还需要再测试。此外，如果希望一开机就自动执行这个 script，请将这个文件的完整文件名写入 /etc/rc.d/rc.local 中，有点像下面这样：

```
[root@www ~]# vim /etc/rc.d/rc.local
....(其他省略)....
# 1. Firewall
/usr/local/virus/iptables/iptables.rule
```

事实上，这个脚本的最下面已经加入写入防火墙默认规则文件的功能，所以只要执行一次，就拥有正确的规则了。上述的 rc.local 仅是预防万一而已。上述 3 个文件请不要在 Windows 系统上面编辑后才传送到 Linux 上运行，因为 Windows 系统的换行符问题，将可能导致该文件无法执行。建议直接到下述网站下载，传送到 Linux 后可以利用 dos2unix 命令去掉换行等，就不会有问题了。

- http://linux.vbird.org/download/index.php?action=detail&fileid=43。

这就是一个最简单的防火墙。同时，这个防火墙还可以具有最简单的 IP 路由器的功能，也就是 iptables.rule 这个文件中的第二部分。这部分我们在下一节会继续介绍。

9.5 NAT 服务器的设置

假设我们准备要架设一个路由器的延伸服务器，称之为 NAT 服务器。NAT 是什么呢？简单地说，可以称它为内部 LAN 主机的 IP 分享器。

NAT 的全名是 Network Address Translation，即网络地址的转换。通过字面上的意思我们来想一想，TCP/IP 的网络数据包不是有 IP 地址吗？IP 地址不是有来源与目的地吗？iptables 命令就能够修改 IP 数据包的报头数据，连目标或来源的 IP 地址都可以修改，甚至连 TCP 数据包报头的 port number 也能修改，真是有趣。

NAT 服务器的功能除了可以实现类似图 9-2 所介绍的类似 IP 分享的功能之外，还可以实现类似图 9-4 所介绍的 DMZ（非军事化隔离区）的功能。这完全取决于 NAT 是修改来源 IP 还是目标 IP。下面我们就来聊一聊此内容。

9.5.1 什么是 NAT？ SNAT？ DNAT？

在介绍 NAT 的实际操作之前，让我们再来看一下比较简单的数据包通过 iptables 而传送到后端主机的表格与链的流程（可以参考图 9-8）。当网络布线如图 9-2 的架构时，若内部 LAN 有任何一台主机想要传送数据包出去时，那么这个数据包要如何通过 Linux 主机而传送出去呢？是这样的：

1）**先经过 NAT table 的 PREROUTING 链。**

2）**经由路由判断确定这个数据包是否要进入本机，若不进入本机，则下一步。**

3）**再经过 Filter table 的 FORWARD 链。**

4）**通过 NAT table 的 POSTROUTING 链，最后传送出去。**

NAT 服务器的重点就在于上面的第 1、4 步，也就是 NAT table 的两条重要的链：PREROUTING 与 POSTROUTING。那这两条链有什么重要的功能呢？重点在于修改 IP。但是这两条链修改的 IP 是不一样的，**POSTROUTING 修改的是来源 IP，PREROUTING 则修改的是目标 IP**。由于修改的 IP 不一样，所以**就称为来源 NAT（Source NAT，SNAT）及目标 NAT（Destination NAT, DNAT）**。我们先来谈一谈 IP 分享器功能的 SNAT。

1. 来源 NAT（SNAT）：修改数据包报头的来源项目

你应该听说过 IP 路由器，它可以让家庭里的好几台主机同时通过一条 ADSL 网络连接到 Internet 上，如图 9-2 中所示，那个 Linux 主机就是 IP 路由器。那么它是如何实现 IP 分享的功能呢？就是通过 NAT 表格的 POSTROUTING 来处理的。假设网络布线如图 9-2 所示，那么 NAT 服务器是如何处理这个数据包的呢？

如图 9-11 所示，在客户端 192.168.1.100 这台主机要连接到 http://tw.yahoo.com 时，它的数据包报头会如何变化？

1）客户端所发出的数据包报头中，来源会是 192.168.1.100，然后传送到 NAT 这台主机。

2）NAT 主机的内部接口（192.168.1.2）接收到这个数据包后，会主动分析报头数据，因为**报头数据显示目的并非 Linux 本机，所以开始经过路由分析**，将此数据包转到可以连接到 Internet 的 public IP 处。

3）**由于 private IP 与 public IP 不能互通，所以 Linux 主机通过 iptables 的 NAT table 内的 POSTROUTING 链将数据包报头的来源伪装成为 Linux 的 public IP，并且将两个不同来源（192.168.1.100 及 public IP）的数据包对应写入暂存内存当中，然后将此数据包传送出去。**

此时在 Internet 上面看到这个数据包时，就只会知道这个数据包来自 public IP 而不知道其实是来自内部。好了，那么如果 Internet 返回数据包呢？又会怎么做？参考图 9-12 对此进行说明。

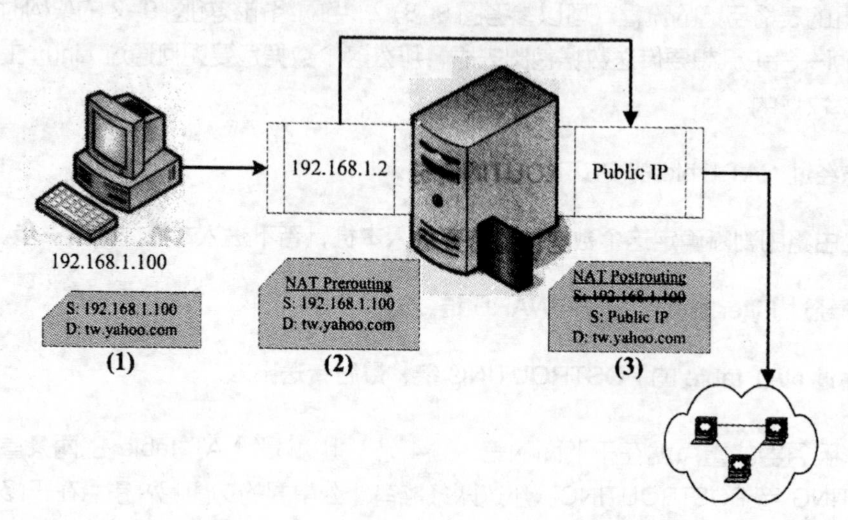

图 9-11 SNAT 数据包传送出去的示意图

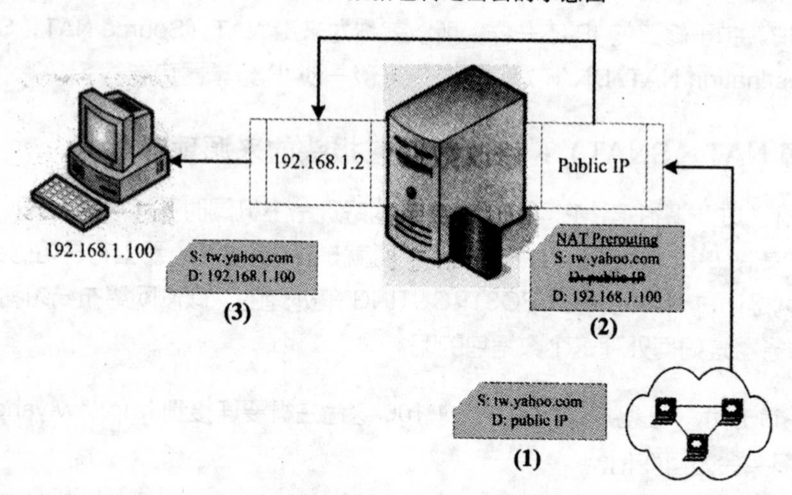

图 9-12 SNAT 数据包接收的示意图

1）在 Internet 上的主机接到这个数据包时，会将响应数据传送给 public IP 的主机。

2）当 Linux NAT 服务器收到来自 Internet 的响应数据包后，会分析该数据包的序号，并比对刚刚记录到内存当中的数据，由于发现该数据包为后端主机之前传送出去的，**因此在 NAT PREROUTING 链中，会将目标 IP 修改成为后端主机，亦即那台 192.168.1.100，然后发现目标已经不是本机（public IP），所以开始通过路由分析数据包流向。**

3）数据包会传送到 192.168.1.2 这个内部接口，然后再传送到最终目标 192.168.1.100 机器上去。

经过这个流程，就可以发现，所有内部 LAN 的主机都可以通过这台 NAT 服务器连接出去，而大家在 Internet 上面看到的都是同一个 IP（就是 NAT 那台主机的 public IP），所以，如果内部 LAN 主机没有连上不明网站，那么内部主机其实是具有一定程度的安全性的，因为 Internet 上的其他主机没有办法主动攻击 LAN 内的 PC。所以我们才会说，NAT 最简单的功能就是类似 IP 分享器，这也是 SNAT 的一种。

NAT 服务器与路由器有什么不同？基本上，NAT 服务器一定是路由器，不过，NAT 服务器由于会修改 IP 报头数据，因此与单纯转递数据包的路由器不同。最常见的 IP 分享器就是一个路由器，但是这个 IP 分享器一定会有一个 public IP 与一个 private IP，让 LAN 内的 private IP 可以通过 IP 分享器的 public IP 传送出去。至于路由器通常两边都是 public IP 或同时为 private IP。

2. 目标 NAT（DNAT）：修改数据包报头的目标项目

SNAT 主要是应付内部 LAN 连接到 Internet 的使用方式，**DNAT 则主要用在为内部主机架设可以让 Internet 访问的服务器，就有点类似图 9-4 中 DMZ 内的服务器**。下面也先来谈一谈 DNAT 的运行吧。

如图 9–13 所示，假设内部主机 192.168.1.210 启动了 WWW 服务，这个服务的 port 开启在 port 80，那么 Internet 上的主机（61.xx.xx.xx）要如何连接到内部服务器呢？当然，还是需要通过 Linux NAT 服务器。所以这台 Internet 上的机器必须要连接到 NAT 的 public IP 才行。

1）外部主机想要连接到目的端的 WWW 服务，则必须要连接到 NAT 服务器上。

2）NAT 服务器已经设置好要分析出 port 80 的数据包，所以当 NAT 服务器接到这个数据包后，会将目标 IP 由 public IP 改成 192.168.1.210，且将该数据包相关信息记录下来，等待内部服务器的响应。

3）上述的数据包在经过路由分析后，来到 private 接口处，然后通过内部的 LAN 传送到 192.168.1.210 上。

4）192.186.1.210 会响应数据给 61.xx.xx.xx，这个回应当然会传送到 192.168.1.2 上去。

5）经过路由判断后，来到 NAT POSTROUTING 的链，然后通过第二步骤的记录，将来源 IP 由 192.168.1.210 改为 public IP 后，就可以传送出去了。

其实整个步骤几乎就等于 SNAT 的反向传送。这就是 DNAT，很简单。

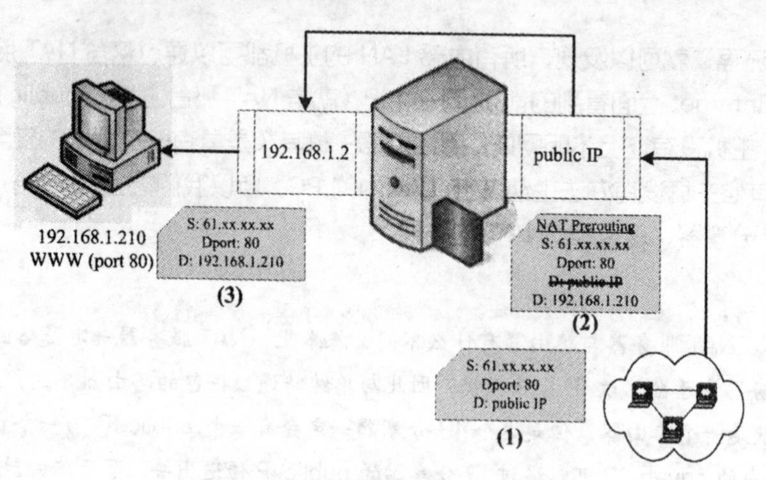

图 9-13 DNAT 的数据包传送示意图

9.5.2 最简单的 NAT 服务器：IP 分享功能

在 Linux 的 NAT 服务器服务当中，最常见的就是类似图 9-2 的 IP 分享器功能。而由刚刚的介绍我们也该知道，这个 IP 分享器的功能其实就是 SNAT，作用就只是在 iptables 内的 NAT 表格中，那个路由判断后的 POSTROUTING 链所做的工作就是进行 IP 的伪装。另外，需要了解的是，NAT 服务器必须要有一个 public IP 接口，以及一个内部 LAN 连接的 private IP 接口才行。下面的范例中，鸟哥的假设是这样的：

- 外部接口使用 eth0，这个接口具有 public IP。
- 内部接口使用 eth1，假设这个 IP 为 192.168.100.254。

利用前面几章谈到的数据来设置网络参数后，务必要进行路由的检测，因为在 NAT 服务器的设置方面，最容易出错的地方就是路由，尤其是在拨号连接产生 ppp0 这个对外接口的环境下，这个问题最严重。一定要记住：**如果 public IP 取得的方式是拨号或 cable modem 时，对于配置文件** /etc/sysconfig/network、ifcfg-eth0、ifcfg-eth1 **等，千万不要设置** GATEWAY，否则就会出现两个 default gateway，反而会出现问题。

下载 iptables.rule 后，该文件内已经含有 NAT 的脚本了。在该文件的第二部分关于 NAT 服务器的设置中，应该看到下面这几行：

```
iptables -A INPUT -i $INIF -j ACCEPT
# 这一行是非必要的，主要的目的是让内网 LAN 能够完全使用 NAT 服务器资源
# 其中 $INIF 在本例中为 eth1 接口

echo "1" > /proc/sys/net/ipv4/ip_forward
# 这一行则是在让 Linux 具有 router 的功能

iptables -t nat -A POSTROUTING -s $innet -o $EXTIF -j MASQUERADE
# 这一行最关键！就是加入 NAT table 数据包伪装。本例中 $innet 是 192.168.100.0/24
```

```
# 而 $EXTIF 则是对外接口，本例中为 eth0
```

以上输出重点在“MASQUERADE”。这个设置值就是 **IP 伪装成为数据包出去（-o）的那块设备上的 IP**。以上面的例子来说，就是 $EXTIF，也就是 eth0。所以数据包来源只要是来自 $innet（也就是内部 LAN 的其他主机），只要该数据包可通过 eth0 传送出去，那就会自动修改 IP 的来源报头成为 eth0 的 public IP。就这么简单，只要将 iptables.rule 下载后，并设置好内、外网络接口，执行 iptables.rule 后，Linux 就拥有主机防火墙以及 NAT 服务器的功能了。

例题

如同上面所述的案例，那么 LAN 内的其他 PC 应该要如何设置相关的网络参数？

答：答案其实很简单，将 NAT 服务器作为 PC 的 GATEWAY 即可。只要记得下面的参数值即可：

- NETWORK 为 192.168.100.0。
- NETMASK 为 255.255.255.0。
- BROADCAST 为 192.168.100.255。
- IP 可以设置为 192.168.100.1 ~ 192.168.100.254 之间，不可重复。
- 网关（Gateway）需要设置为 192.168.100.254（NAT 服务器的 private IP）。
- DNS (/etc/resolv.conf) 需设置为 168.95.1.1 (Hinet) 或 139.175.10.20 (Seed Net)，这个请依 ISP 而定。

事实上，除了 IP 伪装（MASQUERADE）之外，我们还可以直接指定修改 IP 数据包报头的来源 IP。如下面这个例子：

例题

假设对外的 IP 固定为 192.168.1.100，若不想使用伪装，该如何处理？

答：

```
iptables -t nat -A POSTROUTING -o eth0 -j SNAT  --to-source 192.168.1.100
```

例题

假设 NAT 服务器对外 IP 有好几个，那想要轮流使用不同的 IP 时，该如何设置？假设你的 IP 范围为 192.168.1.210~192.168.1.220。

答：

```
iptables -t nat -A POSTROUTING -o eth0 -j SNAT \
```

```
    --to-source 192.168.1.210-192.168.1.220
```

这样也可以修改网络数据包的来源 IP 资料。不过，除非使用的是固定 IP，且有多个 IP 可以对外连接，否则一般使用 IP 伪装即可，不需要使用到 SNAT。当然，你也可能有自己独特的环境。

9.5.3 iptables 的额外内核模块功能

如果在 iptables.rule 内的第二部分仔细观察，可能就会奇怪，为何我们需要加载一些有用的模块，比如 ip_nat_ftp 及 ip_nat_irc？ 这是因为很多通信协议使用的数据包传输比较特殊，尤其是 FTP 文件传输使用两个 port 来处理数据。这个部分我们会在 FTP 一章再来详谈，在这里我们需要先知道，iptables 提供很多好用的模块，这些模块可以辅助数据包的过滤，可以让我们节省很多 iptables 的规则拟定工作。

9.5.4 在防火墙后端的网络服务器上做 DNAT 设置

既然可以用 SNAT 实现 IP 分享功能，我们当然也可以使用 iptables 做出 DMZ。但是再次重申，不同的服务器数据包传输的方式可能有点差异，因此，建议新手不要玩这个东西。否则很容易导致某些服务无法顺利对 Internet 提供的问题。

先来谈一谈，如果想要处理 DNAT 的功能时，iptables 要如何下达命令。另外，我们必须要知道的是，**DNAT 用到的是 NAT table 的 Prerouting 链**。不要搞错了。

例题

假设内网有台主机 IP 为 192.168.100.10，该主机是可对 Internet 开放的 WWW 服务器。该如何通过 NAT 机制，将 WWW 数据包传到该主机上？

答：假设 public IP 所在的接口为 eth0，那么规则就是：

```
iptables -t nat -A PREROUTING -i eth0 -p tcp --dport 80 \
    -j DNAT --to-destination 192.168.100.10:80
```

上面例题中的“-j DNAT --to-destination IP[:port]”就是精髓，代表从 eth0 这个接口传入的，且想要使用 port 80 的服务时，将该数据包重新传递到 192.168.100.10:80 的 IP 及 port 上。可以同时修改 IP 与 port，真方便。其他还有一些较高级的 iptables 使用方式，如下所示：

```
-j REDIRECT --to-ports <port number>
```

```
# 这个也挺常见的，基本上，就是进行本机上面 port 的转换
# 不过，特别留意的是，这个操作仅能够在 NAT table 的 PREROUTING 以及
# OUTPUT 链上面实行

范例：将要求与 port 80 连接的数据包转递到 8080 这个 port
[root@www ~]# iptables -t nat -A PREROUTING -p tcp  --dport 80 \
> -j REDIRECT --to-ports 8080
# 这种设置最容易用在使用了非正规的 port 来进行某些 well known 的协议，
# 例如使用 8080 这个 port 来启动 www，但是别人都以 port 80 来连接，
# 所以，就可以使用上面的方式来将对方对本机主机的连接传递到 8080 了
```

至于更多的用途，那就有待你自己的发掘了。

9.6　重点回顾

- 要拥有一台安全的主机，必须要有良好的主机权限设置、随时的更新套件、定期的重要数据备份、完善的员工教育训练。仅有防火墙是不够的。
- 防火墙最大的功能就是帮助你“限制某些服务的访问来源”，可以管理来源与目标的 IP。
- 防火墙根据数据包阻挡的层次，可以分为 Proxy 以及 IP Filter（数据包过滤）两种类型。
- 在防火墙内，但不在 LAN 内的服务器所在网络，通常被称为 DMZ（非军事化隔离区），如图 9-4 所示。
- 数据包过滤机制的防火墙，通常至少可以分析 IP、port、flag（如 TCP 数据包的 SYN）、MAC 等。
- 防火墙对于病毒的阻挡并不敏感。
- 防火墙对于来自内部的网络误用或滥用的阻挡性比较不足。
- 并不是架设防火墙之后，系统就一定很安全。还是需要更新软件漏洞以及管制用户及权限设置等。
- 内核 2.4 以后的 Linux 使用 iptables 作为防火墙的软件。
- 防火墙的制定与规则顺序有很大的关系；若规则顺序错误，可能会导致防火墙的失效。
- iptables 的默认 table 共有 3 个，分别是 Filter、NAT 及 Mangle，常用的为 Filter（本机）与 NAT（后端主机）。
- filter table 主要为针对本机的防火墙设置，根据数据包流向又分为 INPUT、OUTPUT、FORWARD 3 条链。
- NAT table 主要针对防火墙的后端主机，根据数据包流向又分为 PREROUTING、OUTPUT、POSTROUTING 3 条链，其中 PREROUTING 与 DNAT 有关，POSTROUTING 则与 SNAT 有关。

- iptables 的防火墙为规则比对，但所有规则都不符合时，则以默认策略（policy）作为数据包的行为依据。
- iptables 的命令行当中，可以使用的参数相当多，当使用-j LOG 的参数时，则该数据包的流程会被记录到 /var/log/messages 中。
- 防火墙可以多重设置，例如虽然已经设置了 iptables，但是仍然可以持续设置 TCP Wrappers，因为谁也不晓得什么时候 iptables 会有漏洞，或者是规则规划不合适。

9.7 参考数据与延伸阅读

- Squid 官网：http://www.squid-cache.org/。鸟哥的旧版文章：http://linux.vbird.org/linux_server/0420squid.php。
- 与 iptables 相关的网站与书籍
  - 中文网站:
    - http://www.study-area.org/linux/servers/linux_nat.htm。
  - 英文网站:
    - http://www.netfilter.org/。
    - http://www.netfilter.org/documentation/HOWTO//packet-filtering-HOWTO.html。
    - http://www.interhack.net/pubs/fwfaq/。
    - http://www.sysresccd.org/Sysresccd-Networking-EN-Destination-port-routing。
- 其他书籍与数据
  - Robert L. Ziegler 著，朱亮恺等译，《实战 Linux 防火墙——iptables 应用全搜录》，上奇出版社，2004。
  - 本机的内核文件：/usr/src/linux-{version}/networking/ip-sysctl.txt。
  - iptables 的内建 tables 与各个 chain 的相关性：http://ebtables.sourceforge.net/br_fw_ia/bridge3b.png。
  - 内核参数的相关说明：http://www.study-area.org/Tips/adv-route/Adv-Routing-HOWTO-12.html。
  - 使用 PPPoE 导致的 MTU 问题：http://www.akadia.com/services/pppoe_iptables.html。

第 10 章

申请合法的主机名

在讲完了网络基础并且架设了个人简易的防火墙之后，现在就准备开始进行 Server 的架设了。服务器架设的步骤里面，很重要的一点是主机名必须要在 Internet 上面可以被查询。这是因为人类对于 IP 记忆力不佳，所以才会以主机名来取代 IP。不过，主机名要能够被查询到才有用。这时，拥有一个合法的主机名就很重要了。要成为合法的主机，就需要让 DNS 系统能够找到。不过，如果我们的主机是使用拨号连接到的不固定 IP 怎么办呢？又该如何申请 DNS 主机名呢？那就要使用动态 DNS 的系统了。在本章中，我们主要介绍 Client 端的设置，而不是如何设置 DNS 服务器。

10.1 为何需要主机名

由第 2 章的网络基础可知，其实我们的 TCP/IP 环境只要有 IP 与正确的路由即可连接了。那么为什么要申请主机名？因为**方便记忆**。例如你可以背出来我们常上去查资料的 www.google.com 的 IP 吗？反正鸟哥没办法背出来。

因为 IP 是那么难记的东西，而且，如果你的 IP 又是类似拨号的不固定的 IP 时，那更伤脑筋。因此我们才会习惯以熟悉的英文字符串来作为主机名，然后让这个主机名与 IP 对应，那直接记忆主机名就行了，反正 IP 的查询就交给计算机主机来做。基于这样的想法，我们当然就需要有主机名了。

在本章中，我们将会介绍如何申请一个合法的主机名。目前 Internet 上面使用的主机名都是通过所谓的 DNS 系统，而想要取得一个 DNS 的主机名，就必须要“注册”，所谓的“注册”就是花钱去申请。当然也有免费提供主机名的服务。在本章中鸟哥不会介绍如何搭建一台 DNS 服务器，而是介绍如何利用注册或免费申请的方式来取得主机名。

10.1.1 主机名的由来

因为 IP 是很难记忆的东西，因此人们就使用主机名来对应到主机的 IP，这就是主机名的由来。在早期连上网络的计算机数量不多，所以在网络上的人们就想出一个简单的办法来进行主机名与 IP 的对应，那就是**在每台计算机的 /etc/hosts 里面设置好主机名与 IP 的对应表**。这样人们就可以直接通过主机名来连接到某些网络上的主机了。

随着科技的进步，连上 Internet 的人们越来越多，使用 /etc/hosts 的方法已经搞不定了（只要一台新计算机上线，全部 Internet 上面的所有计算机都要重新改写 /etc/hosts，太不方便了），这个时候域名系统（Domain Name System, DNS）就适时出现了。

DNS 利用类似树状目录的结构，**将主机名的管理分配在不同层级的 DNS 服务器当中，通过分层管理的方式进行管理，所以每一台服务器记忆的信息就不会很多，而且如有变动也很容易修改**。那么 DNS 的功能是什么？就是**将计算机主机的名称转译成 IP**。当然，它的额外功能还很多，关于 DNS 的详细的介绍我们将在后续的第 19 章 DNS 服务器架设当中再继续介绍。总之，它的最大功能就是**让有意义的，人类较容易记忆的主机名（英文字母）转译成为计算机所熟悉的 IP 地址**。

通过上面的简单说明可知，如果想要一个主机名，那就需要通过 DNS 系统，而不是单纯地修改/etc/hosts。那如何将一个主机名加入到 DNS 系统当中呢？重点在“授权”。那什么是授权呢？

10.1.2 重点在合法授权

很多朋友都认为：**“因为我想要架站，所以主机需要有个主机名，因此我就需要架设 DNS 服务器。”**是这样吗？当然不是。DNS 是个很庞大的架构，而且是连接在全球的网络当中的，除非你经过注册的手续来让 DNS 系统承认你主机名存在的合法性，否则你架设的 DNS 只能说是一个练习的测试站而已，并没有实际用途的。

那要如何加入 DNS 系统呢？首先需要选择一个注册单位，并且检查出想要注册的主机名是否存在？主机名是有意义的，并不是你可以随便注册的。例如，在台湾地区常见的个人网站注册主机名为*.idv.tw，而公司则可能注册为 *.com.tw，这个需要特别留意。台湾地区的注册单位很多，可以选择例如 Hinet 或 Seednet 之类的 ISP 来注册。当然，也可以选择免费的 no-ip.org 来注册。

想要了解什么是“合法授权”，需要从 DNS 主机名的查询方式来谈起，由于 DNS 查询的方式都是由上层的 ISP 提供解析授权给下层的注册者，因此，下层的注册者只要设置妥当后，全世界的主机就会知道其设置的数据了。详细的查询流程我们留到 DNS 服务器章节再来谈，下面仅是介绍一个简单的查询示意图，如图 10-1 所示。

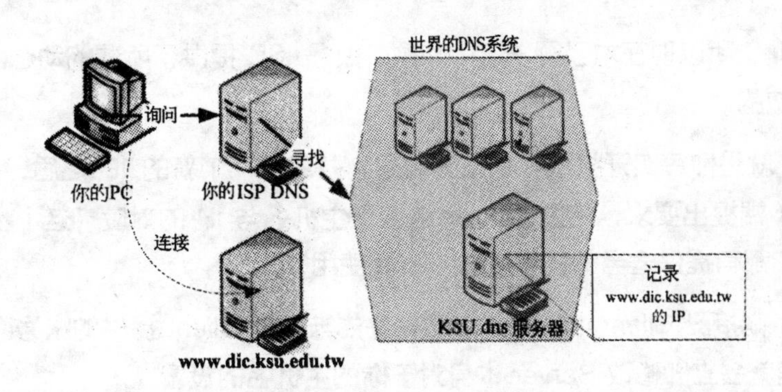

图 10-1 DNS 查询示意图

以台湾地区昆山科技大学信息传播系的 WWW 服务器的主机名注册方式为例，该系的 WWW 服务器主机需要先跟昆山计算机中心（相当于 ISP）注册取得 www.dic.ksu.edu.tw 这个主机名与 IP 的对应，这个对应信息写在昆山计算机中心的 DNS 服务器上，与信息传播系的 WWW 服务器无关。那怎么知道那台 www.dic.ksu.edu.tw 的主机 IP 在哪里？应该先向 DNS 要求查询，该 DNS 会去向全世界的 DNS 系统查询，该系统会主动地查询到 KSU dns 服务器，然后 PC 就会知道 www.dic.ksu.edu.tw 的 IP 在哪里，最后就开始连接了。

从这个流程当中，可以发现 WWW 服务器与 KUS dns 服务器没有绝对关系，两者是独立的，我们只要做好 DNS 的注册工作（向计算机中心申请注册）即可，并不需要去维护 DNS 的信息。所以，这里你需要知道：**①主机名的设计是有意义的，不可以随便设定；②主机名要生效，需要通过注册来取得合法授权**。如果想要架设 DNS 与深入了解 DNS 系统的话，在后续的 DNS 服务器章节中再来谈。

在本章中，理论方面的讲解比较少，因为很多数据都与 DNS 服务器一章中的内容有重复。在本章中鸟哥主要介绍动态 IP 搭建的一个简单主机名申请方式。

10.1.3 申请静态还是动态 DNS 主机名

由上面的说明当中，我们可以很清楚地知道 DNS 系统最大的功能就是在主机名对应 IP 的解析上。当然，默认的 DNS 解析是用在**固定 IP 与对应主机名**的解析上。就像图 10-1 所示一般。在这种情况下，在 DNS 架构下申请完主机名后，如果你的 IP 不会更改，那就永远不会有主机名的相关问题了，这也是所谓的静态 DNS 主机名功能。

但是，很多小网站都是以非固定 IP 来上网的，更有甚者，某些 ADSL 拨号模式甚至会定时强制断线，也就是说，在一段时间后，我们都得需要重新拨号上网，而每次拨号成功后取得的 IP 可不见得相同啊，如此一来 IP 不是一直在变吗？那么我不就需要一直跟我上层 DNS 主机的管理员申请变更 IP 吗？会不会太麻烦了点？

是很麻烦啊。所以现在为了解决这个问题，很多 ISP 提供了所谓的**动态 DNS 服务**的功能，它是这样做的：

1）**Client 就是你每次开机或者是重新拨号，并取得一个新的 IP 之后，会主动向 DNS Server 端提出要求，希望 Server 端变更主机名与 IP 的对应（这个步骤在每个主要的 ISP 都有提供适当的程序来给 Client 使用）。**

2）**Server 端接受 Client 端的要求之后，会先去查询 Client 提供的账号密码是否正确，若正确就会立即修改 Server 本身对于你的主机名的设置。**

所以，每次我们取得了新的 IP 之后，我们的主机名对应的 IP 也会跟着在 DNS 系统上面更新，这样，只要别人知道你的主机名，不论你的 IP 为何，他一定可以连上你的主机（因为 IP 跟着主机而变），这对于我们这种使用动态 IP 的人是很有帮助的。整个程序如图 10-2 所示。可以看出，WWW 服务器与 DNS 服务器之间有关联性。

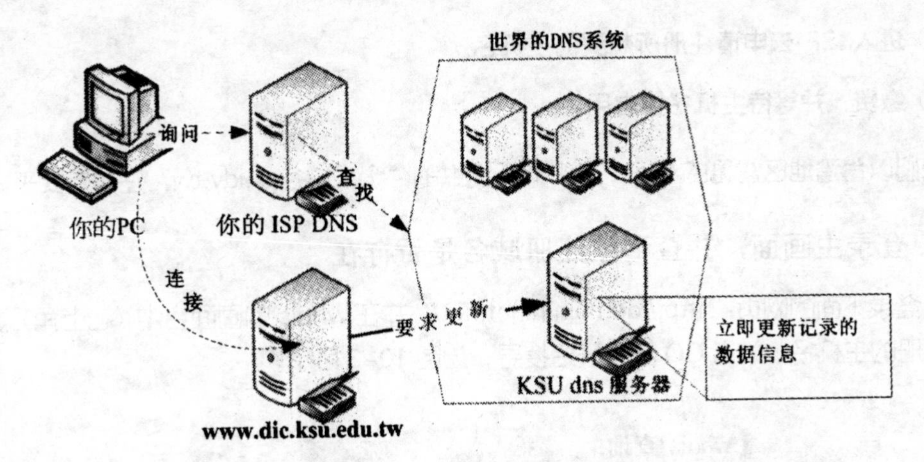

图 10-2 动态 DNS 服务——客户端向服务器端发送更新要求

不过，还是需要注意的是，目前的主机名申请很多是需要钱的。如果你需要比较稳定的主机名对应 IP 的服务，那么花点钱来注册还是必需的。不过，如果是实验性质的网站，那么也是可以申请免费的动态 DNS 服务的。

10.2　注册一个合法的主机名

根据前面的介绍，如果想要有合法的主机名的话，那么依据 IP 是否固定，而有静态 DNS 主机名与动态 DNS 主机名两种注册方式。下面鸟哥列出自己有注册经验的网站提供大家参考：

- **静态 DNS 主机名注册**

  静态 IP 对应主机名的注册网站实在太多了，下面是鸟哥提供的几个网站。

  台湾地区网络信息中心：http://www.twnic.net。

  国外的域名系统：http://www.netsol.com。

  国外的域名系统：http://www.dotster.com。

  国外的域名系统：http://www.godaddy.com。

- **动态 DNS 主机名注册**

  免费的动态 DNS 系统主要就是这个 NO-IP 公司提供的网站，如下连接。

  国外的免费 DNS 系统：http://www.no-ip.com

10.2.1　静态 DNS 主机名注册（以 Hinet 为例）

静态 DNS 的申请方式其实都差不多，都是需要以下几个步骤：

1）先查询所想要注册的域名是否存在。

2）进入 ISP 去申请注册所想要的主机名。

3）缴费，并等待主机名被启用。

我们以台湾地区常见的 Hinet 这个 ISP 提供的“个人域名：.idv.tw”注册方式来说明。

1. 登录主画面，并查询欲注册域名是否存在

先登录下面的网页：http://domain.hinet.net/，并在 whois 的画面当中（右上角）选择你想要注册的主机名，单击 GO 按钮开始搜寻，如图 10-3 所示。

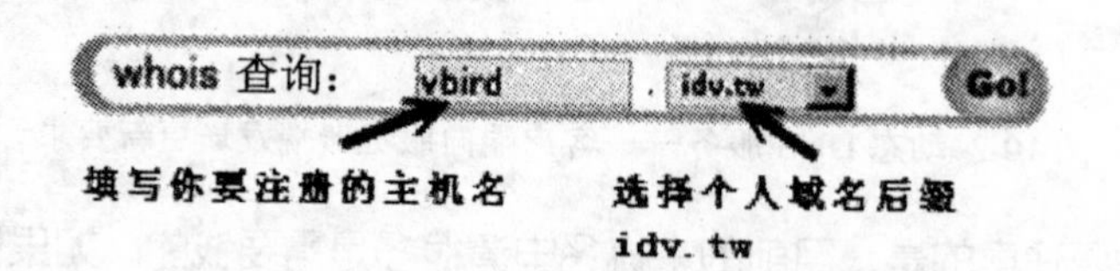

图 10-3 利用 whois 查询欲注册域名是否存在

2. 逐步进行注册

如果确认你的主机名没有被注册，那么就可以开始注册了。同样，在上面的网站连接当中，选择“个人域名”就可以开始申请了。请由“域名申请”开始依序一步一步办理，如图 10-4 所示。这里不再赘述了。

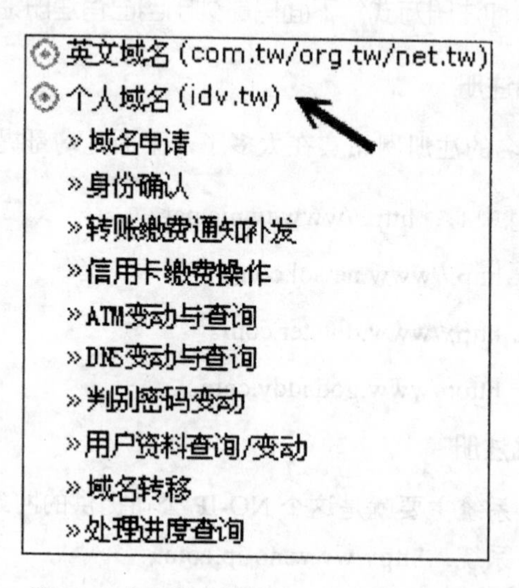

图 10-4 个人域名逐步注册的流程示意图

3. 填写主机名对应的 IP

等待缴费完毕后（通常要等几天时间），我们就可以开始进行主机名的填写了。在图 10-4 的图示中单击“DNS 变动与查询”的项目，并填入当初注册时的主机名与密码，然后就会出现如图 10-5 所示的界面。

指定形态说明:
台湾网络资讯中心提供HOST/IP指定服务(DNS代理),但只有3台Host的限制,若您的主机数超过3台或需要IP以外的记录(如MX record、CNAME record)请自行设定DNS,DNS与Host形态无法并存。

vbird.idv.tw形态　⊙主机　○DNS

	DNS/Host Server Name	IP Address
一	mail.vbird.idv.tw	140.116.44.180
二	www.vbird.idv.tw	140.116.44.180
三	linux.vbird.idv.tw	140.116.44.180

填写完请按这里　重填

图 10-5 主机名与 IP 对应的填写范例

需要特别留意，因为我们没有必要搭建 DNS 主机，所以最上方当然要选择“主机”的项目，然后就可以填入 3 台主机名。当然，这 3 台主机名可以指向同一个 IP，也可以不同。需要注意的是，你的**主机名应该是 othername.yourhost.idv.tw，后面的 yourhost.idv.tw 是不变的，前面的 othername 则可以自由选择**。例如鸟哥上面的设置，后面均是 vbird.idv.tw，而前面的名称就可以自由选择。

4. 等待 DNS 启用

在图 10-5 中单击“填写完请按这里”按钮后，就等着启用吧。不过，从设置成功到可以使用，是需要一定时间的。以鸟哥为例，第一次申请之后，大约过了 20 小时该设置才正确地启动。请耐心等候，不要太着急了。

在台湾地区，各家的域名注册流程都差不多，不过，金额是有点差异的，当然，服务也就有不同了。鸟哥的 vbird.org 域名是在 http://www.godaddy.com 注册的。如果你不想要使用 .idv.tw 来注册，国外的 ISP 提供的 DNS 也可以考虑。

10.2.2　动态 DNS 主机名注册（以 no-ip 为例）

如果你跟鸟哥一样使用 ADSL 拨号连接的方式来上网，这表示你的 IP 应该是不固定的。果真如此的话，那想要用这样的网络环境来架站就比较麻烦一点。因为前面利用 Hinet 注册的方式通常是给固定 IP 使用的，你应该不会想要天天上去更新你的 IP 吧。此时这个 no-ip.com 所提供的免费动态 IP 对应主机名的服务就很重要了。我们先来申请一个主机名来试试。

1. 登录主网页，并且注册一个新账号

登录 http://www.no-ip.com 这个网站，然后在出现的画面当中的左下角部分，选择“Create Account”项目，如图 10-6 所示。不过，如果你已经有 no-ip 网站的注册账号，那么直接跳到下面的第 4 步去登录即可。

图 10-6 no-ip 网站的注册：新建账号

2. 填写识别数据

由于启动账号必须由 no-ip 提供一个注册启动的连接，因此必须要填写正确的 E-mail 来接受启动码。整个注册的信息如图 10-7 所示。

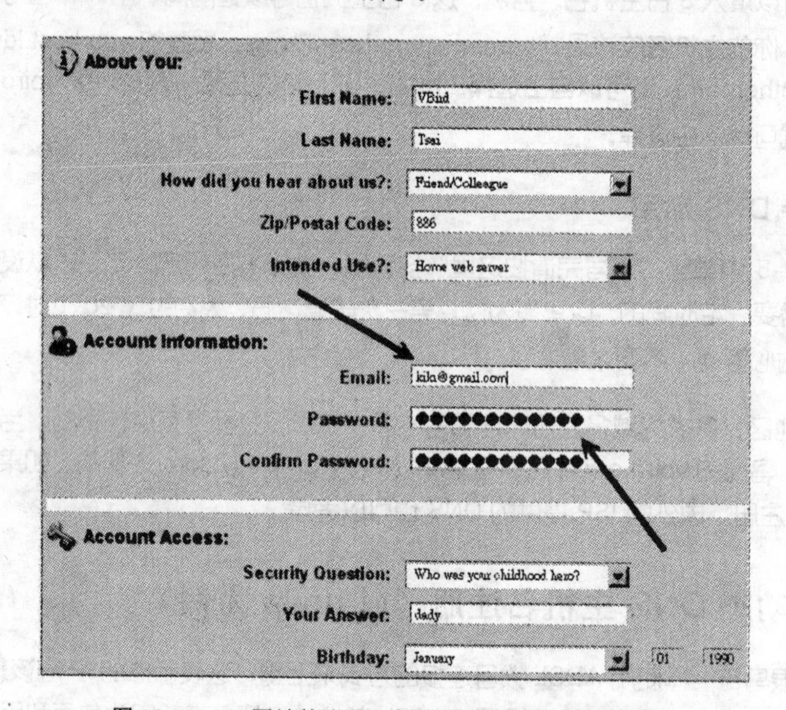

图 10-7 no-ip 网站的注册：新账号建立所需填写的数据

最重要的是，在该网页的最下方还有验证码以及必须要勾选的 I agree that...项目，最后再单击 I Accept, Create my Account 按钮。情况如图 10-8 所示。

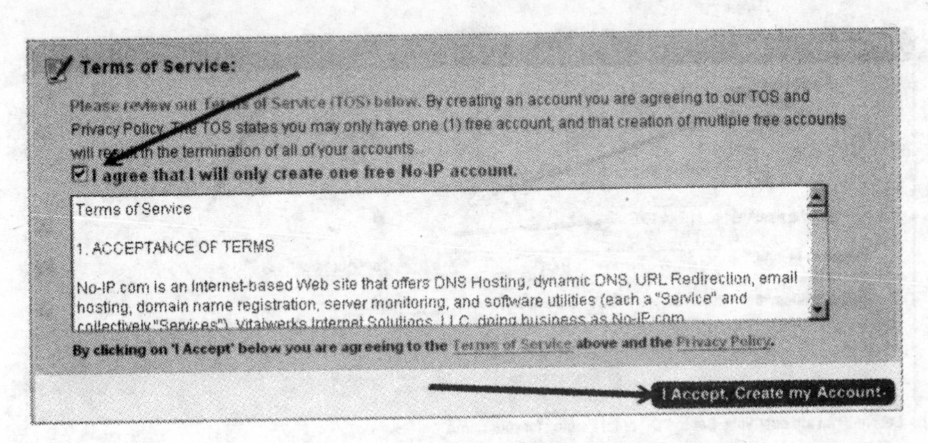

图 10-8 no-ip 网站的注册：新账号建立务必勾选项目

3. 启用账号

在申请注册一个新账号后，no-ip 会发一封邮件给你，请自行参考邮件内容，并选择正确的启动码连接，那账号就能够启动，此时请回到图 10-6 去，填写正确的 E-mail（username）/密码（password），就能够登录 no-ip 网站了。

4. 登录 no-ip 且设置主机名与 IP 的对应

通过图 10-6 的界面来登录后，会看到如图 10-9 所示的界面。下面就准备来处理主机名与 IP 的对应数据了。

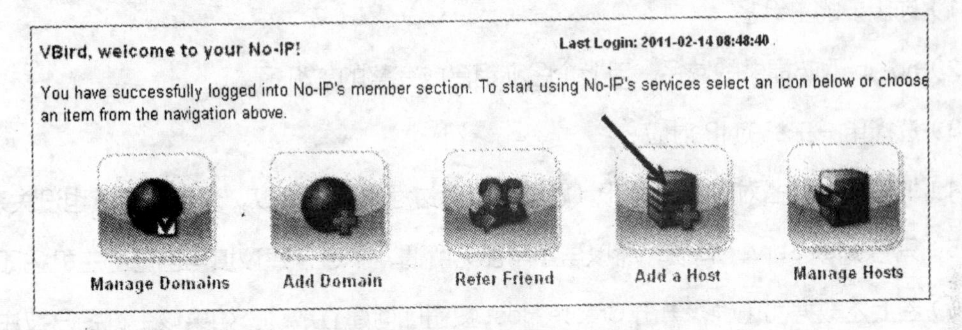

图 10-9 登录 no-ip 网站后的示意图

上图的重点在于 Add a Host（添加一个主机名）及 Manage Hosts（管理主机名）两项，由于我们都还没有设置主机名，因此首先就使用 Add a Host 来添加主机名吧。按下 Add a Host 项的图示，就会出现如图 10-10 所示的画面。

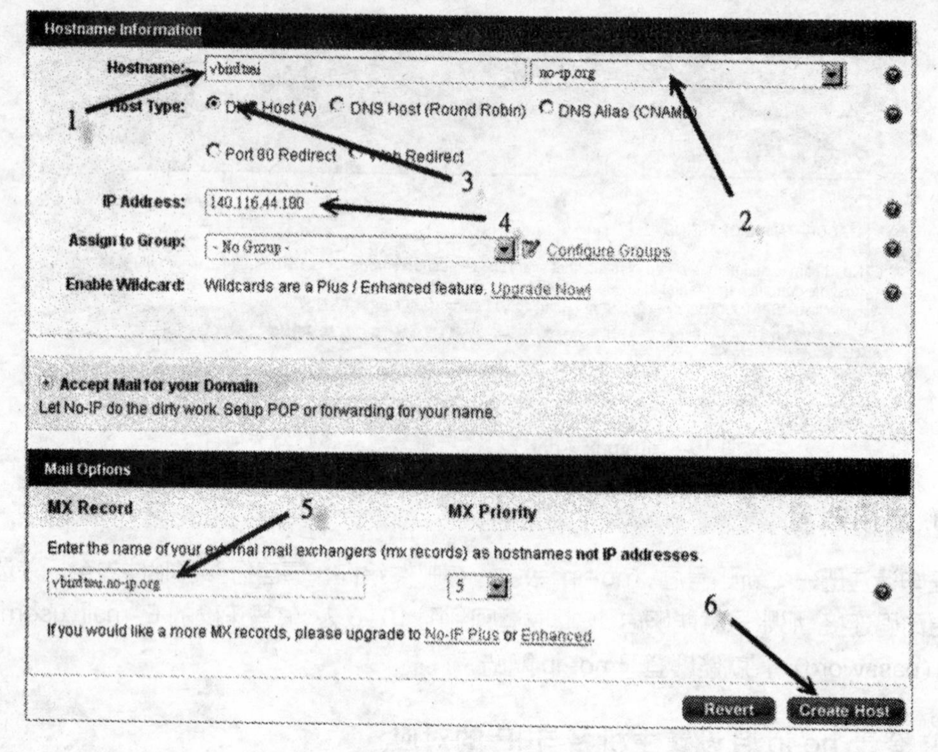

图 10-10 添加一个主机名与 IP 对应的方式

主要填写的内容为：

1）你想要的主机名。

2）no-ip 网站提供的域名，与上个名称组合成完整的主机名。

3）选择单一主机的 IP 对应。

4）填写该主机名对应的正确 IP（后续可以通过程序直接修改，这里随便填也没关系）。

5）只与 Mail Server 有关，所以写不写都无所谓，不过，建议填写自己的主机名即可。

6）若上述数据都正确，单击 Create Host 按钮即可建立成功。如果该主机名已被注册的话，屏幕会出现警告信息，此时请再选填另外的主机名吧。

如果一切都没有问题的话，就会出现如图 10-11 所示的界面。未来如果想要更新或者是删除或者是添加主机名的话，就通过图中的的示意流程来处理即可。且由图 10-11 也可以知道，no-ip 可以提供 5 个免费的主机名供使用，真是太棒了。如果想要维护相关数据，就单击 Manage Hosts 按钮即可处理了。

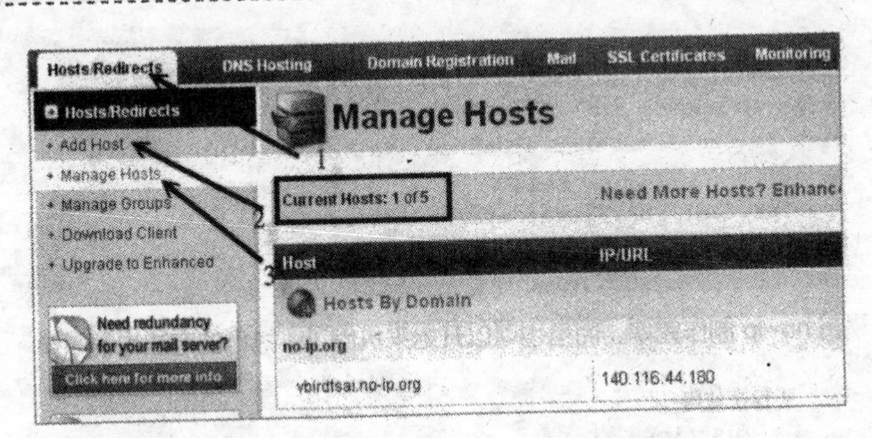

图 10-11 主机名处理完毕与维护的示意界面

5. 设定自动更新主机名与 IP 的对应

如果系统重新启动，或者是重新拨号取得一个新的 IP 后，我们都要登录 no-ip 网站来修改的话，那就太没有效率了。所以 no-ip 提供了一个好用的客户端程序给系统管理员使用，你可以在 no-ip 官网右上方的“Download”处选择相关的文件。该网站目前给 Linux、Windows 与 MAC 等系统提供使用的程序，非常方便。我们这里当然是选择 Linux 项目啊。请自行下载并且将该程序移动到 Linux 系统上吧。整个安装与启用的流程是这样的：

```
# 1. 编译与安装
[root@www ~]# wget \
> http://www.no-ip.com/client/linux/noip-duc-linux.tar.gz
[root@www ~]# cd /usr/local/src
[root@www src]# tar -zxvf /root/noip-duc-linux.tar.gz

[root@www src]# cd noip-*
# 注意一下，这个目录里面有个文件名为 README.FIRST 的文件，务必查看一下其内容
[root@www noip]# make
[root@www noip]# make install
# 这样会将主程序安装在 /usr/local/bin/noip2 而主参数文件放在
# /usr/local/etc/no-ip2.conf 当中。然后必须要开始回答一些问题：

Please select the Internet interface from this list.

By typing the number associated with it.
0       eth0
1       eth1
0      <==因为鸟哥的主机对外使用 eth0 接口

Please enter the login/email string for no-ip.com  kiki@gmail.com
Please enter the password for user 'kiki@gmail.com' ***
# 上面这两个是你刚刚注册时所填写的 E-mail 与密码

Only one host [vbirdtsai.no-ip.org] is registered to this account.
```

```
It will be used.
Please enter an update interval:[30]
Do you wish to run something at successful update?[N] (y/N) n

mv /tmp/no-ip2.conf /usr/local/etc/no-ip2.conf
# 重点在此。刚刚做的配置文件被放到上面这个文件中了
```

这样就将 no-ip 制作完毕，而且也可以开始来执行了。执行的方法也很简单。

```
# 2. noip2 的程序使用
[root@www ~]# /usr/local/bin/noip2
# 不要怀疑。这样输入后，你在 no-ip 上面注册的主机名，
# 就开始可以自动产生对应了。就这么简单。

[root@www ~]# noip2 [-CS]
选项与参数：
-C ：重新设置参数，亦即设置刚刚我们上面输入粗体字的内容
     如果有两个以上的 no-ip 主机名时，就一定需要使用 noip2 -C
     来重新设定参数文件
-S ：将目前的 noip2 的状况显示出来

[root@www ~]# noip2 -S
1 noip2 process active.

Process 2496, started as /usr/local/src/noip-2.1.9-1/noip2, (version 2.1.9)
Using configuration from /usr/local/etc/no-ip2.conf
Last IP Address set 140.116.44.180
Account kiki@gmail.com
configured for:
        host  vbirdtsai.no-ip.org
Updating every 30 minutes via /dev/eth0 with NAT enabled.
```

这样就成功了！而且每分钟 noip2 可以自动去主网站上面进行更新。真是很不错。那如果想要一开机就启动 noip2 呢？这样做即可：

```
# 3. 设置开机启动
[root@www ~]# vim /etc/rc.d/rc.local
# 加入下面这一行：
/usr/local/bin/noip2
```

10.3 重点回顾

- 主机名的目的在辅助人们记忆 TCP/IP 的 IP 数值。

- 主机名与 IP 的对应，由早期的 /etc/hosts 变更为 DNS 系统来记录。
- 合法的主机名必须要通过合法授权后，才能够在 Internet 上面完整地生效。
- 除了静态的主机名与 IP 对应外，若是不固定 IP 的连接模式，可以通过动态 DNS 服务，来实现非固定 IP 永远指向同一个主机名的任务。

10.4　参考数据与延伸阅读

- 台湾地区网络信息中心：http://www.twnic.net/。
- 国外的域名系统：http://www.netsol.com/。
- 国外的域名系统：http://www.dotster.com/。
- 国外的免费 DNS 系统：http://www.no-ip.com。

第三篇

局域网内常见服务器的搭建

在开始实际 Linux 的网络服务器搭建之前，一定要认真阅读前面两篇的内容，并且已经把主机在网络上设置得足够安全。事实上，中小企业非常多，企业人员之间常常需要共享一些数据，这些数据当然不会传送到因特网上，而是在内部局域网上传输。因此，局域网内部的服务器架设量可能比因特网上面的服务器还要多，所以，我们需要先来了解一下局域网内常见的服务器。

在这一篇当中，我们会先介绍用于管理服务器的连接服务器，如 SSH、XDMCP、VNC、XRDP 等，然后针对网络参数管理来介绍 DHCP 服务器，介绍针对文件服务器的 NFS、SAMBA 等服务，接下来介绍与 NFS 相关性很强的账号同步的 NIS 服务器，然后介绍两个常见的服务器，包括时间同步的 NTP 与网络监控能力较佳的 Proxy 服务器，最后再介绍一个磁盘不够时可应用的 iSCSI 仿真器。

第 11 章 远程连接服务器 SSH / XDMCP / VNC /XRDP

维护网络服务器最简单的方式不是到物理服务器前面登录，而是通过远程连接服务器的连接功能来登录主机，然后再来进行各种维护工作。Linux 主机几乎都会提供 SSHD 这个连接服务，而且这个服务还是主动进行数据加密的，这样信息在网络上面运行就安全多了。同时我们还能通过 RSYNC 这个命令以 SSHD 通道来实现异地数据备份的功能，相当不错。如果想要利用图形接口登录，那么默认的 XDMCP 配合 VNC 就能够使用图形界面在网络的另一端登录你的服务器。如果你习惯使用 Windows 的远程桌面，那么 XRDP 也需要看一看。

11.1 远程连接服务器

远程连接服务器对管理员来说，是一个很有用的操作。它使得对服务器的管理更为方便。不过，方便归方便，但开放得让全世界都可以尝试登录你的主机并不是个好主意，因为可能会有安全性的问题，所以本章才要特别强调一下远程连接服务器的问题。

11.1.1 什么是远程连接服务器

首先，我们来了解一下什么是“**远程连接服务器**”？这个东西的功能为何？我想，你应该已经听过，一台开放到因特网上的服务器，基本上，它可以不需要屏幕、键盘、鼠标等的外部配备，只要有基本的主板、CPU、RAM、硬盘再加上一块好一点的网卡，并且连上因特网，那这台主机就能够提供你需要的网络服务了。但如果你需要重新配置这台主机，该如何登录主机取得类似 bash 的接口来操作与进行修改呢？那就需要通过远程连接服务了。

远程连接服务器通过文字或图形接口的方式来远程登录系统，让你在远程的终端前面登录 Linux 主机以取得可操作主机的接口（Shell），而登录后的操作感觉上就像坐在系统前面一样！所以，你当然不需要远程网络服务器的键盘、鼠标、屏幕等外部设备。只要你的终端计算机可以正常连接到远程主机就可以了。

以鸟哥个人为例，目前鸟哥管理十几台的 Unix-Like 主机，这些主机都不放在同一个地方，分布在不同的地理位置，那么当有新的软件漏洞被发布，或者是需要进行一些额外的设置的时候，是否鸟哥本人一定要到现场呢？当然不需要，只要通过网络连接到该主机上面，就可以进行任何工作了！真的就好像在主机前面工作一般的轻松愉快！ ^_^！这就是远程连接服务器啦！

> 很多人会说，我用 FTP 时也要输入账号和密码来登录啊？那与这个章节谈到的登录有何不同？最大的不同在于通过远程连接可以取得 Shell 进行工作！用 SSH/Telnet/VNC 等方式取得的文字或图形 Shell 能够进行很多系统管理的任务，与单纯的 FTP 能进行的工作当然不同。

1. 远程连接服务器的功能作用之一：分享 Unix-Like 主机的运算能力

当你的工作需要使用到 Linux 强大的程序语言编译功能时，那么你一定需要 Linux 对吧！而且最好是指令周期快一点的主机，这个时候你可以将研究室最快的那一台主机开放出来，设置一下远程连接服务器，让你的学生或者是研究室的同事，通过这台机器进行研究的工作，这个时候，你的主机就可以实现让多人分享 Linux 运算的功能啦！

举例来说，鸟哥与昆山还有长荣大学的老师、同学们组建了一组服务器等级的群集架构计算机（PC Cluster），目前我们在该计算机上运行 MM5、Models3 等大气与空气质量模型，要在这样的架构下运行数值运算模型的原因，主要就是考虑运算能力。因为使用到该组计算机的人很多，难道大家都挤在一个屏幕前面工作？当然不需要！这时候就是远程连接服务器的服务范围啦！

但是否每一台连到 Internet 上面的主机都应该开放远程连接的功能呢？其实并不尽然，还是需要针对你的主机来进行规划的，下面我们分服务器与工作站来进行说明。

2. 服务器类型（Server）：有限度的开放连接

在一般对因特网开放服务的服务器中，由于开放的服务可能会有较为重要的信息，而远程连接程序连接主机之后，可以进行的工作又太多了（几乎就像在主机前面工作一般），因此服务器的远程连接程序通常仅针对少部分系统维护者开放而已！**除非必要，否则 Server 类型的主机不建议开放远程连接服务！**

以鸟哥为例，我的主机提供了我们研究室使用 Mail 与 Internet 上面的 WWW 服务，如果还主动提供远程连接的话，那么万一不小心被入侵，可就伤脑筋了！因此，鸟哥仅针对特定的网络开放远程连接服务，其他来源的 IP 一律阻挡，不许使用远程连接的功能！

3. 工作站类型（Workstation）：只对内网开放

所谓的工作站就是不提供因特网服务的主机，仅提供大量的运算能力给用户。既然不提供因特网的服务，那你还开放远程连接服务干嘛？不是啦！类似于前面鸟哥提到的 PC Cluster 大量运算的整组计算机，也可以称之为工作站，因为它没有提供常见的网络服务嘛！不过必须要提供给用户登录的权限，这样大家才能使用到运算功能！此时你就需要针对内部或者是特定的某些来源开放远程连接服务。

11.1.2 有哪些可供登录的类型

目前远程连接服务器的主要类型有哪些？如果以登录的连接界面来分类，基本上有文字接口与图形接口两种。

- **文字接口明文传输：Telnet、RSH 等为主，目前非常少用。**
- **文字接口加密：SSH 为主，已经取代上述的 Telnet、RSH 等明文传输方式。**
- **图形接口：XDMCP、VNC、XRDP 等较为常见。**

在文字接口登录的连接服务器中，主要有以“明文”传送数据的 Telnet 服务器，及利用加密技术进行数据加密再传送的 SSH 服务器。虽然 Telnet 可以支持的客户端软件比较多，不过由于它是使用明文来传送数据，你的数据很容易遭到有心人士的拦截，所以近来我们都呼吁大家多使用 SSH 这种连接方式。

至于图形接口的连接服务器，比较简单的有 XDMCP（X Display Manager Control Protocol），架设 XDMCP 很简单，不过客户端的软件比较少。另外一款目前很常见的图形连接服务器，就是 VNC（Virtual Network Computing），通过 VNC Server/Client 软件来进行连接。如果你想要使用类似 Windows 的远程桌面连接，该功能使用的是 RDP（Remote Desktop Protocol），那需要搭建 RDP 服务器才行。

> 图形接口最大的优点是“图形”，不过，因为是通过图形来传送，传输的数据量相当大，所以速度与安全性都有待提高。因此，我们仅建议你将图形接口的远程登录服务器开放在内部网络（LAN）当中。

数据的明文传输与加密传输

什么是“明文传输”与“加密传输”呢？为什么 Telnet 使用明文传输就不安全？所谓的明文传输就是：**“当我们的数据包在网络上传输时，该数据包的内容为数据的原始格式”**，也就是说，你使用 Telnet 登录远程主机时，不是要输入账号和密码吗？那你的账号和密码是以原本的数据格式传输，所以如果被类似 tcpdump 之类的监听软件获取到数据，那你的账号、密码就有可能被窃取啦！

所以，万一你的数据包当中含有信用卡数据、密码、身份确认等重要信息时，采用明文传输就没有办法保证数据的安全性了。因此，目前我们希望使用可以将这些在网络上面“跑”的数据进行加密的技术，以提高数据在 Internet 上面传送的安全性。

> 说 SSH 比较安全，其实是通过 SSH 协议传输信息时，该信息在网络上面比较安全，因为数据是加密过的，即使被窃取，对方可能也不会知道数据内容为何，因此信息比较安全。但这不代表 SSH 这个通信协议就比较安全，两者意义不同！

由于明文传输的 Telnet、RSH 等连接服务器已经被 SSH 取代，并且在一些实际应用上已经很少看到 Telnet 与 RSH 了，因此本章在文字接口上着重介绍 SSH 的应用，包括使用 rsync 通过 SSH 协议来进行异地备份的任务等。至于图形接口则会介绍 XDMCP、VNC 与 RDP。因为很多工作站用户需要显示他们在工作站操作后的图形结果，因此这部分也是很重要的。

11.2　文字接口连接服务器：SSH 服务器

由于早期的远程连接服务器大多是采用明文数据传输，而且协议也有些安全问题，因此后来就由 SSH 协议来取代上述这些应用。那么 SSH 是什么呢？它有什么特异功能？简单来说，**SSH 是 Secure Shell Protocol 的简写（安全的壳程序协议）**，它可以通过数据包加密技术将等待传输的数据包加密后再传输到网络上，因此，数据信息当然就比较安全喽！这个 SSH 可以用来取代较不安全的 Finger、R Shell（RCP, Rlogin, RSH 等）、Talk 及 Telnet 等连接模式。下面我们将先简单介绍一下 SSH 的连接模式来说明为什么 SSH 的数据信息会比较安全。

特别注意：在默认的状态下，SSH 协议本身就提供两个服务器功能。

- **一个就是类似 Telnet 的远程连接使用 Shell 的服务器，即俗称的 SSH。**
- **另一个就是类似 FTP 服务的 Sftp-Server，提供更安全的 FTP 服务。**

11.2.1 连接加密技术简介

什么是“数据加密”呢？简单地说，就是将人们能看懂的原始电子数据经过一些运算，让这些数据变成没有意义的乱码（至少对人类来说），然后再让这个加密数据在网络上面传输，而当用户想要查阅这个数据时，再通过解密运算，将这些加密数据反推出原始的电子数据。由于这些数据已经被重新处理过，所以，即使数据在因特网上被 Cracker 监听而窃取，若要对加密数据进行解密进而获取原始数据内容也不是很容易。

鸟哥常说，加密机制有点像是两个人之间的火星语对话！如果你跟你的朋友约定好使用你们制订的某种特别语言，这个语言只对你们两个有意义，那么当你们两人讲话时，在旁边的人听到的只是一堆没有意义的声音，因为他们听不懂啊！即使路人将你的声音录下来，只要他不知道你们的特殊用语，那他就不可能了解你们对话的内容了。

加解密运算的机制与技术非常多，我们这里不去讨论复杂的理论问题，只谈与我们有关的一些加解密概念。目前常见的网络数据包加密技术通常是通过所谓的**“非对称密钥系统”**来处理的。主要是通过两把不一样的公钥与私钥（Public and Private Key）来进行加密与解密的过程。由于这两把钥匙的作用是提供数据加解密的，所以在同一个方向的连接中，这两把钥匙当然是需要成对的，它的作用分别如下。

- **公钥（Public Key）：提供给远程主机进行数据加密的行为，也就是说，大家都能取得你的公钥来将数据加密的意思。**
- **私钥（Private Key）：远程主机使用你的公钥加密的数据，在本地端就能够使用私钥来进行解密。由于私钥很重要，因此私钥是不能够外流的，只能保护在自己的主机上。**

由于每台主机都应该有自己的密钥（公钥与私钥），且公钥用来加密而私钥用来解密，其中私钥不可外流，但因为网络连接是双向的，所以，每个人应该都要有对方的“公钥”才对！那如果以 SSH 这个通信协议来说，在客户端与服务器端的相对连接方向上，应该有如图 11-1 所示的加密动作。

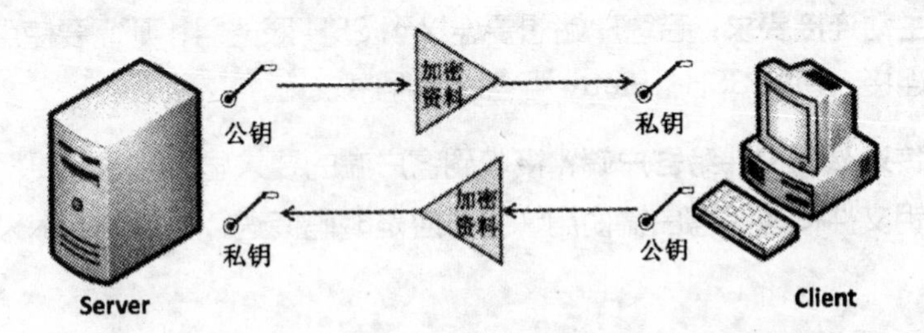

图 11-1　公钥与私钥在进行数据传输时的角色示意图

如图 11-1 所示，我们如果站在客户端的角度来看，那么，首先你必须要取得服务器端的公钥，然后将自己的公钥发送给服务器端，最终在客户端上面的密钥是由“服务器的公钥加上客户端我自己的私钥”组成的。

数据加密的技术真是相当多，也各有其优缺点，有的指令周期快，但是不够安全；有的够安全，但是加密/解密的速度较慢。目前在 SSH 使用上，主要是利用 RSA/DSA/Diffie-Hellman 等机制。

目前 SSH 的协议版本有两种，分别是 Version 1 与 Version 2，其中 Version 2 由于加上了连接检测的机制，可以避免连接期间被插入恶意的攻击码，因此比 Version 1 还要更加安全，所以，请尽量使用 Version 2 版本即可，不要使用 Version 1。无论是哪种版本，都还是需要公私钥加密系统的，那么这些公钥与私钥是如何产生的呢？下面我们就来谈一谈啦！

SSH 服务器端与客户端的连接步骤如图 11-2 所示。

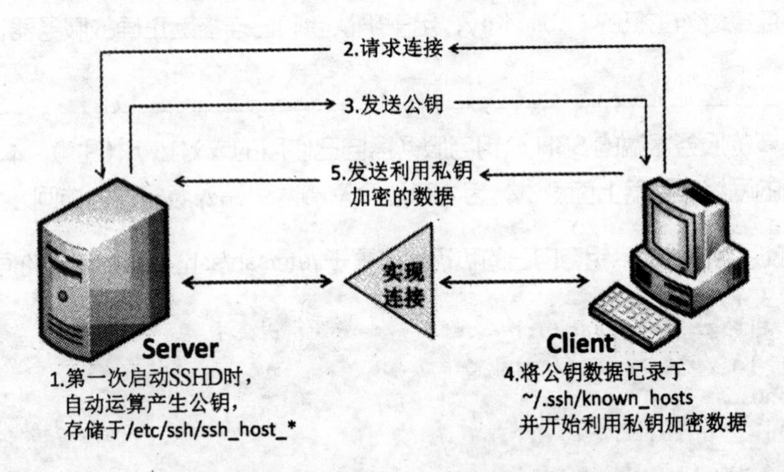

图 11-2　SSH 服务器端与客户端的连接步骤示意图

1）**服务器建立公钥文件**：每一次启动 SSHD 服务时，该服务会主动去找 /etc/ssh/ssh_host* 文件，若系统刚刚安装完成，由于没有这些公钥文件，因此 SSHD 会主动去计算出这些需要的公钥文件，同时也会计算出服务器自己需要的私钥文件。

2）**客户端主动连接要求**：若客户端想要连接到 SSH 服务器，则需要使用适当的客户端程序来连接，包括 SSH、Pietty 等客户端程序。

3）**服务器传送公钥文件给客户端**：接收到客户端的要求后，服务器便将第一个步骤取得的公钥文件传送给客户端使用（此时应是明码传送，反正公钥本来就是给大家使用的）。

4）**客户端记录/比对服务器的公钥数据及随机计算自己的公私钥**：若客户端第一次连接到此服务器，则会将服务器的公钥数据记录到客户端的用户主目录内的 ~/.ssh/known_hosts 。若是已经记录过该服务器的公钥数据，则客户端会去比对此次接收到的与之前的记录是否有差异。若接收此公钥数据，则开始计算客户端自己的公私钥数据。

5）**返回客户端的公钥数据到服务器端**：用户将自己的公钥传送给服务器。此时服务器具有服务器的私钥与客户端的公钥，而客户端则具有服务器的公钥以及客户端自己的私钥，你会看到，在此次连接的服务器与客户端的密钥系统（公钥+私钥）并不一样，所以才称为非对称式密钥系统。

6）**服务器接收私钥开始双向加解密**：(1)服务器到客户端：服务器传送数据时，将用户的公钥加密后进行发送，客户端接收后，用自己的私钥解密；(2)客户端到服务器：客户端传送数据时，将服务器的公钥加密后进行发送，服务器接收后，用服务器的私钥解密。

在上述的第 4 步中，客户端的密钥是随机运算产生于本次连接当中的，所以这次的连接与下次的连接密钥可能会不一样啦！此外在客户端的用户主目录下的 ~/.ssh/known_hosts 中会记录曾经连接过的主机的 Public Key，用于确认我们已连接上正确的服务器。

例题

如何产生新的服务器端的 SSH 公钥与服务器自己使用的成对私钥（注意，本例题不要在已经正常运行的网络服务器上面测试，因为可能会影响客户端对服务器的访问）？

答：由于服务器提供的公钥与自己的私钥都放置于 /etc/ssh/ssh_host*，因此你可以这样做：

```
[root@www ~]# rm /etc/ssh/ssh_host*   <==删除密钥文件
[root@www ~]# /etc/init.d/sshd restart
正在停止 sshd:                                [  确定  ]
正在产生 SSH1 RSA 主机密钥:                   [  确定  ] <==下面三个步骤重新产生密钥
```

```
正在产生 SSH2 RSA 主机密钥:                    [  确定  ]
正在产生 SSH2 DSA 主机密钥:                    [  确定  ]
正在激活 sshd:                                 [  确定  ]
[root@www ~]# date; ll /etc/ssh/ssh_host*
Mon Jul 25 11:36:12 CST 2011
-rw-------. 1 root root  668 Jul 25 11:35 /etc/ssh/ssh_host_dsa_key
-rw-r--r--. 1 root root  590 Jul 25 11:35 /etc/ssh/ssh_host_dsa_key.pub
-rw-------. 1 root root  963 Jul 25 11:35 /etc/ssh/ssh_host_key
-rw-r--r--. 1 root root  627 Jul 25 11:35 /etc/ssh/ssh_host_key.pub
-rw-------. 1 root root 1675 Jul 25 11:35 /etc/ssh/ssh_host_rsa_key
-rw-r--r--. 1 root root  382 Jul 25 11:35 /etc/ssh/ssh_host_rsa_key.pub
# 看一下上面输出的日期与文件的建立时间，刚刚建立的新公钥、私钥系统！
```

11.2.2　启动 SSH 服务

事实上，在我们使用的 Linux 系统当中，默认就已经含有 SSH 所有需要的软件了，包含了可以产生密码等协议的 OpenSSL 软件与 OpenSSH 软件 (注 1)，所以，要启动 SSH 真是太简单了，直接启动就是了！此外，在目前的 Linux Distributions 当中，**都是默认启动 SSH 的**，所以一点都不麻烦，因为不用去设置，它就已经启动了。哇！真是爽快，但我们还是得说一说这个启动的方式。直接启动就是以 SSH Daemon，简称为 SSHD 来启动的，所以，手动可以这样启动：

```
[root@www ~]# /etc/init.d/sshd restart
[root@www ~]# netstat -tlnp | grep ssh
Active Internet connections (only servers)
Proto Recv-Q Send-Q Local Address  Foreign Address  State   PID/Program name
tcp        0      0 :::22          :::*             LISTEN  1539/sshd
```

需要注意的是，SSH 不但提供了 Shell 给我们使用，即是 SSH Protocol 的主要目的，同时也提供了一个较为安全的 FTP Server，也就是 SSH-FTP Server 给我们当成是 FTP 来使用，所以，**这个 SSHD 可以同时提供 Shell 与 FTP，而且都是架构在 Port 22 上面的**，那么怎样由 Client 端连接上 Server 端呢？同时，如何以 FTP 的服务来连接上 Server 并且使用 FTP 的功能呢？下面我们就来讲一讲。

11.2.3　SSH 客户端连接程序——Linux 用户

如果你的客户端是 Linux 的话，那么恭喜你了，默认的情况下，你的系统已经有下面的所有指令，可以不必安装额外的软件。下面就来介绍一下这些指令吧！

1. SSH：直接登录远程主机的指令

SSH 在 Client 端使用的是 SSH 这个指令，这个指令可以指定连接的版本（Version1, Version 2），还可以指定非正规的 SSH Port（正规 SSH Port 为 22），可以使用下面的方式：

```
[root@www ~]# ssh [-f] [-o 参数项目] [-p 非标准端口] [账号@]IP [命令]
选项与参数：
-f ：需要配合后面的 [命令]，不登录远程主机直接发送一个命令过去而已
-o 参数项目：主要的参数项目有：
      ConnectTimeout=秒数 ：连接等待的秒数，减少等待的时间
      StrictHostKeyChecking=[yes|no|ask]：默认是 ask，若要让 public key
            主动加入 known_hosts，则可以设置为 no 即可
-p ：如果 sshd 服务启动在非标准的端口，需使用此项目
[命令] ：不登录远程主机，直接发送命令过去。但与 -f 意义不太相同

# 1. 直接连接登录到对方主机的方法（以登录本机为例）：
[root@www ~]# ssh 127.0.0.1
The authenticity of host '127.0.0.1 (127.0.0.1)' can't be established.
RSA key fingerprint is eb:12:07:84:b9:3b:3f:e4:ad:ba:f1:85:41:fc:18:3b.
Are you sure you want to continue connecting (yes/no)? yes
Warning: Permanently added '127.0.0.1' (RSA) to the list of known hosts.
root@127.0.0.1's password: <==在这里输入 root 的密码即可！
Last login: Mon Jul 25 11:36:06 2011 from 192.168.1.101
[root@www ~]# exit   <==离开这次的 SSH 连接
# 由于 SSH 后面没有加上账号，因此默认使用当前的账号来登录远程服务器
```

一般使用 SSH 登录远程主机，采用“SSH 账号主机 IP”的格式，即使用该主机的某账号登录的意思。但是很多朋友都不喜欢写账号，也就是使用“**SSH 主机 IP**”的格式。如同上面的范例情况。要注意喔，**如果不写账号的话，那么会以本地端计算机的账号来尝试登录远程**。也就是说，如果近端与远程具有相同的账号，那么不写账号也没有关系，如上述代码中的范例。但是，为了形成习惯，还是一开始就使用类似 E-mail 的方式来登录远程主机，这样的行为习惯比较好。

在上面出现的信息中，开头 RSA 的那行后面接的就是远程服务器的公钥指纹码，如果确定该指纹码没有问题，那么你就需要输入 Yes 来将该指纹码写入服务器公钥记录文件(~/.ssh/known_hosts)，以便对比该服务器的正确性。**注意是要写 Yes ，单纯输入 Y 或 y 是不会被接受的。**此外，由于该主机的公钥已经被记录，因此未来重复使用 SSH 登录此主机时，就不会出现这个指纹码提示了。

```
# 2. 使用 student 账号登录本机
[root@www ~]# ssh student@127.0.0.1
student@127.0.0.1's password:
[student@www ~]$ exit
# 由于加入账号，因此切换身份成为 student 了。另外，因为 127.0.0.1 曾登录过，
```

```
# 所以就不会再出现提示要添加主机公钥的信息了

# 3. 登录对方主机，执行过命令后立刻离开的方式
[root@www ~]# ssh student@127.0.0.1 find / &> ~/find1.log
student@localhost's password:
# 此时你会发现画面卡住了，这是因为上面的命令造成的，你已经登录远程主机，
# 但是执行的命令尚未运行完，因此会在等待当中。那如何指定系统自己运行呢？

# 4. 与上题相同，让对方主机自己运行该命令，你立刻回到本地端主机继续工作：
[root@www ~]# ssh -f student@127.0.0.1 find / &> ~/find1.log
# 此时你会立刻注销 127.0.0.1，但 find 命令会自己在远程服务器运行
```

在上述范例当中，第 4 个范例最有用。如果想要让远程主机执行关机的命令，若不加上 –f 参数，那就会等待对方主机关机完毕再将本地端主机断开连接，这不是很合理，因此，加上 –f 就很重要。因为这样会指定远程主机自己运行关机，而不需要再等待。例如，“ssh –f root@some_IP shutdown –h now”之类的命令。

```
# 5. 删除 known_hosts 后，重新使用 root 连接到本机，且自动加上公钥记录
[root@www ~]# rm ~/.ssh/known_hosts
[root@www ~]# ssh -o StrictHostKeyChecking=no root@localhost
Warning: Permanently added 'localhost' (RSA) to the list of known hosts.
root@localhost's password:
# 如上所示，不会问你 Yes 或 No 啦！直接会写入到~/.ssh/known_hosts 中
```

鸟哥在上课时常常使用 SSH 连接到学生的计算机中去看他有没有出错，有时候会写 Script 来进行答案侦测。此时如果每台计算机都在主动加上公钥文件记录，即都要输入“Yes”，那么会累死！此时加上这个 StrictHostKeyChecking=no 就会很有帮助。它会在不询问的情况下自动加入主机的公钥到文件中，对于一般用户帮助不大，但对于程序脚本来说，它可就很有用了！

2. 服务器公钥记录文件：~/.ssh/known_hosts

当你登录远程服务器时，本机会主动利用接收到的服务器的 Public Key 去比对 ~/.ssh/known_hosts 有无相关的公钥，然后进行下面的操作：

- 若接收的公钥尚未记录，则询问用户是否记录。若要记录（范例中回答 Yes 的那个步骤）则写入 ~/.ssh/known_hosts 且执行后续工作；若不记录（回答 No）则不写入该文件，并且退出登录工作。
- 若接收到的公钥已有记录，则比对记录是否相同，若相同则继续登录动作；若不相同，则出现警告信息，且离开登录的动作。这是客户端的自我保护功能，以避免你的服务器是被别人伪装的。

服务器的 SSH 可能会改变，如果是测试用的主机，常常会重新安装，那么服务器的公钥

肯定经常不同，果真如此的话，你就无法继续登录了，那怎么办？让我们来模拟一下这个行为吧！

例题

测试服务器重新安装后，假设服务器使用相同的 IP，造成相同 IP 的服务器公钥不同，产生的问题与解决之道是什么样的？

答：利用前一小节讲过的方式，删除原有的系统公钥，重新启动 SSH 让你的公钥更新：

```
rm  /etc/ssh/ssh_host*
/etc/init.d/sshd restart
```

然后重新使用下面的方式来进行连接的操作：

```
[root@www ~]# ssh root@localhost
@@@@@@@@@@@@@@@@@@@@@@@@@@@@@@@@@@@@@@@@@@@@@@@@@@@@@@@@@@@@
@    WARNING: REMOTE HOST IDENTIFICATION HAS CHANGED!  @ <==就告诉你可能有问题
@@@@@@@@@@@@@@@@@@@@@@@@@@@@@@@@@@@@@@@@@@@@@@@@@@@@@@@@@@@@
IT IS POSSIBLE THAT SOMEONE IS DOING SOMETHING NASTY!
Someone could be eavesdropping on you right now (man-in-the-middle attack)!
It is also possible that the RSA host key has just been changed.
The fingerprint for the RSA key sent by the remote host is
a7:2e:58:51:9f:1b:02:64:56:ea:cb:9c:92:5e:79:f9.
Please contact your system administrator.
Add correct host key in /root/.ssh/known_hosts to get rid of this message.
Offending key in /root/.ssh/known_hosts:1 <==冒号后面接的数字就是有问题的数据行号
RSA host key for localhost has changed and you have requested strict checking.
Host key verification failed.
```

特殊字体的地方在告诉你：/root/.ssh/known_hosts 的第 1 行里面的公钥与这次接收到的结果不同，很可能被攻击了。那么怎么办？没关系，可使用 vim 到 /root/.ssh/known_hosts，并将第 1 行（冒号后面接的数字）删除，之后重新 SSH 过，那系统就会重新询问你要不要加上公钥，就这么简单！ ^_^

3. 模拟 FTP 的文件传输方式：SFTP

SSH 是登录远程服务器进行工作，那**如果你只是想要从远程服务器下载或上传文件呢？那就不是使用 SSH 啦，而必须要使用 SFTP 或 SCP**。这两个指令也都是使用 SSH 的通道（Port 22），只是模拟成 FTP 与复制的操作而已。我们先谈谈 SFTP，这个指令的用法与 SSH 很相似，只是 SSH 是用在登录，而 SFTP 用在上传/下载文件而已。

```
[root@www ~]# sftp student@localhost
Connecting to localhost...
student@localhost's password: <== 这里请输入密码
sftp> exit  <== 这里就是在等待你输入 FTP 相关命令的地方
```

进入到 SFTP 之后，就与在一般 FTP 模式下的操作方法没有两样了！下面我们就来谈一谈 SFTP 这个接口下可使用的指令，如表 11-1 所示。

表 11-1 SFTP 使用的命令

针对远程服务器主机（Server）的行为	
切换目录到 /etc/test 或其他目录	cd /etc/test、cd PATH
列出当前所在目录下的文件名	ls dir
建立目录	mkdir directory
删除目录	rmdir directory
显示当前所在的目录	pwd
更改文件或目录的属组	chgrp groupname PATH
更改文件或目录的属主	chown username PATH
更改文件或目录的权限	chmod 644 PATH 其中，644 与权限有关。可参考基础篇
建立连接文件	ln oldname newname
删除文件或目录	rm PATH
更改文件或目录名称	rename oldname newname
离开远程主机	exit (or) bye (or) quit
针对本机（Client）的行为（都加上 l, L 的小写）	
切换目录到本机的 PATH 当中	lcd PATH
列出当前本机所在目录下的文件名	lls
在本机建立目录	lmkdir
显示当前所在的本机目录	lpwd

（续表）

针对资料上传/下载的操作	
将文件由本机上传到远程主机	put [本机目录或文件] [远程] put [本机目录或文件] 如果是后一种格式，则文件会存储到当前远程主机的目录下
将文件由远程主机下载回来	get [远程主机目录或文件] [本机] get [远程主机目录或文件] 若是后一种格式，则文件会存储在当前本机所在的目录当中。可以使用通配符，例如：get *，get *.rpm

就整体而言，如果不考虑图形接口，SFTP 在 Linux 中已经可以取代 FTP 了，因为所有的功能都已经涵盖，所以在不考虑到图形接口的 FTP 软件时，可以直接关掉 FTP 的服务，而改以 SFTP-Server 来提供 FTP 的服务。^_^

例题

假设 localhost 为远程服务器，且服务器上有 student 这个用户。你想要将本机的 /etc/hosts 上传到 student 用户主目录，并将 student 的 .bashrc 复制到本机的 /tmp 底下，该如何通过 SFTP 实现？

答：实现方法如下：

```
[root@www ~]# sftp student@localhost
sftp> lls /etc/hosts      <==先看看本机有没有这个文件
/etc/hosts
sftp> put /etc/hosts      <==有的话，那就上传吧
Uploading /etc/hosts to /home/student/hosts
/etc/hosts                          100%   243     0.2KB/s   00:00
sftp> ls                  <==有没有上传成功？看远程目录下的文件名
hosts
sftp> ls -a               <==有没有隐藏文件呢
.                .               .bash_history   .bash_logout
.bash_profile    .bashrc         .mozilla        hosts
sftt> lcd /tmp            <==切换本机目录到 /tmp
sftp> lpwd                <==只是进行确认而已
Local working directory: /tmp
sftp> get .bashrc         <==没问题就下载吧
Fetching /home/student/.bashrc to .bashrc
```

```
/home/student/.bashrc                100%  124      0.1KB/s   00:00
sftp> lls -a                <==看本地端文件名
.        .font-unix    keyring-rNd7qX   .X11-unix
..       .gdm_socket   lost+found       scim-panel-socket:0-root
.bashrc  .ICE-unix     mapping-root     .X0-lock
sftp> exit                  <==离开
```

如果你不喜欢使用文字接口进行 FTP 的传输，那么还可以通过图形接口来连接到 SFTP-Server。你可以利用 Filezilla 来进行连接，如此一来与服务器之间的文件传输就方便多了。

4. 文件异地直接复制：SCP

通常使用 SFTP 是因为可能不知道服务器上面已存在的文件名信息，如果已经知道服务器上的文件名，那么最简单的文件传输则是通过 SCP 这个指令。最简单的 SCP 用法如下：

```
[root@www ~]# scp [-pr] [-l 速率] file  [账号@]主机:目录名 <==上传
[root@www ~]# scp [-pr] [-l 速率] [账号@]主机:file  目录名 <==下载
选项与参数：
-p : 保留文件原有的权限信息
-r : 复制来源为目录时，可以复制整个目录 (含子目录)
-l : 可以限制传输的速率，单位为 Kbits/s，例如 [-l 800] 代表传输速率 100Kbytes/s

# 1. 将本机的 /etc/hosts* 全部复制到 127.0.0.1 上面的 student 用户主目录内
[root@www ~]# scp /etc/hosts* student@127.0.0.1:~
student@127.0.0.1's password: <==输入 student 密码
hosts                          100%  207        0.2KB/s    00:00
hosts.allow                    100%  161        0.2KB/s    00:00
hosts.deny                     100%  347        0.3KB/s    00:00
# 文件名显示                   进度  容量(bytes) 传输速率   剩余时间
# 你可以仔细看，出现的信息有 5 个字段，意义如上所示

# 2. 将 127.0.0.1 这台远程主机的 /etc/bashrc 复制到本机的 /tmp 下面
[root@www ~]# scp student@127.0.0.1:/etc/bashrc /tmp
```

其实**上传或下载的重点是那个冒号（:）**啰！连接在冒号后面的就是远程主机的文件。因此，如果冒号在前，代表的就是从远程主机下载下来，如果冒号在后，则代表本机数据上传啦！而如果想要复制目录的话，那么可以加上 -r 的选项。

例题

假设本机有个文件名为 /root/dd_10mb_file，这个文件有 10 MB 这么大。假设你想要上

传到 127.0.0.1 的 /tmp 中去，而且你在 127.0.0.1 上面有 root 这个账号的使用权。但由于带宽很宝贵，因此你只想要分配 100Kbyes/s 的传输量给此操作，那该使用什么样的命令语法来实现此操作呢？

答：由于默认不存在这个文件，因此我们得先使用 dd 来建立一个大文件：

```
dd if=/dev/zero of=/root/dd_10mb_file bs=1M count=10
```

建立妥当之后，由于是上传数据，观察 -l 的选项中速率用的是 bit，转换成容量为 bytes 需要乘上 8，因此指令就要这样书写：

```
scp -l 800 /root/dd_10mb_file root@127.0.0.1:/tmp
```

11.2.4 SSH 客户端连接程序——Windows 用户

与 Linux 不同的是，默认的 Windows 并没有 SSH 的客户端程序，因此所有的程序都需要下载其他第三方软件才行。常见的软件主要有 Pietty、PSFTP 及 Filezilla 等。下面就让我们来谈谈这几个软件吧。

1. 直接连接的 Pietty

在 Linux 下面想要连接 SSH 服务器，可以直接利用 SSH 这个指令，在 Windows 操作系统下面就需要使用 Pietty 或 Putty 这两个工具程序，这两者的下载地址请参考 (注 2)：

- Putty 官方网站：http://www.chiark.greenend.org.uk/~sgtatham/putty/。
- Pietty 官方网站：http://www.csie.ntu.edu.tw/~piaip/pietty/。

在 Putty 的官方网站上有很多软件可以使用，包括 putty/pscp/psftp 等。它们分别对应了 SSH/SCP/SFTP 这三个指令。而鸟哥爱用的 Pietty 则是台湾地区的林弘德先生根据 Putty 所改版而成的。由于 Pietty 除了完美兼容于 Putty 之外，还提供了菜单与较为完整的文字编码，实在很好用，所以下面鸟哥就以 Pietty 为例进行介绍。在你下载 Pietty 完成后，双击该文件，就会出现如图 11-3 所示的界面。

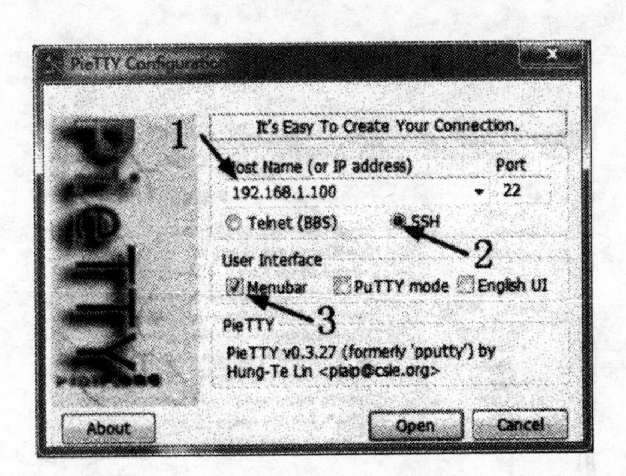

图 11-3　Pietty 的启动屏幕示意图

请在上图中箭头为 1 的地方填写相关的主机名或者是 IP，箭头 2 当然务必选择 SSH 那一项，至于箭头 3 的地方，鸟哥比较喜欢菜单的样式，因为可以直接修改一些 Pietty 的环境设定值，所以鸟哥选择的是 Menubar。若没有问题，单击 Open 按钮后，就会出现如图 11-4 所示的等待登录与输入账户/密码数据的画面。

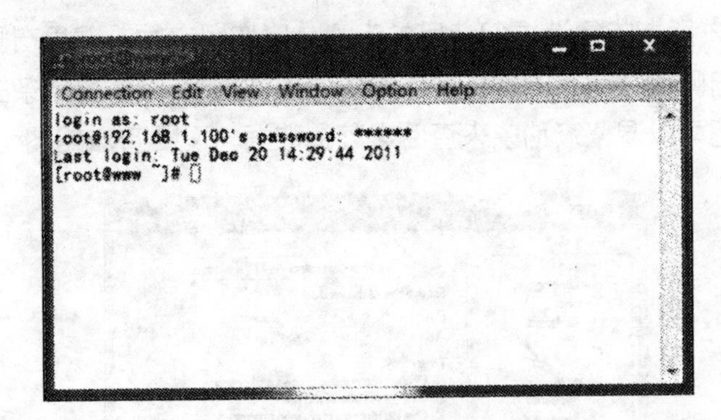

图 11-4 Pietty 的登录与使用画面示意图

这个图标会让你以为是在主机前面工作吧，而且上面还有菜单可以随时调整类似字体、字符编码等的重要环境参数。尤其是字符编码的问题，有时候你会发现打开文件时，竟然画面当中会有乱码而不是正常的中文显示，那就是编码的问题。要解决这个问题，你必须要牢记下面三个与语言编码有关的数据要相同才行：

- **文本文件本身在存档时所挑选的语言。**
- **Linux 程序（如 Bash 软件）本身所使用的语言（可用 LANG 变量调整）。**
- **Pietty 所使用的语言。**

我们知道 Linux 本身的编码可以通过 LANG 这个变量来调整，那该如何调整 Pietty 的中文编码呢？可以通过菜单列表中的 Option 来处理。

如果想要进行更详细的配置时，可以选择 More Options 选项，就会出现如图 11-5 所示的对话框。其中更为重要的是“键盘右侧的数字键想要生效”时，可以按照下图的指示来启动数字键的功能。

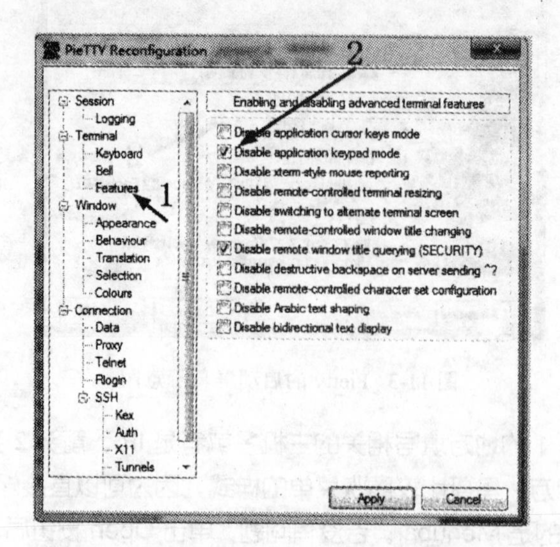

图 11-5 Pietty 软件环境详细设定，与键盘右侧数字键相关

将上图中箭头 2 所指的复选框勾选且单击 Apply 按钮之后，键盘右侧的数字键才能够正常使用，否则按右侧数字键会出现乱码。你还可以调整 Pietty 滚动条的记忆行数，这样当数据太多时，依旧可以调整滚动条来查阅之前的数据。设置方法如图 11–6 所示。

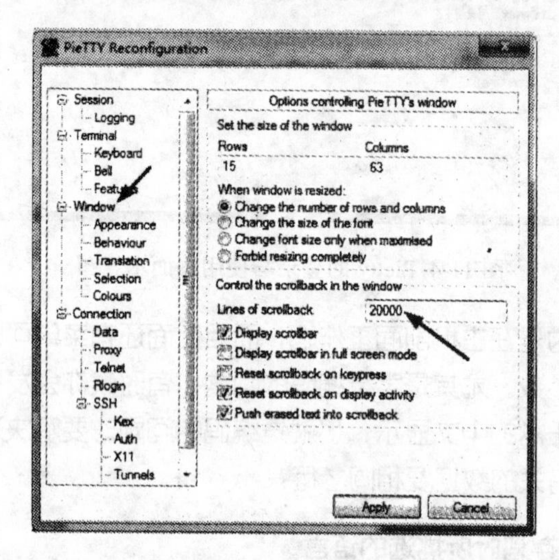

图 11-6 调整画面可以记忆的行数，可让用户回看之前的操作记录

调整完这些常用的数据后，还可以调整：“你要以哪一个版本的 SSH 算法登录”？前面说过，我们默认是以 Version 2 来登录的，所以这里我们可以调整为 2，这样每次登录都会以 Version 2 的模式登录主机了，如图 11–7 所示。

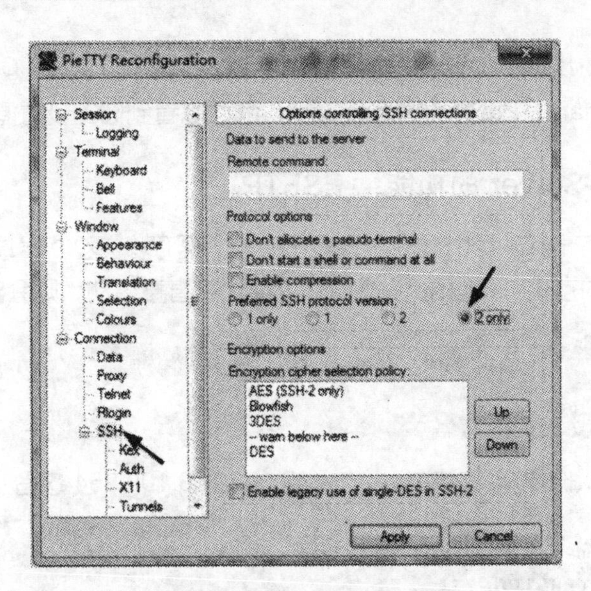

图 11-7 设置登录服务器时使用的 SSH 算法版本

整个 Pietty 的使用与相关设定流程就是这样！如此一来，你就可以在 Windows 上面以 SSH 的协议登录远程的 Linux 主机。如果想要中文支持的话，则需要修改一下字符集，在 Option 菜单中选择 Font 选项，即可弹出如图 11–8 所示对话框。

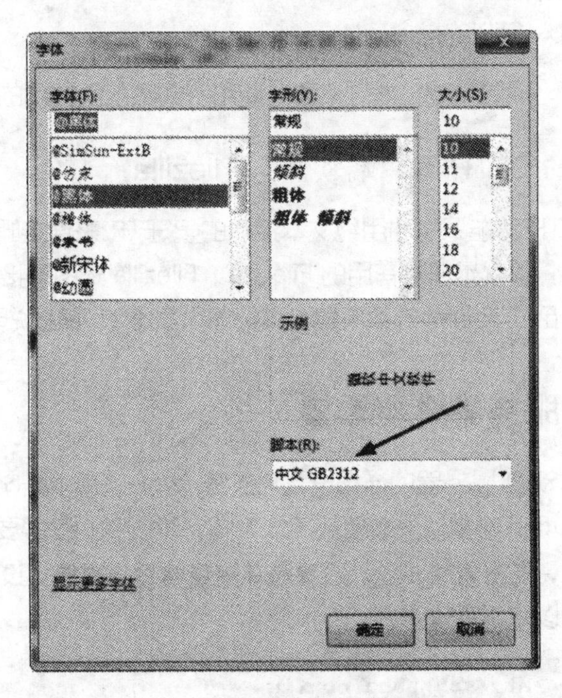

图 11-8 选择中文的字形与脚本

将字体设定为黑体、脚本设定为中文 GB2312，如此一来，你的 Pietty 就支持中文输入了。

那么上面我们所做的设定值都记录在哪里啊？呵呵！都记录在 Windows 的登录文件当中。你可以在 Windows 的系统中，选择“开始”→“运行”命令，在出现的对话框内输入

“regedit”，之后会出现一个大窗口。请在左窗格中选择“HKEY_CURRENT_USER→Software→SimonTatham→PieTTY→Sessions”，就可以看到你的设置值了。

2. 使用 SFTP-Server 的功能：PSFTP

在 Putty 的官方网站上也提供 PSFTP 这个程序。这个程序的重点在于使用 SFTP-Server。使用的方式：可以单击 PSFTP 文件让它直接启动，则会出现下面的信息：

```
psftp: no hostname specified; use "open host.name" to connect
psftp>
```

这个时候可以填入你要连接的主机名，例如 192.168.100.254 这台主机：

```
psftp: no hostname specified; use "open host.name" to connect
psftp> open 192.168.100.254
login as: root
root@192.168.100.254's password:
Remote working directory is /root
psftp> <== 这里输入 FTP 的命令
```

这里就在等待你输入 FTP 的指令了！

这样就登录主机了，很简单吧。然后其他的使用方式跟前面提到的 SFTP 一样。

3. 图形化接口的 SFTP 客户端软件：Filezilla

SSH 所提供的 SFTP 功能只能利用纯文本接口的 PSFTP 来连接吗？有没有图形接口的软件呢？呵呵！当然有！那就是非常有用的 Filezilla 。Filezilla 是图形接口的一个 FTP 客户端软件，使用非常方便，至于详细的安装与使用流程请参考第 21 章的说明。

11.2.5 SSHD 服务器详细配置

基本上，所有的 SSHD 服务器的详细设置都放在 /etc/ssh/sshd_config 配置文件中。不过，每个 Linux Distribution 的默认设置值都不太相同，所以我们有必要来了解一下整个设定值的意义。同时请注意，在配置文件内，**只要是未被注释的设置值（设置值前面加“#”），即为“默认值”**，你可以依据它来修改。

```
[root@www ~]# vim /etc/ssh/sshd_config
# 1. 关于 SSH Server 的整体设置，包含使用的 Port，以及使用的密码算法方式
# Port 22
# SSH 默认使用 22 这个 Port，也可以使用多个 Port，即重复使用 Port 这个设置项目
# 例如想要开放 SSHD 在 22 与 443，则多加一行内容为：Port 443
# 然后重新启动 SSHD 就好了。不过，不建议修改 Port Number
```

```
Protocol 2
# 选择的 SSH 协议版本，可以是 1 也可以是 2，CentOS 5.x 默认仅支持 V2。
# 如果想要支持旧版 V1，就需要使用“Protocol 2,1”才行。

# ListenAddress 0.0.0.0
# 监听的主机网卡。举个例子来说，如果有两个 IP，分别是 192.168.1.100 及
# 192.168.100.254，假设只想要让 192.168.1.100 可以监听 SSHD，那就这样写：
#“ListenAddress 192.168.1.100”，默认值是监听所有接口的 SSH 要求

# PidFile /var/run/sshd.pid
# 可以放置 SSHD 这个 PID 的文件。上述为默认值

# LoginGraceTime 2m
# 当连上 SSH Server 之后，会出现输入密码的界面，在该界面中，
# 经过多长时间内没有成功连上 SSH Server 就强迫断开连接。若无单位则默认时间为秒

# Compression delayed
# 指定何时开始使用压缩数据模式进行传输

# 2. 说明主机的 Private Key 放置的文件，默认使用下面的文件即可
# HostKey /etc/ssh/ssh_host_key          # SSH version 1 使用的私钥
# HostKey /etc/ssh/ssh_host_rsa_key      # SSH version 2 使用的 RSA 私钥
# HostKey /etc/ssh/ssh_host_dsa_key      # SSH version 2 使用的 DSA 私钥
# 还记得我们在主机的 SSH 连接流程里面谈到的，这里就是 Host Key

# 3. 关于登录文件的信息数据放置与 daemon 的名称
SyslogFacility AUTHPRIV
# 当有人使用 SSH 登录系统的时候，SSH 会记录信息，这个信息要记录在 Daemon Name 下面
# 默认是以 AUTH 来设置的，即/var/log/secure 里面。如果忘记了
# 可回到 Linux 基础去翻一下。其他可用的 Daemon Name 为：DAEMON、USER、AUTH、
# LOCAL0、LOCAL1、LOCAL2、LOCAL3、LOCAL4、LOCAL5

# LogLevel INFO
# 日志的等级。

# 4. 安全设置项目。极重要。
# 4.1 登录设置部分
# PermitRootLogin yes
# 是否允许 root 登录。默认是允许的，但是建议设置成 no

# StrictModes yes
# 是否让 sshd 去检查用户主目录或相关文件的权限数据
# 这是为了担心用户将某些重要文件的权限设错，可能会导致一些问题所致。
# 例如用户的 ~.ssh/ 权限设错时，某些特殊情况下会不许用户登录

# PubkeyAuthentication yes
```

```
# AuthorizedKeysFile      .ssh/authorized_keys
# 是否允许用户自行使用成对的密钥系统进行登录，仅针对 Version 2
# 至于自定义的公钥数据就放置于用户主目录下的 .ssh/authorized_keys 内

PasswordAuthentication yes
# 密码验证当然是需要的，所以这里写 yes

# PermitEmptyPasswords no
# 如果上面那一项设置为 yes 的话，这一项就最好设置为 no
# 这个项目用于设置是否允许以空的密码登录，当然不许。

# 4.2 认证部分
# RhostsAuthentication no
# 本机系统不使用 .rhosts，因为仅使用 .rhosts 太不安全了，所以这里一定要设置为 no

# IgnoreRhosts yes
# 是否取消使用 ~/.ssh/.rhosts 来作为认证，当然是

# RhostsRSAAuthentication no #
# 这个选项是专门给 Version 1 用的，使用 rhosts 文件在 /etc/hosts.equiv
# 配合 RSA 加密算法来进行认证，不要使用

# HostbasedAuthentication no
# 这个项目与上面的项目类似，不过是给 Version 2 使用的

# IgnoreUserKnownHosts no
# 是否忽略用户主目录内的 ~/.ssh/known_hosts 这个文件所记录的主机内容？
# 当然不要忽略，所以这里就是 no

ChallengeResponseAuthentication no
# 允许任何的密码认证，所以，任何 login.conf 规定的认证方式，均可使用
# 但目前我们比较喜欢使用 PAM 模块帮忙管理认证，因此这个选项可以设置为 no

UsePAM yes
# 利用 PAM 管理用户认证有很多好处，可以记录与管理
# 所以这里我们建议使用 UsePAM 且 ChallengeResponseAuthentication 设置为 no

# 4.3 与 Kerberos 有关的参数设置。因为我们没有 Kerberos 主机，所以下面的不用设置
# KerberosAuthentication no
# KerberosOrLocalPasswd yes
# KerberosTicketCleanup yes
# KerberosTgtPassing no

# 4.4 下面是有关在 X-Window 下使用的相关设置
X11Forwarding yes
# X11DisplayOffset 10
```

```
# X11UseLocalhost yes
# 比较重要的是 X11Forwarding 项目，它可以让窗口的数据通过 SSH 连接来传送
# 在本章后面比较高级的 SSH 使用方法中会谈到

# 4.5 登录后的项目
# PrintMotd yes
# 登录后是否显示出一些信息呢？例如上次登录的时间、地点等，默认是 yes
# 也就是打印出 /etc/motd 这个文件的内容。但是，如果为了安全，可以考虑改为 no

# PrintLastLog yes
# 显示上次登录的信息。默认也是 yes

# TCPKeepAlive yes
# 当实现连接后，服务器会一直发送 TCP 数据包给客户端，用以判断对方是否一直存在连接
# 不过，如果连接时中间的路由器暂时停止服务几秒钟，也会让连接中断
# 在这个情况下，任何一端死掉后，SSH 可以立刻知道，而不会有僵尸进程的出现
# 但如果网络或路由器常常不稳定，那么可以设置为 no

UsePrivilegeSeparation yes
# 是否使用权限较低的程序来提供用户操作。我们知道 SSHD 启动在 Port 22
# 因此启动的程序是属于 root 的身份，那么当 student 登录后，这个设置值
# 会产生一个属于 sutdent 的 SSHD 程序来使用，对系统较安全

MaxStartups 10
# 同时允许几个尚未登录的连接界面？当我们连上 SSH，但是尚未输入密码时，
# 这个时候就是所谓的连接界面。在这个连接界面中，为了保护主机，
# 需要设置最大值，默认最多有 10 个连接界面，而已经建立连接的不计算在这 10 个当中

# 4.6 关于用户限制的设置项目：
DenyUsers *
# 设置被限制用户的名称，如果是全部的用户，那就是全部阻挡吧
# 若是部分使用者，可以将该账号填入。例如：
DenyUsers test

DenyGroups test
# 与 DenyUsers 相同，仅阻挡几个组

# 5. 关于 SFTP 服务与其他的设置项目
Subsystem       sftp     /usr/lib/ssh/sftp-server
# UseDNS yes
# 一般来说，为了判断客户端来源是否为正常合法的，会使用 DNS 去反查客户端的主机名
# 不过如果是在内网互连，这项目设置为 no 会让连接速度比较快。
```

基本上，CentOS 默认的 SSHD 服务已经算是很安全的了，不过还不够，**建议你将 root 的登录权限取消，并将 SSH 版本设定为 2** 。其他的设置就请你依照自己的喜好来定义了。通

常不建议随便修改。另外，如果你修改过上面这个文件（/etc/ssh/sshd_config），那么就必须重新启动一次 SSHD 才行，也就是：* /etc/init.d/sshd restart。

11.2.6 制作不用密码可立即登录的 SSH 用户

你或许已经想到了，既然 SSH 可以使用 SCP 来进行网络复制，那么我能不能将 SCP 的指令放置于 crontab 服务中，让我们的系统通过 SCP 直接在后台定期进行网络复制与备份呢？抱歉，答案是："默认状况下不允许此操作"，为什么呢？因为默认状况下，你必须要通过远程登录，与 SCP 互动的输入密码才行啊！但 crontab 又不会让你在终端接口输入密码，所以该程序就会一直卡住而无法在 crontab 内执行成功喔！那怎么办？我们要放弃这个好用的网络复制工具吗？当然不是啦！我们可以通过密钥认证系统来处理。

既然 SSH 可以使用密钥系统来比对数据，并且提供用户数据的加密功能，那么可不可能利用这个 Key 就提供用户自己进入主机，而不需要输入密码呢？呵呵！好主意！我们可以将 Client 产生的 Key 复制到 Server 当中，所以，以后 Client 登录 Server 时，由于两者在 SSH 要连接的信号传递中已经比对过 Key 了，因此，可以立即进入数据传输接口中，而不需要再输入密码。其实现步骤如下。

1）**客户端建立两把钥匙**：想一想，在密钥系统中，是公钥比较重要还是私钥比较重要？当然是私钥比较重要！因此私钥才是解密的关键啊！所以这两把钥匙当然得在发起连接的客户端配置才对。利用的命令为 ssh-keygen。

2）**客户端放置好私钥文件**：将 Private Key 放在 Client 上面的用户主目录中，也就是 $HOME/.ssh/，并且要注意权限喔！

3）**将公钥放置到服务器端的正确目录与文件中**：最后，将 Public Key 放在任何一个你想要用来登录的服务器端的某 User 用户主目录内的 .ssh/ 里面的认证文件中即可完成整个程序。

讲解时好像很困难的样子，其实步骤很简单，我们依序来进行操作。假设前提如下，该操作的步骤如图 11-9 所示。

- Server 部分为 www.centos.vbird 这台 192.168.100.254 的主机，欲使用的账号为 dmtsai。
- Client 部分为 clientlinux.centos.vbird 这台 192.168.100.10 的主机，使用的账号为 vbirdtsai，该账号要用来登录 192.168.100.254 这台主机的 dmtsai 账号。

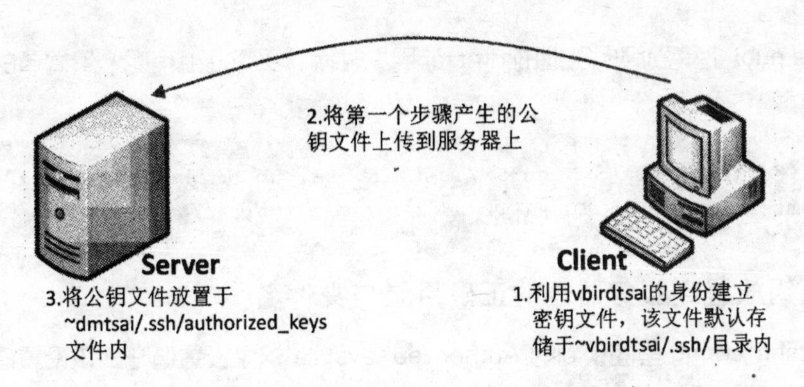

图 11-9　制作不需要密码的 SSH 账号的基本流程

1. 客户端建立两把钥匙

建立的方法很简单，在 clientlinux.centos.vbird 这台主机上面以 vbirdtsai 的身份来建立两把钥匙即可。不过需要注意的是我们有多种密码算法，如果不指定特殊的算法，则默认以 RSA 算法来处理：

```
[vbirdtsai@clientlinux ~]$ ssh-keygen [-t rsa|dsa] <==可选 rsa 或 dsa
[vbirdtsai@clientlinux ~]$ ssh-keygen  <==用默认的方法建立密钥
Generating public/private rsa key pair.
Enter file in which to save the key (/home/vbirdtsai/.ssh/id_rsa): <==按 enter
Created directory '/home/vbirdtsai/.ssh'. <==此目录若不存在则会主动建立
Enter passphrase (empty for no passphrase): <==按 Enter
Enter same passphrase again: <==再输入一次 Enter 吧
Your identification has been saved in /home/vbirdtsai/.ssh/id_rsa.<==私钥文件
Your public key has been saved in /home/vbirdtsai/.ssh/id_rsa.pub.<==公钥文件
The key fingerprint is:
0f:d3:e7:1a:1c:bd:5c:03:f1:19:f1:22:df:9b:cc:08 vbirdtsai@clientlinux.centos.vbird

[vbirdtsai@clientlinux ~]$ ls -ld ~/.ssh; ls -l ~/.ssh
drwx------. 2 vbirdtsai vbirdtsai 4096 2011-07-25 12:58 /home/vbirdtsai/.ssh
-rw-------. 1 vbirdtsai vbirdtsai 1675 2011-07-25 12:58 id_rsa     <==私钥文件
-rw-r--r--. 1 vbirdtsai vbirdtsai  416 2011-07-25 12:58 id_rsa.pub<==公钥文件
```

请注意上面我的身份是 vbirdtsai，所以当我执行 ssh-keygen 时，才会在我的用户主目录下的 .ssh/ 目录里面产生需要的两把 Keys，**分别是私钥 (id_rsa) 与公钥 (id_rsa.pub)。~/.ssh/ 目录必须要是 700 的权限才行！**另外一个需要特别注意的就是那个 id_rsa 的文件权限，它必须是 -rw------- 且属于 vbirdtsai 自己才行，否则在未来密钥比对的过程当中，可能会被判断为危险而无法成功的以公私钥成对文件的机制来实现连接喔。其实，建立私钥后默认的权限与文件名放置位置都是正确的，你只要检查过没问题即可。

2. 将公钥文件数据上传到服务器上

因为我们是以 dmtsai 的身份登录 www.centos.vbird，因此我们就需要将上个步骤建立

的公钥 (id_rsa.pub) 上传到服务器上的 dmtsai 用户才行。那如何上传呢？最简单的方法当然就是使用 scp 嘛！

```
[vbirdtsai@clientlinux ~]$ scp ~/.ssh/id_rsa.pub dmtsai@192.168.100.254:~
# 上传到 dmtsai 的用户主目录下面即可
```

3. 将公钥放置到服务器端的正确目录与文件名

还记得 sshd_config 里面谈到的 AuthorizedKeysFile 这个设置值吧？该设置值就是在指定公钥数据应该要放置的文件名，所以，我们必须要到服务器端的 dmtsai 这个用户身份下，将刚刚上传的 id_rsa.pub 数据附加到 authorized_keys 这个文件内才行，方法如下。

```
# 1. 建立 ~/.ssh 文件，注意权限需要为 700
[dmtsai@www ~]$ ls -ld .ssh
ls: .ssh: 没有此文件或目录
# 由于可能是新建的用户，因此这个目录不存在。不存在才进行下面建立目录的操作

[dmtsai@www ~]$ mkdir .ssh; chmod 700 .ssh
[dmtsai@www ~]$ ls -ld .ssh
drwx------. 2 dmtsai dmtsai 4096 Jul 25 13:06 .ssh
# 权限设置中，务必是 700 且属于用户本人的账号与组才行

# 2. 将公钥文件内的数据使用 cat 转存到 authorized_keys 内
[dmtsai@www ~]$ ls -l *pub
-rw-r--r--. 1 dmtsai dmtsai 416 Jul 25 13:05 id_rsa.pub <==确实存在

[dmtsai@www ~]$ cat id_rsa.pub >> .ssh/authorized_keys
[dmtsai@www ~]$ chmod 644 .ssh/authorized_keys
[dmtsai@www ~]$ ls -l .ssh
-rw-r--r--. 1 dmtsai dmtsai 416 Jul 25 13:07 authorized_keys
# 这个文件的权限设置需要是 644 才可以，不可以搞混了
```

这样就搞定密钥系统了。以后你从 clientlinux.centos.vbird 的 vbirdtsai 登录到 www.centos.vbird 的 dmtsai 用户时，就不需要任何的密码了。举例来说，你可以这样测试看看。

例题

通过上述的案例练习成功后，请在 clientlinux 的 vbirdtsai 身份中，将系统的 /etc/hosts* 文件复制给 www.centos.vbird 的 dmtsai 用户的用户主目录。

答：

```
[vbirdtsai@clientlinux ~]$ scp /etc/hosts* dmtsai@192.168.100.254:~
hosts                                   100%  187     0.2KB/s   00:00
hosts.allow                             100%  161     0.2KB/s   00:00
hosts.deny                              100%  347     0.3KB/s   00:00
# 这里会发现，原本会出现的那个密码提示信息不再出现了

[vbirdtsai@clientlinux ~]$ ssh dmtsai@192.168.100.254 "ls -l"
-rw-r--r--. 1 dmtsai dmtsai 196 2011-07-25 13:09 hosts
-rw-r--r--. 1 dmtsai dmtsai 370 2011-07-25 13:09 hosts.allow
-rw-r--r--. 1 dmtsai dmtsai 460 2011-07-25 13:09 hosts.deny
-rw-r--r--. 1 dmtsai dmtsai 416 2011-07-25 13:05 id_rsa.pub
# 确实已经复制到对方中去了，显示出正确的远程数据
```

很简单的步骤吧！这样一来，使用 SSH 相关的客户端指令就可以不需要密码的手续了！无论如何，在建立密钥系统的步骤中你要记得的是：

- **Client 必须制作出 Public & Private 这两把 Keys，且 Private Keys 需要放到 ~/.ssh/ 内。**
- **Server 必须要有 Public Key，且放置到用户主目录下的 ~/.ssh/authorized_keys，同时目录的权限 (.ssh/) 必须是 700 而文件权限必须为 644，同时文件的属主与属组都必须与该账号吻合才行。**

当你还想要登录其他的主机时，只要将你的 Public Key（就是 id_rsa.pub 这个文件）copy 到其他主机上面去，并且添加到某账号的 ~/.ssh/authorized_keys 这个文件中即可。

11.2.7　简易安全设置

老实说，大家都被“**SSH 是个安全的服务**”所欺骗了！其实 SSHD 并不怎么安全，翻开 OpenSSH 过去的历史来看，确实有很多人是利用 SSH 的程序漏洞来取得远程主机 root 的权限，进而“黑掉”对方的主机，所以 SSH 也不是很安全。

SSHD 所谓的“安全”其实指的是 **SSHD 的数据是加密过的，所以它的数据在 Internet 上面传递时是比较安全的**。至于 SSHD 这个服务本身就不是那样安全了，所以说：**如果不是必须将 SSHD 对 Internet 开放可登录的权限的话，那么，就尽量局限在几个小范围内的 IP 或主机名**，这是很重要的。

好了，那么关于安全的设置方面，有没有什么值得注意的呢？当然是有的！分别可以由下面这三方面来进行。

- **服务器软件本身的设置强化：/etc/ssh/sshd_config。**
- **TCP Wrapper 的使用：/etc/hosts.allow, /etc/hosts.deny。**

- iptables 的使用：iptables.rule, iptables.allow。

1. 服务器软件本身的设置强化：/etc/ssh/sshd_config

一般而言，这个文件的默认项目就已经很完备了，所以，事实上是不太需要修改的。但是，如果你有些用户方面的顾虑，那么可以这样修正一些问题。

- 禁止 root 这个账号使用 SSHD 的服务。
- 禁止 nossh 这个组的用户使用 SSHD 的服务。
- 禁止 testssh 这个用户使用 SSHD 的服务。

除了上述的账号之外，其他的用户则可以正常的使用系统。现在鸟哥假设你的系统里面已经有 sshnot1, sshnot2, sshnot3 加入 nossh 组， 同时系统还有 testssh, student 等账号。相关的账号处理请自行参考基础篇来配置，下面仅列出观察的重点：

```
# 1. 先观察一下所需要的账号是否存在
[root@www ~]# for user in sshnot1 sshnot2 sshnot3 testssh student; do \
> id $user | cut -d ' ' -f1-3 ; done
uid=507(sshnot1) gid=509(sshnot1) groups=509(sshnot1),508(nossh)
uid=508(sshnot2) gid=510(sshnot2) groups=510(sshnot2),508(nossh)
uid=509(sshnot3) gid=511(sshnot3) groups=511(sshnot3),508(nossh)
uid=511(testssh) gid=513(testssh) groups=513(testssh)
uid=505(student) gid=506(student) groups=506(student)
# 若上述账号系统中并不存在，请自己建立、UID/GID，与鸟哥的配置不同也没关系

# 2. 修改 sshd_config 并且重新启动 sshd
[root@www ~]# vim /etc/ssh/sshd_config
PermitRootLogin no   <==约在第 39 行，请去掉注释且修改成这样
DenyGroups  nossh    <==下面这两行可以加在文件的最后
DenyUsers   testssh

[root@www ~]# /etc/init.d/sshd restart

# 3. 测试与观察相关的账号登录情况
[root@www ~]# ssh root@localhost  <==并请输入正确的密码
[root@www ~]# tail /var/log/secure
Jul 25 13:14:05 www sshd[2039]: pam_unix(sshd:auth): authentication failure;
logname= uid=0 euid=0 tty=ssh ruser= rhost=localhost  user=root
# 你会发现出现这个错误信息，注意不是密码输入错误信息

[root@www ~]# ssh sshnot1@localhost  <==并请输入正确的密码
[root@www ~]# tail /var/log/secure
Jul 25 13:15:53 www sshd[2061]: User sshnot1 from localhost not allowed because
a group is listed in DenyGroups
```

```
[root@www ~]# ssh testssh@localhost  <==并请输入正确的密码
[root@www ~]# tail /var/log/secure
Jul 25 13:17:16 www sshd[2074]: User testssh from localhost not allowed
because listed in DenyUsers
```

从上面的结果可以发现，不同的登录账号会产生不一样的日志记录。因此，当你老是无法顺利使用 SSH 登录某一台主机时，记得到该服务器上去检查看看日志文件，说不定就会让你顺利解决问题啰！**在我们的测试机上面，请还是放行 root 的登录！**

2. /etc/hosts.allow 及 /etc/hosts.deny

举例来说，你的 SSHD 只想让本机以及 LAN 内的主机能够登录的话，那就这样操作：

```
[root@www ~]# vim /etc/hosts.allow
sshd: 127.0.0.1 192.168.1.0/255.255.255.0 192.168.100.0/255.255.255.0

[root@www ~]# vim /etc/hosts.deny
sshd : ALL
```

3. iptables 数据包过滤防火墙

多几层保护也很好，所以也可以使用 iptables 。请参考第 9 章防火墙与 NAT 服务器内的实际脚本程序，你应该在 iptables.rule 内将 Port 22 的放行功能取消，然后再到 iptables.allow 里面添加如下代码：

```
[root@www ~]# vim /usr/local/virus/iptables/iptables.allow
iptables -A INPUT -i $EXTIF -s 192.168.1.0/24 -p tcp --dport 22 -j ACCEPT
iptables -A INPUT -i $EXTIF -s 192.168.100.0/24 -p tcp --dport 22 -j ACCEPT

[root@www ~]# /usr/local/virus/iptables/iptables.rule
```

上述的方法处理完毕后，如果你还是一台测试机，那么需要将设定值还原回来。最后，**鸟哥呼吁大家，不要开放 SSH 的登录权限给所有 Internet 上面的主机**，这很重要，因为如果对方可以 SSH 进入你的主机，那么就太危险了。

11.3　最原始图形接口：XDMCP 服务的启用

考虑一个情况，如果你的 Linux 主机主要是用来作为图形处理时，而且同时有多人需要用到那个功能，那么一台 Linux 主机是否仅能提供一个人使用该软件呢？嘿嘿！那可不一定喔！因为 Linux 具有相当优秀的 X Window System 啊！现在就来谈谈第一个图形接口的远程连接服务器吧！

11.3.1 X Window 的 Server/Client 架构与各组件

由于 Linux 使用的图形接口是所谓的 X Window System，它是能够跨平台的，目前在 Linux 上面开发的图形接口软件几乎都是使用这个架构来处理，所以，你就不能不知道 X Window 啦！我们在基础篇第三版的第 24 章已经讲过 X Window 啦，因此这里只做个简单介绍，以方便大家来了解为何我们的软件是这么安装与配置的。

X Window System 在运行的过程中，又因控制的数据不同而分为 X Server 与 X Client 两种程序，虽然说是 X Server/Client，但是它的作用却与网络主机的 Server/Client 架构截然不同。先来说说 X Server/Client 这两种程序所负责的任务。

- **X Server：这组程序主要负责的是屏幕画面的绘制与显示。** X Server 可以接收来自 X Client 的数据，将这些数据绘制呈现为屏幕上的图像。此外，我们移动鼠标、单击数据、由键盘输入数据等，也会通过 X Server 来传达到 X Client 端，而由 X Client 来加以运算出应绘制的数据。
- **X Client：这组程序主要负责的是数据的运算。** X Client 在接收到 X Server 传来的数据后（例如移动鼠标、单击 icon 等动作），会经由本身的运算而得到鼠标应该要如何移动、单击的结果应该要出现什么样的数据、键盘输入的结果应该要如何呈现等，然后将这些结果告知 X Server，让他自行绘制到屏幕上。

> 鸟哥常常开玩笑说，X Server 就是画布，而 X Client 就是手拿画笔的画家。你需要先有画布（管理好所有可显示的硬件），之后画家的想法（计算出来的绘图数据）才能够绘制到画布上！

由于每个 X Client 都是独立存在的程序，在图形显示中会发生一些迭图的问题（想象一下每一个 X Client 都是一个很自我的画家，每个画家都不承认对方的存在，都自顾自地在画布上面绘画，最后的结果会是如何）。因此，后来就由一组特殊的 X Client 来管理其他 X Client 程序，这个总管就是 Window Manager！

- **Window Manager（WM）是一组控制所有 X Client 的管理程序，并同时提供例如任务栏、背景桌面、虚拟桌面、窗口大小、窗口移动与重迭显示等任务。Window Manager 主要由一些大型的桌面工具开发而来，常见的有 GNOME、KDE、XFCE 等。**

既然 X Window System 是 Linux 上面的一组程序，那么它如何启动呢？早期的用户在登录系统后，必须要自己先启动 X Server 程序，然后再启动个别的 Window Manager，若有其他需求，再启动其他额外的 X Client 就是了，非常麻烦！所以为了简化启动个人图形接口的步骤，后来就出现了所谓的 Display Manager（DM）。

- Display Manager（DM）用于提供用户登录画面，以让用户可以通过图形接口登录。在用户登录后，可通过 Display Manager 的功能去呼叫其他的 Window Manager，让用户在图形接口的登录过程变得更简单。由于 DM 也是启动一个等待输入账号、密码的图形数据，因此 DM 会主动去唤醒一个 X Server，然后在上面加载等待输入的画面。

在目前新版的 Linux Distributions 中，启动图形接口让用户登录的方式都是先执行 Display Manager 程序，该程序会主动加载一个 X Server 程序，然后再提供一个等待输入账号、密码的接口程序，之后根据用户的选择去启动所需的 Window Manager 程序，最后由用户直接操作 WM 来作为图形接口。

例题

在 CentOS 6.x 当中，若默认为 init 5 的情况下，那么最终启动图形接口的是哪个程序？

答：分析 /etc/init/* 当中的文件，会发现有个文件的内容是这样的：

```
[root@www ~]# cat /etc/init/prefdm.conf
start on stopped rc RUNLEVEL=5
stop on starting rc RUNLEVEL=[!5]
console output
respawn
respawn limit 10 120
exec /etc/X11/prefdm -nodaemon
```

可以分析 /etc/X11/prefdm 的内容，就能够发现其实该行启动的就是一个 X Display Manager 程序。

例题

登录 init 5 的 CentOS 6.x 之前，先到 tty1 去查阅一下 X Server 是由哪一个程序所唤醒的？

答：我们可以通过 pstree 来观察程序间的相关性喔！同时注意，默认的 CentOS 6.x 的 X Server 程序名称为 Xorg。

```
[root@www ~]# pstree -p
init(1)-+-NetworkManager(1086)
....(中间省略)....
        |-gdm-binary(2642)---gdm-simple-slav(2661)-+-Xorg(2663)
        |                                          |-gdm-session-wor(2746)
....(后面省略)....
```

由上述的数据来看，gdm-binary 可以唤醒 Xorg。同理，我们也会知道提供认证的图形画面应该是由 gdm-session 所提供的。

下面介绍 X Window System 用在网络上的方式：XDMCP。

当 X Server、X Client 都在同一台主机上面的时候，你可以很轻松地启动一个完整的 X Window System。但是如果你想要通过这个机制在网络上面启动 X 呢？此时你得先在客户端启动一个 X Server 将图形接口绘图所需要的硬件设备配置好，并且启动一个 X Server 常见的接收端口（通常是 Port 6000），然后再由服务器端的 X Client 取得绘图数据，将数据绘制成图。通过这个机制，你可以在任何一台计算机中启动 X Server 来登录服务器，而且不管你的操作系统是什么，如此一来，你就可以取得服务器所提供的图形接口环境啦，如图 11-10 所示。

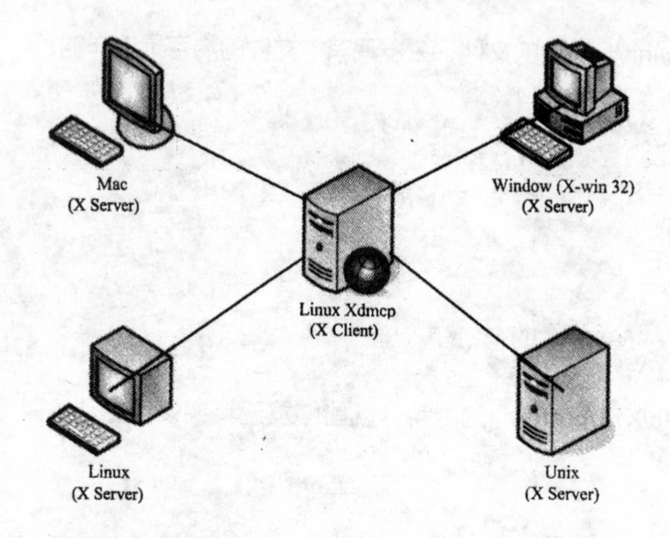

图 11-10　X Server/Client 的架构

但是如果你是使用最笨的方法在客户端自己启动 X Server，然后再告诉服务器将 X Client 程序一个一个地加载回来，那也太累人了吧？我们之前上面不是提到过可以用 Display Manager 来管理用户的登录与启动 X 吗？那服务器能不能提供一个类似的服务，我们直接通过服务器的 Display Manager 就能够提供登录的认证与加载自己选择的 Window Manager 呢？当然可以，那就是 XDMCP（X Display Manager Control Protocol）(注 3)。

XDMCP 启动后会在服务器的 UDP 177 开始监听，然后当客户端的 X Server 连接到服务器的 Port 177 之后，我们的 XDMCP 就会在客户端的 X Server 中放上用户输入账号、密码的图形接口程序。那你就能通过这个 XDMCP 去加载服务器所提供的类似 Window Manager 的相关 X Client，即能够取得图形接口的远程连接服务器了。

那么什么时候会出现多用户连人服务器取得 X 的情况呢？以鸟哥的例子来说，鸟哥实验室有一组 Linux 在进行数值模拟，输出的结果是 NetCDF 文件，我们必须使用 PAVE 这套软件去处理这些数据。但是我们有两三个人同时都会使用到那个功能，偏偏 Linux 主机是放在机柜里面的，要我们挤在那个小小的空间前面“站着”操作计算机吗？这个时候，我们就会架设图形接口的远程登录服务器，让我们可以“**多人同时以图形接口登录 Linux 主机**”的方式来操作我们自己的程序。很棒，不是吗？

11.3.2　设定 GDM 的 XDMCP 服务

既然是所谓的 XDMCP 协议，那么是否意味着与 X Display Manager 有关呢？没错啦！XDMCP 协议是由 DM 程序所提供的。CentOS 默认的 DM 为 GNOME 所提供的 GDM 。因此，你想要启动 XDMCP 服务，那就需要针对 GDM 这个程序来设置。这个 GDM 的设置数据都放置在 /etc/gdm/ 目录下，而我们所要修改的配置文件其实仅是一个 /etc/gdm/custom.conf (注 4) 文件而已。

X11 提供的 Display Manager 为 XDM，而著名的 KDE 与 GNOME 也都有自己的 Display Manager 管理程序，分别是 KDM 与 GDM。你可以通过三者中任何一个 Display Manager 配置文件来启动 XDMCP 这个协议程序。

不过，因为我们安装的基准是 Basic Server，所以很多图形接口软件并没有被安装进来。因此，在操作 XDMCP 之前，我们得先安装图形接口才行。使用 yum groupinstall 来安装吧。

```
# 先检查看看与 X 相关的软件组有哪些
[root@www ~]# yum grouplist
   Desktop
   Desktop Platform
   X Window System
# 这三个算是最重要的项目了，需要安装起来才行。GDM 是在 Desktop 中。

[root@www ~]# yum groupinstall "Desktop" "Desktop Platform" \
> "X Window System"
```

上面进行完毕后，现在才能开始搞定 custom.conf。

```
[root@www ~]# vim /etc/gdm/custom.conf
[security]             <==与信息安全方面有关的信息，大多指登录的相关事宜
AllowRemoteRoot=yes    <==XDMCP 默认不允许 root 登录
DisallowTCP=false      <==这个项目在允许客户端使用 TCP 的方式连接到 XDMCP

[xdmcp]                <==这个小节的重点之一
```

```
Enable=true           <==启动 XDMCP 的最重要项目
# 上述加粗字体的部分就是需要自己添加的内容

[root@www ~]# init 5
# 上述这个命令会切换到 X 图形界面，如果确定要使用 gdm，runlevel 得调整到 5 才好
# 果真如此的话，那就需要调整 /etc/inittab 了

[root@www ~]# netstat -tulnp
Active Internet connections (only servers)
Proto Recv-Q Send-Q Local Address   Foreign Address   State    PID/Program name
tcp        0      0 0.0.0.0:6000    0.0.0.0:*         LISTEN   4557/Xorg
tcp        0      0 :::6000         :::*              LISTEN   4557/Xorg
udp        0      0 0.0.0.0:177     0.0.0.0:*                  4536/gdm-binary
# 上述的 Port 6000 是由 DisallowTCP=false 项目启动的，Port 177 才是我们要的
```

上述的操作鸟哥是在 runlevel 3 下启动的，如果你是在 runlevel 5 下时，你也可以利用“init 3 && init 5”来重新启动图形接口。但如果你是在 runlevel 3 下并且不希望变更成为 runlevel 5 呢？那又该如何启动 Port 177 呢？如果是这样的话，你可以这样启动 XDMCP：

```
[root@www ~]# init 3
[root@www ~]# runlevel
5 3 <==左边的是前一个 runlevel，右边的是当前的，因此当前是 runlevel 3
[root@www ~]# gdm    <==这样就启动 XDMCP 啰！
[root@www ~]# vim /etc/rc.d/rc.local
/usr/sbin/gdm
```

现在你知道如何在不同的 runlevel 下启动 XDMCP 了吧？如果是 runlevel 5 ，因为在 /etc/inittab 中已经自动启动 GDM 了，所以你只要顺利启动 runlevel 5 即可。但如果你是在 runlevel 3 的话，因为这时 GDM 不会被系统的启动流程启动，那你只好自己在 /etc/rc.d/rc.local 里面指定启动它了！这样了解了吗？不过，**既然你都要使用 XDMCP 了，所以建议您直接启动 runlevel 5 即可**。接下来，你需要开放客户端对你的 Port 177 连接才行。请自行修改你的防火墙规则，开放 UDP Port 177 吧。鸟哥这里假设你使用鸟哥的防火墙脚本，那你这样操作就好了：

```
[root@www ~]# vim /usr/local/virus/iptables/iptables.rule
iptables -A INPUT -p UDP -i $EXTIF --dport 177 --sport 1024:65534 \
-s 192.168.100.0/24 -j ACCEPT #xdmcp
# 注意，特点是使用 UDP 端口以及加入来源端 IP 网络的控制

[root@www ~]# /usr/local/virus/iptables/iptables.rule
[root@www ~]# iptables-save | grep 177
```

```
-A INPUT -s 192.168.100.0/24 -i eth0 -p udp -m udp --sport 1024:65534 --dport
177 -j ACCEPT
# 确实已开放 Port 177，而且是 UDP 的端口。要注意这两个项目
```

11.3.3　用户系统为 Linux 的登录方式

由于 Linux 本身的窗口是由 X Server 提供的，因此使用 Linux 登录远程的图形服务器是很简单的。下面我们就讲讲两个常见的启动方式。

1. 在不同的 X 环境下启动连接：直接用 X

如果你的客户端已经在 runlevel 5 了，因此其实你已经有一个 X 窗口的环境，这个环境的显示终端就称为 ":0"。在 CentOS 6.x 的环境中，如果原本就是 runlevel 5 的环境，那么这个图形接口的 ":0" 是在 tty1 终端；如果是由 runlevel 3 启动图形接口，那就是在 tty7。由于已经有一个 X 了，因此你必须要在另外的终端启动另一个 X 才行！那个新的 X 就称为 ":1" 接口，其实通常就在 tty7 或 tty8。但因为 X Server 要接收 X Client 必须要有授权才行，所以你要先在窗口接口中开放接收来自服务器的 X Client 数据。

此外，虽然你在客户端是以主动的方式连接到服务器的 UDP Port 177，但是**服务器的 X Client 会主动连接到客户端的 X Server，因此，你必须开放来自服务器端主动对你的 TCP Port 6001（因为是 ":1" 接口）的防火墙连接才行**。那就来操作看看：

```
# 1. 放行 X Client 发送过来的数据：在 X Window 的界面当中启用 Shell 输入：
[root@clientlinux ~]# xhost + 192.168.100.254
192.168.100.254 being added to access control list
# 注意，你是客户端，且假设那台 Linux 主机的 IP 为 192.168.100.254

# 2. 开始放行防火墙，因为我们启动 Port 6001，所以在客户端这样做：
[root@clientlinux ~]# vim /usr/local/virus/iptables/iptables.allow
iptables -A INPUT -i $EXTIF -s 192.168.100.0/24 -p tcp --dport 6001 -j ACCEPT

[root@clientlinux ~]# /usr/local/virus/iptables/iptables.rule
[root@clientlinux ~]# iptables-save
-A INPUT -s 192.168.100.0/24 -p tcp -m tcp --dport 6001 -j ACCEPT
# 要能看到上面这一行才行

# 3. 在文字接口（例如 tty1）下输入如下命令：
[root@clientlinux ~]# X -query 192.168.100.254 :1
# 进入 X Window
```

如果一切顺利的话，那么你在 clientlinux.centos.vbird 就会看到如图 11-11 所示的画面（注意主机名）。

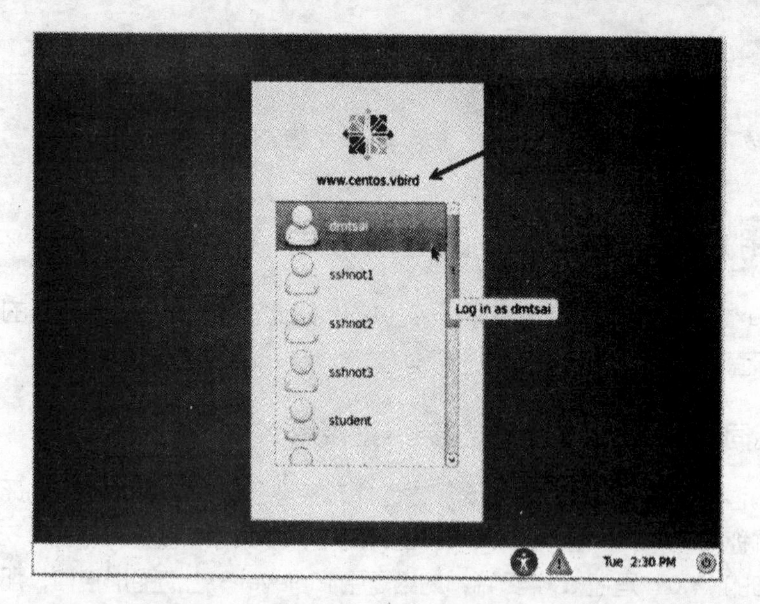

图 11-11　在客户端成功连上 XDMCP 的画面

在上图中输入正确的账号与密码之后，你在 tty8 (:1)中就会有个窗口接口。如果想要返回到本机的窗口接口，那么就返回到 tty7 (:0) 即可切换成功（在 runlevel 5 时，“:0”在 tty1，而“:1”在 tty7）。想要关闭 tty8 该如何操作呢？你不能够在 tty8 注销，因为注销后，系统会重新打开一个等待登录的画面，你还是没办法关闭的。需要返回到刚刚启动 X 的 tty1，然后按下 Ctrl+C 键中断连接即可。

2. 在同一个 X 下启动另一个 X：使用 Xnest

如果常常在 tty7、tty8 切换的话，偶尔会忘记到底在哪个界面了，尤其是当你的桌面都一模一样时，那就更难判断了。有没有办法直接在 tty7 启动另一个窗口来加载远程服务器的图形接口呢？可以的，那就通过 Xnest 吧！该指令需要在 X 的环境下使用。它的简单用法如下：

```
[root@www ~]# Xnest -query 主机名 -geometry 分辨率 :1
选项与参数：
-query    : 后面接 XDMCP 服务器的主机名或 IP
-geometry : 后面接界面的分辨率，例如 1024x768 或 800x600 等之类的分辨率

# 根据上述数据，使用 800x600 连上 192.168.100.254 那台主机：
[root@www ~]# yum install xorg-x11-server-Xnest
[root@www ~]# Xnest -query 192.168.100.254 -geometry 640x480 :1
```

如果一切顺利的话，那你就会在 tty7 的本机 X 环境下看到如图 11-12 所示的画面（该画面是已经登录的情况）。

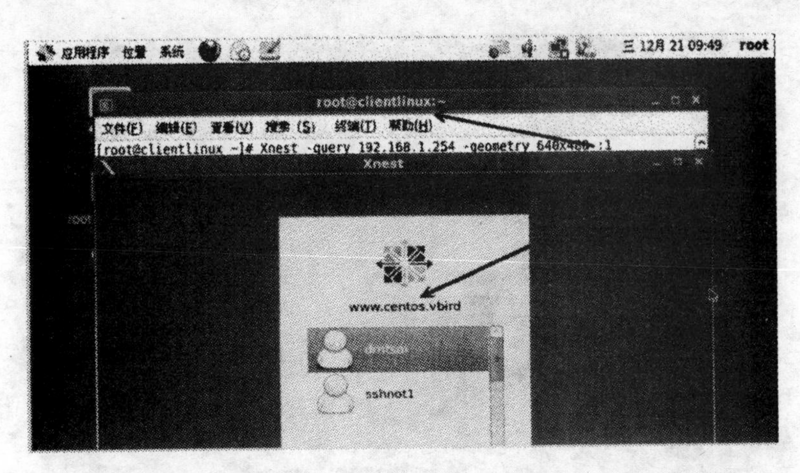

图 11-12 在客户端的 X 顺利连上 XDMCP 的画面

一开始会出现输入账号、密码的界面，输入正确的账号、密码后，就会出现上述的图示了。仔细看一下画面当中的标题，你就会发现确实是两台主机的桌面，这样是不是更方便了？要关闭这个 X 就简单多了，直接关闭或者是中断 Xnest 程序即可。

11.3.4 用户系统为 Windows 的登录方式：Xming

由于 Windows 本身并没有提供默认的 X Server，因此我们需要自行在 Windows 上安装 X Server 才行。目前常见的 X Server 有下面这几个：

- Exceed (http://www.hummingbird.com/products/nc/exceed/index.html?cks=y)。
- Xming (http://sourceforge.net/projects/xming/)。

其中 X-Win32 与 Exceed 都属于商业软件，而 Xming 则属于轻量级的自由软件，说是轻量级并非说它不好，而是因为 Xming 的文件真的很小，而该有的功能都有了，所以算是很好的一个软件。因此下面鸟哥是以 Xming (注 5) 为范例进行介绍。

1）**安装**：你可以使用默认的方法，一直单击“下一步”按钮进行安装，就能够顺利安装好 Xming 软件啰。

2）**启动**：选择“开始”→“所有程序”→“Xming”→“XLaunch”命令设置连接到 XDMCP。下面我们会使用 LAN 内的广播（Broadcast）来找到 XDMCP 服务器的方式。启动 XLaunch 之后会出现如图 11-13 所示的对话框。

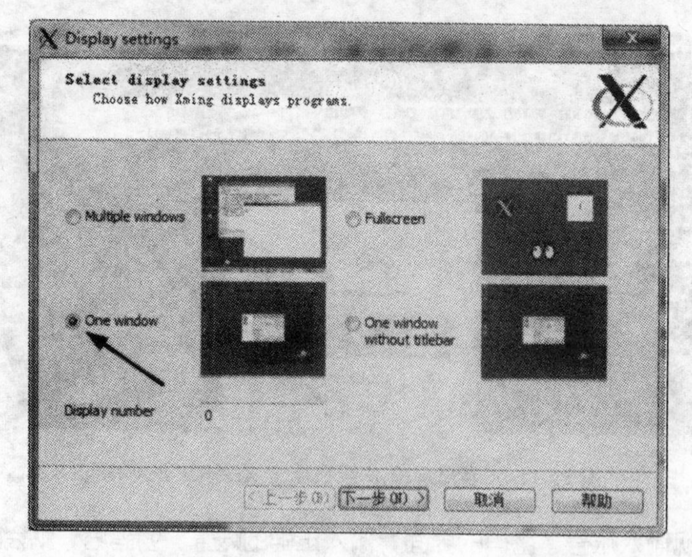

图 11-13 Xming 的 XDMCP 连接方式示意图 1

记得在上面的对话框中要选择 One window、Fullscreen 或 One window without titlebar 单选按钮才能够使用 XDMCP 喔！选择完毕后单击“下一步”按钮就会出现如图 11–14 所示的对话框。

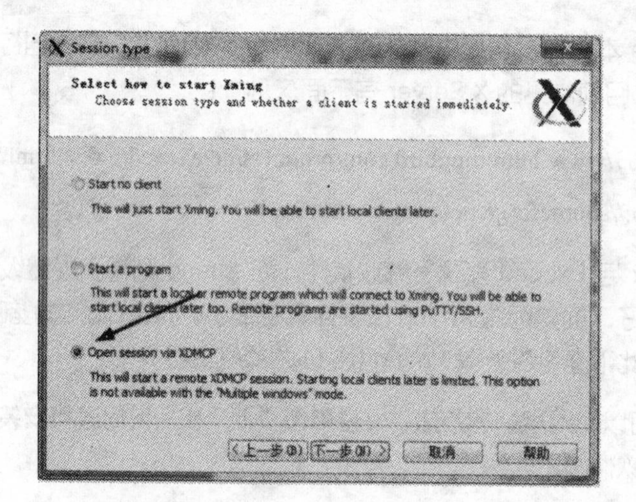

图 11-14 Xming 的 XDMCP 连接方式示意图 2

上述图示中共有 3 种传递 X Client 的方法，在这个小节中我们要连到 XDMCP，所以需要选择第 3 个。单击“下一步”按钮会出现如图 11–15 所示的对话框。

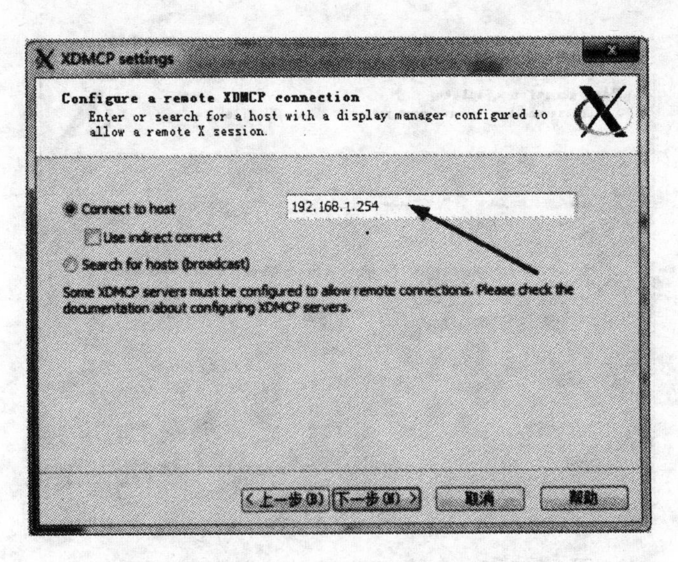

图 11-15 Xming 的 XDMCP 连接方式示意图 3

这里当然就是要连接到 XDMCP 服务器啰，将它的 IP 填上去，之后单击“下一步”按钮，会出现如图 11-16 所示的对话框。

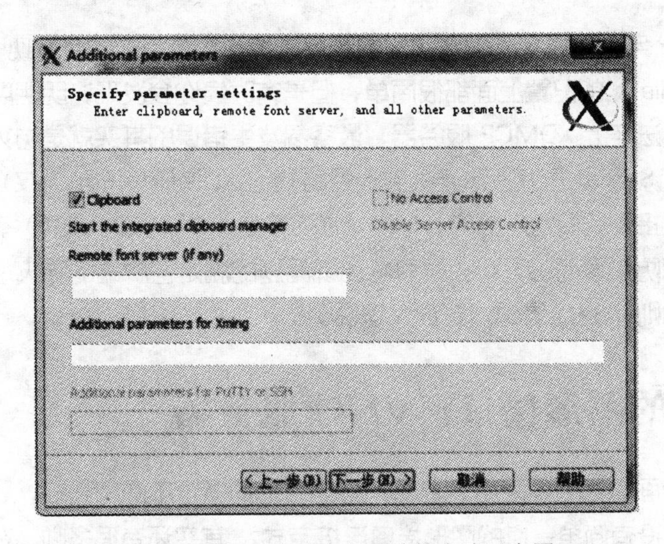

图 11-16 Xming 的 XDMCP 连接方式示意图 4

保留默认值即可，单击“下一步”按钮，即可弹出如图 11-17 所示对话框。

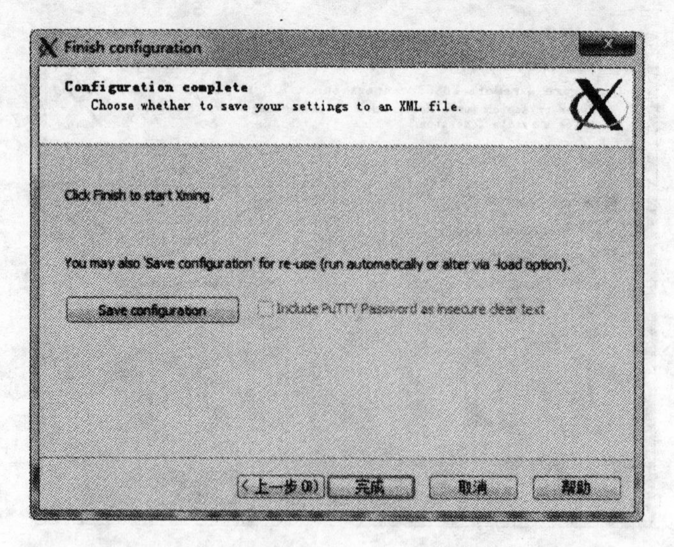

图 11-17 Xming 的 XDMCP 连接方式配置界面 5

出现上图就是设置完成了，单击“完成”按钮之后，即可在 Windows 中连上图形接口的 Linux Server 了。

重点在 Server 与 Client 的防火墙上。其实从上面的配置当中你会发现，XDMCP 不论是在 Server 还是 Client 的配置上面都很简单，但是有时候你会发现，明明所有的操作都做完了，但就是没有办法连上 XDMCP 服务器，最容易发生错误的其实就是防火墙啦！因为虽然我们客户端启动 X Server 后会主动连接到服务器端的 XDMCP（Port 177），但是，接下来却是服务器主动连接到我们客户端的 X Server（可能是 Port 6000~6010）。因此，如果你只是设置了服务器的防火墙而已，那么很可能出现问题的就是客户端的防火墙忘记打开提供服务器主动连接的规则，这点是必须要跟大家说明的。

11.4 华丽的图形接口：VNC 服务器

就如同刚刚上面讲到的，使用 XDMCP 可能会启动多个不同的端口，导致防火墙配置上面比较麻烦。那有没有简单一点的图形接口连接方式？其实还有很多啦，在这里我们先来讲一个比较简单的，那就是 VNC (Virtual Network Computing，注 6)。

11.4.1 默认的 VNC 服务器

VNC Server 会在服务器端启动一个监听用户要求的端口，一般端口号码在 5901 ~ 5910 之间。当客户端启动 X Server 连接到 5901 之后，VNC Server 再将一堆预先设置好的 X Client 通过这个连接传递到客户端上，最终就能够在客户端显示服务器的图形接口了。

不过需要注意的是，默认的 VNC Server 都是独立提供给“单一”一个客户端来连接的，因此当你要使用 VNC 时，再连接到服务器去启动 VNC Server 即可。所以，一般来说，VNC

Server 都是手动启动的，使用完毕后，再将 VNC Server 关闭即可。整个做法其实很简单喔！你可以这样操作：

```
[root@www ~]# vncserver [:号码] [-geometry 分辨率] [options]
[root@www ~]# vncserver [-kill :号码]
选项与参数 :
:号码       : 就是将 VNC Server 开在哪个端口，如果是":1"则代表 VNC 5901 端口
-geometry  : 就是分辨率，例如 1024x768 或 800x600 之类的
options    : 其他 X 相关的选项，例如 -query localhost 之类的
-kill      : 将已经启动的 VNC 端口删除。根据身份进行控制

[root@www ~]# yum install tigervnc-server
# 这个是必须要的服务器软件，注意软件的名称，与之前的版本不同

# 将 VNC Server 启动在 5903 端口
[root@www ~]# vncserver :3

You will require a password to access your desktops.

Password:  <==输入 VNC 的连接密码，这是建立 VNC 时所需要的
Verify:    <==再输入一次相同的密码
xauth:  creating new authority file /root/.Xauthority

New 'www.centos.vbird:3 (root)' desktop is www.centos.vbird:3

Creating default startup script /root/.vnc/xstartup
Starting applications specified in /root/.vnc/xstartup
Log file is /root/.vnc/www.centos.vbird:3.log

[root@www ~]# netstat -tulnp | grep X
tcp        0      0 0.0.0.0:5903    0.0.0.0:*        LISTEN      4361/Xvnc
tcp        0      0 0.0.0.0:6000    0.0.0.0:*        LISTEN      1755/Xorg
tcp        0      0 0.0.0.0:6003    0.0.0.0:*        LISTEN      4361/Xvnc
tcp        0      0 :::6000         :::*             LISTEN      1755/Xorg
tcp        0      0 :::6003         :::*             LISTEN      4361/Xvnc
# 已经启动所需要的端口了
```

在上述的指令操作中，你要知道的几个项目是：

1）密码至少需要 6 个字符。

2）依据使用 VNC Server 的身份，将刚刚建立的密码放置于该账号用户主目录下。例如上述的身份是使用 root 身份，因此密码文件会放在 /root/.vnc/passwd 这个文件中，但是若该文件已经存在，则不会出现建立密码的界面。

3）当客户端连接成功后，服务器将会传送 /root/.vnc/startx 内的 X Client 给客户端。

那如果你想要修改 VNC 密码呢？很简单，那就使用 VNC Passwd 吧！

```
[root@www ~]# ls -l /root/.vnc/passwd
-rw-------. 1 root root 8 Jul 26 15:08 /root/.vnc/passwd
[root@www ~]# vncpasswd
Password:  <==就是这里开始输入新的密码
Verify:
[root@www ~]# ls -l /root/.vnc/passwd
-rw-------. 1 root root 8 Jul 26 15:15 /root/.vnc/passwd
# 看，时间已经更新了。这个文件的内容改动过了
```

接下来开始放行 5903 这个端口的连接防火墙规则吧！因为预计可能会开放 11 个 VNC 的端口，所以干脆一口气开放 11 个端口吧！

```
[root@www ~]# vim /usr/local/virus/iptables/iptables.allow
iptables -A INPUT -i $EXTIF -s 192.168.100.0/24 -p tcp --dport 5900:5910 -j
ACCEPT

[root@www ~]# /usr/local/virus/iptables/iptables.rule
[root@www ~]# iptables-save
-A INPUT -s 192.168.100.0/24 -i eth0 -p tcp -m tcp --dport 5900:5910 -j ACCEPT
# 要看得到上面这行才 OK
```

11.4.2 VNC 的客户端连接软件

与 XDMCP 类似，VNC 客户端在 Linux 系统上面有默认的软件，但是在 Windows 系统上面则必须要额外安装其他软件。我们先来谈谈 Linux 的 VNC 用户软件吧！

1. Linux 客户端程序：VNC Viewer

用在 Linux 客户端的 VNC 程序，那就是 VNC Viewer。不过，这个软件默认没有安装，所以你需要使用 yum 安装完毕后再来连接吧。不过有一点需要注意，即服务器端的防火墙要设定妥当。然后开始在客户端的图形接口上执行下面的数据：

```
[root@clientlinux ~]# yum install tigervnc
[root@clientlinux ~]# vncviewer 192.168.10.254:3
# 这个命令请一定要在图形界面接口上面执行才行。很重要，别忘了
```

在图 11-18 中输入刚刚 root 的 VNC 连接密码，请注意，是 VNC 的连接密码，而不是 root 的登录密码！这两者相差很多。由于启动 VNC 的身份是 root，因此这里才使用 root 的 VNC 连接密码。所以，很多时候，我们都建议使用一般身份来启动 VNC Server。当你输入正确的

VNC 连接密码后，会出现如图 11-19 所示的界面。

```
[root@clientlinux ~]# vncviewer 192.168.100.254:3

TigerVNC Viewer  VNC authentication [VncAuth]          00:09:01
Copyright (C) 20
Copyright (C) 20      Username:
Copyright (C) 20
See http://www.t      Password:   ******

Tue Jul 26 15:18
 CConn:        connected to host 192.168.100.254 port 5903
```

图 11-18　在 Linux 客户端执行 VNC Viewer 程序示意

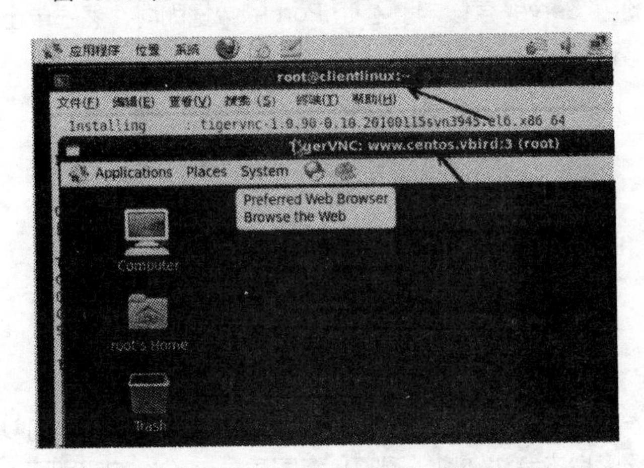

图 11-19　在 Linux 客户端执行 VNC Viewer 程序示意

与以前的 VNC Server 有较大差异，在 CentOS 6.x 当中，Tiger VNC-Server 这套软件会主动依据服务器端的图形接口登录方式给予正确的图形显示接口，而不是以前那样给予一个丑丑的 TWM 而已！这样我们就可以少修改一些没有的配置文件了。真是棒！ 连接成功后，**请在客户端关闭这个 VNC Viewer 的连接**，因为接下来我们要准备由 Windows 连接到服务器的 Port 5903 啰！

2. Windows 客户端程序：RealVNC

Windows 下面可用的 VNC Client 软件不少，但是鸟哥比较熟悉的是 RealVNC 这家公司出品的 GNU 的自由软件。你可以在下面的连接中下载到最简单的版本，是不用花钱的自由软件版本啰(鸟哥仅下载不用安装的 Viewer 版本而已)！

http://www.realvnc.com/download.html

直接执行 VNC-Viewer 软件，然后就会看到如图 11-20 所示的界面。

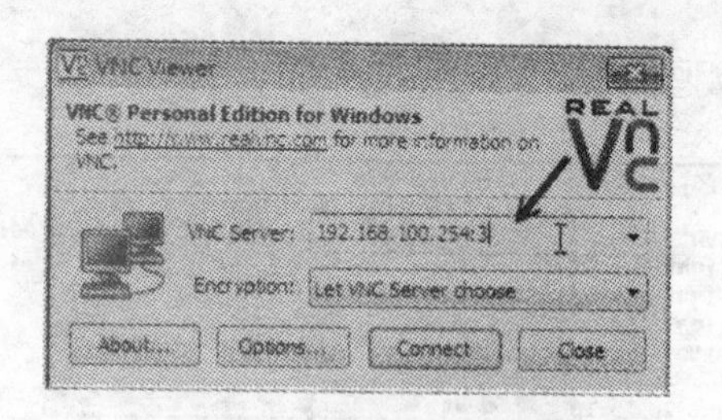

图 11-20 Windows Real VNC 客户端连接配置界面

如上图所示，你在 Server 字段中填上 IP:Port 的数据即可，然后单击 Connect 按钮，弹出如图 11-21 所示界面。

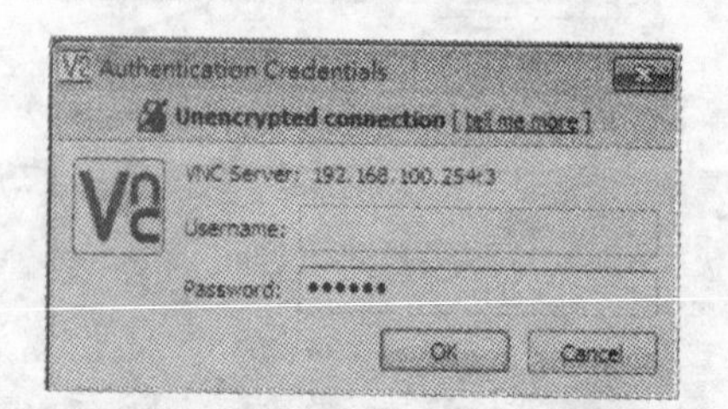

图 11-21 Windows Real VNC 客户端连接示意图

由于 VNC Server 需要的仅是连接的 VNC 密码而已，因此上图中的 Username 可以不用填，老实说，这个程序也不会让你填，呵呵！填写后单击 OK 按钮即可，接下来就会出现正确的画面啰，如图 11-22 所示。

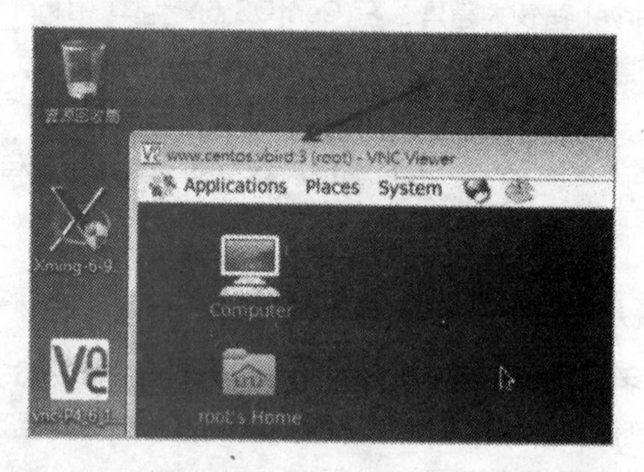

图 11-22 Windows Real VNC 客户端连接配置界面

11.4.3 VNC 搭配本机的 XDMCP 画面

如果因为某些特殊因素，你需要使用 VNC 来搭配 XDMCP 的输出时，那就直接在服务器通过下面的指令来处理即可！要注意喔，你必须已经启动 XDMCP 了，我们下面使用 student 的身份来启动这个 VNC 吧！

```
# 1. 要确定 XDMCP 已经启动了才可以：
[root@www ~]# netstat -tlunp | grep 177
```

```
udp        0      0 0.0.0.0:177    0.0.0.0:*        1734/gdm-binary
# OK，确实已经启动了。如果没有看到 177 的话，回到 11.3 去处理

# 2. 切换成 student，并且在“:5”启动 VNC Server
[root@www ~]# su - student
[student@www ~]$ vncserver :5 -query localhost
You will require a password to access your desktops.

Password:
Verify:
xauth:  creating new authority file /home/student/.Xauthority

New 'www.centos.vbird:5 (student)' desktop is www.centos.vbird:5

Creating default startup script /home/student/.vnc/xstartup
Starting applications specified in /home/student/.vnc/xstartup
Log file is /home/student/.vnc/www.centos.vbird:5.log

# 3. 取消 xstartup 的启动配置
[student@www ~]$ vim /home/student/.vnc/xstartup
....(前面省略)....
#xterm -geometry 80x24+10+10 -ls -title "$VNCDESKTOP Desktop" &
#twm &
# 将这个文件的内容，全部都加上“#”批注掉

# 4. 重新启动 VNC Server
[student@www ~]$ vncserver -kill :5
[student@www ~]$ vncserver :5 -query localhost
```

接下来请使用 root 的身份加入 5905 的端口防火墙规则，然后自行使用 Linux 的 VNC Viewer 或 Windows 的 Real VNC 来连接，你就会发现如图 11-23 所示的界面。

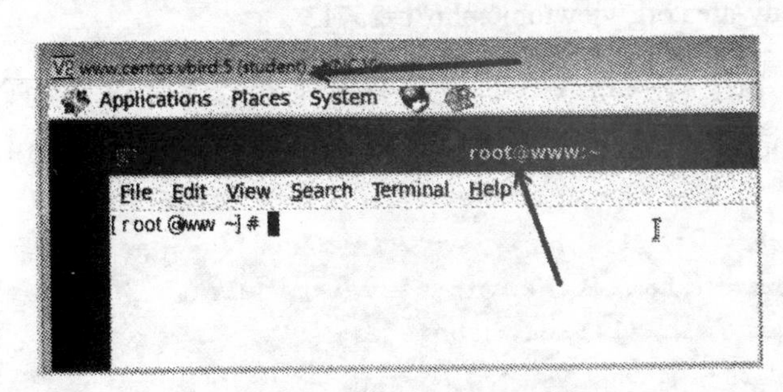

图 11-23 通过 VNC 通道取得 XDMCP 界面

我们这个 VNC 的连接程序是 student 身份，但是我们却可以通过 XDMCP 的登录功能来登录 root 身份。

11.4.4 开机就启动 VNC Server 的方法

请注意，你不要将 VNC Server 的指令写入到 /etc/rc.d/rc.local 文件中，否则可能会产生 localhost 无法登录的问题。那该如何让你的 VNC Server 一开机就启动而不需要登录执行指令呢？你需要修改一下配置文件。我们下面使用 student 的身份启动 VNC Server，而启动的方式为使用 XDMCP 登录界面，启动的端口就定在 5901 好了。那你应该这样操作：

```
[root@www ~]# vim /etc/sysconfig/vncservers
VNCSERVERS="1:student"
VNCSERVERARGS[1]="-query localhost"
# 上述两行的 1 指的就是那个端口 5901，要注意

[root@www ~]# /etc/init.d/vncserver restart
[root@www ~]# chkconfig vncserver on
```

很简单吧？这样每次开机时就可以搞定你的 VNC Server 了。

11.4.5 同步的 VNC ：可以通过图示同步教学

另外，有些朋友一定会觉得奇怪，那就是，为什么我的 VNC 服务器的 Server / Client 端画面并不是同步的呢？这是因为 Linux 本身提供多个 VNC Server，它们是各自独立的，所以当然不会与 tty7 的画面同步了。但是如果你想要与 Linux 的 tty7 同步的话，可以利用 VNC 中的给 X Server 使用的模块来加以配置即可。

那使用这个模块有什么好处啊？就是可以让两个图形接口在 Server/Client 中都是一样的，所以，如果你想要教你的朋友你是如何配置的，那就可以通过这个机制来处理，你的朋友在远程就能够知道你操作的过程，这样很不错吧？详细的做法可以参考下面的链接：

http://phorum.study-area.org/viewtopic.php?t=25713

我们也来操作一下吧（在 CentOS 6.x 当中并没有 xorg.conf 这个配置文件，所以，如果你要使用这些数据的话，恐怕需要自行使用 X -configure 去创建 xorg.conf 后，再到 /etc/X11/ 目录中进行配置）：

```
[root@www ~]# yum install tigervnc-server-module
[root@www ~]# vim /etc/X11/xorg.conf
Section "Screen"
        Identifier "Screen0"
        Device     "Videocard0"
        DefaultDepth     24
        # VBird
        Option "passwordFile" "/home/student/.vnc/passwd"
        SubSection "Display"
```

```
                Viewport    0 0
                Depth      24
        EndSubSection
EndSection

# VBird
Section "Module"
    Load     "vnc"
EndSection
# 假设 vnc 密码文件放置在 /home/student/.vnc/passwd 里
# 这个时候就需要将密码文件内容写到 Screen 这个 section 当中了

[root@www ~]# init 3 ; init 5
[root@www ~]# netstat -tlunp | grep X
tcp        0      0 0.0.0.0:5900    0.0.0.0:*       LISTEN      7445/Xorg
tcp        0      0 0.0.0.0:6000    0.0.0.0:*       LISTEN      7445/Xorg
tcp        0      0 :::6000         :::*            LISTEN      7445/Xorg
# 注意看，这几个 Port 启动的 PID 都一样，所以会启动一个 Port 5900
```

之后你可以使用“VNC Viewer 192.168.100.254”来连接即可，不需要加上“:0”之类的端口。然后你可以看一下客户端与服务器端的图形接口就会发现，两者移动鼠标时，两者的画面会同步操作。非常有趣，只不过这个动作还是只允许一条 VNC 连接，不能让所有客户端都连到 Port 5900，实在是太可惜了！

11.5 仿真的远程桌面系统：XRDP 服务器

使用上面的图形接口的连接服务器时都会遇到一个问题，除了连接机制的不同之外，上头的 XDMCP 与 VNC 数据原则上都没有加密，因此上面的动作大多仅适合局域网内操作，不连上 Internet 比较好。那如果你真的想要通过加密的方式操作 VNC，那可能需要通过下一小节的介绍才能够有好的处理结果。那么我们知道 Windows 的远程桌面（Remote Desktop Procotol, RDP, 注 7）其实是具有连接加密功能的，所以，能不能在 Linux 上面装一个 RDP Server 呢？是可以的，那就是 XRDP 服务器 (注 8)。

很可惜的是，我们的 CentOS 6.x 默认并没有提供 XRDP 的服务器，如果你有兴趣的话，可以自行编译 XRDP 软件，或者到 Fedora 基金会提供的 RHEL 额外软件计划（注 9）中寻找你对应的版本：

- http://download.fedora.redhat.com/pub/epel/

鸟哥觉得 yum 是个好东西，因此鸟哥找到 CentOS 6.x x86_64 版本的网址后，将它定义在 yum 配置文件内，就可以使用 yum 安装了：

```
[root@www ~]# vim /etc/yum.repos.d/fedora_epel.repo
[epel]
name=CentOS-$releasever - Epel
baseurl=http://download.fedora.redhat.com/pub/epel/6/x86_64/
gpgcheck=0
enabled=1

[root@www ~]# yum clean all
[root@www ~]# yum install xrdp
```

这样就安装好 XRDP 软件了，接下来就开始设定它了。老实说，在一般的主机上面安装好这个 XRDP 之后，你根本不需要调整任何配置文件，保留好配置文件就好了，并且设置开机后启动，未来只要远程连接到这台主机，系统就会启动 5910~5920 以上的 VNC 端口，然后你就能够通过 RDP 的协议取得 VNC 的画面，最后就能够登录系统了！

```
[root@www ~]# /etc/init.d/xrdp start
[root@www ~]# chkconfig xrdp on
[root@www ~]# netstat  | grep xrdp
tcp        0      0 127.0.0.1:3350  0.0.0.0:*      LISTEN     6615/xrdp-sesman
tcp        0      0 0.0.0.0:3389    0.0.0.0:*      LISTEN     6611/xrdp
# 远程桌面的端口是 3389，但是 XRDP 会再连接到本机的 3350 去唤醒一个 VNC 的连接
# 但是尚未连接之前，并不会启动任何的 VNC 端口
```

如果你是使用 Windows 系统，那么执行“开始”→“所有程序”→“附件”→“远程桌面连接”命令，在出现的界面中输入这台 XRDP 服务器的 IP 之后，就会弹出如图 11-24 和图 11-25 所示的对话框。

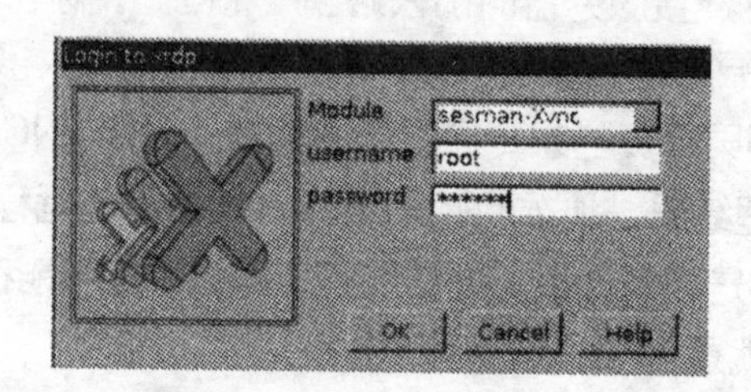

图 11-24 连上服务器的 XRDP 服务后出现的连接信息

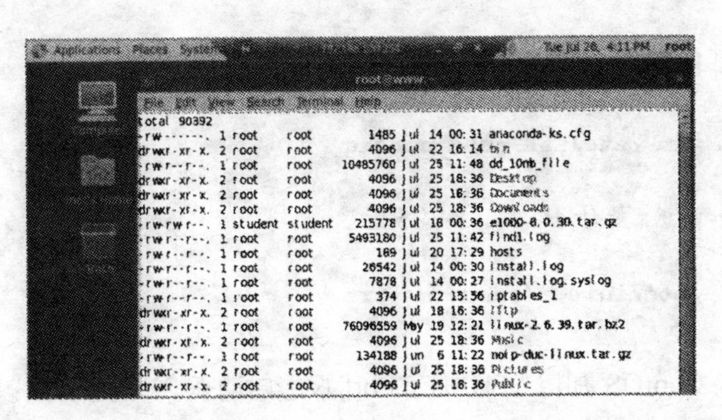

图 11-25 连上服务器的 XRDP 服务后出现的连接信息

输入正确的账号和密码，嘿嘿，搞定！画面就出现啰！如果你还想要更进一步地了解 XRDP 的配置文件，那么请到 /etc/xrdp/ 目录下面瞧瞧，然后再通过 man 去看看相关的配置文件信息，就能够理解配置值啰！鸟哥测试过，不用修改任何配置，就可以很顺畅地使用远程桌面了！

不过你要注意的是，因为 XRDP 最终会自动启用 VNC，因此你还是必须要安装 Tiger VNC-Server 才行，否则 XRDP 还是无法运行的。

11.6 SSH 服务器的高级应用

事实上 SSH 真的很好用，你甚至不需要启动 XDMCP、VNC、XRDP 等服务，使用 SSH 的加密通道就能够在客户端启动图形界面。此外，我们知道很多服务都是没有加密的，那么能不能将这些服务通过 SSH 通道来加密呢？嘿嘿，当然可以！下面我们就来谈谈 SSH 的高级应用吧！

11.6.1 在非标准端口启动 SSH（非 Port 22）

在前面的章节里我们就曾经提过，SSHD 这个服务其实并不是很安全，所以很多 ISP 在入口处就已经将 Port 22 关闭了，为什么要这么做呢？这是因为很多网站管理员并没有定期进行软件更新，而且为了方便，又很随意地将 Port 22 对全世界开放。由于很多 Cracker 会使用扫描程序乱扫整个 Internet 的端口漏洞，Port 22 就是一个经常被扫描的端口啦！为了杜绝这个问题，ISP 先帮你把关，将 Port 22 关闭，这也是为了整个 LAN 好！

只是，像鸟哥这种没有 SSH 就快要活不下去的人，关闭 Port 22 的话那鸟哥的头都痛死了，没有办法工作啊！那怎么办？没关系，其实我们可以将 SSH 开放在非标准的端口。如此一来，Cracker 不会扫描到该端口，你的 ISP 又没有对该端口进行限制，那你就能够正常使用 SSH 啰！很棒吧？下面我们将 SSH 开放在 Port 22 及 Port 23 试试看（**请注意，Port 23 不能够被占用**）。

1. 设定 SSH 在 Port 22 及 23 两个端口监听的方式

```
[root@www ~]# vim /etc/ssh/sshd_config
Port 22
Port 23     <==注意，要有两个 Port 的设置

[root@www ~]# /etc/init.d/sshd restart
```

但是这一版的 CentOS 却将 SSH 规范 Port 仅能启动于 22 而已，所以此时会出现一个 SELinux 的错误，那怎么办？没关系，根据 setroubleshoot 的提示，我们必须要自行定义一个 SELinux 的规则放行模块才行，是不是很难呢？其实还算简单，整体流程是这样的：

```
# 1. 在 /var/log/audit/audit.log 中找出与 SSH 有关的 AVC 信息，并转为本地模块
[root@www ~]# cat /var/log/audit/audit.log | grep AVC | grep ssh | \
>  audit2allow -m sshlocal > sshlocal.te  <==扩展名要是 .te 才行
[root@www ~]# grep sshd_t /var/log/audit/audit.log | \
>  audit2allow -M sshlocal  <==sshlocal 就是刚刚建立的 .te 文件名
******************** IMPORTANT ***********************
To make this policy package active, execute:
semodule -i sshlocal.pp   <==这个命令会编译出这个重要的 .pp 模块

# 2. 将这个模块加载到系统的 SELinux 管理机制中
[root@www ~]# semodule -i sshlocal.pp

# 3. 再重新启动 SSHD 并且查看端口
[root@www ~]# /etc/init.d/sshd restart
[root@www ~]# netstat -tlunp | grep ssh
tcp        0      0 0.0.0.0:22    0.0.0.0:*     LISTEN       7322/sshd
tcp        0      0 0.0.0.0:23    0.0.0.0:*     LISTEN       7322/sshd
tcp        0      0 :::22         :::*          LISTEN       7322/sshd
tcp        0      0 :::23         :::*          LISTEN       7322/sshd
```

是不是很简单？这样你就能够使用 Port 22 或 Port 23 连接到你的 SSHD 服务喔！

2. 非标准端口的连接方式

由于默认的 SSH、SCP、SFTP 都是连接到 Port 22 的，那么如何使用这些指令连接到 Port 23 呢？我们使用 SSH 来练习好了：

```
[root@www ~]# ssh -p 23 root@localhost
root@localhost's password:
Last login: Tue Jul 26 14:07:41 2011 from 192.168.1.101
[root@www ~]# netstat -tnp | grep 23
tcp  0  0 ::1:23              ::1:56645            ESTABLISHED 7327/2
tcp  0  0 ::1:56645           ::1:23               ESTABLISHED 7326/ssh
```

```
# 因为网络是双向的，因此自己连自己 (localhost)，就会捕获到两个连接
```

这样，你就能够避过一些 ISP 或者是 Cracker 的扫描了，注意一下，不要将 Port 开放在某些已知的端口上，例如你开放在 Port 80 的话，那你就没有办法启动正常的 WWW 服务啦，注意注意！

11.6.2　以 rsync 进行同步镜像备份

我们曾谈到过 Linux 的备份策略，曾介绍常用的备份指令包括 tar、dd、cp 等，不过当时并未介绍网络，所以有个很棒的网络工具没有介绍，那就是这个地方要谈到的 rsync 啦！这个 rsync 可以作为一个相当棒的异地备份系统的备份指令喔！因为 rsync 可以达到类似“镜像（Mirror）”的功能。

rsync 最早是想要取代 rcp 这个指令的，因为 rsync 不但传输的速度快，而且在传输时，可以比对本地端与远程主机欲复制的文件内容，而仅复制两端有差异的文件而已，所以传输的时间就相对降低很多！此外，rsync 的传输方式至少可以通过三种方式来工作：

- **在本机上直接运行，用法几乎与 cp 一模一样，例如：rsync -av /etc /tmp (将 /etc/ 的数据备份到 /tmp/etc 内)。**
- **通过 rsh 或 ssh 的信道在 Server / Client 之间进行传输数据，例如：rsync -av -e ssh user@rsh.server:/etc /tmp (将 rsh.server 的 /etc 备份到本地主机的 /tmp 内)。**
- **直接通过 rsync 提供的服务 (daemon) 来传输，此时 rsync 主机需要启动 873 port：**

  ①你必须要在 Server 端启动 rsync，看 /etc/xinetd.d/rsync 即可。

  ②你必须编辑 /etc/rsyncd.conf 配置文件。

  ③你必须设置定义 Client 端连接的密码数据。

  ④在 Client 端可以利用：rsync -av user@hostname::/dir/path /local/path。

其实三种传输模式的差异在于有没有冒号 (:) 而已，本地端传输不需要冒号，通过 SSH 或 RSH 时，就需要利用一个冒号 (:)，如果是通过 rsync daemon 的话，就需要两个冒号 (::)，应该不难理解啦！因为本地端处理很简单，而我们的系统本来就提供 SSH 的服务，所以，下面鸟哥将直接介绍利用 rsync 通过 SSH 来备份的操作。不过，在此之前咱们先来看看 rsync 的语法吧！

```
[root@www ~]# rsync [-avrlptgoD] [-e ssh] [user@host:/dir] [/local/path]
选项与参数：
-v ：查看模式，可以列出更多的信息，包括镜像的文件名等
-q ：与 -v  相反，安静模式，略过正常信息，仅显示错误信息
-r ：递归复制。可以针对“目录”来处理。很重要
-u ：仅更新 (update)，若目标文件较新，则保留新文件不会覆盖
```

```
-l ：复制链接文件的属性，而非链接的目标源文件内容
-p ：复制时，连同属性 (permission) 一并复制
-g ：保存源文件的属组
-o ：保存源文件的属主
-D ：保存源文件的设备属性 (device)
-t ：保存源文件的时间参数
-I ：忽略更新时间 (mtime) 的属性，文件比对上会比较快速
-z ：在数据传输时，加上压缩的参数
-e ：使用的协议，例如使用 ssh 通道，则 -e ssh
-a ：相当于 -rlptgoD，所以这个 -a 是最常用的参数了
更多说明请参考 man rsync

# 1. 将 /etc 的数据备份到 /tmp 下面：
[root@www ~]# rsync -av /etc /tmp
....(前面省略)....
sent 21979554 bytes  received 25934 bytes  4000997.82 bytes/sec
total size is 21877999  speedup is 0.99
[root@www ~]# ll -d /tmp/etc /etc
drwxr-xr-x. 106 root root 12288 Jul 26 16:10 /etc
drwxr-xr-x. 106 root root 12288 Jul 26 16:10 /tmp/etc <==瞧！两个目录一样！
# 第一次运行时会花比较长的时间，因为首次建立需要备份所有的文件。如果再次备份呢？

[root@www ~]# rsync -av /etc /tmp
sent 55716 bytes  received 240 bytes  111912.00 bytes/sec
total size is 21877999  speedup is 390.99
# 比较一下两次 rsync 的传输与接收数据量
# 传输的数据很少，因为再次比对，仅有差异的文件会被复制。

# 2. 利用 student 的身份登录 clientlinux.centos.vbird 将用户主目录复制到本机 /tmp
[root@www ~]# rsync -av -e ssh student@192.168.100.10:~ /tmp
student@192.168.100.10's password:  <==输入对方主机的 student 密码
receiving file list ... done
student/
student/.bash_logout
....(中间省略)....
sent 110 bytes  received 697 bytes  124.15 bytes/sec
total size is 333  speedup is 0.41

[root@www ~]# ll -d /tmp/student
drwx------. 4 student student 4096 Jul 26 16:52 /tmp/student
# 瞧，这样就做好备份了，很简单吧。
```

你可以利用上面的范例二来作为备份 Script 的参考！不过要注意的是，因为 rsync 是通过 SSH 来传输资料的，所以你可以针对 student 这个用户制作出免用密码登录的 SSH 密钥！如此一来往后异地备份系统就能够自动地以 crontab 来进行备份了。

我们在前面已经讲过免密码的 SSH 账号了，撰写 Shell Script 的能力也是必须要有的，利用 rsync 来进行你的备份工作吧！至于更多的 rsync 用法可以参考本章后面所列出的参考网站(注 10)。

例题

在 clientlinux.centos.vbird (192.168.100.10) 上面，使用 vbirdtsai 的身份建立一个脚本，这个脚本可以在每天的 02:00 主动以 rsync 配合 SSH 取得 www.centos.vbird (192.168.100.254) 的 /etc、/root、/home 三个目录的镜像到 clientlinux.centos.vbird 的 /backups/ 下面。

答：由于必须要通过 SSH 通道，且必须要使用 crontab 计划任务，因此肯定要使用密钥系统的免密码账号。我们在 11.2.6 小节已经谈过相关做法，vbirdtsai 已经有了公钥与私钥文件，因此不要再使用 ssh-keygen 了，直接将公钥文件复制到 www.centos.vbird 的 /root/.ssh/ 下面即可。实际做法可以是这样的：

```
# 1. 在 clientlinux.centos.vbird 将公钥文件复制给 www.centos.vbird 的 root
[vbirdtsia@clientlinux ~]$ scp ~/.ssh/id_rsa.pub root@192.168.100.254:~

# 2. 在 www.centos.vbird 上面用 root 配置好 authorized_keys
[root@www ~]# ls -ld id_rsa.pub .ssh
-rw-r--r--. 1 root root  416 Jul 26 16:59 id_rsa.pub <==有公钥文件
drwx------. 2 root root 4096 Jul 25 11:44 .ssh       <==有 SSH 的相关目录

[root@www ~]# cat id_rsa.pub >> ~/.ssh/authorized_keys
[root@www ~]# chmod 644 ~/.ssh/authorized_keys

# 3. 在 clientlinux.centos.vbird 上面撰写 Script 并测试执行:
[vbirdtsai@clientlinux ~]$ mkdir ~/bin ; vim ~/bin/backup_www.sh
#!/bin/bash
localdir=/backups
remotedir="/etc /root /home"
remoteip="192.168.100.254"

[ -d ${localdir} ] || mkdir ${localdir}
for dir in ${remotedir}
do
        rsync -av -e ssh root@${remoteip}:${dir} ${localdir}
done

[vbirdtsai@clientlinux ~]$ chmod 755 ~/bin/backup_www.sh
[vbirdtsai@clientlinux ~]$ ~/bin/backup_www.sh
# 上面在测试啦。第一次测试可能会失败，因为鸟哥忘记 /backups 需要 root
# 的权限才能够建立。所以，请您再以 root 的身份去 mkdir 及 setfacl 吧
```

```
# 4. 建立 crontab 工作
[vbirdtsai@clientlinux ~]$ crontab -e
0 2 * * * /home/vbirdtsai/bin/backup_www.sh
```

11.6.3 通过 SSH 通道加密原本无加密的服务

现在我们知道 SSH 这个通道可以加密，而且，我们更知道 rsync 默认已经可以通过 SSH 通道来进行加密以进行镜像传输。既然如此，那么其他的服务能不能通过这个 SSH 进行数据加密来传送信息呢？当然可以！要介绍实际操作之前，我们先用图示来谈一下做法。

假设服务器在 Port 5901 启动了 VNC 服务，客户端则使用 VNC Viewer 连接到服务器上的 Port 5901。那现在我们在客户端计算机上面启动一个 5911 的端口，然后再通过本地端的 SSH 连接到服务器的 SSHD 中，而服务器的 SSHD 再去连接服务器的 VNC Port 5901。整个连接的图示如图 11-26 所示。

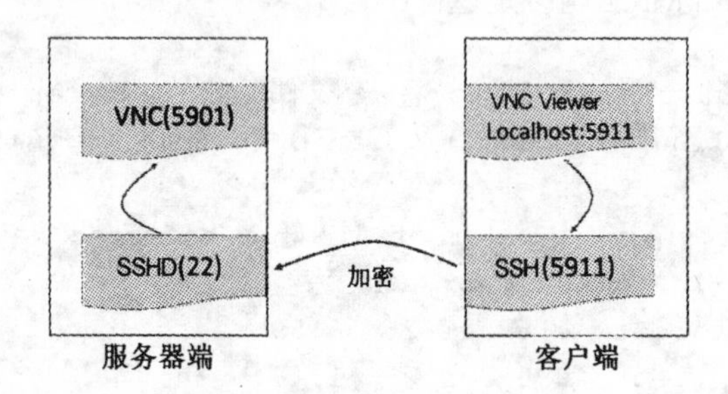

图 11-26 通过本地端的 SSH 加密连接到远程服务器的配置模型

假设你已经通过上述各个小节建立好服务器（www.centos.vbird）上面的 VNC Port 5901，而客户端则没有启动任何的 VNC 端口，那么你该如何通过 SSH 来进行加密呢？很简单，你可以在客户端计算机 (clientlinux.centos.vbird) 执行下面的指令：

```
[root@clientlinux ~]# ssh -L 本地端口:127.0.0.1:远程端口 [-N] 远程主机
选项与参数：
-N ：仅启动连接通道，不登录远程 SSHD 服务器
本地端口：就是开启 127.0.0.1 上面一个监听的端口
远程端口：指定连接到后面远程主机的 SSHD 后，SSHD 该连到哪个端口进行传输

# 1. 在客户端启动所需要的端口进行的命令
[root@clientlinux ~]# ssh -L 5911:127.0.0.1:5901 -N 192.168.100.254
root@192.168.100.254's password:
  <==登录远程仅是开启一个监听端口

# 2. 在客户端的另一个终端机测试看看，这个动作不需要进行，只是查阅而已
[root@clientlinux ~]# netstat -tnlp| grep ssh
tcp   0    0 0.0.0.0:22          0.0.0.0:*          LISTEN       1330/sshd
tcp   0    0 127.0.0.1:5911      0.0.0.0:*          LISTEN       3347/ssh
```

```
tcp   0   0 :::22                   :::*                    LISTEN      1330/sshd
[root@clientlinux ~]# netstat -tnap| grep ssh
tcp   0   0 192.168.100.10:55490 192.168.100.254:22   ESTABLISHED 3347/ssh
# 在客户端由 SSH 来启动 5911 的端口，同一个 PID 也连接到远程
```

接下来你就可以在客户端 (192.168.100.10, clientlinux.centos.vbird) 使用 “VNC Viewer localhost:5911” 来连接，但是该连接却会连到 www.centos.vbird（192.168.100.254）那台主机的 Port 5901 喔！不相信吗？当你实现 VNC 连接后，到 www.centos.vbird 那台主机上面瞧瞧就知道了：

```
# 3. 在服务器端测试看看，这个操作不需要执行，只是查阅而已
[root@www ~]# netstat -tnp | grep ssh
tcp   0  0 127.0.0.1:59442     127.0.0.1:5901        ESTABLISHED 7623/sshd: root
tcp  0 0 192.168.100.254:22 192.168.100.10:55490 ESTABLISHED 7623/sshd: root
# 明显地看到 Port 22 的程序同时连接到 Port 5901 了
```

那如何取消这个连接呢？先关闭 VNC，然后再将 clientlinux.centos.vbird 的第一个操作 (ssh –L ...) 按 Ctrl+C 键就中断这个加密通道啰！会使用了吗？你可以将这个操作用在任何服务上。

11.6.4 以 SSH 通道配合 X Server 传递图形界面

从前一个小节我们知道 SSH 可以进行程序的加密传递，也就是 SSH 通道。那么可不可以用在 X 上面呢？即能不能不要启动很复杂的接口，就在原有的接口下面使用 SSH 信道，将我所需要的服务器上面的图形接口传过来就好了呢？是可以的，鸟哥用一个 Windows 上面的 Xming X Server 作为范例，整个操作是这样的：

- 先在 Windows 上面启动 XLaunch，并配置好连接到 www.centos.vbird 的相关信息。
- 启动 Xming 程序，会取得一个 xterm 程序，该程序是 www.centos.vbird 的程序。
- 开始在 xterm 上面执行 X 软件，就会在 Windows 桌面上面显示啰！

那我们就来处理一下 Xming 这个程序吧！启动 XLaunch 之后出现如图 11-27 所示的对话框。

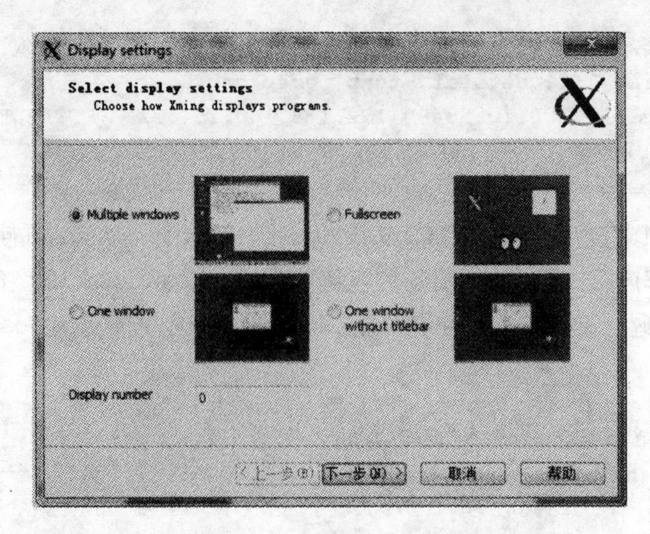

图 11-27 启动 XLaunch 程序——选择显示模式

记得上图中要选择 Multiple windows 会比较漂亮喔！然后单击“下一步”按钮会出现如图 11-28 所示的对话框。

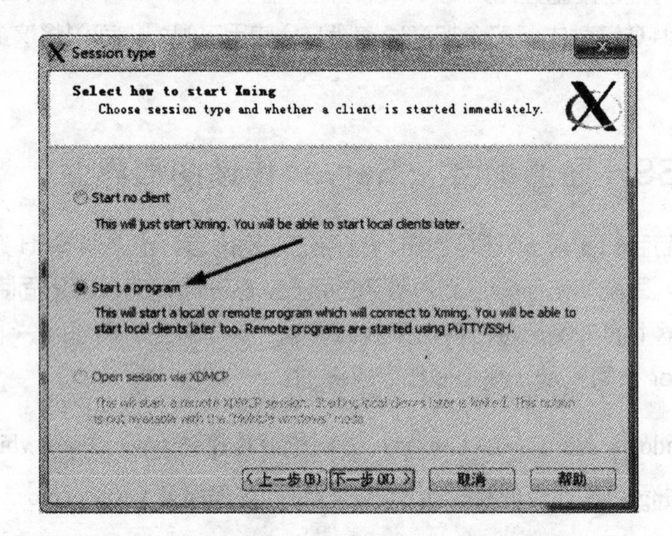

图 11-28 设置 XLaunch 程序——选择连接方式

我们要启动一个程序，并且是由开放在 SSH/Putty 之类的软件协助进行 SSH 信道的建立，单击“下一步”按钮，弹出如图 11-29 所示的对话框。

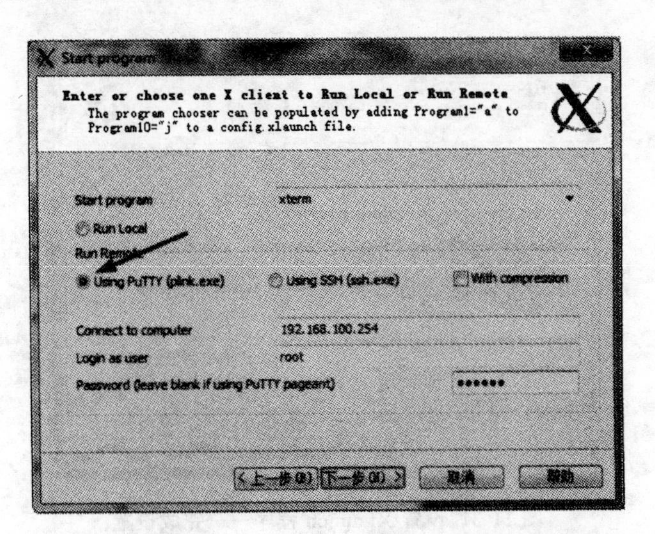

图 11-29　设置 XLaunch 程序——设定远程连接的相关参数

Xming 会主动启动一个 Putty 的程序帮你连接 SSHD 服务器，所以这里需要设置好账号、密码的相关信息。鸟哥这里假设你的 SSHD 尚未取消 root 登录，因此这里使用的是 root 的权限，弹出如图 11-30 所示的对话框。

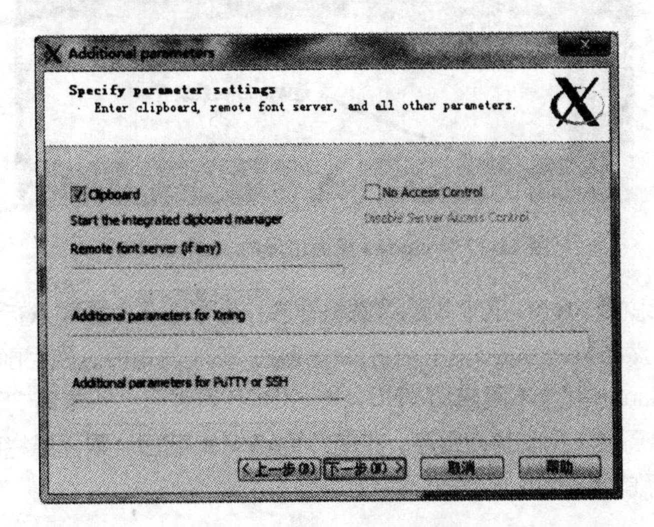

图 11-30　设置 XLaunch 程序——是否支持复制粘贴功能

使用默认值即可，直接单击“下一步”按钮，弹出如图 11-31 所示的对话框。

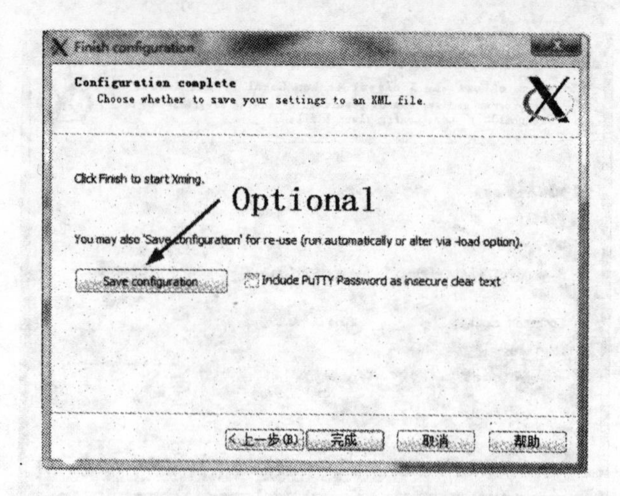

图 11-31 设置 XLaunch 程序——完成设置

很简单，这样就完成设定了，单击“完成”按钮，你就会看到 Windows 的桌面竟然出现如图 11-32 所示的对话框。

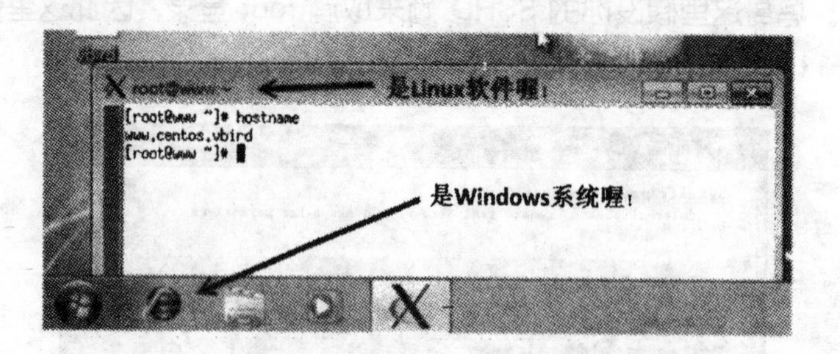

图 11-32 Windows 桌面出现的 X Client 程序

上面这个程序就是 xterm 这个 X 的终端机程序。你可以在上面输入指令，该指令会传送到 Linux Server，然后再将你要执行的图形数据通过 SSH 信道传送到目前的 Windows 上面的 Xming，你的 Linux 完全不用启动 VNC、X、XRDP 等服务，只要有 SSHD 就搞定了，就这么简单！例如鸟哥输入几个游戏程序，你的 Windows 窗口（看任务栏就知道了）就会出现如图 11-33 所示的情况。

图 11-33 Windows 桌面出现的 X Client 程序

事实上，我们的 Basic Server 安装方式并没有帮你安装 XTERM，所以，你需要自己安装 XTERM 才行！

11.7　重点回顾

- 远程连接服务器可以让用户在任何一台计算机登录主机，以便使用主机的资源来管理与维护主机。
- 常见的远程登录服务有 RSH、Telnet、SSH、VNC、XDMCP 及 RDP 等。
- Telnet 与 RSH 都是以明文方式传输数据，当数据在 Internet 上面传输时较不安全。
- SSH 由于使用密钥系统，因此数据在 Internet 上面传输时是加密过的，所以较安全。
- 但 SSH 还是属于比较危险的服务，请不要对整个 Internet 开放 SSH 的可登录权限，可利用 iptables 规范可登录的范围。
- SSH 的 Public Key 是放在服务器端，而 Private Key 是放在 Client 端。
- SSH 的连接机制有两种版本，建议使用可确认连接正确性的 Version 2。
- 使用 SSH 时，尽量使用类似 E-mail 的方式来登录，即：ssh username@hostname。
- Client 端可以比对 Server 传来的 Public Key 的一致性，利用的文件为 ~user/.ssh/known_hosts。
- SSH 的 Client 端软件提供 SSH、SCP、SFTP 等程序。
- 制作不需要密码的 SSH 账号时，可利用 ssh-keygen -t rsa 来生成 Public、Private Key pair。
- 上述指令所生成的 Public Key 必须要上传到 Server 的 ~user/.ssh/authorized_keys 文件中。
- XDMCP 是通过 X Display Manager（XDM、GDM、KDM 等）所提供的功能协议。
- 若 Client 端为 Linux 时，需要在 X 环境下以 xhost 增加可连接到本机 X Server 的 IP 才行。
- 除了 XDMCP 之外，我们可以利用 VNC 来进行 X 的远程登录架构。
- VNC 默认的 Port Number 为以 5900 开始，每个 Port 仅允许一个连接。
- rsync 可通过 SSH 的服务通道或 rsync --daemon 的方式来连接传输，其主要功能可以通过类似镜像备份来仅备份新的数据，因此传输备份速度相当快。

11.8 参考数据与延伸阅读

- 注 1：与 SSH 服务器有关的两个重要官网。
- OpenSSH 官方网站：http://www.openssh.com/。
- OpenSSL 官方网站：http://www.openssl.org/。
- 注 2：与 Putty 及 Pietty 有关的网站。
- Putty 官方网站：http://www.chiark.greenend.org.uk/~sgtatham/putty/。
- Pietty 中文网站：http://ntu.csie.org/~piaip/pietty/。
- 注 3：XDMCP 维基百科：
http://en.wikipedia.org/wiki/X_display_manager_(program_type)。
- 注 4：教你怎么设置 GDM 的 custom.conf。
- http://www.idevelopment.info/data/Unix/Linux/LINUX_ConfiguringXDMCPRedHatLinux.shtml。
- http://www.yolinux.com/TUTORIALS/GDM_XDMCP.html。
- 注 5：自由的 X Server -- Xming： http://sourceforge.net/projects/xming/。
- 注 6：与 VNC 相关的资料。
- 使用 X 的 VNC Module：http://phorum.study-area.org/viewtopic.php?t=25713。
- http://fedoranews.org/tchung/vnc/03.shtml。
- 注 7：维基百科：http://en.wikipedia.org/wiki/Remote_Desktop_Protocol。
- 注 8：官网在 http://xrdp.sourceforge.net/。
- 注 9： Fedora 基金会提供的 Extra Packages for Enterprise Linux（EPEL）计划。
- http://fedoraproject.org/wiki/EPEL。
- 注 10：rsync 的相关用法介绍。
- 酷学园：用 rsync 做备份：http://phorum.study-area.org/viewtopic.php?t=15553。
- ADJ 实验室的 rsync + SSH：http://www.adj.idv.tw/server/linux_rsync.php。
- 公钥加密机制的维基百科解释：http://en.wikipedia.org/wiki/Public_Key_Cryptography。

第12章 网络参数管理者：DHCP服务器

想象两种情况，（1）如果你在工作单位使用的是笔记本电脑，而且常常要带着笔记本电脑到处跑，那么在第4章“连上 Internet”的设置说明中会发现，需要经常修改网卡参数。而且，每到一个新的地方，就得问清楚该地方的网络参数才行，真是麻烦。（2）你的公司常常有访客或贵客来临，因为他们也带来笔记本电脑，所以也得常常跑来找你问网络参数才能配置他的计算机。哇！这两种情况都会让你想哭吧？这个时候，动态主机配置协议（DHCP）就派上用场了。DHCP 这个服务可以自动为客户端分配 IP 与相关的网络参数，从而使得客户端自动以服务器提供的参数来配置他们的网络。这样，用户只要将自己的笔记本电脑配置好，通过 DHCP 协议来取得网络参数后，一插上网线，马上就可以享受 Internet 的服务了。很方便，所以赶快来学习一下这个好用的协议吧。

12.1 DHCP 的工作原理

在正式进入 DHCP（Dynamic Host Configuration Protocol）服务器配置之前，我们先来认识一下 DHCP 这个协议及设置 DHCP 服务器的原因。

12.1.1 DHCP 服务器的用途

在开始 DHCP 的说明之前，我们先来复习一下之前在第 2 章网络基础里面提到的几个网络参数。要配置好一个网络的环境，使计算机可以顺利连上 Internet，那么计算机里面一定要有 IP、netmask、network、broadcast、gateway、DNS IP 等网络参数才行。

其中，IP、netmask、network、broadcast 与 gateway 都可以在 /etc/sysconfig/network-scripts/ifcfg-eth[0-n] 这个文件里面定义，DNS 服务器的地址则在 /etc/resolv.conf 文件中定义。只要这几个项目配置正确，那么计算机连接 Internet 应该就没问题了。所以，如果你家里面有 3~4 台计算机，你都可以手动来配置好所需要的网络参数，然后利用 NAT 服务器的功能，就可以连上 Internet 了。

现在让我们拓展一下思维。假设你是学校宿舍的网络管理员，所管理的学生计算机大概有 100 台，那么怎么设置好这 100 台计算机呢？

1）直接登门拜访，手动去配置好每一台计算机。

2）将所有的学生都集合起来，然后教他们设置计算机。

3）利用一台主机来自动分配所有的网络参数给宿舍内的任何一台计算机。

这三种解决方案所需要的时间都不相同，如果你选择的是 1），那么鸟哥个人认为，你不是工作狂就是疯掉了，因为所要花费的时间与你所得的薪水与付出的心力是完全不成比例的；如果选择是 2），那么很可能你会被称为独裁者、没良心的管理员；如果是选择 3）呢？恭喜你，这个方案的管理时间花费最短，也是最简单的做法。

DHCP（Dynamic Host Configuration Protocol）服务器最主要的工作，就是实现上面的第 3 个方案，也就是自动地将网络参数正确地分配给网络中的每台计算机，让客户端的计算机可以在开机的时候就立即自动配置好网络的参数值，这些参数可以包括 IP、netmask、network、gateway 与 DNS 的地址等。如此一来，身为管理员的你，只要注意到这一台提供网络参数的主机是否出故障就可以了，其他的个人计算机，DHCP 主机已经完全帮你搞定了。当管理员最大的幸福就是可以喝喝茶、聊聊天就能管理好一切的网络问题。

12.1.2　DHCP 协议的工作方式

需要知道的是，DHCP 通常是用于局域网内的一个通信协议，它主要是通过客户端发送广播数据包给整个物理网段内的所有主机，若局域网内有 DHCP 服务器时，才会响应客户端的 IP 参数要求。所以，DHCP 服务器与客户端是应该在同一个物理网段内。整个 DHCP 数据包在服务器与客户端间的交互情况如图 12–1 所示。

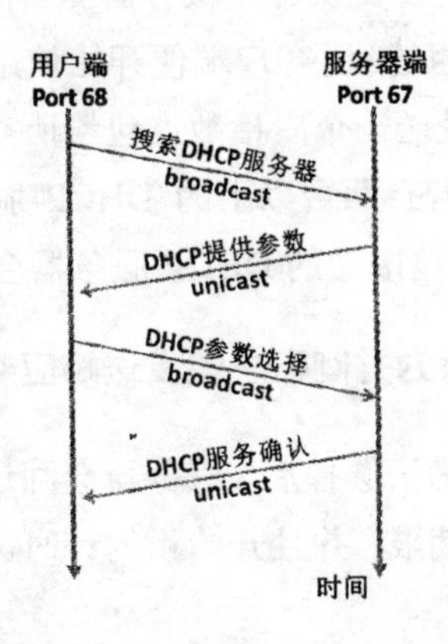

图 12-1　DHCP 数据包在服务器与客户端间的交互情况示意

客户端取得 IP 参数的程序可以简化如下。

1）客户端：利用广播数据包发送搜索 DHCP 服务器的数据包。

若客户端网络设置使用 DHCP 协议取得 IP（在 Windows 内为“自动获取 IP”），则当客户端开机或者是重新启动网卡时，客户端主机会发送出查找 DHCP 服务器的 UDP 数据包给所有物理网段内的计算机。此数据包的目标 IP 会是 255.255.255.255，所以一般主机接收到这个数据包后会直接予以丢弃，但若局域网内有 DHCP 服务器时，则会开始进行后续行为。

2）服务器端：提供客户端网络相关的租约以供选择。

DHCP 服务器在接收到客户端的要求后，会针对这个客户端的硬件地址（MAC）与本身的设置数据来进行下列工作：

- 到服务器的日志文件中查找该用户之前是否曾经租用过某个 IP，若有且该 IP 目前无人使用，则提供此 IP 给客户端。
- 若配置文件针对该 MAC 地址提供特定的固定 IP（Static IP）时，则提供该固定 IP 给客户端。
- 若不符合上述两个条件，则随机选取当前没有被使用的 IP 参数给客户端，并记录下来。

总之，服务器端会针对客户端的要求提供一组网络参数租约给客户端选择，由于此时客户端尚未有IP，因此在服务器端响应的数据包信息中，主要是针对客户端的MAC来给予回应的。此时服务器端会保留这个租约然后开始等待客户端的回应。

3）**客户端：决定选择DHCP服务器提供的网络参数租约并向服务器确认。**

由于局域网内可能并非仅有一台DHCP服务器，但客户端仅能接受一组网络参数租约。因此客户端需要选择是否要认可该服务器提供的相关网络参数的租约。当决定好使用此服务器的网络参数租约后，客户端便开始使用这组网络参数来配置自己的网络环境。此外，客户端也会发送一个广播数据包给所有物理网段内的主机，告知已经接受该服务器的租约。此时若有两台以上的DHCP服务器，则这些没有被接受的服务器会收回该IP租约。至于被接受的DHCP服务器会继续进行下面的动作。

4）**服务器端：记录该次租约行为并向客户端发送响应数据包信息以确认客户端的使用。**

当服务器端收到客户端的确认选择后，服务器会回送确认的响应数据包，并且告知客户端这个网络参数租约的期限，并且开始租约计时。那么该次租约何时会到期而被解约？有以下几种情况。

- **客户端脱机**：关闭网络接口（ifdown）、重新启动（reboot）、关机（shutdown）等行为，皆算是脱机状态，这个时候Server端就会将该IP收回，并放到Server的备用区中，以便日后使用。
- **客户端租约到期**：DHCP Server端发放的IP有使用的期限，客户端使用这个IP到达期限规定的时间，而且没有重新提出DHCP的申请时，Server端就会将该IP收回，这个时候就会造成断线。但用户也可以向DHCP服务器再次要求分配IP。

以上就是DHCP协议在Server端与Client端的工作过程，由上面的过程来看，我们可以知道，只要Server端配置、Server与Client在硬件连接上面都没有问题，那么Client就可以直接通过Server来取得上网的网络参数，只要管理员能够好好地、正确地管理好DHCP服务器，那么上网的配置就变成一件很简单的事情了。不过，关于上述的流程还需要进行如下额外的说明。

1. DHCP服务器给予客户端固定或动态的IP参数

在上面步骤里的第2）步骤中，服务器会去比较客户端的MAC硬件地址，并判断该MAC是否需要给予一个固定的IP。我们可以设定DHCP服务器给予客户端的IP参数主要有两种。

- **固定（Static）IP**

只要客户端计算机的网卡不换掉，那么MAC肯定就不会改变，由于DHCP可以根据MAC来给予固定的IP参数租约，所以该计算机每次都能以一个固定的IP连上Internet。这种情况比较适合当这台客户端计算机需要用来作为网络内的一些服务器主机的情况（所以IP要固定）。那么如何在Linux上知道网卡的MAC呢？有很多的方式，最简单的方式就是使用 ifconfig 及 arp：

```
# 1. 查看自己的 MAC 可用 ifconfig
[root@www ~]# ifconfig | grep HW
eth0      Link encap:Ethernet  HWaddr 08:00:27:71:85:BD
eth1      Link encap:Ethernet  HWaddr 08:00:27:2A:30:14
# 因为鸟哥有两块网卡，所以有两个硬件地址

# 2. 查看别人的 MAC 可用 ping 配合 arp
[root@www ~]# ping -c 3 192.168.1.254
[root@www ~]# arp -n
Address          HWtype  HWaddress           Flags Mask    Iface
192.168.1.254    ether   00:0c:6e:85:d5:69   C             eth0
```

- 动态（Dynamic）IP

  Client 端每次连上 DHCP 服务器所取得的 IP 都不是固定的，都是由 DHCP 服务器在未被使用的 IP 地址池中随机选中并提供的。

除非局域网内的计算机有可能用来作为主机之用，必须设置为固定 IP，否则使用动态 IP 的设置比较简单，而且在使用上具有很好的弹性。假如你是一个 ISP，而你只申请到 150 个 IP 来作为你的客户连接使用的 IP，那么你是否真的只能支持 150 个用户呢？当然不是，我们可以支持 200 个以上的用户呢！

为什么？这样想好了，我开了一家餐馆，里面只有 20 个座位，那么是否一餐只能卖给 20 个人呢？当然不是啦，因为客人是人来人往的，有人先吃有人后吃，所以同样是 20 个座位，但是可以有 40 个人来吃我的快餐，因为来的时间不一样。了解了吗？所以，这个 ISP 虽然只有 150 个 IP 可以发放，但是因为用户并非都是 24 小时在线的，所以你可以将这 150 个 IP 进行良好的分配，让 200 个人来轮流使用。

> 其实 IP 只有 public IP 与 private IP 两种，中文翻译成“公共 IP”与“私有 IP”，至于其他所谓的“静态 IP”、“动态 IP”、“虚拟 IP”等，都是从获取 IP 的方式这个角度出发来分类的，关于 IP 的种类我们在网络基础中谈过了，要好好地理清一下概念。

事实上现在主流的 ADSL 宽带拨号上网也使用到**静态 IP** 与**固定 IP** 的概念。举例来说，主要 ISP 都提供所谓的一个固定 IP 搭配 7~8 个浮动 IP 的 ADSL 拨号功能，也就是说同样通过一条电话线拨号到 ISP，但是其中一个拨号是可以取得的固定的 IP，而其他的则是非固定的 IP，DHCP 的 Static/Dynamic 跟此类似。

2. 关于租约所造成的问题与租约期限

如果我们观察上面 DHCP 工作模式的第 4）个步骤，会发现最后 DHCP 服务器还会给予一个租约期限，为什么需要这样的一个期限呢？其实设定期限还是有必要的，最大的好处就是可以避免 IP 被某些客户端一直占用着，但该客户端却是 Idle（闲置）的状态。

举例来说，我有 150 个 IP，但是偏偏有 200 个用户。我们以 2010 年的世界杯足球赛来说明。假设每个用户都急着上网知道世足赛的消息，那么某些热门比赛时段的网络使用量将可能达到最高峰状态。也就是说，这 200 个人同时要来使用这 150 个 IP，有可能吗？当然不可能。肯定会有 50 个人无法连接，会出现“很抱歉！目前系统正在忙碌中，请你稍后再拨”的情况。

那怎么办？这个时候租约到期的方式的作用就凸显出来了。那些已经连接进来很久的人，就会因为租约到期而被迫离线，这个时候该 IP 就会被释放出来，无法进行连接，进行 DHCP 请求的那 50 个人就有机会获得 IP。

虽然租约到期方式能解决上述问题，但是如果站在用户的角度来看，还是可能会造成公愤的。凭什么大家一起交钱，我先连接进来就需要先被踢出去？所以，如果要当 ISP，还是需要先规划好服务的方针才行。

既然有租约期限，那么**是否代表用 DHCP 取得的 IP 就一定要手动在某个时间点去重新取得新的 IP 呢？不需要的。因为目前的 DHCP 客户端程序大多会主动依据租约时间去重新申请 IP（renew）**。也就是说，在租约到期前 DHCP 客户端程序就已经又重新申请更新租约时间了。所以除非 DHCP 主机宕机，否则你所取得的 IP 应该是可以一直使用下去的。

> 一般来说，假设租约期限是 T 小时，那么客户端在 $0.5T$ 时会主动向 DHCP 服务器发出重新要求网络参数的数据包。如果这次数据包请求没有成功，那么在 $0.85T$ 后还会再次发送数据包一次。正因如此，所以服务器端会启动 port 67 监听客户端请求，而客户端会启动 port 68 主动向服务器请求。鸟哥觉得这是很特殊的一件事。

3. 多台 DHCP 服务器在同一物理网段的情况

或许你曾经发现过一件事，那就是当网络中有两台以上的 DHCP 服务器时，到底哪一台服务器会响应户端计算机所发出的 DHCP 请求呢？很抱歉，鸟哥也不知道。因为在网络上面，很多时候都是先抢先得的，DHCP 的响应也是如此。当 Server1 先响应时，你使用的就是 Server1 所提供的网络参数，如果是 Server2 先响应，你就是使用 Server2 的参数来配置客户端 PC。不过，前提是这些计算机被物理连接在一个物理网段中。

因为这个特色的关系，所以**当在练习 DHCP 服务器的配置之前，不要在已经正常工作的**

局域网中测试，否则会很惨。举个鸟哥的例子来说吧，有一次其他系的研究生在测试网络安全时，在原有的局域网上面放了一台 IP 路由器，结果整栋大楼的网络都不通了！因为那时整栋大楼的网络是连接在一起的，而我们学校是使用 DHCP 让客户端上网。由于 IP 路由器的配置并不能连上 Internet，所以大家都无法上网了。所以，不要随便测试 DHCP 服务器。

12.1.3　何时需要架设 DHCP 服务器

既然 DHCP 的好处是自动配置客户端，而且在移动设备的上网方面非常方便，那么是否代表你就一定要搭建一台 DHCP 呢？那也不一定。接下来介绍几个关于架设 DHCP 的原则性的问题。

1. 使用 DHCP 的时机

在以下情况下，强烈建议搭建 DHCP 主机。

- **具有相当多移动设备的场合**

  例如公司内部很多笔记本电脑使用的场合。因为笔记本电脑本身就是移动性的设备，如果每到一个地方都要去问别人这边的网络参数是什么，并且还需要担心是否会跟别人的 IP 相冲突等问题，这个时候，DHCP 可就是你的救星了。

- **局域网内计算机的数量相当多的时候**

  当网络内计算机的数量相当庞大，大到没有办法一个一个地单独指导它们配置网络参数，这个时候为了避免麻烦，就需要搭建 DHCP 了。况且，维护一台熟悉的 DHCP 主机，要比造访几十个不懂计算机的人要简单得多。

2. 不建议使用 DHCP 主机的时机

虽然 DHCP 有很多好处，但是不知你是否注意，在前面的客户端取得 IP 参数的程序的第 1）步有点怪，客户端在开机的时候会主动发送信息给网络上的所有机器，这个时候，如果网络上没有 DHCP 主机呢？那么这台客户端计算机，仍然会持续地发送信息！持续的时间与次数不知道会有多久，不过，肯定会超过 30 秒，甚至可以达到一分钟以上。那么这段时间你能干什么？只能等待。所以，如果计算机数量不多，可以不使用 DHCP，还是使用手动的方式来配置一下比较方便。

不使用 DHCP 的情况有如下几种。

- 在网络中的计算机，有很多机器其实是作为主机的用途，很少有用户需求，那么就没有必要架设 DHCP。
- 像一般家里，只有 3 ~ 4 台计算机时，架设 DHCP 只能拿来练练功力，并没有多大的效益。

- 当管理的网络当中，大多网卡都属于老旧的型号，不支持 DHCP 的协议时。
- 用户的计算机水平都很高时，那么也没有必要架设 DHCP。

上面都是原则性的说法，事实上，一件事情的解决之道是有很多的方案的，没有所谓的完全正确的方案，只有相对可行并且符合高性价比的方案。所以，搭建任何服务器之前，首先请多评估评估需求。

12.2 DHCP 服务器端的配置

事实上，目前市面上的 IP 路由器非常便宜，而 IP 路由器本身就含有 DHCP 的功能。所以，如果只是想要在局域网当中单纯地使用 DHCP，那么建议直接购买一台 IP 路由器来使用即可，至少它很省电。如果还有其他考虑的话，再来架设 DHCP 吧。下面我们先以一个简单的范例来说明 DHCP 的搭建。

12.2.1 所需软件与文件结构

DHCP 的软件需求很简单，只要服务器端软件即可，在 CentOS 6.x 上面，这个软件的名称就是 dhcp 。这个软件是不会默认安装的，请自行使用 yum 去安装这个软件。安装完毕之后，就可以使用 rpm -ql dhcp 来看看这个软件提供了哪些文件。基本上，比较重要的配置文件如下。

- /etc/dhcp/dhcpd.conf

  这个就是 DHCP 服务器的主要配置文件。在某些 Linux 版本中这个文件可能不存在，所以如果确定已经安装了 dhcp 软件却找不到这个文件时，请手动自行创建它即可。

> 其实 dhcp 软件在发布的时候都会附上一个范例文件，可以使用 rpm -ql dhcp 来查询到 dhcpd.conf.sample 这个示例文件，然后将该文件复制成为 /etc/dhcp/dhcpd.conf 后，再手动去修改即可，这样配置比较容易。

- /usr/sbin/dhcpd

  这是启动整个 dhcp daemon 的脚本文件。其实最详细的执行方式应该要使用 man dhcpd 来查阅一下。

- /var/lib/dhcp/dhcpd.leases

  这文件是很有趣的。我们在前面的原理部分曾经提到过租约，DHCP 服务器端与客户端租约建立的起始与到期日就是记录在这个文件当中的。

12.2.2　主要配置文件 /etc/dhcp/dhcpd.conf 的语法

在 CentOS 5.x 以前，配置文件都被存储于 /etc/dhcpd.conf，新版的才放置于此处。其实 DHCP 的配置很简单，只要将 dhcpd.conf 配置好就可以启动了。不过编写这个文件时必须要注意下面的规范。

- **“#”为注释符号。**
- **除了右括号“）”后面之外，其他的每一行配置最后都要以“;”作为结尾。这很重要。**
- **配置项目的语法形式主要是“<参数代号> <配置内容>”。例如：**

```
default-lease-time 259200;
```

- **某些配置项目必须以 option 来定义，基本形式为“option <参数代码> <配置内容>”例如：**

```
option domain-name "your.domain.name";
```

DHCP 的 IP 分配方式可分为动态 IP 与固定 IP，其中需要了解的是，**如果需要分配固定 IP 的话，那么就必须要知道要设置成固定 IP 的那台计算机的硬件地址（MAC）**，可以使用 arp 或 ifconfig 来查看你网络接口的 MAC。好了，那么需要设置的项目有哪些呢？其实 dhcpd.conf 中的配置主要分为两大项目，一个是服务器运行的全局设置（Global），一个是 IP 分配设置（动态或固定），每个项目的设置值大概有以下几项。

1. 全局设置 (Global)

假设 dhcpd 管理的是只有一个子网的局域网，那么除了 IP 之外的许多网络参数就可以放在全局设置的区域中，包括租约期限、DNS 主机的 IP 地址、路由器的 IP 地址以及动态 DNS（DDNS）更新的类型等。当固定 IP 及动态 IP 内没有定义到某些设置时，则以全局设置为准。这些参数的设置名称如下所示。

- **default-lease-time 时间：默认的租约时间**

  用户的计算机也能够要求一段特定长度的租约时间，但若用户没有特别要求租约时间的话，那么就以此为默认的租约时间。后面的时间参数默认单位为秒。

- **max-lease-time 时间：最大租约时间**

  与上面的默认租约时间类似，不过，这个设置值是在规范用户所能要求的最大租约时间。也就是说，用户要求的租约时间若超过此设置值，则以此值为准。

- **option domain-name "域名"**

  如果在 /etc/resolv.conf 里面设置了一个 search google.com 的话，这表示当你要查找主机名时，DNS 系统会主动帮你在所要查找的主机名后加上这个域名后缀。

- option domain-name-servers IP1、IP2

  这个设置参数可以修改客户端的/etc/resolv.conf 文件，即 nameserver 后面接的 DNS IP。特别注意设置参数最末尾为 servers（有 s）。

- ddns-update-style 类型

  因为 DHCP 客户端所取得的 IP 通常是一直变动的，所以某台主机的主机名与 IP 的对应就很难处理。此时 DHCP 可以通过 ddns（请参考第 10 章与第 19 章 DNS 的说明）来更新主机名与 IP 的对应关系。不过我们这里不谈这么复杂的东西，所以可以将它设置为 none。

- ignore client-updates

  与上一个设置值有关，客户端可以通过 dhcpd 服务器来更新 DNS 相关的信息。不过，这里我们也先不谈这个，因此就将它设置为 ignore（忽略）了。

- option routers 路由器的地址

  设定路由器的 IP 地址，routers 记需要加 s 才对！

2. IP 分配设置 (动态或固定)

由于 dhcpd 主要是针对局域网来分配 IP 参数的，因此在设置 IP 之前，我们需要指定一个局域网（即 DHCP 待分配地址的区域）才行。指定局域网的方式使用如下的参数：

```
subnet NETWORK_IP netmask NETMASK_IP { ... }
```

我们知道局域网要明确 network / netmask IP 这两个参数才行，例如之前谈过的 192.168.100.0 / 255.255.255.0 这样的设置值。上面设置值当中，subnet 与 netmask 是关键词，而大写部分就填上局域网参数。那在括号内还有什么参数需要设置呢？ 那就是到底 IP 是固定的还是动态的。

- range IP1 IP2

  在这个局域网当中，给予一个连续的 IP 地址段用来发放给客户端使用，IP1 IP2 指的是分配给客户端使用的 IP 范围。举例来说，你想要分配 192.168.100.101 到 192.168.100.200 这 100 个 IP 用来作为动态分配，那就是 range 192.168.100.101 192.168.100.200。

- host 主机名 { ... }

  这个 host 就是指定固定 IP 对应到固定 MAC 的设置值，主机名可以自己给予。不过在大括号内就需要指定 MAC 与固定的 IP 了。那这两个设置值怎么设置呢？看看下面。

- hardware ethernet 硬件地址

  利用网卡上面的固定硬件地址来设置，亦即该设置仅针对这个硬件地址有效的意思。

- fixed-address IP 地址

  给予一个固定的 IP 地址的意思。

说再多也没有什么用，让我们实际来看一个案例，你就知道该如何处理了。

12.2.3　一个局域网的 DHCP 服务器设置案例

假设我的环境当中，Linux 主机除了 NAT 服务器之外还需要负责其他服务器，例如充当邮件服务器，而在后端局域网中则想要提供 DHCP 的服务。整个硬件配置的情况就如同第 3 章的图 3-5 所示的内部独立局域网（centos.vbird 网络）。需要注意的是，在图中 Linux Router 有两个接口，其中 eth1 对内，而 eth0 对外，至于其他的网络参数进行如下设计：

- Linux 主机对内的 eth1 的 IP 设置为 192.168.100.254。
- 内部网段设置为 192.168.100.0/24，且内部计算机的 router 为 192.168.100.254，此外，DNS 主机的 IP 为电信的 168.95.1.1 及 Seednet 的 139.175.10.20。
- 每个用户默认租约为 3 天，最长为 6 天。
- 要分配的 IP 只有 192.168.100.101 到 192.168.100.200 这几个，其他的 IP 则保留下来。
- 还有一台主机，其 MAC 是 08:00:27:11:EB:C2，设置其主机名为 win7，且 IP 为 192.168.100.30（请对照图 3-5）。

那配置文件就会像下面这个样子了：

```
[root@www ~]# vim /etc/dhcp/dhcpd.conf
# 1. 整体的环境设定
ddns-update-style            none;               <==不要更新 DDNS 的设置
ignore client-updates;                           <==忽略客户端的 DNS 更新功能
default-lease-time           259200;             <==默认租约为 3 天
max-lease-time               518400;             <==最大租约为 6 天
option routers               192.168.100.254;    <==这就是默认路由
option domain-name           "centos.vbird";     <==给予一个域名
option domain-name-servers   168.95.1.1, 139.175.10.20;
# 上面是 DNS 的 IP 设置，这个设定值会修改客户端的 /etc/resolv.conf 文件内容

# 2. 关于动态分配的 IP
subnet 192.168.100.0 netmask 255.255.255.0 {
    range 192.168.100.101 192.168.100.200;  <==分配的 IP 地址范围
```

```
    # 3. 关于固定的 IP
    host win7 {
        hardware ethernet    08:00:27:11:EB:C2; <==客户端网卡 MAC 地址
        fixed-address        192.168.100.30;    <==给予固定的 IP 地址
    }
}
# 相关的设置参数的意义，请查询前一小节的介绍，或者 man dhcpd.conf
```

够简单吧，这样就设置好了。可以复制上面的数据然后修改一下，让其中的 IP 参数符合你的环境，就能够设置好 DHCP 服务器了。接下来理论上就能够启动 DHCP 了。不过，在某些早期的 Linux distribution 上面，当 Linux 主机具有多个接口时，一个设置可能会让多个接口同时来监听，那就可能会发生错误了。

举例来说，我们现在的设置是 192.168.100.0/24 这个 IP 地址，该地址作用于 eth1 所连接的网络，假设还有一个接口 eth2 在 192.168.2.0/24，那万一 DHCP 同时监听两个接口的话，想一想，如果 192.168.2.0/24 网络的客户端发送出 DHCP 数据包的请求时，会取得什么 IP？当然是 192.168.100.X。所以，我们就需要针对 dhcpd 这个执行文件设置它所要监听的网络接口，而不是针对所有的接口都监听。那如何处理呢？在 CentOS（Red Hat 系统）中可以这样做：

```
[root@www ~]# vim /etc/sysconfig/dhcpd
DHCPDARGS="eth0"
```

不过这个动作在 CentOS 5.x 以后的版本上已经不需要了，因为新版本的 DHCP 会主动分析服务器的网段与实际的 dhcpd.conf 设置，如果两者无法吻合，就会有错误提示，人性化多了。接下来我们可以开始启动 dhcp 试看看。

12.2.4 DHCP 服务器的启动与观察

开始来启动 dhcp 。在启动前需要注意以下几件事情：

- **你的 Linux 服务器网络环境已经设置好了，例如 eth1 已经是 192.168.100.254。**
- **你的防火墙规则已经处理好了，例如，①放行内部局域网的连接，②iptables.rule 的 NAT 服务已经设置妥当。**

需要注意的是：dhcpd 使用的端口是 port 67，并且启动的结果会记录在 /var/log/messages 文件内，最好能去查看一下 /var/log/messages 所显示的 dhcpd 相关信息。

```
# 1. 启动后查看一下端口的变化
[root@www ~]# /etc/init.d/dhcpd start
```

```
[root@www ~]# chkconfig dhcpd on
[root@www ~]# netstat -tlunp | grep dhcp
Active Internet connections (only servers)
Proto Recv-Q Send-Q Local Address Foreign Address PID/Program name
udp        0      0 0.0.0.0:67     0.0.0.0:*        1581/dhcpd

# 2. 定时去看看日志文件的输出信息
[root@www ~]# tail -n 30 /var/log/messages
Jul 27 01:51:24 www dhcpd: Internet Systems Consortium DHCP Server 4.1.1-P1
Jul 27 01:51:24 www dhcpd: Copyright 2004-2010 Internet Systems Consortium.
Jul 27 01:51:24 www dhcpd: All rights reserved.
Jul 27 01:51:24 www dhcpd: For info, please visit
https://www.isc.org/software/dhcp/
Jul 27 01:51:24 www dhcpd: WARNING: Host declarations are global. They are not
limited to the scope you declared them in.
Jul 27 01:51:24 www dhcpd: Not searching LDAP since ldap-server, ldap-port and
ldap-base-dn were not specified in the config file
Jul 27 01:51:24 www dhcpd: Wrote 0 deleted host decls to leases file.
Jul 27 01:51:24 www dhcpd: Wrote 0 new dynamic host decls to leases file.
Jul 27 01:51:24 www dhcpd: Wrote 0 leases to leases file.
Jul 27 01:51:24 www dhcpd: Listening on
LPF/eth1/08:00:27:2a:30:14/192.168.100.0/24
Jul 27 01:51:24 www dhcpd: Sending on
LPF/eth1/08:00:27:2a:30:14/192.168.100.0/24
....(以下省略)....
```

看到这些信息就说明成功了，尤其是上述使用加粗字体的部分。恭喜你！不过，万一看到的日志文件是类似下面的样子呢？

```
Jul 27 01:56:30 www dhcpd: /etc/dhcp/dhcpd.conf line 7: unknown option
dhcp.domain-name-server
Jul 27 01:56:30 www dhcpd: option domain-name-server#011168.
Jul 27 01:56:30 www dhcpd:                          ^
Jul 27 01:56:30 www dhcpd: /etc/dhcp/dhcpd.conf line 9: Expecting netmask
Jul 27 01:56:30 www dhcpd: subnet 192.168.100.0 network
Jul 27 01:56:30 www dhcpd:                          ^
Jul 27 01:56:30 www dhcpd: Configuration file errors encountered -- exiting
```

上述的数据表示在第 7、9 行有设置错误，设置错误的地方在行号下面还用指数符号（^）特别标注出来。由上面的情况来看，第 7 行的地方应该是 domain-name-servers 忘了加 s 了，而第 9 行则是参数使用错误，应该是 netmask 而非 network。这样了解了吗？

12.2.5 内部主机的 IP 对应

如果你仔细看过第 2 章的网络基础的话，那么应该还会记得/etc/hosts（第 4 章 4.4.1）会影响内部计算机在连接阶段的等待时间吧。那么我现在使用 DHCP 之后，还不知道哪一台 PC 连上我的主机，那要怎么填写 /etc/hosts 的内容呢？这真是太简单了，就将所有可能的计算机 IP 都加进该文件。以鸟哥为例，在这个例子中，鸟哥分配的 IP 至少有 192.168.100.30、192.168.100.101 ~ 192.168.100.200，所以 /etc/hosts 可以写成：

```
[root@www ~]# vim /etc/hosts
127.0.0.1      localhost.localdomain localhost
192.168.100.254   vbird-server
192.168.100.30    win7
192.168.100.101   dynamic-101
192.168.100.102   dynamic-102
....(中间省略)....
192.168.100.200   dynamic-200
```

这样一来，所有可能连进来的 IP 都已经有记录，当然就没有什么大问题了。不过，**更好的解决方案则是搭建内部的 DNS 服务器，这样一来，内部的其他 Linux 服务器也不必更改 /etc/hosts 文件就能够取得每部主机的 IP 与主机名的对应了**，这样就更加妥当了。

12.3 DHCP 客户端的设置

DHCP 的客户端可以是 Windows 也可以是 Linux。鸟哥的网络内使用三台计算机，就如图 3-5 所示的那样。Linux 与 Windows XP 的设置方式已经分别在第 4 章与第 3 章中谈过了，下面仅稍微介绍一下而已。至于图示的部分，我们主要是以 Windows 7 来做介绍。

12.3.1 客户端是 Linux

Linux 的网络参数设置还记得吧？在第 4 章 4.2.2 一节中我们谈过自动取得 IP 的方式，设置很简单：

```
[root@clientlinux ~]# vim /etc/sysconfig/network-scripts/ifcfg-eth0
DEVICE=eth0
NM_CONTROLLED=no
ONBOOT=yes
BOOTPROTO=dhcp   <==就是它。指定这一个就对了

[root@clientlinux ~]# /etc/init.d/network restart
```

同时记需要注释掉默认路由的设置。改完之后，就将整个网络重新启动即可（不要使用

ifdown 与 ifup，因为还有默认路由要设置）。请注意，如果是在远程进行这个操作，连接肯定会出错误，因为网卡已经关了。所以请在本机前面进行该操作。如果执行的结果找到了正确的 DHCP 主机，那么有几个文件可能会被修改：

```
# 1. DNS 的 IP 会被修改，可以先查阅一下 resolv.conf 文件
[root@clientlinux ~]# cat /etc/resolv.conf
search centos.vbird        <==还记得设置过 domain-name 吗
domain centos.vbird        <==还记得设置过 domain-name 吗
nameserver 168.95.1.1      <==这就是我们在 dhcpd.conf 内的设置值
nameserver 139.175.10.20

# 2. 查看一下路由
[root@clientlinux ~]# route -n
Kernel IP routing table
Destination     Gateway         Genmask         Flags Metric Ref    Use Iface
192.168.100.0   0.0.0.0         255.255.255.0   U     0      0        0 eth0
0.0.0.0         192.168.100.254 0.0.0.0         UG    0      0        0 eth0
# 没错，路由也被正确地捕捉到了。OK 啦。

# 3. 查看一下客户端的命令
[root@clientlinux ~]# netstat -tlunp | grep dhc
Proto Recv-Q Send-Q Local Address   Foreign Address State   PID/Program name
udp        0      0 0.0.0.0:68      0.0.0.0:*               1694/dhclient
# 有个小程序在监测 DHCP 的连接状态

# 4. 看一看客户端租约所记载的信息
[root@clientlinux ~]# cat /var/lib/dhclient/dhclient*
lease {
  interface "eth0";
  fixed-address 192.168.100.101; <==取得的 IP
  option subnet-mask 255.255.255.0;
  option routers 192.168.100.254;
  option dhcp-lease-time 259200;
  option dhcp-message-type 5;
  option domain-name-servers 168.95.1.1,139.175.10.20;
  option dhcp-server-identifier 192.168.100.254;
  option domain-name "centos.vbird";
  renew 4 2011/07/28 05:01:24; <==下一次预计更新 (renew) 的时间点
  rebind 5 2011/07/29 09:06:36;
  expire 5 2011/07/29 18:06:36;
}
# 这个文件会记录该网卡所曾经要求过的 DHCP 信息，重要！
# 有没有看出来，它几乎与你设置的 /etc/dhcp/dhcpd.conf 类似
```

可以发现客户端取得的数据都被记录在 /var/lib/dhclient/dhclient*-eth0.leases 文件中。如果你有多张网卡，那么每张网卡自己的 DHCP 请求就会被写入到不同文件名的文件中去。观察该文件就知道你的数据是如何了。这也是挺重要的。

鸟哥 VBird 你或许会问，DHCP 不是都会随机取得 IP 吗？那为什么这台客户端 clientlinux.centos.vbird 每次都能够取得相同的固定 IP 呢？很简单，因为上面的 dhclient-eth0.leases 里面的 fixed-address 指定了想要固定的 IP 选项。如果 DHCP 服务器的该 IP 没有被分配他用，也在规定的 range 设定值内，那就会再次分配给你这个 IP 了。如果想要不同的 IP 呢？那将你想要的 IP 取代上述的设置值就可以了。

例题

在上文中谈到，如果局域网内有多个 DHCP 服务器（假设有 DHCP1、DHCP2），那么每次客户端对整个物理网段广播时，DHCP 服务器将是先抢先得的局面。但是若第一次取得 DHCP1 服务器的 IP 后，以后重新启动网络，都只会取得 DHCP1 的网络参数，这是为什么？

答：看到上述的 dhclient-eth0.leases 客户端文件了吗？因为主机想要取得上次取得的网络参数，因此将会对 DHCP1 请求网络参数。如果想要使用先抢先得的方式来取得 IP，或者想要使用 DHCP2 来取得 IP，那么需要修订或者删除 dhclient-eth0.leases 才行。

12.3.2 客户端是 Windows

在 Windows 下面配置 DHCP 客户端以取得 IP 很简单。例如，你可以到第 3 章的 3.2.2 小节去看看截图是如何设置的。我们这里以 Windows 7 为例进行介绍。依次选择执行“开始”→“控制面板”→“查看网络状态和任务”→“更改适配器设置”命令，在出现的界面中，选择属于你的相关网卡，然后双击，开始下面的设置程序。

1）如上所述，单击网卡设置后，会出现如图 12-2 所示的对话框。

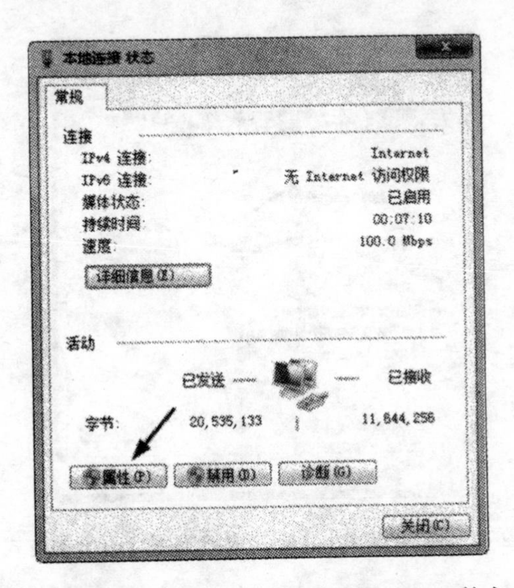

图 12-2 局域网的 Windows 7 系统配置 DHCP 的方式 1

2）在图 12–2 中单击箭头所指的“属性”按钮，就会出现如图 12–3 所示的对话框。

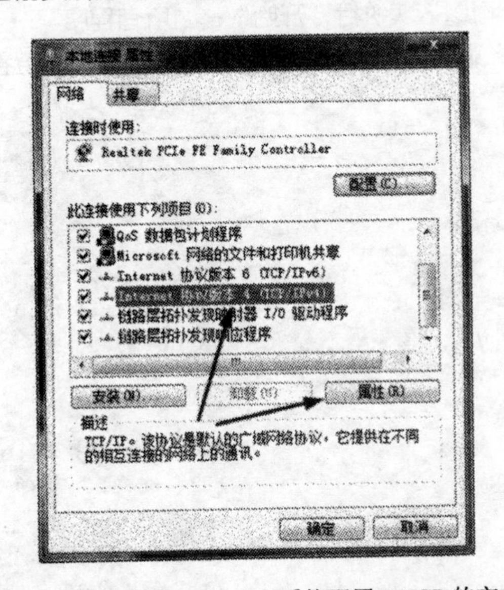

图 12-3 局域网的 Windows 7 系统配置 DHCP 的方式 2

在图 12–3 中，先选择 TCP/IP4 第 4 版 IP 协议，然后单击“属性”按钮就可以开始修改网络参数了。

3）接下来如图 12–4 所示，只要勾选“自动获得 IP 地址”项目，然后单击“确定”按钮，离开设置界面。这样 Windows 就会开始自动取得 IP 的工作了。

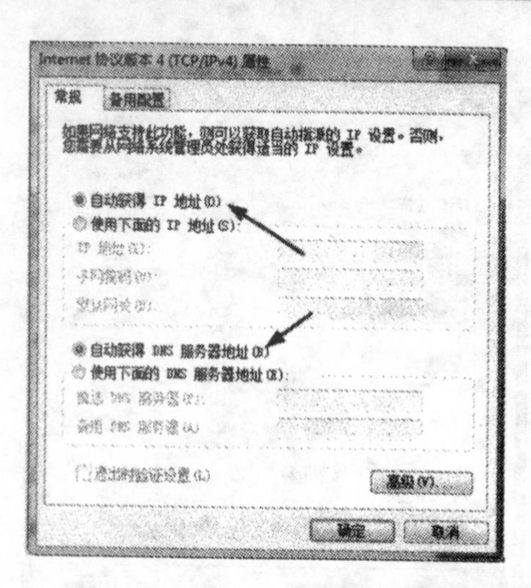

图 12-4 局域网的 Windows 7 系统配置 DHCP 的方式 3

4）如何确认 IP 已经被顺利地取得呢？如果是早期的 Windows 95，可以使用一个名为 winipcfg 的命令来查看 IP 设置。不过在 Windows 2000 以后，可能需要使用命令行界面来查看才行。可以依次执行“开始”→“所有程序”→“附件”→“命令行提示符”命令来打开终端界面，然后使用 ipconfig /all 命令来查看相关信息：

```
C:\Users\win7> ipconfig /all
....(前面省略)....
以太网卡 本地连接:

   连接特定的 DNS 后缀 . . . . . . . : centos.vbird
   描述 . . . . . . . . . . . . . . : Intel(R) PRO/1000 MT Desktop Adapter
   物理地址 . . . . . . . . . . . .  : 08-00-27-11-EB-C2
   DHCP 已启用 . . . . . . . . . .   : 是
   自动配置已启用 . . . . . . . . . . : 是
   本地连接 IPv6 地址 . . . . . .    : fe80::ec92:b907:bc2a:a5fa%11(偏好选项)
   IPv4 地址 . . . . . . . . . .     : 192.168.100.30(偏好选项)  <==这是取得的 IP
   子网掩码 . . . . . . . . . . .    : 255.255.255.0
   租用取得 . . . . . . . . . . . .  : 2011 年 7 月 27 日 上午 11:59:18 <==这是租约
   租用到期 . . . . . . . . . . . .  : 2011 年 7 月 30 日 上午 11:59:18
   默认网关 . . . . . . . . . . . .  : 192.168.100.254
   DHCP 服务器 . . . . . . . . . .   : 192.168.100.254   <==这一台 DHCP 服务器
   DNS 服务器 . . . . . . . . . . .  : 168.95.1.1          <==取得的 DNS
                                     139.175.10.20
   NetBIOS over Tcpip . . . . . .    : 启用

C:\Users\win7> ipconfig /renew
# 这样可以立即要求更新 IP 信息
```

这样就 OK 啦。简单吧。

12.4　DHCP 服务器端的高级查看与使用

如果需要管理的是几十部甚至是几百部的计算机时，总是希望能够根据座位来进行 IP 的分配。因此，固定 IP 配合 MAC 就显得很重要了。那么如何取得每部主机的 IP 呢？还有，你怎么查询到相关的租约呢？以及，如果你还想要进行远程开机，帮用户在固定的时间开机呢？那就来看看 DHCP 下面的其他用途吧。

12.4.1　检查租约文件

客户端会主动记录租约信息，那服务器端就更不能忘记记录了。服务器端是记录在这个地方的：

```
[root@www ~]# cat /var/lib/dhcpd/dhcpd.leases
lease 192.168.100.101 {
  starts 2 2011/07/26 18:06:36;  <==租约开始日期
  ends 5 2011/07/29 18:06:36;    <==租约结束日期
  tstp 5 2011/07/29 18:06:36;
  cltt 2 2011/07/26 18:06:36;
  binding state active;
  next binding state free;
  hardware ethernet 08:00:27:34:4e:44; <==客户端网卡
}
```

从这个文件里面我们就知道有多少客户端已经向 DHCP 申请了 IP 了。很容易了解吧。

12.4.2　让大量 PC 都具有固定 IP 的脚本

想一想，如果你有 100 台计算机要管理，每台计算机都希望使用固定 IP，那你要如何处理呢？很简单，通过 DHCP 的 fixed-address 就行了。但是，这 100 台计算机的 MAC 如何获取呢？要怎么改呢？难道每台计算机都去抄写，然后再回来设置 dhcpd.conf 吗？这也太可怕了吧？既然每部计算机最终都需要开机，那么你在开机之后，利用手动的方法来设置好每部主机的 IP 后，再根据下面的脚本来处理 dhcpd.conf 吧。

```
[root@www ~]# vim setup_dhcpd.conf
#!/bin/bash
read -p "Do you finished the IP's settings in every client (y/n)? " yn
read -p "How many PC's in this class (ex> 60)? " num
if [ "$yn" = "y" ]; then
        for site in $(seq 1 ${num})
        do
                siteip="192.168.100.${site}"
                allip="$allip $siteip"
```

```
                ping -c 1 -w 1 $siteip > /dev/null 2>&1
                if [ "$?" == "0" ]; then
                        okip="$okip $siteip"
                else
                        errorip="$errorip $siteip"
                        echo "$siteip is DOWN"
                fi
        done
        [ -f dhcpd.conf ] && rm dhcpd.conf
        for site in $allip
        do
                pcname=pc$(echo $site | cut -d '.' -f 4)
                mac=$(arp -n | grep "$site " | awk '{print $3}')
                echo "  host $pcname {"
                echo "          hardware ethernet ${mac};"
                echo "          fixed-address     ${site};"
                echo "  }"
                echo "  host $pcname {"                              >> dhcpd.conf
                echo "          hardware ethernet ${mac};"           >> dhcpd.conf
                echo "          fixed-address     ${site};"          >> dhcpd.conf
                echo "  }"                                           >> dhcpd.conf
        done
  fi
  echo "You can use dhcpd.conf (this directory) to modified your /etc/dhcp/dhcpd.conf"
  echo "Finished."
```

这个脚本的想法很简单，如果你管理的计算机都是 Linux 的话，那么先开机后使用 ifconfig eth0 YOURIP 来设置对应的 IP，在鸟哥这个例子中，我使用的是 192.168.100.X/24 这个网络，此时 IP 就设置好了。然后再将上面的脚本运行一次，每台计算机的 MAC 与 IP 对应就顺利地写入 dhcpd.conf 中了，然后再将它粘贴到 /etc/dhcp/dhcpd.conf 文件中即可。如果你管理的计算机是 Windows 的话，那使用命令行界面下的 netsh interface ip set address xxx 之类的命令来修改吧。

12.4.3 使用 ether-wake 实现远程自动开机 (remote boot)

既然已经知道客户端的 MAC 地址了，如果**客户端的主机支持一些电源标准，并且该客户端主机所使用的网卡与主板支持网络唤醒的功能，我们就可以通过网络来让客户端计算机开机了**。如果有一台主机想要通过网络来启动它时，必须要在这部客户端计算机上进行如下处理：

1）**需要在 BIOS 里面设置“网络唤醒”的功能，否则是没有用的。**

2）必须要让这台主机接上网线，并且电源也是接通的。

3）将这台主机的 MAC 抄下来，然后关机等待网络唤醒。

接下来请到永远处于开机状态的 DHCP 服务器上面（其实只要任何一台 Linux 主机均可），安装 net-tools 这个软件，就会得到 ether-wake 这个命令，这就是网络唤醒的主要功能。那该如何使用这个命令呢？假设客户端主机的 MAC 为 11:22:33:44:55:66，并且与服务器的 eth1 连接好了，那么想要让这台主机被唤醒，就这样做：

```
[root@www ~]# ether-wake -i eth1 11:22:33:44:55:66

# 更多功能可以这样查阅
[root@www ~]# ether-wake -u
```

然后你就会发现，那台客户端主机被启动了。以后如果你要连到局域网内的话，只要能够连上防火墙主机，然后通过这个 ether-wake 软件，就能够让局域网内的主机启动了，管理上面就更加方便了。

鸟哥办公室有一台桌面计算机是经常用来测试的，但是因为比较耗电，因此当鸟哥离开时，就会将该计算机关闭。不过鸟哥办公室有一台 NAT Server 在负责防火墙的第一道关卡，当鸟哥在家里需要查询学校桌面计算机的数据时，桌面计算机关了怎么办？没关系，通过 NAT Server 登录后，使用 ether-wake 唤醒，就能够开机进行工作了。这样也解决了耗电问题。

12.4.4　DHCP 与 DNS 的关系

我们知道局域网内如果有很多 Linux 服务器时，需要将 private IP 加入到每台主机的 /etc/hosts 里面，这样连接阶段的等待时间才不会有超时或者是等待太久的问题。问题是，如果计算机数量太大，又有很多测试机时，如果还必须要常常去更新维护那些重装过操作系统的机器的 /etc/hosts 文件，是不是有点烦？

此时在局域网内搭建一台 DNS 服务器负责主机名解析就很重要。因此既然已经有 DNS 服务器帮忙进行主机名的解析，那就根本不需要修改 /etc/hosts 了。未来的新机器或者新加入的计算机也不需要改写任何网络参数，这样维护会轻松很多。因此，一个好的局域网内，理论上，我们应该在 DHCP 服务器主机上面再安装一个 DNS 服务器，提供内部计算机的名称解析。相关的设置请参考第 19 章 DNS 的介绍。

◆ **DHCP 响应速度与有网管功能的 Switch 的设置问题**

鸟哥在昆山信息传播系负责五间计算机教室的维护，每间计算机教室内部的 Giga

Switch 是低端的有网管功能的交换机。有网管功能交换机的设置信息比较多，并能够进行数据包异常的检测与过滤。问题是，如果过滤的行为太宽泛时，也可能造成许多问题。

鸟哥管理的计算机教室在重新启动网络取得 DHCP 时，都会等待长达 30 秒，虽然最终是成功的，但是为什么等这么久呢？取得 IP 之后，网络速度却又是正常的，一切没问题。在讲授网络参数设置时，学生都会哇哇叫，以为失败了，有的等了将近一分钟才告知取得 IP 且为正常。

后来问了有经验的罗组长，才发现可能是 Switch 的问题。在依次执行 L2 Features→Spanning Tree→STP Port Settings 的命令后设置子项目之类的功能时，将 STP 之类的端口都设置为关闭（Disabled）。鸟哥做完这个设置后，DHCP 的取得就顺畅了，连带的网络开机功能也就没有问题。这部分提供给大家参考一下。

网友巩立伟兄来信谈到，STP 主要的目的是阻挡广播风暴，若检测到广播风暴时，该 Switch 的端口会被停用。只是启动这个功能后，会较缓慢地进入运行状态，所以会出现较慢的情况发生。较好的 Switch 会支持 RSTP (Rapid Spanning Tree Protocol)，速度会较快一些。感谢朋友提供的信息。

12.5 重点回顾

- DHCP（Dynamic Host Configuration Protocol）可以为客户端计算机提供网络参数，使其自动设置网络的功能。
- 通过 DHCP 的统一管理，在同一网络中很少会出现 IP 冲突的情况。
- DHCP 可以通过 MAC 的比对来提供 Static IP（或称为固定 IP），否则通常向客户端分配 Dynamic IP（或称为动态 IP）。
- DHCP 除了 Static IP 与 Dynamic IP 之外，还可以提供租约行为的设置。
- 在租约期限到期之前，客户端 dhcp 软件即会主动要求更新（约 0.5、0.85 倍租约时间左右）。
- DHCP 可以提供的 MAC 比对、Dynamic IP 的 IP 范围以及租约期限等，都是在 dhcpd.conf 这个文件当中设置的。
- 一般情况下，用户需要自行设置 dhcpd.leases 这个文件，不过，真正的租约文件记录是在 /var/lib/dhclient/dhclient-eth0.leases 里面的。
- 如果只是要单纯的 DHCP 服务，建议可以购买类似 IP 路由器的设备即可提供稳定且低耗电的网络服务。

- DHCP 服务与 DNS 服务的相关性很高。
- 若 DHCP 客户端取得 IP 的速度太慢，或许可以找一下有网管功能的 Switch 的 STP 设定值。

12.6　参考数据与延伸阅读

- 维基百科的 DHCP 相关说明：http://zh.wikipedia.org/zh-tw/DHCP；http://en.wikipedia.org/wiki/Dynamic_Host_Configuration_Protocol。
- 其他可供查阅的数据

  DHCP mini HOWTO（英文版）：http://tldp.org/HOWTO/DHCP/index.html。

  DHCP mini HOWTO（中文版）：http://www.linux.org.tw/CLDP/MiniHOWTO/network/DHCP。

  Internet Software consortium：http://www.isc.org/software/dhcp。

  Study Area：http://www.study-area.org/linux/servers/linux_dhcp.htm。

  Study Area 网络开机（我本善良兄撰写）：http://www.study-area.org/Tips/wol.htm。

第 13 章

文件服务器之一：NFS 服务器

NFS 为 Network File System 的简称，它的目的就是想让不同的机器、不同的操作系统可以彼此共享数据文件。目前在 Unix Like 当中用来作为文件服务器是一个相当不错的解决方案。基本上，Unix Like 主机连接到另一台 Unix Like 主机来共享彼此的文件时，使用 NFS 要比 SAMBA 服务器快速且方便得多。此外，NFS 的配置很简单，只要记得启动 Remote Procedure Call（RPC，就是 rpcbind 这个软件）就一定能够搭建起来。真是不错。如果是在 Linux PC cluster 环境下，使用这个服务器的机率更高。所以需要了解一下。

13.1 NFS 的由来与功能

NFS 这个通过网络共享文件系统的服务在搭建的时候是很简单的，不过，它最大的问题在于“权限”。因为在客户端与服务器端必须具备相同的账号才能够访问某些目录或文件。另外，NFS 的启动需要通过所谓的远程过程调用（RPC），也就是说，我们并不是只要启动 NFS 就可以了，还需要启动 RPC 这个服务才行。

因此，在开始进行 NFS 的配置之前，我们需要先来了解一下什么是 NFS。不然讲了一堆也没有用。下面就来谈一谈什么是 NFS，同时 NFS 的启动还需要什么样的相关协议。

13.1.1 什么是 NFS (Network File System)

NFS 就是 Network File System 的缩写，最初是由 Sun 这家公司所发展出来的。它最大的功能就是**可以通过网络，让不同的机器、不同的操作系统可以共享彼此的文件**（share files）。所以，也可以简单地将它看做是一个文件服务器（file server）。这个 NFS 服务器可以让 PC 将网络中的 NFS 服务器共享的目录挂载到本地端的文件系统中，而在本地端的系统中看来，那个**远程主机的目录就好像是自己的一个磁盘分区**（partition）**一样，在使用上相当便利**。其示意结构如图 13-1 所示。

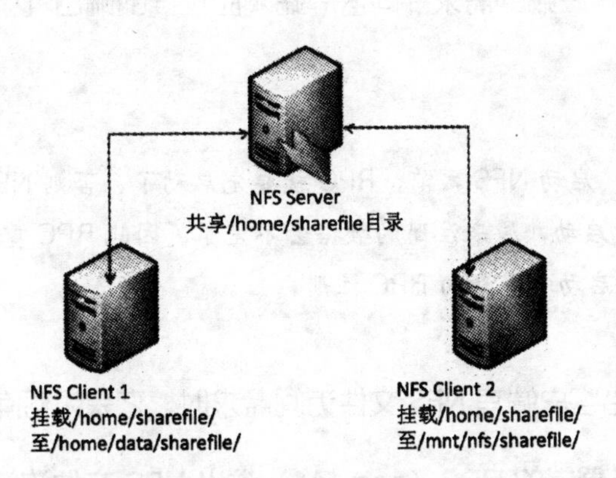

图 13-1 NFS 服务器共享目录与 Client 挂载示意图

就如同上面的图示一般，当 NFS 服务器配置好共享出来的 /home/sharefile 这个目录后，其他的 NFS 客户端就可以将这个目录挂载到自己的文件系统的某个挂载点（挂载点可以自定义）上，例如图 13-1 中的 NFS Client 1 与 NFS Client 2 挂载的目录就不相同。我只要在 NFS Client 1 系统中进入 /home/data/sharefile 内，就可以看到 NFS 服务器系统内的 /home/sharefile 目录下的所有数据了（当然，权限要足够）。这个 /home/data/sharefile 就好像 NFS Client 1 自己机器里面的一个 partition，只要权限足够，那么就可以使用 cp、cd、mv、rm 等磁盘或文件相关的命令。这样很方便。

既然 NFS 是通过网络来进行数据传输的，那么通过第 2 章谈到的 Socket Pair 的概念便知道 NFS 应该会使用一些端口。那么 NFS 使用哪个端口来进行数据传输呢？基本上 NFS 这个服务的端口开在 2049，但是由于文件系统非常复杂，因此 NFS 还有其他的程序去启动额外的端口，但这些额外的端口启动的端口号是什么呢？答案是"不知道"。**因为默认 NFS 用来传输的端口是随机选择的，小于 1024 的端口**。那客户端怎么知道服务器端使用哪个端口呢？此时就需要用**远程过程调用**（Remote Procedure Call, RPC）协议来辅助了。下面我们就来谈谈什么是 RPC。

13.1.2 什么是 RPC (Remote Procedure Call)

因为 NFS 支持的功能相当多，而不同的功能都会使用不同的程序来启动，每启动一个功能就会启用一些端口来传输数据，因此，NFS 的功能所对应的端口并不固定，而是随机取用一些未被使用的小于 1024 的端口用于传输。但如此一来又会产生客户端连接服务器的问题，因为客户端需要知道服务器端的相关端口才能够连接。

此时我们就需要远程过程调用（RPC）的服务了。**RPC 最主要的功能就是指定每个 NFS 功能所对应的 port number，并且通知给客户端，让客户端可以连接到正确的端口上去**。那 RPC 又是如何知道每个 NFS 的端口呢？这是因为**当服务器在启动 NFS 时会随机选取数个端口，并主动向 RPC 注册，因此 RPC 可以知道每个端口对应的 NFS 功能**。然后 RPC 又是固定使用 port 111 来监听客户端的需求并向客户端响应正确的端口，因此使 NFS 的启动更为快捷了。

> 请注意，启动 NFS 之前，RPC 就要先启动了，否则 NFS 会无法向 RPC 注册。另外，RPC 若重新启动，原来注册的数据会不见了，因此 RPC 重新启动后，它管理的所有服务都需要重新启动以重新向 RPC 注册。

如图 13-2 所示，当客户端有 NFS 文件访问需求时，它会如何向服务器端请求数据呢？

1）**客户端会向服务器端的 RPC（port 111）发出 NFS 文件访问功能的查询要求。**

2）**服务器端找到对应的已注册的 NFS daemon 端口后，会通知给客户端。**

3）**客户端了解正确的端口后，就可以直接与 NFS daemon 连接。**

由于 NFS 的各项功能都必须向 RPC 注册，这样 RPC 才能了解 NFS 服务的各项功能的 port number、PID、NFS 在服务器所监听的 IP 等，而客户端才能够通过 RPC 的查询找到正确对应的端口。也就是说，NFS 必须在 RPC 存在时才能成功地提供服务，因此我们称 NFS 为 RPC Server 的一种。事实上，有很多这样的服务器都是向 RPC 注册的。例如，NIS（Network Information Service）也是 RPC Server 的一种。此外，由图 13-2 也会知道，不论是客户端还是服务器端，要使用 NFS 时，两者都需要启动 RPC 才行。

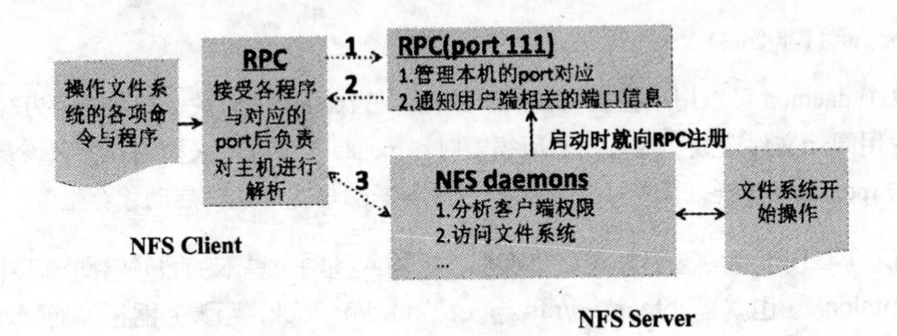

图 13-2 NFS 与 RPC 服务及文件系统操作的相关性

更多的 NFS 相关协议信息可以参考下面的网页。

- RFC 1094、NFS 协议解释：http://www.faqs.org/rfcs/rfc1094.html。
- Linux NFS-HOWTO：http://www.tldp.org/HOWTO/NFS-HOWTO/index.html。

13.1.3 NFS 启动的 RPC daemons

我们现在知道 NFS 服务器在启动的时候需要向 RPC 注册，所以 NFS 服务器也称为 RPC Server 之一。那么 NFS 服务器主要的任务是进行文件系统的共享，而文件系统的共享是与权限有关的。所以 NFS 服务器启动时至少需要两个 daemons，一个管理客户端是否能够登录的问题，一个管理客户端能够取得的权限。如果还想要管理 quota 的话，那么 NFS 还需要再加载其他的 RPC 程序。以功能较单纯的 NFS 服务器来说，需要启动以下 daemon。

- rpc.nfsd

  最主要的 NFS 服务提供程序。这个 daemon 主要的功能就是管理客户端是否能够使用服务器文件系统挂载信息等，其中还包含判断这个登录用户的 ID。

- rpc.mountd

  这个 daemon 主要的功能，则是在于管理 NFS 的文件系统。当客户端顺利地通过 rpc.nfsd 登录服务器之后，在它可以使用 NFS 服务器提供的文件之前，还会经过文件权限（就是-rwxrwxrwx 与 owner, group 那几个权限）的认证程序。它会去读 NFS 的配置文件 /etc/exports 来比对客户端的权限，当通过这一关之后客户端就可以取得使用 NFS 文件的权限了。（这个 daemon 也是我们用来管理 NFS 共享目录的权限与安全设置的地方。）

- rpc.lockd (非必要)

  这个 daemon 可以用于管理文件的锁定（lock）方面。为何文件需要锁定呢？因为既然共享的 NFS 文件可以让客户端使用，那么当多个客户端同时尝试写入某个文件时，就可能对该文件造成一些问题。rpc.lockd 则可以用来克服这些问题。但 rpc.lockd 必须要同时在客户端与服务器端都开启才行。此外，rpc.lockd 也常与 rpc.statd 同时启动。

- rpc.statd (非必要)

  这个 daemon 可以用来检查文件的一致性，与 rpc.lockd 有关。若发生因为客户端同时使用同一文件造成文件可能有所损毁时，rpc.statd 可以用来检测并尝试恢复该文件。与 rpc.lockd 一样，这个功能必须要在服务器端与客户端都启动才会生效。

上述这几个 RPC 所需要的程序，其实都已经写入到两个基本的服务启动脚本中了，那就是 nfs 和 nfslock 。也就是 /etc/init.d/nfs 与 /etc/init.d/nfslock，与服务器相关的写入 nfs 服务中，而与客户端的 rpc.lockd 相关的，就设置于 nfslock 服务中。

13.1.4 NFS 的文件访问权限

不知道你有没有想过这个问题，在图 13-1 的环境下，假如我们在 NFS Client 1 上面以 dmtsai 这个用户身份去访问 /home/data/sharefile/ 这个来自 NFS Server 所提供的文件系统，请问 NFS Server 所提供的文件系统会让我们以什么身份去访问？是 dmtsai 还是其他什么的？

为什么会这么问呢？这是因为 **NFS 本身的服务并没有进行用户身份验证**，所以；当在客户端以 dmtsai 的身份想要访问服务器端的文件系统时，**服务器端会以客户端的用户 UID 与 GID 等身份来尝试读取服务器端的文件系统**。这时产生了一个有趣的问题：**如果客户端与服务器端的用户身份并不一致怎么办？**我们以图 13-3 所示的图示来说明一下。

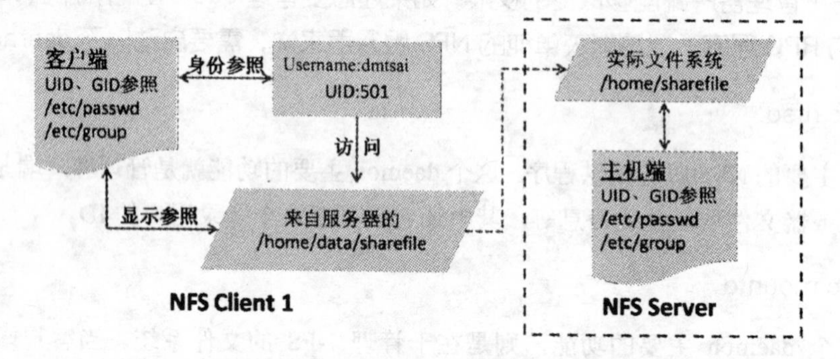

图 13-3 NFS 的服务器端与客户端的用户身份确认机制

当我们以 dmtsai 这个一般身份用户去访问来自服务器端的文件时，需要先注意到的是：**文件系统的 inode 所记录的属性为 UID、GID，而非账号与属组名**。那一般 Linux 主机会主动以自己的 /etc/passwd、/etc/group 来查询对应的用户名、组名。所以当 dmtsai 进入到该目录后，会参照 NFS Client 1 的用户名与组名。但是由于该目录的文件主要来自 NFS Server，所以可能就会出现以下几种情况。

- **NFS Server/NFS Client 刚好有相同的账号与用户组**

  此时用户可以直接以 dmtsai 的身份访问服务器所提供的共享文件系统。

- **NFS Server 的 501 这个 UID 账号对应为 vbird**

若 NFS 服务器上的 /etc/passwd 里面 UID 501 的用户名称为 vbird，则客户端的 dmtsai 可以访问服务器端的 vbird 这个用户的文件，**只因为两者具有相同的 UID 而已**。这就造成很大的问题。因为没有人可以保证客户端的 UID 所对应的账号会与服务器端相同，那服务器所提供的数据岂不就可能会被错误的用户乱改？

- **NFS Server 并没有 501 这个 UID**

  另一个极端的情况是，在服务器端并没有 501 这个 UID 的存在，则此时 dmtsai 的身份在该目录下会被压缩成匿名用户，一般 NFS 的匿名者会把 65534 作为其 ID，早期的 Linux distribution 中这个 65534 的账号名称通常是 nobody，CentOS 则取名为 nfsnobody。但有时也会有特殊的情况，例如在服务器端共享 /tmp 的情况下，dmtsain 的身份还是会保持 501，但建立的各项数据在服务器端来看，就会属于无属主的数据。

- **如果用户身份是 root**

  有个比较特殊的用户，那就是每个 Linux 主机都有的 UID 为 0 的 root。想一想，如果客户端可以用 root 的身份去访问服务器端的文件系统，那服务器端的数据哪会有什么安全性保护呀？所以**在默认的情况下，root 的身份会被主动压缩成为匿名用户**。

总之，客户端用户能做的事情是与 UID 及其 GID 有关的，那当客户端与服务器端的 UID 及账号的对应不一致时，可能就会造成文件系统使用上的混乱，这是 NFS 文件系统在使用上面的一个很重要的弊端。而在了解用户账号与 UID 及文件系统的关系之后，要实际在客户端以 NFS 使用服务器端的文件系统时，还需要具备：

- **NFS 服务器已经开放可写入的权限（与 /etc/exports 设置有关）。**
- **实际的文件权限具有可写入（w）的权限。**

当你满足了以下条件：①用户账号，即 UID 的相关身份；②NFS 服务器允许写入的权限；③文件系统确实具有 w 的权限时；你才具有该文件的可写入权限。尤其是身份（UID）确认环节，最容易搞错。也因为如此，**所以 NFS 通常需要与 NIS（第 14 章）这个可以确认客户端与服务器端身份一致的服务搭配使用**，以避免身份的错乱。

> 老实说，本节的内容比较难懂，尤其是刚刚接触到 NFS Server 的朋友。因此，你可以先略过 13.1.4 这一小节。但是，在读完与做完本章后续所有的实例之后，记得回到这一小节来再查阅一次文章内容，相信会有进一步的认识的。

13.2 NFS Server 端的配置

既然要使用 NFS，就需要安装 NFS 所需要的软件。下面让我们查询一下系统是否已经安装所需要的软件，了解一下 NFS 软件的架构以及如何配置 NFS 服务器。

13.2.1 所需要的软件

以 CentOS 6.x 为例，要配置好 NFS 服务器，我们必须要有如下两个软件才行。

- **RPC 主程序：rpcbind**

  就如同刚刚提到的，NFS 其实可以被视为一个 RPC 服务，而要启动任何一个 RPC 服务之前，我们都需要做好 port 的对应（mapping）的工作才行，这个工作其实就是由 rpcbind 这个服务所负责的。也就是说，**在启动任何一个 RPC 服务之前，我们都需要启动 rpcbind 才行**（在 CentOS 5.x 以前这个软件称为 portmap，在 CentOS 6.x 之后才称为 rpcbind）。

- **NFS 主程序：nfs-utils**

  就是提供 rpc.nfsd 及 rpc.mountd 这两个 NFS daemons 与其他相关 documents 与说明文件、可执行文件等的软件。这个是 NFS 服务所需要的主要软件，一定要有。

  好了，知道我们所需要的这两个软件之后，接下来就赶快在系统中用 RPM 来查看一下有没有这两个软件，没有的话赶快用 RPM 或 yum 去安装。

例题

我的主机是以 RPM 为套件管理的 Linux distribution，例如 Red Hat、CentOS 与 SuSE 等版本，那么请问我要如何知道我的主机里面是否已经安装了与 rpcbind 和 nfs 相关的软件呢？

答：使用 rpm -qa | grep nfs 与 rpm -qa | grep rpcbind 即可。如果没有安装的话，在 CentOS 内可以使用 yum install nfs-utils 来安装。

13.2.2 NFS 的软件结构

NFS 软件很简单，上面我们提到的 NFS 软件中，配置文件只有一个，执行文件也不多，记录文件也就两三个，赶紧先来看一看吧。

- **主要配置文件：/etc/exports**

  这个文件就是 NFS 的主要配置文件。不过，系统并没有默认值，所以这个文件**不一定会存在**，可能必须要使用 vim 主动地建立起这个文件。我们下面要谈的设置也仅涉及这个文件而已。

- **NFS 文件系统维护命令：/usr/sbin/exportfs**

  这个是维护 NFS 共享资源的命令，我们可以利用这个命令重新共享 /etc/exports 更新的目录资源、将 NFS Server 共享的目录卸载或重新共享等，这是 NFS 系统里面相当重要的一个命令。至于命令的用法我们在后面会介绍。

- **共享资源的日志文件：/var/lib/nfs/*tab**

  在 NFS 服务器中，日志文件都放置到 /var/lib/nfs/ 目录中，在该目录下有两个比较重要的日志文件，一个是 etab，主要记录了 NFS 所共享出来的目录的完整权限设置值；另一个是 xtab，则记录了曾经链接到此 NFS 服务器的相关客户端的数据。

- **客户端查询服务器共享资源的命令：/usr/sbin/showmount**

  这是另一个重要的 NFS 命令。exportfs 用在 NFS Server 端，而 showmount 则主要用在 Client 端。这个 showmount 可以用来查看 NFS 共享出来的目录资源。

不难吧，主要就是这几个了。

13.2.3　/etc/exports 配置文件的语法与参数

在开始 NFS 服务器的配置之前，必须要了解的是，**NFS 会直接使用到内核功能，所以内核必须要支持 NFS 才行**。万一如果所用的核心版本小于 2.2 版，或者重新自行编译过内核的话，那么就需要注意了，因为你可能会忘记选择 NFS 的内核支持。

还好，我们的 CentOS 或者是其他版本的 Linux，默认内核通常是支持 NFS 功能的，所以只要确认内核版本是当前新的 2.6.x 版，并且使用的是 distribution 所提供的内核，那应该就不会有问题了。

> 上面提醒您这个问题的原因是，以前鸟哥都很喜欢自行编译一个特别的内核，但是某次编译内核时，却忘记加上了 NFS 的内核支持功能，结果 NFS Server 无论如何也搞不起来，最后才想到原来我的内核是非正规的。

至于 NFS 服务器的搭建实在很简单，你**只要编辑好主要配置文件 /etc/exports 之后，先启动 rpcbind（若已经启动了，就不要重新启动），然后再启动 nfs，NFS 就成功了**。不过这样的设置能否对客户端生效？那就需要考虑权限方面的配置能力了。闲言少叙，我们现在就直接来看看/etc/exports 应该如何设置吧。某些 distribution 并不会主动提供 /etc/exports 文件，所以需要自行手动建立它。

```
[root@www ~]# vim /etc/exports
/tmp         192.168.100.0/24(ro)localhost(rw)
   *.ev.ncku.edu.tw(ro,sync)
[共享目录]   [第一台主机(权限)]        [可用主机名表示]           [可用通配符表示]
```

这个配置文件很简单。每一行最前面是要共享出来的目录，注意，是以目录为单位的。

然后这个目录可以依照不同的权限共享给不同的主机。鸟哥上面的例子说明的是，要将 /tmp 分别共享给 3 个不同的主机或网络。记得主机后面以小括号“()”定义权限参数，若权限参数不止一个时，则以逗号“,”分开，并且主机名与小括号是连在一起的。在这个文件内也可以利用“#”来进行注释。

至于主机名的设置主要有以下几种方式：

- **可以使用完整的 IP 或者是网络号，例如 192.168.100.10 或 192.168.100.0/24，或 192.168.100.0/255.255.255.0 都可以接受。**
- **可以使用主机名，但这个主机名必须要在 /etc/hosts 内，或可使用 DNS 找到该名称才行。反正重点是可找到 IP 就行。如果是主机名的话，那么可以支持通配符，例如“*”或“?”均可接受。**

至于权限方面（就是小括号内的参数），常见的参数如表 13-1 所示。

表 13-1 /etc/exports 配置文件的权限参数

参数值	内容说明
rw ro	该目录共享的权限是可读写 (read-write) 或只读 (read-only)，但最终能不能读写，还是与文件系统的 rwx 及身份有关
sync async	sync 代表数据会同步写入到内存与硬盘中，async 则代表数据会先暂存于内存当中，而非直接写入硬盘
no_root_squash root_squash	客户端使用 NFS 文件系统的账号若为 root 时，系统该如何判断这个账号的身份？默认的情况下，客户端 root 的身份会由 root_squash 的设置压缩成 nfsnobody，如此对服务器的系统会较有保障。但如果想要开放客户端使用 root 身份来操作服务器的文件系统，那么这里就需要开放 no_root_squash 才行
all_squash	不论登录 NFS 的用户身份为何，他的身份都会被压缩成为匿名用户，通常也就是 nobody(nfsnobody)
anonuid anongid	anon 意指 anonymous (匿名用户) 前面关于 *_squash 提到的匿名用户的 UID 设置值，通常为 nobody(nfsnobody)，但是你可以自行设置这个 UID 的值。当然，这个 UID 必须要存在于/etc/passwd 当中。anonuid 指的是 UID 而 anongid 则是组的 GID

这是几个比较常见的权限参数，如果你有兴趣设置其他的参数，请自行使用 man exports 命令，可以发现很多有趣的数据。接下来我们利用上述的几个参数来实际思考一下几个有趣的小习题。

例题

让 root 保留 root 的权限

假如想将 /tmp 共享出去给大家使用，由于这个目录本来就是大家都可以读写的，因此想让所有的人都可以访问。此外，要让 root 写入的文件还具有 root 的权限，那应如何设计配置文件？

答：

```
[root@www ~]# vim /etc/exports
# 任何人都可以用 /tmp，用通配符来处理主机名，重点在 no_root_squash
/tmp  *(rw,no_root_squash)
```

主机名可以使用通配符，上例中表示无论来自哪里都可以使用/tmp 这个目录。再次提醒，*（rw,no_root_squash）这个设置值中间是没有空格符的，而/tmp 与*（rw,no_root_squash）则是用空格符来隔开的。**特别注意 no_root_squash 的功能**。在这个例子中，如果你是客户端，而且你是以 root 的身份登录你的 Linux 主机，那么当你 mount 上我这部主机的 /tmp 之后，你在该 mount 的目录当中，将具有 root 的权限。

例题

同一目录针对不同范围开放不同权限

假如要将一个公共的目录 /home/public 开放，但是需要限定在局域网 192.168.100.0/24 这个网络且加入 vbirdgroup（第 1 章的例题建立的组）的用户才能够读写，其他来源的用户则只能读取。

答：

```
[root@www ~]# mkdir /home/public
[root@www ~]# setfacl -m g:vbirdgroup:rwx /home/public
[root@www ~]# vim /etc/exports
/tmp           *(rw,no_root_squash)
/home/public  192.168.100.0/24(rw)    *(ro)
# 继续累加在后面，注意，将主机与网络分为两段（用空格分隔）
```

上面的例子说的是，当 IP 是在 192.168.100.0/24 这个网段的时候，那么当在 Client 端挂载了 Server 端的 /home/public 后，针对这个挂载的目录就具有可以读写的权限。至于不在这个网段之内的情况，那么这个目录的数据就仅能读取而已，亦即为只读的属性。

需要注意的是，通配符仅能用在主机名的分辨上面，**IP 或网段只能用 192.168.100.0/24 的形式，不可以使用 192.168.100.*。**

例题

仅给某个单一主机使用的目录设置

假如要将一个私人的目录 /home/test 开放给 192.168.100.10 这个 Client 端的机器来使

用，该如何设置？假设具有完整的权限的用户是 dmtsai。

答：

```
[root@www ~]# mkdir /home/test
[root@www ~]# setfacl -m u:dmtsai:rwx /home/test
[root@www ~]# vim /etc/exports
/tmp          *(rw,no_root_squash)
/home/public  192.168.100.0/24(rw)    *(ro)
/home/test    192.168.100.10(rw)
# 只要设置的 IP 正确即可
```

这样就设定完成了。而且，只有 192.168.100.10 这台机器才能对 /home/test 这个目录进行访问。

例题

开放匿名访问的情况

假如要让 *.centos.vbird 网络的主机，登录到 NFS 主机时，可以访问 /home/linux，但是在写入数据时，希望它们的 UID 与 GID 都变成 45 这个身份的用户，假设 NFS 服务器上的 UID 45 与 GID 45 的用户/组名为 nfsanon。

答：

```
[root@www ~]# groupadd -g 45 nfsanon
[root@www ~]# useradd -u 45 -g nfsanon nfsanon
[root@www ~]# mkdir /home/linux
[root@www ~]# setfacl -m u:nfsanon:rwx /home/linux
[root@www ~]# vim /etc/exports
/tmp          *(rw,no_root_squash)
/home/public  192.168.100.0/24(rw)    *(ro)
/home/test    192.168.100.10(rw)
/home/linux   *.centos.vbird(rw,all_squash,anonuid=45,anongid=45)
# 如果要开放匿名访问，那么重点是 all_squash，并且要配合 anonuid
```

特别注意 all_squash 与 anonuid、anongid 的功能。如此一来，当 clientlinux.centos.vbird 登录这台 NFS 主机，并且在 /home/linux 写入文件时，该文件的属主与属组就会变成 /etc/passwd 里面对应的 UID 为 45 的那个身份的用户了。

上面四个案例的权限如果依照 13.1.4 访问设置权限来思考的话，那么会是什么情况呢？让我们来检查一下。

1. 客户端与服务器端具有相同的 UID 与账号

假设我们在 192.168.100.10 登录这台 NFS（IP 假设为 192.168.100.254）服务器，并且在 192.168.100.10 的账号为 dmtsai，同时，在这台 NFS 上面也有 dmtsai 这个账号，并具有相同的 UID，果真如此的话，那么：

1）由于 192.168.100.254 这台 NFS 服务器的 /tmp 权限为 -rwxrwxrwt，所以客户端（dmtsai 在 192.168.100.10 上面）在 /tmp 下面具有访问的权限，并且写入文件的属主为 dmtsai。

2）在 /home/public 当中，由于我们有读写的权限，所以如果 /home/public 这个目录的权限对于 dmtsai 为开放写入的话，那么我们就可以读写，并且写入文件的属主是 dmtsai。但是万一 /home/public 对于 dmtsai 这个用户并没有开放可以写入的权限，那么我们还是没有办法写入文件。这点请特别留意。

3）在 /home/test 当中，我们的权限与 /home/public 相同，还需要 NFS 服务器的 /home/test 对于 dmtsai 的开放权限。

4）在 /home/linux 当中就比较麻烦。因为不论你是何种用户，你的身份一定会变成 UID=45 这个账号。所以，这个目录就必须要针对 UID = 45 的那个账号名称修改它的权限才行。

2. 客户端与服务器端的账号并不相同

假如我们在 192.168.100.10 的身份为 vbird（UID 为 600），但是 192.168.100.254 这台 NFS 主机却没有 UID=600 的账号，情况会变成怎样呢？

1）我们在 /tmp 下面还是可以写入，只是该文件的权限会保持为 UID=600，因此服务器端看起来就会怪怪的，因为找不到 UID=600 这个账号的显示，故文件属主会填上 600。

2）我们在 /home/public 里面是否可以写入，还需要视 /home/public 的权限而定，不过，由于没有加上 all_squash 的参数，因此在该目录下会保留客户端的用户 UID。

3）/home/test 的权限与 /home/public 相同。

4）/home/linux 下面，身份就变成 UID = 45 那个用户。

3. 当客户端的身份为 root 时

假如我们在 192.168.100.10 的身份为 root 呢？root 这个账号每个系统都会有，那么权限会变成什么样呢？

1）我们在 /tmp 里面可以写入，并且由于 no_root_squash 的参数改变了默认的

root_squash 设置值，所以在 /tmp 写入的文件属主为 root。

2）我们在 /home/public 下面的身份还是被压缩成为 nobody 了，因为默认属性里面都具有 root_squash。所以，如果 /home/public 有针对 nobody 开放写入权限时，那么我们就可以写入，但是文件的属主将变成 nobody。

3）/home/test 与 /home/public 相同。

4）/home/linux 的情况中，root 的身份也被压缩成为 UID = 45 的那个用户了。

这样讲解之后，对于权限就应该会比较了解了。这是最重要的地方，如果这一关通过了，下面就没有问题了。在将本节读完后，最好还是回到 13.1.4 小节 NFS 的文件访问权限好好地看一看，才能解决 NFS 的问题。

13.2.4 启动 NFS

配置文件搞定后，就可以启动 NFS 了。前面我们提到过，NFS 的启动还需要 rpcbind 的协助。下面我们就来学习如何启动 NFS。

```
[root@www ~]# /etc/init.d/rpcbind start
# 如果 rpcbind 本来就已经在执行了，那就不需要启动了

[root@www ~]# /etc/init.d/nfs start
# 有时候某些 distributions 可能会出现如下的警告信息：
exportfs: /etc/exports [3]: No 'sync' or 'async' option specified
for export "192.168.100.10:/home/test".
  Assuming default behaviour ('sync').
# 上面的警告信息仅是在告知因为我们没有指定 sync 或 async 的参数，
# 则 NFS 将默认会使用 sync 的信息而已。你可以不理它，也可以加入 /etc/exports

[root@www ~]# /etc/init.d/nfslock start
[root@www ~]# chkconfig rpcbind on
[root@www ~]# chkconfig nfs on
[root@www ~]# chkconfig nfslock on
```

rpcbind 根本就不需要设置，只要直接启动它即可。**启动之后，会出现一个 port 111 的 sunrpc 的服务，那就是** rpcbind。至于 nfs 则会启动至少两个以上的 daemon，然后就开始监听 Client 端的请求。必须要特别注意屏幕上面的输出信息，因为如果配置文件写错的话，屏幕上会显示出错误的地方。

此外，如果想要增加一些 NFS 服务器的数据一致性功能，可能需要用到 rpc.lockd 及 rpc.statd 等 RPC 服务，这时就需要增加一个服务，那就是 nfslock。启动之后，请赶快到 /var/log/messages 里面看看有没有正确地启动。

```
[root@www ~]# tail /var/log/messages
Jul 27 17:10:39 www kernel: Installing knfsd (copyright (C) 1996
okir@monad.swb.de).
Jul 27 17:10:54 www kernel: NFSD: Using /var/lib/nfs/v4recovery as the NFSv4
state
recovery directory
Jul 27 17:10:54 www kernel: NFSD: starting 90-second grace period
Jul 27 17:11:32 www rpc.statd[3689]: Version 1.2.2 starting
```

在确认启动没有问题之后，接下来我们来看一看 NFS 到底开了哪些端口。

```
[root@www ~]# netstat -tulnp| grep -E '(rpc|nfs)'
Active Internet connections (only servers)
Proto Recv-Q Send-Q Local Address   Foreign Address  State   PID/Program name
tcp        0      0 0.0.0.0:875     0.0.0.0:*        LISTEN  3631/rpc.rquotad
tcp        0      0 0.0.0.0:111     0.0.0.0:*        LISTEN  3601/rpcbind
tcp        0      0 0.0.0.0:48470   0.0.0.0:*        LISTEN  3647/rpc.mountd
tcp        0      0 0.0.0.0:59967   0.0.0.0:*        LISTEN  3689/rpc.statd
tcp        0      0 0.0.0.0:2049    0.0.0.0:*        LISTEN  -
udp        0      0 0.0.0.0:875     0.0.0.0:*                3631/rpc.rquotad
udp        0      0 0.0.0.0:111     0.0.0.0:*                3601/rpcbind
udp        0      0 0.0.0.0:897     0.0.0.0:*                3689/rpc.statd
udp        0      0 0.0.0.0:46611   0.0.0.0:*                3647/rpc.mountd
udp        0      0 0.0.0.0:808     0.0.0.0:*                3601/rpcbind
udp        0      0 0.0.0.0:46011   0.0.0.0:*                3689/rpc.statd
```

可以看出，NFS 开启了很多 port，真是可怕。不过主要的端口是：

- rpcbind 启动的 port 在 111，同时启动在 UDP 与 TCP。
- NFS 本身的服务启动在 port 2049 上。
- 其他 rpc.* 服务启动的 port 则是随机产生的，因此需向 port 111 注册。

好了，那怎么知道每个 RPC 服务的注册状况呢？没关系，可以使用 rpcinfo 来查看。

```
[root@www ~]# rpcinfo -p [IP|hostname]
[root@www ~]# rpcinfo -t|-u  IP|hostname 程序名称
选项与参数：
-p ：针对某 IP（未写则默认为本机）显示出所有的 port 与 program 的信息
-t ：针对某主机的某个程序检查其 TCP 数据包所在的软件版本
-u ：针对某主机的某支程序检查其 UDP 数据包所在的软件版本

# 1. 显示出目前这台主机的 RPC 状态
[root@www ~]# rpcinfo -p localhost
   program vers proto   port  service
    100000    4   tcp    111  portmapper
```

```
    100000    3   tcp    111  portmapper
    100000    2   tcp    111  portmapper
    100000    4   udp    111  portmapper
    100000    3   udp    111  portmapper
    100000    2   udp    111  portmapper
    100011    1   udp    875  rquotad
    100011    2   udp    875  rquotad
    100011    1   tcp    875  rquotad
    100011    2   tcp    875  rquotad
    100003    2   tcp   2049  nfs
....(省略)....
# 程序代号 NFS 版本 数据包类型 端口   服务名称

# 2. 针对 nfs 这个程序检查其相关的软件版本信息 (仅查看 TCP 数据包)
[root@www ~]# rpcinfo -t localhost nfs
program 100003 version 2 ready and waiting
program 100003 version 3 ready and waiting
program 100003 version 4 ready and waiting
# 可发现提供 NFS 的版本共有三种，分别是 2、3、4 版
```

仔细观察，上面出现的信息当中除了程序名称与对应的端口可以与 netstat -tlunp 输出的结果作比对之外，还需要注意到 NFS 的版本支持。新的 NFS 版本传输速度较快。由上表看起来，我们的 NFS 至少支持到第 4 版，应该还算合理。**如果 rpcinfo 无法输出，那就表示注册的数据有问题，可能需要重新启动 rpcbind 与 nfs。**

13.2.5 NFS 的连接查看

在 NFS 服务器设置妥当之后，我们可以在 Server 端先自我测试一下是否可以连接。具体做法就是利用 showmount 这个命令来查看。

```
[root@www ~]# showmount [-ae] [hostname|IP]
选项与参数:
-a : 显示当前主机与客户端的 NFS 连接共享的状态
-e : 显示某台主机的 /etc/exports 所共享的目录数据

# 1. 请显示出刚刚我们所设置好的相关 exports 共享目录信息
[root@www ~]# showmount -e localhost
Export list for localhost:
/tmp          *
/home/linux   *.centos.vbird
/home/test    192.168.100.10
/home/public  (everyone)
```

很简单吧。当需要扫描某一台主机提供的 NFS 共享的目录时，就使用 showmount -e IP（或 hostname）即可，非常方便。这也是 NFS Client 端最常用的命令。另外，NFS 关于目录权限设置的数据非常之多。/etc/exports 只是比较特别的权限参数而已，还有很多默认参数。这些默认参数在哪里？我们可以检查一下/var/lib/nfs/etab 就知道了。

```
[root@www ~]# tail /var/lib/nfs/etab
/home/public
192.168.100.0/24(rw,sync,wdelay,hide,nocrossmnt,secure,root_squash,
no_all_squash,no_subtree_check,secure_locks,acl,anonuid=65534,anongid=65534
)
# 上面是同一行，可以看出除了 rw、sync、root_squash 等，
# 其实还有 anonuid 及 anongid 等的设置
```

上面仅仅是一个小范例，通过分析 anonuid=65534 对比 /etc/passwd 后，会发现 CentOS 出现的是 nfsnobody。这个账号在不同的版本中可能会不一样。另外，**如果有其他客户端挂载了你的 NFS 文件系统，那么该客户端与文件系统信息就会被记录到 /var/lib/nfs/xtab 里去。**

另外，如果想要重新处理 /etc/exports 文件，当重新设置完 /etc/exports 后需不需要重新启动 NFS？不需要。如果重新启动 NFS 的话，要得再向 RPC 注册，很麻烦。这个时候我们可以通过 exportfs 这个命令来帮忙。

```
[root@www ~]# exportfs [-aruv]
选项与参数：
-a ：全部挂载(或卸载) /etc/exports 文件中的设置
-r ：重新挂载 /etc/exports 里面的设置，此外，亦同步更新 /etc/exports
     及 /var/lib/nfs/xtab 的内容
-u ：卸载某一目录
-v ：在 export 的时候，将共享的目录显示到屏幕上

# 1. 重新挂载一次 /etc/exports 的设置
[root@www ~]# exportfs -arv
exporting 192.168.100.10:/home/test
exporting 192.168.100.0/24:/home/public
exporting *.centos.vbird:/home/linux
exporting *:/home/public
exporting *:/tmp

# 2. 将已经共享的 NFS 目录资源，全部都卸载
[root@www ~]# exportfs -auv
# 这时如果你再使用 showmount -e localhost 就看不到任何资源了
```

要熟悉一下这个命令的用法。这样一来，就可以直接重新 exportfs 我们记录在 /etc/exports 文件中的目录数据了。但是要特别留意，如果仅处理配置文件，但并没有相对应

的目录（/home/public 等目录）可供使用，那可能会出现一些警告信息。所以记需要建立共享的目录才对。

13.2.6 NFS 的安全性

在 NFS 的安全性上面，有些地方是要必须知道的。下面我们分别来谈一谈。

1. 防火墙的设置问题与解决方案

一般来说，NFS 的服务仅会对内部网络开放，不会对因特网开放。然而，如果有特殊需求的话，那么也可能会跨不同网络。但是，NFS 的防火墙特别难搞，为什么呢？因为除了固定的 port 111、2049 之外，还有很多由 rpc.mountd、rpc.rquotad 等服务所开启的不固定的端口，所以，iptables 就很难设定规则。那怎么办？难道整个防火墙机制都要取消吗？

为了解决这个问题，CentOS 6.x 提供了一个固定特定 NFS 服务的端口配置文件，那就是 /etc/sysconfig/nfs。在这个文件里面就能够指定特定的端口，这样每次启动 NFS 时，相关服务启动的端口就会固定，这样，我们就能够设置正确的防火墙了。这个配置文件内容很多，绝大部分的数据都不需要去更改，只要修改与 PORT 这个关键词有关的数据即可。那么需要修改的 RPC 服务有哪些呢？主要有 mountd、rquotad、nlockmgr 这 3 个，所以应该这样改：

```
[root@www ~]# vim /etc/sysconfig/nfs
RQUOTAD_PORT=1001     <==约在 13 行左右
LOCKD_TCPPORT=30001 <==约在 21 行左右
LOCKD_UDPPORT=30001 <==约在 23 行左右
MOUNTD_PORT=1002      <==约在 41 行左右
# 记得设置值最左边的注释符号务必要拿掉，端口的值你也可以自行决定

[root@www ~]# /etc/init.d/nfs restart
[root@www ~]# rpcinfo -p | grep -E '(rquota|mount|nlock)'
    100011    2   udp    1001  rquotad
    100011    2   tcp    1001  rquotad
    100021    4   udp   30001  nlockmgr
    100021    4   tcp   30001  nlockmgr
    100005    3   udp    1002  mountd
    100005    3   tcp    1002  mountd
# 上述的输出数据已经被鸟哥整理过了，没用到的端口先挪掉了
```

很可怕吧，如果想要开放 NFS 给别的网络中的朋友使用，又不想要让对方拥有其他服务的登录功能，那防火墙就需要开放上述的 10 个端口，真够麻烦的。假设你想要开放 120.114.140.0/24 这个网络的用户能够使用你这台服务器的 NFS 的资源，且假设你已经使用第 9 章提供的防火墙脚本，那么你还需要这样做才能够对该网络放行：

```
[root@www ~]# vim /usr/local/virus/iptables/iptables.allow
iptables -A INPUT -i $EXTIF -p tcp -s 120.114.140.0/24 -m multiport \
        --dport 111,2049,1001,1002,30001 -j ACCEPT
iptables -A INPUT -i $EXTIF -p udp -s 120.114.140.0/24 -m multiport \
        --dport 111,2049,1001,1002,30001 -j ACCEPT

[root@www ~]# /usr/local/virus/iptables/iptables.rule
# 总是要重新执行这样防火墙规则才会顺利地生效。别忘记。
```

2. 使用 /etc/exports 设置更安全的权限

这就牵涉到逻辑思考了。怎么设置都没有关系，但是在“便利”与“安全”之间，要找到平衡点。善用 root_squash 及 all_squash 等功能，再利用 anonuid 等的设置来规范登录主机的用户身份，应该还是有办法提供一个较为安全的 NFS 服务器的。

另外，NFS 服务器的文件系统的权限设置也需要留意。不要随便设定成为 -rwxrwxrwx，这样会给系统留下非常大的安全隐患。

3. 更安全的 partition 规划

如果工作环境中有多台 Linux 主机，并且打算彼此共享目录，那么在安装 Linux 的时候，最好规划出一块 partition 作为预留之用。因为 **NFS 可以针对目录来共享**，因此，可以将预留的 partition 挂载在任何一个挂载点，再将该挂载点（就是目录）在 /etc/exports 的设置中共享出去，那么整个工作环境中的其他 Linux 主机就可以使用该 NFS 服务器的那块预留的 partition 了。所以，在主机的规划上面，主要需要留意的只有 partition 而已。此外，由于共享的 partition 可能较容易被入侵，最好在 /etc/fstab 文件中针对该 partition 设置比较严格的权限参数。

此外，如果分区方案做得不够好，举例来说，很多人都喜欢使用懒人分区法，也就是整个系统中只有一个根目录的 partition。这样做会有什么问题呢？假设共享的是 /home 这个给一般用户的目录，有些用户觉得这个 NFS 的磁盘太好用了，结果用户就将他的一大堆暂存数据全部塞进这个 NFS 磁盘中。想一想，如果整个根目录被这个 /home 塞爆了，那么系统将会造成无法读写的问题。因此，一个良好的分割规划，或者是利用磁盘配额来限制还是很重要的。

4. NFS 服务器关机前的注意事项

需要注意的是，当 NFS 使用的这个 RPC 服务在客户端连上服务器时，那么服务器想要关机，那可就会成为“不可能的任务”。如果服务器上面还有客户端在连接，那么可能需要等到几个钟头才能够正常关机。

所以，建议 NFS Server 在想要关机之前，先关掉 rpcbind 与 nfs 这两个 daemon，如果无法正确地将这两个 daemon 关掉，那么先以 netstat –utlp 找出 PID，然后再以 kill 将它们关掉。这样才有办法正常地关机成功。这个请特别注意。

当然啦，也可以利用 showmount –a localhost 来查出哪个客户端还在连接，或者是通过查阅 /var/lib/nfs/rmtab 或 xtab 等文件来检查亦可。找到这些客户端后，可以直接 call 它们，让它们先帮忙挂断服务。

事实上，客户端以 NFS 连接到服务器端时，如果它们可以下达一些比较不那么“硬”的挂载参数，就能够减少这方面的问题。相关的安全性可以参考下一小节中的客户端可处理的挂载参数与开机挂载。

13.3 NFS 客户端的设置

既然 NFS 服务器最主要的工作就是共享文件系统给网络上其他的客户端，所以客户端当然需要挂载这个玩意儿了。此外，服务器端可以加设防火墙来保护自己的文件系统，那么客户端挂载该文件系统后，不需要保护自己吗？所以下面我们要来谈一谈 NFS 客户端的几个问题。

13.3.1 手动挂载 NFS 服务器共享的资源

要如何挂载 NFS 服务器所提供的文件系统呢？基本上，可以这样做：

1）**确认本地端已经启动了 rpcbind 服务。**

2）**扫描 NFS 服务器共享的目录有哪些，并了解我们是否可以使用（showmount）。**

3）**在本地端建立预计要挂载的挂载点目录（mkdir）。**

4）**利用 mount 将远程主机直接挂载到相关目录。**

假设客户端在 192.168.100.10 这台机器上，而服务器是 192.168.100.254，那么赶紧来检查一下我们是否已经启动了 rpcbind 服务，另外看看远程主机有什么可用的目录。

```
# 1. 启动必备的服务。若没有启动才启动，有启动则保持原样不动
[root@clientlinux ~]# /etc/init.d/rpcbind start
[root@clientlinux ~]# /etc/init.d/nfslock start
# 一般来说，系统默认会启动 rpcbind，不过鸟哥之前关闭过，所以要启动
# 另外，如果服务器端已经启动 nfslock 的话，客户端也要启动才能生效

# 2. 查询服务器给我们提供了哪些可以使用的资源
[root@clientlinux ~]# showmount -e 192.168.100.254
Export list for 192.168.100.254:
/tmp         *
/home/linux  *.centos.vbird
```

```
/home/test    192.168.100.10
/home/public (everyone)    ←这是等一下我们要挂载的目录
```

接下来我们想要将远程主机的 /home/public 挂载到本地端主机的 /home/nfs/public，所以就需要在本地端主机先建立起这个挂载点目录，然后就可以用 mount 这个命令直接挂载 NFS 文件系统了。

```
# 3. 建立挂载点，并且实际挂载看看
[root@clientlinux ~]# mkdir -p /home/nfs/public
[root@clientlinux ~]# mount -t nfs 192.168.100.254:/home/
public/home/nfs/public
# 注意一下挂载的语法。-t nfs 用于指定文件系统类型，
# IP:/dir 则是指定某一台主机的某个目录。另外，如果出现如下错误：
mount: 192.168.100.254:/home/public failed, reason given by server: No such
file
or directory
# 这代表在 Server 上面并没有建立 /home/public。那就自己在服务器端建立它吧

# 4. 使用 df 或 mount 看看挂载之后的情况如何
[root@clientlinux ~]# df
文件系统                1K-块          已用          可用      已用%   挂载点
....(中间省略)....
192.168.100.254:/home/public
                       7104640        143104        6607104    3%
    /home/nfs/public
```

这样就可以将数据挂载进来，请先注意一下挂载 NFS 文件的格式范例。以后，**只要你进入/home/nfs/public 目录就等于进入 192.168.100.254 那台远程主机的 /home/public 那个目录**，很不错吧。至于你在该目录下有什么权限？那就请回到前一小节中查一查权限的内容。那么如何将挂载的 NFS 目录卸载呢？就使用 umount。

```
[root@clientlinux ~]# umount /home/nfs/public
```

13.3.2　客户端可处理的挂载参数与开机挂载

客户端的挂载工作很简单，不过有一个问题，如果你刚刚挂载到本机 /home/nfs/public 的文件系统中含有一个 script，且这个 script 的内容为 rm –rf /，文件权限为 555，如果你因为好奇执行这个脚本，那就坏了，因为整个系统都会被删掉。

所以，除了 NFS 服务器需要保护之外，我们使用人家的 NFS 文件系统也需要自我保护。那要如何自我保护？可以通过使用 mount 的命令参数实现，表 13–2 列出了 mount 命令的主要参数。

表 13-2 mount 命令的主要参数

参数	参数意义	系统默认值
suid nosuid	当挂载的 partition 上面有任何 SUID 的 binary 程序时，只要使用 nosuid 就能够取消 SUID 的功能。如果不知道什么是 SUID，那就赶紧回到基础学习篇第三版，复习一下第 17 章“程序与资源管理”	suid
rw ro	你可以指定该文件系统是只读（ro）或可读写的。服务器可以提供可读写，但是客户端可以仅允许只读的参数设置值	rw
dev nodev	是否可以保留设备文件的特殊功能？一般来说只有 /dev 这个目录才会有特殊的设备，因此可以选择 nodev	dev
exec noexec	是否具有执行 binary file 的权限？如果想要挂载的仅是数据分区（例如 /home），那么可以选择 noexec	exec
user nouser	是否允许用户进行文件的挂载与卸载操作？ 如果要保护文件系统，最好不要允许用户进行挂载与卸载	nouser
auto noauto	这个 auto 指的是 mount -a 时，会不会被挂载到项目。如果不需要这个 partition 随时被挂载，可以设定为 noauto	auto

一般来说，如果 NFS 服务器所提供的只是类似 /home 下面的个人数据，应该不需要可执行、SUID 与设备文件，因此在挂载的时候，可以使用这样命令：

```
[root@clientlinux ~]# umount /home/nfs/public
[root@clientlinux ~]# mount -t nfs -o nosuid,noexec,nodev,rw \
> 192.168.100.254:/home/public /home/nfs/public

[root@clientlinux ~]# mount | grep addr
192.168.100.254:/home/public on /home/nfs/public type nfs (rw,noexec,nosuid,
nodev,vers=4,addr=192.168.100.254,clientaddr=192.168.100.10)
```

这样一来挂载的这个文件系统就只能进行数据访问，相对来说，对于客户端是比较安全一些的。所以，nosuid、noexec、nodev 等参数需要牢记。

1. 关于 NFS 特殊的挂载参数

除了上述的 mount 参数之外，其实针对 NFS 服务器，Linux 还提供了不少有用的额外参数。这些特殊参数非常有用。为什么呢？举例来说，由于文件系统对于 Linux 是非常重要的东西，因为我们进行任何操作时，只要是用到文件系统，那么整个目录树系统就会主动地去查询全部的挂载点。如果 NFS 服务器与客户端之间的连接因为网络问题，或者是服务器端先关机了却没有通知客户端，那么客户端只要使用到文件系统的命令（例如 df、ls、cp 等），整个系统就会变得非常慢。因为必须要等到文件系统查找等待超时后，系统才能够继续工作（鸟哥等过 df 命令执行了 30 分钟）。

为了避免这些问题，我们还有一些额外的 NFS 挂载参数可用，如表 13-3 所示。

表 13-3 额外的 NFS 挂载参数

参数	参数功能	默认参数
fg bg	当执行挂载时，该挂载的行为会在前台 (fg) 还是在后台 (bg) 执行？若在前台执行，则 mount 会持续尝试挂载，直到成功或 time out 为止；若为后台执行，则 mount 会在后台持续多次进行 mount，而不会影响到前台的程序运行。如果网络连接有点不稳定，或是服务器常常需要开关机，那建议使用 bg 比较妥当	fg
soft hard	如果是 hard 的情况，则当两者之间有任何一台主机脱机，则 RPC 会持续地呼叫，直到对方恢复连接为止。如果是 soft 的话，那 RPC 会在 time out 后重复呼叫，而非持续呼叫，因此系统的延迟将不是特别明显。同上，如果服务器可能开开关关，建议用 soft	hard
intr	当使用上面提到的 hard 方式挂载时，若加上 intr 这个参数，则当 RPC 持续呼叫时，该次的呼叫是可以被中断的 (interrupted)	无
rsize wsize	读出(rsize)与写入(wsize)的区块大小 (block size)。这个设置值可以影响客户端与服务器端传输数据的缓冲记忆容量。一般来说，如果在局域网(LAN) 内，并且客户端与服务器端都具有足够的内存，那这个值可以设置得大一点，比如 32768 (bytes) 等，提升缓冲区大小将提升 NFS 文件系统的传输能力。但要注意设置的值也不要太大，最好是达到网络能够传输的最大值为限	rsize=1024 wsize=1024

更多的参数可以参考 man nfs 的输出数据。通常，如果 NFS 是用在高速运行的环境当中的话，那么建议加上这些参数：

```
[root@clientlinux ~]# umount /home/nfs/public
[root@clientlinux ~]# mount -t nfs -o nosuid,noexec,nodev,rw \
> -o bg,soft,rsize=32768,wsize=32768 \
> 192.168.100.254:/home/public /home/nfs/public
```

则当 192.168.100.254 这台服务器因为某些因素而脱机时，NFS 可以继续在后台重复呼叫，直到 NFS 服务器再度上线为止。这对于系统的持续操作还是有帮助的。当然，**rsize 与 wsize 的大小则需要依据实际网络环境而定。**

> 在鸟哥的实际案例中，某些大型的模式运算并不允许 soft 这个参数。举例来说，鸟哥惯用的 CMAQ 空气质量模式，这个模式的群集架构共享文件系统中，就不允许使用 soft 参数。这点需要特别留意。

2. 使 NFS 开机即挂载

我们知道开机就挂载的挂载点与相关参数是写入 /etc/fstab 文件中的，那 NFS 能不能写入 /etc/fstab 中呢？非常可惜的是，不可以。为什么呢？分析一下开机的流程，我们可以发现网络的启动是在本机挂载之后，因此当你利用 /etc/fstab 尝试挂载 NFS 时，系统由于尚未启动网络，所以肯定是无法挂载成功的。那怎么办？写入 /etc/rc.d/rc.local 即可。

```
[root@clientlinux ~]# vim /etc/rc.d/rc.local
mount -t nfs -o nosuid,noexec,nodev,rw,bg,soft,rsize=32768,wsize=32768 \
192.168.100.254:/home/public /home/nfs/public
```

13.3.3 无法挂载的原因分析

如果客户端就是无法挂载服务器端所共享的目录，到底出现了什么问题？可以从以下几个方面分析看看。

1. 客户端的主机名或 IP 网段不被允许使用

以上面的例子来说明，/home/test 只能提供 192.168.100.0/24 这个网段，所以如果在 192.168.100.254 这部服务器中，以 localhost（127.0.0.1）来挂载，就会无法挂载上，可以用下面这个命令来验证：

```
[root@www ~]# mount -t nfs localhost:/home/test /mnt
mount.nfs: access denied by server while mounting localhost:/home/test
```

看到 access denied 了吧？没错，权限不符。如果确定你的 IP 没有错误，那么通知服务器端，请管理员将你的 IP 加入 /etc/exports 这个文件中。

2. 服务器或客户端某些服务未启动

这个最容易被忘记了！就是忘记启动 rpcbind 这个服务。如果在客户端发现 mount 的信息是这样：

```
[root@clientlinux ~]# mount -t nfs 192.168.100.254:/home/test /mnt
mount: mount to NFS server '192.168.100.254' failed: System Error: Connection refused.
# 如果使用 ping 却发现网络与服务器都是好的，那么这个问题就是 rpcbind 没有开启

[root@clientlinux ~]# mount -t nfs 192.168.100.254:/home/test /home/nfs
mount: mount to NFS server '192.168.100.254' failed: RPC Error: Program not registered.
# 注意看最后面的数据，确实已经连上 RPC，但是服务器的 RPC 告知我们，该程序未注册
```

原因要么就是 rpcbind 忘记开（第一个错误），要么就是服务器端的 nfs 忘记开。最麻烦的是，重新启动了 rpcbind 但是却忘记重新启动其他服务（上述第二个错误），解决的方法就是重新启动 rpcbind 管理的其他所有服务。

3. 被防火墙拦截

由于 NFS 几乎不对外开放，而内部网络又通常是全部的资源都放行，因此过去玩 NFS 的

朋友（包括鸟哥本人）都没有注意过 NFS 的防火墙问题。最近这几年鸟哥在管理计算机教室时，管理一台计算机教室的主控防火墙，为了担心太厉害的学生给鸟哥乱搞，因此该 Linux 防火墙默认是仅放行部分资源。但由于计算机教室的局域网内需要用到 Linux 的 NFS 资源，结果呢？竟然没办法放行。原来就是 iptables 没有放行 NFS 所使用到的端口。

所以，当你一直无法顺利地连接 NFS 服务器，请先到服务器端，将客户端的 IP 完全放行，若确定这样就能连上，那说明就是防火墙有问题。怎么解决呢？上一小节介绍过了，参考一下将 NFS 服务器端口固定的方式。

13.3.4　自动挂载 autofs 的使用

在一般 NFS 文件系统的使用过程中，如果客户端要使用服务器端所提供的 NFS 文件系统，要么就是得在 /etc/rc.d/rc.local 中设置开机时挂载，要么就需要登录系统后手动利用 mount 来挂载。此外，客户端需要预先手动建立好挂载点目录，然后挂载上来。但是这样的使用情况恐怕有点小问题。

1. NFS 文件系统与网络连接的困扰

我们知道 NFS 服务器与客户端的连接或许不会永远存在，而 RPC 这个服务又挺讨厌的，如果挂载了 NFS 服务器后，任何一方脱机都可能造成另外一方总是在等待超时。而且，挂载的 NFS 文件系统可能又不是常常被使用，但若不挂载的话，有时候紧急要使用时又得通知系统管理员，这很不方便。

为了解决这个问题，让我们换个思考的角度来讨论一下使用 NFS 的情境：

- **可不可以让客户端在有使用 NFS 文件系统的需求时才让系统自动挂载？**
- **当 NFS 文件系统使用完毕后，可不可以让 NFS 自动卸载，以避免可能的 RPC 错误？**

如果能实现上述的功能，那就太完美了。有没有这东西呢？有的，在现在的 Linux 环境下这是可以实现的，用的就是 autofs 这个服务。

2. autofs 的配置概念

autofs 这个服务在客户端计算机上面，会持续地检测某个指定的目录，并预先设置当使用到该目录下的某个子目录时，将会取得来自服务器端的 NFS 文件系统资源，并进行自动挂载的操作。让我们以图 13-4 所示的图示来进行说明。

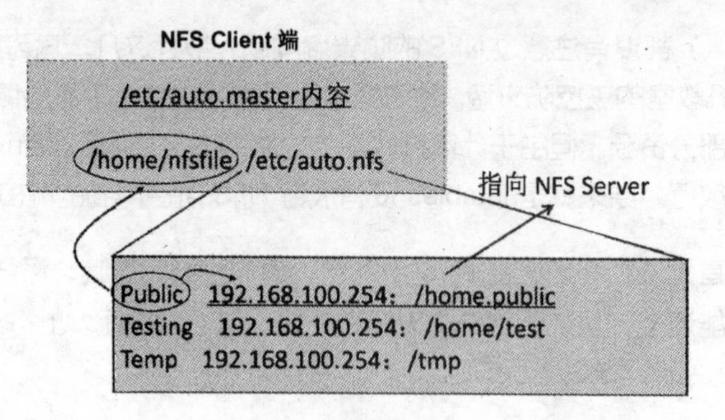

图 13-4 autofs 自动挂载的配置文件内容示意图

如上图所示，我们的 autofs 的主要配置文件为 /etc/auto.master，这个文件的内容很简单，我们只要定义出最上层目录（/home/nfsfile）即可，这个目录就是 autofs 会一直持续检测的目录。至于后续的文件则是与该目录下各子目录相对应。在 /etc/auto.nfs（这个文件的文件名可自定义）里面则可以定义出每个子目录所欲挂载的远程服务器的 NFS 目录资源。

举例来说，当我们在客户端要使用 /home/nfsfile/public 的数据时，此时 autofs 才会去 192.168.100.254 服务器上挂载 /home/public，当隔了 5 分钟没有使用该目录下的数据后，则客户端系统将会主动卸载 /home/nfsfile/public。

很不错的一个工具吧。因为在用到服务器的数据时才自动挂载，没有使用就会自动卸载，而不是一直是挂载的。既然这么好用，那就让我们实际来操练一下。

3. 建立主配置文件 /etc/auto.master，并指定检测的特定目录

这个主要配置文件的内容很简单，只要有要被持续检测的目录及数据对应文件即可。数据对应文件的文件名是可以自行定义的，在鸟哥这个例子中我使用 /etc/auto.nfs 来命名。

```
[root@clientlinux ~]# vim /etc/auto.master
/home/nfsfile  /etc/auto.nfs
```

上述数据中需要注意的是，/home/nfsfile 目录不需要事先存在，因为 autofs 会主动建立该目录。如果你建立了，反而可能会出问题。因此，先确定一下有没有该目录。

4. 建立数据对应文件内 (/etc/auto.nfs) 的挂载信息与服务器对应的资源

刚刚我们所指定的 /etc/auto.nfs 是自行设置的，所以这个文件是不存在的。那么这个文件的格式是如何的呢？可以这样看：

```
[本地端子目录]  [-挂载参数]  [服务器所提供的目录]
选项与参数：
[本地端子目录]      ：指的就是在 /etc/auto.master 内指定的目录的子目录
```

```
[-挂载参数]         ：就是前一小节提到的 rw、bg、soft 等的参数，可有可无
[服务器所提供的目录] ：例如 192.168.100.254:/home/public 等

[root@clientlinux ~]# vim /etc/auto.nfs
public   -rw,bg,soft,rsize=32768,wsize=32768  192.168.100.254:/home/public
testing  -rw,bg,soft,rsize=32768,wsize=32768  192.168.100.254:/home/test
temp     -rw,bg,soft,rsize=32768,wsize=32768  192.168.100.254:/tmp
# 参数部分，只要最前面加个 - 符号即可
```

这样就可以建立对应关系了。要注意的是，那些 /home/nfsfile/public 是不需要事先建立的，autofs 会视情况来处理。好了，接下来让我们看看如何实际操作吧。

5. 实际操作与查看

配置文件设置妥当后，当然就要启动 autofs 了。

```
[root@clientlinux ~]# /etc/init.d/autofs stop
[root@clientlinux ~]# /etc/init.d/autofs start
# 很奇怪，CentOS 6.x 的 autofs 使用 restart 会失效。所以鸟哥才进行两次
```

假设你目前并没有挂载任何来自 192.168.100.254 这台 NFS 服务器的资源目录。好了，那让我们实际来看看几个重要的数据吧。先看看 /home/nfsfile 会不会主动被建立？然后，如果要进入 /home/nfsfile/public ，文件系统会如何变化呢？

```
[root@clientlinux ~]# ll -d /home/nfsfile
drwxr-xr-x. 2 root root 0 2011-07-28 00:07 /home/nfsfile
# 仔细看，会发现 /home/nfsfile 容量是 0。那是正常的，因为是 autofs 建立的

[root@clientlinux ~]# cd /home/nfsfile/public
[root@clientlinux public]# mount | grep nfsfile
192.168.100.254:/home/public on /home/nfsfile/public type nfs (rw,soft,rsize=32768,
wsize=32768,sloppy,vers=4,addr=192.168.100.254,clientaddr=192.168.100.10)
# 上面的输出是同一行。瞧，突然出现这个内容。因为是自动挂载的嘛

[root@clientlinux public]# df  /home/nfsfile/public
文件系统                 1K-块     已用     可用     已用%  挂载点
192.168.100.254:/home/public
                        7104640   143104   6607040      3%
    /home/nfsfile/public
# 文件的挂载也出现了
```

真是好啊。如此一来，如果真的需要用到该目录时，系统才会去相对的服务器上面挂载；若是一阵子没有使用，那么该目录就会被卸载。这样就减少了很多不必要的使用时间。

13.4 案例演练

让我们来做个实际演练，在练习之前，请将服务器的 NFS 设置数据都清除，但是保留 rpcbind 不可关闭。至于在客户端的环境下，先关闭 autofs 以及取消之前在 /etc/rc.d/rc.local 里面写入的开机自动挂载项目。同时删除 /home/nfs 目录。接下来请看看我们要处理的环境如何。

模拟的环境状态中，服务器端的想法如下：

1）假设服务器的 IP 为 192.168.100.254。

2）/tmp 共享为可读写，并且不限制用户身份的方式，共享给 192.168.100.0/24 这个网段中的所有计算机。

3）/home/nfs 共享的属性为只读，可提供除了网段内的工作站外，向 Internet 亦提供数据内容。

4）/home/upload 作为 192.168.100.0/24 这个网段的数据上传目录，其中，/home/upload 的用户及所属组为 nfs-upload 这个名字，它的 UID 与 GID 均为 210。

5）/home/andy 这个目录仅共享给 192.168.100.10 这台主机，以供该主机上面 andy 这个用户来使用，也就是说，andy 在 192.168.100.10 及 192.168.100.254 上均有账号，且账号均为 andy，所以预计开放 /home/andy 给 andy 使用它的用户主目录。

服务器端设置的实际演练介绍如下：

好了，那么请先不要看下面的答案，先自己动笔或者直接在自己的机器上面动手操作一下试试，等到得到想要的答案之后，再看下面的说明。

- 首先，就是要定义 /etc/exports 这个文件的内容，可以这样写：

```
[root@www ~]# vim /etc/exports
/tmp          192.168.100.0/24(rw,no_root_squash)
/home/nfs     192.168.100.0/24(ro)   *(ro,all_squash)
/home/upload  192.168.100.0/24(rw,all_squash,anonuid=210,anongid=210)
/home/andy    192.168.100.10(rw)
```

- 再来，就是要建立每个对应的目录的实际 Linux 权限。我们一个一个地来看：

```
# 1. /tmp
[root@www ~]# ll -d /tmp
drwxrwxrwt. 12 root root 4096 2011-07-27 23:49 /tmp
```

```
# 2. /home/nfs
[root@www ~]# mkdir -p /home/nfs
[root@www ~]# chmod 755 -R /home/nfs
# 修改较为严格的文件权限将目录与文件设置为只读。不能写入的状态，会更保险一点

# 3. /home/upload
[root@www ~]# groupadd -g 210 nfs-upload
[root@www ~]# useradd -g 210 -u 210 -M nfs-upload
# 先建立对应的账号与组名及 UID
[root@www ~]# mkdir -p /home/upload
[root@www ~]# chown -R nfs-upload:nfs-upload /home/upload
# 修改属主。如此，则用户与目录的权限都设置妥当

# 4. /home/andy
[root@www ~]# useradd andy
[root@www ~]# ll -d /home/andy
drwx------. 4 andy andy 4096 2011-07-28 00:15 /home/andy
```

这样一来，权限的问题大概就可以解决了。

◆ 重新启动 nfs 服务：

```
[root@www ~]# /etc/init.d/nfs restart
```

◆ 在 192.168.100.10 这台机器上面演练一下：

```
# 1. 确认远程服务器的可用目录
[root@clientlinux ~]# showmount -e 192.168.100.254
Export list for 192.168.100.254:
/home/andy   192.168.100.10
/home/upload 192.168.100.0/24
/home/nfs    (everyone)
/tmp         192.168.100.0/24

# 2. 建立挂载点
[root@clientlinux ~]# mkdir -p /mnt/{tmp,nfs,upload,andy}

# 3. 实际挂载
[root@clientlinux ~]# mount -t nfs 192.168.100.254:/tmp         /mnt/tmp
[root@clientlinux ~]# mount -t nfs 192.168.100.254:/home/nfs    /mnt/nfs
[root@clientlinux ~]# mount -t nfs 192.168.100.254:/home/upload /mnt/upload
[root@clientlinux ~]# mount -t nfs 192.168.100.254:/home/andy   /mnt/andy
```

整个步骤大致上就是这样。

13.5 重点回顾

- Network File system（NFS）可以让主机之间通过网络共享彼此的文件与目录。
- NFS 主要是通过 RPC 来进行文件共享的目的，所以 Server 与 Client 的 RPC 一定要启动才行。
- NFS 的配置文件就是 /etc/exports 这个文件。
- NFS 的权限可以查看 /var/lib/nfs/etab，至于重要的日志文件可以参考 /var/lib/nfs/xtab 这个文件，这个文件中还包含相当多有用的信息。
- NFS 服务器与客户端的用户账号名称、UID 最好要一致，可以避免权限错乱。
- NFS 服务器默认对客户端的 root 进行权限压缩，通常压缩其成为 nfsnobody 或 nobody。
- NFS 服务器在更改/etc/exports 这个文件之后，可以通过 exportfs 这个命令来重新挂载共享的目录。
- 可以使用 rpcinfo 来查看 RPC program 之间的关系。
- NFS 服务器在配置之初，就必须要考虑到 Client 端登录的权限问题，很多时候无法写入或者无法进行共享，主要是 Linux 实体文件的权限设置问题所致。
- NFS 客户端可以通过使用 showmount、mount 与 umount 来使用 NFS 主机提供的共享的目录。
- NFS 亦可以使用挂载参数，如 bg、soft、rsize、wsize、nosuid、noexec、nodev 等，来达到保护自己文件系统的目标。
- 自动挂载的 autofs 服务可以在客户端需要 NFS 服务器提供的资源时才挂载。

13.6 参考数据与延伸阅读

- Sun（太阳）公司已经被甲骨文（Oracle）公司合并了，因此公司网址改为：http://www.oracle.com/us/sun/index.html。
- http://www.faqs.org/rfcs/rfc1094.html。
  鸟哥这里的备份：http://linux.vbird.org/linux_server/0330nfs/0330nfs_rpc.html。
- http://www.tldp.org/HOWTO/NFS-HOWTO/index.html。
- man exports。
- man autofs。

第 14 章

账号管理：NIS 服务器

想一下，如果我们有 10 台 Linux 主机，这 10 台主机分别负责不同的功能，同时，所有的主机账号与对应的密码都相同，那么我们是将账号与密码分别设置在 10 台计算机上面，还是可以通过使一台主机具有账号管理的功能，然后其他的主机只要当用户登录时，就到管理账号的主机上面确认其账号与密码呢？哪一个比较方便而且灵活？当然是找一个账号管理的主机比较方便。如果有用户要修改密码，不必到 10 台主机上分别修改密码，只要到主要管理主机去修改即可，其他的主机根本就不需要改动，这样轻松又愉快。这个功能的实现有很多方式，在这里，我们介绍一种很简单的方式，那就是 Network Information Service 这个 NIS 服务器的配置。

14.1 NIS 的由来与功能

在一个大型的网络当中，如果有多台 Linux 主机，万一每台主机都需要设置相同的账号与密码，那该怎么办？复制 /etc/passwd 吗？应该没有这么呆吧。如果能够有一台账号主控服务器来管理网络中所有主机的账号，当其他的主机有用户登录的需求时，才到这台主控服务器上面要求验证相关的账号、密码等用户信息，如此一来，如果想要增加、修改、删除用户数据，只要到这台主控服务器上面处理即可，这样就能够减少重复设置用户账号的步骤了。

这样的功能有很多的服务器软件可以实现，这里我们要介绍的是 **Network Information Services（NIS）**这个服务器软件。下面就先来谈一谈 NIS 的相关功能。

NIS 主要提供的是用户的账号、密码、用户主目录文件名、UID 等信息，但 NIS 并没有提供文件系统。同时，NIS 同样使用前一章谈到的 RPC 服务器，因此在本章开始前，还是需要认识一下第 13 章谈到的 NFS 与 RPC，同时还需要知道基础学习篇第三版里面的第 14 章“账号管理”，同时也得了解一下基础学习篇第 22 章“make/Makefile 的信息”才好。

14.1.1 NIS 的主要功能：管理账号信息

通常我们都会建议，**一台 Linux 主机的功能越单一越好**，也就是说，一台 Linux 就专门进行一项服务。这样有许多的好处，由于功能单一所以系统资源可以被完整运用，并且在发生入侵或者是系统产生问题的时候，也比较容易追查问题所在。因此，一个公司内部常常会有好几台 Linux 主机，有的专门负责 WWW 、有的专门负责 Mail 、有的专门负责 SAMBA 等服务。

这样虽然有分散风险、容易追踪问题的好处，但是，由于是同一个公司内的多台主机，所以事实上所有的 Linux 主机的账号与密码都是一样的。那如果公司里面有 100 个用户的话，我们就需要针对这么多台的主机去设置账号密码了。而且，如果未来还有新进员工的话，那么光是设置密码就会使系统管理员疯狂了。

这个时候，让我们换一个角度来思考：如果我们设计了一台专门管理账号与密码的服务器，而其他的 Linux 主机当有客户端要登录的需求时，就必须要到这台管理密码的服务器来查询用户的账号与密码，如此一来，要管理所有的 Linux 主机的账号与密码，只要到那台主服务器上面去进行设置即可。包括新进人员的设置，反正其他的 Linux 主机都是向它查询的嘛。这就是 Network Information Service，即 NIS 服务器的主要功能。

事实上，**Network Information Service** 最早应该称为 Sun Yellow Pages（简称 YP），也就是 Sun 这家公司出的一个名为 Yellow Pages 的服务器软件，请注意，**NIS 与 YP 是一模一样的东西**。这个 Yellow Pages 名字取得真是好。怎么说呢？知道黄页（Yellow Pages）是什么吗？就是我们家里的电话簿。今天如果你要查询一家厂商的电话号码，通常就是直接去查黄页上面的记录来取得电话号码。而这个 NIS 也一样，当用户要登录时，Linux 系统就会到 NIS 服务器上面去查找这个用户的账号与密码信息来加以比对，以实现用户的身份验证。

那么 NIS 服务器提供了哪些信息呢？还记得账号与密码放置在哪里吗？NIS 就提供那些数据。主要有如表 14-1 所示的这些基本的数据提供给有登录需求的主机。

表 14-1　NIS 服务器提供的数据

服务器端文件名	文件内容
/etc/passwd	提供用户账号、UID、GID、用户主目录位置、Shell 等
/etc/group	提供组数据以及 GID 的对应，还有该组的成员用户
/etc/hosts	主机名与 IP 的对应，常用于 private IP 的主机名对应
/etc/services	每一种服务 (daemons) 所对应的端口 (port number)
/etc/protocols	基础的 TCP/IP 数据包协议，如 TCP、UDP、ICMP 等
/etc/rpc	每种 RPC 服务器所对应的程序号码
/var/yp/ypservers	NIS 服务器所提供的数据库

NIS 至少可以提供上述这些功能，当然，我们也可以自行定义哪些数据库需要，哪些数据库不需要。

14.1.2　NIS 的工作流程：通过 RPC 服务

由于 NIS 服务器主要是提供用户的登录信息给客户端主机来查询之用，所以，**NIS 服务器所提供的数据当然就需要用到传输与读写比较快速的数据库文件系统，而不是传统的纯文本数据**。为了要达到这个目的，**NIS 服务器就必须要将前一小节提到的那些文件制作成为数据库文件**，然后使用网络协议让客户端主机来查询。所使用的通信协议与前一章的 NFS 相同，都使用远程过程调用（RPC）这个协议。

此外，如果在一个很大型的网络里面，万一所有的 Linux 主机都向同一台 NIS 服务器请求用户数据时，这台 NIS 服务器的负载（loading）可能会过大。甚至，考虑到数据使用的风险，如果这单一的一台 NIS 服务器宕机，那其他的 Linux 主机还要不要让用户登录啊？所以，在较为大型的企业环境当中，**NIS 服务器可以使用 Master/Slave（主控/辅助服务器）架构。**

Master NIS 服务器提供系统管理者制作的数据库，Slave 则复制来自 Master 的数据，进而向其他客户端提供查询。客户端可以向整个网络请求用户资料的响应，Master 与 Slave 皆可回答，由于 Slave 的数据来自于 Master，所以用户账号数据本身是同步的。这样可以分散 NIS 服务器的负载，而且也可以避免因 NIS 服务器的宕机而导致无法登录的风险。整个 NIS 的运作如图 14-1 所示。

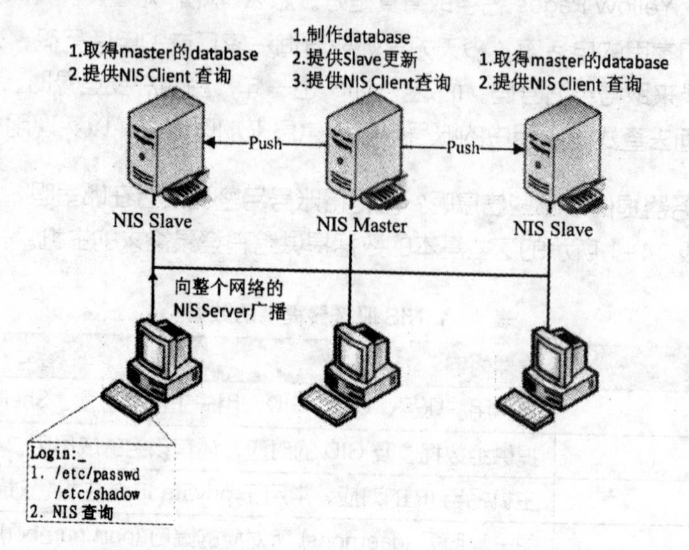

图 14-1 NIS 服务器与客户端的工作与查询方式示意图

首先必须要有 NIS Server 的存在，之后才会有 NIS Client 的存在。那么当用户有登录需求时，整个 NIS 的运作过程如下。

- 关于 NIS Server (Master/Slave) 的工作流程

1）NIS Master 先将本身的账号密码相关文件制作成为数据库文件。

2）NIS Master 可以主动告知 NIS Slave Server 进行更新。

3）NIS slave 也可主动前往 NIS Master Server 取得更新后的数据库文件。

4）若出现账号密码的变动时，需要重新制作 database 并重新同步 Master/Slave。

- 关于当 NIS Client 有任何登录查询的需求时

1）NIS Client 若有登录需求时，会先查询其本机的 /etc/passwd、/etc/shadow 等文件。

2）若在 NIS Client 本机找不到相关的账号数据，才开始向整个 NIS 网络的主机广播查询。

3）每台 NIS Server（不论 Master/Slave）都可以响应，基本上是“先响应者优先”。

从上面的流程当中，会发现 NIS Client 还是会先针对本机的账号数据进行查询，若在本机中查不到时才到 NIS Server 上去寻找。因此，如果 NIS Client 本身就有很多普通用户账号时，那跟 NIS Server 所提供的账号就可能产生一定程度的差异。所以，一般来说，在这样的环境下，NIS Client 或 NIS Slave Server 会主动拿掉自己本机的普通用户账号，仅保留系统所需要的 root 及系统账号。这样，一般用户才会通过 NIS Master Server 进行控制。

根据图 14-1 的说明，我们的 NIS 环境大致上需要设置的基本组件如下。

NIS Master Server：将文件转换为数据库，并提供 Slave Server 来更新。

NIS Slave Server：以 Master Server 的数据库作为本身的数据库来源。

NIS Client：向 Master/Server 请求进行登录用户身份验证。

就如同上面提到的，在大型环境中才会使用到这么复杂的 NIS Master/Slave 架构。因此，本章仅会介绍 NIS Master 的搭建，以及 NIS Client 的设置。其实，NIS 服务使用的环境大概越来越仅局限在科学计算、数值模式仿真的群集计算机架构中（PC cluster），在那样的架构中，老实说，鸟哥认为仅学会 NIS Master 即可。如果还有其他账号方面的要求，例如跨平台的账户信息提供，那可能就需要参考 Samba 或更高级的 LDAP 才好，这里我们不谈了。现在，就让我们开始来看一看这个 NIS 的设置吧。

14.2　NIS Server 端的设置

NIS 服务器端主要用于提供数据库给客户端作身份验证之用，虽然 NIS 服务器类型有 Master 与 Slave，不过鸟哥这里介绍的并不是大型企业环境，因此仅介绍 NIS master 的设置而已，下面就来设置一下吧。

14.2.1　所需要的软件

由于 NIS 服务器需要使用 RPC 协议，且 NIS 服务器同时也可以被当成客户端，因此它需要的软件就有下面这几个。

yp-tools：提供 NIS 相关的查询命令功能。

ypbind：提供 NIS Client 端的设置软件。

ypserv：提供 NIS Server 端的设置软件。

rpcbind：这是 RPC 必需的软件。

如果使用的是 Red Hat 的系统，例如 CentOS 6.x 的话，那可以利用 rpm -qa | grep '^yp' 来检查是否安装了上述的软件。一般来说 yp-tools、ypbind 都会主动安装，不过 ypserv 可能就不会安装了。此时建议直接使用 yum install ypserv 来安装。安装好之后，下面就开始对它进行设置。

14.2.2　NIS 服务器相关的配置文件

在 NIS 服务器上最重要的就是 ypserv 这个软件了，但是，由于 NIS 设置时还会使用到其他网络参数设置数据，因此在配置文件方面需要有下面这些数据：

- /etc/ypserv.conf：这是最主要的 ypserv 软件所提供的配置文件，可以定义 NIS 客户端是否有可登录的权限。
- /etc/hosts：由于 NIS Server/Client 会用到网络主机名与 IP 的对应，因此这个主机名对应文件就显得相当重要。每一台主机名与 IP 都需要记录才行。
- /etc/sysconfig/network：可以在这个文件内指定 NIS 的网络（nisdomainname）。
- /var/yp/Makefile：前面不是说账号数据要转换为数据库文件吗？这就是与建立数据库有关的操作控制文件。

至于 NIS 服务器提供的主要服务有以下两个。

- /usr/sbin/ypserv：就是 NIS 服务器主要提供的服务。
- /usr/sbin/rpc.yppasswdd：提供额外的 NIS 客户端的用户密码修改服务，通过这个服务，NIS 客户端可以直接修改在 NIS 服务器上的密码。相关的使用程序则是 yppasswd 命令。

与账号密码的数据库有关的命令有下面几个。

- /usr/lib64/yp/ypinit：建立数据库的命令，经常使用（在 32 位的系统下，文件名则是 /usr/lib/yp/ypinit）。
- /usr/bin/yppasswd：与 NIS 客户端有关，主要让用户修改服务器上的密码。

14.2.3 一个实际操作案例

观察图 14–1 可以发现，NIS 需要设置 Master/Slave 及 Client 等，不过我们这里仅介绍 NIS Master Server 与 NIS Client 两个组件，如果需要额外的 Slave 的话，再请查阅 NIS 官网的介绍。下面鸟哥先给出一个简单的案例，做完案例我们再来谈谈实际可能会用于群集计算机的案例吧。

- NIS 的域名为 vbirdnis。
- 整个内部的信任网络为 192.168.100.0/24。
- NIS Master Server 的 IP 为 192.168.100.254，主机名为 www.centos.vbird。
- NIS Client 的 IP 为 192.168.100.10，主机名为 clientlinux.centos.vbird。

下面我们就一个一个来设置吧。

14.2.4 NIS Server 的设置与启动

NIS 服务器的设置真是很简单，首先，必须要在 NIS 服务器上面搞定账号与密码相关数据，这包括 /etc/passwd,、/etc/shadow、/etc/hosts、/etc/group 等。详细的账号相关数据请参考基础篇的第 14 章账号管理。等到搞定之后就可以继续 NIS 服务器的设置了。

1. 先设置 NIS 的域名（NIS Domain Name）

NIS 是会通过域名（Domain Name）来分辨不同的账号密码数据，因此必须要在服务器与客户端都指定相同的 NIS 域名才行。设置这个 NIS 域名的操作很简单，直接编辑 /etc/sysconfig/network 即可。如下所示：

```
[root@www ~]# vim /etc/sysconfig/network
# 不要更改其他已有的数据，只要加入下面这几行即可
NISDOMAIN=vbirdnis          <==设置 NIS 域名
YPSERV_ARGS="-p 1011"       <==设置 NIS 每次都启动在固定的端口
```

当然，也可以使用手动的方式暂时设置好 NIS 域名，其方法就是使用 nisdomainname 这个命令（其实 nisdomainname 与 ypdomainname 及 domainname 都是一模一样的命令，只要记住一个命令名即可。请自行 man domainname 吧）。不过，这个命令现在大概只用来检查设置是否正确，因为启动 NIS 服务器时，服务器加载的数据就是从 network 这个文件里面提取的。所以只要更改这个配置文件就可以了。

另外，由于未来想使用 iptables 直接管理 NIS，因此我们想要控制 NIS 启动在固定的端口上。此时，就可以使用 YPSERV_ARGS="-p 1011"这个设置值来将其端口固定在 1011。

2. 主要配置文件 /etc/ypserv.conf

这个配置文件是 NIS 服务器最主要的配置文件。内容其实很简单，可以保留默认值即可。不过，也可以做一些改动。

```
[root@www ~]# vim /etc/ypserv.conf
dns: no
# NIS 服务器大多应用于内部局域网，只要有 /etc/hosts 即可，不用 DNS

files: 30
# 默认会有 30 个数据库被读入内存当中，其实我们的账号文件并不多，30 个够用了

xfr_check_port: yes
# 与 Master/Slave 有关，将同步更新的数据库比对所使用的端口，放置于 小于 1024 的端口内。

# 下面则是设置限制客户端或 Slave Server 查询的权限，利用冒号隔成 4 部分
# [主机名/IP] : [NIS 域名] : [可用数据库名称] : [安全限制]
# [主机名/IP]    : 可以使用 network/netmask，如 192.168.100.0/255.255.255.0
# [NIS 域名]     : 例如本案例中的 vbirdnis
# [可用数据库名称]: 就是由 NIS 生成的数据库名称
# [安全限制]      : 包括没有限制 (none)、仅能使用小于 1024 的端口(port) 及拒绝 (deny)
# 一般来说，可以依照我们的网络来设置成为下面的样子
127.0.0.0/255.255.255.0      : * : * : none
192.168.100.0/255.255.255.0 : * : * : none
```

```
*                                      : * : * : deny
# 星号 (*) 代表任何数据都接受的意思。上面三行的意思是，开放 lo 内部接口
# 开放内部 LAN 网络，且杜绝所有其他来源的 NIS 请求

# 还有一个简单做法，可以先将上面三行注释掉，然后加入下面这一行即可
*                                    : * : * : none
```

由于鸟哥习惯在内部网络并不设置比较严格的限制，因此通常鸟哥都是选择使用*：*：*：none 这个设置值。然后通过 iptables 来管理可使用的来源。当然，你可以依据你的需求来设置。

3. 设置主机名与 IP 的对应（/etc/hosts）

在 /etc/ypserv.conf 的设置当中我们谈到 NIS 大部分是给局域网内的主机使用的，所以当然就不需要 DNS 的设置了。不过，由于 NIS 使用到很多的主机名，而且网络连接是利用 IP 进行的，**所以一定要设置好 /etc/hosts 里面的主机名与 IP 的对应，否则会无法成功连接 NIS。** 这个很重要，绝大部分的朋友无法实现 NIS Server/Client 的连接都是这里出的问题。依据本案例的设置值，应该这样做：

```
[root@www ~]# vim /etc/hosts
# 原本就有的 localhost 与 127.0.0.1 之类的设置都不要改动，只要添加数据即可
192.168.100.254    www.centos.vbird
192.168.100.10     clientlinux.centos.vbird

[root@www ~]# hostname
www.centos.vbird
# 再做个确认，确定输出的主机名与本机 IP 确实已经写入 /etc/hosts
```

注意，如果你的主机名（host name）与 NIS 的主机名不一样，那么在这个文件当中还是需要将你的主机名设置进来，否则在后面数据库的设置时，肯定会发生问题。当然，你也可以直接在 /etc/sysconfig/network 当中直接重新设置主机名，然后重新启动，或者是利用 hostname 这个命令重新设置你的主机名。

4. 启动与查看所有相关的服务

接下来当然是先启动所有相关的服务，这包括 RPC、ypserv 以及 yppasswdd。不过，如果 RPC 本来就已经启动的话，那就不要重新启动 rpcbind 了。此外，为了也让 yppasswdd 启动在固定的端口，方便防火墙的管理，因此，我们也建议可以设置一下 /etc/sysconfig/yppasswdd。

```
[root@www ~]# vim /etc/sysconfig/yppasswdd
YPPASSWDD_ARGS="--port  1012"      <==找到这个设置值，将内容修改成这样
```

```
[root@www ~]# /etc/init.d/ypserv start
[root@www ~]# /etc/init.d/yppasswdd start
[root@www ~]# chkconfig ypserv on
[root@www ~]# chkconfig yppasswdd on
```

注意，主要的 NIS 服务是 ypserv，不过，如果要提供 NIS 客户端的密码修改功能的话，最好还是需要启动 yppasswdd 这个服务才好。在启动完毕后，我们可以利用 rpcinfo 来检查看看：

```
[root@www ~]# rpcinfo -p localhost
   program vers proto   port  service
    100000    4   tcp    111  portmapper
    100000    4   udp    111  portmapper
    100004    2   udp   1011  ypserv
    100004    1   udp   1011  ypserv
    100004    2   tcp   1011  ypserv
    100004    1   tcp   1011  ypserv
    100009    1   udp   1012  yppasswdd
# 其他不相干的 RPC 鸟哥将它拿掉了，与 NIS 有关的至少要有上面这几个。要仔细看，
# 看看端口是否是我们规定的 1011、1012，若不是的话，需要修改一下配置文件。

[root@www ~]# rpcinfo -u localhost ypserv
program 100004 version 1 ready and waiting
program 100004 version 2 ready and waiting
```

很多时候，很多朋友在设置完 NIS 后又回去设置 NFS 了，结果看了前一章的介绍，竟然又重新启动 rpcbind，这将导致 ypserv 的注册数据被注销掉。因此，使用上述的动作来检查看看服务有没有在等待中，要看到“就绪并等待服务”才会是正常的。

5. 处理账号并建立数据库

在完成了上面的所有步骤后，接下来我们就开始将主机上面的账号文件转成数据库文件了。不过，因为担心与 NIS 客户端的账号有冲突，加上之前我们已经建立过一些账号了。所以，这里我们建立三个新账号，分别是 nisuser1、nisuser2、nisuser3。不过账号主要是依据 UID 来判断的，因此，我们使用大于 1000 的 UID 来建立这三个账号。

```
[root@www ~]# useradd -u 1001 nisuser1
[root@www ~]# useradd -u 1002 nisuser2
[root@www ~]# useradd -u 1003 nisuser3
[root@www ~]# echo password | passwd --stdin nisuser1
[root@www ~]# echo password | passwd --stdin nisuser2
[root@www ~]# echo password | passwd --stdin nisuser3
```

接下来，就将建立的账号与密码数据转成数据库。转换的操作直接通过 /usr/lib64/yp/ypinit 这个命令来处理即可。整个步骤是这样的：

```
[root@www ~]# /usr/lib64/yp/ypinit -m

At this point, we have to construct a list of the hosts which will run NIS
servers. www.centos.vbird is in the list of NIS server hosts. Please continue
to add the names for the other hosts, one per line. When you are done with the
list, type a <control D>.
        next host to add:  www.centos.vbird   <==系统根据主机名自动获取
        next host to add:                     <==这个地方按下 [crtl]-d
The current list of NIS servers looks like this:

www.centos.vbird

Is this correct?  [y/n: y]  y
We need a few minutes to build the databases...
Building /var/yp/vbirdnis/ypservers...
Running /var/yp/Makefile...
gmake[1]: Entering directory `/var/yp/vbirdnis'
Updating passwd.byname...
Updating passwd.byuid...
....(中间省略)....
gmake[1]: Leaving directory `/var/yp/vbirdnis'

www.centos.vbird has been set up as a NIS master server.

Now you can run ypinit -s www.centos.vbird on all slave server.
```

注意，在出现的信息当中，在告知可以直接输入 [ctrl]-d 以结束的那个地方，主机名会主动获取到。注意，这个主机名务必可以在 /etc/hosts 文件找到其对应的 IP，否则会出现问题。另外，万一在执行 ypinit -m 时，出现如下的错误，那肯定就是有些数据没有建立。

```
gmake[1]: *** No rule to make target `/etc/aliases', needed by `mail.aliases'.
Stop.
gmake[1]: Leaving directory `/var/yp/vbirdnis'
make: *** [target] Error 2
Error running Makefile.
Please try it by hand.

[root@www ~]# touch /etc/aliases
# 解决方法很简单。缺少什么文件，就 touch 它就是了

[root@www ~]# /usr/lib64/yp/ypinit -m
# 然后再重新执行一次即可
```

如果是如下的错误，那可能是因为：

- ypserv 服务没有顺利启动，请利用 rpcinfo 检查看看。
- 主机名与 IP 没有对应好，请检查 /etc/hosts。

```
gmake[1]: Entering directory `/var/yp/vbirdnis'
Updating passwd.byname...
failed to send 'clear' to local ypserv: RPC: Program not registeredUpdating
passwd.byuid...
failed to send 'clear' to local ypserv: RPC: Program not registeredUpdating
group.byname...
....(省略)....
```

要注意，如果用户密码发生过变化，那么就需要重新制作数据库，重新启动 ypserv 及 yppasswdd。整个 NIS 服务器就这样搞定了，很简单吧。

14.2.5　防火墙设置

又来到防火墙的规划了。要注意的是，NIS 与 NFS 都是使用 RPC Server 的，所以，除了上述谈到的固定端口之外，还需要开放 port 111 才行。假设你已经看过前一章，而且使用鸟哥的 iptables.rule 脚本来处理过你的防火墙，那么你可以修改该文件的内容，添加几条规则进去：

```
[root@www ~]# vim /usr/local/virus/iptables/iptables.allow
iptables -A INPUT -i $EXTIF -p tcp -s 192.168.100.0/24 --dport 1011 -j ACCEPT
iptables -A INPUT -i $EXTIF -p udp -s 192.168.100.0/24 -m multiport \
        --dport 1011,1012 -j ACCEPT

[root@www ~]# /usr/local/virus/iptables/iptables.rule
# 千万记需要重新配置防火墙规则
```

14.3　NIS Client 端的设置

我们知道网络连接是双向的，所以 NIS Server 提供数据库文件，NIS Client 当然也需要提供一些连接的软件。这个连接的软件就是 ypbind。此外，如同图 14-1 的介绍，在 NIS Client 端有登录需求时，NIS Client 基本上还是先查找自己的 /etc/passwd、/etc/group 等数据后才再去找 NIS Server 的数据库。**所以 NIS Client 最好能够将本身的账号密码删除到仅剩下系统账号，亦即 UID、GID 均小于 500 的账号**，如此一来，既可让系统执行无误，也能够让登录用户的信息完全来自 NIS Server，比较单一。

事实上，若想让 NIS 服务器写入的各项账号数据都是 NIS Server 的 /var/yp/Makefile 文件设置的，进入该文件查找一下 UID 就知道了。

14.3.1 NIS Client 所需的软件与软件结构

NIS Client 端所需要的软件仅有：

- ypbind。
- yp-tools。

yp-tools 是提供查询的软件，至于 ypbind 则是与 ypserv 互相沟通的客户端连接软件。另外，在 CentOS 当中我们还有很多配置文件是与认证有关的，包括 ypbind 的配置文件。在配置 NIS Client 时你可能需要用到下面的文件。

- /etc/sysconfig/network：就是 NIS 的域名。
- /etc/hosts：至少需要有各个 NIS 服务器的 IP 与主机名对应。
- /etc/yp.conf：这个是 ypbind 的主要配置文件，里面主要规范 NIS 服务器。
- /etc/sysconfig/authconfig：规范账号登录时的允许认证机制。
- /etc/pam.d/system-auth：这个最容易忘记。因为账号通常由 PAM 模块所管理，所以必须要在 PAM 模块内加入 NIS 的支持才行。
- /etc/nsswitch.conf：这个文件可以规范账号密码与相关信息的查询顺序，默认是先找 /etc/passwd 再找 NIS 数据库。

另外，NIS 还提供了几个有趣的程序给 NIS 客户端来进行账号相关参数的修改，例如密码、shell 等，主要有下面这几个命令。

- /usr/bin/yppasswd：更改你在 NIS database（NIS Server 所制作的数据库）中的密码。
- /usr/bin/ypchsh：同上，但是更改 shell。
- /usr/bin/ypchfn：同上，但是更改一些用户的信息。

好了，下面就让我们开始设置 NIS 客户端吧。

14.3.2 NIS Client 的设置与启动

启动 NIS Client 的设置就简单多了，最主要是先加入 NIS Domain，然后再启动 ypbind 即可。虽然你可以手动去修改所有的配置文件，然而近期以来的 Linux Distributions 账号处理机制越来越复杂，所以如果你想要手动修改所有配置文件，恐怕会疯掉的。因此，这里建议使用系统提供的工具来设置，至于一些重要配置文件，最后有机会再去参考一下即可。

那么 CentOS 6.x 提供了什么好用的管理工具呢？很简单，就是利用 setup 这个命令。输入 setup 就会出现如图 14-2 所示的画面，然后依序处理就好了。

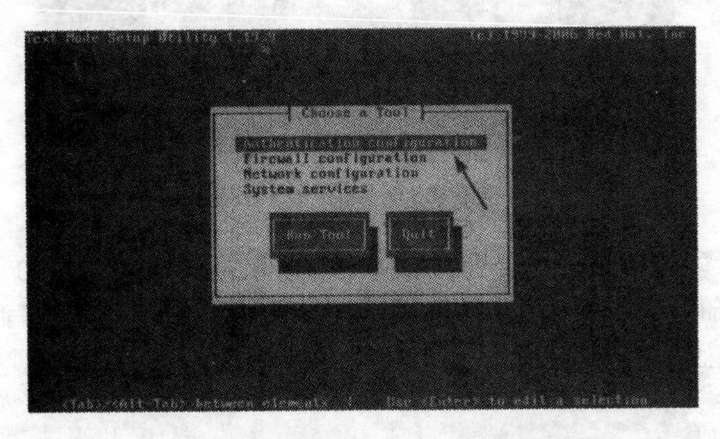

图 14-2　利用 setup 进入 authconfig 配置项目

在图 14-2 中，选择认证设置，如果是出现英文的话，那么就需要选择 Authentication configuration 的项目，选择项目之后就会进入图 14-3 所示的画面。

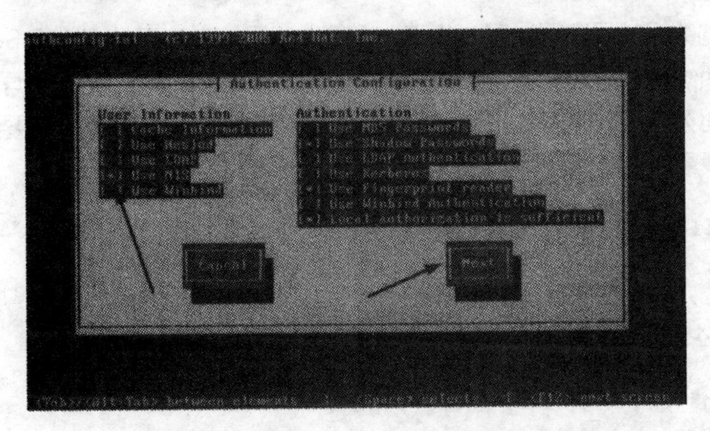

图 14-3　进入 authconfig 之后，选择 NIS 项目

因为我们要用 NIS 作为登录用户身份验证的机制，因此就需要选择 NIS 项目，如果是英文的话，就需要选择 Use NIS 项目。选择 Next 项目，进入图 14-4 所示的画面。

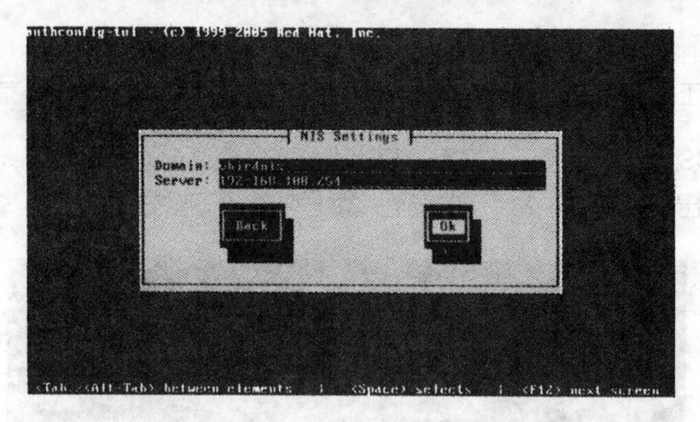

图 14-4 填写 NIS 域名以及 NIS 服务器的 IP

在图 14-4 中填写 NIS 域名（Domain）以及 NIS 服务器的 IP（Server），选择 OK 项目即可。如果系统很快就跳回到图 14-2 的画面，代表你的设置理论上是没有问题的。如果一直卡在如下的画面中：

```
正在激活 rpcbind:                                          [  确定  ]
正在关闭 NIS 服务:                                         [  确定  ]
正在启动 NIS 服务:                                         [  确定  ]
正在绑定 NIS 服务: .......   <==这里一直卡住，没办法结束
```

出现上述的数据就是出问题了。代表 NIS Client 没有办法连接上 NIS Server，最常发生的就是**服务器的防火墙忘记放行，或者是客户端输入服务器 IP 时，打错数字**了。这时请自行去修改一下。那么 setup 到底做了什么修改呢？我们来看看几个改掉的重要配置文件：

```
[root@clientlinux ~]# cat /etc/sysconfig/network
HOSTNAME=clientlinux.centos.vbird
NETWORKING=yes
GATEWAY=192.168.100.254
NISDOMAIN=vbirdnis    <==这个东西会主动被建立起来

[root@clientlinux ~]# cat /etc/yp.conf
....(前面省略)....
domain vbirdnis server 192.168.100.254   <==主动建立它

[root@clientlinux ~]# vim /etc/nsswitch.conf
passwd:     files nis
shadow:     files nis
group:      files nis
hosts:      files nis dns
# 上面几个项目是比较重要的，包括身份参数、密码、组名、主机名与 IP 对应数据等
# 你会看到，每个项目后面都会接着 nis，所以 nis 已经被支持了
```

因为改动的文件实在太多了，所以鸟哥还是建议使用 setup 来调整。但是，如果真的想

要手动处理的话，那么必须要手动修改下面这些文件：

- /etc/sysconfig/network（加入 NISDOMAIN 项目）。
- /etc/nsswitch.conf（修改许多主机验证功能的顺序）。
- /etc/sysconfig/authconfig（CentOS 的认证机制）。
- /etc/pam.d/system-auth（许多登录所需要的 PAM 认证过程）。
- /etc/yp.conf（也就是 ypbind 的配置文件）。

14.3.3　NIS Client 端的验证：yptest、ypwhich、ypcat

如何确定 NIS Client 已经连上 NIS Server 呢？基本上，只要刚刚使用 setup 去设置时，最后的步骤并没有被卡住，那应该就是连接成功了。该步骤会自动启动 rpcbind 与 ypbind 两个服务。那如何确认数据传送是正确的？很简单，可以利用 id 这个命令直接检查 NIS Server 有的但是 NIS Client 没有的账号，如果出现该账号的相关 UID/GID 信息，那表示数据传输也是正确的。除此之外，我们还可以通过 NIS 提供的相关验证功能来检查。下面分别来看一看。

1. 利用 yptest 验证数据库

直接在 NIS Client 输入 yptest 即可检查相关的测试数据，如下所示：

```
[root@clientlinux ~]# yptest
Test 1: domainname
Configured domainname is "vbirdnis"

Test 2: ypbind
Used NIS server: www.centos.vbird

Test 3: yp_match
WARNING: No such key in map (Map passwd.byname, key nobody)
....(中间省略)....

Test 6: yp_master
www.centos.vbird

....(中间省略)....

Test 8: yp_maplist
passwd.byname
protocols.byname
hosts.byaddr
hosts.byname
....(中间省略)....
```

```
  Test 9: yp_all
  nisuser1
nisuser1:$1$U9Gccb60$K51DQ.mGBw9x4oNEkM0Lz/:1001:1001::/home/nisuser1:/bin/ba
sh
  ....(中间省略)....
  1 tests failed
```

从这个测试当中，我们可以发现一些错误，就是在 Test 3 出现的那个警告信息。还好，那只是说没有该数据库而已，该错误是可以忽略的。**重点在第 9 个步骤 yp_all 必须要列出 NIS Server 上的所有账户信息，如果出现了与账号相关数据的话，那么应该就算验证成功了。**

比较有问题的是第 3 个步骤，它会出现在 passwd.byname 当中找不到 nobody 的字样。这是因为早期的 nobody 的 UID 都设置为 65534，但 CentOS 则将 nobody 设置为系统账号的 99，所以当然不会被记录，也就出现这一个警告。不过，这个错误是可忽略的。

2. ypwhich 检查数据库数量

单纯使用 ypwhich 的时候显示的是 NIS Client 的 Domain 名称，而当加入 -x 这个参数时，则显示 NIS Client 与 Server 之间沟通的数据库有哪些？可以这样测试：

```
[root@clientlinux ~]# ypwhich -x
Use "hosts"      for map "hosts.byname"
Use "group"      for map "group.byname"
Use "passwd"     for map "passwd.byname"
....(以下省略)....
```

从上面我们可以很清楚地就看到相关的文件了。这些数据库文件则是放置在 NIS Server 的 /var/yp/vbirdnis/* 里的。

3. 利用 ypcat 读取数据库内容

除了 yptest 之外，还可以直接利用 ypcat 读取数据库的内容。一般做法是这样：

```
[root@clientlinux ~]# ypcat [-h nisserver] [数据库名称]
选项与参数：
-h nisserver ：如果已经设置的话，指向某一台特定的 NIS 服务器，
               如果没有指定的话，就以 ypbind 的设置为主
数据库名称：亦即在 /var/yp/vbirdnis/ 内的文件名。例如 passwd.byname

# 读取 passwd.byname 的数据库内容
[root@clientlinux ~]# ypcat passwd.byname
```

这三个命令在进行 NIS Client 端的检验时，是相当有用的。不要忽略了它的存在啊。尤其是刚架设好 NIS Client 时，一定要使用 yptest 去检查看看有没有设置错误，然后根据屏幕显示的信息去一个一个地校正错误。

14.3.4 用户参数修改：yppasswd、ypchfn、ypchsh

好了，完成了上述的设置后，NIS Server/Client 的账号就已经同步了。真是高兴不是吗？不过，还有个挺大的问题，那就是用户如何在 NIS Client 中修改他自己的登录参数，例如密码、shell 等。因为 NIS Client 是通过数据库来取得用户的账号密码的，那如何在 NIS 客户端处理账号密码的修改呢？

问得好。这也是为什么我们需要在 NIS Server 中启动 yppasswdd 这个服务的主要用意。因为 yppasswdd 可以接收 NIS Client 端发送来的密码修改要求，进而处理 NIS Server 的 /etc/passwd、/etc/shadow，然后 yppasswdd 还能够重建密码数据库，让 NIS Server 同步更新数据库。真是很不错。

那该如何使用命令呢？很简单，通过 yppasswd、ypchsh、ypchfn 来处理即可。这三个命令的对应如下。

- **yppasswd：与 passwd 命令相同功能。**
- **ypchfn：与 chfn 相同功能。**
- **ypchsh：与 chsh 相同功能。**

因为功能相当，所以鸟哥这里仅说明一下 yppasswd。假设你已经登录 NIS Client 那台主机，并且是以 nisuser1 这个用户登录的，记住，这个用户相关数据仅在 NIS Server 上。接下来，这个用户可以使用 yppasswd，如下所示：

```
[root@clientlinux ~]# grep nisuser /etc/passwd   <==不会出现任何信息，因为无此账号
[root@clientlinux ~]# su - nisuser1              <==直接切换身份看看
su: warning: cannot change directory to /home/nisuser1: No such file or directory
-bash-4.1$ id
uid=1001(nisuser1) gid=1001(nisuser1) groups=1001(nisuser1)
# 因为我们 client.centos.vbird 仅有账户信息，并没有用户主目录，
# 所以就会出现如上的警告，因此才需要用 id 验证，并且需要挂载 NFS
# 仔细看，现在的身份确实是 nisuser1，并且确实已经连上 NIS Server

-bash-4.1$ yppasswd
Changing NIS account information for nisuser1 on www.centos.vbird.
Please enter old password:      <==这里输入旧密码
Changing NIS password for nisuser1 on www.centos.vbird.
```

```
Please enter new password:     <==这里输入新密码
Please retype new password:    <==再输入一遍

The NIS password has been changed on www.centos.vbird.

-bash-4.1$ exit
```

这样就更新了 NIS Server 上的 /etc/shadow 以及 /var/yp/vbirdnis/ passwd.by* 的数据库了，简单吧。一下就同步化了。不过，如果要让用户使用 yppasswd 的话，他可能不太能适应，不要紧，可以通过修改 alias 或者是置换掉 /usr/bin/passwd 这个程序即可。那现在让我们回到 NIS 服务器端看看确实已经修改了数据库吗？

```
[root@www ~]# ll /var/yp/vbirdnis/
-rw-------. 1 root root   13836 Jul 28 13:10 netid.byname
-rw-------. 1 root root   14562 Jul 28 13:29 passwd.byname
-rw-------. 1 root root   14490 Jul 28 13:29 passwd.byuid
-rw-------. 1 root root   28950 Jul 28 13:10 protocols.byname
# 仔细看，就是那个密码文件被修改过。时间已经不一样了。再看看日志文件吧

[root@www ~]# tail /var/log/messages
Jul 28 13:29:14 www rpc.yppasswdd[1707]: update nisuser1 (uid=1001) from host
192.168.100.10 successful.
```

最终从日志文件中，我们也能够得到相关的记录。这样就非常完美啦。

14.4 NIS 搭配 NFS 的设置在群集计算机上的应用

刚刚在 NIS 客户端的 nisuser1 登录测试中，你应该已经发现了一件事，那就是**怎么 nisuser1 没有用户主目录啊**？这很正常，因为 nisuser1 的用户主目录是在服务器端的 /home 上，而在客户端登录时，在客户端的 /home 目录下根本不可能有 nisuser1 的用户目录。那怎么办？很简单，将服务器端的 /home 挂载到客户端上面即可。那这个观念跟群集计算机有什么关系啊？就让我们来谈谈吧。

1. 什么是群集计算机

因为个人计算机的 CPU 速度越来越快，CPU 核心数目越来越多，因此个人计算机的效率已经不比服务器等级的大型计算机差了。不过，如果要用来作为计算大型数值模式的应用，即使是最快的个人计算机，还是没有办法有效地负载的。此时你可能就需要考虑一下，是要买超级计算机（Top 500）还是要自己组一台 PC 群集计算机（PC Cluster）呢？

在超级计算机的结构中，主要是通过内部电路将很多 CPU 与内存连接在一块，因为是特殊设计，因此价格非常昂贵。如果我们可以将较便宜的个人计算机连接在一块，然后将数值

运算的任务分别丢给每一台连接在一块的个人计算机，那不就很像超级计算机了吗？没错，这就是 PC Cluster 初级的想法。

但是这个做法当中有几个限制，因为每台计算机都需要运算相同的程序，而我们知道运算的数据都在内存当中，而程序启动时需要给予一个身份，并且程序读取的程序在每台计算机上面都需要是相同的。同时，每台计算机都需要支持并行化运算。所以，在 PC Cluster 上面的所有计算机就需要有：

- **相同的用户账户信息，包括账号、密码、用户主目录等一大堆信息。**
- **相同的文件系统，例如 /home、/var/spool/mail 以及数值程序放置的位置。**
- **可以搭配的并行化函式库，常见的有 MPICH、PVM 等。**

上面的三个项目中，第一个项目我们可以通过 NIS 来处理，第二个项目则可以使用 NFS 来搞定。所以，你说，NIS 与 NFS 有没有可使用的空间啊？

由于“预测”这个词越来越重要，比如说气象预报、空气质量预报等，而预测需要一个很庞大的模式来运算仿真的工作，这么庞大的模拟工作需要大量的运算，在学校单位要买一台很贵的大型主机实在很不容易。不过，如果能够连接 10 台四核心的个人计算机的话，那么可能只需要不到 5 万元便能够实现相当于具有 40 个 CPU 的大型主机的运算能力了。所以说，在未来 PC Cluster 是一个可以发展的课题。

2. 另一个不成熟的实例

那我们有没有办法来实际操作一下并行化的群集架构呢？老实说，很麻烦。不过，至少我们可以先完成前面谈到的两个组件，分别是 NIS 与 NFS。但是，在我们目前这个网络环境中，用户账号实在是太乱了。所以，如果想要将服务器的 /home 挂载到客户端的 /home，那么那个测试用的客户端可能很多本地用户都无法登录了。因此，在这个测试练习中，我们打算按如下这样做。

- 账号：建立大于 2000 个以上的账号，账号名称为 cluser1、cluser2、cluser3（将 cluster user 缩写为 cluser，不是少写一个 t），且这些账号的用户主目录预计放置于 /rhome 目录内，以与 NIS Client 本地的用户分开。
- NIS 服务器：域名为 vbirdcluster，服务器是 www.centos.vbird（192.168.100.254），客户端是 clientlinux.centos.vbird（192.168.100.10）。
- NFS 服务器：服务器共享了 /rhome 给 192.168.100.0/24 这个网络，且预计将所有程序放置于 /cluster 目录中。此外，假设所有客户端都是很干净的系统，因此不需要压缩客户端 root 的身份。

- NFS 客户端：将来自 Server 的文件系统都挂载到相同目录名称下。

那就分别来配置一下吧。

3. NIS 配置阶段

```
# 1. 建立此次任务所需要的账号数据
[root@www ~]# mkdir /rhome
[root@www ~]# useradd -u 2001 -d /rhome/cluser1 cluser1
[root@www ~]# useradd -u 2002 -d /rhome/cluser2 cluser2
[root@www ~]# useradd -u 2003 -d /rhome/cluser3 cluser3
[root@www ~]# echo password | passwd --stdin cluser1
[root@www ~]# echo password | passwd --stdin cluser2
[root@www ~]# echo password | passwd --stdin cluser3

# 2. 修改 NISDOMAIN 的名称
[root@www ~]# vim /etc/sysconfig/network
NISDOMAIN=vbirdcluster   <==重点在改这个项目
```

这个案例中，只要做完上述的动作就即将完成了，其他的配置文件请参考前面 14.2 小节所谈到的各个必要项目。接下来当然就是重新启动 ypserv 以及制作数据库了。

```
# 3. 制作数据库以及重新启动所需要的服务
[root@www ~]# nisdomainname vbirdcluster
[root@www ~]# /etc/init.d/ypserv restart
[root@www ~]# /etc/init.d/yppasswdd restart
[root@www ~]# /usr/lib64/yp/ypinit -m
```

依序一个一个地执行命令。上述的这 4 个命令有依赖性关系，所以不要打乱顺序。接下来，请换到客户端进行：

1）以 setup 进行 NIS 的设置，在域的部分请定义为 vbirdcluster。

2）做完后再以 id cluser1 确认。

做法太简单了，鸟哥这里就不示范了。

4. NFS 服务器的设置

```
# 1. 设置 NFS 服务器开放的资源
[root@www ~]# mkdir /cluster
[root@www ~]# vim /etc/exports
/rhome          192.168.100.0/24(rw,no_root_squash)
/cluster        192.168.100.0/24(rw,no_root_squash)

# 2. 重新启动 NFS
```

```
[root@www ~]# /etc/init.d/nfs restart
[root@www ~]# showmount -e localhost
Export list for localhost:
/rhome        192.168.100.0/24
/cluster      192.168.100.0/24
```

服务器的设置是很单纯的。客户端的设置需要注意。

```
# 1. 设置 NIS Client 的 mount 数据
[root@clientlinux ~]# mkdir /rhome /cluster
[root@clientlinux ~]# mount -t nfs 192.168.100.254:/rhome   /rhome
[root@clientlinux ~]# mount -t nfs 192.168.100.254:/cluster /cluster
# 如果上述两个命令没有问题，可以将它加入 /etc/rc.d/rc.local 当中

[root@clientlinux ~]# su - cluser1
[cluser1@clientlinux ~]$
```

最后应该就能够在客户端以 cluser1 登录系统了。就这么简单地将账号与文件系统同步做完啦。如果你真的想要玩一下 PC Cluster 的话，鸟哥也写过一篇不是很成熟的 PC Cluster 简易架设，有兴趣的话请自行参考：

- http://linux.vbird.org/linux_server/0600cluster.php。

14.5 重点回顾

- Network Information Service（NIS）也可以称为 Sun Yellow Pages（YP），主要是负责在网络当中帮助 NIS Client 端查询账号与密码以及其他相关网络参数的服务。
- NIS Server 其实就是提供本身的 /etc/passwd、/etc/shadow、/etc/group、/etc/hosts 等账号密码数据，以及相关的网络参数等，以供网络当中 NIS Client 的查找之用。
- NIS 为 Server/Client 架构，当 NIS Client 有账号登录需求时，①该主机会先找自己的 /etc/passwd，②再前往 NIS Server 查找相关账号资料。
- NIS 使用的软件就是 yp 这个软件，主要分为两部分，ypserv 用在 NIS Server 上，至于 ypbind 与 yp-tools 则用在 NIS Client 上面。
- 为加快 NIS 查询的速度，因此 NIS Server 会将本机的账号数据制成传输较快的数据库文件，并放置于 /var/yp/（nisdomainname）/ 目录当中。
- 不论是 NIS 或者是 NFS 都是由 RPC Server 所启用的，因此都可以使用 rpcinfo 来查寻 NIS 是否已经启动，以及该 daemon 是否已经向 portmapper（RPC server）注册了。
- 在 NIS Server 的设置当中，最重要的一个步骤就是将账号、密码、网络参数等 ASCII 格式文件转成数据库文件（database file），以供 NIS Client 的查询。而启动 ASCII 转

成 database 的程序可以使用 /usr/lib64/yp/ypinit -m 或者到 /var/yp 下面执行 make 均可。

- 由于 NIS 通常用于内部网络当中，因此 /etc/hosts 这个文件的设置相当重要。
- 若想让用户在任意一台 NIS 管辖的主机登录时都可以使用同一份用户主目录，则需开启 NFS 提供 /home 给所有的主机挂载使用。

14.6 参考数据与延伸阅读

- Study Area 之 NIS 服务器架设：http://www.study-area.org/linux/servers/ linux_nfs.htm。
- NIS 官方网站：http://www.linux-nis.org/。
- NIS HOW-TO：http://www.linux-nis.org/nis-howto/HOWTO/index.html。

第15章

时间服务器：NTP 服务器

计算机内部所记录的时钟是记载于 BIOS（CMOS）内的，但如果计算机上面的 CMOS 电池没电了，或者是某些特殊因素导致 BIOS 数据被清除，此时计算机的时间就会不准。同时，由于某些操作系统程序的问题，也可能出现我们看到的时间与现实社会不相同的情况。所以我们都会调整一下时间，以便让计算机系统的时间可以一直保持正确的状态。在实际生活中，我们可以通过电视台、广播电台、电话等来调整我们的手表，那么如果是在网络上呢？该如何让我们的主机随时保持正确的时间信息呢？这就需要 NTP 这个服务器了。

15.1 关于时区与网络校时的通信协议

时间对于现代人来说是很重要的，因为 Time is money。对于 Internet 来说，时间也是很重要的。为什么呢？还记得我们在基础学习篇第三版第 19 章“日志文件分析”中的内容吧？如果搭建了一台日志文件服务器的话，那么总需要分析每台主机所传来的日志文件信息。如果每一台主机的时间都不相同，那就没办法判断问题发生的时刻了。所以，**每一台主机的时间同步化**很重要。

每一台主机时间同步化的重要性当然不止于此，包括之前谈到的 DHCP 客户端/服务器端所需要的租约时间限制、网络检测时所需要注意的时间点、刚刚谈到的日志文件分析功能、具有相关性的主机彼此之间的错误检测、前一章谈到的群集计算机群等，都需要具有相同的时间才能够定位。好了，下面咱们就来聊一聊，如何利用网络来进行主机的时间同步化吧。

15.1.1 什么是时区？全球有多少时区？GMT 在哪个时区？

因为地球是圆的，所以同一个时刻，在地球的一边是白天，一边是黑夜。而因为人类使用一天 24 小时的制度，所以，在地球对角的两边就应该相差了 12 个小时。同一刻，整个地球表面的时间都不一样，为了解决这个问题，地球就分成了 24 个时区。

那么这 24 个时区是依据什么来划分的呢？由于地球被人类以“经纬度”坐标来进行定位，而经度为零的地点在英国格林尼治这个城市所在的纵剖面上（所谓的纵剖面就是由南极切到北极的直线，而横切面就是与赤道平行的切线），如图 15-1 所示。

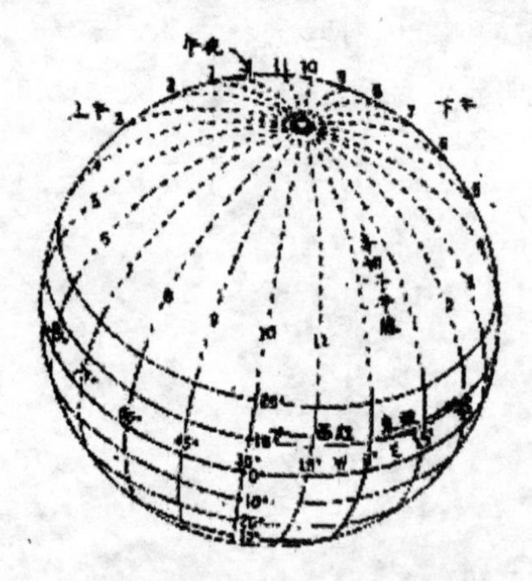

图 15-1 地球的子午线、经纬度与时区分隔的概念

因为绕地球一圈是 360 度，这 360 度共分为 24 个时区，当然一个时区就是 15 度了。又由于是以**格林尼治时间**（Greenwich Mean Time，GMT 时间）**为标准时间**，加上地球自转的关系，因此，在格林尼治以东的区域时间是比较早的，而以西的地方当然就是较晚了。

以我国为例，我国在 1950 年规定全国各地都采用北京时间为统一的时间标准（尽管横跨多个时区，但为了统一时间标准，我国采用北京时间作为标准的时间。但是在 Linux 中定义时区时却没有北京时间，这是因为 1949 年以前，我国一共分了 5 个时区，以哈尔滨、上海、重庆、乌鲁木齐和喀什为代表——分别是长白时区 GMT+8:30、中原标准时区 GMT+8、陇蜀时区 GMT+7、新藏时区 GMT+6 和昆仑时区 GMT+5:30。它在 1912 年由北京观象台制定，后由当时的政府批准。尽管其后采用北京时间作为标准时间，但 Linux 并没有反映这一变化，所以在 Linux 中默认定义时区时看不到北京时间）。又因为我国在格林尼治的东方，因此**北京本地时间（local time）会比 GMT 时间快 8 小时（GMT + 8）**。当格林尼治时间为零点，北京就已经是早上 8 点了！表 15-1 简要列出了各个时区的名称与所在经度，以及与 GMT 时间的时差。

表 15-1　各时区名称、经度及与 GMT 的时差对照表

标准时区	经度	时差
GMT , Greenwich Mean Time	0º W/E	标准时间
CET , Central European	15º E	+1 东一区
EET , Eastern European	30º E	+2 东二区
BT , Baghdad	45º E	+3 东三区
USSR, Zone 3	60º E	+4 东四区
USSR, Zone 4	75º E	+5 东五区
Indian, First	82.3º E	+5.5 东五半区
USSR, Zone 5	90º E	+6 东六区
SST , South Sumatra	105º E	+7 东七区
JT , Java	112º E	+7.5 东七半区
CCT , China Coast (北京时间)	120º E	+8 东八区
JST , Japan	135º E	+9 东九区
SAST, South Australia	142º E	+9.5 东九半区
GST , Guam	150º E	+10 东十区
NZT , New Zealand	180º E	+12 东十二区
Int'l Date Line	180º E/W	国际日期变更线
BST , Bering	165º W	–11 西十一区
SHST, Alaska/Hawaiian	150º W	–10 西十区
YST , Yukon	135º W	–9 西九区

（续表）

标准时区	经度	时差
PST , Pacific	120° W	–8 西八区
MST , Mountain	105° W	–7 西七区
CST , Central	90° W	–6 西六区
EST , Eastern	75° W	–5 西五区
AST , Atlantic	60° W	–4 西四区
Brazil, Zone 2	45° W	–3 西三区
AT , Azores	30° W	–2 西二区
WAT , West Africa	15° W	–1 西一区

所以，北京时间是 GMT + 8 就很容易推算出来了。要特别留意的是，很多朋友在安装 Linux 的时候，**总是会发现目前的时间慢或者快了 8 小时，这绝对与时区有关**，赶紧调整一下时区吧。

另外，在表 15-1 中有个比较有趣的时区，那就是在太平洋上面的国际日期变更线。我们刚刚说，在格林尼治的东边时间会较早，而在西边时间会较晚，但是两边各走了 180 度之后就会碰头，那不就刚好差了 24 小时吗？没错，所以才制定了国际日期变更线。国际日期变更线刚好在太平洋上面，因此，如果你曾坐飞机到过美国应该会发现，怎么出发的时间是星期六下午，坐了 10 几个小时的飞机到了美国还是星期六？因为刚好通过了国际日期变更线，日期减少了一天。如果反过来，由美国到中国，日期就会多加一天。

15.1.2 什么是夏令时（Daylight Saving Time）

时区的概念建立起来之后，现在再来谈一谈，什么是**夏令时（或称日光节约时间）**。既然是夏令时，当然主要是与夏天有关。因为地球在运行的时候是呈现一个倾斜角在绕太阳运转的，所以才有春夏秋冬的季度变换（这个大家应该都知道），在夏天的时候，白天的时间会比较长，所以为了节约用电，在夏天的时候某些地区会将时间提前一小时，也就是说，原本的时区是 8 点，但是因为夏天太阳升起的时间比较早，因此把时间向前挪，在原本 8 点的时候，定为该天的 9 点（时间提早一小时）。如此一来，我们就可以利用阳光照明，省去了花费电力的时间，因此才会称之为夏令时。

1986 年至1991 年，我国在全国范围实行了 6 年夏令时，每年从 4 月中旬的第一个星期日 02:00（北京时间）到 9 月中旬第一个星期日的 02:00（北京夏令时）。除 1986 年因是实行夏令时的第一年，从5 月 4 日开始到9 月 14 日结束外，其他年份均按规定的时段施行。由于省电效果不抵需要适应时间的弊端，1992 年4 月 5 日后不再实行。

15.1.3 Coordinated Universal Time (UTC)与系统时间的误差

了解了一些时区的概念之后，这里要谈的是**正确的时间**。在 1880 年的时间标准是以 GMT 时间为主的，但是 GMT 时间是以太阳通过格林尼治的那一刻来作为计时的标准。然而我们都知道，地球自转的轨道以及公转的轨道并非正圆，加上地球的自转速度好像有逐年递减的问题，所以这个 GMT 时间与我们目前计时的时间就有点不一样了。

在计算时间的时候，最准确的应该是使用**原子振荡周期**所计算的物理时钟了（Atomic Clock，也称为原子钟），这也被定义为标准时间（International Atomic Time）。而我们常常看到的 UTC，即 **Coordinated Universal Time（协和标准时间）**，就是利用这种 Atomic Clock 为基准所定义出来的正确时间。例如 1999 年在美国启用的原子钟 NIST F-1，它所产生的时间误差每两千年才差一秒钟。真的是很准。这个 UTC 标准时间虽然与 GMT 时间放在同一个时区为基准，不过由于计时的方式不同，UTC 时间与 GMT 时间有差不多 16 分钟的误差。

事实上，在我们的身边就有很多的原子钟，例如石英表，还有计算机主机上面的 BIOS 内部就含有一个原子钟在记录与计算时间的进行。原子钟主要是利用计算芯片（crystal）的原子振荡周期来计时的，这是因为每种芯片都有自己的独特的振荡周期。然而因为这种芯片的振荡周期在不同的芯片之间多多少少都会有些差异，甚至同一批芯片也可能会或多或少有一些差异（就连温度也可能造成这样的误差），因此也就造成了 BIOS 的时间会隔三差五地快了几秒或者慢了几秒。

或许你会认为，BIOS 定时器每天快 5 秒也没有什么关系，不过如果你再仔细算一算，会发现，一天快 5 秒，那么一个月快 2.5 分钟，一年就快了 30 分钟了！所以说，时间差是真的会存在的。那么如果你的计算机真的有这样的情况，那要怎么来重新校正时间呢？那就需要网络校时（Network Time Protocol, NTP）的功能了！下面我们就谈一谈 NTP 的 daemon 吧。

15.1.4 NTP 通信协议

实际上，Linux 操作系统的计时方式主要从 1970 年 1 月 1 日开始计算总秒数，因此，如果你还记得 date 这个命令的话，会发现它有个 +%s 的参数，可以取得总秒数，这个就是软件时钟。但是，如同前面说的，计算机硬件主要是以 BIOS 内部的时间为主要的时间依据（硬件时钟），而偏偏这个时间可能因为 BIOS 内部芯片本身的问题，而导致 BIOS 时间与标准时间（UTC）存在有一点点的差异。所以，为了避免主机时间因为长期运行而导致时间偏差，进行时间同步（synchronize）的工作就显得很重要了。

- 软件时钟：由 Linux 操作系统根据 1970/01/01 开始计算的总秒数。
- 硬件时钟：主机硬件系统上面的时钟，例如 BIOS 记录的时间。

那么怎么让时间同步化呢？想一想，如果我们选择几部主要主机（Primary Server）调校时间，让这些 Primary Server 的时间同步之后，再开放网络服务来让 Client 端连接，并且允许 Client 端调整自己的时间，不就可以实现全部计算机的时间同步了吗。那么什么协议可以实现这样的功能呢？那就是 **Network Time Protocol**，另外还有 Digital Time Synchronization Protocol（DTSS）也可以实现相同的功能。不过，到底 NTP 这个 daemon 如何让 Server 与 Client 同步它们的时间呢？

1）**首先，主机当然需要启动这个 daemon。**

2）**之后，Client 会向 NTP Server 发送出校对时间的 message。**

3）**然后 NTP Server 会送出当前的标准时间给 Client。**

4）**Client 接收了来自 Server 的时间后，会据以调整自己的时间，这样就实现了网络校时。**

在上面的步骤中你有没有想到一件事，那就是**如果 Client 到 Server 的信息传送时间过长怎么办？**举例来说，我在北京以 ADSL 的 PC 主机，连接到美国的 NTP Server 主机进行时间同步化要求，而美国 NTP Server 收到我的要求之后，就发送当时的正确时间给我，不过，由美国将数据传送回我的 PC 时，时间可能已经延迟了 10 秒了。这样一来，我的 PC 校正的时间是 10 秒前的标准时间。此外，如果美国那个 NTP 主机上有太多的人进行网络校时，所以负荷太重了，导致信息的返回又延迟得更为严重。那怎么办？

为了解决这些延迟的问题，有一些 program 已经开发了自动计算时间传送过程的误差，以更准确地校准自己的时间。当然，在 daemon 的部分，也同时以 Server/Client 及 Master/Slave 的架构来提供用户进行网络校时的操作。所谓的 Master/Slave 就有点类似 DNS 的系统。举例来说，我国的标准时间主机去国际标准时间的主机校时，然后各大专院校再到我国的标准时间主机校时，然后我们再到各大专院校的标准时间主机校时，这样一来，那几台国际标准时间主机（Time server）的 loading 就不至于太大，而我们也可以很快速地达到正确的网络校时的目的。我国授时中心服务器的 IP 地址为 210.72.145.44。

至于 NTP 这个 daemon 是以 port 123 为连接的端口（使用 UDP 数据包），所以我们利用 Time Server 来进行时间的同步更新时，就需要使用 NTP 软件提供的 ntpdate 来进行 port 123 的连接。关于网络校时更多的说明，可以到 NTP 的官方网站上查看。

15.1.5 NTP 服务器的层次概念

如前所述，由于 NTP 时间服务器采用类似分级架构（stratum）来处理时间的同步化，所以它使用的是类似一般 Server/Client 的主从架构。网络社会上会提供一些主要与次要的时间服务器，这些均属于第一级与第二级的时间服务器（stratum-1、stratum-2），如下所示。

- **主要时间服务器：**http://support.ntp.org/bin/view/Servers/StratumOneTimeServers。
- **次要时间服务器：**http://support.ntp.org/bin/view/Servers/StratumTwoTimeServers。

由于这些时间服务器大多在国外，所以我们是否要使用这些服务器来同步化自己的时间呢？其实如果我国已经有标准时间服务器的话，用那台即可，不需要连接到国外了，浪费带宽与时间。而如前面提到的，我国已经有标准的时间服务器了，所以当然我们可以直接选择我国的 NTP 主机即可。

如果评估一下，确定有架设 NTP 的需求时，我们可以直接选择我国的上层 NTP 来同步化时间即可。举例来说，210.72.145.44 这台主机应该是比较适合的。一般来说，我们在进行 NTP 主机的设置时，都会先选择多台上层的 Time Server 来作为我们这一台 NTP Server 的校时之用，选择多台的原因是因为**可以避免因为某台时间服务器突然宕机时，其他主机仍然可以提供 NTP 主机来自我更新，然后 NTP Server 才提供给自己的 Client 端更新时间**。如此一来，210.72.145.44 主机的负载才不会太大，而我们的 Client 也可以很快速地实现校时的操作。

其实 NTP 的阶层概念与 DNS 很类似，当你配置一台 NTP 主机，这台 NTP 所向上要求同步化的那台主要主机为 stratum-1 时，那么你的 NTP 就是 stratum-2 了。举例来说，如果我们的 NTP 是向 210.72.145.44 这台 stratum-2 的主机要求时间同步化，那我们的主机即为 stratum-3，如果还有其他的 NTP 主机向我们要求时间同步，那么该台主机则会是 stratum-4。就这样。那最多可以有几个阶层？**最多可达 15 个阶层。**

15.2 NTP 服务器的安装与设置

NTP 服务器也是一个很容易就可以架设成功的东西，不过这个软件在不同的 distribution 上面可能有不一样的名称，你要做的其实就是将它安装起来之后，定义一台上层 NTP 服务器来同步化你的时间即可。如果你只是想要进行你自己单部主机的时间同步化，那就别架设 NTP，直接使用 NTP 客户端软件即可。

15.2.1 所需软件与软件结构

在 CentOS 6.x 上，你所需要的软件其实仅有 ntp 这个软件，请自行使用 rpm 去找找看，若没有安装，请利用 yum install ntp 安装即可。不过，我们还需要与时区相关的数据文件，所以需要下面的软件。

- **ntp**：就是 NTP 服务器的主要软件，包括配置文件以及可执行文件等。
- **tzdata**：软件名称为 Time Zone Data 的缩写，提供各时区对应的显示格式。

与时间及 NTP 服务器设置相关的配置文件与重要数据文件有下面几个。

- **/etc/ntp.conf**：就是 NTP 服务器的主要配置文件，也是唯一的一个。

- **/usr/share/zoneinfo/**：由 tzdata 所提供，为各时区的时间格式对应文件。例如我国的时区格式对应文件是 /usr/share/zoneinfo/Asia/Shanghai。这个目录里面的文件与下面要谈的两个文件（clock 与 localtime）是有关系的。
- **/etc/sysconfig/clock**：设置时区与是否使用 UTC 时钟的配置文件。每次开机后 Linux 会自动读取这个文件来设置自己系统所默认要显示的时间。举个例子来说，在我们中国的本地时间设置中，这个文件内应该会出现一行 ZONE="Asia/Shanghai"的字样，这表示我们的时间配置文件要使用 /usr/share/zoneinfo/Asia/Shanghai 那个文件。
- **/etc/localtime**：就是本地端的时间配置文件。刚刚那个 clock 文件里面规定了使用的时间配置文件（ZONE）为 /usr/share/zoneinfo/Asia/Shanghai，所以说这就是本地端的时间了，此时 Linux 系统就会将 Shanghai 那个文件复制一份成为 /etc/localtime，所以未来我们的时间显示就会以 Shanghai 那个时间配置文件为准。

至于常用于时间服务器与修改时间命令，主要有下面这几个。

- **/bin/date**：用于 Linux 时间（软件时钟）的修改与显示的命令。
- **/sbin/hwclock**：用于 BIOS 时钟（硬件时钟）的修改与显示的命令。这是一个 root 才能执行的命令，因为 Linux 系统上面 BIOS 时间与 Linux 系统时间是分开的，所以使用 date 这个命令调整了时间之后，还需要使用 hwclock 才能将修改过后的时间写入 BIOS 当中。
- **/usr/sbin/ntpd**：主要提供 NTP 服务的程序。配置文件为 /etc/ntp.conf。
- **/usr/sbin/ntpdate**：用于客户端的时间校正，如果不要启用 NTP 而仅想要使用 NTP Client 功能的话，那么会用到这个命令。

例题

假设你的笔记本电脑安装 CentOS 这套系统，而且选择的时区为上海。现在，你将有一个月的时间要出差到美国的纽约去，你会带着这个笔记本电脑，那么到了美国之后，时间会不一致。你该如何手动调整时间参数呢？

答：因为时区数据文件在 /usr/share/zoneinfo 内，在该目录内会找到 /usr/share/zoneinfo/America/ New_York 这个时区文件。而时区配置文件在 /etc/sysconfig/clock 内，且目前的时间格式在 /etc/localtime 内，所以你应该这样做：

```
[root@www ~]# date
Thu Jul 28 15:08:39 CST 2011   <==重点是 CST 这个时区

[root@www ~]# vim /etc/sysconfig/clock
ZONE="America/New_York"      <==改的是这里

[root@www ~]# cp /usr/share/zoneinfo/America/New_York /etc/localtime
```

```
[root@www ~]# date
Thu Jul 28 03:09:21 EDT 2011  <==时区与时间都改变了
```

这个范例做完之后，记得将这两个文件改回来，不然以后你的时间都是美国时间啦。

接下来，我们先来谈一谈如何设计/etc/ntp.conf 吧。

15.2.2 主要配置文件 ntp.conf 的处理

由于 NTP 服务器的设置需要有上游服务器的支持才行，因此请回头参考一下 15.1.4 及 15.1.5 小节中的介绍，这样才能够理解为何下面的设置是这样的。好了，假设我的 NTP 服务器所需要设置的架构如下。

我的上层 NTP 服务器共有 tock.stdtime.gov.tw、tick.stdtime.gov.tw、time.stdtime.gov.tw 三台（改编者注：这三台 NTP 服务器位于台湾地区，由台湾地区时间与频率标准实验室员责维护），其中以 tock.stdtime.gov.tw 最优先使用（prefer）。

- 不对 Internet 提供服务，仅允许来自内部网络 192.168.100.0/24 的查询。
- 检测 BIOS 时钟与 Linux 系统时间的差异并写入 /var/lib/ntp/drift 文件中。
- 好了，先让我们谈一谈如何在 ntp.conf 里面设置权限控制吧。

1. 利用 restrict 来管理权限控制

在 ntp.conf 文件内可以利用 restrict 来控制权限，这个参数的设置方式为：

```
restrict [你的IP] mask [netmask_IP] [parameter]
```

其中 parameter 的参数主要有以下这些。

- **ignore**：拒绝所有类型的 NTP 连接。
- **nomodify**：客户端不能使用 ntpc 与 ntpq 这两个程序来修改服务器的时间参数，但客户端仍可通过这部主机来进行网络校时。
- **noquery**：客户端不能够使用 ntpq、ntpc 等命令来查询时间服务器，等于不提供 NTP 的网络校时。
- **notrap**：不提供 trap 这个远程事件登录（remote event logging）的功能。
- **notrust**：拒绝没有认证的客户端。

那如果没有在 parameter 的地方加上任何参数的话，这表示 **"该 IP 或网段不受任何限制"** 的意思。一般来说，我们可以先关闭 NTP 的权限，然后再一个一个地启用允许登录的网段。

2. 利用 server 设置上层 NTP 服务器

上层 NTP 服务器的设置方式为：

```
server [IP or hostname] [prefer]
```

在 server 后端可以接 IP 或主机名，鸟哥个人比较喜欢使用 IP 来设置。至于那个 perfer 表示“优先使用”的服务器。够简单吧。

3. 以 driftfile 记录时间差异

设置的方式如下：

```
driftfile [可以被 ntpd 写入的目录与文件]
```

因为默认的 NTP Server 本身的时间计算是依据 BIOS 的芯片振荡周期频率来计算的，但是这个数值与上层 Time Server 不见得一致。所以 NTP 这个 daemon（ntpd）会自动去计算我们自己主机的频率与上层 Time Server 的频率，并且将两个频率的误差记录下来，记录下来的文件就是在 driftfile 后面的完整文件名所指的文件。关于文件名必须要知道：

- **driftfile 后面接的文件需要使用完整路径文件名。**
- **该文件不能是连接文件。**
- **该文件需要设置成 ntpd 这个 daemon 可以写入的权限。**
- **该文件所记录的数值单位为百万分之一秒（ppm）。**

driftfile 后面接的文件会被 ntpd 自动更新，所以它的权限一定要能够让 ntpd 写入才行。在 CentOS 6.x 默认的 NTP 服务器中，使用的 ntpd 的 owner 是 ntp，这部分可以查阅 /etc/sysconfig/ntpd 就知道了。

4. keys [key_file]

除了以 restrict 来限制客户端的连接之外，我们也可以通过密钥系统来给客户端认证，如此一来，可以让主机端更放心了。不过在本章节里面我们暂不讨论此内容，有兴趣的朋友可以参考 ntp-keygen 这个命令的相关说明。

根据上面的说明，我们最终可以取得这样的配置文件内容（下面仅修改部分数据，保留大部分的设置值）。

```
[root@www ~]# vim /etc/ntp.conf
# 1. 先处理权限方面的问题，包括放行上层服务器以及开放局域网用户来源
restrict default kod nomodify notrap nopeer noquery     <==拒绝 IPv4 的用户
restrict -6 default kod nomodify notrap nopeer noquery  <==拒绝 IPv6 的用户
restrict 220.130.158.71    <==放行 tock.stdtime.gov.tw 进入本 NTP 服务器
```

```
restrict 59.124.196.83       <==放行 tick.stdtime.gov.tw 进入本 NTP 服务器
restrict 59.124.196.84       <==放行 time.stdtime.gov.tw 进入本 NTP 服务器
restrict 127.0.0.1           <==下面两个是默认值，放行本机来源
restrict -6 ::1
restrict 192.168.100.0 mask 255.255.255.0 nomodify <==放行局域网来源

# 2. 设置主机来源，请先将原本的 [0|1|2].centos.pool.ntp.org 的设置注释掉
server 220.130.158.71 prefer   <==以这台主机为最优先
server 59.124.196.83
server 59.124.196.84

# 3.默认时间差异分析文件与暂不用到的 keys 等，不需要改变它
driftfile /var/lib/ntp/drift
keys      /etc/ntp/keys
```

这样就设置妥当了，准备来启动 NTP 服务吧。

15.2.3　NTP 的启动与观察

设置完 ntp.conf 之后就可以启动 NTP 服务器了。启动与查看的方式如下：

```
# 1. 启动 NTP
[root@www ~]# /etc/init.d/ntpd start
[root@www ~]# chkconfig ntpd on
[root@www ~]# tail /var/log/messages  <==自行查看，看看有无错误

# 2. 查看启动的端口
[root@www ~]# netstat -tlunp | grep ntp
Proto Recv-Q Send-Q Local Address        Foreign Address   PID/Program name
udp        0      0 192.168.100.254:123 0.0.0.0:*         3492/ntpd
udp        0      0 192.168.1.100:123   0.0.0.0:*         3492/ntpd
udp        0      0 127.0.0.1:123       0.0.0.0:*         3492/ntpd
udp        0      0 0.0.0.0:123         0.0.0.0:*         3492/ntpd
udp        0      0 ::1:123             :::*              3492/ntpd
udp        0      0 :::123              :::*              3492/ntpd
# 主要是 UDP 数据包，且在 port 123 这个端口
```

这样就表示我们的 NTP 服务器已经启动了，不过要与上层 NTP 服务器连接则还需要一些时间，**通常启动 NTP 后约在 15 分钟内才会和上层 NTP 服务器顺利连接上。**那要如何确认我们的 NTP 服务器已经顺利地更新了自己的时间呢？可以使用下面几个命令来查看（请等待几分钟后再以下列命令查看）：

```
[root@www ~]# ntpstat
synchronised to NTP server (220.130.158.71) at stratum 3
```

```
   time correct to within 538 ms
   polling server every 128 s
```

这个命令可以列出我们的 NTP 服务器是否已经与上层连接。由上述的输出结果可以知道，时间已经校正约 538ms，且每隔 128 秒会主动去更新时间。

```
[root@www ~]# ntpq -p
     remote           refid      st  when poll reach   delay   offset  jitter
==============================================================================
*tock.stdtime.go 59.124.196.87    2 u   19  128  377   12.092   -0.953   0.942
+59-124-196-83.H 59.124.196.86    2 u    8  128  377   14.154    7.616   1.533
+59-124-196-84.H 59.124.196.86    2 u    2  128  377   14.524    4.354   1.079
```

这个 ntpq -p 命令可以列出当前我们的 NTP 与相关的上层 NTP 的状态，上面的几个字段的意义如下。

- remote：也就是 NTP 主机的 IP 或主机名。注意最左边的符号：
  - 如果有“*”代表目前正在作用当中的上层 NTP。
  - 如果是“+”代表已经连接成功，而且可作为下一个提供时间更新的候选者。
- refid：参考的上一层 NTP 主机的地址。
- st：就是 stratum 阶层。
- when：几秒钟前曾经做过时间同步化更新的操作。
- poll：下一次更新在几秒钟之后。
- reach：已经向上层 NTP 服务器要求更新的次数。
- delay：网络传输过程当中延迟的时间，单位为 10^{-6} 秒。
- offset：时间补偿的结果，单位为 10^{-3} 秒
- jitter：Linux 系统时间与 BIOS 硬件时间的差异时间，单位为 10^{-6} 秒。

事实上这个输出的结果告诉我们，时间真的很准了，因为差异都在 0.001 秒以内，可以符合我们的一般使用了。另外，也可以检查一下 BIOS 时间与 Linux 系统时间的差异，就是 /var/lib/ntp/drift 这个文件的内容，就能了解到咱们的 Linux 系统时间与 BIOS 硬件时钟到底差多少，单位为 10^{-6} 秒。

要让 NTP Server/Client 正常工作，在上述的操作中需要注意：

- **上述的 ntpstat 以及 ntpq -p 的输出结果中，NTP 服务器确实要能够连接上层 NTP 才行。否则客户端将无法对 NTP 服务器进行同步更新。这很重要。**

- NTP 服务器时间不可与上层差异太多。举例来说，鸟哥测试 NTP 服务器约在 2011 年 7 月 28 日下午，如果我的服务器时间原本是错误的 2010 年 7 月 28 日，足足差了一年，那么上层服务器恐怕就不会将正确的时间传给我。这时就会造成困扰了。
- 要特别注意服务器防火墙在 UDP port 123 上有没有开。
- 等待的时间有多长？鸟哥设置 NTP 时等过最久的时间大约是一小时。

15.2.4　安全性设置

NTP 服务器在安全性方面，其实刚刚我们在 /etc/ntp.conf 里面的 restrict 参数中就已经设置了 NTP 这个 daemon 的服务限制范围了。不过，在防火墙 iptables 的部分，还是需要打开连接监听。所以，在 iptables 规则的 scripts 当中，需要加入这一段（这里是以开放 192.168.100.0/24 这个网络作为范例的）：

```
[root@www ~]# vim /usr/local/virus/iptables/iptables.allow
iptables -A INPUT -i $EXTIF -p udp -s 192.168.100.0/24 --dport 123 -j ACCEPT

[root@www ~]# /usr/local/virus/iptables/iptables.rule
```

若还要开放其他的网段或者客户端主机，请自行修改 /etc/ntpd.conf 以及防火墙机制。

15.3　客户端的时间更新方式

上面介绍了 NTP 服务器的安装与设置，如果我们仅有不到 10 台的主机时，老实说，实在没有架设 NTP 服务器的需求。只要能够在主机上面以 NTP 客户端软件来进行网络校时就能够同步化时间了，没必要时时刻刻进行时间的校正。但是，如果是类似一定要时间同步的群集计算机或登录服务器，那使用时间服务器就比较好。

15.3.1　Linux 手动校时工作：date、hwclock

先来复习一下前面谈到的重点，那就是 Linux 操作系统当中其实有两个时间，分别是软件时钟与硬件时钟。

- **软件时钟**：Linux 自己的系统时间，从 1970 年 1 月 1 日开始记录的时间参数。
- **硬件时钟**：计算机系统在 BIOS 记录的实际时间，这也是硬件所记录的。

在软件时钟方面，我们可以通过 date 这个命令来进行手动修改，但如果要修改 BIOS 记录的时间，就要使用 hwclock 这个命令来写入才行。相关的用法如下：

```
[root@clientlinux ~]# date MMDDhhmmYYYY
选项与参数：
```

```
MM：月份
DD：日期
hh：小时
mm：分钟
YYYY：公元年

# 1. 修改时间成为 1 小时后的时间该如何操作
[root@clientlinux ~]# date
Thu Jul 28 15:33:38 CST 2011

[root@clientlinux ~]# date 072816332011
Thu Jul 28 16:33:00 CST 2011
# 瞧，时间立刻就变成一个小时后了
 [root@clientlinux ~]# hwclock [-rw]
选项与参数：
-r ：也就是 read，读出目前 BIOS 内的时间参数
-w ：也就是 write，将目前的 Linux 系统时间写入 BIOS 中

# 2. 查阅 BIOS 时间，并且写入更改过的时间
[root@clientlinux ~]# date; hwclock -r
Thu Jul 28 16:34:00 CST 2011
Thu 28 Jul 2011 03:34:57 PM CST  -0.317679 seconds
# 看一看，是否刚好相差约一个小时？这就是 BIOS 时间

[root@clientlinux ~]# hwclock -w; hwclock -r; date
Thu 28 Jul 2011 04:35:12 PM CST  -0.265656 seconds
Thu Jul 28 16:35:11 CST 2011
# 这样就写入了，所以软件时钟与硬件时钟就同步啦。很简单吧。
```

当我们做完 Linux 时间的校时后，还需要用 hwclock 来更新 BIOS 的时间，因为每次重新启动的时候，系统会重新由 BIOS 将时间读出来，所以，BIOS 才是重要的时间依据。

15.3.2 Linux 的网络校时

在 Linux 的环境当中可利用 NTP 的客户端程序，即 ntpdate 这个程序就能够进行时间的同步化。不过需要知道的是，**因为 NTP 服务器本来就会与上层时间服务器进行时间的同步化，所以在默认的情况下，NTP 服务器不可以使用 ntpdate！也就是说 ntpdate 与 ntpd 不能同时启用**。所以不要在 NTP Server 上面执行这个命令。我们来看看应该如何处理。

```
[root@clientlinux ~]# ntpdate [-dv] [NTP IP/hostname]
选项与参数：
-d ：进入排错模式 (debug)，可以显示出更多的有效信息
-v ：显示更详细的信息
```

```
[root@clientlinux ~]# ntpdate 192.168.100.254
28 Jul 17:19:33 ntpdate[3432]: step time server 192.168.100.254 offset -2428.396146
sec
# 最后面会显示微调的时间有多少 (offset)，因为鸟哥这台主机时间差很多，所以秒数很大

[root@clientlinux ~]# date; hwclock -r
四  7月 28 17:20:27 CST 2011
公元 2011 年 07 月 28 日 (周四) 18 时 19 分 26 秒  -0.752303 seconds
# 知道鸟哥想要表达什么吗？对，还得用 hwclock -w 写入 BIOS 时间才行

[root@clientlinux ~]# vim /etc/crontab
# 加入这一行
10 5 * * * root (/usr/sbin/ntpdate tock.stdtime.gov.tw && /sbin/hwclock -w) &>
/dev/null
```

使用 crontab 之后，每天 05:10 Linux 系统就会自动进行网络校时了。很简单吧。不过，这种方式仅适合不启动 NTP 的情况。如果机器数量太多了，那么客户端最好也启动一下 NTP 服务，通过 NTP 去主动地更新时间。如何实现这个操作呢？也很简单，修改 /etc/ntp.conf 即可：

```
[root@clientlinux ~]# ntpdate 192.168.100.254
# 由于 ntpd 的 Server/Client 之间的时间误差不允许超过 1000 秒，
# 因此需要先手动进行时间同步，然后再设置与启动时间服务器

[root@clientlinux ~]# vim /etc/ntp.conf
#server 0.centos.pool.ntp.org
#server 1.centos.pool.ntp.org
#server 2.centos.pool.ntp.org
restrict 192.168.100.254   <==放行服务器来源
server 192.168.100.254     <==这就是服务器
# 很简单，就是将原本的 server 项目批注，加入我们要的服务器即可

[root@clientlinux ~]# /etc/init.d/ntpd start
[root@clientlinux ~]# chkconfig ntpd on
```

然后取消掉 crontab 的更新程序，这样 Client 计算机就会主动到 NTP 服务器上去更新了。不过对于客户端来说，鸟哥还是比较习惯使用 crontab 的方式来处理。

15.3.3　Windows 的网络校时

不知你是否发现，其实 Windows 在默认的情况下，已经帮我们处理了网络校时的工作。你可以将鼠标的指针指在任务栏右下角的时间标记，以如下的方式来查阅一下网络时间服务器的设置。

单击图 15-2 中的“更改日期和时间设置…”项，出现如图 15-3 所示的界面。

图 15-2 Windows 7 提供的网络校时功能

如图 15-3 所示，你可以自行填写台湾地区的时间服务器来校对时间，当然也可以填写你自己的时间服务器。之后系统就会主动地上网去更新时间了。不过，这是 Windows XP 之后的桌面系统才有的功能，如果是比较早期的 Windows，例如 Windows 95/2000，默认是没有这个功能的。不过也没有关系，台湾地区频率与时间标准实验室（http://www.stdtime.gov.tw/）也提供了一个客户端软件。链接资料如下：

- http://www.stdtime.gov.tw/chinese/EXE/NTPClock.exe。

你可以下载并直接执行它就知道如何处理了，而且它是全中文的图形化软件。

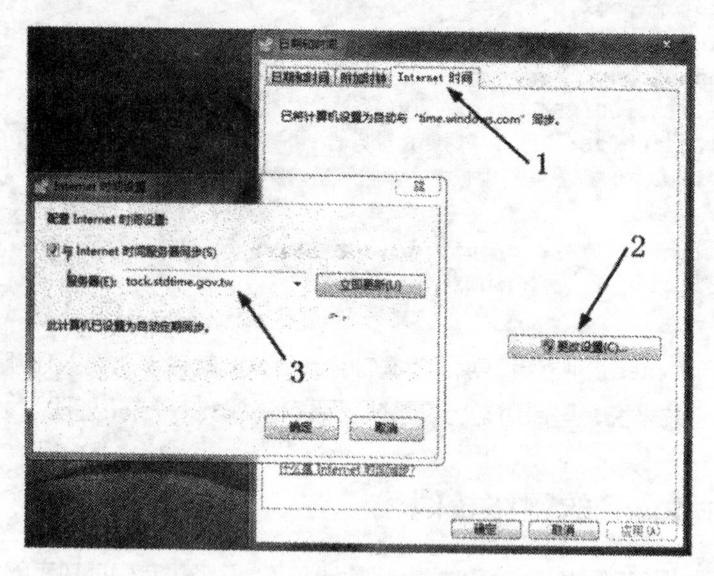

图 15-3 Windows 7 提供的网络校时功能

15.4 重点回顾

- 地球共有 24 个时区，而以格林尼治时间（GMT）为标准时间。
- 北京时间为 GMT + 8 小时。
- 最准确的时间为使用原子钟（Atomic Clock）所计算的，例如 UTC（Coordinated Universal Time）就是一例。
- Linux 系统本来就有两种时间，一种是 Linux 以 1970 年 1 月 1 日开始计数的系统时间，一种则是 BIOS 记载的硬件时间。
- Linux 可以通过网络校时，最常见的网络校时为使用 NTP 服务器，这个服务启动在 UDP port 123 上。
- 时区文件主要放置于 /usr/share/zoneinfo/ 目录下，而本地时区则参考 /etc/localtime。
- NTP 服务器为一种阶层式的服务，所以 NTP 服务器本来就会与上层时间服务器进行时间的同步化，因此 nptd 与 ntpdate 两个命令不可同时使用。
- NTP 服务器的连接状态可以使用 ntpstat 及 ntpq -p 来查询。
- NTP 提供的客户端软件为 ntpdate 这个命令。
- 在 Linux 下想要手动处理时间时，需以 date 设置时间后，以 hwclock -w 来写入 BIOS 所记录的时间。
- NTP 服务器之间的时间误差不可超过 1000 秒，否则 NTP 服务会自动关闭。

15.5 参考数据与延伸阅读

- 格林尼治时间的 Wiki 说明：http://en.wikipedia.org/wiki/Greenwich_Mean_Time。
- UTC 时间的 Wiki 说明：http://en.wikipedia.org/wiki/Coordinated_Universal_Time。
- 中国科学院国家授时中心官网：http://www.ntsc.ac.cn。
- NTP 的官方网站：http://www.ntp.org
- 另一个好网站：http://www.eecis.udel.edu/~mills/ntp/html/ntpd.html。
- 由网友李涛兄提供的网站：http://support.ntp.org/bin/view/Support/TroubleshootingNTP#Section_9.5。
- http://www.eecis.udel.edu/~mills/ntp/html/ntpq.html。

第 16 章

文件服务器之二：SAMBA 服务器

如果想要共享文件，在 Linux 对 Linux 的环境下，最简单的方法就是通过 NIS 了；至于 Windows 对 Windows 的环境下，最简单的方法则是“网上邻居”。那如果局域网中既有 Windows 也有 Linux 而且想要共享文件系统的话，那该怎么办？那就使用 SAMBA 服务器。SAMBA 可以让 Linux 加入 Windows 的网上邻居支持，让不同的平台可以共享文件系统，非常好用。不仅如此，SAMBA 也可以让 Linux 上面的打印机成为打印机服务器（Printer Server）。鸟哥个人认为，SAMBA 对于整个局域网的贡献真的是很大的。

16.1　什么是 SAMBA

在本章中，我们将要向大家介绍 SAMBA 这个好用的服务器。**此词与巴西的 SAMBA 舞名同音**。为什么服务器的名称会使用 SAMBA 呢？这个 SAMBA 服务器的功能是什么呢？另外，它最早是基于什么样的想法而开发出来的呢？下面就让我们谈一谈吧。

16.1.1　SAMBA 的发展历史与名称的由来

在早期的网络世界当中，文件数据在不同主机之间的传输大多是使用 FTP 这个好用的服务器软件。不过使用 FTP 传输文件却有个小小的问题，**那就是无法直接修改主机上面的文件数据**。也就是说，想要更改 Linux 主机上面的某个文件时，必须要将该文件从服务器下载后才可以。因此该文件在服务器与客户端都会存在。这个时候，如果有一天你修改了某个文件，却忘记将数据上传回主机，那么等过了一阵子之后，你如何知道那个文件才是最新的？

1. 让文件在两部主机之间直接修改：NFS 与 CIFS

既然有这样的问题，那么好吧，我可不可以在客户端的机器上面直接使用服务器上面的文件，如果可以在客户端直接进行服务器端文件的访问，那么我在客户端就不需要存在该文件数据，也就是说，我只要有 Server 上面的文件资料存在就可以了。有没有这样的文件系统呢？第 13 章的 NFS 就是这样的文件系统。我只要在客户端将 Server 所提供共享的目录挂载进来，那么在客户端的机器上面就可以直接使用 Server 上的文件资料了，而且，**该数据就像是客户端上面的 partition 一样**，真是好用。

除了可以让 Unix Like 的机器互相共享文件的 NFS 服务器之外，在微软（Microsoft）操作系统上面也有类似的文件系统，那就是 Common Internet File System（CIFS）。CIFS 最简单的用途就是目前常见的**“网上邻居”**。Windows 系统的计算机可以通过桌面上“网上邻居”来共享别人所提供的文件数据，真是方便。不过，NFS 仅能让 Unix 机器沟通，CIFS 只能让 Windows 机器沟通。伤脑筋，那么有没有让 Windows 与 Unix-Like 这两个不同的平台相互共享文件数据的文件系统呢？

2. 利用数据包检测逆向工程发展的 SMB Server

在 1991 年一个名叫 Andrew Tridgell 的博士班研究生就有这样的困扰，他手上有三台机器，分别是运行 DOS 的个人计算机、DEC 公司的 Digital Unix 系统以及 Sun 的 Unix 系统。在当时，DEC 公司发展出一套称为 PATHWORKS 的软件，这套软件可以用来共享 DEC 的 Unix 与个人计算机的 DOS 这两个操作系统的文件数据，可惜让 Tridgell 觉得困惑的是，Sun 的 Unix 无法利用这个软件来达到数据共享的目的（注 1）。

这个时候 Tridgell 就想：**“咦！既然这两种系统可以相互沟通，没道理 Sun 就必需这么**

苦命吧？可不可以将这两种系统的工作原理找出来，然后让 Sun 这部机器也能够共享文件数据呢？”为了解决这样的问题，这位老兄就自行写了个 program 去检测当 DOS 与 DEC 的 Unix 系统在进行数据共享传送时所使用到的通信协议信息，然后将这些重要的信息摘取下来，并且基于上述所找到的通信协议而开发出 Server Message Block（SMB）这个文件系统，这套 SMB 软件就能够让 Unix 与 DOS 互相的共享数据了。

再次强调一次，在 Unix Like 上面可以共享文件资料的 file system 是 NFS，那么在 Windows 上面使用的“网上邻居”所使用的文件系统则称为 Common Internet File System（CIFS）。

3. 取名为 SAMBA 的主因

既然写成了软件，总是需要注册一下商标。因此 Tridgell 就去申请了 SMBServer（Server Message Block 的简写）这个名字来作为他撰写的这个软件的商标，可惜的是，因为 SMB 是没有意义的文字，因此没有办法实现注册。既然如此的话，那么能不能在字典里面找到相关的字词可以作为商标来注册呢？翻了老半天，发现 SAMBA 刚好含有 SMB，又是热情有劲的拉丁舞蹈的名称，就用这个名字来作为商标好了。这就是我们今天所使用的 SAMBA 的名称由来。

16.1.2 SAMBA 常见的应用

由上面说明的 SAMBA 发展缘由，就不难知道，SAMBA 最初发展的主要目的就是用来沟通 Windows 与 Unix Like 这两个不同的操作系统平台，那么 SAMBA 可以进行哪些工作呢？主要功能如下：

- **共享文件与打印机服务。**
- **可以提供用户登录 SAMBA 主机时的身份认证，以提供不同身份用户的个别数据。**
- **可以进行 Windows 网络上的主机名解析（NetBIOS Name）。**
- **可以进行设备的共享（例如 Zip、CD-ROM）。**

下面我们来谈几个 SAMBA 服务器的应用实例。

1. 利用软件直接编辑 WWW 主机上面的网页数据

相信很多人都是利用个人计算机将网页制作完毕之后，再以类似 FTP 之类的服务将网页上传到 WWW 主机的，但这样有个困扰，那就是同时在客户端与 WWW 主机上面都有一份网页数据，常常会忘记哪一份是最新的，最麻烦的是，有时候下载下来的文件已经经过好多修改了，却在下次的 FTP 作业，不小心又下载一次旧数据，结果将已经修改过的数据覆盖过去。又要重写一遍，真是讨厌！

如果安装了 SAMBA 服务器的话，那么通过“网上邻居”的功能，直接连接远程服务器所提供的目录，如此一来就可以直接在个人计算机上面修改主机的文件数据，并且只有一份正确的数据。这就有点像是在线编辑，一修改完成，在 Internet 上面可以立刻检验，很方便。

2. 做成可直接连接的文件服务器

在鸟哥过去待过的实验室中，由于计算机数量不多，研究生常常会使用到不同的计算机（因为大家都得抢没有人用的计算机），此外，也常常有研究生拿自己的 NoteBook 来工作，因此，有些团队的数据就分散在各个计算机当中，使用上相当不方便。这个时候，鸟哥就使用 SAMBA 将硬盘空间共享出来，由于用户在登录 SAMBA 这个服务器主机时需要输入用户数据（账号与密码），而不同的登录者会取得不一样的目录资源，所以可以避免自己的数据在公用计算机上面被窥视，此外，在不同的公用计算机上面都可以登录 SAMBA 主机，数据的使用上面确实是相当棒。

3. 打印机服务器

SAMBA 除了共享文件系统外，也可以共享打印机，鸟哥的研究室好几台计算机就是直接以 Linux 共享的打印机来打印文件的。你可能会说：“Windows 也可以办得到，没有什么了不起的。”但是鸟哥认为，用 Linux 作为服务器主机时毕竟还是比较稳定一点，可以 24 小时且全年无休地努力工作。此外，因为目前通过“网上邻居”来攻击局域网络的 Windows 操作系统下的计算机病毒实在是太多了，防不胜防，这样的攻击对于 Linux 并没有很大的影响（因为常见的攻击手法均针对 Windows 而来），所以也比较安全一些。

SAMBA 的应用挺广泛的，尤其对于局域网络内的计算机来说，更是一项不可多得的好用的服务器，虽然或许你会说，SAMBA 的功能不过是模仿 Windows 的网上邻居以及 AD 相关的软件，那我直接使用 Windows 不就 OK 了？可惜的是，**Windows XP 对于网上邻居的连接限制依版本而有所不同，以企业常见的专业版（Professional）来说，它仅能提供最多同时 10 个连接到网上邻居的连接能力**，这可能不太够用吧。所以，SAMBA 稳定、可靠又没有连接数限制，很值得学习。更多的应用你可以自行发掘。

16.1.3　SAMBA 使用的 NetBIOS 通信协议

事实上，就像 NFS 是架构在 RPC Server 上面一样，SAMBA 这个文件系统是架构在 NetBIOS（Network Basic Input/Output System，NetBIOS）这个通信协议上面所开发出来的。既然如此，我们当然就要了解一下 NetBIOS。

最早 IBM 发展出 NetBIOS 的目的仅是要让局域网络内少数计算机进行网络连接的一个通信协议而已，所以考虑的角度并不是针对大型网络，因此，这个 **NetBIOS 是无法跨路由的**

（Router / Gateway）。NetBIOS 在局域网内实在是很好用，所以微软的网络架构就使用了这个协议来进行沟通。而 SAMBA 最早发展的时候，其实是想要让 Linux 系统可以加入 Windows 的系统当中来共享使用彼此的文件数据的，所以当然 SAMBA 就架构在 NetBIOS 发展出来了。

不过 NetBIOS 是无法跨路由的，因此使用 NetBIOS 发展起来的服务器理论上也是无法跨越路由的。那么该服务器的使用范围不就受限很多了吗？好在，我们还有所谓的 NetBIOS over TCP/IP 的技术。这是什么样的技术啊？

举个例子来说好了，我们知道 TCP/IP 是目前网络连接的基本协议，现在我们将 NetBIOS 想成是一封明信片，这个明信片只能让你自己欣赏而已，如果今天我们要将这个明信片送到远方的朋友那边时，就需要通过邮件系统（例如邮局、国际快递等）来传送了。这个 TCP/IP 就可以视为邮件传递系统。通过这个 NetBIOS over TCP/IP 的技术，我们就可以跨路由使用 SAMBA 服务器所提供的功能。当然，目前 SAMBA 还是比较广泛地使用在 LAN 里。

或许你会发现在 Windows 网络设置里面常常看到 NetBEUI，那是什么呢？那个是 NetBIOS Extened User Interface 的简写，也是 IBM 在 NetBIOS 发展出来之后的改良版本。虽然这两者的技术不太相同，不过，我们只要知道一些简单的概念就可以了。所以，在这里我们不针对 NetBEUI 来介绍。

16.1.4 SAMBA 使用的 daemons

NetBIOS 当初发展时就着眼在局域网内的快速数据交流，而因为是定义在局域网内，因此它并没有使用类似 TCP/IP 之类的传输协议，也就不需要 IP 的设置。如此一来数据如何在两台主机之间交流呢？其实主机在 NetBIOS 协议当中的定义为使用“NetBIOS Name”，每一台主机必须要有不同的 NetBIOS Name 才行，而文件数据就是在不同的 NetBIOS Name 之间沟通。我们以一个网上邻居的设置来作简单的说明。

1. 取得对方主机的 NetBIOS Name 定位该主机所在

当我们想要登录某台 Windows 主机使用它所提供的文件数据时，必须要加入该 Windows 主机的工作组（Workgroup），并且我们的机器也必须要设置一个主机名，注意，这个主机名跟 Hostname 是不一样的，因为这个主机名是架构在 NetBIOS 协议上的，我们可以简单地称其为 NetBIOS Name。**在同一个组中，NetBIOS Name 必须是独一无二的。**

2. 利用对方给予权限访问可用资源

在我们找到该主机名后，是否能登录该对方主机或者是使用对方主机所提供的资源，还要看对方 Windows 主机有没有提供我们使用的权限。所以，并不是登录该 Windows 主机之后我们就可以无限制地使用该主机的文件资源。也就是说，如果对方主机允许你登录，但是却没有开放任何资源让你使用，那么，登录主机也无法查看对方硬盘里面的数据的。

SAMBA 是通过两个服务来控制这两个步骤，分别是：

- **nmbd：这个 daemon 是用来管理工作组、NetBIOS Name 等的解析。主要利用 UDP 协议开启 port 137、138 来负责名称解析的任务。**
- **smbd：这个 daemon 的主要功能就是用来管理 SAMBA 主机共享的目录、文件与打印机等。主要利用可靠的 TCP 协议来传输数据，开放的端口为 139 及 445（不一定存在）。**

所以，SAMBA 每次启动至少都需要有这两个 daemons。这可不要忘记。而当我们启动了 SAMBA 之后，主机系统就会启动 137、138 这两个 UDP 及 139 这一个 TCP 端口，这也不要忘记了。因为后面设置防火墙的时候，还会使用到这三个 port。

16.1.5　连接模式的介绍 (Peer/Peer、Domain model)

SAMBA 服务器的应用相当广泛，而且可以依照不同的网络连接方式与不同的用户账号及密码的管理方式来进行分类。例如最常见的 Workgroup 及 Domain 两种方式的连接模式。下面我们就是要来谈一谈这两种最常见的局域网的连接模式：Peer/Peer（对等模式）及 Domain model（主控模式）。

1. Peer/Peer (Workgroup model，对等模式)

peer 有同等、同辈的意思，所以从字面上来看，peer/peer 当然就是指两台主机的地位相等。这是什么意思呢？简单地说，在局域网里面的所有 PC 均可以在自己的计算机上面管理自己的账号与密码，同时每一台计算机也都具有独立执行各项软件的能力，只是通过网络将各个 PC 连接在一起而已的一个架构，所以，每一台机器都是可以独立运行。

这样的架构在目前小型办公室里面是最常见的。例如办公室里面有 10 个人，每个人桌上可能都安装有一套 Windows 操作系统的个人计算机，而这 10 台计算机都可以独立进行办公室软件的执行、独立上网、独立玩游戏等，因为这 10 台计算机都可以独立工作，所以不会有一台计算机关掉，其他的计算机就无法工作的情况发生，这就是 Peer/Peer 的典型架构。

那在这样的架构下，要如何通过网络连接来取得对方的数据呢？举例来说，以图 16-1 的架构为例，在这样的架构下，假设 vbird（PC A）写了一个报告书，而 dmtsai（PC B）想要通过网络直接使用这个报告书时，那 dmtsai 就必须要知道 vbird 使用的密码，并且 vbird 必须要在 PC A 上面启用 Windows 的“资源共享（或者是共享）”之后，才能够让 dmtsai 连接进入（此时 PC A 为 Server）。而且，vbird 可以随时依照自己的喜好来更改自己的账号与密码，而不受 dmtsai 的影响。不过，dmtsai 就需要取得 vbird 同意取得新的账号与密码后，才能够登录 PC A。反过来说，同样地，vbird 要取得 dmtsai 的数据时，同样需要取得 PC B 的账号与密码后，才能够顺利登录（此时 PC A 为 Client）。因为 PC A、PC B 的角色与地位都同时可以为 Client 与 Server，所以就是 Peer/Peer 的架构了。

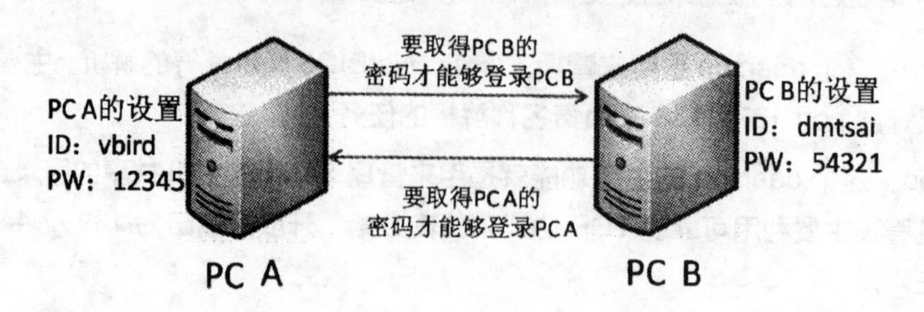

图 16-1 Peer/Peer 连接的示意图

使用 Peer/Peer 的架构的好处是每台计算机均可以独立运作，而不受他人的影响。不过，缺点就是当整个网络内的所有人员都要进行数据共享时，光是知道所有计算机里面的账号与密码，就会很伤脑筋了。所以，Peer/Peer 的架构是比较适合**小型的网络，或者是不需要常常进行文件数据共享的网络环境，或者是每个用户都独自拥有该计算机的拥有权（也就是说，该计算机是用户的，而不是公用的）**的情况。如果该单位的所有 PC 均是公有的（例如学校的计算机教室环境），而且需要统一管理整个网络里面的账号与密码的话，那就得使用下面的 Domain models 了。

2. Domain model (主控模式)

假设今天你服务的单位有 10 台计算机，但是你的单位有 20 个员工，也就是说，这 20 个员工轮流用这 10 台计算机。如果每台计算机都如同 Peer/Peer 的架构，那么每台计算机都需要输入这 20 个员工的账号与密码来提供他们登录。而且，今天假如有个员工想要变更自己的密码时，就需要到 10 台计算机上面进行密码变更的作业，否则他就必须要记得这 10 台计算机中第一台计算机上的账号密码。好烦啊。

如果是上述这样的情况，使用 Peer/Peer 架构就不是一个好方法了。这个时候就需要通过 Domain model 来实现你的需求。所谓的 Domain model 概念其实也很简单，既然使用计算机资源需要账号与密码，那么我将所有的账号与密码都放置在一台主控计算机（Primary Domain Controller, PDC）上面，在我的网络里面，任何人想要使用任何计算机时，都需要在屏幕前方输入账号与密码，然后全部利用 PDC 服务器的辨识后，才给予适当的权限。也就是说，不同的身份还具有不一样的计算机资源权限，如图 16-2 所示。

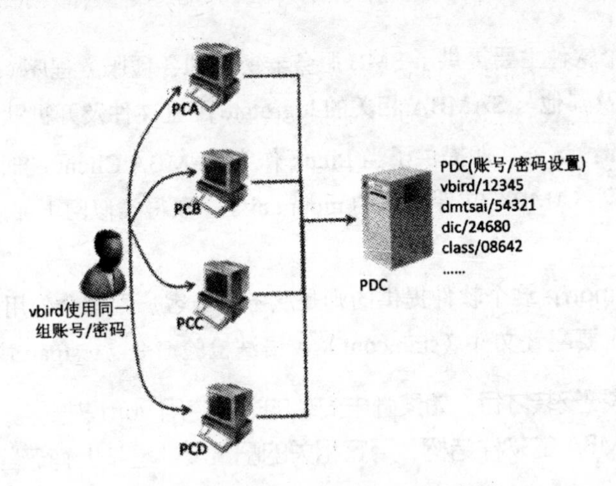

图 16-2 Domain model 连接的示意图

PDC 服务器管理整个网络里面的各个机器（PC A ~ PC D）的账号与密码的信息，假如今天有个用户账号名称为 vbird，且密码为 12345 时，他不论使用哪一台计算机（PC A ~ PC D）只要在屏幕前方输入 vbird 与它的密码，则该机器会先到 PDC 上面查验是否有 vbird 以及 vbird 的密码，并且 PDC 主机会给予 vbird 这个用户相关的计算机资源权限。当 vbird 在任何一台主机上面登录成功后，他就可以使用相关的计算机资源了。

这样的架构比较适合人来人往的企业架构，当系统管理员要管理新进人员的计算机资源使用权时，可以直接针对 PDC 来修改就好了，不需要每一台主机都去修改的，对于系统管理员来说，这样的架构在控制账号资源上，当然是比较简单的。

各种架构适用的环境与适用的人都不相同，并没有哪个是最好的。请依照具体的工作环境来选择连接的模式。当然，SAMBA 可以实现上述两种模式的。下面我们会分别来介绍。

16.2　SAMBA 服务器的基础设置

SAMBA 这个软件几乎在所有的 Linux distributions 上面都有提供，因为即使 Linux 仅作为个人桌面计算机使用时，你依旧可能会需要连接到远程的 Windows 网上邻居，这时就需要 SAMBA 提供的客户端软件功能了。因此你只要直接安装系统上面提供的默认 SAMBA 版本即可。下面我们会先介绍 SAMBA 服务器，然后再介绍客户端功能。

16.2.1　SAMBA 所需软件及其软件结构

目前常见的 SAMBA 版本为 3.x 版，旧版的 2.x 版在配置上有点不一样，因此在进行配置前请先确认 SAMBA 版本。CentOS 6.x 主要提供的是 SAMBA 3.x 的版本，不过也有 4.x 的版本（SAMBA 4），我们这里主要介绍的是默认的 3.x 版本。那么需要什么软件呢？基本上有这些：

- **samba**：这个软件主要提供了 SMB 服务器所需的各项服务程序（smbd 及 nmbd）、相关的文件以及其他与 SAMBA 相关的 logrotate 配置文件及开机默认选项文件等。
- **samba-client**：这个软件提供了当 Linux 作为 SAMBA Client 端时，所需要的工具命令，例如挂载 SAMBA 文件格式的 mount.cifs、取得类似网上邻居相关树形图的 smbtree 等。
- **samba-common**：这个软件提供的则是服务器与客户端都会使用到的数据，包括 SAMBA 的主要配置文件（smb.conf）、语法检验命令（testparm）等。

这三个软件都需要安装才行。如果尚未安装的话，使用 yum 去安装。安装完毕之后，可以依序查看一下 SAMBA 的软件结构。与它相关的配置文件基本上有这些：

- **/etc/samba/smb.conf**：这是 SAMBA 的主要配置文件，基本上 SAMBA 就仅有这个配置文件而已，且这个配置文件本身就是很详细的说明文件，请用 vim 去查阅它。主要的设置项目分为服务器的全局设置（global），如工作组、NetBIOS 名称与密码等级等，以及共享目录相关设置，如实际目录、共享资源名称与权限等两大部分。
- **/etc/samba/lmhosts**：早期的 NetBIOS Name 需额外设置，因此需要这个 lmhosts 的 NetBIOS Name 对应的 IP 文件。事实上它有点像是 /etc/hosts 的功能，只不过这个 lmhosts 对应的主机名是 NetBIOS Name。不要跟 /etc/hosts 搞混了。目前 SAMBA 默认会去使用本机名称（hostname）作为 NetBIOS Name，因此这个文件不设置也无所谓。
- **/etc/sysconfig/samba**：提供启动 smbd、nmbd 时，还想要加入的相关服务参数。
- **/etc/samba/smbusers**：由于 Windows 与 Linux 在管理员与访客账号名称不一致，例如 administrator（Windows）及 root（Linux），为了对应这两者之间的账号关系，可使用这个文件来设置。
- **/var/lib/samba/private/{passdb.tdb,secrets.tdb}**：管理 SAMBA 的用户账号/密码时，会用到的数据库文件。
- **/usr/share/doc/samba-<版本>**：这个目录包含了 SAMBA 的所有相关的技术手册。也就是说，当安装好了 SAMBA 之后，系统里面就已经含有相当丰富而完整的 SAMBA 使用手册了。值得高兴吧，所以赶紧自行参考一下。

至于常用的脚本文件方面，若分为服务器与客户端功能，则主要有下面这几个数据：

- **/usr/sbin/{smbd,nmbd}**：服务器功能，就是最重要的权限管理（smbd）以及 NetBIOS Name 查询（nmbd）两个重要的服务程序。
- **/usr/bin/{tdbdump,tdbtool}**：服务器功能，在 SAMBA 3.0 以后的版本中，用户的账号与密码参数已经转为使用数据库了。SAMBA 使用的数据库名称为 TDB（Trivial DataBase）。既然是使用数据库，当然要使用数据库的控制命令来处理。tdbdump 可以查看数据库的内容，tdbtool 则可以进入数据库操作接口直接手动修改账户及密码参数。不过，**需要安装 tdb-tools 这个软件**才行。

- /usr/bin/smbstatus：服务器功能，可以列出当前 SAMBA 的连接状况，包括每一条 SAMBA 连接的 PID、共享的资源、使用的用户来源等，让你轻松管理 SAMBA。
- /usr/bin/{smbpasswd,pdbedit}：服务器功能，在管理 SAMBA 的用户账号密码时，早期是使用 smbpasswd 这个命令，不过因为后来使用 TDB 数据库了，因此建议使用新的 pdbedit 命令来管理用户数据。
- /usr/bin/testparm：服务器功能，这个命令主要用在检验配置文件 smb.conf 的语法正确与否，当你编辑过 smb.conf 时，请务必使用这个命令来检查一次，避免因为打字错误引起困扰。
- /sbin/mount.cifs：客户端功能，在 Windows 上面我们可以设置“网络驱动器”来连接到自己的主机上面。在 Linux 上面，我们则是通过 mount（mount.cifs）来将远程主机共享的文件与目录挂载到自己的 Linux 主机上面。
- /usr/bin/smbclient：客户端功能，当 Linux 主机想要通过“网上邻居”的功能来查看其他计算机所共享出来的目录与设备时，就可以使用 smbclient 来查看。这个命令也可以使用在自己的 SAMBA 主机上面，用来查看是否设置成功。
- /usr/bin/nmblookup：客户端功能，有点类似 nslookup，重点在查出 NetBIOS Name。
- /usr/bin/smbtree：客户端功能，这个配置文件就有点像 Windows 系统的“网上邻居”显示的结果，可以显示类似“靠近我的计算机”之类的数据，能够查到工作组与计算机名称的树形目录分布图。

大致的软件结构就是这样，下面就准备来通过讲一个简单的案例来比较好地介绍配置文件项目。

16.2.2　基础的网上邻居共享流程与 smb.conf 的常用设置项目

既然 SAMBA 是要加入 Windows 的“网上邻居”服务当中，所以它的设置方式应该是要与网上邻居差不多才是。所以我们先来聊一聊 Windows 的一些网上邻居设置方法。在早期 Windows 的网上邻居设置真是很简单，不过也因为太简单，所以产生的安全问题可是相当麻烦的。后来在 Windows XP 的 SP2（服务包第二版）之后加入了很多默认的防火墙机制，因此使用网上邻居的默认限制常常会是这样的：

- **服务器与客户端之间必须要在同一个网络当中（否则需要修改 Windows 默认防火墙）。**
- **最好设置为同一工作组。**
- **主机的名称不可相同（NetBIOS Name）。**

- 专业版 Windows XP 最多仅能提供同时 10 个用户连接到同一台网上邻居服务器上。

工作组与主机名的设置，可以右击“我的电脑”图标，在弹出的快捷菜单中，选择“属性”后去修改相关的设置值。当 Windows 主机符合上述的条件后，就很容易处理网上邻居共享的工作了。共享的步骤一般是这样的：

1）打开“资源管理器”，然后在要共享的目录、磁盘或设备（如打印机）上面右击，在弹出的快捷菜单中选择“共享”，然后就能够设置好共享的数据了。

2）最好建立一组给用户使用的账号与密码，让其他主机的用户可以通过该账号密码连接进入使用网上邻居共享的资源。

例题

假设你打开 Windows XP 的资源管理器，在 D:\VBird\Data 这个目录下，右击并选择“共享与安全性”，之后在出现的窗口中，选择“你了解这个安全风险，但仍要设置向导共享此文件，请按这里”，然后勾选“在网络上共享这个文件夹”，最后共享的名称输入“VBGame”，请问，假设你的 IP 是 192.168.100.20，那么你的用户会看到什么网址？

答：网上邻居的资源名称通常的写法是“\\IP\共享资源名称”，我们的共享资源名称为 VBGame，因此最终这个共享的资源名称应该是“\\192.168.100.20\VBGame”才对。很多朋友都会写成“\\192.168.100.20\VBird\Game”那就错得很离谱了。

真是够简单的。那么 SAMBA 怎么设置啊？也是很简单，依据上述的限制以及流程你可以这样做：

1）**服务器全局设置方面**：在 smb.conf 中设置好工作组、NetBIOS 主机名、密码使用状态（无密码共享或本机密码）等。

2）**规划准备共享的目录参数**：在 smb.conf 内设置好预计要共享的目录或设备以及可供使用的账号数据。

3）**建立所需要的文件系统**：根据步骤 2 的设置，在 Linux 文件系统中建立好共享出去的文件或设备，以及相关的权限参数。

4）**建立可用 SAMBA 的账号**：根据步骤 2 的设置，建立所需的 Linux 实体账号，再以 pdbedit 建立使用 SAMBA 的密码。

5）**启动服务**：启动 SAMBA 的 smbd、nmbd 服务，开始运转。

根据上面的流程，其实我们最需要知道的就是 smb.conf 这个配置文件的信息。所以首先我们就要来介绍一下这个文件的设置方式了。这个文件其实可以分为两部分来看，一个是主机信息部分，在 smb.conf 当中以 [global]（全局）作为设置的依据；另一个则是共享的信息，以个别的目录名称为依据。另外，由于 SAMBA 主要是想加入网上邻居功能，因此在 smb.conf 内的很多设置都与 Windows 类似。

- **在 smb.conf 当中，井字号与分号（# 跟 ;）都是注释符号。**
- **在这个配置文件中，大小写是没关系的，因为 Windows 不分大小写！**

1. smb.conf 的服务器全局参数：[global] 项目

在 smb.conf 这个配置文件当中的设置项目有点像下面这样：

```
# 会有很多加上 # 或 ; 的注释说明，也可以自行加上来提醒自己的相关设置
[global]
   参数项目 = 设置内容
   ....

[共享资源名称]
   参数项目 = 设置内容
   ....
```

在 [global] 中的就是一些服务器的全局参数了，包括工作组、主机的 NetBIOS 名称、字符编码的显示、日志文件的设置、是否使用密码以及使用密码验证的机制等，都是在这个 [global] 项目中设置的。至于 [共享资源名称] 则是针对开放的目录来进行权限方面的设置，包括谁可以浏览该目录、是否可以读写等参数。在 [global] 部分关于主机名信息方面的参数主要有：

- **workgroup = 工作组的名称：注意，工作组要相同。**
- **netbios name = 主机的 NetBIOS 名称：每部主机均不同。**
- **server string = 主机的简易说明：这个随便写即可。**

另外，过去常常让用户心生不满的语言显示问题方面，你务必要清楚知道的是，**SAMBA 服务器上面的数据（例如 mount 磁盘分区槽的参数以及原本的数据编码），SAMBA 服务器显示的语言，Windows 客户端显示的语言，Windows 客户端连上 SAMBA 的软件**都需要符合设置值才行。在新版的 3.x 上面有数个提供这些语言转换的设置，如下所示：

- **display charset = 自己服务器上面的显示编码**，例如你在终端机时所查阅的编码信息。一般来说，与下面的 unix charset 相同。
- **unix charset = 在 Linux 服务器上面所使用的编码**，一般来说就是 i18n 的编码。所以必须要参考 /etc/sysconfig/i18n 内的“默认”编码。
- **dos charset = 就是 Windows 客户端的编码**，一般来说我们的简体中文 Windows 使用的是 GB 2312 编码，这个编码在 SAMBA 内的格式被称为“cp936”。

关于语言编码，建议你参考一下讨论区的这一篇：

- http://phorum.vbird.org/viewtopic.php?t=22001

我们的网友 eyesblue 写得太好了。所以建议大家直接前往查阅即可。在这里鸟哥将该文章内容作个例题来说说。

例题

假设 SAMBA 使用的语言/etc/sysconfig/i18n 显示的是 LANG="zh_CN.UTF-8"，而预计要共享的目标 Windows 系统是 XP，那么语言数据应该如何设置?

答：由于 Linux、Windows XP 都使用 GB 2312 编码，因此设置值应该是：

```
unix charset    = cp936
display charset = cp936
dos charset     = cp936
```

除此之外，还有登录文件方面的信息，包括这些参数：

- **log file = 日志文件存储的文件，文件名可能会使用变量处理。**
- max log size = 日志文件最大能达到多少 Kbytes，若大于该数字，则会被 rotate 掉。

还有网上邻居开放共享时，安全性程度有关的密码参数，包括这几个：

- **security = share、user、domain**：三选一，这三个设置值分别代表：

  share：共享的数据不需要密码，大家均可使用 (没有安全性)。

  user：使用 SAMBA 服务器本身的密码数据库，密码数据库与下面的 passdb backend 有关。

  domain：使用外部服务器的密码，也就是 SAMBA 是客户端之意，如果设置这个项目，需要提供 password server = IP 的设置值才行。
- encrypt passwords = Yes，**代表密码要加密**，注意 passwords 要有 s 才对。
- passdb backend = **数据库格式**，如前所述，为了加快速度，目前密码文件已经转为使用数据库了。默认的数据库格式为 tdbsam，而默认的文件则放置到 /var/lib/samba/private/passwd.tdb。

事实上 SAMBA 的密码方面设置值很多，包括你还可以利用 SAMBA 来修改 /etc/passwd 里面的人物的密码。不过这个时候就得需要“unix password sync”以及“passwd program”这两个参数值的帮忙了。我们这里先谈比较简单的，其他高级的部分可以 man smb.conf 去进行搜寻查阅。

2. 共享资源的相关参数设置 [共享的名称]

这部分就是我们在前面的范例当中说明的，要将哪个实际的目录共享成什么名称？中括号里面放的是“共享名称”。在这个共享名称内常见的参数有：

- **[共享名称]**：这个共享名称很重要，它是一个“代号”而已。记得回去看看 16.2.2 里面提到的那个范例。
- comment：只是这个目录的说明而已。
- path：这个共享名称实际会进入的 Linux 文件系统（目录）。也就是说，在网上邻居当中看到的是 [共享] 的名称，而实际操作的文件系统则是在 path 里面所设置的。
- browseable：是否让所有的用户看到这个项目？
- writable：是否可以写入？这里需要注意一下，read only 与 writable 不是两个很相似的设置值吗？如果 writable 在这里设置为 yes，也就是可以写入，如果 read only 同时设置为 yes，那不就互相抵触了？哪个才是正确的设置？答案是：**最后出现的那个设置值为主要的设置。**
- create mode 与 directory mode 都是与权限有关。
- writelist = 用户, @组，这个项目可以指定能够进入到此资源的特定用户。如果是 @group 的格式，则加入该组的用户均可取得使用的权限，设置上会比较简单。

因为共享的资源主要与 Linux 系统的文件权限有关，因此其设置参数多与权限有关。

3. smb.conf 内的可用变量功能

为了简化设置值，SAMBA 提供很多不同的变量供我们来使用，主要有下面这几个变量：

- %S：取代当前的设置项目值，所谓的“设置项目值”就是在 [共享] 里面的内容。例如下面的设置范例：

```
[homes]
  valid users = %S
  ....
```

因为 valid users 是允许的登录者，设置为 %S 表示任何可登录的用户都能够登录的意思。如果 dmtsai 这个用户登录之后，那么 [homes] 就会自动变成 [dmtsai] 了。这样可以明白了吗？%S 的用意就是在替换掉当前 [ ] 里面的内容。

%m：代表 Client 端的 NetBIOS 主机名。

%M：代表 Client 端的 Internet 主机名，就是 hostname。

%L：代表 SAMBA 主机的 NetBIOS 主机名。

%H：代表用户的用户主目录。

%U：代表当前登录的用户的用户名称。

%g：代表登录的用户的组名。

%h：代表目前这部 SAMBA 主机的 Hostanme。注意是 Hostname 不是 NetBIOS name。

%I：代表 Client 的 IP。

%T：代表当前的日期与时间。

以上就是在 smb.conf 上面常看到的几种设置项目，相信初次接触 SAMBA 的朋友，看到上面写的资料肯定是一头雾水。我们下面用几个小范例来实际的介绍 smb.conf 的设置后，你就会知道这些参数如何应用了。记得，**看完下面的范例后，要回来再将这些参数的意义看一看，而且若有其他额外的参数须知，务必自行 man smb.conf，这很重要。**

> 时代变动太快，版本变动太多，要讲完所有的参数实在是很难的一件事。所以在这里鸟哥只讲一些常用的设置项目，很多细项就需要靠各位朋友自己努力了。文末我列出很多 SAMBA 的在线资源，记需要查看。

16.2.3 不需密码的共享 (security = share, 纯测试)

是否可以不需要密码就能够使用 SAMBA 主机所提供的目录资源？可以。不过，因为不需要密码就能够登录，虽然你可以设置权限成为只读，仅让用户可以“瞧瞧而已”，但是毕竟比较危险。因为如果你不小心将重要数据放置到该共享的目录当中，岂不危险？所以尽量不要这样设置，所以标题才会讲“纯测试”。

1. 假设条件

在下面的案例中，服务器（192.168.100.254）预计设置的参数状况为：

- 在 LAN 内所有的网上邻居主机的工作组（workgroup）为 vbirdhouse。
- 这台 SAMBA 服务器的 NetBIOS 名称（netbios name）为 vbirdserver。
- 用户认证等级设置（security）为 share。
- 取消原本有共享的 [homes] 目录。
- 仅共享 /tmp 这个目录，且取名为 temp。
- Linux 服务器的编码格式假设为国际通用码（Unicode, 亦即 utf8）。
- 客户端为中文 Windows，在客户端的软件也使用 GB2312 的编码。

老实说，netbios name 几乎可以不用设置，因为现在我们都用 IP 进行网上邻居连接，不一定会使用主机名。所以这一版当中，鸟哥取消了 lmhosts 的设置值。好了，下面就开始依序来进行 SAMBA 的设置吧。

2. 设置 smb.conf 配置文件

由于我们已设置语言相关的数据，因此需要先查查看，到底我们 Linux 服务器的语言是否为 utf8 呢？检查方法如下：

```
[root@www ~]# cat /etc/sysconfig/i18n
LANG="zh_CN.UTF-8"  <==确实是出现了 utf8
```

如上所示，确实是 utf8。而在这个例子当中我们仅共享 /tmp 这个目录而已，而且假设这个共享出来的目录是可读写的，另外，我们并没有共享打印机。而在 smb.conf 当中的注释符号可以是“#”也可以是“;”，要注意。

```
[root@www ~]# cd /etc/samba
[root@www samba]# cp smb.conf smb.conf.raw  <==先备份再说
[root@www samba]# vim smb.conf
# 1. 先设置好服务器全局环境方面的参数
[global]
        # 与主机名有关的设置信息
        workgroup     = vbirdhouse
        netbios name  = vbirdserver
        server string = This is vbird's samba server

        # 与语言方面有关的设置项目，为何如此设置请参考前面的说明
        unix charset    = utf8
        display charset = utf8
        dos charset     = cp36

        # 与登录文件有关的设置项目，注意变量 (%m)
        log file = /var/log/samba/log.%m
        max log size = 50

        # 这里才是与密码有关的设置项目
        security = share

        # 修改一下打印机的加载方式，不要加载
        load printers    = no

# 2. 共享资源设置方面：主要是将旧的注释掉，新的加入
#    先取消 [homes]、[printers] 的项目，然后针对 /tmp 的设置，可浏览且可写入
[temp]                                  <==共享资源名称
        comment    = Temporary file space <==简单的解释此资源
        path       = /tmp                <==实际 Linux 共享的目录
        writable   = yes                 <==是否可写入？在此例为是的
        browseable = yes                 <==能不能被浏览到资源名称
        guest ok   = yes                 <==单纯共享时，让用户随意登录的设置值
```

请特别留意，在原本的 smb.conf 上面就已经有很多默认值了，这些默认值如果你不知道他的用途，尽量保留默认值，也可以使用 man smb.conf 去查询该默认值的意义。上述的设置是完全控制用户的认证等级的。

3. 用 testparm 检查 smb.conf 配置文件语法设置的正确性

在启动 SAMBA 之前，我们务必要明确 smb.conf 文件中的语法是否正确，检查的方式是使用 testparm 这个命令即可。测试方式如下：

```
[root@www ~]# testparm-v
选项与参数：
-v：查阅完整的参数设置，连同默认值也会显示出来

[root@www ~]# testparm
Load smb config files from /etc/samba/smb.conf
Processing section "[temp]"    <==看有几个中括号，若中括号前出现信息，则有错误
Loaded services file OK.
Server role: ROLE_STANDALONE
Press enter to see a dump of your service definitions <==按 Enter 继续

[global]    <==下面就是刚刚在 smb.conf 中定义的数据
        dos charset = cp950
        unix charset = utf8
        display charset = utf8
        workgroup = VBIRDHOUSE
        netbios name = VBIRDSERVER
        server string = This is vbird's samba server
        security = SHARE
        log file = /var/log/samba/log.%m
        max log size = 50
        load printers = No

[temp]
        comment = Temporary file space
        path = /tmp
        read only = No
        guest ok = Yes
```

上面是语法验证与各个项目的输出。如果你使用 testparm 却出现如下输出，那就是有问题：

```
[root@www ~]# testparm
Load smb config files from /etc/samba/smb.conf
Unknown parameter encountered: "linux charset" <==中括号前为错误信息
Ignoring unknown parameter "linux charset"
```

```
Processing section "[temp]"
Loaded services file OK.
Server role: ROLE_STANDALONE
Press enter to see a dump of your service definitions
```

如果发现上述的错误，这表示你的 smb.conf 有个“ linux charset ”的设置参数，不过 smb.conf 其实是不支持这个参数的。可能的问题是 samba 2.x 与 samba 3.x 有一些项目的支持已经不存在了，所以你使用旧版的 2.x 配置文件在 3.x 上面执行时，就会出现问题。此外，“拼写错误”也是很常见的一个问题。赶紧测试一下语法，然后根据 smb.conf 存在的项目再进行修改。

如果你想要了解 SAMBA 的所有设置（包括没有在 smb.conf 当中设置的默认值），可以使用 testparm -v 来作详细的输出，数据相当丰富，通过这个你也可以知道你的主机环境的设置情况。

4. 服务器端的服务启动与端口观察

启动服务是很简单的，利用默认的 CentOS 启动方式来处理即可。

```
[root@www ~]# /etc/init.d/smb start   <==由该版本开始要启动两个 daemon
[root@www ~]# /etc/init.d/nmb start
[root@www ~]# chkconfig smb on
[root@www ~]# chkconfig nmb on
[root@www ~]# netstat -tlunp | grep mbd
Active Internet connections (only servers)
Proto Recv-Q Send-Q Local Address           Foreign Address State   PID/Program
name
tcp        0      0 :::139                  :::*            LISTEN  1772/smbd
tcp        0      0 :::445                  :::*            LISTEN  1772/smbd
udp        0      0 192.168.1.100:137       0.0.0.0:*               1780/nmbd
udp        0      0 192.168.100.254:137     0.0.0.0:*               1780/nmbd
udp        0      0 0.0.0.0:137             0.0.0.0:*               1780/nmbd
udp        0      0 192.168.1.100:138       0.0.0.0:*               1780/nmbd
udp        0      0 192.168.100.254:138     0.0.0.0:*               1780/nmbd
udp        0      0 0.0.0.0:138             0.0.0.0:*               1780/nmbd
```

特别注意，在 SAMBA 当中默认会启动多个端口，这包括数据传输的 TCP 端口（139、445），以及进行 NetBIOS 名称解析之类工作的 UDP 端口（137、138），所以你才会看到很多数据的。那么能否仅支持 139 这个必要的端口而关闭 445 呢？可以。通过 testparm -v 的观察，可以发现“smb ports = 445 139”这个设置值指定两个端口，因此你可以在 smb.conf 增加这个设置值，并改为 smb ports = 139 即可。不过，建议先保留默认值。

5. 假设本机为客户端的测试 (默认用 lo 接口)

关于客户端的观察我们会在后续进行介绍。在这里仅是说明如何确定我们的 SAMBA 设置与服务正常地在运行。我们可以在本机上通过 smbclient 这个程序来处理，它的基本查询语法是这样的：

```
[root@www ~]# smbclient -L [//主机或 IP] [-U 用户账号]
选项与参数:
-L: 仅查阅后面接的主机所提供共享的目录资源;
-U: 以后面接的这个账号来尝试访问该主机的可使用资源
```

由于在这个范例当中我们并没有规范用户的安全等级（share），所以不必使用 -U 这个选项，因此你可以这样查看：

```
[root@www ~]# smbclient -L //127.0.0.1
Enter root's password: <==因为不需要密码，所以此处可以直接按 Enter
Domain=[VBIRDHOUSE] OS=[Unix] Server=[Samba 3.5.4-68.el6_0.2]

        Sharename       Type      Comment
        ---------       ----      -------
        temp            Disk      Temporary file space
        IPC$            IPC       IPC Service (This is vbird's samba server)
Domain=[VBIRDHOUSE] OS=[Unix] Server=[Samba 3.5.4-68.el6_0.2]

        Server               Comment
        ---------            -------
        VBIRDSERVER          This is vbird's samba server

        Workgroup            Master
        ---------            -------
        VBIRDHOUSE           VBIRDSERVER
```

上面的输出信息当中，共享的目录资源（Sharename）就是在 smb.conf 当中定义的 [temp] 名称。因此在这里的意思是：**任何人都可以进入 //127.0.0.1/temp 这个目录当中，而这个目录在 Linux 系统其实是 /tmp 目录**。至于那个 “IPC$ ” 则是为了要兼容 Windows 环境所必须要存在的项目。那么该如何使用这个资源呢？接下来我们可以利用 mount 这个命令来挂接相关资源：

```
[root@www ~]# mount -t cifs //127.0.0.1/temp /mnt
Password: <==因为没有密码，所以此处还是按 Enter 即可
[root@www ~]# df
Filesystem           1K-blocks      Used Available Use% Mounted on
....(前面省略)....
```

```
//127.0.0.1/temp/        1007896     53688    903008   6% /mnt

[root@www ~]# cd /mnt
[root@www mnt]# ll  <==通过以上两个操作才会知道有没有权限的问题。
[root@www mnt]# touch zzz
[root@www mnt]# ll zzz /tmp/zzz
-rw-r--r--. 1 nobody nobody 0 Jul 29 13:08 /tmp/zzz
-rw-r--r--. 1 nobody nobody 0 Jul 29 13:08 zzz
# 注意，你进入 /mnt 身份会被压缩成为 nobody ，不再是 root 用户。

[root@www mnt]# cd ; umount /mnt
```

确实可以挂载起来，所以，测试完毕后，先将这个挂载卸载掉。关于 mount 的用法，我们会在后面的小节继续介绍。

基本上，到此为止就设置好了一个简单的不需要密码即可登录的 SAMBA 服务器！你可以先行到客户端软件功能的部分进行更详细的挂载测试。接下来，让我们以简单的需要密码才能够登录 SAMBA 的方式来设计一个范例。

16.2.4 需账号密码才可登录的共享 (security = user)

设置一台不需密码即可登录的 SAMBA Server 是非常简单的，不过，你总不希望某些有机密性质的资料放在不设防的网上邻居中让大家查阅吧?

那怎么办? 没关系，我们可以通过 SAMBA 服务器提供的认证方式来进行用户权力的分配，也就是说，你在客户端连接到服务器时，必须要输入正确的账号与密码后，才能够登录 Samba 查看到你自己的数据。那会不会很难啊? 不会的。SAMBA 本身就提供一个小程序来帮助我们处理密码的建立了，整个流程还不太难。

比较重要的是 **SAMBA 用户账号必须要存在于 Linux 系统当中（/etc/passwd），但是 SAMBA 的密码与 Unix 的密码文件并不相同**（这是因为 Linux 与网上邻居的密码验证方式及编码格式不同所致）。这就有点小麻烦。没关系，就让我们来处理一下这个部分的设置吧！

1. 假设条件

由于用户等级会改变成 user 的设置，因此 [temp] 已经没有必要存在。请将该设置删除或注释掉。而服务器方面的全局数据则请保留，包括工作组等的数据，并添加下面的数据：

- 用户认证等级设置（security）为：user。
- 用户密码文件使用 TDB 数据库格式，默认文件在 /var/lib/samba/private/ 内。
- 密码必须要加密。
- 每个可使用 SAMBA 的用户均拥有自己的用户主目录。

- 设置三个用户，名称为 smb1、smb2、smb3，且均附属于 users 用户组。此三个用户 Linux 密码为 1234，SAMBA 密码则为 4321。
- 共享 /home/project 这个目录，且共享资源名称为 project。
- 加入 users 这个组的用户可以使用 //IP/project 资源，且在该目录下 users 这个组的用户具有写入的权限。

好了，开始一步步的处理吧。

2. smb.conf 配置文件与目录权限的相关配置

在这个范例的配置文件当中，我们会添加几个参数，添加的参数部分会用特殊字体圈起来，引用之前参数的部分则为一般字体。请交互参考看看：

```
# 1. 开始设置重要的 smb.conf 文件
[root@www ~]# vim /etc/samba/smb.conf
[global]
        workgroup        = vbirdhouse
        netbios name     = vbirdserver
        server string    = This is vbird's samba server
        unix charset     = utf8
        display charset = utf8
        dos charset      = cp950
        log file         = /var/log/samba/log.%m
        max log size     = 50
        load printers     = no

        # 与密码有关的设置项目，包括密码文件所在格式
        security = user             <==这行就是重点。改成 user 等级
        passdb backend = tdbsam     <==使用的是 TDB 数据库格式

# 2. 共享的资源设置方面：删除 temp  加入 homes 与 project
[homes]                                         <==共享的资源名称
        comment        = Home Directories
        browseable     = no                     <==除了用户自己外，不可被其他人浏览
        writable       = yes                    <==挂载后可读写此共享
        create mode    = 0664                   <==建立文件的权限为 664
        directory mode = 0775                   <==建立目录的权限为 775

[project]                                       <==就是那三位用户的共享资源
        comment    = smbuser's project
        path       = /home/project              <==实际的 Linux 上面的目录位置
        browseable = yes                        <==可被其他人所浏览到资源名称(非内容)
        writable   = yes                        <==可以被写入
        write list = @users                     <==写入者包括哪些人的意思
```

```
# 3. 每次改完 smb.conf 都需要重新检查一下语法是否正确
[root@www ~]# testparm  <==详细的 debug 请自行处理
```

在上表当中比较有趣的设置项目主要有：

- **[global] 修改与添加的部分**：security 设置为 user 等级，且使用“passdb backend = tdbsam”这个数据库格式，因此密码文件会放置于 /var/lib/samba/private/ 内。此外，默认密码就是加密的，因此不需要额外使用其他的设置参数来规范。
- **[homes] 这个用户资源共享部分**：homes 是最特殊的资源共享名称，因为 Linux 上面的每位用户均有用户主目录，例如 smb1 的用户主目录位于 /home/smb1/，那当 smb1 用户使用 SAMBA 时，他就会发现多了个 //127.0.0.1/smb1/ 的资源可用，而 smb2 就在 //127.0.0.1/smb2/ 这个资源。由于不可浏览（browseable），所以除了用户可以看到自己的用户主目录资源外，其他人是无法浏览的。此外，为了规范权限，而多了 create mode 与 directory mode 两个设置值（此值可设置也可不理会）。
- **[project] 这个用户资源共享部分**：当我们添加一个共享资源时，最重要的就是规范资源名称。在此例中我们使用 project 这个资源名称来指向 /home/project，也就是说，//127.0.0.1/project 代表的是 /home/project 的意思。此外，能够使用这个资源的账号，为加入 users 这个组的用户。通过 write list 这个项目比较单纯，如果是早期的设置，可能会使用 valid users，但近来鸟哥比较偏好 write list 设置项目。**不过能否顺利地访问文件还与 Linux 最底层的文件权限有关。**

千万不要忘记了，除了配置文件之外，详细的目录权限与账号设置等规范也要设置好。下面我们用范例来进行此项工作。

例题

我们预计要共享 /home/project 目录，这个目录的权限该如何设置？

答：因为是要开放给 users 用户组，而共享组的权限通常是“2770”这个含有 SGID 的特殊标志功能。因此这个目录应该这样设置才好：

```
[root@www ~]# mkdir /home/project
[root@www ~]# chgrp users /home/project
[root@www ~]# chmod 2770 /home/project
[root@www ~]# ll -d /home/project
drwxrws---. 2 root users 4096 Jul 29 13:17 /home/project
```

3. 设置可使用 SAMBA 的用户账号与密码

设置用户账号是很重要的一环，因为设置错误的话，当然是任何人都没有办法登录的。

在这里我们必须先要说明一下 Linux 的文件系统与 SAMBA 设置的用户登录权限的相关性。

- **在 Linux 这个系统下，任何程序都需要取得 UID 与 GID（User ID 与 Group ID）的身份之后，才能够拥有该身份的权限，也才能够适当地进行访问文件等操作。**
- **关于 Linux 这个系统的 UID 、 GID 与账号的对应关系，一般记录在 /etc/passwd 当中，当然也能通过 NIS、LDAP 等方式来进行对应。**
- **SAMBA 仅只是 Linux 下的一套软件，使用 SAMBA 来访问 Linux 文件系统时，还是需要以 Linux 系统下的 UID 与 GID 为准则。**

如果上面这几点说明没有问题了，现在就来看一下当我们在 Windows 计算机上面以网上邻居来连接 Linux 并且进行数据的访问时，会是怎样的一个情况呢？

我们需要通过 SAMBA 所提供的功能来进行 Linux 的访问，而 Linux 的访问是需要取得 Linux 系统上面的 UID 与 GID 的，因此，我们登录 SAMBA 服务器时，所利用 SAMBA 取得的其实是 Linux 系统里面的相关账号。这也就是说，在 SAMBA 上面的用户账号，必须要是 Linux 账号中的一个。

所以说，在不考虑 NIS 或 LDAP 等其他账号的验证方式，单纯以 Linux 本机账号（/etc/passwd）作为身份验证时，**在 SAMBA 服务器所提供可登录的账号名称，必须要存在于 /etc/passwd 中**。这是一个很重要的概念。例如你要先有 dmtsai 在 /etc/passwd 中后，才能将 dmtsai 加入 SAMBA 的用户当中。这都是很基本的账号权限概念，如有必要，请你回去读读基础篇。

现在我们知道需要添加 smb1、smb2、smb3 三个用户，且这三个用户需要加入 users 组。此外，我们之前还建立过 student 这个用户，假设这四个人都需要用 SAMBA 服务，那么除了添加用户之外，我们还需要利用 pdbedit 这个命令来处理 SAMBA 用户功能。

```
# 1. 先来建立所需要的各个账号，假设 student 已经存在
[root@www ~]# useradd -G users smb1
[root@www ~]# useradd -G users smb2
[root@www ~]# useradd -G users smb3
[root@www ~]# echo 1234 | passwd --stdin smb1
[root@www ~]# echo 1234 | passwd --stdin smb2
[root@www ~]# echo 1234 | passwd --stdin smb3

# 2. 使用 pdbedit 命令功能
[root@www ~]# pdbedit -L [-vw]                <==单纯的查看账户信息
[root@www ~]# pdbedit -a|-r|-x -u 账号        <==添加/修改/删除账号
[root@www ~]# pdbedit -a -m -u 机器账号      <==与 PDC 有关的机器码
选项与参数：
-L：列出目前在数据库当中的账号与 UID 等相关信息
-v：需要搭配 -L 来执行，可列出更多的信息，包括用户主目录等数据
```

```
-w：需要搭配 -L 来执行，使用旧版的 smbpasswd 格式来显示数据
-a：添加一个可使用的 SAMBA 账号，后面的账号需要在 /etc/passwd 内存在
-r：修改一个账号的相关信息，需搭配很多特殊参数，请 man pdbedit
-x：删除一个可使用 SAMBA 的账号，可先用 -L 找到账号后再删除
-m：后面接的是机器的代码 (machine account)，与 domain model 有关

# 2.1 开始添加用户
[root@www ~]# pdbedit -a -u smb1
new password: <==输入 4321 这个密码瞧瞧
retype new password: <==再输入一次
Unix username:        smb1    <==下面为输入正确后的显示结果
NT username:
Account Flags:        [U          ]
User SID:             S-1-5-21-4073076488-3046109240-798551845-1000
Primary Group SID:    S-1-5-21-4073076488-3046109240-798551845-513
Full Name:
Home Directory:       \\vbirdserver\smb1
HomeDir Drive:
Logon Script:
Profile Path:         \\vbirdserver\smb1\profile
Domain:               VBIRDSERVER
Account desc:
Workstations:
Munged dial:
Logon time:           0
Logoff time:          9223372036854775807 seconds since the Epoch
Kickoff time:         9223372036854775807 seconds since the Epoch
Password last set:    Fri, 29 Jul 2011 13:19:56 CST
Password can change:  Fri, 29 Jul 2011 13:19:56 CST
Password must change: never
Last bad password   : 0
Bad password count  : 0
Logon hours         : FFFFFFFFFFFFFFFFFFFFFFFFFFFFFFFFFFFFFFFFFF
# 可以发现其实信息非常多。若需详细的修改设置，请 man pdbedit
[root@www ~]# pdbedit -a -u smb2
[root@www ~]# pdbedit -a -u smb3
[root@www ~]# pdbedit -a -u student

# 2.2 查询目前已经存在的 Samba 账号
[root@www ~]# pdbedit -L
smb1:2004:
smb3:2006:
smb2:2005:
student:505:
# 仅会列出账号与 UID 而已
```

```
# 2.3 尝试修改与删除 smb3 这个账号看看
[root@www ~]# smbpasswd smb3
New SMB password:
Retype new SMB password:
# 修改密码比较特殊，管理密码参数是使用 pdbedit，修改密码需要用 smbpasswd

[root@www ~]# pdbedit -x -u smb3
[root@www ~]# pdbedit -Lw
# 此时就看不到 smb3 这个用户了。所以测试完请立即将它加回来
```

以后如果有需要添加额外的用户账号，若该账号原本不存在，则使用 useradd 再以 pdbedit –a 去添加。若已经存在于 Linux 的实体账号，直接用 pdbedit –a 添加即可。同时要注意，管理 TDB 数据库格式建议使用 pdbedit 来处理，smbpasswd 仅剩下修改密码的功能需记忆即可。

4. 重新启动 SAMBA 并进行自我测试

在经过重新启动后，我们所进行的修改才会生效。然后使用 smbclient 来检查看看，是否不同身份会有不一样的浏览结果呢？赶紧看看：

```
[root@www ~]# /etc/init.d/smb restart
[root@www ~]# /etc/init.d/nmb restart

# 1. 先用匿名登录试试看
[root@www ~]# smbclient -L //127.0.0.1
Enter root's password:       <==直接按下 [Enter] 即可
Anonymous login successful  <==看到匿名的字样了
Domain=[VBIRDHOUSE] OS=[Unix] Server=[Samba 3.5.4-68.el6_0.2]

        Sharename       Type      Comment
        ---------       ----      -------
        project         Disk      smbuser's project
        IPC$            IPC       IPC Service (This is vbird's samba server)
....(下面省略)....

# 2. 再使用 smb1 这个账号登录试试看
[root@www ~]# smbclient -L //127.0.0.1 -U smb1
Enter smb1's password:  <==输入 smb1 在 pdbedit 所建立的密码
Domain=[VBIRDHOUSE] OS=[Unix] Server=[Samba 3.5.4-68.el6_0.2]

        Sharename       Type      Comment
        ---------       ----      -------
        project         Disk      smbuser's project
        IPC$            IPC       IPC Service (This is vbird's samba server)
```

```
        smb1              Disk       Home Directories <==多了这玩意儿
....(省略)....
```

由上面输出我们可以发现，**使用不同的身份登录可以取得不一样的浏览数据**，所以在使用上面需要特别留意。接下来，让我们开始来自我挂载测试看看。

```
[root@www ~]# mount -t cifs //127.0.0.1/smb1 /mnt -o username=smb1
Password: <==确定是输入正确的密码
# 此时 /home/smb1/ 与 /mnt 应该拥有相同的文件名，因为挂载。

[root@www ~]# ll /home/smb1/.bashrc
-rw-r--r--. 1 smb1 smb1 124 May 30 23:46 /home/smb1/.bashrc <==确定有文件
[root@www ~]# ls -a /mnt
# 却看不到任何东西！应该是 SELinux 的问题吧！根据 /var/log/messages 的信息，
# 进行如下的操作就能够处理好这个程序

[root@www ~]# setsebool -P samba_enable_home_dirs=1
[root@www ~]# ls -a /mnt
.  ..  .bash_logout  .bash_profile  .bashrc  .gnome2  .mozilla
# 文件名出现啦！OK，这个用户挂载处理完毕

[root@www ~]# umount /mnt
```

自我测试是非常重要的。**因为 SAMBA 是会对外提供服务的，因此 SELinux 会特别关照一下这个服务**。包括默认用户主目录不会有开放的权限、默认的 SELinux type 不对就无法使用（你可以自己尝试挂载 //127.0.0.1/project 就知道啥原因了），所以，自行测试完毕就能够理解哪个地方的 SELinux 没有设置妥当。详细的设置请到 16.2.6 安全性设置去查阅。

> 根据网友反馈，因为之前我们设置的 security 是 share，而且已经使用 Windows 系统测试过，在同一台 Windows 系统上面重复测试时，会发生无法登录的情况。建议直接将 Windows 系统重新启动清除前一次登录的信息即可。

5. 关于权限的再说明与累加其他共享资源的方式

有的时候你会发现，明明在 smb.conf 当中已经设置了 writable 可写入，用户登录的身份也没有问题，为啥就是无法挂载或写入呢？是否是服务器设置哪里还有问题啊？不是的。主要的问题常常是来自于 Linux 文件系统的权限。

举上面的例子来说，当你无法挂载却发现 Linux 传统权限是对的，那么肯定是 SELinux 出问题。这部分需要用 setsebool 与 chcon 或 restorecon 等命令来克服。另外就是，我们在 smb.conf 当中设置 [project] 为可写入，亦即 /home/project 是可写入的。假设 smb1 属于

users 这个组，因此以 smb1 登录 SAMBA 服务器后，对于 /home/project 应该是具有可以读写的能力的。但是，如果你以 root 的身份建立 /home/project 却又忘记修改权限的话，此时 /home/project 是无法让 users 这个组写入的，因此 smb1 这个用户当然不具有写入的能力。

那如果还想要扩充共享的目录与能够登录的用户时，可以这样做：

- 利用编辑 smb.conf 来开放其他的目录资源，并且特别注意 Linux 在该目录下的权限。请使用 chown 与 chmod。
- 利用 pdbedit 来添加其他可用 SAMBA 的账号，如果该账号并没有出现在 /etc/passwd 里面，请先以 useradd 添加该账号。
- 不论进行完任何的设置，请先以 testparm 进行确认，之后以 /etc/init.d/{smb,nmb} restart 来重新启动。

事实上，SAMBA 的一般用途就是在这个连接的模式中。多使用 SAMBA 来共享你的资源吧！鸟哥都是使用 SAMBA 来作为远程服务器与我的工作机互通有无的重要媒介。

16.2.5 设置成为打印机服务器 (CUPS 系统)

时至今日，打印机的网络功能已经很强了。甚至也有支持无线网络的打印机，因此每台打印机都可以独立作为各个 PC 的独自的打印机。老实说，也没有必要进 SAMBA 的网络打印机服务器了，但毕竟还是有些型号比较旧的打印机，或者买不起带有内置网络的打印机时，那么 SAMBA 的打印机服务器还是有存在的价值的。

在 Linux 下提供打印的服务很多，不过我们这里要介绍的仅有目前较广为流行的 CUPS（Common Unix Printing System）这一个。详细的 CUPS 安装配置方法我们已经在基础篇第三版第 21 章 CUPS 当中提过，所以这里我们不再详细说明，仅介绍一下大致的处理流程。如果你需要较早期的 LPRng 打印系统的话，建议可以参考下面的数据：

- 依玛猫的打印文件：http://www.imacat.idv.tw/tech/lnxprint.html。
- 鸟哥的 LPRng 简介：http://linux.vbird.org/linux_server/0370samba/0370samba.php。

在本节中，鸟哥假设你的打印机并不是网络打印机，而是使用 USB 接口连接的打印机格式。如果你的打印机真的支持网络，那建议直接参考打印机手册来设置即可，不需要安装 SAMBA 打印机。因为某些厂商的打印机网络有特殊的功能，例如 HP 的网卡通常还支持某些特殊的打印功能（双面、多页打印等），这些功能通过服务器重新共享时，可能会遗失。

1. 假设条件

既然要共享打印机，就需要有打印机。鸟哥以使用对 Linux 支持度较高的 HP LaserJet P2015dn 这台打印机为例，不使用网络功能，单纯使用 USB 连接到 SAMBA 服务器上。

- CUPS 连接到 USB 打印机，并且开放非本机的 IP 来源使用此打印机。
- 使用 CUPS 内置的打印机驱动程序。
- 前往 HP 打印机官网取得 Windows 操作系统的驱动程序。

2. 安装打印机与确定打印机的连接正常

再次说明，并不是所有的打印机都被 Linux 所支持的，所以当你想要连接一台打印机到 Linux 系统上面时，请务必到 http://www.openprinting.org/printers 上面去看看是否被支持。如果没有被支持，那就换一台打印机吧。

如果你的打印机端口为使用 USB 或者是平行串行端口的话，那么当你连接上打印机后，可以利用下面的方式测试看看是否成功地连接上了：

```
[root@www ~]# lsusb
Bus 001 Device 002: ID 03f0:3817 Hewlett-Packard LaserJet P2015 series
Bus 001 Device 001: ID 1d6b:0002 Linux Foundation 2.0 root hub
[root@www ~]# ll /dev/usb/lp0
crw-rw----. 1 root lp 180, 0 Jul 29 13:55 /dev/usb/lp0
# 看得出来，已经有个 lp0 的打印机了。测试打印一下吧

[root@www ~]# echo "Hello printer" > /dev/usb/lp0
```

如果打印机有响应，就 OK 啦！你可以进行下面的工作了。

3. 设置 CUPS 与打印机的连接

默认 CUPS 都会开启，不过，因为我们安装的是“basic server”的模式，所以 CUPS 默认并没有被安装起来。所以这里要安装且重新配置与启动才行。本章节 CUPS 的设置原则是这样的：

- 需要让 192.168.100.0/24 这个网络可以使用打印机。
- 需要让 192.168.100.0/24 及 127.0.0.0/8 可以管理 CUPS 系统。

然后开始这样做：

```
[root@www ~]# yum groupinstall "Print Server"
[root@www ~]# vim /etc/cups/cupsd.conf
# 1. 开放本机所有网络接口监听网络中的打印请求
# Listen localhost:631   <==约在第 18 行左右，改成如下：
```

```
Listen 0.0.0.0:631

# 2. 让内部网络能够进行 CUPS 的浏览与控制
<Location />          <==约在 32 行左右，添加能够让内网其他 IP 浏览
  Order allow,deny
  Allow From 127.0.0.0/8
  Allow From 192.168.100.0/24
</Location>

<Location /admin>          <==约在 39 行左右，添加能够管理 CUPS 者
  Encryption Required   <==因为这里的关系，所以可能会用 https://IP
  Order allow,deny
  Allow From 127.0.0.0/8
  Allow From 192.168.100.0/24
</Location>
```

设置完毕后就可以开始来启动 CUPS 系统，可以这样做：

```
[root@www ~]# /etc/init.d/cups start
[root@www ~]# chkconfig cups on
[root@www ~]# netstat -tunlp | grep 'cups'
tcp      0   0  0.0.0.0:631          0.0.0.0:*        LISTEN       1851/cupsd
udp      0   0  0.0.0.0:631          0.0.0.0:*                     1851/cupsd
```

那个 631 的端口就是 CUPS 所启动的。要注意的是，开放界面需要是 0.0.0.0 才对。然后我们可以开始设置打印机了。由于 CUPS 支持很多不同的打印机端口，每种端口都不一样，常见的有：

- USB 端口：usb:/dev/usb/lp0。
- 网络打印机：ipp://ip/打印机型号。
- 网上邻居打印机：smb://user:password@host/printer。

之所以要加上 192.168.100.0/24 可以控制服务器 CUPS 的原因在于鸟哥的服务器没有 X 窗口，所以需要通过平时的工作机连上服务器才行。此时，将 CUPS 开放在局域网内可以控制的功能就很重要了。此外，因为鸟哥的主机所在环境问题，这部 192.168.100.254 还有一个网络接口为 192.168.1.100，鸟哥在 cupsd.conf 里面也加入这个网段了（上面的范例中并没有特别强调），所以在图 16-3 中会看到很多 192.168.1.100 的 IP，不要害怕，那是正常的。好了，请打开浏览器，在地址栏输入：https://192.168.100.254:631（图 16-3 则是 192.168.1.100）。

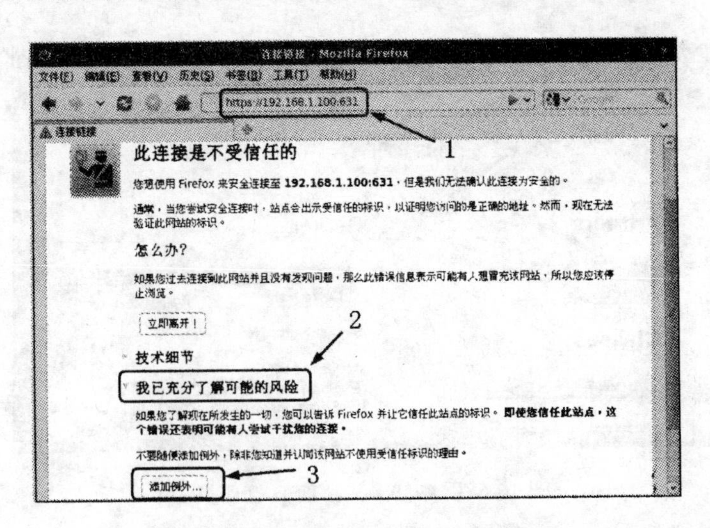

图 16-3 用 CUPS 设置 USB 打印机 1

如图 16-3 所示，由于我们使用的是 https 这个需要证书的连接模式，因此就会出现这个不受信任的网站信息。没关系，你直接单击“我已充分了解可能的风险”项后，再单击“添加例外”即可出现如图 16-4 所示的对话框。

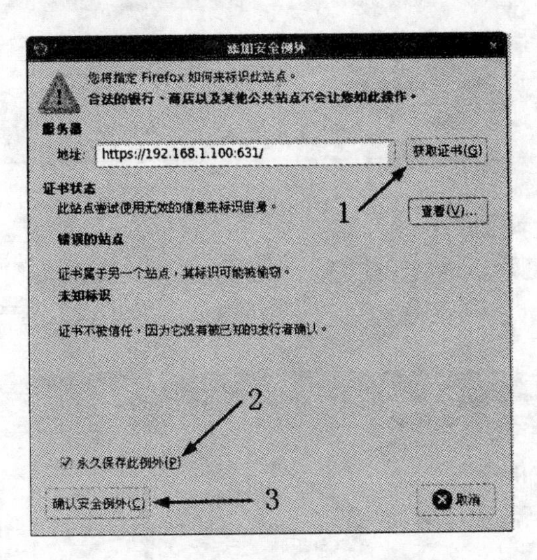

图 16-4 用 CUPS 设置 USB 打印机 2

如果这台主机真的是你的，那么就选择图 16-4 中箭头 2 所指的那个“永久保存此例外”复选框，最后单击箭头 3 所指的“确认安全例外”按钮即可。如果一切顺利，就会出现如图 16-5 所示的 CUPS 设置窗口。

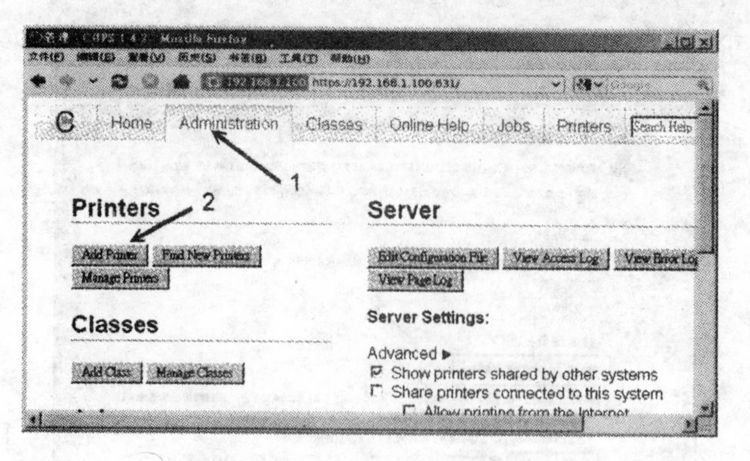

图 16-5 用 CUPS 设置 USB 打印机 3

在上面的欢迎界面当中，由于我们是想要建立打印机，因此单击箭头 1 所指的按钮进入打印机功能，然后单击“Add Printer”按钮来建立打印机吧。

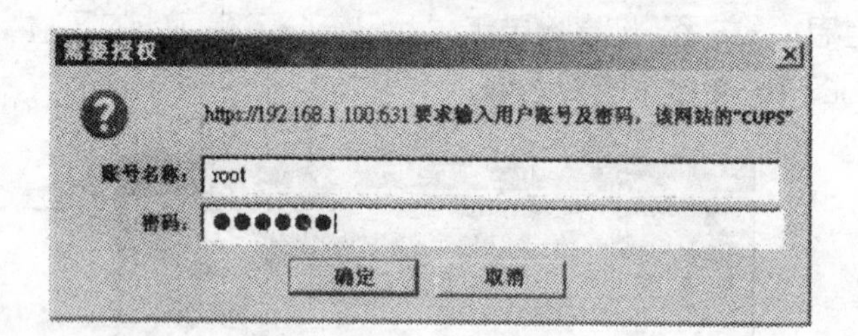

图 16-6 用 CUPS 设置 USB 打印机 4

这一版比较有趣的地方，是会先让你输入账号与密码才进行后续的操作，如图 16-6 所示。所以这里请输入 root 的账号和密码吧。然后进入如图 16-7 所示的界面。

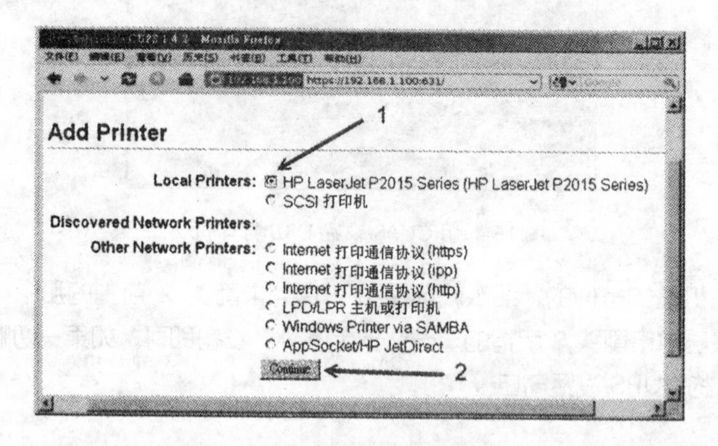

图 16-7 用 CUPS 设置 USB 打印机 5

在图 16-7 中，应该选择我们这台本机的 USB 打印机设备才对。该设备是由 HAL 服务所自动检测到的，如果你没有看到任何 USB 的打印机，那可能就需要查询一下打印机电源是否正确的开启了。

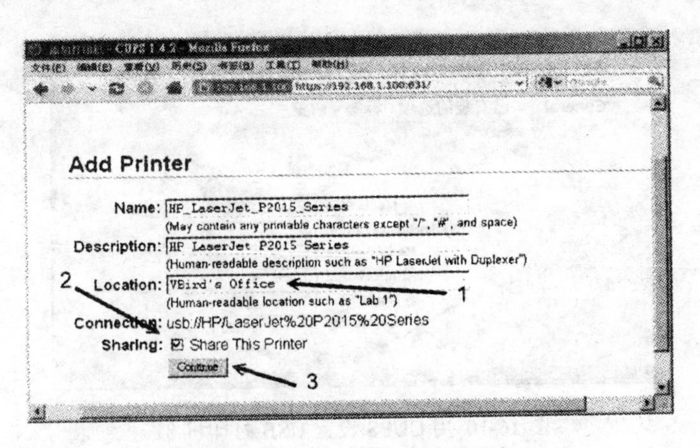

图 16-8 用 CUPS 设置 USB 打印机 6

如图 16-8 所示，建立打印机时，最重要的是那打印队列（上面方框中的第一个，名称的那行），在这里鸟哥使用 CUPS 默认帮我定义的文件名。这个名称很重要，是未来共享出的打印机名字。至于位置与描述就随便填了。由于我们是想要做成打印服务器，所以“Share This Printer”复选框当然要勾选。单击“Continue”按钮后，就会出现如图 16-9 所示的画面。

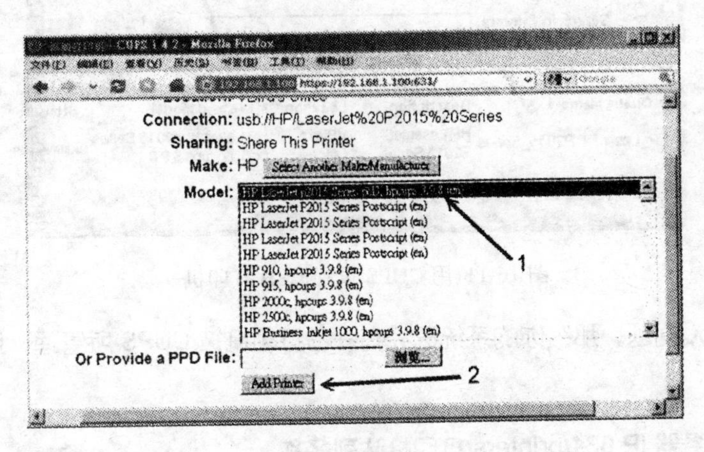

图 16-9 用 CUPS 设置 USB 打印机 7

在图 16-9 中，CUPS 会帮你选择一个相对合适的驱动程序，基本上使用 CUPS 帮你捕捉到的默认驱动程序应该就 OK 了。选完后请单击“Add Printer”按钮，进入图 16-10 所示的窗口。

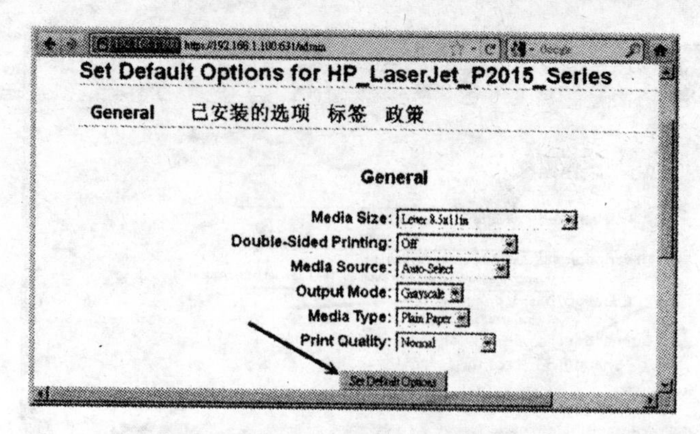

图 16-10 用 CUPS 设置 USB 打印机 8

看你还有没有要修改其他的默认参数，如果没有的话，就单击图 16-10 的“Set Default Options”按钮。如果一切没有问题，你的打印机就设置妥当了。如果想要查阅打印机的详细信息，那可以选择“Printer”的项目，如图 16-11 所示。

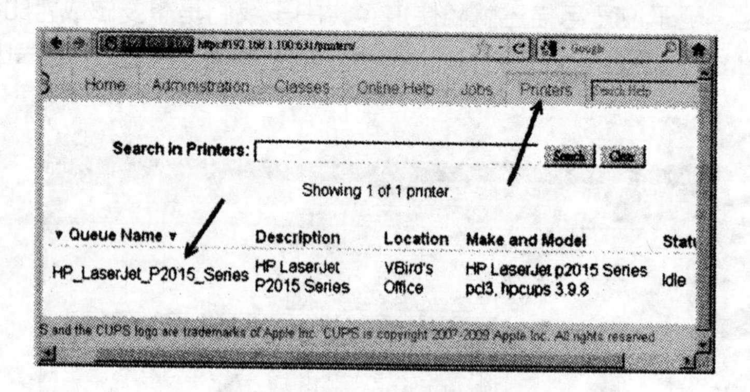

图 16-11 用 CUPS 设置 USB 打印机 9

如果都正常没问题，那么你的系统已经有一台打印机被 CUPS 所管理，且这部打印机在网络的网址为：

- http://服务器 IP:631/printers/打印机队列名称。
- http://192.168.100.254:631/printers/HP_LaserJet_P2015_Series。

接下来看看如何将它连接到 SAMBA 服务器中。

4. 在 smb.conf 中加入打印机的支持 (Optional)

开始告诉 SAMBA 将这台打印机共享出去。需要这样处理：

```
[root@www ~]# vim /etc/samba/smb.conf
[global]
        # 需要修改 load printers 的设置，然后添加几个数据
        load printers = yes
        cups options  = raw         <==可支持来自 Windows 用户的打印作业
```

```
        printcap name = cups
        printing      = cups        <==与上面这两个在告知使用 CUPS 打印系统

[printers]                          <==打印机一定要写 printers
        comment = All Printers
        path    = /var/spool/samba<==默认把来自 SAMBA 的打印作业暂时放置的队列
        browseable = no             <==不被外人所浏览。有权限才可浏览
        guest ok   = no             <==与下面两个都不许访客来源与写入(非文件系统)
        writable   = no
        printable  = yes            <==允许打印，很重要的一项工作

[root@www ~]# testparm   <==若有错误，请自行处理一下
[root@www ~]# /etc/init.d/smb restart
[root@www ~]# /etc/init.d/nmb restart
```

通过这样的设置基本上 SAMBA 就能够顺利地提供打印机的服务了。不过可惜的是，**Windows 客户端依旧需要安装打印机的驱动程序才能够使用 SAMBA 所提供的打印机**，这真是麻烦兼讨厌啊。有没有可能让 SAMBA 主动地提供驱动程序给用户，这样一来客户端就不需要额外去找驱动程序了。是可以的，通过 SAMBA 3.x 即可处理。就这么巧，CentOS 的 SAMBA 就是 3.x 的，所以我们可以通过下面的方式来处理。

5. 让 SAMBA 主动提供驱动程序给 Windows 用户使用

另外，或许你会想，打印机的型号这么多，那么 Linux 该如何提供这些打印机的驱动程序啊？岂不麻烦？还好，**CUPS 主要是通过利用 postscript 的打印语言与打印机沟通的，因此客户端只要取得 postscript 的驱动程序就能够使用 SAMBA 服务器所提供的打印机了**。如此一来，不论打印机的型号为何，只要它们能够支持 postscript 的打印格式，就可以了。而且 CUPS 官网本身就有提供 CUPS 的 postscript 驱动程序。可以到下面的连接去下载：

- 支持 CUPS 的软件：http://www.cups.org/software.php。

  很棒的是，CentOS 6.x 有支持 rpm 软件封装的系统，因此可以直接下载 cups-windows-6.0-1.i386.rpm 这个文件即可，直接安装这个 rpm 文件就能够取得 CUPS 对 Windows 的打印机驱动程序了。这个文件安装完毕之后，会将驱动程序放置于 /usr/share/cups/drivers/ 里。不过需要注意的是，除了这个驱动程序外，要支持 Windows 2000 以后出产的 Windows 版本，还得到 Windows XP 下面的目录去下载几个 32 位支持的文件：

- Win XP 32 位：C:\WINDOWS\system32\spool\drivers\w32x86\3。

  将该目录下里面的 PS 开头的文件全部下载下来，应该有 4 个文件，请将它们复制成为文件名小写的文件，并且放置到 SAMBA 服务器上的 /usr/share/cups/drivers/ 目录下，该目录内放置的就是基本的驱动程序。在鸟哥的这个目录下面至少含有这几个文件：

```
[root@www ~]# ll /usr/share/cups/drivers
-rw-r--r-- 1 root root    803  4月 20  2006 cups6.inf
-rw-r--r-- 1 root root     72  4月 20  2006 cups6.ini
-rw-r--r-- 1 root root  12568  4月 20  2006 cupsps6.dll
-rw-r--r-- 1 root root  13672  4月 20  2006 cupsui6.dll  <==上面为 cups 提供
-rw-r--r-- 1 root root 129024  3月 24 13:29 ps5ui.dll    <==下面为 Win XP 提供
-rw-r--r-- 1 root root 455168  3月 24 13:29 pscript5.dll
-rw-r--r-- 1 root root  27568  3月 24 13:29 pscript.hlp
-rw-r--r-- 1 root root 792644  3月 24 13:29 pscript.ntf
```

上述的文件鸟哥将他打包成为一个文件了，你可以在下面的连接下载：

- http://linux.vbird.org/linux_server/0370samba/cups-samba-windowsxp.tgz

不过需要注意，这个文件内的 Windows 数据是由 32 位的 Windows XP 上面捕获来的，所以对于 Windows 98/ME 是没有作用的。同时，对于 64 位的其他较晚期的 Windows 7 等系统可能就需要重新处理了。需要自行上网查阅相关的数据下载方式。接下来我们必须要在 smb.conf 里面添加一笔新的共享数据，这个共享数据必须是 [print$] 名称才行。有点类似这样：

```
[root@www ~]# vim /etc/samba/smb.conf
[global]
....(设置保留原本数据)....
[homes]
....(设置保留原本数据)....
[printers]
....(设置保留原本数据)....
[print$]
        comment    = Printer drivers
        path       = /etc/samba/drivers  <==存放打印机驱动程序的目录
        browseable = yes
        guest ok   = no
        read only  = yes
        write list = root                <==这个驱动程序的管理员
[project]
....(设置保留原本数据)....

[root@www ~]# mkdir /etc/samba/drivers
[root@www ~]# chcon -t samba_share_t /etc/samba/drivers
# 由于默认的 CUPS 仅有 root 能管理，因此我们以 root 作为打印机管理员
# 同时 SELinux 的类型也要修订如上的方式。那 root 就需要加入 SAMBA 的支持才行：
[root@www ~]# pdbedit -a -u root

[root@www ~]# testparm                <==测试语法
[root@www ~]# /etc/init.d/smb restart  <==重新启动
```

```
[root@www ~]# smbclient -L //127.0.0.1 -U root
Enter root's password:  <==输入 root 在 SAMBA 的密码
Domain=[VBIRDHOUSE] OS=[Unix] Server=[Samba 3.5.4-68.el6_0.2]

        Sharename       Type      Comment
        ---------       ----      -------
        print$          Disk      Printer drivers
        project         Disk      smbuser's project
        HP_LaserJet_P2015_Series Printer   HP LaserJet P2015 Series
        IPC$            IPC       IPC Service (This is vbird's samba server)
        root            Disk      Home Directories
# 瞧！看到一台打印机以及驱动程序所在的共享数据了
```

现在我们要告知 SAMBA 说，我们的 CUPS 可提供 Windows 客户端的驱动程序，所以用户不需要自行设置他们的驱动程序。要由 CUPS 告知 SAMBA 是由 cupsaddsmb 这个命令来搞定的，整个命令的执行很简单的：

```
[root@www ~]# cupsaddsmb [-H SAMBA 服务器名] [-h CUPS 服务器名] \
>   -a -v [-U 用户账号]
选项与参数：
-H：后续接的是 SAMBA 服务器名，本机的话可以直接用 localhost 即可
-h：后续接的为 CUPS 的服务器名，同样的可使用 localhost 即可
-a：自动搜寻出所有可用的 CUPS 打印机
-v：列出更多的信息
-U：打印机管理员

# 利用前面的说明将打印机驱动程序挂上 SAMBA (注意 CUPS 管理员默认是 root)
[root@www ~]# cupsaddsmb -H localhost -U root -a -v
Password for root required to access localhost via SAMBA: <==root 在 SAMBA 密码
# 这里会闪过很多的信息，说明已经安装了某些信息，下面鸟哥仅列出简单的信息而已
Running command: smbclient //localhost/print$ -N -A /tmp/cupsbrdBaE -c 'mkdir
W32X86;put /tmp/cupsu13OSU W32X86/HP_LaserJet_P2015_Series.ppd;...

[root@www ~]# ll /etc/samba/drivers
drwxr-xr-x. 3 root root 4096 Jul 29 15:15 W32X86  <==这就是驱动程序目录
```

最后在驱动程序的存放目录会多出一个 W32X86 的目录，你可以查询一下该目录的内容，那就是预计要给客户端使用的驱动程序。这样就搞定了。不过，为了将所有的数据全部驱动，建议将 CUPS 及 SAMBA 全部重新启动。

```
[root@www ~]# /etc/init.d/cups restart
[root@www ~]# /etc/init.d/smb restart
[root@www ~]# /etc/init.d/nmb restart
```

6. 一些问题的克服

如果一切顺利的话，你在 Windows 客户端应该可以顺利地连接到打印机了。不过，如果你曾经输错数据，那么该如何进入 Linux 的 SAMBA 主机将该数据删除呢？你最好知道下面的几个命令，关于这些命令的更详细的用法则请自行用 man 命令查阅相关说明。

```
# 1. 列出所有可用的打印机状态
[root@www ~]# lpstat -a
HP_LaserJet_P2015_Series accepting requests since Fri 29 Jul 2011 02:55:28 PM CST

# 2. 查询目前默认打印机的工作情况
[root@www ~]# lpq
hpljp2015dn 已就绪
没有项目
# 列出打印机的工作，若有打印作业存在(例如关掉打印机再打印测试页)，会如下所示：
hpljp2015dn 已就绪并正在打印
等级       拥有人  工作    文件                              总计      大小
active     root    2       Test Page                                   17408  byte

# 3. 删除所有的工作项目
[root@www ~]# lprm -
# 加上那个减号 (-) 代表删除所有等待中的打印作业！
```

打印作业就是这样进行的，赶紧试看看吧。接下来探讨一下相关的防火墙与安全性的讨论。

16.2.6 安全性的议题与管理

使用 SAMBA 其实是有一定程度的危险性的，这是因为很多网络攻击的蠕虫、病毒、木马就是通过网上邻居来攻击的。为了阻挡不必要的连接，所以 CentOS 5.x 默认的 SELinux 已经关闭了很多 SAMBA 连接的功能，因此默认情况下，很多客户端的挂载可能会有问题。此外，仅开放有权限的网络来源，以及通过 smb.conf 来管理特定的权限，也是很重要的。同时，Linux 文件系统的 r、w、x 权限也是需要注意的。我们下面就简单的介绍一下一些基本的安全性管理。

1. SELinux 的相关议题

其实就如同第 7 章 7.4.5 节里面提到的，我们通过日志文件的内容就能够知道如何解决 SELinux 对各个服务所造成的问题了。不过，既然我们知道服务是 SAMBA 了，能不能找出与 SAMBA 有关的 SELinux 规则呢？当然可以。基本的 SAMBA 规则主要有：

```
[root@www ~]# getsebool -a | grep samba
samba_domain_controller --> off  <==PDC 时可能会用到
```

```
samba_enable_home_dirs --> off    <==开放用户使用用户主目录
samba_export_all_ro --> off       <==允许只读文件系统的功能
samba_export_all_rw --> off       <==允许读写文件系统的功能
samba_share_fusefs --> off
samba_share_nfs --> off
use_samba_home_dirs --> off       <==类似用户的用户主目录的开放
virt_use_samba --> off
```

看，几乎所有的规则默认都是关闭的。所以我们需要慢慢地打开。目前我们仅会用到用户的用户主目录以及共享成为可读写，不过似乎仅要 samba_enable_home_dirs 那个项目设置妥当即可。因此我们可以这样做：

```
[root@www ~]# setsebool -P samba_enable_home_dirs=1
[root@www ~]# getsebool -a | grep samba_enable_home
samba_enable_home_dirs --> on
```

这样用户挂载他们的用户主目录时（例如 smb1 使用 //127.0.0.1/smb1/）就不会出现无法挂载的问题了。此外，由于共享成为 SAMBA 的目录还需要有 samba_share_t 的类型。那我们还有共享 /home/project，还记得吗？那个目录也需要修改。这样做看看：

```
[root@www ~]# ll -Zd /home/project
drwxrws---. root users unconfined_u:object_r:home_root_t:s0 /home/project

[root@www ~]# chcon -t samba_share_t /home/project
[root@www ~]# ll -Zd /home/project
drwxrws---. root users unconfined_u:object_r:samba_share_t:s0 /home/project
```

如果你共享的目录不只是 SAMBA，还包括 FTP 或者是其他的服务时，那可能就需要使用 public_content_t 这个大家都能够读取的类型才行。若你还发现任何 SELinux 的问题，请依照 /var/log/messages 里面的信息去修改。

2. 防火墙议题：利用 iptables 来管理

最简单的管理登录 SAMBA 的方法就是通过 iptables 了。详细的说明我们已经在第 9 章防火墙中提过了，所以这里不再详加说明。要知道的是，如果仅要针对下面的范围开放 SAMBA 时，可以这样想：

- 仅针对 192.168.100.0/24、192.168.1.0/24 这两个网络开放 SAMBA 使用权。
- SAMBA 启用的 port UDP: 137、138 及 TCP: 139、445。

所以 iptables.allow 规则中应该要加入这几项：

```
[root@www ~]# vim /usr/local/virus/iptables/iptables.allow
# 加入下面这几行
iptables -A INPUT -i $EXTIF -p tcp -s 192.168.100.0/24 -m multiport \
         --dport 139,445 -j ACCEPT
iptables -A INPUT -i $EXTIF -p tcp -s 192.168.1.0/24 -m multiport \
         --dport 139,445 -j ACCEPT
iptables -A INPUT -i $EXTIF -p udp -s 192.168.100.0/24 -m multiport \
         --dport 137,138 -j ACCEPT
iptables -A INPUT -i $EXTIF -p udp -s 192.168.1.0/24 -m multiport \
         --dport 137,138 -j ACCEPT
[root@www ~]# /usr/local/virus/iptables/iptables.rule
```

这是很简单的防火墙规则，你必须要依据你的环境自行修改（通常修改 192.168.1.0/24 网段即可）。由于 smbd 及 nmbd 并不支持 TCP Wrappers，所以你也只能通过 iptables 来控制了。

3. 防火墙议题：通过内建的 SAMBA 设置 (smb.conf)

事实上 SAMBA 已经有许多防火墙机制，那就是在 smb.conf 内的 hosts allow 及 hosts deny 这两个参数。通常我们只要使用 hosts allow 即可，没有写入这个设置项目的其他来源就会被拒绝连接，这是比较严格的设置。举例来说，如果你只想要让本机、192.168.100.254、192.168.100.10、192.168.1.0/24 使用 SAMBA，那么可以这样写：

```
[root@www ~]# vim /etc/samba/smb.conf
[global]
        # 跟防火墙的议题有关的设置
        hosts allow = 127. 192.168.100.254 192.168.100.10 192.168.1.
[homes]
....保留原始设置....
[root@www ~]# testparm
[root@www ~]# /etc/init.d/smb restart
```

这个设置值的内容支持部分比对，因此 192.168.1.0/24 只要写出前面三个 IP 段即可（192.168.1.）。如此一来不但只有数台主机可以登录我们的 SAMBA 服务器，而且设置值又简单，不像 iptables 写得那么长。鸟哥建议在防火墙议题方面，只要使用 iptables 或 hosts allow 其中一项即可，推荐使用 hosts allow。当然，如果你是针对局域网开放的，那么设置 iptables 防火墙反而是比较好的，因为不需要改动到 smb.conf 配置文件，让服务的设置变得比较单纯些。

4. 文件系统议题：利用 Quota 限制用户磁盘使用

既然网上邻居是要共享文件系统给用户的，那么想当然，各个 SAMBA 用户们确实会将数据放置到 SAMBA 服务器上嘛！那万一单个用户随便上传个数百 GB 的容量到 SAMBA 服务器，而且常常随意访问一番，会不会造成文件系统分配不公或者是带宽方面的问题呢？会的。那怎么办？就通过 Quota 磁盘配额。磁盘配额我们在基础篇第三版第 15 章已经谈过，在本书第 1 章 1.2.2 里面也已经实际操作过，下面就依据第 1 章的后续动作来处理。

例题

我们预计分配 smb1、smb2、smb3 在它们自己的用户主目录下，各拥有 300MB/400MB（soft/hard）的磁盘配额限量，那该如何做？

答：请先依据第 1 章的 Quota 相关数据进行以下处理：

- /etc/fstab 加入 /home 挂载点的 usrquota、grpquota 等设置值。
- 重新挂载 /home，让 Quota 实际被支持。
- 以 quotacheck -avug 建立 Quota 的数据库文件。
- 启动 Quota。

假若你已经于第 1 章就处理完毕了，那么这一题就非常简单了。通过 edquota –u smb1 来处理即可。

```
[root@www ~]# edquota -u smb1
Disk quotas for user smb1 (uid 2004):
  Filesystem                   blocks     soft     hard  inodes   soft   hard
  /dev/mapper/server-myhome         0  300000   400000       0      0      0

[root@www ~]# edquota -p smb1 smb2
[root@www ~]# edquota -p smb1 smb3
[root@www ~]# repquota -ua
*** Report for user quotas on device /dev/mapper/server-myhome
Block grace time: 7days; Inode grace time: 7days
                        Block limits                File limits
User            used    soft    hard  grace    used  soft  hard  grace
----------------------------------------------------------------------
smb1      --      32  300000  400000              9     0     0
smb2      --      32  300000  400000              8     0     0
smb3      --      32  300000  400000              8     0     0
```

16.2.7　主机安装时的规划与中文扇区挂载

现在知道 SAMBA 服务器的功能是用来作为文件服务器的，每个用户都可以拥有用户主目录，并通过网上邻居的功能来连接到 SAMBA 服务器中。这就有个问题，那就是如果用户太多，并且将他们的重要数据都放到这部 SAMBA 服务器上的话，/home 未来肯定会有点不足。所以 /home 所在的磁盘或许可以使用大一点的硬盘，或者使用磁盘阵列，使用 LVM（见基础学习篇第三版第 15 章）也是个不错的方案。下面为简单的思考方向：

- 在安装 Linux 的时候，建议不安装 X Window。
- 在规划 Linux 时，/home 最好独立出一个 partition，而且硬盘空间最好能够大一些。
- /home 独立出来的 partition 可以单独进行 quota 的作业，以规范用户的最大硬盘用量。
- 无网卡的打印机（USB）可直接连接到 Linux 主机再通过 SAMBA 共享。
- 由于 SAMBA 一般来说都仅针对内部（LAN）主机进行开放，所以，可能的话 SAMBA 主机直接使用 private IP 来设置即可，当然，SAMBA 是否使用 private IP 还得依整个网络的 IP 网段的特性来规划。以鸟哥研究室来说，因为实验室所有计算机的 IP 都是 public IP，那么 SAMBA 如果使用 private IP 反而会让大家都无法连接上网络。
- 如果 SAMBA 主机使用 public IP 时，请特别留意规范好防火墙的设置，尽量仅让 LAN 内的计算机可以连接进来即可，不要对 Internet 开放。

另外，如果 SAMBA 服务器需要挂载含有中文的 partition 时，譬如说将原本 Windows XP 的 FAT32 文件系统挪到 Linux 系统下，此时如果用一般模式来挂载该分区时，一些中文文件名可能会无法被顺利地显示出来。这个时候就需要这样做了：

```
mount -t vfat -o iocharset=utf8,codepage=936 /dev/sd[a-p][1-15] /mount/point
```

其中 iocharset 指的是本机的语言编码方式，codepage 则与远程软件有关。因为我们是在本机进行挂载，所以实际上使用 iocharset 这个参数即可。更多说明则请看下节的客户端设置部分。

16.3 SAMBA 客户端软件功能

现在就已经架设好了 SAMBA 服务器。有了服务器当然要有客户端来使用才是好的服务器。不然要这个服务器干什么？我们假设局域网络内有 Windows/Linux 系统，这两种系统都是通过 NetBIOS over TCP/IP 来连上 SAMBA 服务器的，在设置之前必须要了解以下几点：

- 在局域网内的主机最好具有相同的工作组，且具有不同的主机名。
- Windows XP pro. 最多仅能允许 10 个用户同时连接到自己的网上邻居。
- 可以在网上邻居当中看到的通常是相同组的主机。
- 可以使用“查找”→“计算机”→“输入 IP”来查到 SAMBA 主机。
- Windows 的网上邻居默认仅有同一 IP 网段的主机才能登录（Windows 防火墙设置）。

接下来我们就分别依照 Windows 及 Linux 系统来进行说明。

16.3.1 Windows 系统的使用

在 Windows 上面查找网络上的网上邻居主机实在挺简单的，有以下好几种方法可以处理：

- 依次打开“资源管理器”→“网上邻居”→“整个网络”→“Microsoft Windows Network”就能看到属于你工作组的所有计算机主机了。
- 依次打开“开始”→“搜索”→“文件或文件夹”→“计算机或人员”→“网络上的计算机”，然后在出现的方框当中填写正确的 IP，单击“立即搜索”按钮即可。这个方法可以适用于不在同一个工作组当中的网络主机。
- 如果是 Windows 7 的话，只要单击选择文件夹即可。

举例来说，如果想要连接到 SAMBA 主机，而又不知道这台 SAMBA 主机的 NetBIOS Name，那利用搜索可以找到一些信息，搜索的结果如图 16-12 所示。

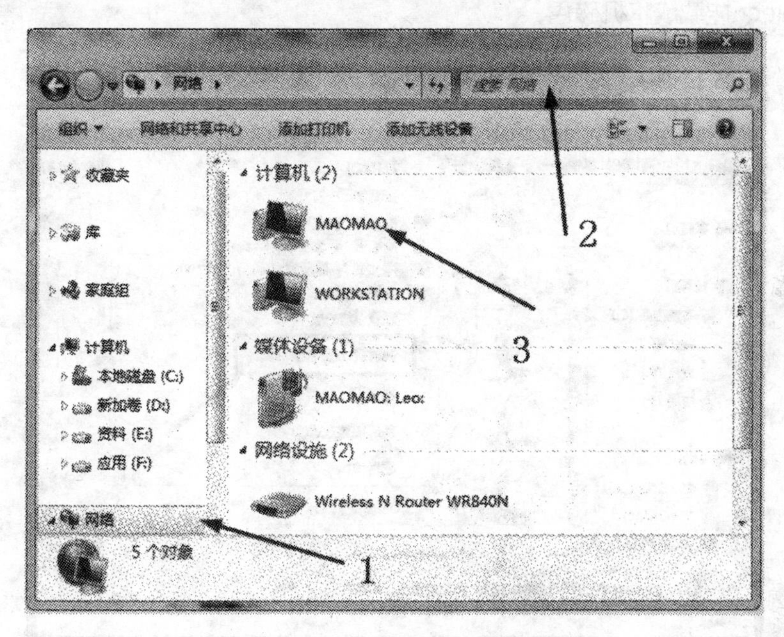

图 16-12 Windows 7 客户端搜索示意图

在上图左侧先选择“网络”项，然后在右上方的框中，输入 NetBIOS Name，若不知道的话，就留白让 Windows 7 自己找。如图 16-12 所示，找到了两台网络主机。我们来单击一下 WORKSTATION 。因为要登录别人的服务器，所以就要求输入密码。如图 16-13 所示，请填写好所拥有的账号与密码。

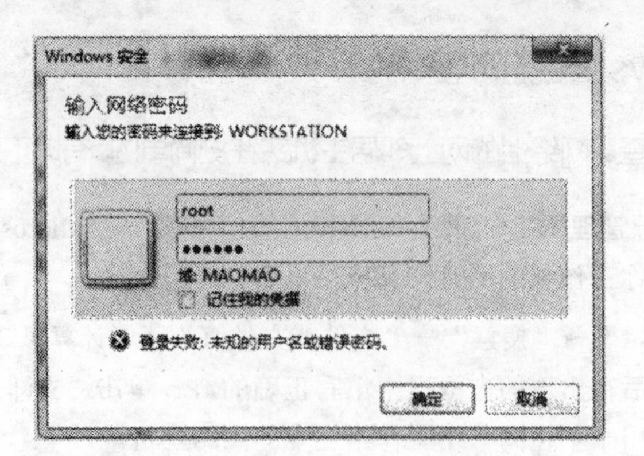

图 16-13 Windows 7 客户端登录 SAMBA 服务器示意图 1

若顺利登录系统了，那么就能够看到如图 16–14 所示的界面，就是取得该服务器的可用资源。因为我们并没有针对 Windows 7 提供打印机的驱动程序，那打印机部分先略过。我们现在来将 project 挂载成本机磁盘。

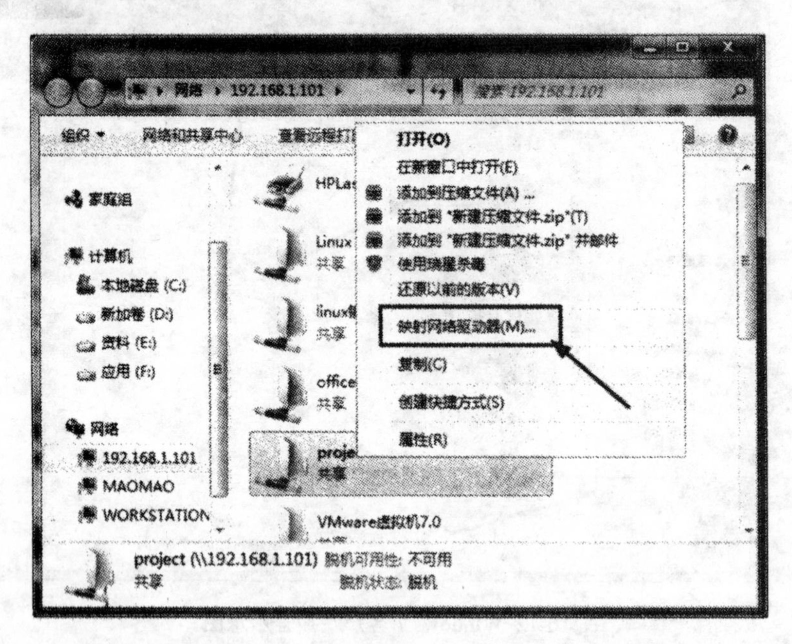

图 16-14 Windows 7 客户端登录 SAMBA 服务器示意图 2

如图 16–14 所示，右击 project 图标，在弹出的快捷菜单中选择“映射网络驱动器”，就会出现如图 16–15 所示的界面让你去选择挂载磁盘驱动器的参数。

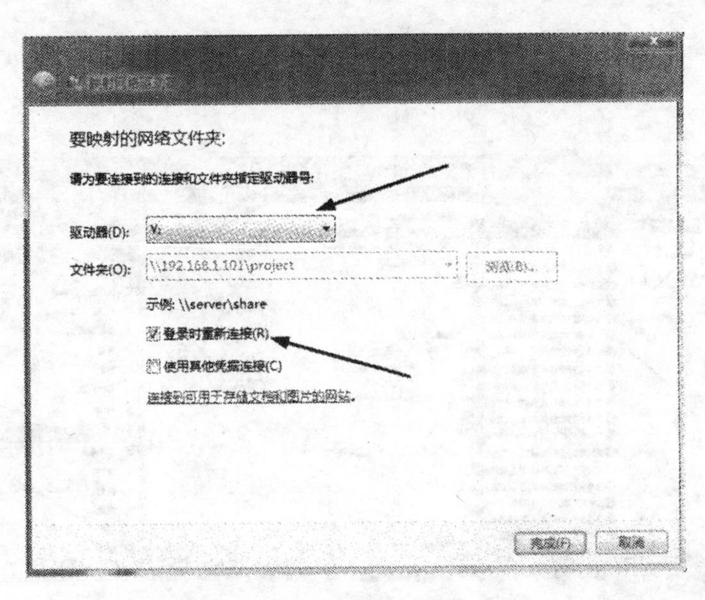

图 16-15 Windows 7 客户端挂载网络驱动器的示意图 4

你可以自己调整想要的驱动器号，例如默认的 Y，那么以后你的文件总管中就会生成一个 Y 分区，该磁盘分区就代表 \\192.168.100.101\project 那个共享的目录。

1. 让 Windows 系统的网上邻居支持不同网络的 IP 连接

由于网上邻居的安全问题越来越严重，因此 Windows XP 之后的版本都默认仅开放本机 IP 网络的网上邻居连接而已。如果 Windows 想要让别人可以在 Internet 或不同的 IP 网段进行连接时，就需要修改一下防火墙的设置。请运行控制台，然后选择“Windows 防火墙”，就会出现如图 16–16 所示的界面。

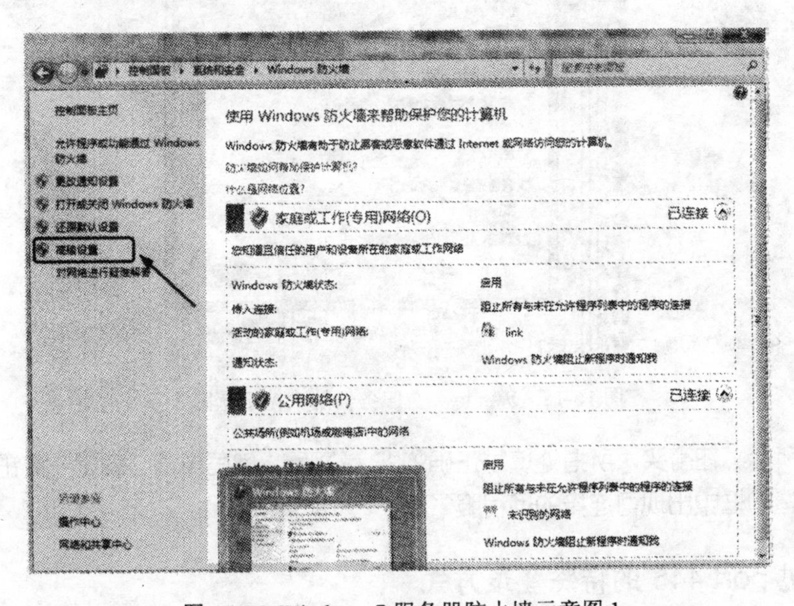

图 16-16 Windows 7 服务器防火墙示意图 1

我们需要详细设置防火墙，因此单击上图中左侧的“高级设置”，进入如图 16-17 所示的界面。

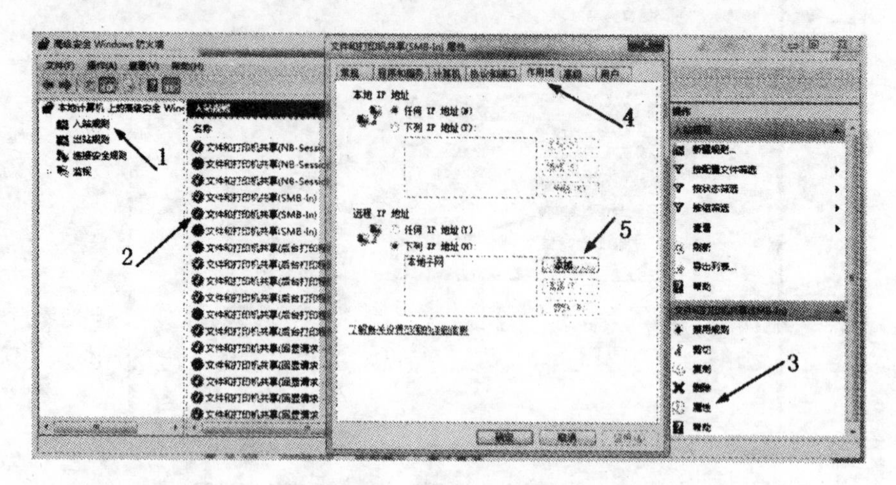

图 16-17 Windows 7 服务器防火墙示意图 2

因为网络是双向的，所以，我们得先要针对入站（从外部连到本机）的规则来处理。如图 16-17 所示，选择“入站规则”，然后选择“文件和打印机共享”，之后在箭头 3 处单击详细的规则“属性”，会出现另外一个对话框，在箭头 4 处“作用域”选项卡的部分来设置不同网段，最终在箭头 5 的地方单击“添加”按钮可进入本机的远程 IP 网段设置。单击“添加”按钮会出现如图 16-18 所示的对话框。

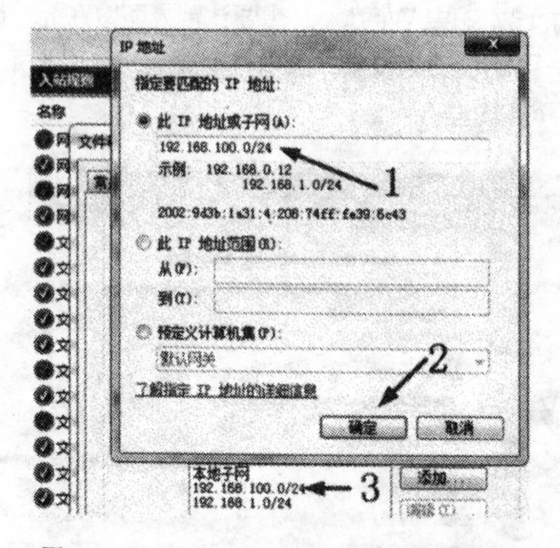

图 16-18 Windows 7 服务器防火墙示意图 3

如上图所示，在箭头 1 所指处填写正确的 IP 或网段，然后单击“确定”按钮后，就能够在箭头 3 所指的框中出现可连接的远程服务器了。

2. 通过 port 445 的特殊登录方式

如果 SAMBA 服务器有启用 port 445，并且它已经共享了某个目录时，举例来说，我们的 192.168.100.254 有共享出 project 这个共享资源名称时，那么这个目录的完整写法为“\\192.168.100.254\project”，我们可以通过“开始”出现的那个方框来处理一下，如图 16-19 所示。

图 16-19　Windows 7 通过 port 445 连接

如果可以登录的话就会顺利登录，否则就会弹出一个要你输入账号密码的窗口，输入正确的数据即可。除此之外，我们还可以登录别人 Windows 主机的 C 或 D 分区。写法则变成这样：

- \\192.168.100.20\c$

所以，SAMBA 没必要时，那个 port 445 应该是可以关闭的。

16.3.2　Linux 系统的使用

1. smbclient：查询网上邻居共享的资源，以及使用类似 FTP 的方式上传/下载网上邻居

SAMBA 提供了 Linux 网上邻居的客户端功能。也就是说 Linux 可以挂载 SAMBA 服务器也能挂载 Windows 提供的网上邻居。主要是通过 smbclient 来观察，再以 mount 来挂载文件系统。先来介绍一下 smbclient 这个命令吧：

```
# 1. 关于查询的功能，例如查出 192.168.100.254 的网上邻居数据
[root@clientlinux ~]# smbclient -L //[IP|hostname] [-U username]
[root@clientlinux ~]# smbclient -L //192.168.100.254 -U smb1
Enter smb1's password:
Domain=[VBIRDHOUSE] OS=[Unix] Server=[Samba 3.5.4-68.el6_0.2]

        Sharename       Type      Comment
        ---------       ----      -------
        project         Disk      smbuser's project
        print$          Disk      Printer drivers
        IPC$            IPC       IPC Service (This is vbird's samba server)
        HP_LaserJet_P2015_Series Printer    HP LaserJet P2015 Series
        smb1            Disk      Home Directories <==等一下用这个当范例
Domain=[VBIRDHOUSE] OS=[Unix] Server=[Samba 3.5.4-68.el6_0.2]

        Server               Comment
```

```
        ---------          -------
        VBIRDSERVER        This is vbird's samba server

        Workgroup          Master
        ---------          -------
        VBIRDHOUSE         VBIRDSERVER
# 从这里可以知道在目前网络当中有多少个工作组与主要的名称解析主机
```

除了这个先前用过的查询功能之外，我们可以这样简易使用网上邻居：

```
# 2. 利用类似 FTP 的方式登录远程主机
[root@clientlinux ~]# smbclient '//[IP|hostname]/资源名称' [-U username]
# 意思是使用某个账号来直接登录某台主机的某个共享资源，举例如下：
[root@clientlinux ~]# smbclient '//192.168.100.254/smb1' -U smb1
Enter smb1's password:
Domain=[VBIRDHOUSE] OS=[Unix] Server=[Samba 3.5.4-68.el6_0.2]
smb: \> dir
# 在 smb: \> 下面其实就是在 //192.168.100.254/dmtsai 这个目录下。所以，
# 我们可以使用 dir、get、put 等常用的 FTP 命令来进行数据传输
?    :列出所有可以用的命令，常用
cd   :切换到远程主机的目录
del  :删除某个文件
lcd  :切换本机端的目录
ls   :查看当前所在目录的文件
dir  :与 ls 相同
get  :下载单一文件
mget:下载大量文件
mput:上传大量文件
put  :上传单一文件
rm   :删除文件
exit:离开 smbclient 的软件功能
# 其他的命令用法请参考 man smbclient
```

2. mount.cifs：直接挂载网上邻居成为网络驱动器

事实上，使用 smbclient 一点也不方便，因为使用的是 ftp 的功能语法，有点怪怪的。能不能像 Windows 那样，可以直接连接网络驱动器啊？这当然没有问题，不过就需要借助于 mount.cifs 来协助了！

早期的 SAMBA 主要是提供 smbmount 或 mount.smbfs 这个命令来挂载（smbfs 是 SMB filesystem 的缩写），不过这个命令已经被可以进行比较好的编码判断的 mount.cifs 所取代。mount.cifs 可以将远程服务器共享出来的目录整个挂载到本机的挂载点，如此一来，远程服务器的目录就好像在我们本机的一个分区一样，可以直接执行复制、编辑等动作。这可就好用的多了。下面我们来谈一谈怎么用这个 mount.cifs。

```
[root@clientlinux ~]# mount -t cifs //IP/共享资源 /挂载点 [-o options]
选项与参数：
-o 后面接的参数 (options) 常用的有以下这些：
   username=你的登录账号：例如 username=smb1
   password=你的登录密码：需要与上面 username 相对应
   iocharset=本机的语言编码方式，如 big5 或 utf8 等
   codepage=远程主机的语言编码方式，例如简体中文为 cp936

# 范例一：以 smb1 的身份将其用户主目录挂载至 /mnt/samba 中
[root@clientlinux ~]# mkdir /mnt/samba
[root@clientlinux ~]# mount -t cifs //192.168.100.254/smb1 /mnt/samba \
> -o username=smb1,password=4321,codepage=cp936
[root@clientlinux ~]# df
文件系统                    1K-块    已用      可用      已用%   挂载点
//192.168.100.254/smb1/
                            7104632      143368      6606784      3%
    /mnt/samba
```

通过 mount 的操作，我们就可以轻易地将远程共享出来的资源挂载到自己 Linux 本机上面。很好用。更详细的 mount 用法，请 man mount。

3. nmblookup：查询 NetBIOS Name 与 IP 及其他相关信息

现在我们可以通过一些 NetBIOS 相关的功能来取得 NetBIOS Name，不过，如果还想要知道这个 NetBIOS Name 的其他信息时，例如 IP、共享的资源等，那可以使用 nmblookup 这个命令来搞定即可。它是这么使用的：

```
[root@clientlinux ~]# nmblookup [-S] [-U wins IP] [-A IP] name
选项与参数：
-S：除了查询 name 的 IP 之外，亦会找出该主机的共享资源与 MAC 等
-U：后面一般可接 Windows 的主要名称管理服务器的 IP，可与 -R 互用
-R：与 -U 互用，以 Wins 服务器来查询某个 NetBIOS Name
-A：相对于其他的参数，-A 后面可接 IP，通过 IP 来找出相对的 NetBIOS 数据

# 范例一：通过 192.168.100.254 找出 vbirdserver 这台主机的 IP 地址
[root@clientlinux ~]# nmblookup -U 192.168.100.254 vbirdserver
querying vbirdserver on 192.168.100.254
192.168.100.254 vbirdserver<00>
192.168.1.100 vbirdserver<00>        <==之前鸟哥就说过有两个 IP

# 范例二：找出 vbirdserver 的 MAC 与 IP 等信息
[root@clientlinux ~]# nmblookup -S vbirdserver
querying vbirdserver on 192.168.100.255   <==在局域网内广播开始找
192.168.100.254 vbirdserver<00>           <==找到 IP 了
Looking up status of 192.168.100.254
```

```
        VBIRDSERVER       <00> -         B <ACTIVE>
        ..__MSBROWSE__. <01> - <GROUP> B <ACTIVE>
        VBIRDHOUSE        <00> - <GROUP> B <ACTIVE>
```

4. smbtree：网上邻居浏览器显示模式

如果想要使用类似 Windows 上面，可以一看就明了各个网上邻居所共享的资源时，可以使用 smbtree 来直接查询。这个命令更简单，直接输入就能用：

```
[root@clientlinux ~]# smbtree [-bDS]
选项与参数：
-b：以广播的方式取代主要浏览器的查询
-D：仅列出工作组，不包括共享的资源
-S：列出工作组与该工作组下的计算机名称 (NetBIOS) 不包括各项资源目录

# 范例一：列出目前的网上邻居树状相关图
[root@clientlinux ~]# smbtree
Enter root's password:  <==直接按 [Enter] 即可
WORKGROUP
        \\WIN7-PC
VBIRDHOUSE
        \\WINXP
cli_start_connection: failed to connect to WINXP<20> (0.0.0.0).
        \\VBIRDSERVER                   This is vbird's samba server
                \\VBIRDSERVER\HP_LaserJet_P2015_Series  HP LaserJet P2015 Series
                \\VBIRDSERVER\IPC$    IPC Service (This is vbird's samba server)
                \\VBIRDSERVER\print$    Printer drivers
                \\VBIRDSERVER\project   smbuser's project

[root@clientlinux ~]# smbtree -S
Enter root's password:
WORKGROUP
        \\WIN7-PC
VBIRDHOUSE
        \\WINXP
        \\VBIRDSERVER                   This is vbird's samba server
# 此时仅有工作组与计算机名称而已
```

5. smbstatus：观察 SAMBA 的状态

其实这个命令算是服务器的相关功能，因为其主要目的是查阅目前 SAMBA 有多少人来连接，且哪些资源共享已经被使用等的信息。所以如果想要使用这个软件，请先安装 SAMBA。简单用法如下：

```
[root@www ~]# smbstatus [-pS] [-u username]
选项与参数：
-p：列出已经使用 SAMBA 连接的程序 PID
-S：列出已经被使用的资源共享状态
-u：只列出某个用户相关的共享数据

# 范例一：列出目前主机完整的 SAMBA 状态
[root@www ~]# smbstatus
Samba version 3.5.4-68.el6_0.2
PID       Username      Group   Machine
-------------------------------------------------------------------
5993      smb1          smb1        __ffff_192.168.100.10
(::ffff:192.168.100.10)
5930      smb1          smb1    win7-pc       (::ffff:192.168.100.30)
# 上半部主要在列出目前连接的状态中，主要来自哪个客户端机器与登录的用户名

Service     pid     machine       Connected at
-------------------------------------------------------
IPC$        5930    win7-pc       Fri Jul 29 15:56:03 2011
project     5930    win7-pc       Fri Jul 29 15:59:25 2011
smb1        5993    __ffff_192.168.100.10  Fri Jul 29 16:32:45 2011
# 这部分则显示出，目前有几个目录被使用了？那个 smb1 代表 //IP/smb1/
```

你可以通过这个小程序来了解到目前有多少人在使用你的 SAMBA。

16.4 以 PDC 服务器提供账号管理

我们在 16.1.5 约略谈过 PDC 这个玩意儿，它可以让用户在计算机教室的任何一个地方，都用同一组账号密码登录，并可取得相同的用户主目录等数据，这与我们之前谈到的，在 Linux 下面使用 NIS 搭配 NFS 是很类似的，只是它是用在 Windows 上。那如何完成呢？我们下面就来谈谈这个问题。

16.4.1 让 SAMBA 管理网络用户的一个实际案例

前面介绍的内容都是属于 Peer/Peer 的连接状况，也就是 SAMBA 服务器与 Windows 客户端是平等地位。所以 Windows 客户端需要知道 SAMBA 服务器内的账号密码数据后，才能够顺利地使用 SAMBA 的资源。不过，这样的方式在一些较大型的局域网络环境可能就会有点困扰，例如学校的环境。

举例来说，如果有一个计算机教室里面有 50 台 Windows XP Pro. 的个人计算机，由于计算机教室大家都会使用，因此里面这 50 台个人计算机有使用还原精灵，也就是每次计算机重新启动后整个操作系统就会还原成原本的样子。但我们知道用户总是需要有个人用户主目

录吧？他们总不希望这次的工作在重新启动后就失去了。所以我们可以利用一台主机来让他们存储数据，那就是 Primary Domain Controller（PDC）服务器。

其实 SAMBA PDC 的作用很简单，就是让 SAMBA PDC 成为整个局域网的域管理员（domain controller），然后让 Windows 主机加入这个域，未来用户利用 Windows 登录时，Windows 会前往 PDC 服务器取得用户的账号密码，同时 PDC 还会传送用户的重要数据到那台 Windows 个人计算机上，而 Windows 计算机上的用户注销时，该用户修改过的数据也会返回给 PDC。如此一来不管这个用户在哪一台个人计算机上面登录，他都能够取得正确的个人资料。很棒吧！

PDC 是个很复杂的环境，它可以达到的功能相当多，而且密码的验证也不必在同一台 PDC 主机上面，不过这里我们不谈那么复杂的东西，只是做一个简单的练习，因此下面的这台 PDC 使用 Linux 自己的密码来进行验证，并且也只管理自己所共享出去的资源。假设网络环境与相关工作组参数如图 16-20 所示。

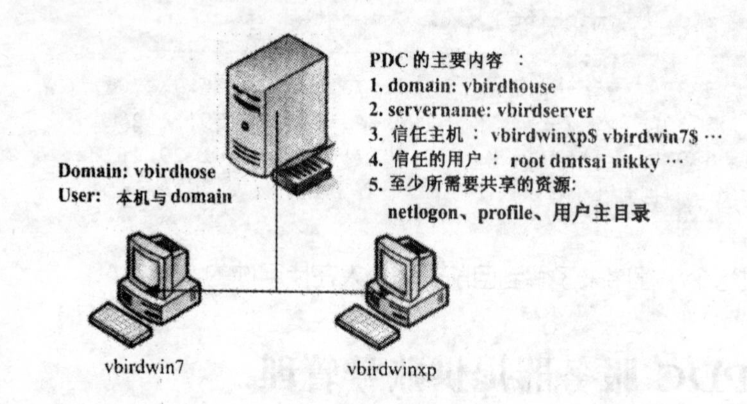

图 16-20 一个简易的 PDC 实际案例相关参数示意图

整个基本的设置流程应该是这样的：

- 局域网计算机环境设置：整体网络设置好，尤其 Windows 的工作组与计算机名称及 IP 等参数。
- PDC 设置：因为 PDC 管理自己的密码，所以 security = user。
- PDC 最好拥有整个网络的名称解析权力，亦即成为主要的名称解析器。
- 需有 netlogon 资源共享，提供 Windows 2000/XP pro. 客户端的登录之用。
- 由于 Windows 需读入个人配置文件，默认目录为 profile，Linux 系统需预先设置此目录。
- 增加 PDC 上的用户账号以及机器代码（machine account）等。
- 在 Windows 2000/XP pro. 个人计算机上设置成为 PDC 的客户端。

下面我们就来依序处理一下。

16.4.2　PDC 服务器的搭建

PDC 服务器的建立非常麻烦，需要一步一步地按序操作，挺讨厌的。而且，由于搭建 PDC 的环境主要在管理整个局域网内的 Windows 计算机，因此每台 Windows 计算机的主机名与相关参数要先确定下来，如图 16-20 所示的每台计算机的角色定位都需要清楚才行。清楚了各个计算机的角色后，接下来就慢慢按序操作。

1. 设置 NetBIOS 与 IP 对应的数据：设置 lmhosts 与 /etc/hosts

由于 SAMBA 即将成为整个网络的名称解析者，因此最好将整个网络的 NetBIOS Name 与 IP 的对应写入 lmhosts 文件当中。如果局域网是以 DHCP 发放 IP 的，那么最好搭配 DNS 系统去配置主机名对应信息，否则主机名对应不起来，总是有点困扰。在这个案例中，由于鸟哥使用的 NetBIOS Name（如 vbirdserver）与主机名（如 www.centos.vbird）并不相同，因此这里建议需要修改 lmhosts 。

```
[root@www ~]# vim /etc/samba/lmhosts
127.0.0.1        localhost       <==这行是默认存在的，不要动，下面的请自行添加
192.168.100.254  vbirdserver
192.168.100.10   vbirdlinux
192.168.100.20   vbirdwinxp
192.168.100.30   vbirdwin7

[root@www ~]# vim /etc/hosts
192.168.100.254 www.centos.vbird           vbirdserver
192.168.100.10  clientlinux.centos.vbird     vbirdlinux
192.168.100.20  vbirdwinxp
192.168.100.30  vbirdwin7
```

由于 Linux 上的 SAMBA 很多数据还是与 TCP/IP 的主机名有关，所以除了 lmhosts 之外，建议还是处理一下 /etc/hosts 比较妥当。

2. PDC 主设置：处理 smb.conf

假设我们要让 PDC 客户端登录时可以取得它自己的用户主目录，那么需要这样处理：

```
[root@www ~]# vim /etc/samba/smb.conf
[global]
        workgroup       = vbirdhouse    <==请务必确认一下工作组与主机名
        netbios name    = vbirdserver
        server string   = This is vbird's samba server
        unix charset    = utf8
        display charset = utf8
        dos charset     = cp950
        log file        = /var/log/samba/log.%m
```

```
        max log size     = 50
        security         = user
        passdb backend   = tdbsam
        load printers    = yes
        cups options     = raw
        printcap name    = cups
        printing         = cups

        # 与 PDC 有关的一些设置值：
        # 下面几个设置值处理成为本局域网络内的主要名称解析器
        preferred master = yes
        domain master    = yes
        local master     = yes
        wins support     = yes
        # 操作系统 (OS) 等级越高才能成为主网络的控制者，一般 NT 为 32,
        # Windows 2000 为 64，所以这里我们设置高一点，但不可超过 255
        os level         = 100
        # 下面则是设置能否利用 PDC 登录，且登录需要进行哪些操作
        domain logons = yes
        logon drive    = K:              <==登录后用户主目录挂载成 Windows 哪一分区
        logon script   = startup.bat     <==每个用户登录后会自动执行的程序
        time server    = yes             <==自动调整 Windows 时间与 SAMBA 同步
        admin users    = root            <==默认的管理员账号。默认为 root
        logon path     = \\%N\%U\profile<==用户的个人化设置
        logon home     = \\%N\%U         <==用户的用户主目录位置

# 这个在指定登录用户能够进行的工作，里面主要是具有许多执行程序
[netlogon]  <==与前面的 logon script 有关，该程序放置在这里
   comment         = Network Logon Service
   path            = /winhome/netlogon  <==重要的目录，要自己建立才行
   writable        = no
   write list      = root
   follow symlinks = yes
   guest ok        = yes

[homes]
....(下面保留原本设置)....

[root@www ~]# testparm
[root@www ~]# /etc/init.d/smb restart
[root@www ~]# /etc/init.d/nmb restart
```

上面的设置有几个地方比较有趣：

- time server：要使 SAMBA 与 Windows 主机的时间同步，使用这个项目。

- logon script：当用户以 Windows 客户端登录后，SAMBA 可以提供一个批处理文件，让用户去设置好他们自己的目录配置。整个配置的内容记录在 startup.bat 当中。要注意的是，这个 startup.bat 文件名可以随意更改，不过必须要放置它到 [netlogon] 所指定的目录内。
- logon drive：那么这个用户主目录要挂载到那个分区？在 Windows 下面大多以 C、D、E 等作为磁盘的代号，这里可以指定一下用户主目录要放置到哪个磁盘代号。
- admin users：指定这个 SAMBA PDC 的管理员身份。
- [netlogon]：指定利用网络登录时首先去查询的目录资源。
- logon path：用户登录后，会取得的环境设置数据在哪？我们知道用户会有一堆环境数据，例如桌面等，这些东西都放置到这里来。使用的变量中，**%N 代表 PDC 服务器的位置，%U 则代表用户的 Linux 用户主目录。因此最终需要有 ~someone/profile 的目录才可以。**
- logon home：用户的用户主目录，默认放置到与 Linux 的用户主目录相同位置。

3. 建立 Windows 客户端登录时所需的设置数据 netlogon 目录

先来建立 [netlogon] 内所需要的数据，那就是一个目录。由于鸟哥预计将所有的 PDC 数据全部放置到 /winhome 当中，包括用户的用户主目录，因此很多东西都需要修订。包括后来的 SELinux 肯定会出问题。

```
[root@www ~]# mkdir -p /winhome/netlogon
```

接下来我们还需要建立允许用户执行的文件，就是 startup.bat。注意一下，我们这里假设用户的主目录为 K 分区，那可以这样做：

```
[root@www ~]# vim /winhome/netlogon/startup.bat
net time \\vbirdserver /set /yes
net use K: /home
# 这个文件的格式为：net use [device:] [directory]

# 再将该文件转成 DOS 的断行格式。因为是提供给 Windows 系统的
[root@www ~]# yum install unix2dos
[root@www ~]# unix2dos /winhome/netlogon/startup.bat
[root@www ~]# cat -A /winhome/netlogon/startup.bat
net time \\vbirdserver /set /yes^M$
net use K: /home^M$
# 看见了吗？会多出个奇怪的 ^M 符号，那就是 Windows 断行字符
```

4. 建立 Windows 专用的用户

因为鸟哥预计将用户全部挪到 /winhome 下面，而且每个用户的用户主目录应该还要有

profile 目录存在才行，为了避免麻烦，所以我们先到 /etc/skel 去处理一下，然后再建立账号，最后才产生 SAMBA 用户。产生 SAMBA 用户可以使用 pdbedit，也能够直接使用 smbpasswd –a，因为不用特殊的参数，所以 SAMBA 用户就用旧的 smbpasswd 来处理即可。

```
[root@www ~]# mkdir /etc/skel/profile
[root@www ~]# useradd -d /winhome/dmtsai dmtsai
[root@www ~]# useradd -d /winhome/nikky  nikky
[root@www ~]# smbpasswd -a root
[root@www ~]# smbpasswd -a dmtsai
[root@www ~]# smbpasswd -a nikky
[root@www ~]# pdbedit -L
smb1:2004:
smb3:2006:
smb2:2005:
student:505:
root:0:root
dmtsai:2007:
nikky:2008:
# 重点是需要有加粗字体表示的那几个人物出现才行

[root@www ~]# ll /winhome
drwx------. 5 dmtsai dmtsai 4096 Jul 29 16:49 dmtsai
drwxr-xr-x. 2 root   root   4096 Jul 29 16:48 netlogon
drwx------. 5 nikky  nikky  4096 Jul 29 16:49 nikky
# 用户的用户主目录不是在 /home 而是在 /winhome 里才是
```

那以后添加的用户都可以存放来自 Windows 的特殊配置文件目录，比较好管理。当然，使用 useradd 添加用户后，记得也要使用 smbpasswd –a username 来让该用户可以使用 SAMBA。

5. 建立机器码账号

由于 PDC 会针对 Windows 客户端的主机名（NetBIOS Name）进行主机账号检查，所以我们也要为客户端的主机名进行账号的设置。什么是主机账号？一般用户账号是英文或数字，**主机账号则在该账号最后面加上一个“$”即可**。举例来说，vbirdwinxp 这台主机可设置的账号名称为 vbirdwinxp$。

而我们知道要使用 smbpasswd 增加的用户必须要在 /etc/passwd 当中，因此要建立这个账号就需要这样做：

```
[root@www ~]# useradd -M -s /sbin/nologin -d /dev/null vbirdwinxp$
[root@www ~]# useradd -M -s /sbin/nologin -d /dev/null vbirdwin7$
```

增加 –M、–s、–d 等参数的原因是因为不想要让这个账号具有可以登录的权限，因此将这个主机账号设置的比较怪一点。接下来要让 SAMBA 知道这个账号是主机账号，应该要这样做：

```
[root@www ~]# smbpasswd -a -m vbirdwinxp$
[root@www ~]# smbpasswd -a -m vbirdwin7$
```

这样便加入主机账号了。SAMBA PDC 就可以通过“主机账号”来判断 Windows 客户端能否连上来，若连接上 PDC 与 Windows 客户端后，接下来一般用户账号就可以在 Windows 客户端登录了。

6. 修改安全性相关数据

由于我们建立的账号目录在 /winhome 下面，并非正规的 CentOS 目录，所以最重要的 SELinux 可能会丢失。所以，我们还需要修订 SELinux 才行。方法很简单，将 SELinux type 转为 samba_share_t 即可。

```
[root@www ~]# chcon -R -t samba_share_t /winhome
```

由于 SELinux 的数据是会继承上层目录的，因此未来添加的用户，理论上，就不需要重新修订 SELinux 的文件类型了。但是，如果总是发现登录 PDC 的账号却无法取得用户主目录，那么就观察 /var/log/messages 内的资料来修改吧。

16.4.3 Wimdows XP pro. 的客户端

请注意，下面的方法仅适用于 Windows 2000、Windows XP 专业版（Pro.），一般的 Windows XP home 版本是不支持的。如果客户端的主机是随机版的 Windows XP，通常是 Windows XP home，那下面的方法可能就无法使用。要连接上 SAMBA PDC 的过程也是挺简单的，可以这样做（至于 Windows 7 对于 SAMBA 的版本要求较高，官方网站是说得高于 3.3.x 以上版本才有支持）

1. 确认 Windows 客户端的网络与主机名

首先我们必须要确认 Windows 客户端的工作组与主机名跟 SAMBA PDC 相同，确认的方式在局域网络里面已经提过了，这里再强调一次。右击“我的电脑”图标，在弹出的快捷菜单中选择“属性”，然后选择“计算机名”选项卡标签，如图 16-21 所示。

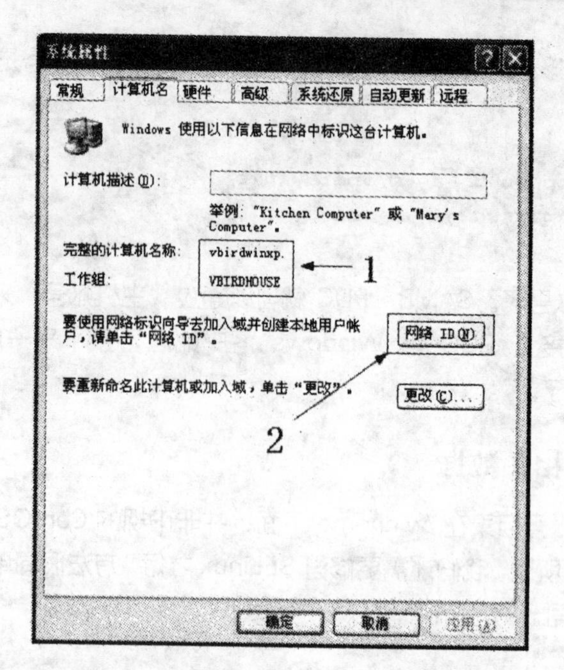

图 16-21 Windows 客户端连上 PDC 的方式流程示意图 1

如图 16-21 所示，先确认箭头 1 处指的主机名与工作组，在我们这个案例当中的工作组为 vbirdhouse，这台 Windows 主机的 NetBIOS 名称则为 vbirdwinxp。如果不对的话，请单击“更改”按钮来设置，并且重新启动。重新启动完毕后再回到图 16-21 的画面当中，单击箭头 2 所指的“网络 ID”按钮。

2. 设置主机名与域名

接下来我们要设置这台 Windows XP pro. 要连接到局域网络上的哪台 PDC 上面，亦即是处理主机账号以及 SAMBA PDC 负责的域（domain）。在图 16-21 所示的对话框中单击“网络 ID”按钮后，分别在出现的窗口当中选择：

1）“下一步”；

2）“本机是商业网络的一台分，用它连接到其他工作着的计算机（T）”；

3）“公司使用带有域的网络（C）”；

4）“下一步”。

然后就会出现如图 16-22 所示的界面。

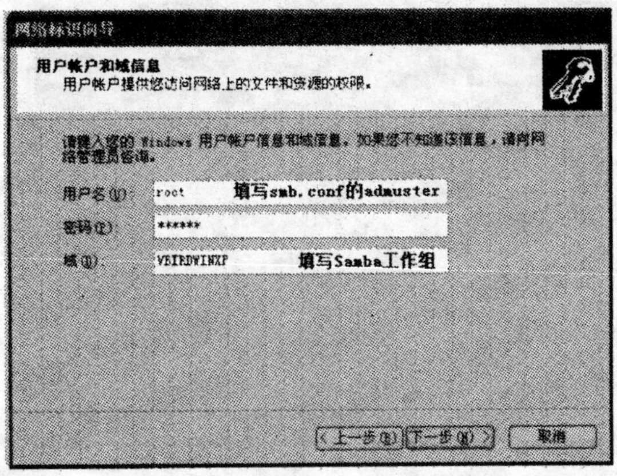

网络标识向导

用户帐户和域信息

用户帐户提供您访问网络上的文件和资源的权限。

请键入您的 Windows 用户帐户信息和域信息。如果您不知道该信息，请向网络管理员咨询。

用户名(U)：root　填写smb.conf的admuster

密码(P)：******

域(D)：VBIRDWINXP　填写Samba工作组

< 上一步(B)　下一步(N) >　取消

图 16-22 Windows 客户端连上 PDC 的方式流程示意图 2

请依序填写 SAMBA 主机上面的管理员账号与密码，要注意这个密码是记录于 SAMBA 中的那个，不是 /etc/shadow，别搞混了。这是 SAMBA 服务器的设置。输入之后单击“下一步”按钮，通常都会出现找不到正确主机的提示对话框，如图 16-23 所示。

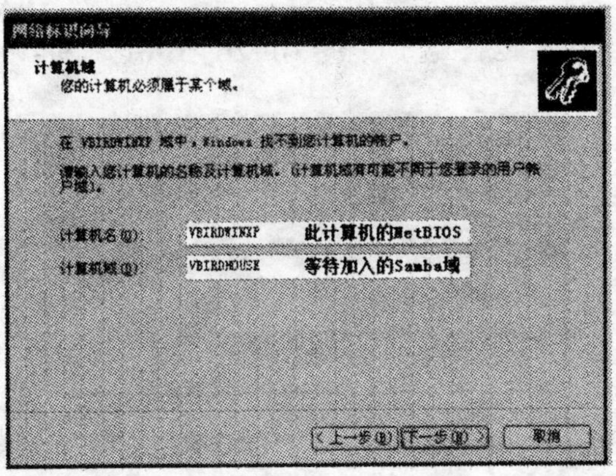

网络标识向导

计算机域

您的计算机必须属于某个域。

在 VBIRDWINXP 域中，Windows 找不到您计算机的帐户。

请输入您计算机的名称及计算机域。(计算机域有可能不同于您登录的用户帐户域。)

计算机名(M)：VBIRDWINXP　此计算机的NetBIOS

计算机域(D)：VBIRDHOUSE　等待加入的Samba域

< 上一步(B)　下一步(N) >　取消

图 16-23 Windows 客户端连上 PDC 的方式流程示意图 3

鸟哥也觉得很奇怪，老是告诉我找不到。不过没有关系，这里我们依旧再填一次主机的 NetBIOS Name 以及组名，然后单击“下一步”按钮，就会出现如图 16-24 所示的对话框。

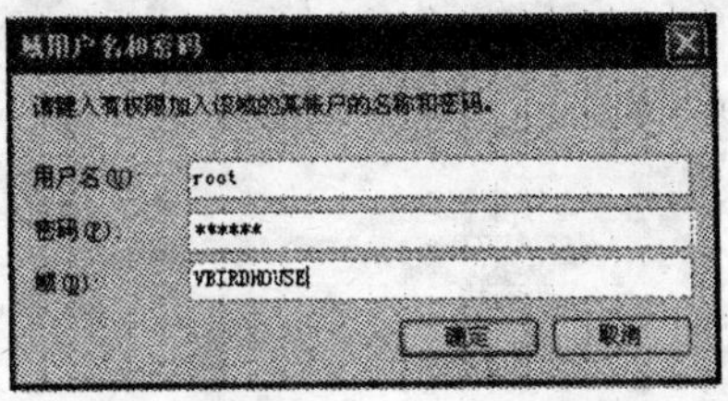

域用户名和密码

请键入有权限加入该域的某帐户的名称和密码。

用户名(U)：root

密码(P)：******

域(D)：VBIRDHOUSE

确定　取消

图 16-24 Windows 客户端连上 PDC 的方式流程示意图 4

这次就输入正确的管理员账号与密码，记得最后面的网络就是工作组名称，别写错了。处理完毕后单击“确定”按钮，出现如图 16-25 所示的对话框。

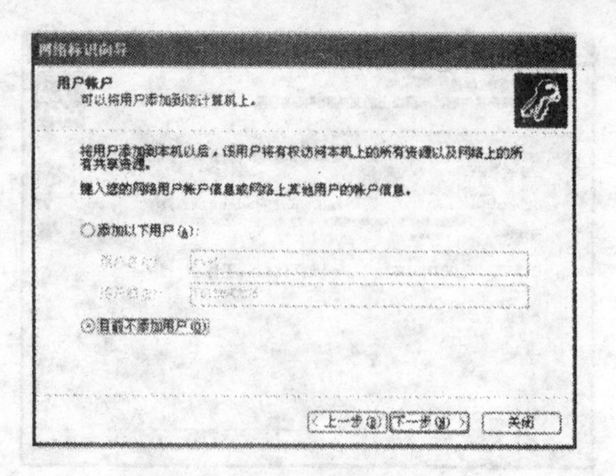

图 16-25 Windows 客户端连上 PDC 的方式流程示意图 5

由于我们希望所有的用户都直接由 SAMBA PDC 控管，所以这里请填写“此时不添加用户”。单击“下一步“按钮。

3. 重新启动并以新的域名登录

重新启动 Windows 操作系统，出现如图 16–26 所示的界面。

图 16-26 Windows 客户端连上 PDC 的方式流程示意图 6

为了保护操作系统，需要按 Ctrl+Alt+Del 组合键，出现如图 16–27 所示的登录界面。

图 16-27 Windows 客户端连上 PDC 的方式流程示意图 7

重新启动系统后，在登录界面的“登录到“下拉菜单中会出现两个选择，分别是 VBIRDHOUSE 与 VBIRDWINXP（此计算机）。

这表示目前系统上面就会有两个可选择的账号管理模式，一个是本机账号，一个是 PDC 提供的账号。

- VBIRDWINXP（此计算机）：这就是你的计算机名称，亦即是以本机账号登录。
- VBIRDHOUSE：就是 PDC 的 workgroup 项目，通过 PDC 的账号来尝试登录。

现在请输入你在 SAMBA PDC 上面拥有的账号与密码来尝试登录。如果输入的账号密码是对的，却出现用户配置文件错误时，如图 16-28 所示，肯定是某些文件权限或者是 SELinux 设置错误！请参考/Var/10g/message 或/var/10g/samba/*里面的登录文件来修改。

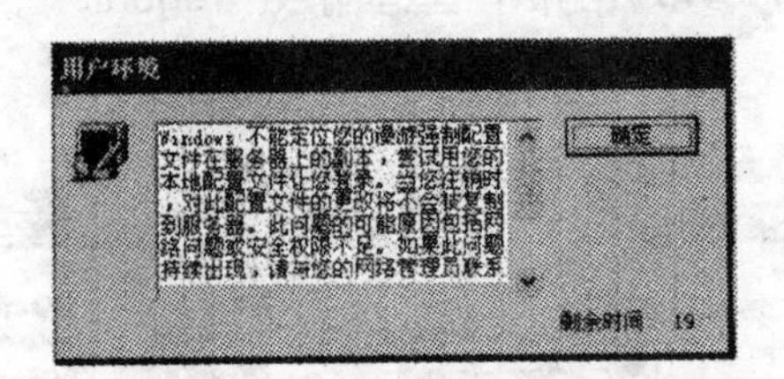

图 16-28 使用 PDC 账号登录却发现权限错误提示

4. 观察用户的用户主目录与配置文件

如果可以顺利登录的话，打开资源管理器后应该可以看到该连上的全部连接上来了，如图 16-29 所示。

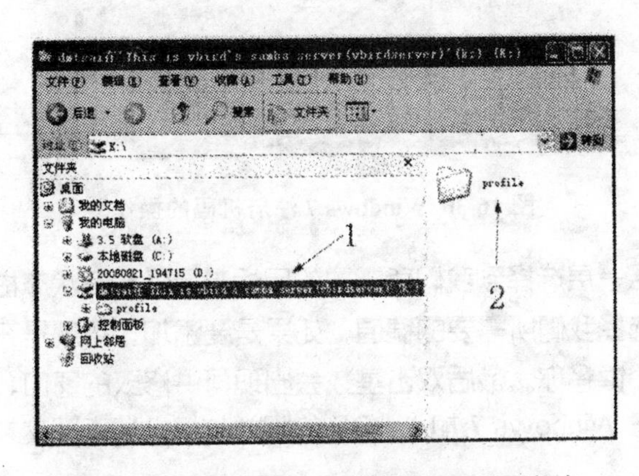

图 16-29 顺利登录后的资源管理器显示状态

你也可以在自己的用户主目录（K 分区）添加删除数据的，是否很不错啊？而当你注销之后，你在 Windows 桌面上所进行的各项个人化设置全部会被移动到 /winhome/dmtsai/profile 中。如果不相信的话，请自行前往 SAMBA 服务器上看一看就知道了。

16.4.4 Windows 7 的客户端

根据 SAMBA 官网的说明，支持 Windows 7 的 SAMBA 版本必须要高于 3.3.x 才行，还好，我们的 CentOS 6.x SAMBA 版本是高于 3.3.x 的 3.5.x，因此理论上是支持 Windows 7

的，只不过 Windows 7 要加入 SAMBA PDC 还需要修改注册码才行。这部分真的是麻烦。在 Windows 7 注册码的修改方面，主要是修改下面的注册码：

```
# 1. 这个部分是进行"添加"键值
[HKEY_LOCAL_MACHINE\SYSTEM\CurrentControlSet\services\LanmanWorkstation\Parameters]
"DomainCompatibilityMode"=dword:00000001
"DNSNameResolutionRequired"=dword:00000000
```

修改的方式为，在 Windows 7 的执行里面输入"regedit"，会出现如图 16-30 所示的画面。

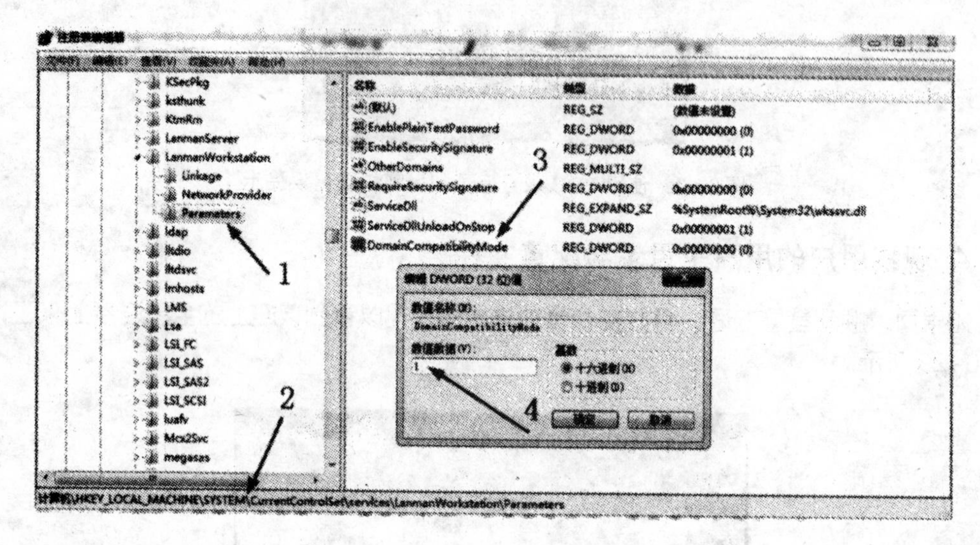

图 16-30 Windows 7 注册机码的操作

先在左侧窗口一层一层选择到我们所需要的目标去，然后在状态栏观察主键顺序看对不对。之后在右侧窗口选择我们所需要的键值，如果是要添加，那就是在右侧空白处右击选择"添加"即可增加一个键名称。最后双击基数会出现可供修改的窗口，那就改成上面表格中的要求即可。更多关于 Windows 7 加入 PDC 的相关数据，请查阅文末的参考数据部分。

等到将注册表修订完毕，就可以使用与 Windows XP 相同的方式来加入 PDC 了。

16.4.5 PDC 问题的克服

如果总是发生错误的信息为"使用的账户是计算机账户。请使用你的通用用户账户或本机用户账户来访问这台服务器"时，可以这样做：

- 先查看一下 /var/log/samba 里面的日志文件信息，尤其是 log.vbirdwinxp 关于这台主机的信息。

- 如果还是无法解决，可以在 lmhosts 里面增加 vbirdwinxp 的 IP 与主机名的对应，然后将 SAMBA 整个关掉：/etc/init.d/smb stop，等待一段时间让 NetBIOS 的名称解析时间超时，再重新启动 SAMBA：/etc/init.d/smb start，然后再重新做一次输入 root 的密码操作。

在鸟哥尝试过的案例中，上面第二个步骤挺有效的。不过，还是需要查看 /var/log/samba 里面的日志信息才行。

下面来介绍一些 Windows 账号在 Windows 系统上面的使用技巧。

虽然 PDC 很好用，不过需要注意的是，每次使用 PDC 上的账号登录 Windows 客户端主机时，**Windows 主机会由 /winhome/username/profile/ 当中加载所需要的数据，并暂时启动一个文件夹在 Windows 系统的 C:\Documents and Settings\username 中，如果用户主目录下的 profile 数据太多，光是传输就会花去很多时间**。

所以，你应该将一些文件数据放置到用户主目录下，也就是 K 分区当中，尽量不要使用 Windows 默认的“我的文件夹”，因为“我的文件夹”会将数据移动到“/winhome/username/profile/My Documents/”目录下，同样地，存储到桌面的数据会被放置到“/winhome/username/profile/桌面/”目录中，那样在登录与注销时会花去很多时间。这个地方也要注意一下。

好了，关于 SAMBA 的 PDC 做法我们就谈到这里，还有更多的信息可以前往本章最后面的参考数据所列出的网址去查阅，因为还有很多的做法。事实上，鸟哥觉得在一个网络当中，如果有多台 Windows NT 主机，例如 Windows 2000/XP pro. 这一类比较稳定的个人使用桌面版本时，使用 PDC 就很有用了。因为 Windows 2000/XP pro. 也是一个多用户操作系统，不像 Windows 98 是单用户操作系统。所以，当使用 Windows 2000/XP pro. 而无法登录 PDC 时，是无法使用 Windows 2000/XP pro. 上面的任何的信息的。但是在 Windows 98 上面若无法正确登录，仍然具有该计算机的控制权。

另外，设置 Windows 客户端之前，请先确认 Windows 是什么版本？上述的操作对于 Windows XP 家用版（Home）、Windows 7 是没有作用的。请先确认才行。

16.5　服务器简单维护与管理

除了上述的正规做法之外，其实还有一些稍微重要的事情要跟大家共享。

16.5.1　服务器相关问题克服

通常我们在设置 SAMBA 的时候，如果是以单一主机的工作组（Workgroup）的方式来进行 smb.conf 的设置时，几乎很容易就可以设置成功了，并没有什么很困难的步骤。不过，万一还是无法成功地设置，请务必查看日志文件，也就是在 /var/log/samba/ 里面的数据。在这些数据当中，你会发现有很多的文件。因为我们在 smb.conf 里面设置了：

- log file = /var/log/samba/log.%m

%m 是指客户端计算机的 NetBIOS Name 的意思，所以，当有个 vbirdwinxp 的主机来登录我们的 vbirdserver 主机时，那么登录的信息就会被记录在 /var/log/samba/log.vbirdwinxp 文件中。而如果万一来源 IP 并没有 NetBIOS Name 的时候，那么很可能是一些错误信息，这些错误信息就会被记录到 log.smbd、log.nmbd 里面去。所以，如果要查看某台计算机连上 SAMBA 主机发生了什么问题时，特别要留意这个日志文件的形式。

另外，如果 SAMBA 明明已经启动完成了，却偏偏总是无法成功，又无法查出问题时，建议先关闭 SAMBA 一阵子，再重新启动。

- /etc/init.d/smb stop

在鸟哥过去的案例当中，确实有几次是因为 PID 与 NetBIOS 的问题，导致整个 SAMBA 出现问题。所以完整地关闭之后，经过一段短暂时间，再重新启动，应该就可以恢复正常了。

还有，万一你在进行写入的操作时，总是发现“你没有相关写入的权限！”，不要怀疑，几乎可以确定是 permission 的问题，也就是 Linux 的权限与 SAMBA 开放的权限并不相符合，或者是 SELinux 在搞鬼。无论如何，你必须要了解能不能写入 Linux 磁盘，看的是 PID 的权限与 Linxu 文件系统是否吻合，而 smb.conf 里面设置的相关权限只是在 SAMBA 运行过程当中“预计”要给用户的权限而已，并不能取代真正的 Linux 权限。所以，万一发现该问题存在，请登录 Linux 系统，查验一下该对应的目录的 permission。

另外，通常造成明明已经查到共享（smbclient -L 的结果），却总是无法顺利挂载的情况，主要有下面几个可能的原因：

- 虽然 smb.conf 设置正确，但是设置值“path”所指定的目录却忘记建立了（最常见的情况）。
- 虽然 smb.conf 设置为可读写，但是目录针对该用户的权限却是只读或者是无权限。
- 虽然权限全部都正确，但是 SELinux 的类型是错误的。
- 虽然全部的数据都是正确的，但是 SELinux 的规则（getsebool -a）却没有顺利启动。

上述都是一些常见的问题，更多问题的解决方案，请参考最正确的日志文件信息。

16.5.2 让用户修改 SAMBA 密码同时同步更新 /etc/shadow 密码

有个问题是，我们知道用户可以通过 passwd 修改 /etc/shadow 内的密码，而且用户也能够自行以 smbpasswd 修改 SAMBA 的密码。如果用户是类似 PDC 的用户，那么这些用户理论上就很少使用 Linux 了。那么想一想，能否让用户在修改 Windows 密码（就是 SAMBA）时，同步更新 Linux 上面的 /etc/shadow 密码呢？答案是可以的。而且操作并不困难。因为 smb.conf 里已经提供了相对应的参数设置值。可以参考下面的网站数据：

- http://moto.debian.org.tw/viewtopic.php?t=7732&。
- http://de.samba.org/samba/docs/using_samba/ch09.html。

鸟哥做个总结，基本上需要的是 smb.conf 里面 [global] 的几个设置值：

```
[root@www ~]# vim /etc/samba/smb.conf
[global]
# 保留前面的各项设置值，并添加下面三行即可：
        unix password sync   = yes                   <==让 SAMBA 与 Linux 密码同步
        passwd program       = /usr/bin/passwd %u    <==以 root 呼叫修改密码的命令
        pam password change = yes                    <==并且支持 pam 模块

[root@www ~]# testparm
[root@www ~]# /etc/init.d/smb restart
```

接下来，当你以一般用户（例如 dmtsai）修改 SAMBA 的密码时，就会像这样：

```
[dmtsai@www ~]$ smbpasswd
Old SMB password:  <==得先输入旧密码，才能输入新密码
New SMB password:
Retype new SMB password:
Password changed for user dmtsai <==这就是成功的字样

# 若出现下面的字样，应该就是密码输入被限制了。例如输入的密码字符少于 6 个
machine 127.0.0.1 rejected the password change: Error was : Password
restriction.
Failed to change password for dmtsai
```

16.5.3　利用 ACL 配合单一用户时的管理

想象一个案例，如果你是学校的网管人员，有个兼职老师向你申请账号，主要是要在很多班级内取得同学的专题资料。因为该老师是兼职的，你或许担心一不小心该教师就将同学的辛苦资料给销毁，这个时候如果你将该老师加入同学的组，然后偏偏同学们所在的目录是组可写入的话，那么该教师就能够拥有可读写的权限了，也就容易造成一些管理上的漏洞。

那该怎么办？其实可以通过 ACL 来管理某个目录的单一用户权力。所以说，权限的管理不必通过 smb.conf 的设置，只要通过 ACL 来管理就能够达到所需要的目的了。关于 ACL 的说明我们在基础学习篇第三版第 14 章已经提过了，这里不再赘述，请自行前往查阅。

16.6 重点回顾

- 由 Tridgell 利用逆向工程分析网上邻居得到 Server Message Block 协议的产生。
- SAMBA 名称的由来是因为需包含没有意义的 SMB Server 之故。
- SAMBA 可以让 Linux 与 Windows 直接进行文件系统的使用。
- SAMBA 主要架构在 NetBIOS 上的，且以 NetBIOS over TCP/IP 克服 NetBIOS 无法跨路由的问题。
- SAMBA 使用的 daemon 主要有管理共享权限的 smbd 以及 NetBIOS 解析的 nmbd。
- SAMBA 使用的模式主要有单机的 workgroup 方式，以及网络管理的 PDC 模式。
- SAMBA 的主配置文件的文件名为 smb.conf。
- smb.conf 内，主要区分为 [global] 服务器整体设置与 [share] 共享的资源两大部分。
- SAMBA 用户账号控管主要的设置值为 security = {share,user,domain} 等。
- SAMBA 客户端可使用 smbclient 以及 mount.cifs 进行网上邻居的挂载。
- 新版的 SAMBA 默认使用数据库记录账户信息，添加账号用 pdbedit，修改密码则用 smbpasswd。
- SAMBA 主要支持 CUPS 的打印机服务器。
- 在权限控管方面，最容易出错的为 SELinux 的规则与类型（SELinux type）。
- 在 PDC 的设置方面，由于与主机名相关性很高，建议设置 lmhosts 文件内容为宜。

16.7 参考数据与延伸阅读

- 注 1：维基百科对 SAMBA 的来源与作者的介绍：
  http://en.wikipedia.org/wiki/Samba_software。
  http://en.wikipedia.org/wiki/Andrew_Tridgell。
- man 5 smb.conf。
- Study Area：http://www.study-area.org/linux/servers/linux_samba.htm。
- 电子书 Using Samba：http://de.samba.org/samba/docs/using_samba/ch00.html。
- Samba PDC HOWTO:
  http://us5.samba.org/samba/docs/man/Samba-HOWTO-Collection/samba-pdc.html。
- SAMBA 官方网站：http://www.samba.org/。
- 杨锦昌老师的 SAMBA 秘技：
  http://apt.nc.hcc.edu.tw/web/student_server_FC1.htm#samba。
- 依玛猫的打印文件：http://www.imacat.idv.tw/tech/lnxprint.html。

- Gentoo Linux 的 Samba 文件：http://www.gentoo.org/doc/zh_tw/quick-samba-howto.xml。
- cupsaddsmb 用法：
  http://www.enterprisenetworkingplanet.com/netsysm/article.php/3621876。
- 下载 CUPS-windows 的网站：http://ftp.easysw.com/pub/cups/windows/。
- eyesblue 在讨论区针对语系的说明：http://phorum.vbird.org/viewtopic.php?t=22001。
- testparm –v。
- 关于 Windows 7 加入 PDC 的注册表键值的相关问题：
  https://wiki.samba.org/index.php/Windows7。
  http://www.linuxquestions.org/questions/linux-server-73/joining-a-windows-7-client-to-samba-pdc-v-3-4-3-a-815174/。
  http://www.1stbyte.com/2009/05/31/join-windows-7-to-samba-pdc/。

```
# 2. 这个部分是进行“修改”注册表键值。不过，如果你做了，会让你可加入 PDC，
# 但却无法顺利地登录。所以这里需要特别注意
[HKEY_LOCAL_MACHINE\SYSTEM\CurrentControlSet\services\Netlogon\Parameters]
"RequireSignOnSeal"=dword:00000000
"RequireStrongKey"=dword:00000000
```

第 17 章

局域网控制者：Proxy 服务器

代理服务器的功能是可以代理局域网内的个人计算机来向因特网取得网页或其他数据的一种服务，由于代理取得的数据可以保存一份在服务器的缓存上，因此以往有类似“假象加速”的功能。不过，目前网络带宽已经比以前好很多，因此代理服务器倒是很少使用在这方面。取而代之的是局域网络“高级防火墙”的角色！这里的“高级”指的是 OSI 七层协议里面的高层，因为代理服务器是用在应用层上的一种防火墙方式，不像 iptables 是用在网络层、传输层。Linux 上启动代理服务器的是 squid 这个软件。

17.1　什么是代理服务器

代理服务器（Proxy）的原理其实很简单，就是以类似代理人的身份去取得用户所需要的数据。但是由于它的“代理”能力，使得我们可以通过代理服务器来实现防火墙功能与用户浏览数据的分析。此外，也可以利用代理服务器来实现节省带宽的目的，以及加快内部网络对因特网 WWW 的访问速度。总之，代理服务器对于企业来说，实在是一个很不错的东西。

17.1.1　什么是代理服务器

在现实世界中，我们或许会帮忙家人去办理一些杂务，例如缴费或者是申办提款卡等，由于你并不是“申请者本人”而是“代理人”的角色，因此有时候需要出示一些证件。那么在网络上面的代理服务器（Proxy Server）是怎么回事呢？它最主要的功能就如同我们上面提的现实世界中一样，**当客户端有因特网的数据要求时，Proxy 会帮用户去向目的地取得用户所需要的数据**。所以，当客户端指定 WWW 的代理服务器之后，用户的所有 WWW 相关要求就会通过代理服务器去获取。整个代理服务器与客户端的相关性如图 17-1 所示。

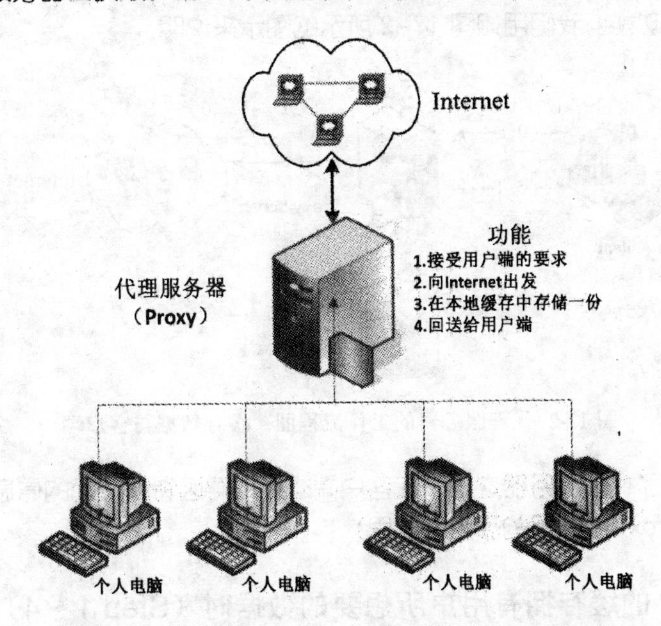

图 17-1　代理服务器、客户端与因特网的关系示意图

一般来说，代理服务器会搭建在整个局域网的单点对外防火墙上，而在局域网内部的计算机就都是通过 Proxy 来向因特网要求数据的，这就是所谓的“代理服务器”。当然，上面的架构仅只是一个案例，但是这个架构使用的人还是比较多的，因为这样的 Proxy Server 还可以兼做高级防火墙之用。

在 Proxy 与客户端的关系当中，需要了解的是：**客户端向外部要求的数据事实上都是**

Proxy 帮用户取得的，因此因特网上面看到的要求数据者，将会是 Proxy 服务器的 IP 而不是客户端的 IP。举个例子来说，假如鸟哥在我的浏览器设置了我们学校的代理服务器主机 proxy.ksu.edu.tw 作为我的 Proxy，再假设我的 IP 是 120.114.141.51，那么当我想要取得 Yahoo 的新闻信息时，事实上，都是 proxy.ksu.edu.tw 帮我去取得的，所以在 Yahoo 的网站上面看到要求数据的人当然就是 proxy.ksu.edu.tw 而不是 120.114.141.51。这样可以了解 Proxy 的功能了吗？

除了这个功能之外，**Proxy 还有一个很棒的额外功能，那就是防火墙的功能**。从图 17-1 可以发现，客户端的个人计算机要连上因特网一定要经过 Proxy 服务器。并且，如果有人想要入侵客户端系统时，由于 Proxy 在最外部，所以攻击者就会攻击错方向，如此一来，就比较安全了。此外，由于整个因特网对外都是经过 Proxy，也就是"单点对外"的情况，这种状态下要来管理防火墙也是比较简单的。

17.1.2 代理服务器的工作流程

了解了 Proxy 的功能之后，我们来谈一谈 Proxy 到底是怎样运作的？为何它会有"提高网络访问效率"的功能？我们用如图 17-2 所示的图示来说明。

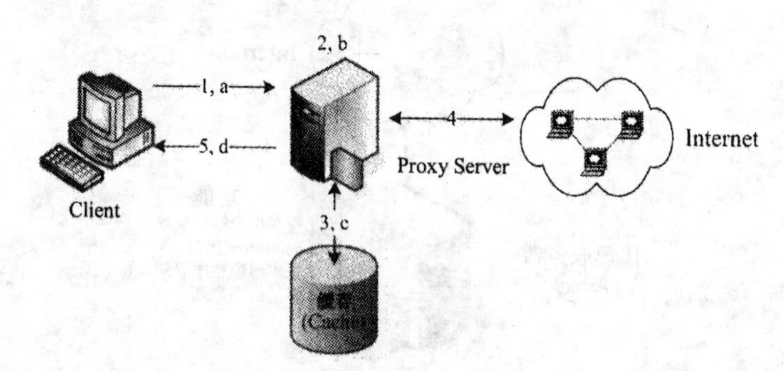

图 17-2 代理服务器的工作流程图：缓存数据与客户端

当客户端指定了代理服务器之后，在客户端想要取得因特网上面的信息时工作流程如下（Cache 表示为 Proxy 服务器的硬盘的意思）：

1. 当 Proxy 的缓存拥有用户所想要的数据时（Step 1 ~ 4）

1）Client 端向 Server 端发送一个数据需求数据包。

2）Server 端接收之后，先比对这个数据包的来源与预计要前往的目标网站是否为可接受？如果来源与目标都是合法的，或者说，来源与目标网站 Proxy 都能帮忙取得数据时，那么 Server 端会开始替 Client 取得数据。这个步骤中比较重要的就是"比对政策"，有点像是认证的感觉。

3）Server 首先会检查自己缓存（新的数据可能在内存中，较旧的数据则放置在硬盘上）

数据，如果有 Client 所需的数据，那就将数据取出，而不经过向 Internet 要求数据的程序。

4）最后将数据发送给 Client 端。

2. 当 Proxy 的缓存没有用户所想要的数据时（Step 1 ~ 5）

1）Client 端向 Server 端发送一个需求数据包。

2）Server 端接收之后，开始进行数据比对。

3）Server 发现缓存并没有 Client 所需要的数据时，准备前往因特网获取数据。

4）Server 开始向 Internet 发送要求与取得相关数据。

5）最后将数据回送给 Client 端。

上面的流程分析里面，我们可以清楚地知道，**当 Proxy 曾经帮某位用户取得过 A 数据后，当后来的用户想要重复取得 A 数据时，那么 Proxy 就会从自己的缓存里面将 A 数据取出传送给用户，而不用到因特网去取得同样的这份资料**。因为没有去因特网找数据，当步骤 4 的流程很费时间时，那么通过 Proxy 忽略步骤 4，感觉上就好像网络速度变快了。但其实只是直接从 Proxy 的缓存里面取得而已（所以才会有人说“假象网络加速”的功能）。这就是两个流程最大的差异。

在目前的网络社会里，由于宽带技术已经很成熟，所以在不乱用的情况下，网络带宽理论上是足够的（除非要连到国外去）。那么用了 Proxy 之后效率会不会更提升呢？答案是，不会。怎么会这样呢？从上面的流程分析中，我们发现 Proxy 会常常去读取硬盘内的数据，而硬盘内的缓存数据又是通过某些特殊方式在管理，因此要找到该份数据就要花一些时间，再加上如果硬件效率（硬盘或主板芯片组）不佳时，那么加了 Proxy 反而会让你感觉网络传输不通畅，这点需要特别注意。

> Proxy 对于 Cache 的速度要求是很高的，而这个 Cache 就是硬盘。当然，硬盘容量必须要足够大，而且还要足够快才行。因为从上面的流程当中，我们不难发现，Cache 是一直被重复访问的一个地方。所以硬盘的好坏差别很大，可以说它是影响一个 Proxy 效能好坏的关键点。

17.1.3　上层代理服务器

想一想，既然 Proxy 是帮忙客户端进行网页的代理访问工作，那么我们的 Proxy 能不能也指定另外一台 Proxy 当成我的 Proxy 的 Proxy 呢？流程如图 17-3 所示。

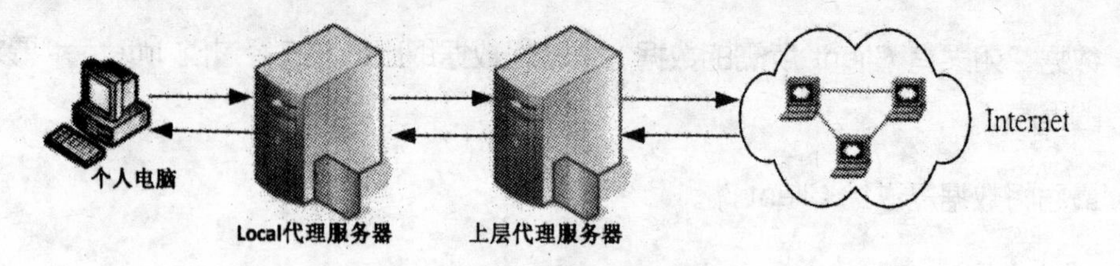

图 17-3 上层代理服务器示意图

在这里 Local Proxy 并不会主动去 Internet 获取数据，而是再通过上层代理服务器向 Internet 要求数据。这样有什么好处呢？由于可作为我们的上层代理服务器的主机通常是具有较高带宽的，因此我们通过它去要求数据当然理论上速度会更快。而上层代理服务器最大的好处其实是在于分流，如图 17-4 所示。

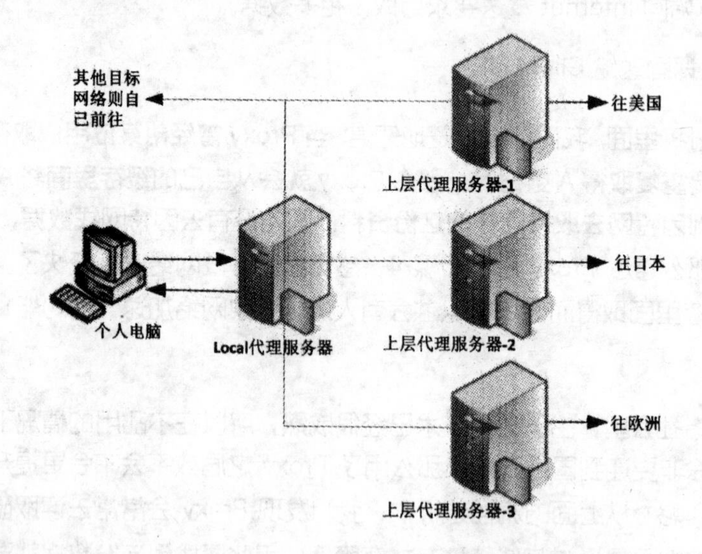

图 17-4 以多台上层代理服务器达到分流的效果示意图

这里总共设置了三台上层代理服务器，由于这三个代理服务器对外的速度都不相同，所以，当我要去美国时，就以 Proxy1 来要求数据，要连欧洲就以 Proxy3，至于要连日本，就以 Proxy 2 来要求我所需要的数据，如此一来，可以让 Proxy 达到最佳的效率，很不错吧。此外，为了节省上层 Proxy 的负担，如果是其他网络位置，我们则设置由自己的 Local Proxy 获取。配置的弹性很高。

由于代理服务器需要管理信任的来源端客户端计算机，因此各 ISP 仅能针对自家的用户来开放 Proxy 使用权而已。中国台湾地区常见的几家 ISP 提供的 Proxy 有：

- HiNet：http://service.hinet.net/2004/new_adsl04.htm。
- SeedNet：https://service.seed.net.tw/home/setting/server.htm。

由于当用户通过 Proxy 连到因特网时，网络看到的是 Proxy 在获取数据而不是该客户端，因此，我们不难发现 Proxy 有可能会被客户端过度的滥用，同时也有可能会被拿来为非作歹。

所以，目前绝大部分的 Proxy 已经停止对外开放了，仅针对自己的网段内的用户提供本项服务而已。

因此，如果你要自行设置 Proxy 的时候，请记得去你当初申请网络的 ISP（如果是学术单位，请到贵单位的计算机中心网页看看即可）搜寻一下，才能有效地设置好你的服务器。若设置错误的话，上层 Proxy 根本不提供服务，或者是上层 Proxy 的效率并不好，那个时候你的 Proxy 也会连带受到很大的影响。所以请谨慎选择。

17.1.4　代理服务器与 NAT 服务器的差异

或许你已经发现，在内部局域网中使用私有 IP 的客户端，不论通过 Proxy 或者 NAT 均可以直接取得 WWW 的服务，那么 NAT 与 Proxy 有没有什么不同的地方啊？它们不都是可以让内部的计算机连接出去吗？其实这两个东西差异性是相当大的，简单说明如下。

- NAT 服务器的功能

  就如同第 9 章提到的数据，Linux 的 NAT 功能主要通过数据包过滤的方式，并使用 iptables 的 nat 表格进行 IP 伪装（SNAT），让客户端自行前往因特网上的任何地方的一种方式。主要的运作行为是在 OSI 七层协议的二、三、四层。由于是通过数据包过滤与伪装，因此客户端可以使用的端口号码（第四层）弹性较大。

- Proxy 服务器的功能

  主要通过 Proxy 的服务程序（daemon）提供网络代理的任务，因此 Proxy 能不能进行某些工作，与该服务的程序功能有关。举例来说，如果你的 Proxy 并没有提供邮件或 FTP 代理，那么你的客户端就无法通过 Proxy 去取得这些网络资源，主要工作行为在 OSI 七层协议的应用层部分（所谓的比较“高级”之意）。

由上可知，NAT 服务器是由较底层的网络去进行分析的工作，至于通过 NAT 的数据包是干什么用的，NAT 不去管；Proxy 则主要是由一个 daemon 的功能实现的，所以必须要符合该 daemon 的需求，才能实现某些功能。

17.1.5　搭建代理服务器的用途与优缺点

现在我们大概知道 Proxy 的原理了，那么通常什么情况下会架设 Proxy 呢？一般来说，代理服务器的功能主要有：

- **作为 WWW 的网页数据获取代理人**：这是最主要的功能。
- **作为内部局域网的单点对外防火墙系统**：如图 17-1 所示，如果 Proxy 是放在内部局域网的 Gateway 上，那么这部代理服务器就能够作为内部计算机的防火墙了，而且还不需要设置那么复杂的 NAT 功能。只是单纯的 Proxy 服务器通常仅提供 WWW 的代理，因此内部计算机想要取得 SMTP、FTP 等就比较麻烦。

由于 Proxy 的这种特性，常被用于大型的企业内部，因为可以实现杜绝内部人员上班时使用非 WWW 以外的网络服务，而且还可以监测用户的资料要求流向与流量。好了，接下来我们来谈一谈架设 Proxy 的优缺点吧。先来谈谈主要具有的优点。

- **节省单点对外的网络带宽，降低网络负载**。当 Proxy 用户很多时，那么 Proxy 内部的缓存数据将会累积较多。因此客户端想要取得网络上的数据时，很多将会从 Proxy 的缓存中取得，而不用向因特网要求数据。所以可以节省带宽。
- **以较短的路径取得网络数据，有网络加速的感觉**。例如你可以指定你的 ISP 提供的代理服务器连接到国外，由于 ISP 提供的 Proxy 通常具有较大的对外带宽，因此在对国外网站的数据取得上，通常会比你自己的主机连接到国外要快得多。此外，与上一点的缓存数据也有关系。从内部硬盘取得的路径总比对外的因特网要短得多。
- **通过上层代理服务器的辅助，达到自动数据分流的效果**。例如图 17-4 所示，让客户端在不知不觉之间，就可以得到数据由不同 Proxy 取得的加速效果。
- **提供防火墙内部的计算机连上 Internet**。就是上面提到的单点对外防火墙功能。

由于代理服务器的这些优点，因此这里要强烈建议，**如果你需要连上国外的网页，请一定使用 ISP 提供的代理服务器来帮忙，因为不但可以节省带宽，并且速度上会快上很多很多（例如美国环保署，EPA 网站）**。不过，有利就有弊，当然 Proxy 也不是万能的。它有什么可能潜藏的缺点呢？

- **容易被内部局域网的人员滥用**。我们知道因特网上看到取得数据的人是 Proxy 那台主机而不是客户端计算机的 IP，因此可能会让某些内部网络使用人员开始利用 Proxy 干坏事，此时就会很麻烦。所以，为了杜绝这个状况，强烈建议多加日志分析的软件，在管理上面会轻松很多。
- **需要较高超的配置技巧与排错程序**。在鸟哥设置过的服务器当中，Proxy 算是比较不容易设置好效能的一个服务器了。由于 Proxy 的 Cache 与它的上层代理服务器的关系是很紧密的，万一设置错误的话，很有可能反而让 Proxy 拖垮客户端 WWW 的浏览速度。最严重的是造成无法连接。
- **可能会取得旧的错误数据**。这个最容易发生了。由于曾经浏览过的网页会被放置到缓存，并提供后续用户的直接访问。万一因特网上面的那个网页数据更新过呢？那时将会发现，怎么客户端无法看到更新后的资料？就是因为缓存的问题。取得旧数据的频率可能会很高。

总之，Proxy 的优点是很多的，但是缺点却需要网管人员的操心。既然如此，那么我们到底有没有必要架设代理服务器呢？简单地说，我们可以这样分析：

- Client 端用户不少，而且大部分仅需要 WWW 这个网络服务而已。
- Proxy 还兼做防火墙的任务。
- Client 端常常需要连接到传输速度很慢的网站，例如国外的网站。
- Client 端常常浏览的网站是静态网站，而不是动态网站（例如讨论区的 PHP）。

如果有上述的环境状况，那么是可以考虑搭建 Proxy 的，但是，反过来说，要是①Client 端很少，所以每次连上 WWW 都是求获取新的数据（并没有用到缓存），有没有 Proxy 反而看不出效益；②Proxy 由于属于应用层了，对于 Internet 的规划上弹性较差，不像 NAT 服务器可以进行很多的功能；③常常上的网站是类似讨论区那种一日多变的网站，在这样的情况下，实在是没有必要架设 Proxy。

但是，如果对于学校单位那种原本带宽就不足的环境中，架设 Proxy 来让校内的网络速度提升，就有必要了。所以要不要架设 Proxy 呢？请好好地依据你的环境来考虑。但无论如何，我们还是要教大家怎么架设它。

17.2　Proxy 服务器的配置基础

虽然在我们小型的网络环境中，搭建 Proxy 真的没有什么用，不过，考虑到大家未来可能会高升，所以企业常用的 Proxy 也需要了解一下。在本节中，我们主要介绍一个比较简单的 Proxy 环境，就是单纯可以运行的代理服务器。比较高级的设置请参考后续小节的介绍。

17.2.1　Proxy 所需的 squid 软件及其软件结构

实现代理服务器功能的软件很多，例如效率不是很高的 Apache 以及我们这个章节要介绍的八爪章鱼 squid 这一套。目前代理服务器在 Unix Like 的环境下，大多就是使用 squid，因此我们这里以 squid 为准来介绍。同样的，请使用 rpm 来检查，如果尚未安装，请用"yum install squid"来安装。安装好 squid 之后，它主要的提供的配置文件有：

- /etc/squid/squid.conf

  这个是主要的配置文件，所有 squid 需要的设置都是放置在这个文件当中的。鸟哥下面提到的种种配置方法几乎都是这个文件里面的说明。

- /etc/squid/mime.conf

  这个文件则是在设置 squid 所支持的 Internet 上面的文件格式，就是所谓的 mime 格式。一般来说，这个文件的默认内容已经能够符合我们的需求了，所以不需要改动它，除非你很清楚地知道你所需要额外支持的 mime 文件格式。

其他重要的目录与文件有：

- /usr/sbin/squid：提供 squid 的主程序。
- /var/spool/squid：就是默认的 squid 缓存存储的目录。
- /usr/lib64/squid/：提供 squid 额外的控制模块，尤其是影响认证密码方面的程序，都是放在这个目录下的。

17.2.2 CentOS 默认的 squid 设置

在默认的情况下，CentOS 的 squid 具有下面几个特色：

- 仅有本机（localhost, 127.0.0.1）来源可以使用这个 squid 功能。
- squid 所监听的 Proxy 服务端口在 port 3128。
- 缓存目录所在的位置在 /var/spool/squid/，且仅有 100MB 的磁盘高速缓存量。
- 除了 squid 程序所需要的基本内存之外，尚提供 8MB 的内存来给热门文件缓存在内存中（因为内存速度比硬盘还快）。
- 默认启动 squid 程序的用户为 squid 这个账号（与磁盘高速缓存目录权限有关）。

其实，CentOS 默认的 squid 设置，是仅针对本机（localhost）开放的情况，而一大堆设置的默认值，都是仅针对小型网络环境所指定的数值，同时，很多比较特殊的参数都没有启动。所以，我们就需要来了解一下各设置值的意义，这样才能够进行修改。这些参数都是在 squid.conf 里指定的，所以，就让我们来看看这个文件的内容与较重要的参数吧。

> CentOS 6.x 已经将 squid.conf 里面不相干的设置值通通拿掉了，所以这个文件就变得非常精简。这样其实有好有坏。好处是，你不用去看一些你用不到的参数值，坏处是，如果你想要其他的设置，就得额外参考外部文件了。伤脑筋。

```
[root@www ~]# vim /etc/squid/squid.conf
# 1. 信任用户与目标控制，通过 acl 定义出 localhost 等相关用户
acl manager proto cache_object                    <==定义 manager 为管理功能
acl localhost src 127.0.0.1/32                    <==定义 localhost 为本机来源
acl localhost src ::1/128
acl to_localhost dst 127.0.0.0/8 0.0.0.0/32 <==定义 to_localhost 可连接到本机
acl to_localhost dst ::1/128

# 2. 信任用户与目标控制，定义可能使用这部 proxy 的外部用户(内网)
acl localnet src 10.0.0.0/8        <==可发现下面都是 private IP 的设置
acl localnet src 172.16.0.0/12
acl localnet src 192.168.0.0/16
acl localnet src fc00::/7
acl localnet src fe80::/10
# 上述数据设置两个用户 (localhost, localnet) 与一个可取得目标 (to_localhost)
```

```
# 3. 定义可取得的数据端口所在
acl SSL_ports port 443                          <==连接加密的端口设置
acl Safe_ports port 80          # http  <==公认标准的协议使用端口
acl Safe_ports port 21          # ftp
acl Safe_ports port 443         # https
# 定义出 SSL_ports 及标准的常用端口 Safe_ports 两个名称

# 4. 定义这些名称是否可放行的标准依据(有顺序)
http_access allow manager localhost   <==放行管理本机的功能
http_access deny manager              <==其他管理来源都予以拒绝
http_access deny !Safe_ports          <==拒绝非正规的端口连接要求
http_access deny CONNECT !SSL_ports   <==拒绝非正规的加密端口连接要求
<==这个位置为可以写入自己的规则的位置。不要写错了，有顺序之分
http_access allow localnet            <==放行内部网络的用户来源
http_access allow localhost           <==放行本机的使用
http_access deny all                  <==全部都予以拒绝

# 5. 网络相关参数，最重要的是那个定义 Proxy 协议端口的 http_port
http_port 3128       <==Proxy 默认的监听客户端要求的端口，是可以改的
# 其实，如果想让 proxy server/client 之间的连接加密，可以改用 https_port (923)

# 6. 缓存与内存相关参数的设置值，尤其注意内存的计算方式
hierarchy_stoplist cgi-bin ? <==hierarchy_stoplist 后面的关键词(此例为 cgi-bin)
# 若发现在客户端所需要的网址列，则不缓存 (避免经常变动的数据库或程序信息)
cache_mem 8 MB       <==给 proxy 额外的内存，用来处理最热门的缓存数据(需自己加)

# 7. 磁盘高速缓存，亦即放置缓存数据的目录所在与相关设置
cache_dir ufs /var/spool/squid 100 16 256 <==默认使用 100MB 的容量放置缓存
coredump_dir /var/spool/squid
# 下面的四个参数需要自己加上来。旧版才有这样的默认值
minimum_object_size 0 KB      <==小于多少 KB 的数据不要放缓存，0 为不限制
maximum_object_size 4096 KB <==与上头相反，大于 4 MB 的数据就不缓存到磁盘
cache_swap_low 90    <==与下一行有关，减低到剩下 90% 的磁盘高速缓存为止
cache_swap_high 95   <==当磁盘使用量超过 95% 就开始删除磁盘中的旧缓存

# 8. 其他可能会用到的默认值。参考参考即可，并不会出现在配置文件中
access_log /var/log/squid/access.log squid <==曾经使用过 squid 的用户记录
ftp_user Squid@   <==当以 Proxy 进行 FTP 代理匿名登录时，使用的账号名称
ftp_passive on    <==若有代理 FTP 服务，使用被动式连接
refresh_pattern ^ftp:           1440    20%     10080
refresh_pattern ^gopher:        1440    0%      1440
refresh_pattern -i (/cgi-bin/|\?) 0     0%      0
refresh_pattern .               0       20%     4320
# 上面这四行与缓存的存在时间有关，下面内文会予以说明
cache_mgr root                  <==默认的 proxy 管理员的 email
```

```
cache_effective_user squid   <==启动 squid PID 的拥有者
cache_effective_group squid  <==启动 squid PID 的组
# visible_hostname <==有时由于 DNS 的问题，找不到主机名会出错，就得加上此设置
ipcache_size 1024  <==以下三个为指定 IP 进行缓存的设置值
ipcache_low 90
ipcache_high 95
```

光是了解上述的一些基础设置值，可能就要头昏昏了，更别说 squid.conf 里面的其他设置值。无论如何，上述这些设置已经是很基础的设置了，你最好了解一下。除了 cache_dir 那一行取消注释，其他的保持不动。让我们以默认值来直接启动 squid 看看有什么特别的地方。

1. 使用默认值来启动 squid 并查看相关信息

要启动 squid 真是简单，让我们来启动 squid 并且查看有没有相关的端口吧。

```
[root@www ~]# /etc/init.d/squid start
init_cache_dir /var/spool/squid... 正在激活 squid: .          [  确定  ]
# 第一次启动会初始化缓存目录，因此会出现上述左边的数据，未来这个信息不会再出现
[root@www ~]# netstat -tulnp | grep squid
Proto Recv-Q Send-Q Local Address   Foreign Address State PID/Program name
tcp        0      0 :::3128         :::*                LISTEN   2370/(squid)
udp        0      0 :::45470        :::*                         2370/(squid)
[root@www ~]# chkconfig squid on
```

如果要设置 icp_port 时，squid 默认会启动 3128 及 3130 两个端口，其中要注意的是，实际帮用户进行监听与传送数据的是 port 3128（TCP），3130（UDP）仅是负责与邻近 Proxy 互相沟通彼此的缓存数据库的功能，与实际的用户要求无关。因此，如果 Proxy 是单纯的单一主机，或者是单纯地作为防火墙功能，那么这个 port 3130 是可以关闭的。就因如此，所以 CentOS 6.x 默认将这个设置值注释掉不使用。

例题

由于我的 Proxy 仅是台简单的单一代理服务器，并没有搭建成为公开的邻近代理服务器（peer proxy 或 neighbor proxy），因此想要关闭 port 3130，该如何处理？

答： CentOS 5.x 以前的版本才需要进行关闭，很简单，直接修改 icp_port 即可。方法为：

```
[root@www ~]# vim /etc/squid/squid.conf
#Default: VBird 2011/04/06 modified，将下列数据从 3130 改为 0 即可
icp_port 0

[root@www ~]# /etc/init.d/squid restart
```

事实上，如果客户端与 Proxy 之间的沟通想要使用加密机制的 SSL 功能，以保障客户端的信息避免被窃取时，那么还有个 https_port 可以取代 http_port。不过，充其量我们的 Proxy 并非公开也仅是搭建在内部局域网，因此还不需要用到这个 https_port。

2. 查看与修改缓存目录 (cache_dir)：权限与 SELinux

从前面的说明我们知道磁盘高速缓存是影响 Proxy 性能的一个相当重要的参数，那么 squid 是如何将缓存存进磁盘的呢？squid 是将数据分成一小块一小块，然后分别放置到个别的目录中。由于较多的目录可以节省在同一个目录内找好多文件的时间（想一想，分门别类地放置书籍在不同的书柜内，总比将所有书籍杂乱无章地放置到一个大书柜要好得多），因此，在默认的 /var/spool/squid/ 目录下，squid 又会将它分成两层子目录来存放相关的缓存数据，所以查看该目录就会是：

```
[root@www ~]# ls /var/spool/squid
00  01  02  03  04  05  06  07  08  09  0A  0B  0C  0D  0E  0F  swap.state
# 算一下，你会发现共有 16 个子目录。那么我们来看看第一个子目录的内容：

[root@www ~]# ls /var/spool/squid/00
00  08  10  18  20  28 ... 98  A0  A8  B0  B8  C0  C8  D0  D8  E0  E8  F0  F8
01  09  11  19  21  29 ... 99  A1  A9  B1  B9  C1  C9  D1  D9  E1  E9  F1  F9
....(中间省略)....
06  0E  16  1E  26  2E ... 9E  A6  AE  B6  BE  C6  CE  D6  DE  E6  EE  F6  FE
07  0F  17  1F  27  2F ... 9F  A7  AF  B7  BF  C7  CF  D7  DF  E7  EF  F7  FF
# 看见了吗？总共有 256 个子目录出现
```

现在我们知道了较多的目录是为了将数据分门别类放置，但是第一层 16 个与第二层 256 个是怎么来的？让我们来瞧一瞧 cache_dir 这个重要参数的设置是怎样的。

- cache_dir ufs /var/spool/squid 100 16 256

在 /var/spool/squid/ 后面的参数意义是：

- **第一个 100 代表的是磁盘使用量仅用掉该文件系统的 100MB。**
- **第二个 16 代表第一层次目录共有 16 个。**
- **第三个 256 代表每层次目录内部再分为 256 个次目录。**

根据 squid 的说法与其他文献的说明，这两层缓存目录较佳的配置就是 16 256 以及 64 64 这两种配置，所以我们也不需要修改相关的数据了。重点是还需要注意这个目录的文件拥有者与 SELinux 类型才成。

例题

看起来默认的 Proxy 的磁盘高速缓存应该是不够用，而之前的磁盘规划又没有做好，因

此 /var/ 最多还有 500MB 可以让我们作为磁盘高速缓存。那么如果想要将默认的磁盘高速缓存改为 500MB 而且再加上 /srv/squid/ 目录给予 2GB 的容量作为磁盘高速缓存，该如何进行设置？

答：这里都与 cache_dir 有关。这个设置值可以重复出现多次。因此，我们可以这样进行的，特别注意下面的目录权限与 SELinux 类型。

```
[root@www ~]# vim /etc/squid/squid.conf
#Default: VBird 2011/04/06 modified，下面的设置除了拿掉 # 之外还得修改
cache_dir ufs /var/spool/squid 500 16 256
cache_dir ufs /srv/squid 2000 16 256

[root@www ~]# mkdir /srv/squid
[root@www ~]# chmod 750 /srv/squid
[root@www ~]# chown squid:squid /srv/squid
[root@www ~]# chcon --reference /var/spool/squid /srv/squid
[root@www ~]# ll -Zd /srv/squid
drwxr-x---. squid squid system_u:object_r:squid_cache_t:s0 /srv/squid/

[root@www ~]# /etc/init.d/squid restart
```

之所以要改成 squid 拥有，是因为上面的 squid.conf 中，默认的启动 PID 的账号就是 squid。所以当然要变更。至于 SELinux 的类型方面，参考默认的 /var/spool/squid 就能够知道了。不过要注意，某些特定的目录（例如 /home）是不允许建立缓存目录的，因此我们使用服务数据可以放置的 /srv 作为测试范例。

想一想，既然缓存是放在磁盘上面的，那么缓存的数据会不会塞满整个缓存磁盘呢？当然会啊！而且当塞满磁盘之后，你的 Proxy 恐怕就无法继续运作了！所以，我们当然需要好好地注意磁盘使用量是否已经饱和了。在上述的例题中，若 /var/spool/squid 塞满 500MB 而 /srv/squid 塞满 2GB 那么 Proxy 就无法承受了。为了避免这个问题，因此 squid 有下面两个重要设置：

- cache_swap_low 90
- cache_swap_high 95

代表当磁盘使用量达 95% 时，比较旧的缓存数据将会被删除，当删除到剩下磁盘使用量达 90% 时，就停止持续删除的操作。以本案例中，总共 2.5GB 的容量，当用到 2.5*0.95=2.375G 时，旧的数据会开始被删除，删到剩下 2.5*0.9=2.25GB 时，就停止删除。所以会被删除掉 125MB 的旧数据。通常这个设置值已经足够了，不需要变动它，除非当缓存太大或太小时，才会调整这个设置值。

3. squid 使用的内存计算方式

事实上，除了磁盘容量之外，内存可能是另一个相当重要的影响 Proxy 效能的因素。怎么说呢？因为 Proxy 会将数据存一份在磁盘高速缓存中，但是同时也会将数据暂存在内存当中，以加快未来用户访问同一份数据的速度。但是这个内存缓存是需要花费额外的服务器物理内存的量，所以就需要以额外的设置值来指定。那就是 cache_mem 这个设置值的功能了。

很多人（包括鸟哥）都会误会 cache_mem 的用途，其实 cache_mem 是额外地指定一些内存来进行比较热门的数据访问。**cache_mem 并不是指“我要使用多少内存给 squid 使用”，而是指“我还要额外提供多少内存给 squid 使用”的**。由于默认 1GB 的磁盘高速缓存会占用约 10M 的内存，而 squid 本身也会占用约 15MB 的内存，因此，上个例题中 squid 使用掉的内存就有：

- 2.5 * 10 + 15 + "cache_mem 设置值（8）"

squid 官方网站建议物理内存最好是上面数值的两倍，也就是说，上述的内存使用量已经是 48MB，则我的物理内存最好至少要有 100 MB 以上，才会有比较好的效能。当然，这个单指 Proxy 部分而已，如果该台主机还有负责其他的工作，那么内存就得在累加上去。一般来说，如果 Proxy 很多人使用，这个值越大越好，但是最好也要符合上面的需求。

例题

由于我的内存够大，而 Proxy 确实是我重要的服务，因此想要增加额外的 32MB 作为热门数据缓存，该如何修改？

答：直接修改 cache_mem 即可：

```
[root@www ~]# vim /etc/squid/squid.conf
#Default: VBird 2011/04/06 modified，将原本的 8 改为 32
cache_mem 32 MB

[root@www ~]# /etc/init.d/squid restart
```

17.2.3　管理信任来源 (如局域网) 与目标 (如恶意网站)： acl 与 http_access 的使用

在上面的基础设置中，其实仅有 Proxy 服务器本身可以向自己的 Proxy 要求网页代理。那管什么用啊。我们的重点是想要开放给局域网来使用这个 Proxy。所以当然需要修改信任用户的管理参数。此时，那个非常重要的 acl 就需要来看一看啦。acl 的基本语法为：

```
acl <自定义的 acl 名称> <要控制的 acl 类型> <设置的内容>
```

由于 squid 并不会直接使用 IP 或网络来管控信任目标，而是通过 acl 名称来管理，这个 <acl 名称> 就必须要设置管理的是来源还是目标（acl 类型），以及实际的 IP 或网络（设置的内容）。这个 acl 名称可以想成是一个昵称。那么有哪些重要的 acl 类型呢？基本上有下面这些。

1. 管理是否能使用 Proxy 的信任客户端方式

由于因特网主要有使用 IP 或主机名来作为连接方式的，因此信任用户的来源至少就有下面几种：

- src ip-address/netmask：

  主要控制来源的 IP 地址。举例来说，鸟哥的内网有两个，分别是 192.168.1.0/24 以及 192.168.100.0/24，那么假设我想要定义一个 vbirdlan 的 acl 名称，那就可以在配置文件内写成：

```
acl vbirdlan src 192.168.1.0/24 192.168.100.0/24
```

- src addr1-addr2/netmask：

  主要控制一段范围来源的 IP 地址。假设我只想要让 192.168.1.100~192.168.1.200 使用这台 Proxy，那么就用：

```
acl vbirdlan2 src 192.168.1.100-192.168.1.200/24
```

- srcdomain .domain.name：

  如果来源用户的 IP 一直变，使用的是 DDNS 的方式来更新主机名与 IP 的对应，此时我们可以使用主机名来开放。例如来源是 .ksu.edu.tw 的来源用户开放使用权，那就是：

```
acl vbirdksu srcdomain .ksu.edu.tw
```

2. 管理是否让 Proxy 帮忙代理到该目标去获取数据

除了管理来源用户之外，我们还能够管理是否让 Proxy 服务器到某些目标去获取数据。在默认的设置中，我们的 Proxy 仅管理可以向外取得 port 21、80、440 等端口的目标网站，不是这些端口就无法帮忙代理取得。至于 IP 或网络则没有管理。基本的管理有这些方式：

- dst ip-addr/netmask：

  控制不能去的目标网站的 IP，举例来说，我们不许 Proxy 去获取 120.114.150.21 这台主机的 IP 时，可以写成是：

```
acl dropip dst 120.114.150.21/32
```

- dstdomain .domain.name：

控制不能去的目标网站的主机名。举例来说，如果你在上课时不允许学生跑去种田或是游戏，那就需要把 .facebook.com 关闭。那就需要写成：

```
acl dropfb dstdomain .facebook.com
```

- **url_regex [-i] ^http://url：**

  使用正则表达式来处理网址的一种方式。这种方式的网址必须要完整地输入正则表达式的开始到结尾才行。举例来说，昆山科大的中文网页写法为（并非部分比对，所以最结尾的 .* 记需要加上去）：

```
acl ksuurl url_regex ^http://www.ksu.edu.tw/cht/.*
```

- **urlpath_regex [-i] \.gif$：**

  与上一个 acl 非常类似，只是上一个需要填写完整的网址数据，这里则是根据网址列的部分比对来处置。以上述的默认案例来说，只要网址列结尾是 gif（图片文件）就符合这个项目了。万一我要找出有问题的色情网站，有出现 /sexy 名称并以 jpg 结尾的，就予以抵挡，那就是使用：

```
acl sexurl urlpath_regex /sexy.*\.jpg$
```

除了上述的功能之外，我们还能够使用外部的文件来提供相对应的 acl 内容设置值。举例来说，假设我们想要抵挡的外部主机名常常会变动，那么我们可以使用 /etc/squid/dropdomain.txt 来设置主机名，然后通过下面的方式来处理：

```
acl dropdomain dstdomain "/etc/squid/dropdomain.txt"
```

然后在 dropdomain.txt 当中，一行一个待管理的主机名，这样也能够减少持续修改 squid.conf 的困扰。了解了 acl 之后，接下来就谈谈 http_access 这个实际放行或拒绝的参数。

3. 以 http_access 调整管理信任来源与管理目标的顺序

设置好 acl 之后，接下来就是要看看到底要不要放行。放行与否跟 http_access 这个项目有关。基本上，http_access 就是拒绝（deny）与允许（allow）两个控件目，然后再加上 acl 名称就能够达到这样的功能了。只是需要特别注意的是：http_access 后面接的数据，是有顺序的。这个观念很重要。我们用下面的案例来说明一下：

假设我要放行内部网络 192.168.1.0/24、192.168.100.0/24 这两段网络，然后拒绝对外的色情相关图片，以及 facebook.com 网站，那么就应该要这样做：

```
[root@www ~]# vim /etc/squid/squid.conf
# http_access 是有顺序的，因此建议你找到下面这个关键词行后，将你的数据加在后面
# INSERT YOUR OWN RULE(S) HERE TO ALLOW ACCESS FROM YOUR CLIENTS
acl vbirdlan src 192.168.1.0/24 192.168.100.0/24
```

```
acl dropdomain dstdomain .facebook.com
acl dropsex urlpath_regex /sexy.*jpg$
http_access deny dropdomain  <==这三行的顺序很重要
http_access deny dropsex
http_access allow vbirdlan

[root@www ~]# /etc/init.d/squid restart
```

需要注意，如果先放行了 vbirdlan 才阻挡 dropdomain，你的设置可能会失败。因为内网已经先放行，因此后面的规则不会比对，那么 facebook.com 就无法被阻挡了。这点需要十分注意。**通常的做法是，先将要拒绝的写上去，然后才写要放行的数据。**

17.2.4 其他额外的功能项目

1. 不要进行某些网页的缓存操作

从前面的说明我们知道 Proxy 的缓存通常记录比较少变动的数据，如果是讨论区或者是程控类的数据库形态网页，那么恐怕就没有缓存的需要，因为数据一直变动。你总不希望你发了一帖留言，结果等一下再去浏览时，看到的还是旧留言吧。所以，在默认的情况下，squid 已经拒绝某些数据的缓存了，那就是下面的几个设置值：

```
acl QUERY urlpath_regex cgi-bin \?
cache deny QUERY  <==重点就是这一行。可以拒绝，不要让后面的 URL 被缓存
```

我们知道通常 .php 结尾的网页大部分就是讨论区之类的变动性数据，那么能不能对凡出现 .php 结尾的网页就不要缓存呢？当然可以。那该如何进行？

例题

只要网址出现 .php 结尾的网页，就不予以缓存。

答：通过 acl 配合 cache 这两个参数来处理即可。

```
[root@www ~]# vim /etc/squid/squid.conf
acl denyphp urlpath_regex \.php$
cache deny denyphp
# 在此文件的最后添加这两行即可

[root@www ~]# /etc/init.d/squid restart
```

2. 磁盘中缓存的存在时间

还记得下面的设置值吗？这个设置值的参数是这样设置的：

```
# refresh_pattern <regex>     <最小时间> <百分比> <最大时间>
refresh_pattern ^ftp:               1440     20%      10080
refresh_pattern ^gopher:            1440     0%       1440
refresh_pattern -i (/cgi-bin/|\?) 0        0%       0
refresh_pattern .                   0        20%      4320
```

- **regex**：使用的是正则表达式来分析网址的数据，如上面第一行设置为网址开头是 ftp 的意思。
- **最小时间**：单位是分钟，当取得这个数据的时间超过这个设置值，则该数据会被判定为旧资料。如上面第一行，表示当取得的资料超过 1440 分钟时，该资料会被判定为旧数据，若有人尝试读取同样的网址，那么 squid 会重新获取该数据，不会使用缓存内的旧数据。至于第三行，则表示除了上述的两个开头数据外，其他的数据都是被定义为新的，因此 squid 只会从缓存内取数据给客户端。
- **百分比**：这个项目与“最大时间”有关，当该数据被获取到缓存后，经过最大时间的多少百分比时，该数据就会被重新获取。
- **最大时间**：与上一个设置有关，就是这个数据存在缓存内的最长时间。如上面第一行，最大时间为 10080 分钟，但是当超过此时间的 20%（2016 分钟）时，这个数据也会被判定为旧资料。

例题

在网址出现 .vbird. 字样时，该数据为暂时使用的，2 小时后就算旧数据。而最长保留在缓存的时间为一天，且经过 50% 的时间后，就被判定为旧数据。

答：设置如下：

```
[root@www ~]# vim /etc/squid/squid.conf
refresh_pattern ^ftp:               1440     20%      10080
refresh_pattern ^gopher:            1440     0%       1440
refresh_pattern -i (/cgi-bin/|\?) 0        0%       0
refresh_pattern \.vbird\.           120      50%      1440
refresh_pattern .                   0        20%      4320

[root@www ~]# /etc/init.d/squid restart
```

3. 主机名与管理员的 E-mail 定义

如果服务器主机名尚未决定，因此使用的主机名在因特网上面是找不到对应的 IP 的（因为 DNS 未设置），那么在默认的 squid 设置中，恐怕会无法顺利启动。此时可以手动加入一个主机名，就是通过 visible_hostname 来指定。同时，如果客户端使用 squid 出现任何错误时，屏幕上都会出现管理员的 E-mail 让用户可以及时与管理员沟通。现在假设主机名为

www.centos.vbird 且管理员的 E-mail 为 dmtsai@www.centos.vbird，此时我们可以这样修改：

```
[root@www ~]# vim /etc/squid/squid.conf
cache_mgr dmtsai@www.centos.vbird  <==管理员的 E-mail
visible_hostname www.centos.vbird  <==直接设置主机名喔！

[root@www ~]# /etc/init.d/squid restart
```

17.2.5　安全性设置：防火墙、SELinux 与黑名单文件

1. 防火墙需要放行 TCP 的 port 3128

现在我们已经设置了让 192.168.100.0/24 及 192.168.1.0/24 这两段来源使用我们的 Proxy Server，那么想当然了，防火墙的设置就需要开放这两段使用 port 3128 才行。不过要特别注意，并不是开放防火墙就能使用 Proxy Server 的资源，还需要使用 acl 配合 http_access 才行。要特别注意！假设你已经使用了 iptables.rule，那么修改的方法就是这样：

```
[root@www ~]# vim /usr/local/virus/iptables/iptables.allow
iptables -A INPUT -i $EXTIF -p tcp -s 192.168.1.0/24 --dport 3128 -j ACCEPT
# 因为内网 192.168.100.0/24 本来就是全部都接受放行的

[root@www ~]# /usr/local/virus/iptables/iptables.rule
```

2. SELinux 的注意事项

针对 Proxy 来说，CentOS 6.x 倒是没有给予太多的规则限制，因此似乎不太需要修改规则。不过，SELinux 的安全本文在类型部分需注意。这包括配置文件（/etc/squid/ 内的数据）类型是 squid_conf_t 的样式，而缓存目录的类型则是 squid_cache_t 的类型，且上层类型（/var/spool/）应该是要成为 var_t 之类的才行。修改的方法就是通过 chcon 来处理即可。

3. 建立黑名单配置文件

我们在 17.2.3 小节里面谈到，可以通过“dstdomain .domain.name”来阻挡不想连接的网站。不过每次都得使用 root 身份来设置 squid.conf 才行。那有没有办法额外设置出一个文件，让想要拒绝连接的数据写入，这样比较容易管理，不需要一直去修改 squid.conf 。有没有办法可以实现呢？有的，就通过特定文件来处置即可。看看下面这个例题来修改一下吧。

例题

建立一个名为 /etc/squid/dropdomain.txt 的文件，内容为拒绝连接的目标网站。

答：我们之前设置过相关的网站，处理的方法是直接将主机名写入 squid.conf 中，现在我们可以这样修改：

```
[root@www ~]# vim /etc/squid/squid.conf
# 找到下面的数据，就是 dropdomain 那行，约在 629 行左右，并且修改一下
acl dropdomain dstdomain "/etc/squid/dropdomain.txt"
# 注意一下，如果是文件名，请写绝对路径，且使用双引号或单引号圈起来！

[root@www ~]# vim /etc/squid/dropdomain.txt
.facebook.com
.yahoo.com
# 一行一个 domain 名称即可

[root@www ~]# /etc/init.d/squid reload
```

这个方法的好处是，可以使用额外的控制方式去修改 /etc/squid/dropdomain.txt 这个文件的内容，并且修改完毕后再使用 reload 去加载配置文件，不必要重新启动（restart），因为 reload 的速度比较快速。举例来说，鸟哥的专题学生就用 PHP 写了一个控制该文件的网页接口，可以让老师在上课时直接通过网页输入要被控制的目标网站，这样学生就无法在上课时连接到外面的某些网站去玩游戏了。

17.3　客户端的使用与测试

既然 Proxy 是给浏览器用的，那么自然在浏览器上面就需要设置一些参数了。那么如何设置呢？由于不同的浏览器在设置 Proxy 上也都不同，所以下面我们介绍目前比较常见的两款浏览器，分别是 Firefox 以及 IE 的设置，至于其他的浏览器，请参考各浏览器的相关说明。

17.3.1　浏览器的设置：Firefox & IE

1. Firefox 5.x 的设置

要在 Firefox 5.x 上面设置 Proxy 的基本步骤是这样的：首先打开 Firefox 软件，单击菜单栏中“工具”内的“选项”项，如图 17-5 所示。

然后在出现的如图 17-6 所示的对话框中，先选择右上方的“高级”项目，然后打开“网络”选项卡，最后再单击连接的“设置”按钮。

图 17-5 在 Firefox 上设置 Proxy 的流程 1

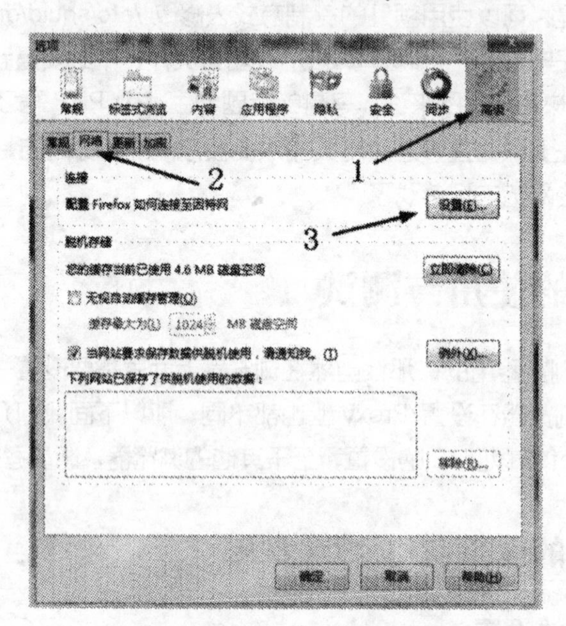

图 17-6 在 Firefox 上设置 Proxy 的流程 2

此时就会出现如图 17-7 所示的要你输入代理服务器的相关数据对话框。请先选中“手动配置代理”之后才能够填写下面的信息。填上我们服务器的 IP（鸟哥的案例中，使用的是 192.168.1.100）以及端口，然后鸟哥建议勾选“为所有协议使用相同代理”的项目，都设置妥当后，单击“确定”按钮。

图 17-7 在 Firefox 上设置 Proxy 的流程 3

这样就设置好 Firefox 的 Proxy 相关数据了，简单吧！

2. IE 的设置

那么 IE 要怎么设置呢？也很简单。首先，打开 IE 软件，会看到如图 17-8 所示的窗口，单击菜单栏“工具”内的“Internet 选项”。

图 17-8 在 IE 上设置 Proxy 的流程 1

在接下来打开的如图 17-9 所示的对话框中，打开“连接”选项卡，然后单击“局域网络设置”按钮。

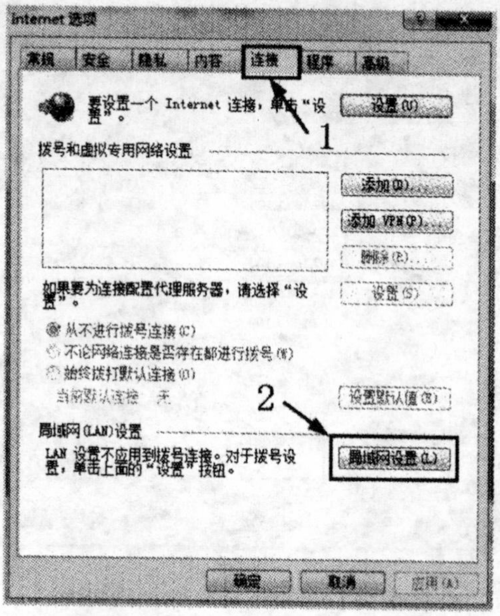

图 17-9 在 IE 上头设置 Proxy 的流程 2

最后就是要输入正确的 Proxy Server 的 IP 与 port 的相关数据。如图 17-10 所示，先选中箭头 1 所指定的项目，然后才能够开始填写正确数据。一般来说，本地地址（例如局域网的服务器）可以不通过 Proxy 去获取数据，因此这里可以选中箭头 3 所示意的复选框。这样就设置完毕。

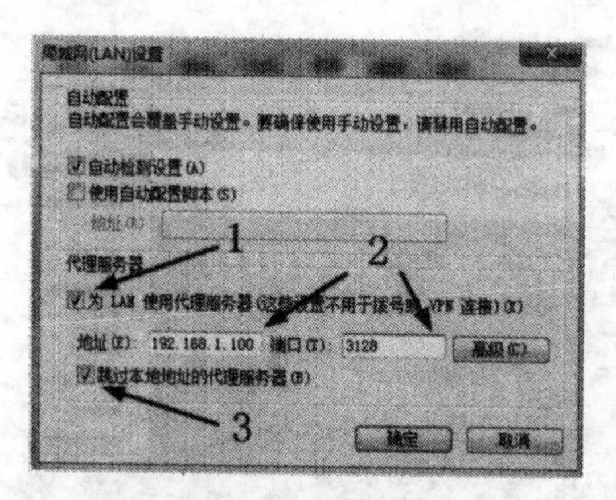

图 17-10 在 IE 上头设置 Proxy 的流程

接下来让鸟哥用 Firefox 来测试一下，如果要连的网站是被拒绝的会如何？

17.3.2 测试 Proxy 失败的画面

开始利用浏览器来浏览各个网站，基本上你都会发现正确的网站内容。但如果你要连的网站是刚刚被拒绝的呢？举例来说，刚刚我们已经设置了拒绝连向 .yahoo.com 的，那么如果你输入网址是 tw.yahoo.com，那屏幕上的输出如图 17-11 所示。

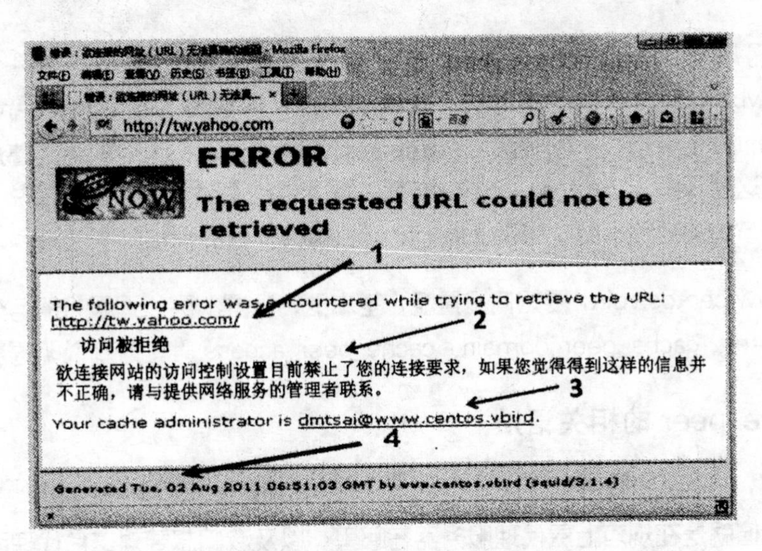

图 17-11 连接被 Proxy 拒绝时的反应情况

从图 17-11 我们可以发现，目标网站是 tw.yahoo.com，然后产生问题的地方在于“访问被拒绝（Access Denied）”，表示问题的发生在于 Proxy 的设置，然后系统还很好心地告诉你管理员（Cache administrator）的 E-mail，让你有问题可以反映给他。最后，这个信息是否为新的？下面还会告诉你这个错误发生的时间点。这样就很清楚了吧。Proxy 的错误不只是这些，因此，当你发现还有无法连接的网站时，请务必要看看屏幕的输出信息才好。

17.4 服务器的其他应用设定

除了基本的 Proxy 设定之外，如果还有其他可供利用的上层代理服务器，说不定我们就能够设计一下如何进行分流的动作了。此外，如果针对信任用户来说，难道需要一直使用 acl 直接指定用户来源然后再用 http_access 放行？有没有认证功能啊？这样就不用一直修改设置了。这些其他的应用设定在本节来谈谈吧。

17.4.1 上层 Proxy 与获取数据分流的设定

能够找到的上层 Proxy 服务器我们在 17.1.3 节里面谈过了，你可以重新回去瞧瞧. 不过，假设你所在的环境并没有上层代理服务器，但是你有两台 Linux 主机放置在不同的 ISP 环境下，这两个 ISP 对某些国外的带宽流量不同，所以你想要根据这样的情况来设计一下获取 WWW 网页的分流时，可以怎么做。我们举个例子来说：

- hinet.centos.vbird：这台主机位于 hinet 这个 ISP 下面，对大陆（.cn）的流量比较高，作为上层代理服务器之用。
- www.centos.vbird：这台主机位于学术网络（昆山科大），因为对大陆带宽被限制，因此浏览速度相对较慢。

现在我们规划 hinet.centos.vbird 是上层代理服务器，因此这部主机需要开放 www.centos.vbird 这台机器的使用权，这操作包括：①利用 acl srcdomian 等方式放行 www.centos.vbird 的使用权；②开放 www.centos.vbird 的 port 3128 的防火墙过滤功能。如此一来，我们这部 www.centos.vbird 才能够使用上层代理服务器。也就是说，这两台主机都要是你能够掌握的才行（至少也要上层 ISP 能够替你开放使用权）。

那么 www.centos.vbird 要如何设置呢？基本上，设置上层代理服务器与分流的参数主要有 cache_peer、cache_peer_domain、cache_peer_access 等，分别说明语法如下。

1. cache_peer 的相关语法

```
cache_peer [上层 Proxy 主机名] [Proxy 角色] [Proxy port] [icp port] [额外参数]
```

这个设置值就是在规范上层代理服务器在哪里，以及我们想要对这台代理服务器如何查询的相关设置值。

- **上层 Proxy 主机名**：例如本案例中就是 hinet.centos.vbird 这一台。
- **Proxy 角色**：这台 Proxy 是我们的上层（parent）还是作为我们邻近（sibling）的协同运行的 Proxy？因为我们要利用上层去获取数据，因此经常使用的是 parent 这个角色值。
- **Proxy port**：通常就是 3128。
- **icp port**：通常就是 3130。
- **额外参数**：针对这台上层 Proxy 我们想要对它进行的查询数据的行为设置。主要有：
  - proxy-only：向上层 Proxy 要到的数据不会缓存到本地的 Proxy 服务器内，降低本地 Proxy 负担。
  - wieght=n：权重的意思，因为我们可以指定多台上层 Proxy 主机，哪一台最重要？就可以利用这个 weight 来设置，n 越大表示这台 Proxy 越重要。
  - no-query：如果向上层 Proxy 要求数据时，可以不需要发送 icp 数据包，以降低主机的负担。
  - no-digest：表示不向附近主机要求建立 digest 记录表格。
  - no-netdb-exchange：表示不向附近的 Proxy 主机送出 IMCP 的数据包要求。

2. cache_peer_domain 的相关语法

```
cache_peer_domain [上层 Proxy 主机名] [要求的域名]
```

这个设置值的意思是说，你想要使用这台上层代理服务器向哪个域名要求数据。

3. cache_peer_access 的相关语法

```
cache_peer_access [上层 Proxy 主机名] [allow|deny] [acl 名称]
```

与 cache_peer_domain 相当类似。只是 cache_peer_domain 直接规范了主机名(domain name)，而如果你想要设计的并非域名，而是某些特定的 IP 网段，就需要先用 acl 设计一个名称后，再以这个 cache_peer_access 去放行（allow）或拒绝（deny）读取了。

根据上述的语法说明，那么我们想要实现 .cn 使用 hinet.centos.vbird 这台服务器的代理功能时，应该要这样设计的：

```
[root@www ~]# vim /etc/squid/squid.conf
cache_peer hinet.centos.vbird parent 3128 3130 proxy-only no-query no-digest
cache_peer_domain hinet.centos.vbird .cn

[root@www ~]# /etc/init.d/squid reload
```

如果你还有其他的需求，在利用 acl 规范了目标位置后，再以 cache_peer_access 去放行。如此一来，你的 Proxy Server 就是一台会主动依据不同的要求向不同的上层服务器求取数据的聪明 Proxy 了。

17.4.2 Proxy 服务放在 NAT 服务器上：透明代理 (Transparent Proxy)

从上面的介绍来看，我们发现 Proxy 可以做到类似防火墙的功能（acl dst、acl dstdomain 再配合 http_access 处理），但是，我们也知道浏览器需要设置好 Proxy 之后，才会真的使用 Proxy。那不就成了要宝用的防火墙了吗？只要你的用户知道不要设置 Proxy 就可以躲过你的管理，那这台 Proxy 防火墙还有什么用？

那该如何强制用户一定要使用 Proxy 呢？很简单，那就是：**①在对外的防火墙服务器（NAT）上面安装 Proxy；②在 Proxy 上启动 transparent 功能；③NAT 服务器加上一条 port 80 转 port 3128 的规则**，如此一来，所有往 port 80 的数据包就会被 NAT 转向 port 3128，而 port 3128 就是 Proxy，那大家就需要用你的 Proxy，而且重点是，浏览器不需要进行任何设置。

也就是说，当用户是经过 NAT 服务器连接出去时，只要让 NAT 服务器发现“咦！你是要去获取 WWW 的数据对吧，好，那么这个动作由 Proxy 服务帮你搞定”。如此一来，用户根本就不需要在浏览器上面设置 Proxy 的相关数据，因为这个操作是由 NAT 服务器自己决定的，所以只要在 NAT 服务器上面设置妥当即可，用户不必设置任何数据。真是不错，而且进行的操作非常简单。

```
# 1. 设置 Proxy 成为透明代理服务器的功能
[root@www ~]# vim /etc/squid/squid.conf
http_port 3128   transparent
# 找到 3128 这行后，在最后面加上 transparent 即可

[root@www ~]# /etc/init.d/squid reload
```

接下来，将来自 192.168.100.0/24 这个内网的来源，只要是要求 port 80 的，就将它重新导向 port 3128 的方式为：

```
[root@www ~]# vim /usr/local/virus/iptables/iptables.rule
iptables -t nat -A PREROUTING -i $INIF -s 192.168.100.0/24 -p tcp \
        --dport 80 -j REDIRECT --to-ports 3128
# 将上述这一行加在最下面 /etc/init.d/iptables save 的上面一行即可

[root@www ~]# /usr/local/virus/iptables/iptables.rule
```

这样就结束了，很简单吧！通常这样的环境相当适合学校内的教室或者是计算机中心的环境，因为这样学校内部根本不需要请学生设置浏览器的 Proxy 功能，立刻就能够达到我们所需要的管理能力。不过，虽然这样的功能已经很棒了，但是鸟哥实际用在学校教室环境中却发现了一些问题，那就是很多同学同时上传同一个文件到外部服务器去，因为 Proxy 缓存的功能，结果让学生一直取得旧的文件，对于教网页制作的老师来说，很困扰，因为教学过程中常常需要上传最新的网页。但是 Proxy 缓存住，所以却得到错误的数据。那怎么办？

下面来介绍仅具有 Proxy 无缓存功能的代理。

既然我们这个 Transparent Proxy 的目的仅是在进行控制，并不要去处理缓存的任务（因为带宽假设是够的），那么干脆就不要缓存，这样不就 OK 啦？好，那我们就来搭配 transparent 进行这个设置看看。假设 Transparent Proxy 已经设置妥当，那么接下来就是清空缓存目录，且再也不写入任何资料。此外，也不要有多余的内存来记录热门文件。

```
# 先关闭 squid，然后删除缓存目录，之后再重建缓存目录，此时缓存目录就空了
[root@www ~]# /etc/init.d/squid stop
[root@www ~]# rm -rf /var/spool/squid/*
[root@www ~]# vim /etc/squid/squid.conf
cache_dir ufs /var/spool/squid 100 16 256 read-only
#cache_dir ufs /srv/squid 2000 16 256
# 额外的那个 /srv/squid 注释掉，然后第一行多个 read-only 字样
cache_mem 0 MB
# 本来规范有 32MB，现在不要了

[root@www ~]# /etc/init.d/squid start
```

如此一来，这台 Proxy 就再也没有缓存了，全部资料都需要自己向外面获取。就不会有旧数据重复出现的问题了。

17.4.3　Proxy 的认证设置

既然 Proxy 有许多功能，包括分流的功能，很不错。但是，由于网络闲人越来越多，因此 Proxy 不可以设计为 Open Proxy，亦即是不能够开放所有的人使用你的 Proxy。所以，一般来说，Proxy 只会开放内部网络的人们来使用而已。问题是，如果我在 Internet 也想要使用这台自己架设的 Proxy，该如何进行？还需要再次修改 squid.conf 吗？有没有这么麻烦？

没关系，为了这个问题，squid 官方软件已经给予了认证的设置功能。意即我们可以通过认证来简单地输入账号密码，若通过验证，就可以立刻使用 Proxy 了。那如何实现呢？其实 squid 提供很多认证功能，我们需要的是最简单的功能。使用的是 squid 主动提供的 ncsa_auth 认证模块，这个模块会利用 apache（WWW 服务器）提供的账号密码建立命令（htpasswd）所制作的密码文件作为验证依据。所以，我们至少需要检查有没有这两样东西：

```
[root@www ~]# rpm -ql squid | grep ncsa
/usr/lib64/squid/ncsa_auth     <==有的。就是这个验证模块文件。注意完整路径
/usr/share/man/man8/ncsa_auth.8.gz

[root@www ~]# yum install httpd    <==apache 软件安装
[root@www ~]# rpm -ql httpd | grep htpasswd
/usr/bin/htpasswd              <==就是需要这个账号密码建立命令
/usr/share/man/man1/htpasswd.1.gz
```

这样的事前准备就差不多了。让我们来考虑一个案例：

- 内部网络 192.168.100.0/24 要使用 Proxy 时，不需要通过验证。
- 外部主机想要使用 Proxy（例如 192.168.1.0/24 这段）才需要验证。
- 使用 NCSA 的基本身份验证方式，且密码文件建立在 /etc/squid/squid_user.txt
- 上述文件仅有一个用户 vbird，他的密码为 1234。

那该如何处理呢？开始来一步一步进行：

```
# 1. 先修改 squid.conf 文件内容
[root@www ~]# vim /etc/squid/squid.conf
# 1.1 先设置验证相关的参数
auth_param basic program /usr/lib64/squid/ncsa_auth /etc/squid/squid_user.txt
auth_param basic children 5
auth_param basic realm Welcome to VBird's proxy-only web server
# 非特殊字体为关键词不可更动，第一行为通过 ncsa_auth 读取 squid_user.txt 密码
# 第二行为启动 5 个程序 (squid 的子程序) 来管理验证的需求
```

```
# 第三行为验证时，显示给用户看的欢迎信息，这三行可写在最上面

# 1.2 然后是针对验证功能放行与否的 acl 与 http_access 设置
acl vbirdlan src 192.168.100.0/24   <==修改一下，取消 192.168.1.0/24
acl dropdomain dstdomain "/etc/squid/dropdomain.txt"
acl dropsex urlpath_regex /sexy.*jpg$
acl squid_user proxy_auth REQUIRED <==建立一个需验证的 acl 名称
http_access deny dropdomain
http_access deny dropsex
http_access allow vbirdlan
http_access allow squid_user         <==请注意这样的规则顺序。验证在最后

# 2. 建立密码数据
[root@www ~]# htpasswd -c /etc/squid/squid_user.txt vbird
New password:
Re-type new password:
Adding password for user vbird
# 第一次建立才需要加上 -c 的参数，否则不需要加上 -c

[root@www ~]# cat /etc/squid/squid_user.txt
vbird:vRC9ie/4E21c.  <==这就是用户与密码

[root@www ~]# /etc/init.d/squid restart
```

需要注意“acl squid_user proxy_auth REQUIRED”这一串设置，proxy_auth 是关键词，而 REQUIRED 则是指定任何在密码文件内的用户都能够使用验证的意思。如果一切顺利的话，那么内网依旧可以使用 Transparent Proxy，而外网则需要输入账号密码才能够使用 Proxy Server 提供的代理能力。验证的过程如图 17-12 所示。

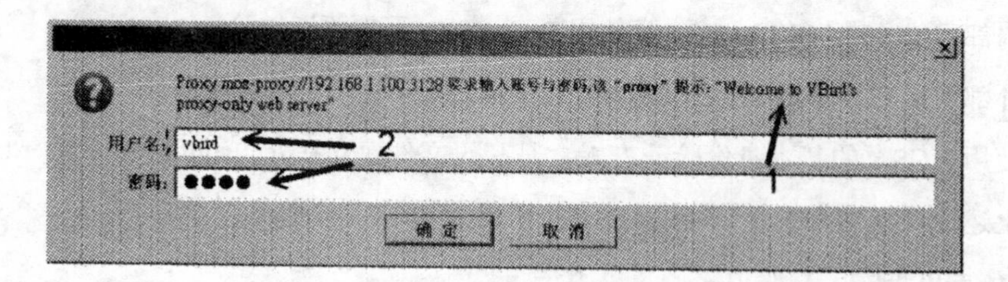

图 17-12 使用 Proxy 需验证的示意图

上图中箭头 1 为刚刚设置的 real 内容，而账号密码则是用 htpasswd 所建立的数据。另外，既然已经加上了验证功能，那么你可能需要将防火墙开放 port 3128 对全世界监听的过滤才行。防火墙还是不要忘记了。

17.4.4　末端日志分析：SARG

事实上，Squid 已经收集了众多的日志文件分析软件了，而且大多是免费的（http://www.squid-cache.org/Scripts/），你可以依照自己的喜好来加以安装与分析 Squid 日志。鸟哥这里仅介绍一套相当强的分析软件，那就是 SARG。

Squid Analysis Report Generator（SARG，Squid 分析报告制作者），其官方网站为 http://sarg.sourceforge.net/sarg.php，它的原理相当简单，就是将 logfile 拿出来，然后进行一下解析，依据不同的时间、网站、与热门网站等来进行数据的输出，由于输出的结果实在是太详细了。所以，如果你是老板的话，用这个软件会让你“爱不释手”，因为每个人的每个小动作都会被记录下来。当我第一次看到这个分析的画面时，真的吓了一跳，因为连每个 IP 在每个小时所连上的每个网站数据都有记录。

不过，有优点就有缺点。怎么说呢？因为 SARG 功能太强大了，所以记录的数据量就实在是多了点，如果 Proxy 网站属于那种很大流量的网站，那么就不要使用日报表，也就是每天产生一份报表的那种方式。那么由于数据一天可能会有几 MB 的数据，一两个月还没有关系，如果记录了几年，那么光是这些记录就会花掉好几 GB 的硬盘空间。此外，也可以使用覆盖旧有数据的方式不要留存旧数据，这样也可以节省硬盘的空间。

在 SARG 的官网上面已经有朋友替大家将 RPM 的文件制作出来了，你可以参考 http://packages.sw.be/sarg/ 网站内的文件。由于鸟哥用的是 CentOS 6.x 64 位版本，但截至 2011 年 8 月为止这个网站尚未给出稳定的 CentOS 6 版本，因此鸟哥下载的是 sarg-2.2.3.1-1.el5.rf.x86_64.rpm 这个版本。可以使用 wget 下载到 /root 下面，再用 rpm -ivh 去安装起来即可。这个软件默认会将 /var/www/sarg 作为输出报表的目标，而且你必须要安装与启动 WWW 服务器，至于网址则是 http://your.hostname/sarg。下面让我们来处理 sarg 的配置文件吧。

```
[root@www ~]# yum install gd
[root@www ~]# rpm -ivh sarg-2.2.3.1-1.el5.rf.x86_64.rpm
[root@www ~]# vim /etc/sarg/sarg.conf
title "Squid 用户访问报告"                <==第 49 行左右
font_size 12px                           <==第 69 行左右
charset UTF-8                            <==第 353 行左右

# 1. 一口气制作所有日志文件内的数据报表
[root@www ~]# sarg
SARG: Records in file: 2285, reading: 100.00%  <==列出分析信息

# 2. 制作 8 月 2 日的报表
[root@www ~]# sarg -d 02/08/2011
# 这两个范例，都会将数据丢到 /var/www/sarg/ONE-SHOT/ 下面
```

```
# 3. 制作昨天的报表
[root@www ~]# sh /etc/cron.daily/sarg
# 这个范例则是将每天的数据放置于 /var/www/sarg/daily/ 下面
```

如果制作好相关数据，由于 SARG 这个 RPM 文件已经帮我们设置好了每日、每周、每月进行一次执行，所以不用管它怎么执行。非常方便！如果想要查阅数据，只要在 Proxy Server 端输入 http://your.hostname/sarg 会看到如图 17-13 所示的界面。

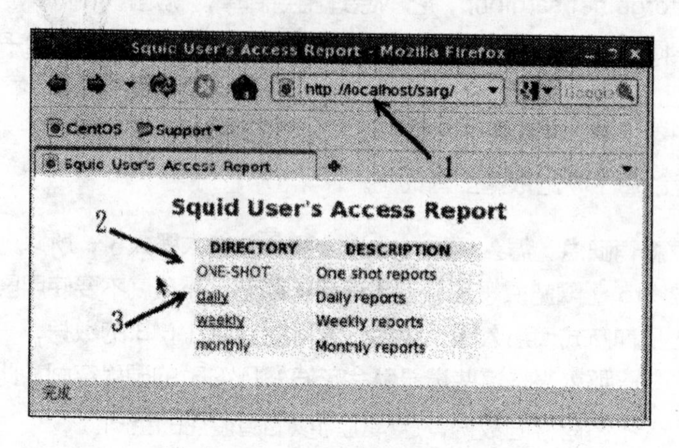

图 17-13 SARG 报表查看示意图 1

在地址栏输入服务器本机的资料，然后会看到几个链接。与我们有关的是 ONE-SHOT 以及 daily 两个，我们来瞧瞧 ONE-SHOT（箭头 2 所指）里面有什么？单击链接打开如图 17-14 所示的界面。

图 17-14 SARG 报表查看示意图 2

如图 17-14 所示，因为我们刚刚测试执行过两次 SARG 的指令，所以这里会有两个时间的连接。我们先看看总和数据，亦即图中箭头所指的地方，会出现如图 17-15 所示的说明。

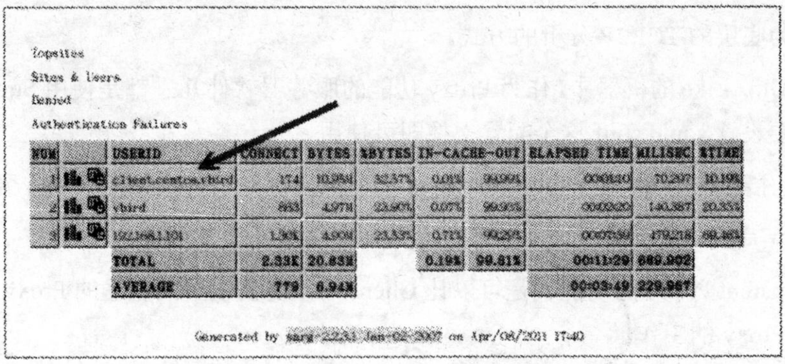

图 17-15 SARG 报表查看示意图 3

在图 17-15 中可以看到，在该时间段内，共有三个用户在访问，我们来瞧瞧 client.centos.vbird 到底干了什么事吧。单击图 17-15 中箭头所指链接，出现如图 17-16 所示的画面。

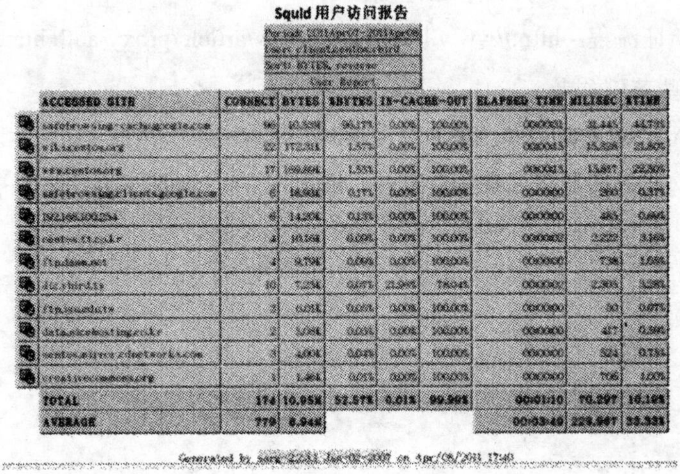

图 17-16 SARG 报表查看示意图 4

看到没有，这个用户在这段时间进行过的链接全部在这里。很清晰。

17.5　重点回顾

- 代理服务器的功能是在代理用户向因特网要求 Web page 的数据，同时实现 Web pages 的缓存记录，以达到节省带宽的目的；此外，还可以额外地实现防火墙的功能。
- 我们可以通过具有较大带宽的上层代理服务器来进行获取数据的分流。
- 设置 Proxy 时，如果能以带宽更大的上层 Proxy 来帮助，将有助于 Client 端浏览速度的提升。
- 以防火墙的功能来说，Proxy 使用应用层的方式来实现防火墙功能，至于 iptables 则是更为底层的 TCP/IP 分析的方式。

- 目前 Unix Like 的机器中，作为 Proxy 功能的服务器软件几乎都是使用 Squid，而 Squid 仅需要设置 squid.conf 这个配置文件即可使用。
- Squid 主要通过 acl 配合 http_access 来进行信任用户与目标 WWW 服务器的管理。
- 用 http_access 这个参数来配置管理行为时，顺序是有影响的。
- Transparent Proxy 的功能就是可以让 Client 端不需要设置浏览器的 Proxy 功能，即可进行 Proxy 的工作。

17.6 参考数据与延伸阅读

- Squid 官方网站：http://www.squid-cache.org/。
- Squid 说明文件计划：http://squid-docs.sourceforge.net/；
  http://www.deckle.co.za/squid-users-guide/。
- Squid 的验证流程：http://www.l-penguin.idv.tw/article/proxy-auth.htm。
- 旧版的一些范例参考：
  http://linux.vbird.org/linux_server/0420squid/0420squid_vbird_ex。
- Squid 官网收集的登录文件分析软件：http://www.squid-cache.org/Scripts/。

第 18 章

网络驱动器设备：iSCSI 服务器

如果你的系统需要大量的磁盘容量，但是身边却没有 NAS 或外接的存储设备，仅有个人计算机时，那该怎么办？此时，通过网络的 SCSI 磁盘（iSCSI）就能够提供帮助。这个 iSCSI 是将来自网络的数据仿真成本机的 SCSI 设备，因此可以进行诸如 LVM 等方面的操作，而不是单纯使用服务器端提供的文件系统而已，相当有帮助。

18.1 网络文件系统还是网络驱动器

作为服务器的系统通常是需要存储设备的，而存储设备除了可以使用系统内置的磁盘之外，如果内置的磁盘容量不够大，而且也没有额外的磁盘插槽（SATA 或 IDE）可用时，那么常见解决的方案就是增加 NAS（网络附加存储服务器）或外接式存储设备。再高档一点的系统，可能就会用到 SAN（存储局域网）（注 1）。

不过，不论是哪一种架构，基本上，它们的内部硬盘通常是以磁盘阵列（RAID）作为基础的。磁盘阵列我们在基础篇第三版的第 15 章谈过了，这里就不再赘述。这里想要了解的是，什么是 NAS 又什么是 SAN？这两者有何不同？与本章主题有关的 iSCSI 又是什么呢？下面就让我们来谈一谈。

18.1.1 NAS 与 SAN

由于企业的数据量越来越大，而且重要性与保密性越来越高，尤其类似数据库的内容，常常容量单位是以 TB（1TB = 1024GB）进行计算的。所以，磁盘阵列的应用就很重要了。那么磁盘阵列通常是在哪里呢？磁盘阵列通常是①主机内部有磁盘阵列控制卡，可以自行管理磁盘阵列。不过想要提供磁盘阵列的容量，需要通过额外的网络服务才行。②外接式磁盘阵列设备，就是单纯的磁盘阵列设备，必须通过某些接口连接到主机上，主机也要安装适当的驱动程序后，才能捕捉到这个设备所提供的磁盘容量。

不过，在当前的信息社会，你应该很少听到内置或外接的 RAID 了，常常听到的应该是 NAS 与 SAN，那这是什么？下面让我们简单地来说说。

1. NAS (Network Attached Storage，网络附加存储服务器)

基本上，NAS 其实就是一台定制化好的主机了，只要将 NAS 连接上网络，那么在网络上面的其他主机就能够访问 NAS 上的数据了。简单地说，NAS 就是一台 File Server。不过，NAS 由于也是接在网络上面，所以，如果网络上有某个用户大量访问 NAS 上的数据时，是很容易造成网络停顿的问题的，这个比较麻烦。低端的 NAS 通常会使用 Linux 系统搭配软件磁盘阵列来提供大容量文件系统。不过效率有待加强。此外，NAS 也通常支持 TCP/IP，并会提供 NFS、SAMBA、FTP 等常见的通信协议来提供客户端取得文件系统。

那为什么不直接使用个人计算机安装 Linux 再搭配相关的服务，即可提供 NAS 预计要提供的大容量空间，干嘛需要 NAS 呢？因为，通常 NAS 还会包括很多的配置接口，通常是利用 Web 接口来控制磁盘阵列的设置状况、提供 IP 或其他相关网络设置，以及是否提供某些特定的服务等。因为具有较为亲和的操作与控制接口，对于非 IT 的人员来说，控制较为容易。这也是 NAS 存在的目的。

不过，目前倒是有类似 FreeNAS 的软件开发项目（http://sourceforge.net/projects/freenas/，注 2），可以让 Linux PC 变成一台可通过 Web 管理的 NAS。不过这不是本章的重点，有兴趣的朋友可以自行前往下载与安装该软件来玩玩。

2. SAN (Storage Area Networks，存储局域网)

从上面的说明来看，其实 NAS 就是一台可以提供大容量文件系统的主机。那我们知道单台主机能够提供的磁盘接口再怎么样也是有限的，所以并不能无限制地在同一台实体主机上面安插磁盘。但是如果偏偏你就是有大量磁盘使用的需求，那时该如何是好？这时就需要使用到 SAN 了。

最简单的看法，就是将 SAN 视为一个外接式的存储设备。一般单纯的外接式存储设备仅能通过某些接口（如 SCSI 或 eSATA）提供单独一台主机使用，而 **SAN 却可以通过某些特殊的接口或信道来提供局域网内的所有机器进行磁盘访问。要注意，SAN 是提供"磁盘（block device）"给主机用，而不是像 NAS 提供的是"网络协议的文件系统（NFS、SMB 等）"**，这两者的差异挺大的。因此，挂载使用 SAN 的主机会多出一个大磁盘，并可针对 SAN 提供的磁盘进行分区与格式化等操作。想想看，你能对 NAS 提供的文件系统格式化吗？不能。这样了解差异了吗？

另外，既然 SAN 可以提供磁盘，而 NAS 则是提供相关的网络文件系统，那么 NAS 能不能通过网络去使用 SAN 所提供的磁盘呢？答案是当然可以。因为 SAN 最大的目的就是提供磁盘给服务器主机使用，NAS 也是一台完整的服务器，所以 NAS 当然可以使用 SAN。同时其他的网络服务器也能够使用这个 SAN 来进行数据访问。

此外，既然 SAN 开发的目的是要提供大量的磁盘给用户，那么传输的速度当然是非常重要的。因此，早期的 SAN 大多配合光纤信道（Fibre Channel）来提供高速的数据传输。目前标准的光纤信道速度是 2GB，未来还可能到达 10GB 以上。不过，使用光纤等技术较高的设备，当然就比较贵一些。

由于以太网的盛行，加上技术成熟，现今的以太网媒体（网卡、交换器、路由器等设备）已经可以达到 GB 的速度了，离 SAN 的光纤信道速度其实差异已经缩小很多。那么是否我们可以通过这个 GB 的以太网络接口来连接到 SAN 的设备呢？这就是我们接下来要提到的 iSCSI 架构。

18.1.2　iSCSI 接口

早期的企业使用的服务器若有大容量磁盘的需求，通常是通过 SCSI 来连接 SCSI 磁盘，因此服务器上面必须要加装 SCSI 适配卡，而且这个 SCSI 是专属于该服务器的。后来这个外接式的 SCSI 设备被上述提到的 SAN 的架构所取代，在 SAN 的标准架构下，虽然有很多的服务器可以对同一个 SAN 进行访问的操作，不过为了速度需求，通常使用的是光纤信道。但是光纤信道不但设备贵，而且服务器上面也要求有光纤接口，很麻烦。所以光纤的 SAN 在中小企业很难普及。

后来网络实在太普及，尤其是以 IP 数据包为基础的 LAN 技术已经很成熟，再加上以太网的速度越来越快，所以就有厂商将 SAN 的连接方式改为利用 IP 技术来处理。然后再通过一些标准的制定，最后就产生了 Internet SCSI（iSCSI）。iSCSI 主要是通过 TCP/IP 的技术，将存储设备端通过 iSCSI target（iSCSI 标的）功能，做成可以提供磁盘的服务器端，再通过 iSCSI initiator（iSCSI 初始化用户）功能，做成能够挂载使用 iSCSI target 的客户端，如此便能通过 iSCSI 协议来进行磁盘的应用了（注 3）。

也就是说，iSCSI 这个架构主要将存储设备与使用的主机分为两个部分，分别是：

- iSCSI target：就是存储设备端，存放磁盘或 RAID 的设备，目前也能够将 Linux 主机仿真成 iSCSI target 了，目的在于提供其他主机使用的磁盘。
- iSCSI initiator：就是能够使用 target 的客户端，通常是服务器。也就是说，想要连接到 iSCSI target 的服务器，也必须要安装 iSCSI initiator 的相关功能后才能够使用 iSCSI target 提供的磁盘。

如图 18-1 所示，iSCSI 是在 TCP/IP 上面所开发出来的一套应用，所以需要有网络才行。

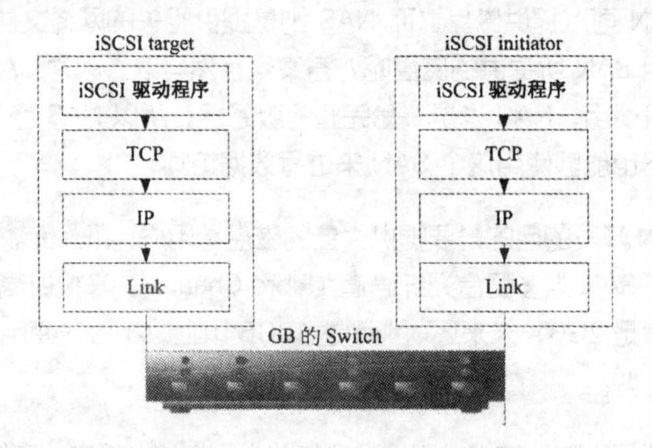

图 18-1 iSCSI 与 TCP/IP 相关性

18.1.3 各组件相关性

通过上面的说明，哪一台服务器如何取得磁盘或者是文件系统来利用呢？基本上就是：

- 直接访问（direct-attached storage）：例如本机上面的磁盘，就是直接访问设备。
- 通过存储局域网（SAN）：来自局域网内的其他存储设备提供的磁盘。
- 网络文件系统（NAS）：来自 NAS 提供的文件系统，只能立即使用，不可进行格式化。

这三个东西与服务器主机能用的文件系统之间可以用如图 18-2 所示的维基百科的图示来展示。

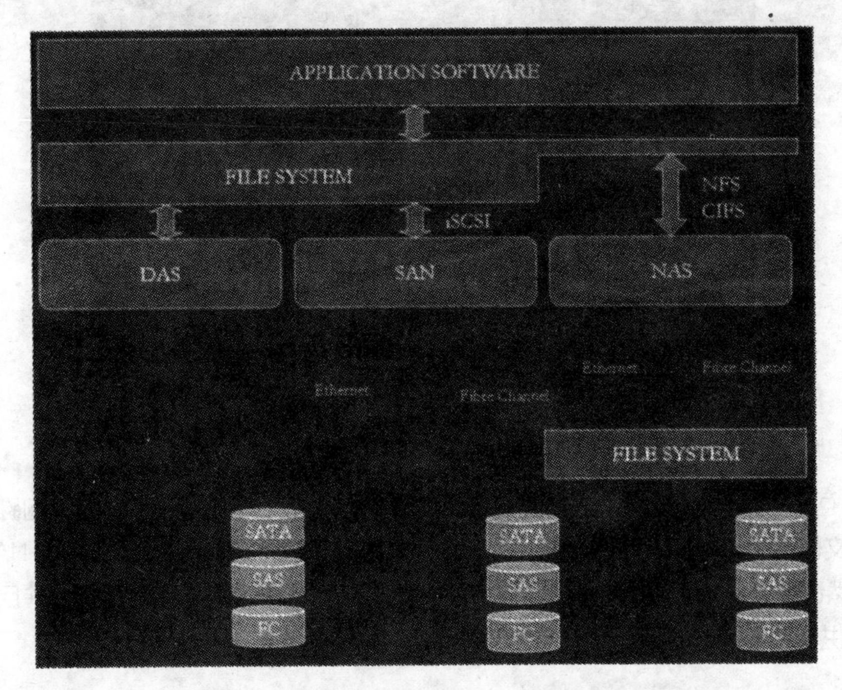

图 18-2 服务器取得文件系统的三个来源 (数据源为注 1)

从图 18-2 中，我们可以发现在一般的主机环境下，磁盘设备（SATA、SAS、FC）可以通过主机的接口（DAS）来直接进行文件系统的建立（mkfs 进行格式化），如果想要使用外部的磁盘，那可以通过 SAN（内含多个磁盘的设备），然后通过 iSCSI 等接口来连接，当然，还是需要进行格式化等操作（假设这个 SAN 尚未被使用时）。最后，如果是在 NAS 的条件下，那么 NAS 必须要先通过自己的操作系统将磁盘设备进行文件系统的建立后，再以 NFS/CIFS 等方式来提供其他主机挂载使用。

那么，网络服务器、客户端系统、NAS 与 SAN 的角色在局域网里面又是如何呢？我们依旧使用如图 18-3 所示的维基百科的图示来说明一下（DAS 是每台主机内部的磁盘，即图示中的圆柱体）。

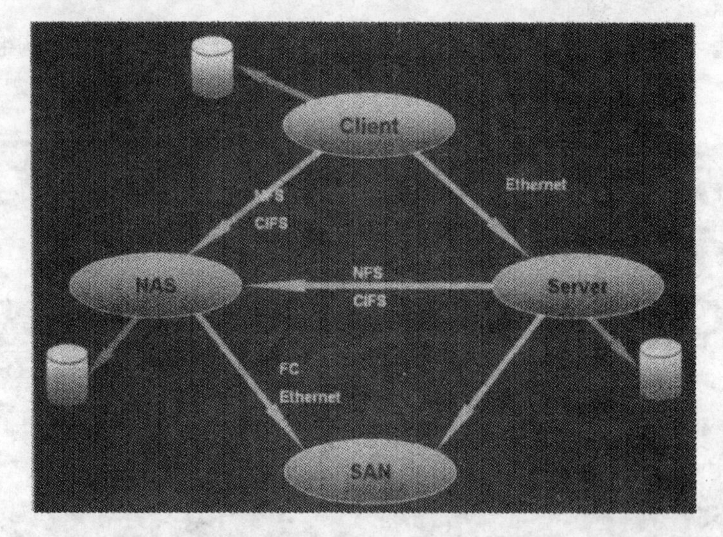

图 18-3 各组件之间的相关性 (数据源为注 1)

NAS 可以使用自己的磁盘，也能够通过光纤或以太网络取得 SAN 所提供的磁盘来制作成为网络文件系统，提供其他人的使用。Server 可以通过 NFS/CIFS 等方式取得 NAS 的文件系统，当然也能够直接访问 SAN 的磁盘。客户端主要则是通过网络文件系统，并且直接使用 Server 提供的网络资源（如 FTP、WWW、Mail 等）。

18.2 iSCSI target 的设置

能够完成 iSCSI target/initiator 设置的项目非常多（注 4），鸟哥找到的就有下面这几个：

- Linux SCSI target framework（tgt）：http://stgt.sourceforge.net/。
- Linux-iSCSI Project：http://linux-iscsi.sourceforge.net/。
- Open-iSCSI：http://www.open-iscsi.org/。

由于被我们 CentOS 6.x 官方直接使用的是 tgt 这个软件，因此下面我们会使用 tgt 来介绍整个 iSCSI target 的设置。

18.2.1 所需软件与软件结构

CentOS 将 tgt 的软件名称定义为 scsi-target-utils，因此需要使用 yum 去安装它才行。至于用来作为 initiator 的软件则是使用 linux-iscsi 的项目，该项目所提供的软件名称则为 iscsi-initiator-utils。所以，总的来说，需要的软件有：

- **scsi-target-utils**：用来将 Linux 系统仿真成为 iSCSI target 的功能。
- **iscsi-initiator-utils**：挂载来自 target 的磁盘到 Linux 本机上。

那么 scsi-target-utils 主要提供哪些文件呢？基本上有下面几个比较重要的：

- /etc/tgt/targets.conf：主要配置文件，设置要共享的磁盘格式与哪几块。
- /usr/sbin/tgt-admin：在线查询、删除 target 等功能的设置工具。
- /usr/sbin/tgt-setup-lun：建立 target 以及设置共享的磁盘与可使用的客户端等工具软件。
- /usr/sbin/tgtadm：手动直接管理的管理员工具（可使用配置文件取代）。
- /usr/sbin/tgtd：主要提供 iSCSI target 服务的主程序。
- /usr/sbin/tgtimg：搭建预计共享的映像文件设备的工具（以映像文件仿真磁盘）。

其实 CentOS 已经将很多功能都设置好了，因此我们只要修改配置文件，然后启动 tgtd 这个服务就可以了。接下来，就让我们实际来进行 iSCSI target 的设置。

18.2.2 iSCSI target 的实际设置

从上面的分析来看，iSCSI 就是通过一个网络接口，将既有的磁盘共享出去。那么有哪些类型的磁盘可以共享呢？这包括：

- **使用 dd 命令所建立的大型文件可供仿真为磁盘（无须预先格式化）。**
- **使用单一分区（partition）共享为磁盘。**
- **使用单一完整的磁盘（无须预先分区）。**
- **使用磁盘阵列共享（其实与单一磁盘相同方式）。**
- **使用软件磁盘阵列（software RAID）共享成单一磁盘。**
- **使用 LVM 的 LV 设备共享为磁盘。**

其实没有那么复杂，我们大概知道可以通过①大型文件；②单一分区；③单一设备（包括磁盘、数组、软件磁盘阵列、LVM 的 LV 设备文件名等）来进行共享。在本节当中，我们将通过新的分割产生新的没有用到的分区、LVM 逻辑滚动条、大型文件等来进行共享。既然如此，那就需要先来搞定这些东西。要注意，等一下我们要共享出去的数据，最好不要被使用，也最好不要开机就被挂载（/etc/fstab 当中没有存在记录的意思）。那么就来操作一下。

1. 建立所需要的磁盘设备

既然 iSCSI 要共享的是磁盘，那么我们需要准备好磁盘才行。目前预计准备的磁盘为：

- 建立一个名为 /srv/iscsi/disk1.img 的 500MB 文件。
- 使用 /dev/sda10 提供 2GB 作为共享（从第 1 章到目前为止的分割数）。
- 使用 /dev/server/iscsi01 的 2GB LV 作为共享（再加入 5GB /dev/sda11 到 server VG 中）。

实际处理的方式如下：

```
# 1. 建立大型文件:
[root@www ~]# mkdir /srv/iscsi
[root@www ~]# dd if=/dev/zero of=/srv/iscsi/disk1.img bs=1M count=500
[root@www ~]# chcon -Rv -t tgtd_var_lib_t /srv/iscsi/
[root@www ~]# ls -lh /srv/iscsi/disk1.img
-rw-r--r--. 1 root root 500M Aug  2 16:22 /srv/iscsi/disk1.img <==注意容量是
对的

# 2. 建立实际的 partition 分割:
[root@www ~]# fdisk /dev/sda   <==实际的分割方式自己处理
[root@www ~]# partprobe        <==某些情况下得 reboot
[root@www ~]# fdisk -l
   Device Boot      Start         End      Blocks   Id  System
/dev/sda10           2202        2463     2104483+  83  Linux
/dev/sda11           2464        3117     5253223+  8e  Linux LVM
# 只输出 /dev/sda{10,11} 信息，其他的都省略了。注意看容量，上述容量单位 KB

[root@www ~]# swapon -s; mount | grep 'sda1'
# 自己测试一下 /dev/sda{10,11}，不能够被使用！若有被使用，请 umount 或 swapoff

# 3. 建立 LV 设备 :
[root@www ~]# pvcreate /dev/sda11
[root@www ~]# vgextend server /dev/sda11
[root@www ~]# lvcreate -L 2G -n iscsi01 server
[root@www ~]# lvscan
  ACTIVE            '/dev/server/myhome' [6.88 GiB] inherit
  ACTIVE            '/dev/server/iscsi01' [2.00 GB] inherit
```

2. 规划共享的 iSCSI target 文件名

iSCSI 有一套自己共享 target 文件名的定义，基本上，通过 iSCSI 共享出来的 target 文件名都是以 iqn 开头，意思是“iSCSI Qualified Name（iSCSI 合格名称）”（注 5）。那么在 iqn 后面要接什么文件名呢？通常是这样的：

```
iqn.yyyy-mm.<reversed domain name>:identifier
iqn.年年-月.单位网络名的反转写法   :这个共享的 target 名称
```

鸟哥做这个测试的时间是 2011 年 8 月，鸟哥的机器是 www.centos.vbird，反转网域写法为 vbird.centos，鸟哥想要的 iSCSI target 名称是 vbirddisk，那么就可以这样写：

```
iqn.2011-08.vbird.centos:vbirddisk
```

另外，就如同一般外接式存储设备（target 名称）可以具有多个磁盘一样，我们的 target 也能够拥有数个磁盘设备的。每个在同一个 target 上的磁盘我们可以将它定义为**逻辑单位编**

号（Logical Unit Number, LUN）。我们的 iSCSI initiator 就是跟 target 协调后才取得 LUN 的访问权（注 5）。在鸟哥的这个简单案例中，最终的结果，我们会有一个 target，在这个 target 当中可以使用三个 LUN 的磁盘。

3. 设置 tgt 的配置文件 /etc/tgt/targets.conf

接下来我们要开始来修改配置文件了。基本上，配置文件就是修改 /etc/tgt/targets.conf。这个文件的内容可以改得很简单，最重要的就是设置前一点规定的 iqn 名称，以及该名称所对应的设备，然后再给予一些可能会用到的参数而已。多说无益，让我们实际来操作看看：

```
[root@www ~]# vim /etc/tgt/targets.conf
# 此文件的语法如下：
<target iqn.相关设备的 target 名称>
    backing-store /你的/虚拟设备/完整文件名-1
    backing-store /你的/虚拟设备/完整文件名-2
</target>

<target iqn.2011-08.vbird.centos:vbirddisk>
    backing-store /srv/iscsi/disk1.img    <==LUN 1 (LUN 的编号通常照顺序)
    backing-store /dev/sda10              <==LUN 2
    backing-store /dev/server/iscsi01     <==LUN 3
</target>
```

事实上，除了 backing-store 之外，在这个配置文件当中还有一些比较特别的参数（man tgt-admin）：

- **backing-store（虚拟的设备）、direct-store（实际的设备）**：设置设备时，如果整块磁盘是全部被拿来当 iSCSI 共享之用，那么才能够使用 direct-store。不过，根据网络上的其他文件，似乎说明这个设置值有点危险的样子。所以，基本上还是建议单纯使用模拟的 backing-store 较佳。例如鸟哥的简单案例中，就使用 backing-store。
- **initiator-address（用户端地址）**：如果想要限制能够使用这个 target 的客户端来源，才需要填写这个设置值。基本上，不用设置它（代表所有人都能使用的意思），因为我们后来会使用 iptables 来规范可以连接的客户端。
- **incominguser（用户账号密码设置）**：如果除了来源 IP 的限制之外，你还想要让用户输入账号密码才能使用 iSCSI target 的话，那么就添加使用这个设置项目。此设置后面接两个参数，分别是账号与密码。
- **write-cache [off|on]（是否使用缓存）**：在默认的情况下，tgtd 会使用缓存来提高速度。不过，这样可能会有遗失数据的风险。所以，如果数据比较重要的话，或许不使用缓存，直接访问设备会比较妥当一些。

上面的设置值要怎么用呢？现在，假设你的环境中，仅允许 192.168.100.0/24 这个网段可以访问 iSCSI target，而且访问时需要账号与密码分别为 vbirduser、vbirdpasswd，此外，不要使用缓存，那么除了原本的配置文件之外，还需要加上这样的参数才行（基本上，使用上述的设置即可，下面的设置是多加测试用的，不需要填入你的设置中）：

```
[root@www ~]# vim /etc/tgt/targets.conf
<target iqn.2011-04.vbird.centos:vbirddisk>
    backing-store /home/iscsi/disk1.img
    backing-store /dev/sda7
    backing-store /dev/server/iscsi01
    initiator-address 192.168.100.0/24
    incominguser vbirduser vbirdpasswd
    write-cache off
</target>
```

4. 启动 iSCSI target 以及查看相关端口与磁盘信息

再来则是启动、开机启动，以及查看 iSCSI target 所启动的端口：

```
[root@www ~]# /etc/init.d/tgtd start
[root@www ~]# chkconfig tgtd on
[root@www ~]# netstat -tlunp | grep tgt
Active Internet connections (only servers)
Proto Recv-Q Send-Q Local Address   Foreign Address   State   PID/Program name
tcp        0      0 0.0.0.0:3260    0.0.0.0:*          LISTEN  26944/tgtd
tcp        0      0 :::3260         :::*               LISTEN  26944/tgtd
# 重点就是 3260 TCP 数据包。下面的防火墙务必要开放这个端口。

# 查看一下我们 target 相关信息，以及提供的 LUN 数据内容：
[root@www ~]# tgt-admin --show
Target 1: iqn.2011-08.vbird.centos:vbirddisk <==就是我们的 target
    System information:
        Driver: iscsi
        State: ready
    I_T nexus information:
    LUN information:
        LUN: 0
            Type: controller      <==这是个控制器，并非可以用的 LUN
....(中间省略)....
        LUN: 1
            Type: disk        <==第一个 LUN，是磁盘 (disk)
            SCSI ID: IET      00010001
            SCSI SN: beaf11
            Size: 2155 MB       <==容量有这么大
            Online: Yes
            Removable media: No
            Backing store type: rdwr
```

```
        Backing store path: /dev/sda10 <==磁盘所在的实际文件名
    LUN: 2
        Type: disk
        SCSI ID: IET     00010002
        SCSI SN: beaf12
        Size: 2147 MB
        Online: Yes
        Removable media: No
        Backing store type: rdwr
        Backing store path: /dev/server/iscsi01
    LUN: 3
        Type: disk
        SCSI ID: IET     00010003
        SCSI SN: beaf13
        Size: 524 MB
        Online: Yes
        Removable media: No
        Backing store type: rdwr
        Backing store path: /srv/iscsi/disk1.img
  Account information:
      vbirduser         <==额外的账户信息
  ACL information:
      192.168.100.0/24 <==额外的来源 IP 限制
```

请将上面的信息对照一下我们的配置文件，看看有没有错误，尤其注意每个 LUN 的容量、实际磁盘路径。项目是不能错误的（照理说 LUN 的数字应该与 backing-store 设置的顺序有关，不过，在鸟哥的测试中，出现的顺序并不相同。因此，还是需要使用 tgt-admin --show 去查阅）。

5. 设置防火墙

不论在 targets.conf 配置文件中你有没有使用 initiator-address，iSCSI target 就是使用 TCP/IP 传输数据的，所以你还是需要在防火墙内设置可以连接的客户端才行。既然 iSCSI 仅开启 3260 端口，那么我们就这么进行即可：

```
[root@www ~]# vim /usr/local/virus/iptables/iptables.allow
iptables -A INPUT  -p tcp -s 192.168.100.0/24 --dport 3260 -j ACCEPT

[root@www ~]# /usr/local/virus/iptables/iptables.rule
[root@www ~]# iptables-save | grep 3260
-A INPUT -s 192.168.100.0/24 -p tcp -m tcp --dport 3260 -j ACCEPT
# 最终要看到上述的输出字样才是 OK 的。若有其他用户需要连接，
# 自行复制 iptables.allow 内的语法，修改来源端即可
```

18.3 iSCSI initiator 的设置

谈完了 target 的设置，并且观察到相关 target 的 LUN 数据后，接下来就是要来挂载使用了。使用的方法很简单，只不过我们需要安装额外的软件来取得 target 的 LUN 使用权。

18.3.1 所需软件与软件结构

在前一小节就谈过了，要设置 iSCSI initiator 必须要安装 iscsi-initiator-utils 才行。安装的方法请使用 yum 去处理，这里不再多讲。那么这个软件的结构是如何呢？

- /etc/iscsi/iscsid.conf：主要的配置文件，用来连接到 iSCSI target 的设置。
- /sbin/iscsid：启动 iSCSI initiator 的主要服务程序。
- /sbin/iscsiadm：用来管理 iSCSI initiator 的主要设置程序。
- /etc/init.d/iscsid：让本机模拟成为 iSCSI initiater 的主要服务。
- /etc/init.d/iscsi：在本机成为 iSCSI initiator 之后，启动此脚本，让我们可以登录 iSCSI target。所以 iscsid 先启动后，才能启动这个服务。为了确保顺利启动，所以 /etc/init.d/iscsi 已经写了一个启动命令，如果启动 iSCSI 前尚未启动 iscsid，则会先呼叫 iscsid 才继续处理 iSCSI。

老实说，因为 /etc/init.d/iscsi 脚本已经包含了启动 /etc/init.d/iscsid 的步骤在里面，所以，理论上，只要启动 iSCSI 就好了。此外，iscsid.conf 里面大概只要设置好登录 target 时的账号与密码即可，其他的 target 查找、设置、取得的方法都直接使用 iscsiadm 这个命令来完成。由于 iscsiadm 检测到的结果会直接写入 /var/lib/iscsi/nodes/中，因此只要启动 /etc/init.d/iscsi 就能够在下次开机时，自动地连接到正确的 target。那么就让我们来处理处理整个过程吧（注 6）。

18.3.2 iSCSI initiator 的实际设置

首先，我们需要知道 target 提供了什么，因此，理论上，不论是 target 还是 initiator 都应该是要我们管理的机器才对。而现在我们知道 target 其实有设置账号与密码的，所以下面我们就需要修改一下 iscsid.conf 的内容才行。

1. 修改 /etc/iscsi/iscsid.conf 内容，并启动 iSCSI

这个文件的修改很简单，因为里面的参数大多已经默认设置得不错了，所以只要填写 target 登录时所需要的账号与密码即可。修改的地方有两个，一个是检测时（discovery）可能会用到的账号与密码，一个是连接时（node）会用到的账号与密码。

```
[root@clientlinux ~]# vim /etc/iscsi/iscsid.conf
node.session.auth.username = vbirduser    <==在 target 时设置的
node.session.auth.password = vbirdpasswd <==约在 53、54 行
```

```
discovery.sendtargets.auth.username = vbirduser  <==约在 67、68 行
discovery.sendtargets.auth.password = vbirdpasswd

[root@clientlinux ~]# chkconfig iscsid on
[root@clientlinux ~]# chkconfig iscsi on
```

由于我们尚未与 target 连接，所以 iSCSI 无法顺利启动。因此上面只要 chkconfig 即可，不需要启动它。要开始来检测 target 与写入系统信息，全部使用 iscsiadm 这个命令就可以完成所有操作了。

2. 检测 192.168.100.254 这台 target 的相关数据

虽然我们已经知道 target 的名字，不过，这里假设还不知道，因为有可能哪一天你的公司有钱了，也许会去买实体的 iSCSI 设备。所以这里还是讲完整的检测过程好了。可以这样使用：

```
[root@clientlinux ~]# iscsiadm -m discovery -t sendtargets -p IP:port
选项与参数：
-m discovery    ：使用检测的方式进行 iscsiadmin 命令功能
-t sendtargets ：通过 iSCSI 的协议，检测后面的设备所拥有的 target 数据
-p IP:port      ：就是那台 iSCSI 设备的 IP 与端口，不写端口就默认是 3260

范例：检测 192.168.100.254 这台 iSCSI 设备的相关数据。
[root@clientlinux ~]# iscsiadm -m discovery -t sendtargets -p 192.168.100.254
192.168.100.254:3260,1  iqn.2011-08.vbird.centos:vbirddisk
# 192.168.100.254:3260,1 ：在此 IP、端口上面的 target 号码，本例中为 target1
# iqn.2011-08.vbird.centos:vbirddisk ：就是我们的 target 名称

[root@clientlinux ~]# ll -R /var/lib/iscsi/nodes/
/var/lib/iscsi/nodes/iqn.2011-08.vbird.centos:vbirddisk
/var/lib/iscsi/nodes/iqn.2011-08.vbird.centos:vbirddisk/192.168.100.254,326
0,1
# 上面的特殊字体部分，就是我们利用 iscsiadm 检测到的 target 结果
```

现在我们知道了 target 的名称，同时将所有检测到的信息全部写入到上述 /var/lib/iscsi/nodes/iqn.2011-08.vbird.centos:vbirddisk/192.168.100.254,3260,1 目录内的 default 文件中，若信息有修订过的话，那就可以到这个文件内修改，也可以通过 iscsiadm 的 update 功能处理相关参数。

3. 开始进行连接 iSCSI target

我们的 initiator 可能会连接多台 target 设备，因此，我们得先要看看目前系统上面检测到的 target 有几台，然后再找到我们要的那台 target 来进行登录的作业。不过，如果你想要

将所有检测到的 target 全部都登录的话，那么整个步骤可以再简化。

```
范例：根据前一个步骤检测到的数据，启动全部的 target
[root@clientlinux ~]# /etc/init.d/iscsi restart
正在停止 iscsi:                                    [  确定  ]
正在启动 iscsi:                                    [  确定  ]
# 将系统里面全部的 target 全部以 /var/lib/iscs/nodes/ 内的设置登录
# 上面的加粗字体需要注意。你只要做到这里即可，下面的瞧瞧就行。

范例：显示出目前系统上面所有的 target 数据：
[root@clientlinux ~]# iscsiadm -m node
192.168.100.254:3260,1 iqn.2011-08.vbird.centos:vbirddisk
选项与参数：
-m node：找出目前本机上面所有检测到的 target 信息，可能并未登录

范例：仅登录某台 target，不要重新启动 iSCSI 服务
[root@clientlinux ~]# iscsiadm -m node -T target 名称 --login
选项与参数：
-T target 名称：仅使用后面接的那台 target，target 名称可用上个命令查到
--login       ：就是登录

[root@clientlinux ~]# iscsiadm -m node -T iqn.2011-08.vbird.centos:vbirddisk \
>  --login
# 这次进行会出现错误，是因为我们已经登录了，不可重复登录
```

接下来，我们要来开始处理这个 iSCSI 的磁盘了。怎么处理？如下所示：

```
[root@clientlinux ~]# fdisk -l
Disk /dev/sda: 8589 MB, 8589934592 bytes  <==这是原有的那块磁盘，略过不看
....(中间省略)....

Disk /dev/sdc: 2147 MB, 2147483648 bytes
67 heads, 62 sectors/track, 1009 cylinders
Units = cylinders of 4154 * 512 = 2126848 bytes
Sector size (logical/physical): 512 bytes / 512 bytes

Disk /dev/sdb: 2154 MB, 2154991104 bytes
67 heads, 62 sectors/track, 1013 cylinders
Units = cylinders of 4154 * 512 = 2126848 bytes
Sector size (logical/physical): 512 bytes / 512 bytes

Disk /dev/sdd: 524 MB, 524288000 bytes
17 heads, 59 sectors/track, 1020 cylinders
Units = cylinders of 1003 * 512 = 513536 bytes
Sector size (logical/physical): 512 bytes / 512 bytes
```

你会发现主机上面多出了三个新的磁盘，容量与刚刚在 192.168.100.254 那台 iSCSI target 上面共享的 LUN 一样大。那这三块磁盘可以怎么用？你想怎么用就怎么用。只是，唯一要注意的，就是 iSCSI target 每次都要比 iSCSI initiator 这台主机要早开机，否则 initiator 恐怕就会出问题。

4. 更新/删除/添加 target 数据的方法

如果 iSCSI target 可能由于某些原因被拿走了，或者是已经不存在于局域网中，或者是要送修了，这个时候 iSCSI initiator 就需要关闭，但是，又不能全部关掉（/etc/init.d/iscsi stop），因为还有其他的 iSCSI target 在使用。这个时候该如何取消不要的 target 呢？很简单，流程如下：

```
[root@clientlinux ~]# iscsiadm -m node -T targetname --logout
[root@clientlinux ~]# iscsiadm -m node -o [delete|new|update] -T targetname
选项与参数：
--logout ：就是注销 target，但是并没有删除 /var/lib/iscsi/nodes/ 内的数据
-o delete：删除后面接的那台 target 连接信息 (/var/lib/iscsi/nodes/*)
-o update：更新相关的信息
-o new   ：增加一个新的 target 信息

范例：关闭来自鸟哥的 iSCSI target 的数据，并且删除连接
[root@clientlinux ~]# iscsiadm -m node    <==还是先显示出相关的 target iqn 名称
192.168.100.254:3260,1 iqn.2011-08.vbird.centos:vbirddisk
[root@clientlinux ~]# iscsiadm -m node -T iqn.2011-08.vbird.centos:vbirddisk \
>  --logout
Logging out of session [sid: 1, target: iqn.2011-08.vbird.centos:vbirddisk,
 portal: 192.168.100.254,3260]
Logout of [sid: 1, target: iqn.2011-08.vbird.centos:vbirddisk, portal:
 192.168.100.254,3260] successful.
# 这个时候的 target 连接还是存在的，虽然注销但还是看得到

[root@clientlinux ~]# iscsiadm -m node -o delete \
>  -T iqn.2011-08.vbird.centos:vbirddisk
[root@clientlinux ~]# iscsiadm -m node
iscsiadm: no records found! <==不存在 target 了

[root@clientlinux ~]# /etc/init.d/iscsi restart
# 你会发现，target 的信息不见了
```

如果一切都没有问题，现在请回到 discovery 的过程，重新再将 iSCSI target 检测一次，再重新启动 initiator 来取得那三个磁盘吧。下面我们就要来测试与利用该磁盘了。

18.3.3 一个测试范例

到底 iSCSI 可以怎么用？我们就来操作一下。假设：

1）刚刚如同鸟哥的整个工作流程，已经在 initiator 上面将 target 数据清除了。

2）现在我们只知道 iSCSI target 的 IP 是 192.168.100.254，而需要的账号与密码分别是 vbirduser、vbirdpasswd。

3）账号与密码信息已经写入 /etc/iscsi/iscsid.conf 里面了。

4）假设我们预计要将 target 的磁盘拿来当做 LVM 内的 PV 使用。

5）并且将所有的磁盘容量都给一个名为 /dev/iscsi/disk 的 LV 使用。

6）这个 LV 会被格式化为 ext4，且挂载在 /data/iscsi 内。

那么，整体的流程是：

```
# 1. 启动 iSCSI，并且开始检测及登录 192.168.100.254 上面的 target 名称
[root@clientlinux ~]# /etc/init.d/iscsi restart
[root@clientlinux ~]# chkconfig iscsi on
[root@clientlinux ~]# iscsiadm -m discovery -t sendtargets -p 192.168.100.254
[root@clientlinux ~]# /etc/init.d/iscsi restart
[root@clientlinux ~]# iscsiadm -m node
192.168.100.254:3260,1 iqn.2011-08.vbird.centos:vbirddisk

# 2. 开始处理 LVM 的流程，由 PV、VG、LV 依序处理
[root@clientlinux ~]# fdisk -l     <==出现的资料中会发现 /dev/sd[b-d]
[root@clientlinux ~]# pvcreate /dev/sd{b,c,d}  <==建立 PV
  Wiping swap signature on /dev/sdb
  Physical volume "/dev/sdb" successfully created
  Physical volume "/dev/sdc" successfully created
  Physical volume "/dev/sdd" successfully created

[root@clientlinux ~]# vgcreate iscsi /dev/sd{b,c,d}  <==建立 VG
  Volume group "iscsi" successfully created

[root@clientlinux ~]# vgdisplay  <==要找到可用的容量
  --- Volume group ---
  VG Name               iscsi
....(中间省略)....
  Act PV                3
  VG Size               4.48 GiB
  PE Size               4.00 MiB
  Total PE              1148  <==就是这玩意儿，共 1148 个
  Alloc PE / Size       0 / 0
```

```
  Free  PE / Size        1148 / 4.48 GiB
....(下面省略)....

[root@clientlinux ~]# lvcreate -l 1148 -n disk iscsi
  Logical volume "disk" created

[root@clientlinux ~]# lvdisplay
  --- Logical volume ---
  LV Name                /dev/iscsi/disk
  VG Name                iscsi
  LV UUID                opR64B-Zeoe-C58n-ipN2-em3O-nUYs-wjEZDP
  LV Write Access        read/write
  LV Status              available
  # open                 0
  LV Size                4.48 GiB <==注意一下容量对不对
  Current LE             1148
  Segments               3
  Allocation             inherit
  Read ahead sectors     auto
  - currently set to     256
  Block device           253:2

# 3. 开始格式化，并且进行开机自动挂载的操作
[root@clientlinux ~]# mkfs -t ext4 /dev/iscsi/disk
[root@clientlinux ~]# mkdir -p /data/iscsi
[root@clientlinux ~]# vim /etc/fstab
/dev/iscsi/disk   /data/iscsi   ext4   defaults,_netdev   1   2

[root@clientlinux ~]# mount -a
[root@clientlinux ~]# df -Th
文件系统       类型    Size  Used Avail Use% 挂载点
/dev/mapper/iscsi-disk
              ext4    4.5G  137M  4.1G   4% /data/iscsi
```

比较特殊的是 /etc/fstab 里面的第四个字段，加上 _netdev（最前面是下划线）指的是，因为这个 partition 位于网络上，所以需要网络开机启动完成后才会挂载的意思。现在，请将你的 iSCSI initiator 重新启动，看看重新启动系统后/data/iscsi 是否还存在呢？

然后，让我们切回 iSCSI target 那台主机，研究看看到底谁在使用我们的 target 呢？

```
[root@www ~]# tgt-admin --show
Target 1: iqn.2011-08.vbird.centos:vbirddisk
    System information:
        Driver: iscsi
        State: ready
```

```
    I_T nexus information:
        I_T nexus: 2
            Initiator: iqn.1994-05.com.redhat:71cf137f58f2 <==不是很喜欢的名字
            Connection: 0
                IP Address: 192.168.100.10      <==就是这里连接进来的
    LUN information:
....(后面省略)....
```

明明是 initiator 怎么会是 redhat 的名字呢？如果你不介意那就算了，如果挺介意的话，那么修改 initiator 那台主机的 /etc/iscsi/initiatorname.iscsi 文件的内容，将它变成类似如下的模样即可：

```
# 1. 先在 iSCSI initiator 上面进行如下动作：
[root@clientlinux ~]# vim /etc/iscsi/initiatorname.iscsi
InitiatorName=iqn.2011-08.vbird.centos:initiator
[root@clientlinux ~]# /etc/init.d/iscsi restart

# 2. 在 iSCSI target 上面就可以发现如下的数据修改了：
[root@www ~]# tgt-admin --show
Target 1: iqn.2011-08.vbird.centos:vbirddisk
    System information:
        Driver: iscsi
        State: ready
    I_T nexus information:
        I_T nexus: 5
            Initiator: iqn.2011-08.vbird.centos:initiator
            Connection: 0
                IP Address: 192.168.100.10
....(后面省略)....
```

不过，这个动作最好在使用 target 的 LUN 之前就进行，否则，当你使用了 LUN 的磁盘后再修改这个文件，你的磁盘文件名可能会改变。例如鸟哥的案例中，改过 initiatorname 之后，原本的磁盘文件名竟变成 /dev/sd[efg] 了，使得鸟哥的 LV 不能再使用了。

18.4 重点回顾

- 如果需要大容量的磁盘，通常会使用 RAID 磁盘阵列的架构。
- 取得外部磁盘容量的做法，主要有 NAT 及 SAN 两大类的方式。
- NAT 可以想成是一台已经定制化的服务器，主要提供 NFS、SMB 等网络文件系统。

- SAN 则是一种外接式存储设备，可以通过 SAN 取得外部的磁盘设备（非文件系统）。
- SAN 早期使用光纤信道，由于以太网络的发展，近来使用 iSCSI 协议在 TCP/IP 架构上面工作。
- iSCSI 协议主要分为 iSCSI target（提供磁盘设备者）和 iSCSI initiator（访问 target 磁盘）。
- iSCSI target 主要使用 scsi-target-utils 软件达成，主要利用 tgt-admin 和 tgtadm 指令完成。
- 一般定义 target 名称为 iqn.yyyy-mm.<reversed domain name>:identifier。
- 一台 target 里面可共享多个磁盘，每个磁盘都是一个 LUN。
- iSCSI initiator 主要通过 iscsi-initiator-utils 软件完成链接到 target 的任务。
- iscsi-initiator-utils 主要提供 iscsiadm 来完成所有的操作。

18.5 参考数据与延伸阅读

- 注 1：SAN 与 NAS 在维基百科：http://en.wikipedia.org/wiki/Storage_area_network。
- 注 2：FreeNAS 的官网：http://sourceforge.net/projects/freenas/。
- 注 3：鸟站网友彦明兄对 iSCSI 的说明文件：http://linux.vbird.org/somepaper/20081205-rhel4-iscsi.pdf。
- 注 4：几个常见的将 Linux 模拟成 iSCSI target 与 initiator 的官网： Linux SCSI target framework（tgt）：http://stgt.sourceforge.net/；Linux-iSCSI Project：http://linux-iscsi.sourceforge.net/；Open-iSCSI：http://www.open-iscsi.org/。
- 注 5：iSCSI 内的 iqn 及 LUN 意义说明：http://en.wikipedia.org/wiki/ISCSI。
- 注 6：鸟站的朋友彦明兄提供的良好文献，以及相关的 initiator 设置方式：http://linux.vbird.org/somepaper/20081205-rhel5-iscsi.pdf iSCSI（client）howto：http://www.cyberciti.biz/tips/rhel-centos-fedora-linux-iscsi-howto.html 鸟站旧版资料：http://linux.vbird.org/linux_basic/0610hardware/0610hardware-fc4.php#raid_iscsi。
- http://rhev-wiki.org/index.php?title=RHEL_5.5/CentOS_5.5_iSCSI_Storage_Server。

第四篇

常见因特网服务器的搭建

讲到因特网服务器，你第一个会想到的应该就是 WWW，还有 FTP 吧，但其实还有一个更重要的你可能会不知道它的存在，那就是 DNS。这才是重点中的重点。因为我们都是使用主机名来连接的。这部分一定会使用到 DNS 服务器，因此我们当然要了解一下。最后再跟大家介绍邮件服务器。这些服务器的设置以及未来的应用是非常有意思的，不过如果最前面的两篇你没有预先读过，那么你的服务器被入侵也就在情理之中了。所以，看完前两篇后，再来仔细地阅读这一篇的服务器吧。

第 19 章

主机名控制者：DNS 服务器

我们都知道，在“记忆”的角色上，人脑总是不如计算机，而人们对文字的印象又比数字高。因此，想要使用纯粹的 TCP/IP 来上网，实在不好记忆又很麻烦。为了适应人类的使用习惯，一个名为 DNS 的服务帮我们将主机名解析为 IP，好让大家只要记得主机名就能使用 Internet。在这一章当中，我们会谈一谈 DNS 服务内的正/反解、zone 的意义，解析主机名的授权概念与整体查询流程，以及 Master/Slave DNS 服务的配置等。

19.1 什么是 DNS

DNS 越来越重要，尤其未来 IPv6 这个需要 128bits 地址的东西。我们连 IPv4 的 32bits 都背不起来了，128bits 要怎么背？这时主机名自动解析为 IP 就很重要了。那就是 DNS。但是 DNS 的架设有点麻烦，重点是原理部分比较不好理解。因此在这个小节当中，让我们先来谈谈与网络主机名有关的一些知识，这样架设 DNS 才不会出问题。

19.1.1 用网络主机名取得 IP 的历史渊源

目前的因特网世界使用的是所谓的 TCP/IP 协议，其中 IP 为第四版的 IPv4。不过，这个 IPv4 是由 32 位所组成，为了适应人们的习惯已经转成四组十进制的数字了，例如 12.34.56.78 这样的格式。当我们利用 Internet 传送数据的时候，就需要这个 IP，否则数据包就不知道要被送到哪里去。

1. 单一文件处理上网的年代：/etc/hosts

然而人脑对于 IP 这种数字的格式，记忆力实在是不怎么样。但是要上 Internet 又一定需要 IP，怎么办？为了应付这个问题，早期的朋友想到一个方法，那就是**利用某些特定的文件将主机名与 IP 作一个对应，如此一来，我们就可以通过主机名来取得该主机的 IP 了。**真是个好主意，因为人类对于名字的记忆力可就好多了。那就是 /etc/hosts 这个文件的用途了。

可惜的是，这个方法还是有缺憾的，那就是**主机名与 IP 的对应无法自动在所有的计算机内更新，且要将主机名加入该文件仅能向 INTERNIC 注册，若 IP 数量太多时，该文件会过大，也就更不利于其他主机同步化了。**如图 19-1 所示，客户端计算机每次都需要重新下载一次文件才能顺利联网。

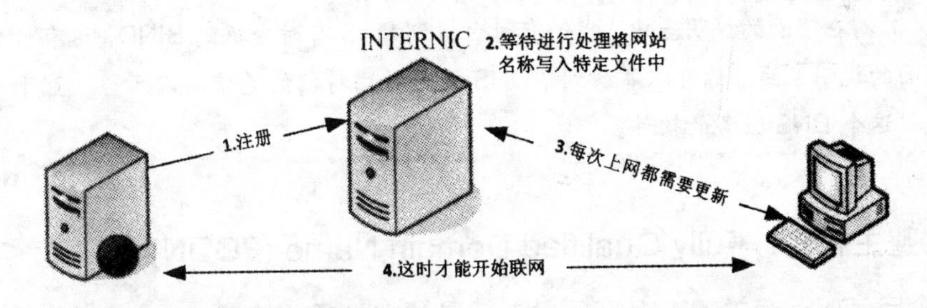

图 19-1 早期通过单一文件进行网络连接的示意图

在第 4 章 4.2.1 节里面我们简要谈过 /etc/hosts 这个文件的用法，基本上该文件内容就是“IP 主机名 主机别名一 主机别名二...”。在里面最重要的就是 localhost 对应到 127.0.0.1 这个地方。你千万不能删除该笔记录。这里也再次强调，**在私有网络内部，最好将所有的私有 IP 与主机名对应都写入这个文件中。**

2. 分布式、阶层式主机名管理架构：DNS 系统

早期网络尚未流行且计算机数量不多时，/etc/hosts 倒还是够用的，但自从 20 世纪 90 年代网络热门化后，单一文件 /etc/hosts 的联网问题就发生上面所讲的状况了。为了解决这个日益严重的问题，伯克利大学发展出另外一套阶层式管理主机名对应 IP 的系统，我们称它为 Berkeley Internet Name Domain（BIND）。这个系统可就优秀得多了。通过阶层式管理，可以轻松地进行维护的工作。太棒了！这也是目前全世界使用最广泛的**域名系统**（Domain Name System, DNS）。通过 DNS，我们不需要知道主机的 IP，只要知道该主机的名称，就能够轻易地连上该主机了！

DNS 利用类似树形目录的架构，将主机名的管理分配在不同层级的 DNS 服务器当中，并进行分层管理，所以每一台 DNS 服务器记忆的信息就不会很多，而且若有 IP 变动时也相当容易修改。因为你如果已经申请到主机名解析的授权，那么在你自己的 DNS 服务器中，就能够修改全世界都可以查询到的主机名了，而不用通过上层 ISP 的维护。自己动手当然是最快的。

由于目前的 IPv4 已经接近分配完毕的阶段，因此未来 128bits 的 IPv6 会逐渐热门起来。那么需要背 128bits 的 IP 来上网吗？想必是不可能的。因此这个可以通过主机名就解析到 IP 的 DNS 服务，可以想象得到，它会越来越重要。此外，目前全世界的 WWW 主机名也都是通过 DNS 系统在处理 IP 的对应，所以，**当 DNS 宕机时，我们将无法通过主机名来连接，那就几乎相当于没有 Internet 了。**

因为 DNS 是这么的重要，所以即使我们没有架设它的必要时，还是需要熟悉一下它的原理才好。因此，跟 DNS 有关的 FQDN、Hostname 与 IP 的查询流程，正解与反解、合法授权的 DNS 服务器的意义，以及 Zone 等的知识作一个认识才行。

> 在下面的说明当中，我们有时会提到 DNS 有时会提到 BIND，这有什么不同？
> 由上面的说明里面，你可以了解到，DNS 是一种因特网的通信协议名称，至于 BIND 则是提供这个 DNS 服务的软件。

3. 完整主机名：Fully Qualified Domain Name (FQDN)

第一个与 DNS 有关的主机名概念，就是“**主机名与域名**（hostname and domain name）”的观念，以及由这两者组成的完整主机名 Fully Qualified Domain Name（FQDN）的意义了。在讨论这个主题之前，我们来聊一聊比较生活化的话题。

- **以区域来区分同名同姓者的差异**：网络世界其实有很多人自称为“鸟哥”的，包括敝人我。那么你怎么知道此鸟哥非彼鸟哥呢？这个时候你可以利用每个鸟哥的所在地来作为区分，比如说台南的鸟哥与台北的鸟哥等。那万一台南还有两个人自称鸟哥怎么

办？没关系，你还可以依照乡镇来区分，比如说台南北区的鸟哥及台南中区的鸟哥。

如果将这些列出来，就有点像这样：

```
鸟哥、北区、台南
鸟哥、中区、台南
鸟哥、台北
……
```

这样是否就可以分辨每个鸟哥的不同点了呢？没错，就是这样。在这里地区就是“区域（domain）”，而鸟哥就是“主机名”。

- **以区域号码来区分相同的电话号码：**另外一个例子可以使用电话号码来看，假如北京有个 1234567 而上海也有个 1234567，①那么你在北京直接拨打 1234567 时，会直接接入北京的 1234567 电话中，②但如果你要拨到上海去，就得加入（021）这个区号才行。我们就是使用区号来作为分辨区域之用的。此时 021 区号就是 domain name，而电话号码就是“主机名”。

有没有了解鸟哥想表达的意思？我们上面讲到，DNS 是以树形目录分阶层的方式来处理主机名，那我们知道树状目录中，那个目录可以记录文件名。那么 DNS 记录的哪一项跟“目录”有关？就是域名。域名下面还可以记录各个主机名，组合起来才是完整的主机名(FQDN)。

举例来说，我们常常会发现**主机名都是 www 的网站**，例如 www.google.com、www.seednet.net、www.hinet.net等，那么我们怎么知道这些 www 名称的主机在地方呢？**就需要区域名了**，也就是 .google.com、.seednet.net、.hinet.net 等的不同，所以即使你的主机名相同，但是只要不是在同一个区域内，那么就可以被分辨出不同的位置。

我们知道目录树的最顶层是根目录（/），那么 DNS 既然也是阶层式的，最顶层是什么呢？每一层的 domain name 与 hostname 又该怎么分？我们举鸟哥所在的昆山科大的 WWW 服务器（www.ksu.edu.tw）为例来进行说明，如图 19-2 所示。

在上面的例子当中，由上向下数的第二层里面，.tw 是 domain name，而 com、edu、gov 则是主机的名称，而在这个主机的名称的管理下，还有其他更小网域的主机，所以在第三层的时候，edu.tw 就变成了 domain name，而昆山科大与成大的 ksu、ncku 则成为了 hostname。

以此类推，最后得到我们的主机，那个 www 是主机名，而 domain name 是由 ksu.edu.tw 那个名字所决定的。自然，我们的主机就是让管理 ksu.edu.tw 这个 domain name 的 DNS 服务器所管理的。这样是否了解了 domain name 与 hostname 的不同呢？

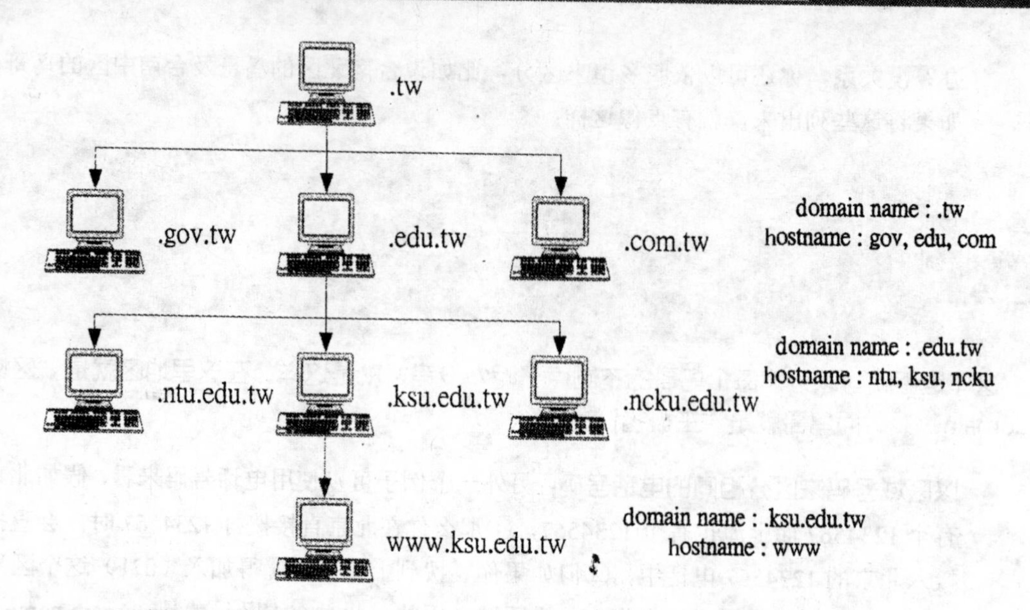

图 19-2 分阶层的 DNS 架构，以昆山科大为例 (hostname & domain name)

并不是以小点 (.) 区分 domain name 与 hostname，某些时刻 domain name 所管理的 hostname 会含有小点。举例来说，鸟哥所在的信息传播系并没有额外的 DNS 服务器架设，因此我们的主机名为 www.dic，而 domain name 还是 ksu.edu.tw，因此全名为 www.dic.ksu.edu.tw。

19.1.2 DNS 的主机名对应 IP 的查询流程

大概了解了 FQDN 的 domain name 与 hostname 之后，接下来我们要谈一谈这个 DNS 的：①阶层架构是怎样？②查询原理是怎样？总要先知道架构才能知道如何查询主机名。所以下面我们先来介绍一下整体的 DNS 阶层架构。

1. DNS 的阶层架构与 TLD

我们依旧使用台湾地区学术网络的 DNS 服务器所管理的各 domain 为例，从顶级域名到昆山科大（ksu）之间的各层绘制如图 19-3 所示。

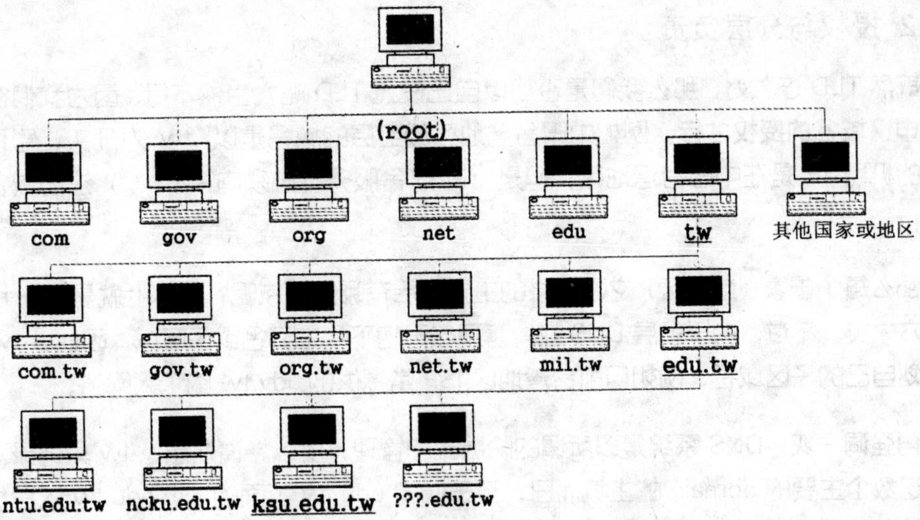

(root)
com　gov　org　net　edu　tw　其他国家或地区
com.tw　gov.tw　org.tw　net.tw　mil.tw　edu.tw
ntu.edu.tw　ncku.edu.tw　ksu.edu.tw　???.edu.tw

图 19-3 从顶级域名到昆山科大之间的 DNS 阶层示意图

在整个 DNS 系统的①**最上方一定是 .（小数点）这个 DNS 服务器（称为 root）**，最早在它下面管理的就只有.com、.edu、.gov, mil、.org、.net 这种特殊区域以及②以国家为分类的第二层的主机名，**这两者称为 Top Level Domains（TLDs）**。

- **一般顶级域名（Generic TLDs, gTLD）：例如.com、.org、.gov 等。**
- **地区顶级层域名（Country Code TLDs, ccTLD）：例如.uk、.jp、.cn 等。**

先来谈谈一般顶级领域（gTLD），最早 root 仅管理六大领域名，分别如表 19-1 所示。

表 19-1 常见域名及其代表意义

名称	代表意义
com	公司、行号、企业
org	组织、机构
edu	教育单位
gov	政府单位
net	网络、通信
mil	军事单位

但是因特网发展的速度太快了，因此后来除了上述的六大类别之外，还有诸如 .asia、.info、.jobs（注 1）等域名的开放。此外，为了让某些国家（或地区）也能够有自己的顶级域名，就有所谓的 ccTLD 了。这样做有什么好处呢？**因为自己的国家（或地区）内有 ccTLD，所以如果有 domain name 的需求，则只要向自己的国家申请即可，不需要再到最上层去申请。**

2. 授权与分层负责

既然 TLD 这么好，那么我们是否可以自己设置 TLD 呢？当然不行，因为**我们得向上层 ISP 申请域名的授权才行**。例如中国台湾地区最上层的域名是以 .tw 为开头，管理这个区域名的机器 IP 是在中国台湾地区，但是 .tw 这台服务器必须向 root（.）注册域名查询授权才行。

那么每个国家（或地区）之下记录的主要下层有哪些区域呢？基本上就是原先 root 管理的那六大类。不过，由于各层 DNS 都能管理自己辖下的主机名或子区域，因此，.tw 可以自行规划自己的子区域名，例如目前台湾地区 ISP 常提供的 .idv.tw 的个人网站。

再强调一次，DNS 系统是以所谓的阶层式的管理，所以，请注意，.tw 只记录下面那一层的这数个主要的 domain 的主机而已，至于例如 edu.tw 下面的 ksu.edu.tw 这台机器，那就直接授权交给 edu.tw 那台机器去管理了。也就是说**每个上一层的 DNS 服务器所记录的信息，其实只有其下一层的主机名而已**。至于再下一层，则直接授权给下层的某台主机来管理。这样你就应该知道 DNS 到底是如何管理的了吧。

这样设置的原因不是没有道理的。这样设计的好处就是：每台机器管理的只有下一层的 hostname 对应 IP 而已，所以减少了管理上的困扰。而下层 Client 端如果有问题，只要询问上一层的 DNS Server 即可，不需要跨越上层，排错也会比较简单。

3. 通过 DNS 查询主机名 IP 的流程

刚刚说过 DNS 是以类似树形目录的形态来进行主机名的管理的，所以每一台 DNS 服务器都**仅管理自己的下一层主机名的转译**而已，至于下层的下层，则授权给下层的 DNS 主机来管理。我们就以图 19-4 来说一说它的原理。

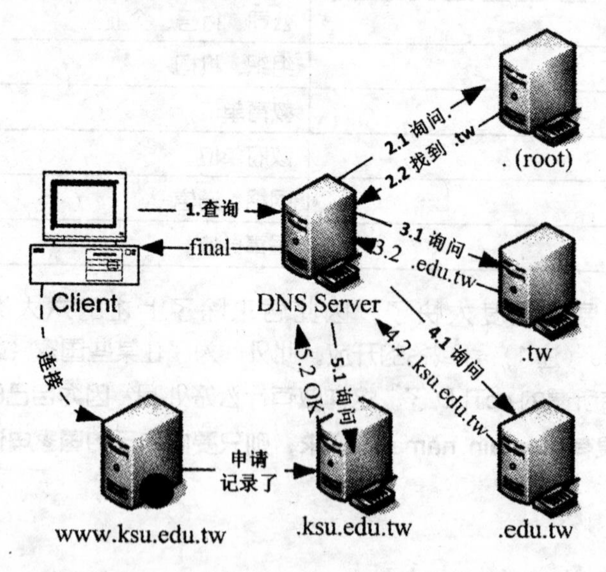

图 19-4 通过 DNS 系统查询主机名解析的流程

首先，当你在浏览器的地址栏输入 http://www.ksu.edu.tw 时，计算机就会依据相关设置（在 Linux 下面就是利用 /etc/resolv.conf 这个文件）所提供的 DNS 的 IP 去进行连接查询了。由于目前最常见的 DNS 服务器就属 Hinet 的 168.95.1.1 这个 DNS，所以我们就以它为例。这个时候，Hinet 的这台服务器会这样工作。

1）收到用户的查询要求，先查看本身有没有记录，若无则向.（root）查询。

由于 DNS 是阶层式的架构，每台主机都会管理自己辖下的主机名解析。因为 Hinet 并没有管理台湾学术网络的权力，因此就无法直接回报给客户端。此时 168.95.1.1 就会向最顶层，也就是 .（root）的服务器查询相关 IP 信息。

2）向最顶层的 .（root）查询。

168.95.1.1 会主动向 .（root） 询问 www.ksu.edu.tw 在哪里，但是由于 .（root）只记录了 .tw 的信息（因为台湾地区只有 .tw 向 .（root）注册而已），此时 .（root）会告知："我是不知道这部主机的 IP，不过，你应该向 .tw 去询问才对，我这里不管。我跟你说 .tw 在哪里吧。"

3）向第二层的 .tw 服务器查询。

168.95.1.1 接着又到 .tw 去查询，而该台机器管理的又仅有 .edu.tw、.com.tw、gov.tw 等。那几台主机，经过比对后发现我们要的是 .edu.tw 的区域，所以这个时候 .tw 又告诉 168.95.1.1 说："你要去管理 .edu.tw 这个区域的主机那里查询，我有它的 IP。"

4）向第三层的 .edu.tw 服务器查询。

同理，.edu.tw 只会告诉 168.95.1.1，应该要去 .ksu.edu.tw 进行查询，这里只能告知 .ksu.edu.tw 的 IP 而已。

5）向第四层的 .ksu.edu.tw 服务器查询。

等到 168.95.1.1 找到 .ksu.edu.tw 之后，OK！.ksu.edu.tw 说："没错，这台主机名是我管理的，我跟你说它的 IP 是……所以此时 168.95.1.1 就能够查到 www.ksu.edu.tw 的 IP 了。

6）记录缓存并回报用户。

查到了正确的 IP 后，168.95.1.1 的 DNS 机器总不会在下次有人查询 www.ksu.edu.tw 的时候再跑一次这样的流程吧，很远很累的，而且也很耗系统的资源与网络的带宽。所以，168.95.1.1 这个 DNS 会先记录一份查询的结果在自己的缓存当中，以方便响应下一次的相同要求。最后则将结果回报给 Client 端。当然，那个记忆在 Cache 当中的数据，其实是有时间性的，当过了 DNS 设置记忆的时间（通常可能是 24 小时），那么该记录就会被释放。

整个分层查询的流程就是这样，总是需要先经过 .（root）来向下一层进行查询，最终总是能得到答案的。这样分层的好处是：

- **主机名修改的仅需更改自己的 DNS 即可，不需通知其他人。**

  当一个合法的 DNS 服务器里面的设置修改了之后，来自世界各地任何一个 DNS 的要求，都会正确无误地显示正确的主机名对应 IP 的信息，因为它们会一层一层地寻找下来。所以，要找你的主机名对应的 IP 就一定需要通过你的上层 DNS 服务器的记录才行。因此，只要你的主机名字是经过上层合法的 DNS 服务器设置的，那么就可以在 Internet 上面被查询到。维护很简单，机动性也很高。

- **DNS 服务器对主机名解析结果的缓存时间。**

  由于每次查询到的结果都会存储在 DNS 服务器的高速缓存中，以方便若下次有相同需求的解析时，能够快速响应。不过，查询结果已经被缓存了，但是原始 DNS 的主机名与 IP 对应却修改了，此时若有人再次查询，系统可能会回报旧的 IP。所以，在缓存内的答案是有时间性的。通常是数十分钟到三天之内。这也是为什么我们常说，当你修改了一个 domain name 之后，可能要 2 ~ 3 天后才能全面启用的缘故。

- **可持续向下授权（子域名授权）。**

  每一台可以记录主机名与 IP 对应的 DNS 服务器都可以随意更动它自己的数据库对应，因此主机名与域名在各个主机下面都不相同。举例来说，.idv.tw 是仅有台湾地区才有这个 idv 的区域。因为这个 idv 是由 .tw 所管理的，所以只要台湾地区 .tw 维护小组同意，就能够建立该区域。

既然 DNS 这么棒，我们又需要搭建，所以需要一个主机的名称，那么我们需要架设 DNS 了吗？当然不是，为什么呢？刚刚鸟哥提到了很多次“合法”的字眼，因为它就牵涉到“授权”的问题了。我们在第 10 章中也提到，只要主机名合法即可，不见得就需要架设 DNS 的。

例题

通过 dig 实现本小节谈到的 . --> .tw --> .edu.tw --> .ksu.edu.tw --> www.ksu.edu.tw 的查询流程，并分析每个查询阶段的 DNS 服务器有几台？

答：事实上，我们可以通过第 4 章大概谈过的 dig 这个命令，使用追踪功能 (+trace) 就能够达到这个目的了。使用方式如下：

```
[root@www ~]# dig +trace www.ksu.edu.tw
; <<>> DiG 9.3.6-P1-RedHat-9.3.6-16.P1.el5 <<>>+trace www.ksu.edu.tw
;; global options:  printcmd
.                       486278  IN      NS      a.root-servers.net.
.                       486278  IN      NS      b.root-servers.net.
....(下面省略)....
# 上面的部分在追踪 . 的服务器，可从 a ~ m.root-servers.net.
```

```
;; Received 500 bytes from 168.95.1.1#53(168.95.1.1) in 22 ms

tw.                     172800  IN      NS      ns.twnic.net.
tw.                     172800  IN      NS      a.dns.tw.
tw.                     172800  IN      NS      b.dns.tw.
....(下面省略)....
# 上面的部分在追踪 .tw. 的服务器，可从 a ~ h.dns.tw. 包括 ns.twnic.net.
;; Received 474 bytes from 192.33.4.12#53(c.root-servers.net) in 168 ms

edu.tw.                 86400   IN      NS      a.twnic.net.tw.
edu.tw.                 86400   IN      NS      b.twnic.net.tw.
# 追踪 .edu.tw. 的则有 7 台服务器
;; Received 395 bytes from 192.83.166.11#53(ns.twnic.net) in 22 ms

ksu.edu.tw.             86400   IN      NS      dns2.ksu.edu.tw.
ksu.edu.tw.             86400   IN      NS      dns3.twaren.net.
ksu.edu.tw.             86400   IN      NS      dns1.ksu.edu.tw.
;; Received 131 bytes from 192.83.166.9#53(a.twnic.net.tw) in 22 ms

www.ksu.edu.tw.         3600    IN      A       120.114.100.101
ksu.edu.tw.             3600    IN      NS      dns2.ksu.edu.tw.
ksu.edu.tw.             3600    IN      NS      dns1.ksu.edu.tw.
ksu.edu.tw.             3600    IN      NS      dns3.twaren.net.
;; Received 147 bytes from 120.114.150.1#53(dns2.ksu.edu.tw) in 14 ms
```

最终的结果找到了 A（Address）是 120.114.100.101，不过这个例题的重点是，要让大家看看整个 DNS 的搜寻过程。在 dig 加上 +trace 的选项后，就能够达到这个目的。至于其他的都是服务器（NS）的设置值与追踪过程。至于 A 与 NS 等相关的数据，我们在后续的 DNS 数据库介绍中再分别介绍。

4. DNS 使用的 port number

好了，既然 DNS 系统使用的是网络的查询，那么自然需要有监听的 port。没错，那么 DNS 使用的是哪一个 port 呢？就是 53 这个 port。你可以到 Linux 下面的 /etc/services 这个文件看看。搜寻一下 domain 这个关键词，就可以查到 53 这个 port。

但是这里需要跟大家说一下的是，**通常 DNS 是以 UDP 这个较快速的数据传输协议来查询的，但是万一没有办法查询到完整的信息时，就会再次以 TCP 这个协议来重新查询。**所以启动 DNS 的 daemon（就是 named）时，会同时启动 TCP 及 UDP 的 port 53。所以，**记得防火墙也要同时放行 TCP、UDP port 53。**

19.1.3 合法 DNS 的关键：申请区域查询授权

什么？DNS 服务器的架设还有“合法”与“不合法”之分，而不是像其他的服务器一样，架设好之后别人就查得到吗？不是的。为什么呢？下面我们就来谈一谈。

1. 向上层区域注册取得合法的区域查询授权

我们在第 10 章也讲过，申请一个合法的主机名就是需要注册，注册就需要花钱。那么注册取得的数据有两种，一种是第 10 章谈到的 FQDN（主机名），一种就是申请区域查询权。所谓的 FQDN 就是我们只需要主机名，详细的设置数据就由 ISP 帮我们搞定。如图 19-4 所示，那台 www.ksu.edu.tw 的详细主机名对应 IP 的数据就是请管理 .ksu.edu.tw 那个区域的服务器搞定的。

那什么是区域查询授权呢？同样用图 19-4 来解释，我们的 .ksu.edu.tw 必须要向 .edu.tw 那台主机注册申请区域授权，因此，未来有任何 .ksu.edu.tw 的要求时，.edu.tw 都会说：“我不知道，详情请去找 .ksu.edu.tw 吧。”此时，我们就需要架设 DNS 服务器来设置 .ksu.edu.tw 相关的主机名对应才行。是否很像社会中人的“授权”的概念？

也就是说，当你老板充分地“授权”给你某项工作的时候，从此，要进行该项工作的任何人，从老板那边知道你才是真正“有权”的人之后，都必须要向你请示一样。所以，如果你要架设 DNS，而且是可以连上 Internet 上面的 DNS 时，你就必须要通过**上层 DNS 服务器的授权**才行。这是很重要的概念。

让我们归纳一下，要让你的主机名对应 IP 且让其他计算机都可以查询到，你有以下两种方式：

1）**上层 DNS 授权区域查询权，让你自己设置 DNS 服务器。**

2）**直接请上层 DNS 服务器来帮你设置主机名对应。**

2. 拥有区域查询权后，所有的主机名信息都以自己为准，与上层无关

很多朋友可能都有过申请 DNS 区域查询授权的经验，在申请时，ISP 就会要求你填写①你的 DNS 服务器名称以及②该服务器的 IP。既然已经在 ISP 就填写了主机名与 IP 的对应，那么，**即使我的 DNS 服务器宕机了，在 ISP 上面的主机名应该还是查到的 IP 吧？答案是：查不到的**！为什么呢？

DNS 系统记录的信息非常多，不过重点其实有两个，一个是记录服务器所在的 NS（NameServer）标志，另一个则是记录主机名对应的 A（Address）标志。我们在网络上面查询到的最终结果，都是查询 IP（IP Address）的，因此最终的标志要找的是 A 这个记录才对。我们以鸟哥注册的 .vbird.org 来说明好了，鸟哥去注册时，记录在 ISP 的 DNS 服务器名称为 dns.vbird.org，该记录其实就是 NS，并非 A，如图 19-5 所示。

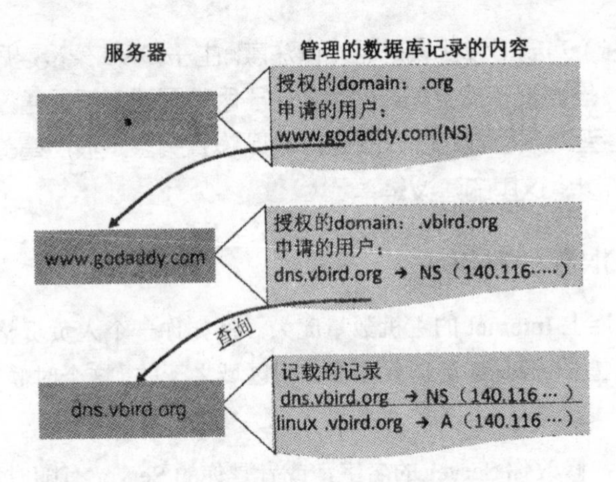

图 19-5　记录的授权主机名与实际 A 记录的差异

如图 19-5 所示，虽然在 godaddy 服务器内记录了一笔"要查询 .vbird.org 时，请到 dns.vbird.org（NS）去查，这个管理者的 IP 是 140.116..."，但是这笔记录只是告诉我们要去下一个服务器找，并不是最终的 A（IP Address）的答案，所以还需要继续往下找（随时记着图 19-4 的查询流程）。此时，有几种结果会导致 dns.vbird.org 的 IP 找不到，或者是最终的 IP 与 godaddy 记录的不同的结果，那就是：

- **dns.vbird.org 服务器宕机时**：如果 dns.vbird.org 这台主机宕机，那么在上图显示"查询"箭头的步骤会被中断，因此就会出现"连接不到 dns.vbird.org 的 IP"的结果。因为无论如何，DNS 系统都会去找到最后一个含有 A 地址的记录。
- **dns.vbird.org 服务器内的数据库忘记补上数据时**：如果鸟哥在自己的服务器数据库中，忘记加上 dns.vbird.org 的记录，最终的结果还是会显示"找不到该服务器的 IP"。
- **dns.vbird.org 服务器内的数据库数据编写不一致时**：如果是在鸟哥自己服务器的数据库内的 dns.vbird.org 所记录的 IP 与 godaddy 的不同，最终的结果会以鸟哥记录的为准。

总之，你在 ISP 上面填写的主机名只是一个参考用的，最终还是要在你自己 DNS 服务器当中设置好才行。虽然可以自己恶搞一下，不过，通常大家还是会让 ISP 上面的 DNS 服务器主机名与自己的数据库主机名一致，亦即图 19-5 中，中间与最下面方框内的 dns.vbird.org 的 NS 及 A 都对应到同一个 IP。

19.1.4　主机名交由 ISP 代管还是自己设置 DNS 服务器

前面 19.1.3 小节以及第 10 章都谈过，申请主机名或域名主要有两种方式，就是刚刚上面提到的 DNS 授权，或者是直接交给 ISP 来管理。交给 ISP 管理的，就可以称做域名代管。当然，如果你是学校单位的话，或者是企业内部的小单位，那么就得请你向上层 DNS 主机的负责人要求了。无论如何，你只能有两个选择，要么就是请他帮你设置好 Hostname 对应 IP，要么就是请他直接将某个 domain name 段授权给你作为 DNS 的主要管理区域。

那么我怎么知道哪个方式对我比较好呢？请注意，由于 DNS 架设之后，会多出一个监听的 port，所以理论上，是比较不安全的。而且，由于因特网现在都是通过主机名来连接，在了解上面谈到的主机名查询流程后，你会发现，DNS 设置错误是很严重的问题。因为你的主机名再也找不到了。所以，这里的建议是：

1. 需要架设 DNS 的时机

- 你所负责需要连上 Internet 的主机数量庞大。例如你一个人负责整个公司十几台的网络 Server，而这些 Server 都是挂载在你公司区域之下的。这个时候想要不架设 DNS 也很难。
- 你可能需要时常修改你 Server 的名字，或者是你的 Server 有随时增加的可能性与变动性。

2. 不需要架设 DNS 的时机

- 网络主机数量很少。例如家里或公司只需要一台 Mail Server 时。
- 你可以直接请上层 DNS 主机管理员帮你设置好 Hostname 的对应时。
- 你对于 DNS 的认知不足时，如果架设反而容易造成网络不通的情况。
- 架设 DNS 的费用很高时。

19.1.5 DNS 数据库的记录：正解、反解、Zone 的意义

从图 19-4 的查询流程中，我们知道最重要的就是 .ksu.edu.tw 那台 DNS 服务器内的记录信息了。这些记录的东西我们可以称为数据库，而在数据库里面针对每个要解析的域（domain），就称为一个区域（zone）。那么到底有哪些要解析的域呢？基本上，有从主机名查到 IP 的流程，也有可以从 IP 反查到主机名的方式。最早期 DNS 的任务就是要将主机名解析为 IP，因此：

- **从主机名查询到 IP 的流程称为：正解。**
- **从 IP 反解析到主机名的流程称为：反解。**
- **不管是正解还是反解，每个域的记录就是一个区域（zone）。**

举例来说，昆山科大 DNS 服务器管理的就是 *.ksu.edu.tw 这个域的查询权，任何想要知道 *.ksu.edu.tw 主机名的 IP 都得向昆山科大的 DNS 服务器查询，此时 .ksu.edu.tw 就是一个“正解的区域”。而昆山科大有请到几个 Class C 的子域，例如 120.114.140.0/24，如果这 254 个可用 IP 都要设置主机名，那么这个 120.114.140.0/24 就是一个“反解的区域”。另外，每一台 DNS 服务器都可以管理多个区域，不管是正解还是反解。

1. 正解的设置权以及 DNS 正解 Zone 记录的标志

那谁可以申请正解的 DNS 服务器架设权呢？答案是：都可以。**只要该域没有人使用，那谁先抢到了，就能够使用了。**不过，因为国际 INTERNIC 已经定义出 gTLD 以及 ccTLD 了，所以你不能自定义诸如 centos.vbird 这种区域。还是需要符合上层 DNS 所给予的域范围才行。举例来说，中国台湾的个人网站就常使用 *.idv.tw 这样的域名。

那正解文件的 Zone 里面主要记录了什么东西呢？因为正解的重点在由主机名查询到 IP，而且每台 DNS 服务器还是需要定义清楚，同时，可能还需要架设 Master/Slave 架构的 DNS 环境，因此，正解 Zone 通常具有下面几种标志。

- **SOA：就是开始验证（Start of Authority）的缩写，相关资料本章后续小节说明。**
- **NS：就是名称服务器（Name Server）的缩写，后面记录的数据是 DNS 服务器的意思。**
- **A：就是地址（Address）的缩写，后面记录的是 IP 的对应（最重要）。**

2. 反解的设置权以及 DNS 反解 Zone 记录的标志

正解的域名只要符合 INTERNIC 及 ISP 规范即可，取得授权较为简单（自己取名字）。那反解呢？反解主要是由 IP 找到主机名，因此重点是 IP 的所有人是谁。因为 IP 都是 INTERNIC 发放给各家 ISP 的，而且我们也知道，IP 可不能乱设置（路由问题）。所以，能够设置反解的就只有 IP 的拥有人，亦即 ISP 才有权力设置反解的。那你向 ISP 取得的 IP 能不能自己设置反解呢？答案是：不行。除非你取得的是整个 Class C 以上等级的 IP 网段，那你的 ISP 才有可能给你 IP 反解授权。否则，**若有反解的需求，就需要向你的直属上层 ISP 申请才行。**

那么反解的 Zone 主要记录的信息有哪些？除了服务器必备的 NS 和 SOA 之外，最重要的就是：

- **PTR：就是指向（PoinTeR）的缩写，后面记录的数据就是反解到主机名。**

3. 每台 DNS 都需要的正解 Zone：hint

现在知道一个正解或一个反解就可以称为一个 Zone 了。那么有没有哪个 Zone 是特别重要的呢？有的，那就是 .。从图 19-4 里面我们就知道，当 DNS 服务器在自己的数据库找不到所需的信息时，一定会去找 .，那 . 在哪里？所以就需要有记录 . 在哪里的记录 Zone 才行。这个记录 . 的 Zone 的类型，就被我们称为 hint 类型。这几乎是每个 DNS 服务器都需要知道的 Zone。

所以，一台简单的正解 DNS 服务器，基本上就要有两个 Zone 才行，一个是 hint，一个是关于自己域的正解 Zone。举鸟哥注册的 vbird.org 为例，在鸟哥的 DNS 服务器内，至少就要有这两个 Zone：

- hint（root）：记录 . 的 Zone。
- vbird.org：记录 .vbird.org 这个正解的 Zone。

你会发现我没有 vbird.org 这个 domain 所属 IP 的反解 Zone，为什么呢？请参考上面的详细说明吧。简单地说，就是因为反解需要要求 IP 协议的上层来设置。

4. 正反解是否一定要成对

好了，正反解需不需要成对产生，在这里不用多说明了吧？请注意，在很多的情况下，尤其是目前好多莫名其妙的域名产生出来，所以，常常会只有正解的设置需求而已。不过也不需要太过担心，因为通常在反查的情况中，如果你是使用目前台湾地区最流行的 ADSL 上网的话，那么 ISP 早就已经帮你设置好反解了。例如：211.74.253.91 这个 seednet 的浮动式 IP 反查的结果会得到 211-74-253-91.adsl.dynamic.seed.net.tw. 这样的主机名。所以一般在我们自行申请领域名的时候，你只要考虑正解的设置即可。不然的话，反正反解的授权根本也不会开放给你，你自己设置得很高兴也没有用呀。

事实上，需要正反解成对需求的大概仅有 Mail Server。由于目前网络带宽经常是被垃圾邮件、广告邮件占光，所以 Internet 的社会对于合法的 Mail Server 规定也就越来越严格。如果你想要架设 Mail Server，最好具有固定 IP，这样才能向你的 ISP 要求设置反解。以 hinet 为例的反解申请请参考以下网站内容：

- http://hidomain.hinet.net/top1.html。

19.1.6 DNS 数据库的类型：hint、Master/Slave 架构

由于 DNS 越来越重要，所以，如果你曾经注册过域名的话，就可以发现，现在 ISP 都要求你填写两台 DNS 服务器的 IP。因为要作为备份之用嘛，总不能一台 DNS 宕机后，害你的所有主机名都不能被找到，那真麻烦。

但是，如果有两台以上的 DNS 服务器，那么网络上会搜寻到哪一台呢？答案是：不知道。因为是随机的。所以，如果你的域有两台 DNS 服务器的话，那这两台 DNS 服务器的内容就必须完全一模一样，否则，由于是随机找到 DNS 来询问，因此若数据不同步，很可能造成其他用户无法取得正确数据的问题。

为了解决这个问题，因此在 .(root) 这个 hint 类型的数据库文件外，还有两种基本类型，分别是 Master（主人、主要）数据库与 Slave（奴隶、次要）数据库类型。这个 Master/Slave 就是要用来解决不同 DNS 服务器上面的数据同步问题的。所以下面让我们来聊聊 Master/Slave 吧。

1. Master

这种类型的 DNS 数据库中，里面所有的主机名相关信息等，全部要管理员自己手动去修

改与设置，设置完毕还需要重新启动 DNS 服务去读取正确的数据库内容，才算完成数据库更新。一般来说，我们说的 DNS 架设，就是指设置这种数据库的类型。同时，这种类型的数据库，还能够提供数据库内容给 Slave 的 DNS 服务器。

2. Slave

如前所述，通常你不会只有一台 DNS 服务器，例如我们前面的例题查询到的 .ksu.edu.tw 就有 3 台 DNS 服务器来管理自己的域。那如果每台 DNS 我们都是使用 Master 数据库类型，当有用户向我要求要修改或者添加、删除数据时，一笔数据我就需要做三次，还可能会不小心手滑导致某几台出现错误，此时可就伤脑筋了。因此，这时使用 Slave 类型的数据库取得方式就很有用！

Slave 必须要与 Master 相互搭配，以 .ksu.edu.tw 的例子来说，如果我必须要有三台主机提供 DNS 服务，且三台内容相同，那么我只要指定一台服务器为 Master，其他两台为该 Master 的 Slave 服务器，那么当要修改一笔名称对应时，我只要手动更改 Master 那台机器的配置文件，然后，重新启动 BIND 这个服务后，**其他两台 Slave 就会自动地被通知更新了。**这样一来，在维护上面可就轻松多了。

> 如果设置 Master/Slave 架构时，Master 主机必须要限制，只有某些特定 IP 的主机能够取得 Master 主机的正反解数据库权限才好。所以，上面才会提到 Master/Slave 必须要互相搭配才行。

3. Master / Slave 的查询优先权

另外，既然所有 DNS 服务器是需要同时提供 Internet 上面的域名解析的服务，所以**不论是 Master 还是 Slave 服务器，都必须可以同时提供 DNS 的服务才好。因为在 DNS 系统当中，域名的查询是“先进先出”的状态，**我们不会知道哪一台主机的数据会先被查询到。为了提供良好的 DNS 服务，每台 DNS 主机都要能正常工作才好。而且，**每一台 DNS 服务器的数据库内容需要完全一致，否则就会造成客户端找到的 IP 是错误的。**

4. Master / Slave 数据的同步化过程

那么 Master/Slave 的数据更新到底是如何操作的呢？请注意，Slave 是需要更新来自 Master 的数据，所以当然 Slave 在设置之初就需要存在 Master 才行。基本上，不论 Master 还是 Slave 的数据库，都会有一个代表该数据库新旧的“序号”，这个序号数值的大小，是会影响是否要更新的操作的。至于更新的方式主要有两种：

- **Master 主动告知**：例如在 Master 修改了数据库内容，并且加大数据库序号后，重新启动 DNS 服务，那 Master 会主动告知 Slave 来更新数据库，此时就能够实现数据同步。
- **由 Slave 主动提出要求**：基本上，Slave 会定时向 Master 查看数据库的序号，当发现 Master 数据库的序号比 Slave 自己的序号还要大（代表比较新），那么 Slave 就会开始更新。如果序号不变，那么就判断数据库没有更动，因此不会进行同步更新。

由上面的说明来看，其实设计数据库的序号最重要的目的就是让 Master/Slave 数据的同步化。那我们也知道 Slave 会向 Master 提出数据库更新的需求，问题是，多久提出一次更新，如果该次更新时由于网络问题而没有查询到 Master 的序号（亦即更新失败），那隔多久会重新更新一次？这个与 SOA 的标志有关，后续谈到正、反解数据库后，再来详细说明。

如果想要架设 Master/Slave 的 DNS 架构，**两个主机（Master/Slave）都需要你能够掌控才行**。网络上很多的文件在这个地方都有点不安全，请特别留意。因为鸟哥的 DNS 服务器常常会听到某些其他 DNS 的数据库同步化需求，真觉得烦。

19.2 Client 端的设置

由于 DNS 是每台想要连上因特网的主机都需要设置的，因此我们就从简单的客户端设置谈起。因为未来架设好 DNS Server 后，我们都会直接进行测试，所以，这个部分需要先处理得比较妥当才行。

19.2.1 相关配置文件

从 19.1.1 节的说明当中我们知道主机名对应到 IP 有两种方法，早期的方法是直接写在文件里面来对应，后来比较新的方法则是通过 DNS 架构。那么这两种方法分别使用什么配置文件？可不可以同时存在？若同时存在，哪个方法优先？我们先来谈一谈如下几个配置文件吧。

- /etc/hosts ：这个是最早的 Hostname 对应 IP 的文件。
- /etc/resolv.conf ：这个重要。就是 ISP 的 DNS 服务器 IP 记录处。
- /etc/nsswitch.conf：这个文件则是来决定先要使用 /etc/hosts 还是 /etc/resolv.conf 的设置。

一般而言，Linux 的默认主机名与 IP 的对应解析都以 /etc/hosts 为优先，为什么呢？可以查看一下 /etc/nsswitch.conf，并找到 hosts 的项目：

```
[root@www ~]# vim /etc/nsswitch.conf
hosts:      files dns
```

上面那个 "files" 就是使用 /etc/hosts，而最后的 "dns" 则是使用 /etc/resolv.conf 的 DNS 服务器来进行搜寻。因此，可以先以 /etc/hosts 来设置 IP 对应。当然，你也可以将其调换过来，不过，毕竟 /etc/hosts 比较简单，所以将它摆在前面比较好。

好啦，既然我们是要进行 DNS 测试的，那么就需要了解一下 /etc/resolv.conf 的内容，假设你在中国台湾，使用的是 hinet 的 168.95.1.1 这台 DNS 服务器，所以你应该这样写：

```
[root@www ~]# vim /etc/resolv.conf
nameserver 168.95.1.1
nameserver 139.175.10.20
```

DNS 服务器的 IP 可以设置多个，为什么要设置多个呢？因为当第一台（按照设置的顺序）DNS 宕机时，我们客户端可以使用第二台（上述是 139.175.10.20）来进行查询，这有点像 DNS 备份功能。通常建议至少填写两台 DNS 服务器的 IP，不过在网络正常使用的情况下，**永远只有第一台 DNS 服务器会被用来查询**，其他的设置值只是在第一台出问题时才会被使用。

> 尽量不要设置超过 3 台以上的 DNS IP 在 /etc/resolv.conf 中，如果是你的局域网出问题，会导致无法连接到 DNS 服务器，那么你的主机还是会向每台 DNS 服务器发出连接要求，每次连接都有 timeout 时间的等待，会导致浪费非常多的时间。

例题

我的主机使用 DHCP 取得 IP，很奇怪的，当我修改过 /etc/resolv.conf 之后，隔不多久这个文件又会恢复成原来的样子，这是什么原因？该如何处理？

答：因为使用 DHCP 时，系统会主动使用 DHCP 服务器传来的数据进行系统配置文件的修订。因此，你必须告知系统，不要使用 DHCP 传来的服务器设置值。此时，你需要在 /etc/sysconfig/network-scripts/ifcfg-eth0 等相关文件内，增加一行 "PEERDNS=no"，然后重新启动网络即可。

此外，如果你有启动 CentOS 6.x 的 NetworkManager 服务，有时候也可能会产生一些奇特的现象。所以鸟哥是建议关掉它的。

19.2.2　DNS 的正、反解查询命令：host、nslookup、dig

测试 DNS 的程序有很多，我们先来使用最简单的 host。其他的还有 nslookup 及 dig。

1. host

```
[root@www ~]# host [-a] FQDN [server]
[root@www ~]# host -l domain [server]
选项与参数：
-a ：代表列出该主机所有的相关信息，包括 IP、TTL 与排错信息等
-l ：若后面接的那个 domain 设置允许 allow-transfer 时，则列出该 domain
     所管理的所有主机名对应数据
server：这个参数可有可无，当想要利用非 /etc/resolv.conf 内的 DNS 主机
        来查询主机名与 IP 的对应时，就可以利用这个参数了

# 1. 使用默认值来查出 linux.vbird.org 的 IP
[root@www ~]# host linux.vbird.org
linux.vbird.org has address 140.116.44.180             <==这是 IP
linux.vbird.org mail is handled by 10 linux.vbird.org. <==这是 MX（后续章节说明）

# 2. 查出 linux.vbird.org 的所有重要参数
[root@www ~]# host -a linux.vbird.org
Trying "linux.vbird.org"
;; ->>HEADER<<- opcode: QUERY, status: NOERROR, id: 56213
;; flags: qr rd ra; QUERY: 1, ANSWER: 1, AUTHORITY: 2, ADDITIONAL: 0

;; QUESTION SECTION:
;linux.vbird.org.               IN      ANY

;; ANSWER SECTION:
linux.vbird.org.        145     IN      A       140.116.44.180

;; AUTHORITY SECTION:
vbird.org.              145     IN      NS      dns.vbird.org.
vbird.org.              145     IN      NS      dns2.vbird.org.

Received 86 bytes from 168.95.1.1#53 in 15 ms  <==果然是从 168.95.1.1 取得的数据
# 看样子，不就是 dig 的输出结果？所以，我们才会说，使用 dig 才是王道

# 3. 强制以 139.175.10.20 这台 DNS 主机来查询
[root@www ~]# host linux.vbird.org 139.175.10.20
Using domain server:
Name: 139.175.10.20
Address: 139.175.10.20#53
Aliases:

linux.vbird.org has address 140.116.44.180
linux.vbird.org mail is handled by 10 linux.vbird.org.
```

看到最后一个范例，注意到了上面输出的特殊字体部分吗？很多朋友在测试自己的 DNS 时，常常会“指定到错误的 DNS 查询主机”了。因为他们的 /etc/reslov.conf 忘记改，所以总是找不到自己设置的数据库 IP 数据。所以你要仔细看。

```
# 4. 找出 vbird.org 域的所有主机信息
[root@www ~]# host -l vbird.org
; Transfer failed.
Host vbird.org not found: 9(NOTAUTH)
; Transfer failed. <==竟然失败了，请看下面的说明
```

怎么会无法响应呢？这样的响应是因为管理 vbird.org 区域的 DNS 并不许我们的区域查询，毕竟我们不是 vbird.org 的系统管理员，当然没有权限可以读取整个 vbird.org 的区域设置了。这个“ host –l”是用在自己的 DNS 服务器上，本章稍后谈到服务器设置后，使用这个选项就能够读取相关的数据了。

2. nslookup

```
[root@www ~]# nslookup [FQDN] [server]
[root@www ~]# nslookup
选项与参数：
1. 可以直接在 nslookup 加上待查询的主机名或者是 IP，[server] 可有可无；
2. 如果在 nslookup 后面没有加上任何主机名或 IP，那将进入 nslookup 的查询功能
   在 nslookup 的查询功能当中，可以输入其他参数来进行特殊查询，例如：
   set type=any ：列出所有的信息正解方面配置文件
   set type=mx  ：列出与 mx 相关的信息

# 1. 直接搜寻 mail.ksu.edu.tw 的 IP 信息
[root@www ~]# nslookup mail.ksu.edu.tw
Server:         168.95.1.1
Address:        168.95.1.1#53   <==还是请特别注意 DNS 的 IP 是否正确

Non-authoritative answer:
Name:   mail.ksu.edu.tw
Address: 120.114.100.20          <==回报 IP 给你
```

nslookup 可单纯地将 Hostname 与 IP 对应列出，不过，还是会将查询的 DNS 主机的 IP 列出来。如果想要知道更多详细的参数，那可以直接进入 nslookup 这个软件的操作画面中，如下范例：

```
[root@www ~]# nslookup   <==进入 nslookup 查询界面
> 120.114.100.20           <==执行反解的查询
> www.ksu.edu.tw           <==执行正解的查询
# 上面这两个仅列出正反解的信息，没有啥了不起的地方
> set type=any             <==变更查询，不是仅有 A，全部信息都列出来
```

```
> www.ksu.edu.tw
Server:         168.95.1.1
Address:        168.95.1.1#53

Non-authoritative answer:
Name:   www.ksu.edu.tw
Address: 120.114.100.101   <==这是答案

Authoritative answers can be found from: <==这是相关授权 DNS 说明
ksu.edu.tw      nameserver = dns2.ksu.edu.tw.
ksu.edu.tw      nameserver = dns1.ksu.edu.tw.
dns1.ksu.edu.tw internet address = 120.114.50.1
dns2.ksu.edu.tw internet address = 120.114.150.1
> exit <==离开吧
```

请注意，在上面的案例当中，如果你在 nslookup 的查询界面当中，输入 set type=any 或其他参数，那么就无法再进行反解的查询了。这是因为 any 或者是 mx 等的标志都是记录在正解 Zone 当中的缘故。

3. dig（未来的主流，请学会多用它）

```
[root@www ~]# dig [options] FQDN [@server]
选项与参数：
@server：如果不以 /etc/resolv.conf 的设置来作为 DNS 查询，可在此填入其他的 IP
options：相关的参数很多，主要有 +trace、-t type 以及 -x 三者最常用
  +trace ：就是从 . 开始追踪，在 19.1.2 节里面谈过了，回头瞧瞧去
  -t type：查询的数据主要有 MX、NS、SOA 等类型，相关类型 19.4 节来介绍
  -x     ：查询反解信息，非常重要的项目

# 1. 使用默认值查询 linux.vbird.org
[root@www ~]# dig linux.vbird.org
; <<>> DiG 9.7.0-P2-RedHat-9.7.0-5.P2.el6_0.1 <<>> linux.vbird.org
;; global options: +cmd
;; Got answer:
;; ->>HEADER<<- opcode: QUERY, status: NOERROR, id: 37415
;; flags: qr rd ra; QUERY: 1, ANSWER: 1, AUTHORITY: 2, ADDITIONAL: 0

;; QUESTION SECTION:       <==提出的问题的部分
;linux.vbird.org.              IN      A

;; ANSWER SECTION:         <==主要的回答阶段
linux.vbird.org.        600    IN      A       140.116.44.180

;; AUTHORITY SECTION:      <==其他与此次回答有关的部分
vbird.org.              600    IN      NS      dns.vbird.org.
```

```
vbird.org.              600     IN      NS      dns2.vbird.org.

;; Query time: 9 msec
;; SERVER: 168.95.1.1#53(168.95.1.1)
;; WHEN: Thu Aug  4 14:12:26 2011
;; MSG SIZE  rcvd: 86
```

在这个范例当中，我们可以看到整个显示出的信息包括有几个部分：

- **QUESTION（问题）**：显示所要查询的内容，因为我们是查询 linux.vbird.org 的 IP，所以这里显示 A（Address）。
- **ANSWER（回答）**：依据刚刚的 QUESTION 去查询所得到的结果，答案就是回答 IP。
- **AUTHORITY（验证）**：从这里我们可以知道 linux.vbird.org 是由哪台 DNS 服务器所提供的答案。结果是 dns.vbird.org 及 dns2.vbird.org 这两台主机管理的。另外，那个 600 是什么？图 19-4 提到过的流程，就是允许查询者能够保留这笔记录多久的意思（缓存），在 linux.vbird.org 的设置中，默认可以保留 600 秒。

```
# 2. 查询 linux.vbird.org 的 SOA 相关信息
[root@www ~]# dig -t soa linux.vbird.org
; <<>> DiG 9.7.0-P2-RedHat-9.7.0-5.P2.el6_0.1 <<>> -t soa linux.vbird.org
;; global options: +cmd
;; Got answer:
;; ->>HEADER<<- opcode: QUERY, status: NOERROR, id: 57511
;; flags: qr rd ra; QUERY: 1, ANSWER: 0, AUTHORITY: 1, ADDITIONAL: 0

;; QUESTION SECTION:
;linux.vbird.org.               IN      SOA

;; AUTHORITY SECTION:
vbird.org.          600     IN      SOA     dns.vbird.org. root.dns.vbird.org.
 2007091402 28800 7200 720000 86400

;; Query time: 17 msec
;; SERVER: 168.95.1.1#53(168.95.1.1)
;; WHEN: Thu Aug  4 14:15:57 2011
;; MSG SIZE  rcvd: 78
```

由于 dig 的输出信息实在是太丰富了，又分成多个部分去进行显示，因此很适合作为 DNS 追踪回报的一个命令。你可以通过这个命令来了解一下你所设置的 DNS 数据库是否正确，并进行排错。此外，你也可以通过“ -t type ”的功能去查询其他服务器的设置值，可以方便你进行设置 DNS 服务器时的参考。正解查询完毕，接下来进行反解吧。

```
# 3. 查询 120.114.100.20 的反解信息结果
[root@www ~]# dig -x 120.114.100.20
; <<>> DiG 9.7.0-P2-RedHat-9.7.0-5.P2.el6_0.1 <<>> -x 120.114.100.20
;; global options: +cmd
;; Got answer:
;; ->>HEADER<<- opcode: QUERY, status: NOERROR, id: 60337
;; flags: qr rd ra; QUERY: 1, ANSWER: 3, AUTHORITY: 3, ADDITIONAL: 3

;; QUESTION SECTION:
;20.100.114.120.in-addr.arpa.    IN       PTR

;; ANSWER SECTION:
20.100.114.120.in-addr.arpa. 3600 IN     PTR      mail-out-r2.ksu.edu.tw.
20.100.114.120.in-addr.arpa. 3600 IN     PTR      mail-smtp-proxy.ksu.edu.tw.
20.100.114.120.in-addr.arpa. 3600 IN     PTR      mail.ksu.edu.tw.

;; AUTHORITY SECTION:
100.114.120.in-addr.arpa. 3600  IN       NS       dns1.ksu.edu.tw.
100.114.120.in-addr.arpa. 3600  IN       NS       dns3.twaren.net.
100.114.120.in-addr.arpa. 3600  IN       NS       dns2.ksu.edu.tw.

;; ADDITIONAL SECTION:
dns1.ksu.edu.tw.        3036    IN       A        120.114.50.1
dns2.ksu.edu.tw.        2658    IN       A        120.114.150.1
dns3.twaren.net.        449     IN       A        211.79.61.47

;; Query time: 29 msec
;; SERVER: 168.95.1.1#53(168.95.1.1)
;; WHEN: Thu Aug  4 14:17:58 2011
;; MSG SIZE  rcvd: 245
```

反解相当有趣。从上面的输出结果来看，**反解的查询目标竟然从 120.114.100.20 变成了 20.100.114.120.in-addr.arpa. 这个模样**。这是什么鬼东西？不要怕，这等我们讲到反解时再跟大家进一步解释。你现在要知道的是，反解的查询域名，跟正解不太一样即可，尤其是那个怪异的 in-addr.arpa. 结尾的数据，可以先记下来。

19.2.3 查询域管理者相关信息：whois

上一小节谈到的是主机名的正反解查询命令，那如果你想要知道整个域的设置，使用的是“ host -l 域名 ”去查，那如果你想要知道的是“这个域是谁管的”的信息呢？那就需要使用 whois 这个命令才行。在 CentOS 6.x 当中，whois 是由 jwhois 这个软件提供的，因此，如果找不到 whois 时，请用 yum 去安装这个软件。

```
[root@www ~]# whois [domainname]  <==注意，是 domainname 而不是 hostname
[root@www ~]# whois centos.org
[Querying whois.publicinterestregistry.net]
[whois.publicinterestregistry.net]
# 这中间是一堆 whois 服务器提供的信息告知。下面是实际注册的数据
Domain ID:D103409469-LROR
Domain Name:CENTOS.ORG
Created On:04-Dec-2003 12:28:30 UTC
Last Updated On:05-Dec-2010 01:23:25 UTC
Expiration Date:04-Dec-2011 12:28:30 UTC  <==记载了建立与失效的日期
Sponsoring Registrar:Key-Systems GmbH (R51-LROR)
Status:CLIENT TRANSFER PROHIBITED
Registrant ID:P-8686062
Registrant Name:CentOS Domain Administrator
Registrant Organization:The CentOS Project
Registrant Street1:Mechelsesteenweg 170
# 下面则是一堆联络方式，鸟哥将它取消了，免得多占篇幅～
```

whois 这个命令可以查询到当初注册这个 domain 的用户的相关信息。不过，由于近年来很多网络信息安全的问题，这个 whois 所提供的信息简直是太详细了，为了保护用户的隐私权，所以，目前这个 whois 所查询到的信息已经不见得是完全正确的了。而且，在显示出 whois 的信息之前，还会有一段注意事项的告知呢。

如果使用 whois 来检查鸟哥所注册的合法 domain 会是如何呢？看看：

```
[root@www ~]# whois vbird.idv.tw
[Querying whois.twnic.net]
[whois.twnic.net]              <==这个 whois 服务器查到的数据
Domain Name: vbird.idv.tw      <==这个 domain 的信息

   Contact:                    <==联络者的联络方式
      Der-Min Tsai
      vbird@pc510.ev.ncku.edu.tw

   Record expires on 2018-09-17 (YYYY-MM-DD)
   Record created on 2002-09-13 (YYYY-MM-DD)

Registration Service Provider: HINET
```

这个 domain 会在 2018 年 09 月 17 日 失效。报告完毕。无论如何，我们都可以通过 nslookup、host、dig 等命令来查询主机名与 IP 的对应，这些命令的用法请你以 man command 来查询更多的用法。

19.3 DNS 服务器的软件、种类与 Caching only DNS 服务器设置

谈完了一些基础概念后，接下来让我们来聊一聊如何设置好 DNS 服务器。这当然就得从软件安装谈起了。在这个小节，我们先不要谈 DNS 记录的正反解，只讲到 hint 这个 .（root）的 Zone，谈一谈最简单的仅有缓存的 DNS 服务器（Caching only DNS server）吧！

19.3.1 搭建 DNS 所需要的软件

我们终于要来安装 DNS 所需要的软件了。还记得前面提过的，我们要使用的 DNS 软件就是使用柏克莱大学发展出来的 BIND（Berkeley Internet Name Domain），那么怎么知道你是否安装了呢？不就是使用 rpm 与 yum 吗？自己查查看。

```
[root@www ~]# rpm -qa | grep '^bind'
bind-libs-9.7.0-5.P2.el6_0.1.x86_64      <==给 bind 与相关命令使用的函数库
bind-utils-9.7.0-5.P2.el6_0.1.x86_64     <==这个是客户端查找主机名的相关命令
bind-9.7.0-5.P2.el6_0.1.x86_64           <==就是 bind 主程序所需软件
bind-chroot-9.7.0-5.P2.el6_0.1.x86_64 <==将 bind 主程序关在家里面！
```

上面比较重要的是“bind-chroot”。所谓的 chroot 代表的是“change to root（根目录）”的意思，root 代表的是根目录。早期的 BIND 默认将程序启动在 /var/named 当中，但是该程序可以在根目录下的其他目录到处转移，因此若 BIND 的程序有问题，则该程序会造成整个系统的危害。为避免这个问题，我们**将某个目录指定为 BIND 程序的根目录，由于已经是根目录，所以 BIND 便不能离开该目录**。若该程序被攻击，大不了也是在某个特定目录下面搞破坏而已。**CentOS 6.x 默认将 BIND 锁在 /var/named/chroot 目录中。**

我们主程序是由 bind、bind-chroot 所提供，那前一小节提到的，每台 DNS 服务器都要有的 .（root）这个 zone file 在哪里？它也是由 BIND 所提供的（CentOS 4.x、5.x 所提供的 caching-nameserver 软件并不存在于 CentOS 6.x 中，已经被涵盖于 BIND 软件内）。

19.3.2 BIND 的默认路径设置与 chroot

要搭建好 BIND 需要设置什么数据呢？基本上有两个主要的数据要处理：

- **BIND 本身的配置文件：主要规范主机的设置、zone file 的所在、权限的设置等。**
- **正反解数据库文件（zone file）：记录主机名与 IP 的对应等。**

BIND 的配置文件为 /etc/named.conf，在这个文件里面可以规范 zone file 的完整文件名。也就是说，zone file 其实是由 /etc/named.conf 所指定的，所以 zone file 文件名可以随便取了，只要 /etc/named.conf 内规范为正确即可。一般来说，CentOS 6.x 的默认目录是这样的：

- /etc/named.conf：这就是我们的主配置文件。
- /etc/sysconfig/named：是否启动 chroot 及额外的参数，就由这个文件控制。
- /var/named/：数据库文件默认放置在这个目录。
- /var/run/named：named 这支程序执行时默认放置 pid-file 在此目录内。

下面来介绍一下/etc/sysconfig/named 与 chroot 环境。

为了系统的安全性考虑，一般来说目前各主要 distributions 都已经自动地将 BIND 相关程序给 chroot 了。那你如何知道 chroot 所指定的目录在哪里呢？其实是记录在/etc/sysconfig/named 里面的。你可以先查阅一下：

```
[root@www ~]# cat /etc/sysconfig/named
ROOTDIR=/var/named/chroot
```

事实上该文件内较有意义的就只有上面这一行，意思是说："我要将 named 给它 chroot，并且变更的根目录为 /var/named/chroot"。由于根目录已经被变更到 /var/named/chroot 了，但 BIND 的相关程序是需要 /etc、/var/named、/var/run 等目录的，所以实际上 BIND 的相关程序所需要的所有数据会是在：

- /var/named/chroot/etc/named.conf
- /var/named/chroot/var/named/zone_file1
- /var/named/chroot/var/named/zone_file...
- /var/named/chroot/var/run/named/...

真是好麻烦。不过，不要太担心。因为新版本的 CentOS 6.x 已经将 chroot 所需要使用到的目录，通过 mount --bind 的功能进行目录连接了 (参考 /etc/init.d/named 内容)，举例来说，我们需要的 /var/named 在启动脚本中通过 mount --bind /var/named /var/named/chroot/var/named 进行目录绑定了。所以在 CentOS 6.x 当中，你根本无须切换至 /var/named/chroot/ 了，使用正规的目录即可。

事实上，/etc/sysconfig/named 是由 /etc/init.d/named 启动时所读取的，所以你也可以直接修改 /etc/init.d/named 这个 script。

19.3.3 单纯的 cache-only DNS 服务器与 forwarding 功能

在下一小节开始介绍正、反解 Zone 的数据设置之前，在这个小节当中，我们先来谈一个单纯修改配置文件，而不必设计 zone file 的环境，那就是不具有自己正反解 Zone 的仅进行缓存的 DNS 服务器。

1. 什么是 cache-only 与 forwarding DNS 服务器

有个只需要 . 这个 zone file 的简单 DNS 服务器，我们称这种没有自己公开的 DNS 数据库的服务器为 cache-only（**唯高速缓存**）**DNS Server**。顾名思义，这个 DNS Server 只有缓存搜寻结果的功能，也就是说，它本身并没有主机名与 IP 正反解的配置文件，完全是由对外的查询来提供它的数据源。

那如果连 . 都不想要呢？那就需要指定一个上层 DNS 服务器作为 forwarding（转发）目标，**将原本自己要往 . 查询的任务，丢给上层 DNS 服务器去处理即可**。如此一来，我们这台具有 forwarding 功能的 DNS 服务器，甚至连 . 都不需要了。因为 . 已经记录在上层 DNS 上了。

如同刚刚提到的，cache-only 的 DNS 并不存在数据库（其实还是存在 . 这个 root 域的 zone file），因此不论是谁来查询数据，这台 DNS 一律开始从自己的缓存以及 . 找起，整个流程与图 19-4 相同。那如果具有 forwarding 功能呢？那即使你的 DNS 具有 . 这个 zone file，这台 DNS 还是会将查询权委托请求上层 DNS 查询的，这台 DNS 服务器当场变成客户端了。查询流程如图 19-6 所示。

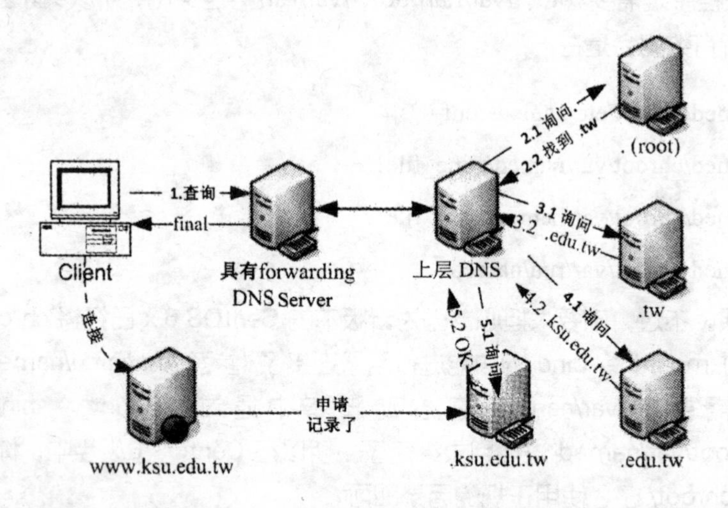

图 19-6 具有 forwarding 功能的 DNS 服务器查询方式示意图

查看如图 19-6 的查询方向，你会发现，具有 forwarding 机制时，查询权会委托上层 DNS 服务器来处理，所以根本也不需要 . 这个位置所在的 Zone 啦。一般来说，如果你的环境需要架设一个 cache-only 的 DNS 服务器时，其实可以直接加上 forwarding 的机制，让查询权指向上层或者是流量较大的上层 DNS 服务器即可。那既然 cache-only 的服务器并没有数据库，forwarding 机制甚至不需要 . 的 Zone，那为什么还需要搭建这样的 DNS 呢？

2. 什么时候有搭建 cache-only DNS 的需求

在某些公司里，为了预防员工利用公司的网络资源做自己的事情，所以都会针对 Internet 的连接作比较严格的限制。当然，连 port 53 这个 DNS 会用到的 port 也可能会被挡在防火墙之外。这个时候，你可以在**防火墙的那台机器上面，加装一个** cache-only 的 DNS 服务。

这是什么意思呢？很简单，就是你自己利用自己的防火墙主机上的 DNS 服务去帮你的 Client 端解析 hostname <---> IP。因为防火墙主机可以设置放行自己的 DNS 功能，而 Client 端就设置该防火墙 IP 为 DNS 服务器的 IP 即可。这样就可以取得主机名与 IP 的转译了。所以，通常搭建 cache-only DNS 服务器大都是为了系统安全。

3. 实际设置 cache-only DNS Server

那如何在 Linux 主机上搭建一台 cache-only 的 DNS 服务器呢？其实很简单，因为不需要设置正反解的 Zone（只需要 . 的 Zone 支持即可），所以只要设置一个文件（就是 named.conf 主配置文件）即可。另外，cache-only 只要加上个 forwarders 的设置即可指定 forwarding 的数据，所以下面我们将设置具有 forwarding 的 cache-only DNS 服务器。

1）编辑主要配置文件/etc/named.conf

虽然我们具有 chroot 的环境，不过由于 CentOS 6.x 已经通过启动脚本帮我们进行文件与目录的挂载链接，所以请直接修改 /etc/named.conf 即可，不要再去 /var/named/chroot/etc/named.conf 修改。在这个文件中，主要是定义跟服务器环境有关的设置，以及各个 Zone 的区域及数据库所在文件名。在鸟哥的这个案例当中，因为使用了 forwarding 的机制，所以这个 cache-only DNS 服务器并没有 Zone（连 . 都没有），所以我们只要设置好跟服务器有关的设置即可。设置这个文件的时候请注意：

- **注释数据是放置在两条斜线“ // ”后面接的数据。**
- **每个段落之后都需要以分号“;”来作为结尾。**

鸟哥将这个文件再简化为如下的样式：

```
[root@www ~]# cp /etc/named.conf /etc/named.conf.raw
[root@www ~]# vim /etc/named.conf
// 在默认的情况下，这个文件会去读取 /etc/named.rfc1912.zones 这个区域定义文件
// 所以请记需要修改成下面的样式
options {
        listen-on port 53  { any; };      //可不设置，代表全部接受
        directory          "/var/named"; //数据库默认放置的目录所在
        dump-file          "/var/named/data/cache_dump.db"; //一些统计信息
        statistics-file     "/var/named/data/named_stats.txt";
        memstatistics-file "/var/named/data/named_mem_stats.txt";
        allow-query         { any; };      //可不设置，代表全部接受
        recursion yes;                     //将自己视为客户端的一种查询模式
        forward only;                      //可暂时不设置
        forwarders {                       //是重点
                168.95.1.1;                //先用电信的 DNS 当上层
```

```
                139.175.10.20;                  //再用 seednet 当上层
        };
};  //最终记需要结尾符号
```

鸟哥将大部分的数据都予以删除，只将少部分保留的数据加以小部分的修订而已。在 named.conf 的结构中，与服务器环境有关的是由 options 这个项目内容设置的，因为 options 里面还有很多子参数，所以就以大括号 { } 括起来了。至于 options 内的子参数在上面提到的较重要的项目简单叙述如下：

- listen-on port 53 { any; };

监听在这台主机系统上面的哪个网络接口。默认是监听在 localhost，亦即只有本机可以对 DNS 服务进行查询，那当然是很不合理。所以这里要将大括号内的数据改写成 any。注意，可以监听多个接口，因此 any 后面需要加上分号才算结束。另外，这个项目如果忘记写也没有关系，因为默认是对整个主机系统的所有接口进行监听的。

- directory "/var/named";

意思是说，如果此文件下面有规范到正、反解的 zone file 文件，该文件名默认应该存储在哪个目录下面。默认放置到 /var/named/ 下面。由于 chroot 的关系，最终这些数据库文件会被主动链接到 /var/named/chroot/var/named/ 这个目录。

- dump-file、 statistics-file, memstatistics-file

与 named 这个服务有关的许多统计信息，如果想要输出成为文件的话，默认的文件名就如上所述。鸟哥自己很少看这些统计资料，所以，这三个设置值写不写应该都是没有关系的。

- allow-query { any; };

这个是针对客户端的设置，表示到底谁可以对我的 DNS 服务提出查询请求的意思。原本的文件内容默认是针对 localhost 开放，我们这里改成对所有的用户开放（当然，防火墙也必须放行才行）。不过，默认 DNS 就是对所有用户放行，所以这个设置值也可以不用写。

- forward only ;

这个设置可以让 DNS 服务器仅进行 forward，即使有 . 这个 zone file 的设置，也不会使用 . 的数据，只会将查询权交给上层 DNS 服务器而已，是 cache only DNS 最常见的设置了。

- forwarders { 168.95.1.1; 139.175.10.20; } ;

既然有 forward only，那么到底要对哪台上层 DNS 服务器进行转递呢？那就是 forwarders（不要忘记 s）设置值的重要性了。由于担心上层 DNS 服务器也可能会宕机，因此可以设置多部上层 DNS 服务器。每一个 forwarder 服务器的 IP 都需要有“;”来作为结尾。

很简单吧。至于更多的参数我们会在后续篇幅当中慢慢介绍。这样就已经设置完成了最简单的 cache only DNS Server 了。

2）**启动 named 并查看服务的端口**

启动总不会忘记吧？赶快去启动一下。同时启动完毕之后，观察一下由 named 所开启的端口，看看到底哪些端口会被 DNS 用到。

```
# 1. 启动一下 DNS
[root@www ~]# /etc/init.d/named start
Starting named:                              [  OK  ]
[root@www ~]# chkconfig named on

# 2. 到底用了多少端口
[root@www ~]# netstat -utlnp | grep named
Proto Recv-Q Send-Q Local Address       Foreign Address  State  PID/Program name
tcp        0      0 192.168.100.254:53  0.0.0.0:*        LISTEN 3140/named
tcp        0      0 192.168.1.100:53    0.0.0.0:*        LISTEN 3140/named
tcp        0      0 127.0.0.1:53        0.0.0.0:*        LISTEN 3140/named
tcp        0      0 127.0.0.1:953       0.0.0.0:*        LISTEN 3140/named
tcp        0      0 ::1:953             :::*             LISTEN 3140/named
udp        0      0 192.168.100.254:53  0.0.0.0:*               3140/named
udp        0      0 192.168.1.100:53    0.0.0.0:*               3140/named
udp        0      0 127.0.0.1:53        0.0.0.0:*               3140/named
```

我们知道 DNS 会同时启用 UDP/TCP 的 port 53，而且是针对所有接口，因此上面的数据并没有什么特异的部分。不过，怎么会有 port 953 且仅针对本机来监听呢？其实那是 named 的远程控制功能，称为远程名称解析服务控制功能（Remote Name Daemon Control, RNDC）。默认的情况下，仅有本机可以针对 RNDC 来控制。我们会在后续的章节再来探讨这个 RNDC，目前我们只要知道 UDP/TCP port 53 有启动即可。

3）**检查 /var/log/messages 的日志信息（极重要）**

named 这个服务的记录文件就直接放置在 /var/log/messages 里，所以来看看里面的几行日志信息吧。

```
[root@www ~]# tail -n 30 /var/log/messages | grep named
Aug  4 14:57:09 www named[3140]: starting BIND
9.7.0-P2-RedHat-9.7.0-5.P2.el6_0.1 -u named
  -t /var/named/chroot <==说明的是 chroot 在哪个目录下
```

```
Aug 4 14:57:09 www named[3140]: adjusted limit on open files from 1024 to 1048576
Aug  4 14:57:09 www named[3140]: found 1 CPU, using 1 worker thread
Aug  4 14:57:09 www named[3140]: using up to 4096 sockets
Aug  4 14:57:09 www named[3140]: loading configuration from '/etc/named.conf'
Aug 4 14:57:09 www named[3140]: using default UDP/IPv4 port range: [1024, 65535]
Aug 4 14:57:09 www named[3140]: using default UDP/IPv6 port range: [1024, 65535]
Aug  4 14:57:09 www named[3140]: listening on IPv4 interface lo, 127.0.0.1#53
Aug   4  14:57:09  www  named[3140]:  listening  on  IPv4  interface  eth0,
192.168.1.100#53
Aug   4  14:57:09  www  named[3140]:  listening  on  IPv4  interface  eth1,
192.168.100.254#53
Aug  4 14:57:09 www named[3140]: generating session key for dynamic DNS
Aug  4 14:57:09 www named[3140]: command channel listening on 127.0.0.1#953
Aug  4 14:57:09 www named[3140]: command channel listening on ::1#953
Aug  4 14:57:09 www named[3140]: the working directory is not writable
Aug  4 14:57:09 www named[3140]: running
```

上面最重要的是第一行出现的“-t ...”那个项目指出你的 chroot 目录了。另外，上面表格中加粗字体的部分，有写到读取 /etc/named.conf，代表可以顺利加载 /var/named/etc/named.conf 的意思。如果上面有出现冒号后面接数字（:10），那就代表某个文件内的第 10 行有问题的意思，届时再进入处理即可。要注意的是，即使 port 53 已经启动，但有可能 DNS 服务是错误的，此时这个日志文件就显得非常重要。**每次重新启动 DNS 后，请务必查阅一下这个文件的内容。**

如果你在 /var/log/messages 里面一直看到这样的错误信息：

```
couldn't add command channel 127.0.0.1#953: not found
```

那表示你还必须要加入 rndc key，请参考本章后面的利用 RNDC 命令管理 DNS 服务器的介绍，将它加入你的 named.conf 中。

4）测试

如果你的 DNS 服务器具有连上因特网的功能，那么通过“ dig www.google.com @127.0.0.1”这个基本命令执行看看，如果有找到 Google 的 IP，并且输出数据的最下面显示“ SERVER: 127.0.0.1#53（127.0.0.1）”的字样，那就代表是成功了。其他更详细的测试请参考 19.2 节的内容。

4. 特别说明：forwarders 的好处与问题分析

关于 forwarder 的好处与坏处，其实有很多种的意见。大致的意见可分为这两派：

- **利用 forwarder 的功能来提高效率的理论。**

这些朋友们认为，当很多的下层 DNS 服务器都使用 forwarder 时，那么那个被设置为 forwarder 的主机，由于会记录很多的查询信息记录 (请参考图 19-4 的说明)，因此，对于那些下层的 DNS 服务器而言，查询速度会增快很多，亦即会节省很多的查询时间。因为 forwarder 服务器里面有较多的缓存记录了，所以包括 forwarder 本身，以及所有向这台 forwarder 要求数据的 DNS 服务器，都能够减少往 . 查询的机会，因此速度当然增加。

- **利用 forwarder 反而会使整体的效率降低。**

  但是另外一派则持相反的见解。这是因为当主 DNS 本身的业务量就很繁忙的时候，那么你的 cache-only DNS 服务器还向它要求数据，因为它原本的数据传输量就太大了，带宽方面可能负荷过大，而太多的下层 DNS 还向它要求数据，所以它的查询速度会变慢。因为查询速度变慢了，而你的 cache-only Server 又是向它提出要求的，所以自然两边的查询速度就会同步下降。

有很多种说法，鸟哥本人也觉得很有趣。只是不知道哪一派较正确就是了，不过可以知道的是，如果上层的 DNS 速度很快的话，那么它被设置为 forwarder 时，或许真的可以提高不少效率。

19.4 DNS 服务器的详细设置

好了，经过上面的说明后，我们大概知道 DNS 的几个小细节是这样的：

1）DNS 服务器的架设需要上层 DNS 的授权才可以成为合法的 DNS 服务器（否则只是练功）。

2）配置文件位置：目前 BIND 程序已进行 chroot，相关目录可参考 /etc/sysconfig/named。

3）named 主要配置文件是 /etc/named.conf。

4）每个正、反解区域都需要一个数据库文件，而文件名则是由 /etc/named.conf 所设置。

5）当 DNS 查询时，若本身没有数据库文件，则前往 root（.）或 forwarders 服务器查询。

6）named 能否启动成功务必要查阅 /var/log/messages 内的信息。

其中第一点很重要，因为我们尚未向上层 ISP 注册合法的域名，所以我们当然就没有权利架设合法的 DNS 服务器了。而由于担心我们的 DNS 服务器会与外部因特网环境互相干扰，所以下面鸟哥将主要以一个 centos.vbird 的域名来架设 DNS 服务器，如此一来就可以好好地玩一玩自己局域网络内的 DNS 了。

19.4.1 正解文件记录的数据（Resource Record，RR）

既然 DNS 最早的目的就是要从主机名去找到 IP，所以就让我们先从正解 Zone 来谈起吧。既然要谈正解，那么就应该要了解正解文件记录的信息有哪些。在这个小节里面，我们就先来谈谈正解 Zone 常常记录的数据有哪些。

1. 正解文件资源记录（Resource Record，RR）格式

我们从前面几个小节的 dig 命令输出结果中，可以发现到一个有趣的东西，那就是输出的数据格式似乎是固定的。举例来说，查询 www.ksu.edu.tw 的 IP 时，输出的结果为：

```
[root@www ~]# dig www.ksu.edu.tw
....(前面省略)....
;; ANSWER SECTION:
www.ksu.edu.tw.          2203    IN      A       120.114.100.101

;; AUTHORITY SECTION:
ksu.edu.tw.              911     IN      NS      dns1.ksu.edu.tw.
....(后面省略)....
# 上面的输出数据已经被简化过了，重点是要大家了解 RR 的格式
```

在答案的输出阶段，主要查询得到的是 A 的标志，在认证阶段，则是提供 ksu.edu.tw 的 NS 服务器为哪一台的意思。格式很相似，只是 A 后面接 IP，而 NS 后面接主机名而已。我们可以将整个输出的格式简化成为如下的说明：

```
[domain]   [ttl]          IN [[RR type] [RR data]]
[待查数据] [暂存时间(秒)] IN [[资源类型] [资源内容]]
```

上面的格式表中，关键词 IN 是固定的，而 RR type 与 RR data 则是互有关联性的，例如刚刚提过的 A 就是接 IP 而不是主机名。此外，**在 domain 的部分，若可能的话，请尽量使用 FQDN，亦即是主机名结尾加上一个小数点的（.）就被称为 FQDN**，例如刚刚 dig www.ksu.edu.tw 的输出结果中，在答案阶段时，查找的主机名会变成 www.ksu.edu.tw.。注意看最后面有个小数点，那个小点非常重要。

至于 ttl 就是 time to live 的缩写，意思就是**当这笔记录被其他 DNS 服务器查询到后，这个记录会在对方 DNS 服务器的缓存中，保持多少秒钟的意思**。所以，当你反复执行 dig www.ksu.edu.tw 之后，就会发现这个时间会减少。为什么呢？因为在你的 DNS 缓存中，这笔数据能够保存的时间会开始倒数，当这个数字归零后，下次有人再重新查找这笔记录时，你的 DNS 就会重新沿着 .（root）开始重来查找一遍，而不会从缓存里面获取了（因为缓存内的数据会被舍弃）。

由于 ttl 可由特定的参数来统一控管，因此在 RR 的记录格式中，通常这个 ttl 的字段是

可以忽略的。那么常见的 RR 有哪些呢？我们将正解文件的 RR 记录格式汇整如下：

```
# 常见的正解文件 RR 相关信息
  [domain]     IN   [[RR type]         [RR data]]
  主机名.      IN   A              IPv4 的 IP 地址
  主机名.      IN   AAAA           IPv6 的 IP 地址
  域名.        IN   NS             管理这个域名的服务器主机名字
  域名.        IN   SOA                   管理这个域名的七个重要参数(容后说明)
  域名.        IN   MX             顺序数字  接收邮件的服务器主机名字
  主机别名.    IN   CNAME                 实际代表这个主机别名的主机名字
```

接下来我们以昆山科大的 DNS 设置，包括 ksu.edu.tw 这个区域（domain、zone），以及 www.ksu.edu.tw 这个主机名（FQDN）的查询结果来跟大家解释每个 RR 记录的信息。

2. A、AAAA：查询 IP 的记录

这个 A 的 RR 类型是在查询某个主机名的 IP，也是最长被查询的一个 RR 标志。举例来说，要找到 www.ksu.edu.tw 的 A 的话，就是这样查：

```
[root@www ~]# dig [-t a] www.ksu.edu.tw
;; ANSWER SECTION:
www.ksu.edu.tw.          2987     IN      A        120.114.100.101
# 主机 FQDN.              ttl                       这部主机的 IP 就是这里
# 仅列出答案阶段的资料，后续的 RR 相关标志也是这样显示的
# 命令列中的 [-t a] 可以不加，而最左边主机名结尾都会有小点
```

左边是主机名，当然，你也可以让你的 domain 拥有一个 A 的标志，例如“dig google.com”也能找到 IP。不过，我们昆山科大的 ksu.edu.tw 则没有设置 IP。要再次特别强调，**如果主机名是全名，结尾部分请务必加上小数点**。如果你的 IP 设置的是 IPv6 的话，那么查询就需要使用 AAAA 类型才行。

3. NS：查询管理区域名（Zone）的服务器主机名

如果你想要知道 www.ksu.edu.tw 的这笔记录是由哪台 DNS 服务器提供的，那就需要使用 NS 的 RR 类型标志来查询。不过，**由于 NS 是管理整个域的，因此，你想要查询的目标将需输入 domain，亦即 ksu.edu.tw** 才行。举例如下：

```
[root@www ~]# dig -t ns ksu.edu.tw
;; ANSWER SECTION:
ksu.edu.tw.              1596     IN      NS   dns1.ksu.edu.tw.

;; ADDITIONAL SECTION:
dns1.ksu.edu.tw.         577      IN      A    120.114.50.1
# 除了列出 NS 是哪台服务器之外，该服务器的 IP 也会额外提供
```

前面提过，DNS 服务器是很重要的，因此至少都会有两台以上。昆山科大共有 3 台 DNS 服务器，鸟哥仅列出第一台提供参考。NS 后面会加服务器名称，而这个服务器的 IP 也会额外提供。**因此 NS 经常伴随 A 的标志。这样你才能到 NS 去查询数据。**

4. SOA：查询管理域名的服务器管理信息

如果有多台 DNS 服务器管理同一个域名，那么最好使用 Master/Slave 的方式来进行管理。既然要这样管理，那就需要声明被管理的 zone file 是如何进行传输的，此时就需要 SOA（Start Of Authority）的标志了。先来瞧瞧昆山科大的设置：

```
[root@www ~]# dig -t soa ksu.edu.tw
;; ANSWER SECTION:
ksu.edu.tw.      3600   IN    SOA   dns1.ksu.edu.tw.  abuse.mail.ksu.edu.tw.
  2010080369 1800 900 604800 86400
# 上述的输出结果是同一行
```

SOA 主要是与区域有关，所以前面当然要写 ksu.edu.tw 这个域名。而 SOA 后面共会接七个参数，这七个参数的意义依序是：

1）**Master DNS 服务器主机名：**这个区域主要是哪台 DNS 作为 Master 的意思。在本例中，dns1.ksu.edu.tw 为 ksu.edu.tw 这个区域的主要 DNS 服务器。

2）**管理员的 E-mail：**那么管理员的 E-mail 是什么？发生问题可以联系这个管理员。要注意的是，由于 @ 在数据库文件中是有特别意义的，因此这里就将 abuse@mail.ksu.edu.tw 改写成 abuse.mail.ksu.edu.tw，这样看得懂吗？

3）**序号（Serial）：**这个序号代表的是这个数据库文件的新旧，序号越大表示越新。当 Slave 要判断是否主动下载新的数据库时，就以序号是否比 Slave 上的还要新来判断，若是则下载，若不是则不下载。**所以当你修改了数据库内容时，记需要将这个数值放大才行。**为了方便用户记忆，通常序号都会使用日期格式“YYYYMMDDNU”来记忆，例如昆山科大的 2010080369 序号代表 2010 年 08 月 03 当天的第 69 次更新的。不过，序号不可大于 2 的 32 次方，亦即必须小于 4 294 967 296 才行。

4）**更新频率（Refresh）：**那么什么 Slave 会去向 Master 要求数据更新的判断？就是这个数值定义的。昆山科大的 DNS 设置每 1800 秒进行一次 Slave 向 Master 要求数据更新。那每次 Slave 去更新时，如果发现序号没有增大，那就不会下载数据库文件。

5）**失败重新尝试时间（Retry）：**如果由于某些因素导致 Slave 无法对 Master 实现连接，那么在多长的时间内，Slave 会尝试重新连接到 Master。在昆山科大的设置中，900 秒会重新尝试一次。意思是说，每 1800 秒 Slave 会主动向 Master 连接，但如果该次连接没有成功，那接下来尝试连接的时间会变成 900 秒。若后来连接成功，则又会恢复到 1800 秒才再一次连接。

6）**失效时间（Expire）**：如果一直尝试失败，持续连接到达这个设置值时限，那么 Slave 将不再继续尝试连接，并且尝试删除这份下载的 zone file 信息。昆山科大设置为 604800 秒。意思是说，当连接一直失败，每 900 秒尝试到达 604 800 秒后，昆山科大的 Slave 将不再更新，只能等待系统管理员的处理。

7）**缓存时间（Minumum TTL）**：如果这个数据库 zone file 中，每笔 RR 记录都没有写到 TTL 缓存时间的话，那么就以这个 SOA 的设置值为主。

除了 Serial 不可以超过 2 的 32 次方之外，针对这几个数值有没有其他的限制？是有的，基本上就是这样：

- Refresh >= Retry *2
- Refresh + Retry < Expire
- Expire >= Rrtry * 10
- Expire >= 7Days

一般来说，如果 DNS RR 资料变更情况频繁的，那么上述的相关数值可以设定得小一些，如果 DNS RR 是很稳定的，为了节省带宽，则可以将 Refresh 设置得较大一些。

5. CNAME：设置某主机名的别名 (alias)

有时候你不想针对某个主机名设置 A 的标志，而是想通过另外一台主机名的 A 来规范这个新主机名，这时可以使用别名 (CNAME) 的设置。举例来说，追踪 www.google.com 时，你会发现这样：

```
[root@www ~]# dig www.google.com
;; ANSWER SECTION:
www.google.com.          557697  IN      CNAME   www.l.google.com.
www.l.google.com.        298     IN      A       72.14.203.99
```

意思是说，当要解析 www.google.com 时，请找 www.1.google.com 那个主机，而那个主机的 A 就是上面第二行的显示了。鸟哥常常开玩笑说，你知道鸟哥的身份证号吗？你到相关部门去查“鸟哥”时，他会说：“没这个人啊，因为没有人姓鸟……”这个“鸟哥”就是别名（CNAME），而对应到的名称就是“蔡某某”，这个蔡某某才是真的有身份证号的名字。一层一层去追踪下去。

这个 CNAME 有什么好处呢？用 A 不就好了吧？其实还是有好处的，举例来说，如果你有一个 IP，这个 IP 是给很多主机名使用的，那么当你的 IP 更改时，所有的数据就得全部更新 A 标志才行。如果你只有一个主要主机名设置 A，而其他的标志使用 CNAME，那么当 IP

更改时你只要修订一个 A 的标志，其他的 CNAME 就跟着变动了，处理起来比较容易。

6. MX：查询某域名的邮件服务器主机名

MX 是 Mail eXchanger（邮件交换）的意思。通常你的整个区域会设置一个 MX，表示所有寄给这个区域的 E-mail 应该要送到后头的 E-mail Server 主机名上才是。先看看昆大的资料：

```
[root@www ~]# dig -t mx ksu.edu.tw
;; ANSWER SECTION:
ksu.edu.tw.            3600    IN     MX     8 mx01.ksu.edu.tw.

;; ADDITIONAL SECTION:
mx01.ksu.edu.tw.       3600    IN     A      120.114.100.28
```

上面的意思是说，当有信件要送给 ksu.edu.tw 这个区域时，预先将信件传送给 mx01.ksu.edu.tw 这台邮件服务器管理，当然，这台 mx01.ksu.edu.tw 应该就是昆大自己管理的邮件服务器才行。MX 后面接的主机名通常就是合法 Mail Server，而想要当 MX 服务器，就需要有 A 的标志才行。所以上面输入的后面就会出现 mx01.ksu.edu.tw 的 A。

那么在 mx01 之前的 8 是什么意思？由于担心邮件会遗失，因此较大型的企业会有多台这样的上层邮件服务器来预先接收信件。那么到底哪台邮件主机会先收下呢？就以数字较小的那台优先。举例来说，如果你去查 google.com 的 MX 标志，就会发现它有 5 台这样的服务器。

19.4.2 反解文件记录的 RR 数据

讲完了正解再来谈谈反解吧。在讲反解之前，先来谈谈正解主机名的追踪方式。以 www.ksu.edu.tw. 为例，从整个域的概念来看，越右边出现的名称代表域越大。举例来说，.（root）>. tw >.edu，以此类推。因此追踪时，是由大范围找到小范围，追踪的方向如图 19-4 所示那样。

但是 IP 则不一样。以昆大的 120.114.100.101 为例，当然是 120 > 114 > 100 > 101，左边的域最大。与默认的 DNS 从右边向左边查询不一样。那怎么办？为了解决这个问题，所以反解的 Zone 就必须要将 IP 反过来写，**而在结尾时加上 .in-addr.arpa. 的结尾字样即可**。所以，当想要追踪反解时，那么反解的结果就会是：

```
[root@www ~]# dig -x 120.114.100.101
;; ANSWER SECTION:
101.100.114.120.in-addr.arpa. 3600 IN    PTR       www.ksu.edu.tw.
```

在上述的结果中，我们要查询的主机名竟然变成了 IP 反转的模样，所以才称为反解。而反解的标志最重要的就是 PTR 了。

PTR 就是反解，即是查询 IP 所对应的主机名。

进行反解时，要注意的就是 Zone 的名称了！要将 IP 反转过来写，并且结尾加上 .in-addr.arpa. 才行。例如 120.114.100.0/24 这个 Class C IP 网段的反解设置，就必须要写成 100.114.120.in-addr.arpa. 这样的 Zone 名称才行。而 PTR 后面接的自然就是主机名。

反解最重要的地方就是：**后面的主机名尽量使用完整的 FQDN，亦即加上小数点（.）。为什么呢？举 100.114.120.in-addr.arpa. 为例，如果你只是填写主机名，并没有填写域名，那么当别人追踪你的主机名时，你的主机名会变成：www.100.114.120.in-addr.arpa. 的怪模样**。这是需要注意的地方。

> 老实说，鸟园讨论区的一些有经验的朋友一直在讲，如果担心会有误解，主机名的设置则全部记得是要填写 FQDN。这样绝对不会有问题。

19.4.3　步骤一：DNS 的环境规划

现在假设鸟哥的局域网环境中想要设置 DNS 服务器，鸟哥的局域网原本规划的域名就是 centos.vbird，且搭配的 IP 网段为 192.168.100.0/24，因此主要的正解区域为 centos.vbird，而反解的区域则为 192.168.100.0/24，鸟哥的这台 DNS 服务器想要自己找寻 .(root) 而不通过 forwarders 的辅助，因此还需要 . 的区域正解文件。综合起来说，鸟哥需要设置到的文件就有这几个：

1）named.conf（主要配置文件）

2）named.centos.vbird（主要的 centos.vbird 的正解文件）

3）named.192.168.100（主要的 192.168.100.0/24 的反解文件）

4）named.ca（由 bind 软件提供的 . 正解文件）

如果我还想要加入其他的域，例如 niki.vbird 可不可以啊？当然可以，就再多一个数据库正解文件即可。还有，鸟哥上面这个设置数据为内部私有的，所以你可以完全照着做，并不会影响到外部的因特网。只是，因特网也查不到你的 DNS 设置。反正是练功。

至于数据库的正、反解对应上，依据实际的测试环境，规划如表 19-2 所示（亦请参考第 3 章图 3-5）。

表 19-2 DNS 的环境规划

操作系统与 IP	主机名与 RR 标志	说明
Linux (192.168.100.254)	master.centos.vbird (NS, A) www.centos.vbird (A) linux.centos.vbird (CNAME) ftp.centos.vbird (CNAME) forum.centos.vbird (CNAME) www.centos.vbird (MX)	DNS 设置是使用 master.centos.vbird 这个 DNS 服务器名称。至于这台主机的另一个主要名称是 www.centos.vbird，其他的都是 CNAME，这样未来比较好修改。同时给予一个 MX 的标志给主要主机名
Linux (192.168.100.10)	slave.centos.vbird (NS, A) clientlinux.centos.vbird(A)	未来作为 Slave DNS 的接班人
WinXP (192.168.1.101)	workstation.centos.vbird (A)	一台经常用来工作的计算机
WinXP (192.168.100.20)	winxp.centos.vbird (A)	一台用来测试的 Windows XP
Win7 (192.168.100.30)	win7.centos.vbird (A)	一台用来测试的 Windows 7

请特别留意，一个 IP 可以对应给多个主机名，同样，一个主机名可以给予多个 IP。主要是因为那台 www.centos.vbird 的机器未来的用途相当多，鸟哥希望那一台主机有多个名称，以方便未来额外的规划。所以就对该 IP 对应了 4 个主机名。

在自家设的没有经过合法授权的 DNS 最好不要以 Internet 上面已经存在的域名来练习搭建。举例来说，假设今天你以 192.168.100.254 那台机器来架设 *.yahoo.com 的区域，因为我将 192.168.100.254 放置在第一位，导致每次的查询其实 yahoo.com 这个区域的数据都是直接由 192.168.100.254 所提供，这很不好。因为可能会造成你的客户端的不便。

19.4.4 步骤二：主配置文件 /etc/named.conf 的设置

这个配置文件较多的 options 参数我们已经在 19.3.3 节里面谈过，在我们目前的案例中，则必须要将 forwarders 相关功能取消，并加上禁止传输 zone file 的参数即可。至于 Zone 的设置上，必须要包含上个小节谈到的三个主要的 Zone。因此这个文件的任务是：

- options：规范 DNS 服务器的权限（可否查询、forward 与否等）。
- zone：设置出 Zone (domain name) 以及 zone file 的所在（包含 master/slave/hint）。
- 其他：设置 DNS 本机管理接口及其相关的密钥文件（key file）（本章稍后高级应用再谈）。

那就直接看一下鸟哥的范本吧：

```
[root@www ~]# vim /etc/named.conf
options {
        directory         "/var/named";
        dump-file         "/var/named/data/cache_dump.db";
        statistics-file "/var/named/data/named_stats.txt";
        memstatistics-file "/var/named/data/named_mem_stats.txt";
        allow-query       { any; };
        recursion yes;
        allow-transfer   { none; };   // 不许别人进行 zone 转移
};

zone "." IN {
        type hint;
        file "named.ca";
};
zone "centos.vbird" IN {                 // 这个 zone 的名称
        type master;                     // 是什么类型
        file "named.centos.vbird";       // 文件放在哪里
};
zone "100.168.192.in-addr.arpa" IN {
        type master;
        file "named.192.168.100";
};
```

在 options 里面仅添加一个新的参数，就是 allow-transfer，意义为：

- allow-transfer{ none; };

  是否允许来自 Slave DNS 对我的整个领域数据进行传送？这个设置值与 Master/Slave DNS 服务器之间的数据库传送有关。除非你有 Slave DNS 服务器，否则这里不要开放。因此这里我们先设置为 none。

  至于在 Zone 里面的设置值，主要则有表 19-3 中的几个。

表 19-3 Zone 的设置值及其说明

设置值	说明
type	该 Zone 的类型，主要的类型有针对 . 的 hint，以及自己手动修改数据库文件的 Master，与可自动更新数据库的 Slave
file	就是 zone file 的文件（注意 chroot 与否）
反解 zone	主要就是 in-addr.arpa。请参考 19.4.2 节的解释

为何文件名都是 named 开头呢？这只是个习惯而已，你也可以依据自己的习惯来定义文件名。经过上面的说明，所以我们会知道，zone file 文件名都是通过 named.conf 这个配置文件来规范的。

19.4.5 步骤三：最上层 . (root) 数据库文件的设置

从图 19-4 可以知道 . 的重要性。那么这个 . 在哪里呢？事实上，它是由 INTERNIC 所管理维护的，全世界共有 13 台管理 . 的 DNS 服务器。相关的最新设置在：

- ftp://rs.internic.net/domain/named.root

要不要下载最新的数据随你便，因为我们的 CentOS 6.x 内的 BIND 软件已经提供了一个名为 named.ca 的文件了，鸟哥是直接使用系统提供的数据。这个文件的内容有点像这样：

```
[root@www ~]# vim /var/named/named.ca
. <==这里有个小数点          518400      IN     NS     A.ROOT-SERVERS.NET.
A.ROOT-SERVERS.NET.        3600000     IN     A      198.41.0.4
# 上面这两行是成对的！代表点由 A.ROOT-SERVERS.NET. 管理，并附上 IP 查询
. <==这里有个小数点          518400      IN     NS     M.ROOT-SERVERS.NET.
M.ROOT-SERVERS.NET.        3600000     IN     A      202.12.27.33
M.ROOT-SERVERS.NET.        3600000     IN     AAAA   2001:dc3::35
# 上面这三行是成对的，代表 M 开头的服务器有 A 与 AAAA 的记录
```

相关的正解标志 NS、A、AAAA 意义，请回 19.4.1 节去查询，这里不再解释。比较特殊的是，由于考虑 IPv6 未来的流行性，因此很多台 . 服务器都加上 AAAA 的 IPv6 功能。这个文件的内容你不要修改，因为这个内容是 Internet 上面通用的数据，一般来说，也不会常常变动，所以不需要修改它，将它放置到正确的目录并改成你所指定的文件名即可。接下来可以看看其他正解文件。

19.4.6 步骤四：正解数据库文件的设置

再来开始正解文件的设置。正解文件一定要有的 RR 标志有下面几个：

- **关于本区域的基础设置方面：例如缓存记忆时间（TTL）、域名（ORIGIN）等。**
- **关于 Master/Slave 的认证方面（SOA）。**
- **关于本区域的域名服务器所在主机名与 IP 对应（NS、A）。**
- **其他正反解相关的资源记录（A、MX、CNAME 等）。**

相关的 RR 意义请回 19.4.1 节去查询。此外，这个文件的特殊符号如表 19-4 所示。

表 19-4　正解文件中的特殊符号

字符	意义
一定从行首开始	所有设置数据一定要从行首开始，前面不可有空格符。若有空格符，代表延续前一个 domain 的意思。非常重要
@	这个符号代表 Zone 的意思。例如写在 named.centos.vbird 中，@ 代表 centos.vbird.，如果写在 named.192.168.100 文件中，则 @ 代表 100.168.192.in-addr.arpa. 的意思 (参考 named.conf 内的 Zone 设置)
.	这个点 (.) 很重要，因为它代表一个完整主机名 (FQDN) 而不是仅有 hostname 而已。举例来说，在 named.centos.vbird 当中写 www.centos.vbird 则代表 FQDN 为 www.centos.vbird.@ ==> www.centos.vbird.centos.vbird.。因此当然要写成 www.centos.vbird. 才对
;	代表批注符号。似乎 # 也是批注，两个符号都能使用

鸟哥打算沿用系统提供的一些配置文件，然后据以修改为鸟哥自己需要的环境。整个 DNS 是由 master.centos.vbird 这台服务器管理的，而管理者的 E-mail 为 vbird@www.centos.vbird。整个正解文件最终有点像这样：

```
[root@www ~]# vim /var/named/named.centos.vbird
# 与整个域相关性较高的设置包括 NS、 A、 MX、SOA 等标志的设置处
$TTL    600
@                   IN SOA   master.centos.vbird. vbird.www.centos.vbird.
                                  (2011080401 3H 15M 1W 1D ) ; 与上面是同一行
@                        IN NS     master.centos.vbird.  ; DNS 服务器名称
master.centos.vbird.     IN A      192.168.100.254        ; DNS 服务器 IP
@                        IN MX 10 www.centos.vbird.      ;、领域名的邮件服务器

# 针对 192.168.100.254 这部主机的所有相关正解设置。
www.centos.vbird.        IN A      192.168.100.254
linux.centos.vbird.      IN CNAME www.centos.vbird.
ftp.centos.vbird.        IN CNAME www.centos.vbird.
forum.centos.vbird.      IN CNAME www.centos.vbird.

# 其他几部主机的主机名正解设置。
slave.centos.vbird.         IN A     192.168.100.10
clientlinux.centos.vbird.  IN A     192.168.100.10
workstation.centos.vbird.  IN A     192.168.1.101
winxp.centos.vbird.         IN A     192.168.100.20
win7                        IN A     192.168.100.30   ; 这是简化的写法！
```

再次强调，一个正解的数据库设置中，至少应该要有 $TTL、SOA、NS（与这台 NS 主机名的 A），鸟哥将这些基本要用到的标志写在上表的第一台分。至于其他的，则是相关的主机名正解设置。如果这些设置值你看不懂，那么请回 19.4.1 节去瞧瞧吧。下面强调一下之前没有讲到的设置值项目，如表 19-5 所示。

表 19-5 正确数据库的一些设置

设置值	说明
$TTL	为了简化每笔 RR 记录的设置，因此我们将 TTL 挪到最前面统一设置。因为鸟哥的 DNS 服务器还在测试中，所以 TTL 写了个比较小的数值，可以存在对方 DNS 服务器的缓存 600 秒
$ORIGIN	这个设置值可以重新指定 zone 的定义。在默认的情况下，这个正反解数据库文件中的 Zone 是由 named.conf 所指定的，就是 zone 那个参数的功能。不过，这个 zone 是可以改的，就是用 $ORIGIN 来修订就是了。通常这个设置值不会用到的

老实说，初次设置 DNS 的朋友大概都会被那个小数点（.）弄蒙。其实你不要太紧张，只要记住：**加上了 . 表示这是个完整的主机名（FQDN），亦即是"hostname + domain name"了，如果没有加上 . 的话，表示该名称仅为"hostname"而已。**因为我们这个配置文件的 Zone 是 centos.vbird，所以上述代码的最后一行，鸟哥只写出主机名（win7），因为没有小点结尾，因此完整的 FQDN 要加上 Zone，所以主机名 win7 代表的是 win7.centos.vbird.。

19.4.7 步骤五：反解数据库文件的设置

反解跟正解一样，还都需要 TTL、SOA、 NS 等，但是相对于正解里面有 A，反解里面则仅有 PTR。另外，由于反解的 Zone 名称是很怪的 zz.yy.xx.in-addr.arpa. 模样，因此只要在反解里面要用到主机名时，务必使用 FQDN 来设置。更多与反解有关的资料，请到 19.4.2 节去查阅。至于 192.168.100.0/24 这个区域的 DNS 反解则为：

```
[root@www ~]# vim /var/named/named.192.168.100
$TTL    600
@       IN SOA  master.centos.vbird. vbird.www.centos.vbird.
                (2011080401 3H 15M 1W 1D )
@       IN NS   master.centos.vbird.
254     IN PTR  master.centos.vbird.  ; 将原本的 A 改成 PTR 的标志而已

254     IN PTR  www.centos.vbird.     ; 这些是特定的 IP 对应
10      IN PTR  slave.centos.vbird.
20      IN PTR  winxp.centos.vbird.
30      IN PTR  win7.centos.vbird.

101     IN PTR  dhcp101.centos.vbird.  ; 可能针对 DHCP (第 12 章) 的 IP 设置
102     IN PTR  dhcp102.centos.vbird.
....(中间省略)....
200     IN PTR  dhcp200.centos.vbird.
```

因为我们的 Zone 是 100.168.192.in-addr.arpa.，因此 IP 的全名部分已经含有 192.168.100 了，所以在上述代码中的最左边，数值只需要存在最后一个 IP 即可。因此 254 就代表 192.168.100.254.。此外，为了担心 DHCP 自动分配的 IP 没有对应的主机名，所以这里也附加了 192.168.100.{101~200} 的主机名对应。

19.4.8 步骤六：DNS 的启动、查看与防火墙

DNS 的启动也太简单了，就直接利用系统提供的启动 script 即可。

```
[root@www ~]# /etc/init.d/named restart  <==也可能是需要 restart
[root@www ~]# chkconfig named on
```

但即使画面上出现的是“确定”或“OK”，也不见得你的 DNS 服务是正常的。所以，请你务必查阅 /var/log/messages 的内容才行。基本上，内容会有点像这样：

```
[root@www ~]# tail -n 30 /var/log/messages | grep named
named[3511]: starting BIND 9.7.0-P2-RedHat-9.7.0-5.P2.el6_0.1 -u named -t
/var/named/chroot
named[3511]: adjusted limit on open files from 1024 to 1048576
named[3511]: found 1 CPU, using 1 worker thread
named[3511]: using up to 4096 sockets
named[3511]: loading configuration from '/etc/named.conf'
named[3511]: using default UDP/IPv4 port range: [1024, 65535]
named[3511]: using default UDP/IPv6 port range: [1024, 65535]
named[3511]: listening on IPv4 interface lo, 127.0.0:1#53
named[3511]: listening on IPv4 interface eth0, 192.168.1.100#53
named[3511]: listening on IPv4 interface eth1, 192.168.100.254#53
named[3511]: command channel listening on 127.0.0.1#953
named[3511]: command channel listening on ::1#953
named[3511]: the working directory is not writable
named[3511]: zone 100.168.192.in-addr.arpa/IN: loaded serial 2011080401
named[3511]: zone centos.vbird/IN: loaded serial 2011080401
named[3511]: running
```

上面的输出信息中，要特别注意加粗字体的部分。包括 –t chroot_dir 是设置 chroot 目录的位置，而配置文件（configuration）则是 /etc/named.conf，最重要的是所有的 Zone（hint 类型的 . 除外）的序号（Serial）号码要跟你的数据库内容一致才行。而且不能够有出现“设置的文件名:数字”的内容，否则肯定就是配置文件有问题。

因为在上述的输出数据当中信息太长了，所以鸟哥将登录的时间与主机的字段拿掉了。上面是顺利启动时的状况，如果出现问题怎么办？通常出现问题的原因是因为：

- **语法设置错误**：这个问题好解决，因为在 /var/log/messages 里面有详细的说明，按照内容去修订即可。
- **逻辑设置错误**：这个就比较困扰了。为什么呢？因为它主要发生在你设置 DNS 主机的时候，考虑不周所产生的问题。例如忘记加上（.），系统不会显示错误信息，但是会造成查询的误判，而 MX 设置的主机名错误，也不会出现有问题的信息，但是 Mail

Server 就是会收不到信等。这些错误都需要很详细的 DNS Client 的测试才能知道问题的所在。

我们这里先就语法设置错误方面进行介绍，至于逻辑设置的问题，就需要多多进行测试才能知道了。下面的错误信息都会记录在 /var/log/messages 里。

```
named: /etc/named.conf:8: missing ';' before '}'
# 注意到上面提到的文件名与数字吗？说明的是 /etc/named.conf 的第 8 行，
# 至于错误是因为缺少分号 (;) 所致。去修正一下即可

dns_rdata_fromtext: named.centos.vbird:4: near eol: unexpected end of input
zone centos.vbird/IN: loading master file named.centos.vbird: unexpected end
of input_default/centos.vbird/IN: unexpected end of input
# 指的是 named.centos.vbird 的第 4 行有问题，查看文件内容第 4 行是 SOA 的项目，
# 通常是 SOA 那 5 个数字出问题赶紧去修订一下即可

dns_rdata_fromtext: named.centos.vbird:7: near 'www.centos.vbird.':
not a valid number
# 说明第 7 行在 www.centos.vbird 附近需要有一个合法的数字。刚好是 MX，
# 所以，赶紧加上一个合法的数字，去瞧瞧改改即可
```

通常最大的问题是打错字。所以，务必要慢慢打字，慢慢看清楚，尤其是登录文件内的信息。都处理完毕之后，也能够通过 netstat 去查到 port 53 有在监听，再来就是要放行别人的查询了。所以，又需要修改防火墙。假设你还是安装鸟哥的防火墙脚本，那么接下来就是：

```
[root@www ~]# vim /usr/local/virus/iptables/iptables.rule
# 找到如下两行，将批注拿掉即可
iptables -A INPUT -p UDP -i $EXTIF --dport  53  --sport 1024:65534 -j ACCEPT
iptables -A INPUT -p TCP -i $EXTIF --dport  53  --sport 1024:65534 -j ACCEPT

[root@www ~]# /usr/local/virus/iptables/iptables.rule
```

19.4.9 步骤七：测试与数据库更新

在上面的设置都搞定，并且启动之后，你的 DNS 服务器应该是已经妥当地在运行了。那你怎么知道你的设置是否合理？当然就需要做测试。测试有两种方式，一种是通过 Client 端的查询功能，目的是检验数据库设置有无错误；另外你也可以连上下面这个网站：

- http://thednsreport.com/

这个网站可以帮你检验 DNS 服务器的主要设置是否有问题。不过，这个网站的检验主要是以合法授权的 Zone 为主，我们自己乱搞的 DNS 是没有办法检验的。真是可惜。好了，就让我们来测试测试结果吧。首先，将 DNS 服务器自己的 /etc/resolv.conf 改成如下模样：

```
[root@www ~]# vim /etc/resolv.conf
nameserver 192.168.100.254    <==自己的 IP 一定要最早出现
nameserver 168.95.1.1
```

接下来，就让我们针对上面较重要的正、反解信息进行检测吧！同样地，鸟哥也仅列出答案的部分而已。

```
# 1. 检查 master.centos.vbird 以及 www.centos.vbird 的 A 标志
[root@www ~]# dig master.centos.vbird
;; ANSWER SECTION:
master.centos.vbird.     600     IN     A       192.168.100.254
[root@www ~]# dig www.centos.vbird
;; ANSWER SECTION:
www.centos.vbird.        600     IN     A       192.168.100.254

# 2. 检查 ftp.centos.vbird 与 winxp 等的 A 标志
[root@www ~]# dig ftp.centos.vbird
;; ANSWER SECTION:
ftp.centos.vbird.        600     IN     CNAME   www.centos.vbird.
www.centos.vbird.        600     IN     A       192.168.100.254
[root@www ~]# dig winxp.centos.vbird
;; ANSWER SECTION:
winxp.centos.vbird.      600     IN     A       192.168.100.20

# 3. 检查 centos.vbird 这个 Zone 的 MX
[root@www ~]# dig -t mx centos.vbird
;; ANSWER SECTION:
centos.vbird.            600     IN     MX      10 www.centos.vbird.

# 4. 检查 192.168.100.254 及 192.168.100.10 的反解
[root@www ~]# dig -x 192.168.100.254
;; ANSWER SECTION:
254.100.168.192.in-addr.arpa. 600 IN    PTR     www.centos.vbird.
254.100.168.192.in-addr.arpa. 600 IN    PTR     master.centos.vbird.
[root@www ~]# dig -x 192.168.100.10
;; ANSWER SECTION:
10.100.168.192.in-addr.arpa. 600 IN     PTR     slave.centos.vbird.
```

测试要成功才行。什么是成功呢？除了要真的有数据显示之外，该数据是否正是你要的模样？那才是顺利成功。如果有出现错误的信息，例如找不到 www.centos.vbird 之类的，那就失败了，需要找出问题才行。

另外，如果你的数据库需要更新，应该做哪些操作啊？举例来说，你的某个主机 IP 或者主机名要变更，或是添加某个主机名与 IP 的对应。很简单，通常这样做就可以：

1）先针对要更改的那个 Zone 的数据库文件去做更新，就是加入 RR 的标志。

2）更改该 zone file 的序号（Serial），就是 SOA 的第三个参数（第一个数字），因为这个数字会影响到 Master/Slave 的判定更新与否。

3）重新启动 named，或者是让 named 重新读取配置文件即可。

就这么简单。不过大家常常会忘记第二个步骤，就是将序号变大。如果序号没有变大，那 Master/Slave 的数据库可能不会主动地更新，会造成一些困扰。

19.5 协同工作的 DNS：Slave DNS 及子域授权设定

我们在本章一开始就曾谈过，DNS 大概是未来最重要的网络服务之一，因为所有的主机名需求都需要 DNS 提供才行。因此，ISP 在提供 domain name 注册时，就强调需要有两台以上的 DNS 服务器才行。而为了简化 DNS 管理人员的负担，使用 Master/Slave DNS 架构的情况会比较好。为什么呢？让我们再回忆一下 Slave DNS 的特色。

- 为了不间断地提供 DNS 服务，你的领域至少需要有两台 DNS 服务器来提供查询的功能。
- 这几台 DNS 服务器应该要分散在两个以上的不同 IP 网段才好。
- 为方便管理，通常除了一台主要 Master DNS 之外，其他的 DNS 会使用 Slave 的模式。
- Slave DNS 服务器本身并没有数据库，它的数据库是由 Master DNS 所提供的。
- Master/Slave DNS 需要有可以相互传输 zone file 的相关信息才行，这部分需要 /etc/named.conf 的设置加以辅助。

除此之外，如果你有朋友或者是学生想要跟你要一个子域，那又该如何设置另一台 DNS 服务器呢？就让我们依序来谈谈。

19.5.1 master DNS 权限的开放

我们使用 19.4.3 节的案例，继续来搭建一台支持该案例的 Slave DNS。基本的假设为：

- 提供 Slave DNS 服务器进行 zone transfer 的服务器为 master.centos.vbird。
- centos.vbird 及 100.168.192.in-addr.arpa 两个 Zone 都提供给 Slave DNS 使用。
- master.centos.vbird 的 named 仅提供给 slave.centos.vbird 这台主机进行 zone transfer。
- Slave DNS Server 架设在 192.168.100.10 这台服务器上面（所以 zone file 要修订）。

如上所示，我们的 master.centos.vbird 这台服务器除了 named.conf 需要调整之外，两个 zone file 也都需要调整。**在 named.conf 当中，需要设置哪个 IP 可以对我的 Zone 进行传输（allow-transfer），而在 zone file 当中，就是各加入一笔 NS 的记录即可。**增加的部分如下所示：

```
# 1. 修订 named.conf，主要修改 zone 参数内的 allow-transfer 项目
[root@www ~]# vim /etc/named.conf
....前面省略....
zone "centos.vbird" IN {
        type master;
        file "named.centos.vbird";
        allow-transfer { 192.168.100.10; };  // 在这里添加 Slave 的 IP
};
zone "100.168.192.in-addr.arpa" IN {
        type master;
        file "named.192.168.100";
        allow-transfer { 192.168.100.10; };  // 在这里添加 Slave 的 IP
};
```

在上面所列示的那两个数据库文件当中，你必须要添加所需要的 NS 标志才行。NS 对应的主机名为 slave.centos.vbird，IP 则是 192.168.100.10。结果如下：

```
# 2. 在 zone file 里面添加 NS 标志，要注意需要有 A(正解) 及 PTR(反解) 的设置
[root@www ~]# vim /var/named/named.centos.vbird
$TTL    600
@                       IN SOA   master.centos.vbird. vbird.www.centos.vbird.
                                    (2011080402 3H 15M 1W 1D )
@                         IN NS     master.centos.vbird.
@                         IN NS     slave.centos.vbird.
master.centos.vbird.      IN A      192.168.100.254
slave.centos.vbird.       IN A      192.168.100.10
@                         IN MX 10 www.centos.vbird.
....(下面省略)....

[root@www ~]# vim /var/named/named.192.168.100
$TTL    600
@       IN SOA  master.centos.vbird. vbird.www.centos.vbird. (
                2011080402 3H 15M 1W 1D )
@       IN NS   master.centos.vbird.
@       IN NS   slave.centos.vbird.
254     IN PTR  master.centos.vbird.
10      IN PTR  slave.centos.vbird.
....(下面省略)....
# 要特别注意一件事，那就是，你的 zone file 内的序号要增加。鸟哥测试日期是 8/4，
# 第 2 次进行，所以序号就以该天的日期为准来设计。最后记得 restart 一下
```

```
[root@www ~]# /etc/init.d/named restart
[root@www ~]# tail -n 30 /var/log/messages | grep named
starting BIND 9.7.0-P2-RedHat-9.7.0-5.P2.el6_0.1 -u named -t /var/named/chroot
....(中间省略)....
zone 100.168.192.in-addr.arpa/IN: loaded serial 2011080402
zone centos.vbird/IN: loaded serial 2011080402
zone 100.168.192.in-addr.arpa/IN: sending notifies (serial 2011080402)
zone centos.vbird/IN: sending notifies (serial 2011080402)
```

重新启动过 named 后，要查阅 messages 登录信息就对了。从上面输出表的输出来看，会多一个 sending notifies（传送注意事项）关键词的数据，那就是提醒 Slave DNS 来比对序号大小了。所以，序号是不是很重要呢？当然很重要啊，连登录信息都会告知序号的大小。这样 Master DNS 就设置妥当了。接下来进行一下 Slave 的设置吧。

19.5.2 Slave DNS 的设置与数据库权限问题

既然 Slave DNS 也是 DNS 服务器，所以，当然也是需要安装 bind、 bind-chroot 等软件。这部分回到 19.3.1 节里面瞧瞧即可，反正记得使用 yum 安装就对了。接下来需要设置 named.conf 了吧？既然 Master/Slave 的数据库是相同的，所以，理论上，named.conf 内容就是大同小异，唯一要注意的就是 **zone type 类型的差异，以及声明 Master 在哪里就是了。至于 zone filename 部分，由于 zone file 都是从 Master 取得的，通过 named 这个程序来主动建立起需要的 zone file，因此这个 zone file 放置的目录权限就很重要。**让我们直接来处理看看：

```
# 1. 准备 named.conf 的内容：
[root@clientlinux ~]# vim /etc/named.conf
....(前面的部分完全与 master.centos.vbird 相同，故省略)....
zone "centos.vbird" IN {
        type slave;
        file "slaves/named.centos.vbird";
        masters { 192.168.100.254; };
};
zone "100.168.192.in-addr.arpa" IN {
        type slave;
        file "slaves/named.192.168.100";
        masters { 192.168.100.254; };
};

# 2. 检查 zone file 预计建立的目录权限是否正确。下面目录为系统默认值：
[root@clientlinux ~]# ll -d /var/named/slaves
drwxrwx---. 2 named named 4096 2011-06-25 11:48 /var/named/slaves
# 注意权限、用户及组三个字段的数据。需要与 named 这个用户及组有关
```

```
[root@clientlinux ~]# ll -dZ /var/named/slaves
drwxrwx---. named named system_u:object_r:named_cache_t:s0 /var/named/slaves
# 也不要忘记与 SELinux 有关的事情
```

为了方便使用者设置，CentOS 默认在 /var/named/slaves/ 处理好了相关权限，所以你可以轻松地处理权限问题。我们就建议你的 Slave zone file 放置在该目录下。所以上面输出表当中的 file 参数才会这么写。此外，那个 masters 结尾有个 s，这里最容易写错。那么要不要处理 zone file 呢？除了 named.ca 这个需要主动存在之外，另外两个 type slave 的数据库文件，当然不必存在，因为会从 Master 处取得。接下来，就让我们来启动 named 并进行查看吧。

```
[root@clientlinux ~]# /etc/init.d/named start
[root@clientlinux ~]# chkconfig named on
[root@clientlinux ~]# tail -n 30 /var/log/messages | grep named
starting BIND 9.7.0-P2-RedHat-9.7.0-5.P2.el6_0.1 -u named -t /var/named/chroot
loading configuration from '/etc/named.conf'
....(中间省略)....
running
zone 100.168.192.in-addr.arpa/IN: Transfer started.
zone 100.168.192.in-addr.arpa/IN: transferred serial 2011080402
zone centos.vbird/IN: Transfer started.
zone centos.vbird/IN: transferred serial 2011080402  <==注意序号正确与否
# 你会看到如上的信息，重点是还有告知序号，非常重要

[root@clientlinux ~]# ll /var/named/slaves
-rw-r--r--. 1 named named 3707 2011-08-05 14:12 named.192.168.100
-rw-r--r--. 1 named named  605 2011-08-05 14:12 named.centos.vbird
# 这两个 zone file 会主动被建立起来

[root@clientlinux ~]# dig master.centos.vbird @127.0.0.1
[root@clientlinux ~]# dig -x 192.168.100.254 @127.0.0.1
# 上述两个检测的命令如果是正确地显示出 A 与 PTR 的话，那就完成了！
```

如此一来你的 zone file 就会主动地被建立起来了。未来如果 Master DNS 要更新数据库时，只要修改过序号，并重新启动 named 后，这台 Slave DNS 就会跟着更新。不过，如果你发现到启动 Slave DNS，你的登录信息竟然是这样：

```
zone centos.vbird/IN: Transfer started.
transfer of 'centos.vbird/IN' from 192.168.100.254#53: connected using
192.168.100.10#58187
dumping master file: tmp-a1bYfCd3i3: open: permission denied
transfer of 'centos.vbird/IN' from 192.168.100.254#53: failed while receiving
responses: permission denied
transfer of 'centos.vbird/IN' from 192.168.100.254#53: end of transfer
```

出现类似这样的信息时，不必怀疑，肯定是权限错误。请再次检查你的数据库文件所放置的目录权限是否可以让 named 写入。处理一下就好了。现在，你的 DNS 会变得更加强壮，因为有类似的备份系统了。不过仍然要注意的是，**网络查询 centos.vbird 时，Master 与 Slave 的地位是相同的，并不是 Master 宕机才使用 Slave 来查询。所以，这两台服务器的相同 domain 的数据库内容要完全一致才行。**

19.5.3 配置子域 DNS 服务器：子域授权课题

除了 Master/Slave 需要协同 DNS 服务器共同提供服务之外，DNS 之间如果有上层、下属的关系时，该如何设置？亦即，假设我的网段很大，我只想要负责上层的 DNS 而已，下层希望直接交给各单位的负责人来负责，要怎么设置呢？举个例子来说，以成大为例，成大计算机中心仅管理各个系的 DNS 服务器 IP 而已，由于各个系的主机数量可能很大，如果每个人都要请计算机中心来设置，那么管理员可能会疯掉，而且在实际设计上也不太人性化。

所以，计算机中心就将各个 subdomain（子域）的管理权交给各个系的主机管理员去管理，如此一来，各系的设置上面会比较灵活，且上层 DNS 服务器管理员也不用太麻烦。

好了，那么如何开放子域授权呢？我们以刚刚在 Master 上面建立的 centos.vbird 这个 Zone 为例，假设今天你是个 ISP，有个人想要跟你申请 domain name，他要的 domain 是 “ niki.centos.vbird ” ，那你该如何处理？

- **上层 DNS 服务器：也就是 master.centos.vbird 这一台，只要在 centos.vbird 那个 zone file 内，增加指定 NS 并指向下层 DNS 的主机名与 IP（A）即可，而 zone file 的序号也要增加才行。**
- **下层 DNS 服务器：申请的域名必须是上层 DNS 所可以提供的名称，并告知上层 DNS 管理员，我们这个 Zone 所需指定的 DNS 主机名与对应的 IP 即可。然后就开始设置自己的 Zone 与 zone file 相关数据。**

假设我们管理 niki.centos.vbird 的服务器主机名为 dns.niki.centos.vbird，而这台主机的 IP 为 192.168.100.200，接下来就让我们实际来设置一下。

1. 上层 DNS 服务器：只需添加 zone file 的 NS 与 A 即可

上层 DNS 的处理真是非常简单。我们只要修改 Master DNS (www.centos.vbird 那一台) 里面的 named.centos.vbird 这个正解文件即可。Slave DNS 不用修改，是因为它会自动更新。添加如下的数据即可：

```
[root@www ~]# vim /var/named/named.centos.vbird
@                         IN      SOA    master.centos.vbird.
vbird.www.centos.vbird. (
                                         2011080501 3H 15M 1W 1D )
```

```
# 上面的 SOA 部分序号加大，下面添加这两行即可 (原本的数据都保留不动)
niki.centos.vbird.        IN     NS     dns.niki.centos.vbird.
dns.niki.centos.vbird.    IN     A      192.168.100.200

[root@www ~]# /etc/init.d/named restart
[root@www ~]# tail -n 30 /var/log/messages | grep named
Aug  5 14:22:36 www named[9564]: zone centos.vbird/IN: loaded serial 2011080501
# 日志文件的关键是上面的序号部分。必须是我们填写的新的序号才对

[root@www ~]# dig dns.niki.centos.vbird @127.0.0.1
# 你会发现是错误的。找不到 A
```

上层 DNS 的设置非常简单，只要修改 zone file 即可。不过，由于 zone file 指定的是 NS 的查询权功能，因此，最后那个命令在 dig dns.niki.centos.vbird 时，却会找不到 A。那是正常的。因为 192.168.100.200 尚未设置好 niki.centos.vbird 这个域，所以追踪的结果并没有发现在 192.168.100.200 有 niki.centos.vbird 的 Zone，所以当然找不到。此时数据库的管理权在 192.168.100.200 上。你已经理解了吗？那么我们再来处理下层 DNS 吧。

2. 下层 DNS 服务器：需要有完整的 Zone 相关设置

下层的 DNS 设置就与 19.4 节的详细内容一样了，所以在这里我们仅列出重要的项目：

```
# 1. 修改 named.conf，增加 zone 的参数，假设文件名为 named.niki.centos.vbird
[root@niki ~]# vim /etc/named.conf
....(前面省略)....
zone "niki.centos.vbird" IN {
        type master;
        file "named.niki.centos.vbird";
};

# 2. 建立 named.niki.centos.vbird
[root@niki ~]# vim /var/named/named.niki.centos.vbird
$TTL   600
@       IN SOA   dns.niki.centos.vbird. root.niki.centos.vbird. (
                 2011080501 3H 15M 1W 1D )
@       IN NS    dns.niki.centos.vbird.
dns     IN A     192.168.100.200
www     IN A     192.168.100.200
@       IN MX 10 www.niki.centos.vbird.
@       IN A     192.168.100.200
# 为了简化整个版面，所以鸟哥使用 hostname 而非 FQDN

# 3. 启动并查看相关登录信息
[root@niki ~]# /etc/init.d/named restart
```

```
[root@niki ~]# tail -n 30 /var/log/messages | grep named
....(前面省略)....
zone niki.centos.vbird/IN: loaded serial 2011080501
....(下面省略)....
# 同时，记得处理一下防火墙的放行问题，否则测试会失败

[root@niki ~]# dig www.niki.centos.vbird @192.168.100.254
# 上述的动作必须要有响应才行，否则就会出问题
```

19.5.4 依不同接口给予不同的 DNS 主机名：view 功能的应用

想象一个环境，以我们目前的局域网服务器来说，我的 master.centos.vbird 有两个接口，分别是 192.168.100.254/24（对内）及 192.168.1.100/24（对外），那当我外边的用户想要了解到 master.centos.vbird 这台服务器的 IP 时，取得的竟然是 192.168.100.254，因此还需要通过 NAT 才能连接到该接口，但明明 192.168.100.254 与外部的 192.168.1.100 是同一台服务器主机，干嘛还需要经过 NAT 转到内部接口呢？有没有办法让外部的查询找到 master.centos.vbird 是 192.168.1.100 而内部的找到则回应 192.168.100.254 呢？可以的！那就通过 view 的功能！

那么 view 要怎么处理呢？其实就是让不同来源的用户，能够取得他们自己的 Zone 响应。举例来说，当用户来自 10.0.0.1 时，这个来源不可能是内部（192.168.100.0/24），因此这个来源就会使用外部的 zone file 内容来响应。因此，我们就需要准备同一个 Zone 需要两个不同的设置，再将个别的设置带入自己的客户端查询当中。

现在我们针对这个概念，对于鸟哥的局域网设置 view 的原则是这样的：

- **建立一个名为 intranet 的名字，这个名字代表客户端为 192.168.100.0/24 的来源。**
- **建立一个名为 internet 的名字，这个名字代表客户端为非 192.168.100.0/24 的其他来源。**
- **intranet 使用的 zone file 为本章前面各小节所建立的 zone filename，internet 使用的 zone filename 则在原本的文件名后面累加 inter 的扩展名，并修订各标志的结果。**

再次强调，最终的结果当中，从内网查到的 www.centos.vbird IP 应该是 192.168.100.254，而只要不是鸟哥内网来源的客户端，查到的 www.centos.vbird IP 应该是 192.168.1.100 才对。那就让我们来实际设置此项目吧。

```
[root@www ~]# vim /etc/named.conf
options {
        directory        "/var/named";
        dump-file        "/var/named/data/cache_dump.db";
```

```
        statistics-file "/var/named/data/named_stats.txt";
        memstatistics-file "/var/named/data/named_mem_stats.txt";
        allow-query     { any; };
        recursion yes;
        allow-transfer  { none; };
};

acl intranet { 192.168.100.0/24; };          <==针对 intranet 给予的来源 IP 指定
acl internet { ! 192.168.100.0/24; any; }; <==加上惊叹号 (!) 代表反向选择的意思

view "lan" {                                <==只是一个名字，代表的是内网
        match-clients { "intranet"; };  <==吻合这个来源的才使用下面的 zone
        zone "." IN {
                type hint;
                file "named.ca";
        };
        zone "centos.vbird" IN {
                type master;
                file "named.centos.vbird";
                allow-transfer { 192.168.100.10; };
        };
        zone "100.168.192.in-addr.arpa" IN {
                type master;
                file "named.192.168.100";
                allow-transfer { 192.168.100.10; };
        };
};

view "wan" {                                <==同样，只是个名字而已
        match-clients { "internet"; }; <==代表的则是外网的 internet 来源
        zone "." IN {
                type hint;
                file "named.ca";
        };
        zone "centos.vbird" IN {
                type master;
                file "named.centos.vbird.inter"; <==文件名必须与原有的不同！
        };
        // 外网因为没有使用到内网的 IP，所以 IP 反解部分可以不写于此
};
```

上面输出中，有些数据是重复的，有些则需要经过修改。现在，让我们来修改 named.centos.vbird.inter 吧。

```
[root@www ~]# cd /var/named
[root@www named]# cp -a named.centos.vbird named.centos.vbird.inter
```

```
[root@www named]# vim named.centos.vbird.inter
$TTL    600
@                      IN SOA   master.centos.vbird. vbird.www.centos.vbird. (
                                 2011080503 3H 15M 1W 1D )
@                       IN NS    master.centos.vbird.
master.centos.vbird.    IN A     192.168.1.100
@                       IN MX 10 www.centos.vbird.

www.centos.vbird.       IN A     192.168.1.100
linux.centos.vbird.     IN CNAME www.centos.vbird.
ftp.centos.vbird.       IN CNAME www.centos.vbird.
forum.centos.vbird.     IN CNAME www.centos.vbird.
workstation.centos.vbird. IN A    192.168.1.101

[root@www named]# /etc/init.d/named restart
[root@www named]# tail -n 30 /var/log/messages
[root@www named]# dig www.centos.vbird @192.168.100.254
www.centos.vbird.       600     IN      A       192.168.100.254
# 要得到上面的 IP 才是对的，因为接口来自于 192.168.100.0/24 网段

[root@wwww named]# dig www.centos.vbird @192.168.1.100
www.centos.vbird.       600     IN      A       192.168.1.100
# 要得到上面的 IP 才是对的，因为接口来自非 192.168.100.0/24 网段
```

是不是很简单？这样就能让你的 DNS 依据不同的用户来源，分别给予同一个主机名的不同解析呢。

例题

你的网站读者非常多，但是分布在世界各地。你想让亚洲区的读者连接到中国台湾的站点，而其他国家的读者则连接到美国的站点，但又不想让使用者自己挑选不同的主机名，想使用同一组主机名，此时该如何设置？

答：鸟哥可以想到的最简单的方案，就是通过 DNS 来设置相同主机名的不同 IP 地址，亦即是通过 view 来规范即可。不过，与上述鸟哥的局域网简单范例不同，我们需要收集亚洲区的 IP 才行，可以通过下面的网站来取得：

五大洲的 IP 管理所属人：

http://www.iana.org/numbers/

每个单位的 IP 分布：

http://www.iana.org/assignments/ipv4-address-space/ipv4-address-space.xml

台湾地区 IP 分布：

http://rms.twnic.net.tw/twnic/User/Member/Search/main7.jsp?Order=inet_aton%28Startip%29

然后再通过 acl 和 view 来规范即可。鸟哥的收集资料如下，如果有误，还请告知。

```
acl asia { 1.0.0.0/8;  14.0.0.0/8;  27.0.0.0/8;  36.0.0.0/8;  39.0.0.0/8;
           42.0.0.0/0;  49.0.0.0/8;  58.0.0.0/8;  59.0.0.0/8;  60.0.0.0/8;
           61.0.0.0/8; 101.0.0.0/8; 103.0.0.0/8; 106.0.0.0/8; 110.0.0.0/8;
          111.0.0.0/8; 112.0.0.0/8; 113.0.0.0/8; 114.0.0.0/8; 115.0.0.0/8;
          116.0.0.0/8; 117.0.0.0/8; 118.0.0.0/8; 119.0.0.0/8; 120.0.0.0/8;
          121.0.0.0/8; 122.0.0.0/8; 123.0.0.0/8; 124.0.0.0/8; 125.0.0.0/8;
          126.0.0.0/8; 175.0.0.0/8; 180.0.0.0/8; 182.0.0.0/8; 183.0.0.0/8;
          202.0.0.0/8; 203.0.0.0/8; 210.0.0.0/8; 211.0.0.0/8; 218.0.0.0/8;
          219.0.0.0/8; 220.0.0.0/8; 221.0.0.0/8; 222.0.0.0/8; 223.0.0.0/8;
          139.175.0.0/16; 140.0.0.0/8;150.116.0.0/16;150.117.0.0/16;
          163.0.0.0/8; 168.95.0.0/16;192.0.0.0/8;
};
acl nonasia { ! "asia"; any; };
```

如上所示，加入 asia 与 nonasia 的相关设置，再使用 view 来处理相关的 Zone，并修改 zone file 内容，就能够处理好这个案例的需求了。

19.6　DNS 服务器的高级设定

其实，DNS 服务器的工作原理与架设方式的变化，真的很高深莫测。在这里，我们额外地提出一些比较高级的内容给大家参考参考，例如架设一个合法授权的 DNS 服务器以及利用 rndc 管理 DNS 系统。

19.6.1　架设一个合法授权的 DNS 服务器

现在你应该知道什么是“**经上游授权的合法 DNS 服务器**”了吧？没错，就是上游的 DNS 服务器将子域的查询权开放给你来设置。虽然知道原理，但是那么我要如何来搭建一台合法的 DNS 服务器呢，好让我自己管理自己的 domain？举例来说，鸟哥的 vbird.idv.tw 就是鸟哥自己管理的。下面我们就来谈一谈，如何向 ISP 申请一个合法授权的 DNS 服务器或者合法的主机名。

1. 申请一个合法的 domain name（是要缴费的）

既然是要建立一个合法的 DNS Server，自然就要向合法的 ISP 申请授权了。目前在中国台湾可以到下面的地方去申请。

- http://www.twnic.net/index3.php

其实 TWNIC 已经将台湾地区的一些 domain 授权给各大 ISP 管理了，所以你连接上述的网站之后，可以单击里头相关的链接到各大 ISP 去注册。例如鸟哥就在 HiNet 注册了 vbird.idv.tw 这个域。现在鸟哥就以 HiNet 的注册来作一下说明吧。

1）**进入主画面**

直接连接到下面的网页：http://domain.hinet.net。

2）**选择需要的域名，并查询该域是否已存在**

因为域必须是独一无二的，所以你必须使用该网页当中提供的查询功能，去查询一下你想要的域是否已经被注册了。一定要没有被注册的域才可以。

3）**逐步进行注册**

你可以选择很多种类的域来注册，如果想要注册个人网站，请选中如图 19-7 中箭头 1 所指的单选按钮；如果想要注册类似 vbird.tw 这种域的话，则可以选择箭头 2 所指的那个项目。然后以该网站提供的功能一步一步往下进行，例如以鸟哥的“个人网址”的注册为例，流程步骤如图 19-7 所示。

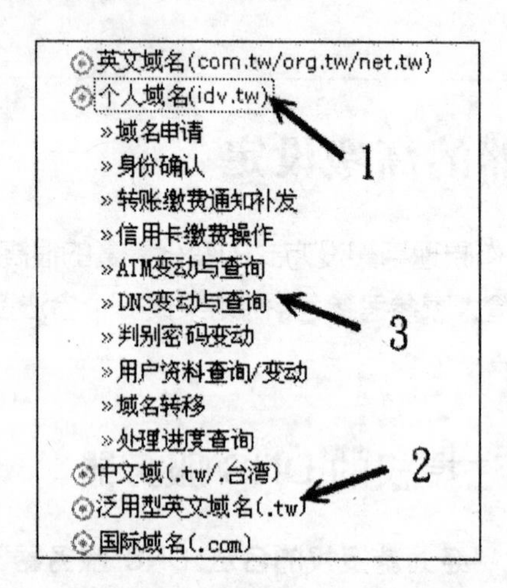

图 19-7 以 HiNet 网站为依据介绍注册 domain 的方法

请依序一步一步将其完成，最后你会得到一组账号密码，就能够修改自己的域了。

4）**选择网站代管或架设 DNS 模式**

我们可以直接请 ISP 帮我们设置好 host 对应 IP（最多三台），当然也可以自行设置一下我们所需要的 DNS 服务器。因为未来你可能会架设 Mail Server，所以还是自行设置 DNS 主机好了。你可以选择图 19-7 在（3）所指的“DNS 异动与查询”项目，会出现下面如图 19-8 所示的图标。记得选择“DNS”及填写你的 hostname 与正确的

IP 即可。注意：要填选这个项目，最好你的 IP 是固定制的，浮动制的 IP 不建议用这个选项。

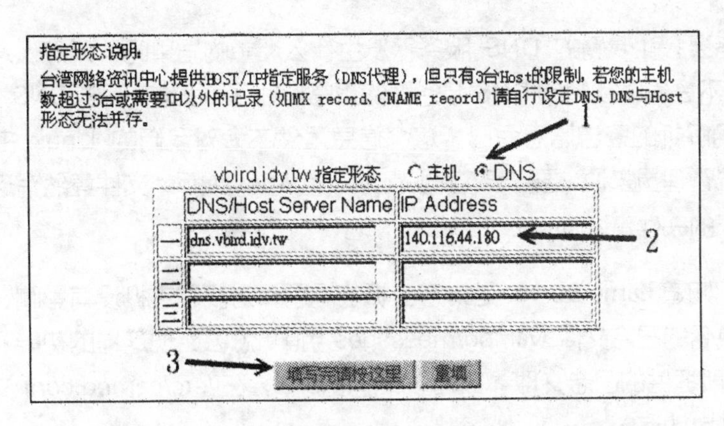

图 19-8 以 Hinet 网站为依据介绍注册 domain 的方法 2

2. 以 DNS 服务器的详细设置（见 19.4 节）的内容来设置主机

如果你已经以 DNS 服务器的方式申请了一个 domain name，那么你就必须要设置你的 DNS 主机了。请注意，这个情况之下，你只要设置你的注册的域的正解即可，反解部分则先不要理会。当然，如果你有办法的话，最好还是请上层的 ISP 帮你设置啰。

3. 测试

设置一台合法的 DNS 完毕后，建议你可以到这个网站去查询一下设置是否妥当：

- http://thednsreport.com/

如此一来，你的 DNS 主机上面设置的任何信息，都可以通过 Internet 上面的任何一台主机来查询到。怎么样？赶快去试试吧。

19.6.2 LAME Server 的问题

或许你曾经在 /var/log/messages 里面看到类似这样的信息：

```
[root@www ~]# more /var/log/messages
1 Oct  5 05:02:30 test named[432]: lame server resolving '68.206.244.205.
  in-addr.arpa' (in '206.244.205.in-addr.arpa'?): 205.244.200.3#53
2 Oct  5 05:02:31 test named[432]: lame server resolving '68.206.244.205.
  in-addr.arpa' (in '206.244.205.in-addr.arpa'?): 206.105.201.35#53
3 Oct  5 05:02:41 test named[432]: lame server resolving '68.206.244.205.
  in-addr.arpa' (in '206.244.205.in-addr.arpa'?): 205.244.112.20#53
```

这是什么东西吧？根据官方提供的文件资料来看（在 CentOS 6.x 的系统下，请查看这个文件“/usr/share/doc/bind-9.7.0/arm/Bv9ARM.ch06.html”），当我们的 DNS 服务器在

向外面的 DNS 系统查询某些正反解时，可能由于对方 DNS 主机的设置错误，导致无法解析到预期的正反解结果，这个时候就会发生所谓的 Lame Server 的错误！

那么这个错误会让我们的 DNS 服务器发生什么严重的后果吗？既然仅是对方的设置错误，所以**自然就不会**影响我们的 DNS 服务器的正常作业了。只是我们的 DNS 主机在查询时，会发生无法正确解析的警告信息而已，这个信息虽然不会对我们的 Linux 主机产生什么困扰，但对于系统管理员来说，要天天查询的 /var/log/messages 文件竟然有这么多的登录信息，这是很讨厌的一件事。

好了，我们知道 Lame Server 是对方主机的问题，对我们主机没有影响，但是又不想让该信息出现在我们的日志文件 /var/log/messages 当中，怎么实现这样的功能呢？就直接利用 BIND 这个软件所提供的日志文件参数啊。操作很简单，在 /etc/named.conf 文件当中的最下面，加入这个参数即可：

```
# 1. 修改 /etc/named.conf
[root@www ~]# vim /etc/named.conf
// 加入下面这个参数：
logging {
        category lame-servers { null; };
};

# 2. 重新启动 BIND
[root@www ~]# /etc/init.d/named restart
```

logging 是主机的登录文件记录的一个设置项目，因为我们不要 LAME Server 的信息，所以才将它置为无（null），这样就改完了。记得重新启动 named 之后，还是要查看一下 /var/log/messages，以确定 named 的正确启动与否，这样处理后，以后就不会看到 LAME Server 了。

19.6.3 利用 RNDC 命令管理 DNS 服务器

不知道你会不会觉得很奇怪，那就是为什么启动 DNS 后，在 /var/log/messages 总是看到这一句话：

```
command channel listening on 127.0.0.1#953
```

而且在本机端的 port 953 还多了个 named 所启动的服务，那是什么？那就是所谓的 rndc 了。这个 rndc 是 BIND version 9 以后所提供的功能，它可以让你很轻松地管理你自己的 DNS 服务器，包括可以检查已经存在 DNS 缓存当中的资料、重新更新某个 Zone 而不需要重新启动整个 DNS，以及检查 DNS 的状态与统计资料等，挺有趣的。

不过，因为 rndc 可以很深入地管理你的 DNS 服务器，所以当然要进行一些控制。控制的方式是**经过 rndc 的设置来建立密钥（rndc key），并将密钥相关的信息写入 named.conf 配置文件当中**，重新启动 DNS 后，DNS 就能够通过 rndc 这个命令来管理了。事实上，新版的 distributions 通常已经帮你主动地建立好 rndc key 了。不过，如果你还是在日志当中发现一些错误，例如：

```
couldn't add command channel 127.0.0.1#953: not found
```

那就表示你 DNS 的 rndc key 没有设置好啦。那要如何设置好？很简单，只要先建立一 rndc key，然后加到 named.conf 中去即可。你可以使用 bind 提供的命令来进行这样的工作。

```
# 1. 先建立 rndc key 的相关数据
[root@www ~]# rndc-confgen
# Start of rndc.conf <==下面没有 # 的第一台分请复制到 /etc/rndc.conf 中
key "rndc-key" {
        algorithm hmac-md5;
        secret "UUqxyIwui+22CobCYFj5kg==";
};

options {
        default-key "rndc-key";
        default-server 127.0.0.1;
        default-port 953;
};
# End of rndc.conf

# 至于下面的 key 与 controls 部分，则请复制到 named.conf 且解开 #
# Use with the following in named.conf, adjusting the allow list as needed:
# key "rndc-key" {
#       algorithm hmac-md5;
#       secret "UUqxyIwui+22CobCYFj5kg==";
# };
#
# controls {
#       inet 127.0.0.1 port 953
#               allow { 127.0.0.1; } keys { "rndc-key"; };
# };
# End of named.conf
# 请注意，这个 rndc-confgen 是利用随机数计算出加密的 key，
# 所以每次执行的结果都不一样。所以上述的数据与你的屏幕会有点不同

# 2. 建立 rndc.key 文件
[root@www ~]# vim /etc/rndc.key
# 在这个文件当中将原本的数据全部删除，并将刚刚得到的结果贴上去
key "rndc-key" {
```

```
        algorithm hmac-md5;
        secret "UUqxyIwui+22CobCYFj5kg==";
};

# 3. 修改 named.conf
[root@www ~]# vim /etc/named.conf
# 在某个不被影响的角落配置如下的内容：
key "rndc-key" {
        algorithm hmac-md5;
        secret "UUqxyIwui+22CobCYFj5kg==";
};
controls {
        inet 127.0.0.1 port 953
                allow { 127.0.0.1; } keys { "rndc-key"; };
};

[root@www ~]# /etc/init.d/named restart
```

建立了 rndc key 并且启动 DNS，同时你的系统也已经有 port 953 之后，我们就可以在本机执行 rndc 这个命令了。这个命令的用法请直接输入 rndc 来查询即可：

```
[root@www ~]# rndc
Usage: rndc [-c config] [-s server] [-p port]
        [-k key-file ] [-y key] [-V] command

command is one of the following:

  reload        Reload configuration file and zones.
  stats         Write server statistics to the statistics file.
  dumpdb        Dump cache(s) to the dump file (named_dump.db).
  flush         Flushes all of the server's caches.
  status        Display status of the server.
# 其他就省略。请自行输入这个命令来参考
```

那如何使用呢？我们举几个小例子来说明。

```
# 范例一：将目前 DNS 服务器的状态显示出来
[root@www ~]# rndc status
version: 9.7.0-P2-RedHat-9.7.0-5.P2.el6_0.1
CPUs found: 1
worker threads: 1
number of zones: 27          <==这台 DNS 管理的 Zone 数量
debug level: 0               <==是否具有 debug 及 debug 的等级
xfers running: 0
xfers deferred: 0
soa queries in progress: 0
```

```
query logging is OFF          <==是否具有 debug 及 debug 的等级
recursive clients: 0/0/1000
tcp clients: 0/100
server is up and running      <==是否具有 debug 及 debug 的等级

# 范例二：将目前系统的 DNS 统计数据记录下来
[root@www ~]# rndc stats
# 此时，默认会在 /var/named/data 内产生新文件，你可以去查阅：
[root@www ~]# cat /var/named/data/named_stats.txt
+++ Statistics Dump +++ (1312528012)
....(中间省略)....
++ Zone Maintenance Statistics ++
                   2 IPv4 notifies sent
++ Resolver Statistics ++
....(中间省略)....
++ Cache DB RRsets ++
[View: lan (Cache: lan)]
[View: wan (Cache: wan)]
[View: _bind (Cache: _bind)]
[View: _meta (Cache: _meta)]
++ Socket I/O Statistics ++
                   5 UDP/IPv4 sockets opened
                   4 TCP/IPv4 sockets opened
                   2 UDP/IPv4 sockets closed
                   1 TCP/IPv4 sockets closed
                   2 TCP/IPv4 connections accepted
++ Per Zone Query Statistics ++
--- Statistics Dump --- (1312528012)

# 范例三：将目前高速缓存当中的数据记录下来
[root@www ~]# rndc dumpdb
# 与 stats 类似，会将 cache 的数据存储成为一个文件，你可以去查阅：
# /var/named/data/cache_dump.db
```

如果你在执行 rndc 命令时总是出现如下错误：

```
rndc: connection to remote host closed
This may indicate that the remote server is using an older version of
the command protocol, this host is not authorized to connect,
or the key is invalid.
```

这表示你的/etc/rndc.key 与 /etc/rndc.conf 内密钥的编码不同所致。请你以上述的 rndc-confgen 的方式自行处理 rndc key，并重新启动 named 即可。用这东西管理，你就不需要每次都重新启动 named 了。

19.6.4 搭建动态 DNS 服务器：让你成为 ISP

什么是动态 DNS（Dynamic DNS, DDNS）主机呢？还记得我们在第 10 章里面提到，如果我们本身是以拨号方式的 ADSL 连上 Internet 时，我们的 IP 通常是 ISP 随机提供的，因此每次上网的 IP 都不固定，所以，我们没有办法以上面的 DNS 设置来给予这种连上 Internet 的方法一个适当的主机名。

也因此，如果我们想要利用这种没有固定 IP 的连接方法搭建网站，就需要有特殊的渠道了。其中之一的方法就是利用 Internet 上面已经提供的免费动态 IP 对应主机名的服务。例如 http://www.no-ip.org。

提供这样的服务利用的是什么原理呢？基本上，DNS 主机还是需要提供 Internet 相关的 Zone 的主机名与 IP 的对应数据才行，所以，**DDNS 主机就必须要提供一个机制，让客户端可以通过这个机制来修改他们在 DDNS 主机上面的 zone file 内的数据才行。**

那会不会很难啊？不会啊，我们的 BIND 9 就有提供类似的机制。那就是利用 update-policy 这个选项，配合认证用的 key 来进行数据文件的更新。简单地说，**①我们的 DDNS 主机先提供 Client 一个 key（就是认证用的数据，你可以将它想成是账号与密码的概念），②Client 端利用这个 key，并配合 BIND 9 的 nsupdate 命令，就可以连上 DDNS 主机，并且修改主机上面的 zone file 内的对应表了**。没错，架设上真的很简单。下面我们就来尝试设置一下。

1. DDNS Server 端的设置

假设我有一个朋友他使用的 Linux 主机的 IP 是会随时变动的，但是他想要架设 Web 网站，所以他向我申请了一个域名，那就是 web.centos.vbird，此时我必须要给他一个密钥，并且设置我的 named.conf 让 centos.vbird 这个 Zone 能够接收来自客户端的数据更新才行。首先来建立这个密钥。

```
[root@www ~]# dnssec-keygen -a [算法] -b [密码长度] -n [类型] 名称
选项与参数：
-a ：      后面接的 [type] 为演算方式的意思，主要有 RSAMD5、 RSA、 DSA、 DH
     与 HMAC-MD5 等。建议你可以使用常见的 HMAC-MD5 来演算密码
-b ：      密码长度为多少？通常给予 512 位的 HMAC-MD5
-n ：      后面接的则是客户端能够更新的类型，主要有下面两种（建议给 HOST 即可）
     ZONE：客户端可以更新任何标志及整个 ZONE
     HOST：客户端仅可以针对他的主机名来更新。

[root@www ~]# cd /etc/named
[root@www named]# dnssec-keygen -a HMAC-MD5 -b 512 -n HOST web
Kweb.+157+36124
[root@www named]# ls -l
-rw-------. 1 root root 112 Aug  5 15:22 Kweb.+157+36124.key
```

```
-rw-------. 1 root root 229 Aug  5 15:22 Kweb.+157+36124.private
# 上面那个是公钥，下面这个则是私钥文件

[root@www named]# cat Kweb.+157+36124.key  <==看一下公钥
web. IN KEY 512 3 157 xZmUo8ozG8f2OSg/cqH8Bqxk59Ho8....3s9IjUxpFB4Q==
# 注意到最右边的那个密码长度，等一下我们要复制的仅有那个地方
```

接下来你必须要**将公钥的密码复制到 /etc/named.conf 中，将私钥传给你的 web.centos.vbird 那台主机上**。好了，那就开始来修改 named.conf 内的相关设置吧。

```
[root@www ~]# vim /etc/named.conf
// 先在任意地方加入这个 Key 的相关密码信息
key "web" {
        algorithm hmac-md5;
        secret "xZmUo8ozG8f2OSg/cqH8Bqxk59Ho8....3s9IjUxpFB4Q==";
};

// 然后将你原本的 Zone 加入下面这一段代码
        zone "centos.vbird" IN {
                type master;
                file "named.centos.vbird";
                allow-transfer { 192.168.100.10; };
                update-policy {
                        grant web name web.centos.vbird. A;
                };
        };

[root@www ~]# chmod g+w /var/named
[root@www ~]# chown named /var/named/named.centos.vbird
[root@www ~]# /etc/init.d/named restart
[root@www ~]# setsebool -P named_write_master_zones=1
```

注意上面的“grant web name web.centos.vbird. A;”那一行，grant 后面接的就是 Key 的名称，也就是说，我这个 Web 的 key 在这个 Zone（centos.vbird）里面可以修改主机名 web.centos.vbird 的 A 的标志，亦即是修改主机的 IP 对应。语法就是“**grant [key_name] name [hostname] 标签**”。也就是说，我的一个 key 其实可以给予多种权限喔，就看你如何规范了。

设置好之后，由于未来客户端传来的信息是由我们主机的 named 所写入，写入的目录在 /var/named/ 当中，所以你必须要修改一下权限。重新启动 DNS，然后查看一下 /var/log/messages 里面有没有错误即可。如此一来，DDNS 主机端就设置妥当了。

2. Client 端的更新

接下来则是 DDNS Client 端的更新了。首先，你必须要由 Server 端取得刚刚建立的那两个文件，请将刚刚建立的 Kweb.+157+36124.key 及 Kweb.+157+36124.private 利用 SSH 的 sftp 传送到客户端，也就是那台 web.centos.vbird 主机上，假设你已经将这两个文件放置到 /usr/local/ddns 里面去，然后测试看看：

```
[root@web ~]# cd /usr/local/ddns
[root@web ddns]# nsupdate -k Kweb.+157+36124.key
> server 192.168.100.254
> update delete web.centos.vbird                        <==删除原有的
> update add web.centos.vbird 600 A 192.168.100.200 <==更新到最新的
> send
> 最后在此按下 [ctrl]+D 即可
```

请注意“update add web.centos.vbird 600 A 192.168.100.200”这行，它的意义说的是，添加一笔数据，TTL 是 600，给予 A 的标签，对应到 192.168.100.200。至于 nsupdate -k 后面加的则是我们在 Server 端产生的那个 key 文件。

然后你就会发现到在 DNS 服务器端的 /var/named/ 里面多出一个临时文件，那就是 named.centos.vbird.jnl。当然，/var/named/named.centos.vbird 就会随着客户端的要求而更新数据。

由于手动更新好像挺麻烦的，我们就让 Client 自动更新吧。利用下面这个 script 即可。

```
[root@web ~]# vim /usr/local/ddns/ddns_update.sh
#!/bin/bash
PATH=/sbin:/bin:/usr/sbin:/usr/bin
export PATH

# 0. keyin your parameters
basedir="/usr/local/ddns"                        # 基本工作目录
keyfile="$basedir"/"Kweb.+157+36124.key"         # 将文件名填进去
ttl=600                                          # 你可以指定 TTL 的时间
outif="eth0"                                     # 对外的连接接口
hostname="web.centos.vbird"                      # 你向 ISP 取得的那个主机名
servername="192.168.100.254"                     # 就是你的 ISP

# Get your new IP
newip=`ifconfig "$outif" | grep 'inet addr' | \
        awk '{print $2}' | sed -e "s/addr\://"`
checkip=`echo $newip | grep "^[0-9]"`
if [ "$checkip" == "" ]; then
        echo "$0: The interface can't connect internet...."
        exit 1
```

```
fi

# create the temporal file
tmpfile=$basedir/tmp.txt
cd $basedir
echo "server $servername"                    >  $tmpfile
echo "update delete $hostname A "            >> $tmpfile
echo "update add    $hostname $ttl A $newip" >> $tmpfile
echo "send"                                  >> $tmpfile

# send your IP to server
nsupdate -k $keyfile -v $tmpfile
```

你只要将上述程序里的特殊字体的部分修改一下，就能够以 /etc/crontab 的方式在你的系统内自动执行了。这个程序你也可以在下面的链接下载：

- http://linux.vbird.org/linux_server/0350dns/ddns_update.sh

利用 BIND 9 所提供的这个服务，我们只要具有一组固定的 IP，并向 ISP 申请一个合法授权的 domain name，就可以提供给不论是固定或者是非固定的 IP 使用者，一个合法的主机名了。并且，使用者也可以自行通过 nsupdate 来修改自己的 IP 对应，以让自己的主机 IP 永远与主机名保持正确的对应，这对只有拨号方式上网的用户来说，真是方便啊。

19.7　重点回顾

- 在 Internet 当中，任何一台合法的主机都具有独一无二的主机名，这个主机名包含了 hostname 与 domain name，并称为 Fully Qualified Domain Name（FQDN）。
- 因克服人类对于 IP 不易记忆的困扰而有名称解析器的产生，首先是 /etc/hosts，而后则是 DNS 系统。
- 目前 Unix Like 的机器当中，都是以 BIND 这个柏克莱大学发展的软件来架设 DNS 服务器。
- DNS 是个协议的名称，BIND 则是一个软件，这个软件提供的程序为 named。
- 在 DNS 当中，每一笔记录我们就称它为 RR（Resource Record）。
- 在 DNS 系统中，正解是由 hostname 找 IP，而反解则是由 IP 找 hostname，至于 Zone 则是一个或者是部分域的设置值。
- 在 BIND 9 之后，默认的情况下 named 已经作了 chroot 的动作。
- Slave 主机本身并没有自行设置 zone file，其 zone file 是由 Master 主机传送而来，因此，Master 主机必须要针对 Slave 主机开放 allow-transfer 的设置项目才行。
- 整个 DNS 查找的流程当中，若找不到本身的数据，则会向 root（.）要求资料。

- 正解的记录（record）主要有 SOA、A、MX、NS、CNAME、TXT 及 HINFO 等。
- 反解的记录主要有 SOA、 PTR 等。
- DNS 查询的命令主要有 host、nslookup、dig、whois 等。
- 在载入了 named 这个 daemon 之后，请务必前往 /var/log/messages 查看此 daemon 的成功与否。

19.8 参考数据与延伸阅读

- 注 1：可以找到的顶级域名（gTLD, ccTLD）相关查询网站：
  http://www.whois365.com/tw/listtld。

  http://icannwiki.org/GTLD_and_ccTLD。
- BIND 官方网站：http://www.isc.org/products/BIND/。
- Study Area 学习网站：http://www.study-area.org/linux/servers/linux_dns.htm。
- 优客笔记：http://turtle.ee.ncku.edu.tw/~tung/dns/dnsintro.html。
- LAME Server 的简易说明：http://linux.cvf.net/lame_server.html。
- DDNS 架设：http://www.study-area.org/tips/ddns.htm。
- HiNet 反解申请单：http://hidomain.hinet.net/top1.html。
- 合法 DNS 服务器设置的检查网站：http://www.dnsreport.com/。
- 对于想要架设内外部不同 DNS 查询功能的朋友来说，可以参考 view 这个参数，请参考：http://www.study-area.org/tips/bind9_view.htm。
- 来自 Red Hat 公司的一份教学：
  http://www.redhat.com/magazine/026dec06/features/dns/?sc_cid=bcm_edmsept_007。
- 台湾 NIC 制作的很棒的教学：http://dns-learning.twnic.net.tw/bind/toc.html。
- BIND 的 view 应用：http://www.l-penguin.idv.tw/article/dns.htm。
- 管理 IP 的单位：

  http://rms.twnic.net.tw/twnic/User/Member/Search/main7.jsp?Order=inet_aton%28Startip%29。

第 20 章 WWW 服务器

我们最常讲的"架站"其实就是架设一个 Web 网站。那么什么是 Web 呢？那就是全球信息广播的意思（World Wide Web），或者也可以称之为互联网。这是目前我们人类最常使用的 Internet 协议之一。通常说的上网就是使用 WWW 来查询用户所需要的信息。目前在 Unix-Like 系统中的 WWW 服务器主要就是通过 Apache 这个服务器软件来实现的，而为了实现运动态网站，于是就产生了 LAMP（Linux + Apache + MySQL + PHP）。让我们赶紧来进入 LAMP 的世界吧。

20.1 WWW 的简史、资源以及服务器软件

你知道网络为什么会这么流行吗？其实都是 WWW 造成的。早在 1993 年左右，鸟哥初次接触到网络，当时的网络较热门的大概就是一些资源下载的 FTP 网站以及很多文字热烈讨论的 BBS 站了。数据虽然丰富，不过，总是觉得少了点什么。后来上了研究所，为了课业需要，经常连上台湾地区的学术网络（TANET）进行一些学术数据的检索，当时大约是 1996 年左右。因为上网就是要找数据而已，所以慢慢地就很少使用网络了。

过了几年后，再次使用图形接口的操作系统，竟然发现只要点几个小按钮，就会有很多花花绿绿的文字与图案出现在网络上，有的网站甚至提供影音的特效，当时真是相当地惊讶！由于图形影像的视觉方面要比 BBS 纯文本的数据吸引人，这样造成很多人喜欢流连在因特网上，上网的人多了自然就有商机。由于奇货可居，才有后来 20 世纪 90 年代末期的浏览器大战，这个商业大战也造成后来 WWW 标准不被某些浏览器所支持的后果。

这些年由于搜索引擎、个人博客（blog）、社交网站（例如 facebook 等）、智能手机等的流行，又将因特网推向另一个新境界！啊！要学的东西真是很多啊~@-@。下面让我们来了解一下什么是 WWW 以及它所需要的服务器软件，还有一些浏览器相关的信息吧！

20.1.1 WWW 的简史、HTML 与标准制订 (W3C)

因特网（TCP/IP）会这么热门，主要是 20 世纪 80 年代的 E-mail 以及 90 年代之后的 WWW 服务所造成的。尤其是 WWW。**WWW 是 World Wide Web 的缩写，其中 Web 有广播网的意思，所以简称为全球信息网。** WWW 可以结合文字、图形、影像以及声音等多媒体，并通过可以让鼠标单击超链接（Hyperlink）的方式将信息以 Internet 传递到世界各处去。

与其他的服务器类似，当你连接上 WWW 网站时，该网站肯定会提供一些数据，而你的客户端则必须要使用可以解析这些数据的软件来进行处理，那就是浏览器。简单来说，你可以这样看一看 WWW Server/Client 的相关性，如图 20-1 所示。

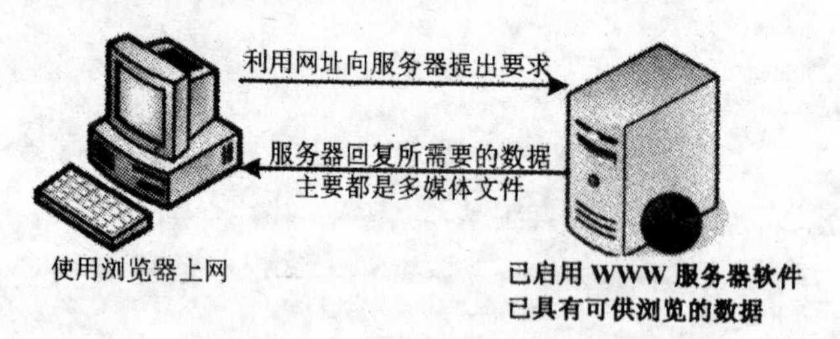

图 20-1 WWW 服务器与客户端浏览器之间的连接相关性

从图 20-1 中，我们大概可以得到以下一些概念：

- **WWW 服务器不但需要可让客户端浏览的平台，还需要提供客户端一些数据才行。**

- 服务器所提供的最主要数据是超文本标记语言（Hyper Text Markup Language, HTML）、多媒体文件（图片、影像、声音、文字等，都属于多媒体或称为超媒体）。
- HTML 只是一些纯文本数据，通过所谓的标记（<tag>）来规范所要显示的数据格式。
- 在客户端，浏览器通过对 HTML 以及多媒体数据进行解析，最后将效果呈现在用户的屏幕上。

1. HTML 的格式

如上所提到的相关信息，我们知道服务器端需要提供客户端一些数据，而这些数据其实主要都以 HTML 的格式来呈现。那么什么是 HTML 呢？我们拿鸟哥的网站来看一下。你可以使用任何一个浏览器连接到 http://linux.vbird.org，然后在其页面上右击，在弹出的快捷菜单中选择“查看源文件”，你就能发现该网页是如何写成的了。

```
<!DOCTYPE html PUBLIC "-//W3C//DTD XHTML 1.0 Transitional//EN"
        "http://www.w3.org/TR/xhtml1/DTD/xhtml1-transitional.dtd">
<html xmlns="http://www.w3.org/1999/xhtml" xml:lang="zh-TW" lang="zh-TW">
<head>
....一些此页面的信息解释的标头数据，例如 title 与整体化设计等等....
</head>
<body style="margin:0; padding:0">
....在浏览器显示的画面中，实际放置在浏览器上面的数据则写于此....
</body>
</html>
```

HTML 之所以被称为标记语言就如同上面的代码所示，它是由很多 <tag> 组成的，除了 <!DOCTYPE> 的部分是在声明下面的语法应该用第几版的 HTML 解析之外，**HTML 主要是由 <html> </html> 所包含起来，而在其中又分为两大区块，一个是与标头有关的 <head> </head> 区块，包括该网页所使用的编码格式等。另一台分则是 <body> </body> 所含有的实际网页内容数据。**

关于 HTML 这里不作过多的介绍，你可以在市面上找到很多相关的书籍。而传统的 HTML4 实际上已经不足以满足某些美工人员及程序设计师的需求，因此，目前还有改善 HTML 显示的 CSS 样式表单，可以让很多程序互相取用的 XML，还有最新一代的 HTML5 等，都值得参考。

2. WWW 所用的协议及 WWW 服务器简史

知道了 WWW 的 Server/Client 架构后，我们接下来要讨论的是，WWW 是怎么来的？伯纳斯–李（Tim Berners–Lee）在 20 世纪 80 年代为了更有效率地让欧洲核物理实验室的科学家可以分享及更新他们的研究成果，发展出一个**超文本传输协议（Hyper Text Transport Protocol, HTTP）**。如同前面提到的，在这个协议上面的服务器需要软件，而客户端则需要浏览器来解析服务器所提供的数据。那么这些软件怎么来的？

为了让 HTTP 这个协议得以顺利地应用，大约在 20 世纪 90 年代初期由伊利诺大学的国家超级计算机应用中心（NCSA, http://www.ncsa.illinois.edu/）开发出服务器 HTTPd（HTTP daemon 之意）。HTTPd 为自由软件，所以很快地领导了 WWW 服务器市场。后来网景通信（Netscape）开发出更强大的服务器与相对应的客户端浏览器，那就是大家曾经熟悉的 Netscape 这套软件。这套软件分为服务器与浏览器，其中浏览器相对便宜，不过服务器可就非常昂贵了。所以，在服务器市场上主要还是以 HTTPd 为主。

后来由于 HTTPd 一直没有得到妥善的发展，于是一群社区朋友便发起一个计划，这个计划主要在改善原本的 HTTPd 服务器软件，**他们称这个改良过的软件为 Apache，取其“一个修修改改的服务器（A patch server）”的双关语。**这个 Apache 在 1996 年以后便成为 WWW 服务器上市场占有率最高的软件了（http://httpd.apache.org/）。

3. 浏览器 (browser) 大战与支持的标准

虽然 WWW 越来越重要，但相对来说，客户端如果没有浏览器的话那么它们当然就无法去浏览 WWW 服务器所提供的数据。为了抢占浏览器的市场占有率，于是在 20 世纪 90 年代末期微软将 IE 浏览器内建在 Windows 操作系统内，此一决定也让当时使用相当广泛的 Netscape 浏览器（Navigator）市场占有率急速下降。后来网景公司在 1998 年左右将浏览器的源代码部分开放成为自由软件，采用 Mozilla 通用授权（MPL）。

Mozilla（http://www.mozilla.org/）这个计划所开发的软件可不止浏览器而已，还包括邮件处理软件及网页编辑软件等。当然，其中最出名的就是浏览器软件“火狐狸（Firefox）”了。那它与 IE 有什么不同呢？由于 IE 是整合在 Windows 操作系统核心内，加上改版的幅度太慢，甚至 IE 使用的 HTML 标准语法解析行为都是微软自定义的标准，并不全然符合因特网上的标准规范（W3C, http://www.w3.org/），导致服务器端所提供的数据无法在所有的浏览器上都显示出相同的样式，而且客户端也容易受到网络攻击。

Firefox（http://moztw.org/）的发展就标榜小而美，因此程序相当小，执行效率上非常快速，此外，对于超文本的解析上面，Firefox 主要是依据 W3C 所制订的标准来发展的，所以任何以 W3C 标准开发的网站，在 Firefox 上面都能够得到设计者所希望的样式！目前 Firefox 已经针对市面上最常见到的 Windows/Linux/Unix 等操作系统来进行支持，大家可以多多使用。

而为了加快 JavaScript 的程序运作，并且加快浏览的速度，Google 自己也推出一个浏览器，称为 chrome 浏览器，这个浏览器就如 Google 的搜索引擎一般，强调的就是快速、快速、更快速！因此，如果你想要浏览器不要花花绿绿，就是风格简约，强调速度感，那么 Google 的这个 chrome 自由软件浏览器也可以使用。

由上面的介绍我们可以进行归纳一下：

- **WWW 是依据 HTTP 这个协议而来的，分为服务器端与客户端。**
- **Apache 是一个服务器端的软件，主要依据 NCSA 的 HTTPd 服务器发展而来，为自由软件。**
- **Mozilla 是一个自由软件的开发计划，其中 Firefox 浏览器是相当成功的作品。**
- **在撰写自己的网页数据时，尽量使用 W3C 所发布的标准，这样在所有的浏览器上面才能够顺利的显示出你想要的样子。**

20.1.2 WWW 服务器与浏览器所提供的资源定位 (URL)

现在我们知道 WWW 服务器的重点是提供一些数据，这些数据必须要客户端的浏览器可以支持显示才行。那么这些数据是什么类型啊？很简单，当然大部分就是文件。如此说来，我们需要在服务器端先将数据文件写好，并且**放置在某个特殊的目录下面，这个目录就是我们整个网站的首页了**。一般来说，这个目录很可能是在 /var/www/html/ 或者是 /srv/www/。我们的 CentOS 默认在 /var/www/html。

那么浏览器如何取得这个目录内的数据呢？你必须要在浏览器的地址栏中输入所需要的网址才行。这个网址就对应到 WWW 服务器的某个文件的文件名。不过，现今的浏览器功能实在很多，它不只可以连上 WWW，还可以连上类似 FTP 之类的网络协议。所以你需要在地址栏输入正确的网址，这个网址是这样的：

- **<协议>://<主机地址或主机名>[:port]/<目录资源>**

1. 网址的意义

上面就是我们常常听到的 URL（Uniform Resource Locator），以斜线作为分段，它可以这样被解释：

- **协议**

  浏览器比较常支持的协议有 HTTP、HTTPs、FTP、Telnet 等，还有类似 news、gopher 等。这个协议在告知浏览器“请你利用此协议连接到服务器端”。举例来说，如果你填写网站：http://ftp.ksu.edu.tw，这表示浏览器要连接到昆山科大的 HTTP（亦即 port 80）；如果是 ftp://ftp.ksu.edu.tw 则代表连接到 FTO（port 21）了。因为使用的协议不同，所以当然响应的数据也不相同。不过，万一对方服务器的端口启动在非正规的端口号，例如将 HTTP 启动在 port 81 时，那你就需要这样写：http://hostname:81/。

- **主机地址或主机名**

  就是服务器在因特网所在的 IP 位置。如果是主机名的话，当然需要通过名称解析器。一般来说，虽然使用 IP 就能够架设 WWW 网站，不过建议你还是申请一个好记又合法的主机名比较好！

■ 目录资源

刚刚不是提到首页的目录吗？在首页目录下的相对位置就是这个目录资源。举例来说，鸟哥的网站 WWW 数据放置在我主机的 /var/www/html/ 当中，所以说：

- http://linux.vbird.org --> /var/www/html/。
- http://linux.vbird.org/linux_basic/index.php-->/var/www/html/linux_basic/index.php。

另外，通常首页目录下面会有个特殊的文件名，例如 index.html 或 index.??? 等。举例来说，如果你直接输入：http://linux.vbird.org 会发现其实与输入 http://linux.vbird.org/index.php 是一样的。这是因为 WWW 服务器会主动地以该目录下的"首页"来显示。

所以，我们的服务器会由于浏览器传来的要求协议不同而给予不一样的响应数据。现在你了解了网址的意义了吗？

2. WWW Server/Client 间数据传输的方式

如果浏览器是以 http://hostname 的形态来向服务器获取数据，那么浏览器与服务器端是如何传递数据的呢？基本上有以下这几种方法。

■ GET

就是浏览器直接向 WWW 服务器要求网址上面的资源，这也是最常见的。此外，使用 GET 的方式可以直接在网址列输入变量。举例来说，鸟哥的讨论区有一篇"提问的智慧"，他的网址是：http://phorum.vbird.org/viewtopic.php?t=96，发现" ?t=96"了吗？t 就是变量，96 就是这个变量的内容。如果你将问号后面的数据拿掉时，瞧瞧会出现什么后果？这样介绍后，你可以明白 GET 的处理了吧！

■ POST

这也是客户端向服务器端提出的要求，只是这个要求里面含有比较多的数据。举例来说，讨论区里面不是常常有留言的选项吗，如果你选择留言的话不是会在浏览器冒出一个框让你填入资料吗？当按下传送后，那些框框内的数据就会被浏览器包起来传送至 WWW 服务器了。**POST 与 GET 不相同，GET 可以在网址取得客户端所要求的变量，不过 POST 就不是使用网址的功能了。**

■ HEAD

服务器端响应给 Client 端的一些数据文件头而已。

- OPTIONS

  服务器端响应给 Client 端的一些允许的功能与方法。

- DELETE

  删除某些资源的举动。

常见的是 GET 这个项目。只有当大量数据由客户端上传到 WWW 服务器端时，才会使用到 POST 这个项目。你还是得需要注意一下这些操作，因为后续的日志文件分析内容都是使用这种操作来分析的。

20.1.3 WWW 服务器的类型：系统、平台、数据库与程序 (LAMP)

以目前的网络世界来说，市场占有率较高的 WWW 服务器软件应该是 Apache 与 IIS 这两个，Apache 是自由软件，可以在任何操作系统上面安装，至于 IIS 则是 Windows 家族开发出来的，仅能在 Windows 操作系统上面安装与执行。由于操作系统平台不一样，所以其上安装的软件当然也不相同。下面就让我们来聊一聊目前网站的一些特色吧。

1. 仅提供用户浏览的单向静态网页

这种类型的网站大多是提供“单向静态”的网页，或许还提供一些动画图示，但基本上就仅止于此啦。因为单纯是由服务器单向提供数据给客户端，Server 不需要与 Client 端有互动，所以你可以到该网站上去浏览，但是无法进行数据的上传。目前主要的免费虚拟主机大多是这种类型。所以，你只要依照 HTML 的语法写好你的网页，并且上传到该网站空间上，那么你的数据就可以让大家浏览了。

2. 提供用户互动接口的动态网站

这种类型的网站可以让服务器与用户互动，常见的例如讨论区论坛与留言板，包括一些博客也都是属于这类型。这种类型的网站需要的技术程度比较高，因为它是通过“网页程序语言”来实现与用户互动的行为，常见的例如 PHP 网页程序语言，配合 MySQL 数据库系统来进行数据的读、写。整个互动如图 20-2 所示。

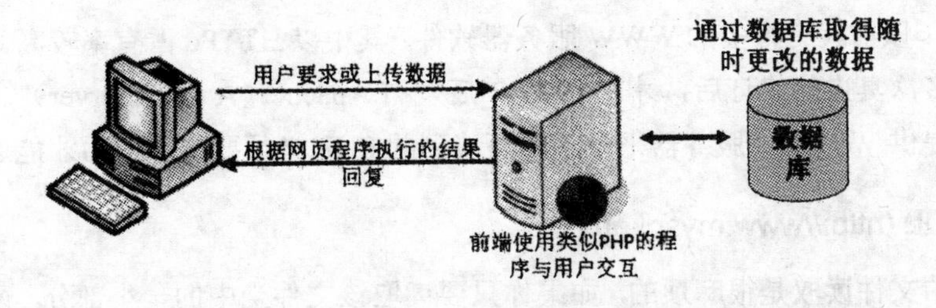

图 20-2 动态网站的网页程序语言与数据库接口

这就是所谓的**服务器端工作任务接口**（Server Side Include, SSI），因为不论你要求的数据是什么，其实都是通过服务器端同一个网页程序在负责将数据读出或写入数据库，处理完毕后将结果传给客户端的一种方式，变动的是数据库内的数据，网页程序其实并没有任何改变的。这部分的网页程序包括 PHP、ASP、Perl 等很多。

另外一种交互式的动态网页主要是在客户端实现的。举例来说，我们可以通过利用所谓的 JavaScript 这种语法，将可执行的程序代码（JavaScript）传送给客户端，客户端的浏览器如果提供 JavaScript 的功能，那么该程序就可以在客户端的计算机上面工作了。由于程序是在客户端计算机上执行，因此如果服务器端所制作的程序是恶意的，那么客户端的计算机就可能会遭到破坏。这也是为什么很多浏览器都已经将一些危险的 JavaScript 关闭的原因。

另外一种可在客户端执行的就是 Flash 动画格式，在这种动画格式内还可以进行程序设计，因此客户端只要拥有可以执行 Flash 动画的软件，那就可以利用这个软件来实现与用户的交互。这些都是动态网站所提供的功能。

从上面的说明可以知道动态网站是目前比较热门的，比如近两年来如同雨后春笋般冒出来的个人博客 (blog) 就是很经典的动态网站之一。而由图 20-2 我们也知道要做成这样的动态网站你必须要有：

- **支持的操作系统：让所需要的软件都能够安装执行。**
- **可运行的 WWW 服务器：例如 Apache 与 IIS 等 WWW 服务器平台软件。**
- **网页程序语言：包括 Perl、PHP、JSP、CGI、ASP 等。**
- **数据存储的数据库系统：包括 MySQL、MSSQL、PostgreSQL 以及甲骨文（Oracle）等。**

3. LAMP 平台的说明

在整个平台设计上面，目前常见的有两大系统，一个是 **Linux 操作系统上面，搭配 Apache + MySQL + PHP 等而实现，这个系统被称为 LAMP**。另一个则是微软的 IIS + MSSQL + ASP（.NET）服务器。在能见度与市场占有率方面，应该还是以 LAMP 为主。在 LAMP 里面除了 Linux 之外，还有其他三个工具就让我们先来谈谈。

- Apache (http://www.apache.org)

  1995 年以前就有很多的 WWW 服务器软件，其中以 HTTPd 占有率较高。后来 HTTPd 经过多次臭虫的修订后，才在 1995 年后发布 Apache（A patch server）。这东西就是主要提供 WWW 的服务器平台，后面谈到的 PHP 必须要在这上面才能运行。

- MySQL (http://www.mysql.org/)

  传统的文件读取是很麻烦的，如果你只要读取该文件当中的一小部分，系统还是会将整个文件读出来，若又有多人同时读取同一个文件时，那就会造成效率与系统上的问题，所以才会有数据库系统的推出。**数据库其实是一种特殊格式的文件，这种文件需**

要通过特殊接口（数据库软件）来进行读写。由于这个特殊接口已经针对数据的查询、写入做过优化设计，因此很适合多人同时写入与查询的工作。

数据库的语法有所谓的 SQL 标准语法，任何根据这种数据检索语法发展出来的数据库，都称为 SQL 数据库。比较知名的自由软件数据库系统有 MySQL 及 PostgreSQL，其中 MySQL 的使用率又比较高一些。MySQL 可以通过网页程序语言来进行读写工作，因此很适合例如讨论区、论坛等的设计，甚至很多商业网站的重要数据也是通过 MySQL 这个数据库软件来存取的。

- PHP (http://www.php.net/)

按照官方的说法，PHP 是一个工具，它可以被用来建立动态网页，PHP 程序代码可以直接在 HTML 网页当中嵌入，就像编辑 HTML 网页一样简单。所以说，PHP 是一种“程序语言”，这种程序语言可以直接在网页当中编写，不需要经过编译即可进行程序的执行。由于具有自由软件、跨平台、容易学习及执行效率高等优点，目前是很热门的一个设计网页的工具，你可以在市面上找到很多相关的书籍来参考。

> 事实上，如果只学会 Linux 与架站，那竞争力还是不够的，可以的话，多学一些 MySQL 的 SQL 语法，以及类似 PHP、JSP 等跨平台的网页程序语言，对你的未来是很有帮助的。

20.1.4 https：加密的网页数据 (SSL) 及第三方证书机构

关于 HTTP 这个传输协议，需要知道的是：**这个传输协议传输数据是以明码传送的**，所以你的任何数据包只要被监听窃取的话，那么该数据就等于是别人的。那想一想，你有过上线刷卡的经验吗？上线刷卡只要输入你信用卡的卡号与相关的截止日期后，就能够进行交易了。如果你的数据在 Internet 上面运行时是明码的情况下，那你的信用卡不就随时可能会被盗用？

虽然大多数 Internet 上面的 WWW 网站所提供的资料是可以随意浏览的，不过如同上面提到的，一些物流交易网站的数据以及关于你个人的重要机密数据当然就不能这样随意传送啦。这个时候就要用到 https://hostname 这种连接方式了，这种方式采用的是 SSL 加密的机制。

1. Secure Socket Layer (SSL)

还记得我们在第 11 章的 SSH 服务器当中介绍过的连接机制吗？就是利用非对称的 key pair（Public + Private key）来组成密钥，然后通过公钥加密后传输，传输到目标主机后再以私钥来解密，如此一来数据在 Internet 上面就以加密的方式运行，想想看，这些数据是不是就比较安全了。SSL 就是利用在 WWW 传输上面的加密方式之一。

当浏览器端与 WWW 服务器端同时支持 SSL 的传输协议时，在连接阶段浏览器与服务器就会产生那把重要的密钥。产生密钥后就能够利用浏览器来传送与接收加密过的重要数据了。要实现这样的机制，你的 WWW 服务器必须要启动 https 这个重要的传输协议，而浏览器则必须要在网址列输入 https:// 开头的网址，那两者才能够进行沟通与连接。要注意的是，在某些很旧的浏览器上面是不支持 SSL 的，所以在那些旧的浏览器上就无法实现 https 的连接了。

2. Certificate Authorities (CA)

想一想 SSL 这个机制有什么问题？它的问题就是：**那把 Public key 是服务器产生且任何人都能取得的**！这是什么问题？因为 Public key 可让任何人取得，若被钓鱼网站取得并且制作一个很类似你网络银行的网站，并且骗你输入账号密码，那就糟糕了。因为你不知道该网站是诈骗集团制作的，以为 https 就是安全的，如此一来，即使你的数据有加密，但结果，在钓鱼网站服务器端还是能够取得你输入的账号与密码。这个时候就需要第三方公证单位来帮忙啦。

所谓的 CA 就是一个公认的公证单位，你可以自行产生一把密钥且制作出必要的证书数据并向 CA 单位注册（讲到注册你就要知道，这东西是要钱的意思），那么当客户端的浏览器在浏览时，该浏览器会主动向 CA 单位确认该证书是否为合法注册过的，如果是的话，那么该次连接才会建立；如果不是呢？那么浏览器就会发出警告信息，告知用户应避免建立连接。所以说，如此一来 WWW 服务器不但有公证单位的证书，用户在建立连接时也比较有保障。

更多关于 SSL 以及 CA 的介绍，可以大概参考一下：

- Apache 的 SSL：http://www.modssl.org/。
- CA 组织之一：https://digitalid.verisign.com/server/apacheNotice.htm。

20.1.5 客户端常见的浏览器

我们前面谈到 WWW 服务器是 Server/Client 的架构，而客户端使用的软件就是浏览器。目前比较知名的自由软件浏览器主要有两款，包括 Mozilla 基金会管理的 Firefox（火狐狸）以及 Google 自行推出的 chrome。至于市场占有率较高的还有 Windows 的 IE。

由于**浏览器可以连接到因特网上，所以浏览器也有可能被攻击**。其中由于 IE 直接内嵌至 Windows 的内核当中，所以如果 IE 有漏洞，对于系统的损害是很大的。因此无论如何，请记得务必要随时更新到最新版本的浏览器才行。建议你使用 Firefox 或 chrome 这些小巧玲珑的浏览器。

除了窗口接口的浏览器软件之外，其实还有几个可以在文字接口下面进行浏览与网页下载的程序，分别是：

- links 与 lynx：文字接口的浏览器。
- wget：文字接口下用来下载文件的命令。

这几个命令我们已经在第 5 章谈过了，请自行前往参考。

20.2　WWW (LAMP) 服务器基本配置

从前面的说明当中，我们知道在 Linux 上面要实现网页服务器需要 Apache 这套服务器软件。不过 Apache 仅能提供最基本的静态网站数据而已，想要实现动态网站的话，那么最好还是需要 PHP 与 MySQL 的支持才好。所以下面我们将会以 LAMP 作为安装与设置的介绍。

20.2.1　LAMP 所需软件与其结构

既然我们已经是 Linux 操作系统，而且使用的是号称完全兼容于 Red Hat Enterprise Linux 的 CentOS 版本，那当然只要利用 CentOS 本身提供的 Apache、PHP、MySQL 即可。**不建议你自行利用 tarball 安装 LAMP 服务器**。因为自行安装不但手续麻烦，而且也不见得比系统默认的软件稳定。除非你有特殊的需求（例如你的某些 Apache 插件需要较高的版本，或者是 PHP、MysQL 有特殊版本的需求），否则请使用 yum 来进行软件的安装即可。

那么 LAMP 需要哪些东西呢？你需要知道的是，**PHP 是挂在 Apache 下面执行的一个模块，而我们要用网页的 PHP 程序控制 MySQL 时，PHP 就需要支持 MySQL 的模块才行。**所以你至少需要下面几个软件：

- httpd（提供 Apache 主程序）。
- mysql（MySQL 客户端程序）。
- mysql-server（MySQL 服务器程序）。
- php（PHP 主程序含给 Apache 使用的模块）。
- php-devel（PHP 的发展工具，这个与 PHP 外挂的加速软件有关）。
- php-mysql（提供给 PHP 程序读取 MySQL 数据库的模块）。

要注意，Apache 目前有几种主要版本，包括 2.0.x、2.2.x 以及 2.3.x 等，至于 CentOS 6.x 则是提供 Apache 2.2.x 这个版本。如果你没有安装的话，请直接使用 yum 或者是原版光盘来安装。

```
# 安装必要的 LAMP 软件： php-devel 可以先忽略
[root@www ~]# yum install httpd mysql mysql-server php php-mysql
```

先来了解一下 Apache 2.2.x 这个版本的相关结构，这样才能够知道如何处理网页数据。

- **/etc/httpd/conf/httpd.conf（主要配置文件）**

  httpd 最主要的配置文件，其实整个 Apache 也不过就是这个配置文件。里面真是无所不包。不过很多其他的 distribution 都将这个文件拆分成数个小文件分别管理不同的参数。但是主要配置文件还是以这个文件名为主。你只要找到这个文件名就知道如何设置了。

- **/etc/httpd/conf.d/*.conf（很多的额外参数文件，扩展名是 .conf）**

  如果你不想要修改原始配置文件 httpd.conf 的话，那么可以将你自己的额外参数文件独立出来，例如你想要有自己的额外设置值，可以将它写入 /etc/httpd/conf.d/vbird.conf（**注意，扩展名一定是 .conf 才行**），而启动 Apache 时，这个文件就会被读入主要配置文件当中了。这有什么好处？好处就是当你进行系统升级的时候，几乎不需要改动原本的配置文件，只要将你自己的额外参数文件复制到正确的地点即可。维护更方便！

- **/usr/lib64/httpd/modules/、/etc/httpd/modules/**

  Apache 支持很多的外挂模块，例如 PHP 以及 SSL 都是 Apache 外挂的一种。所有你想要使用的模块文件默认是放置在这个目录当中的。

- **/var/www/html/**

  这就是我们 CentOS 默认的 Spache 首页所在目录。当输入“http://localhost”时所显示的数据，就是放在这个目录当中的首页文件 (默认为 index.html)。

- **/var/www/error/**

  当因为服务器设置错误，或者是浏览器端要求的数据错误时，在浏览器上出现的错误信息就以这个目录的默认信息为主。

- **/var/www/icons/**

  这个目录提供 Apache 默认给予的一些小图示，你可以随意使用。当你输入“http://localhost/icons/”时所显示的数据所在。

- **/var/www/cgi-bin/**

  默认给一些可执行的 CGI（网页程序）程序放置的目录；当输入“http://localhost/cgi-bin/”时所显示的数据所在。

- /var/log/httpd/

  默认的 Apache 日志文件都放在这里，对于流量比较大的网站来说，这个目录要很小心，因为以鸟哥网站的流量来说，一个星期的日志文件的数据可以大到 700MBytes 至 1GBytes 左右，所以你务必要修改一下你的 logrotate 让日志文件被压缩。

- /usr/sbin/apachectl

  这个就是 Apache 的主要执行文件，这个执行文件其实是 Shell Script 而已，它可以主动地侦测系统上面的一些设置值，好让你启动 Apache 时更简单。

- /usr/sbin/httpd

  这个是主要的 Apache 二进制执行文件。

- /usr/bin/htpasswd（Apache 密码保护）

  在当你想要登入某些网页时你需要输入账号与密码对吧，那 Apache 本身就提供一个最基本的密码保护方式，该密码的产生就是通过这个命令来实现的。相关的设置方式我们会在 WWW 高级设置当中说明。

至于 MySQL 方面，需要知道的几个重要目录与文件有：

- /etc/my.cnf

  这个是 MySQL 的配置文件，包括你想要进行 MySQL 数据库的优化，或者是针对 MySQL 进行一些额外的参数指定，都可以在这个文件里面实现。

- /var/lib/mysql/

  这个目录则是 MySQL 数据库文件存储的所在。当你启动任何 MySQL 的服务时，请务必记得在备份时，这个目录也要完整的备份下来才行。

另外，在 PHP 方面，应该也要知道几个文件：

- /etc/httpd/conf.d/php.conf

  那要不要手动将该模块写入 httpd.conf 当中？不需要的，因为系统主动将 PHP 设置参数写入这个文件中了。而这个文件会在 Apache 重新启动时被读入。

- /etc/php.ini

  就是 PHP 的主要配置文件，包括 PHP 能不能允许用户上传文件？能不能允许某些低安全性的标志等，都是在这个配置文件当中设置的。

- /usr/lib64/httpd/modules/libphp5.so

  PHP 这个软件提供给 Apache 使用的模块。这也是我们能否在 Apache 网页上面设计 PHP 程序语言的最重要的文件，务必要存在。

- /etc/php.d/mysql.ini、/usr/lib64/php/modules/mysql.so

  PHP 是否可以支持 MySQL 接口呢？就看这两个东西啦。这两个东西是由 php-mysql 软件提供的。

- /usr/bin/phpize、/usr/include/php/

  如果未来想要安装类似 PHP 加速器以让浏览速度加快的话，那么这个文件与目录就需要存在，否则加速器软件可能无法编译成功。这两个数据也是 php-devel 软件所提供的。

基本上我们所需要的几个软件的结构就是这样。上面提到的是 Red Hat 系统（RHEL、CentOS、FC）所需的数据，如果是 SuSE 或其他版本的数据，请依照 distribution 管理软件的指令（rpm 或 dpkg）去查询一下，应该就能够知道各个重要数据放置在哪里了。这些数据很重要，你必须要对放置的地点有点概念才行。

20.2.2 Apache 的基本设定

在开始设置 Apache 之前，你要知道由于主机名对于 WWW 是有意义的，所以虽然利用 IP 也能架设 WWW 服务器，不过建议你还是申请一个合法的主机名比较好。如果是暂时测试用的主机而没有主机名时，那么至少确定测试用主机名为 localhost 且在/etc/hosts 内需要有一行：

```
[root@www ~]# vim /etc/hosts
127.0.0.1    localhost.localdomain localhost
```

这样在启动 Apache 时才不会发生找不到完整主机名(FQDN)的错误信息。此外，Apache **只是个服务器平台而已，你还需要了解 HTML 以及相关的网页设计语法，这样才能丰富你的网站**。对于想要设计网页的朋友来说，应用软件或许是很好入门，不过想要完整地了解网站设计的技巧，还是研究一下基础的 HTML 或 CSS 比较妥当。

如果你真的对一些基础语法有兴趣，并且也想要开发一些所谓的无障碍网页空间的话，那么可以造访一下 http://www.w3c.org 所列举的标准语法，或者是行政院的无障碍网页空间申请规范 (http://www.webguide.nat.gov.tw) 相信会有所收获的啦！

终于要来谈一谈如何设置 Apache 这个 httpd.conf 配置文件了。再次强调，每个 distribution 的文件内容都不很相同，所以必须要自行找出相关的配置文件才行。那么这个 httpd.conf 的设置为何呢？它的基本设置格式是这样的：

```
<设置项目>
    此设置项目内的相关参数
```

```
    ...........
</设置项目>
```

举例来说，如果你想要针对我们的首页 /var/www/html/ 这个目录提供一些额外的功能，那么：

```
<Directory "/var/www/html">
    Options Indexes
    ...........
</Directory>
```

几乎都是这样的设置方式。特别留意的是，如果你有额外的设置，不能随便在 httpd.conf 里找地方写入，否则如果刚好写在 <Directory>...</Directory> 里面，那么就会发生错误。需要前前后后地找一找，或者是在文件的最后面加入也行。好啦，下面我们先来聊一聊 Apache 服务器的基本配置。

事实上 Apache 的网页提供了很多非常详细的文件资料，鸟哥在下面仅介绍一些惯用的设置项目的意义而已。有兴趣的话，请务必要前往查阅 Apache 2.2 核心文件：http://httpd.apache.org/docs/2.2/mod/core.html

1. 针对服务器环境的设置项目

Apache 针对服务器环境的设置项目方面，包括响应给客户端的服务器软件版本、主机名、服务器配置文件顶层目录等。下面我们就来谈一谈：

```
[root@www ~]# vim /etc/httpd/conf/httpd.conf
ServerTokens OS
# 这个项目在仅告知客户端我们服务器的版本与操作系统而已，不需要改动它
# 如果不在乎你系统的信息被远程的用户查询到，则可以将这个项目注释掉(不建议)

ServerRoot "/etc/httpd"
# 服务器设置的最顶层目录，有点类似 chroot 那种感觉。包括 logs、modules
# 等的数据都应该要放置到此目录下面 (若未声明成绝对路径时)

PidFile run/httpd.pid
# 放置 PID 的文件，可方便 Apache 软件的管理。只有相对路径
# 考虑 ServerRoot 设置值，所以文件在 /etc/httpd/run/httpd.pid

Timeout 60
# 不论接收或发送，当持续连接等待超过 60 秒则该次连接就中断
# 一般来说，此数值在 300 秒左右即可，不需要修改这个原始值
```

```
KeepAlive On     <==最好将默认的 Off 改为 On
# 是否允许持续性的连接，也就是一个 TCP 连接可以具有多个文件资料传送的要求
# 举例来说，如果你的网页内含很多图片文件，那么这一次连接就会将所有的数据送完，
# 而不必每个图片文件都需要进行一次 TCP 连接。默认为 Off 请改为 On 较好

MaxKeepAliveRequests 500   <==可以将原本的 100 改为 500 或更高
# 与上个设置值 KeepAlive 有关，当 KeepAlive 设置为 On 时，则这个数值可决定
# 该次连接能够传输的最大传输数量。为了提高效率则可以改大一点。0 代表不限制

KeepAliveTimeout 15
# 在允许 KeepAlive 的条件下，则该次连接在最后一次传输后等待延迟的秒数
# 当超过上述秒数则该连接将中断。设置 15 差不多啦，如果设置太高 (等待时间较长)，
# 在较忙碌的系统上面将会有较多的 Apache 程序占用资源，可能有效率方面的问题

<IfModule prefork.c>     <==下面两个 perfork、worker 与内存管理有关
StartServers        8    <==启动 httpd 时，唤醒几个 PID 来处理服务的意思
MinSpareServers     5    <==最小的预备使用的 PID 数量
MaxSpareServers    20    <==最大的预备使用的 PID 数量
ServerLimit       256    <==服务器的限制
MaxClients        256    <==最多可以容许多少个客户端同时连接到 httpd 的意思
MaxRequestsPerChild  4000
</IfModule>
<IfModule worker.c>
StartServers         4
MaxClients         300
MinSpareThreads     25
MaxSpareThreads     75
ThreadsPerChild     25
MaxRequestsPerChild  0
</IfModule>
```

上面的 prefork 及 worker 其实是两个与服务器连接资源有关的设置项目。默认的项目对于一般小型网站来说已经很够用了，不过如果你的网站流量比较大，也可以修订一下里面的数值。这两个模块都是用在提供用户连接的资源（process），设置的数量越大代表系统会启动越多的程序来提供 Apache 的服务，反应速度就比较快。简单地说，这两个模块的功能分类为：

- **针对模块的功能分类来说**

  worker 模块占用的内存较小，对于流量较大的网站来说 是一个比较好的选择。prefork 虽然占用较大的内存，不过速度与 worker 差异不大，并且 prefork 内存使用设计较为优秀，可以在很多无法提供 debug 的平台上面进行自我排错，所以，默认的模块就是 prefork 这个。

- **详细设置的内容方面（以 prefork 为例，worker 意义相同）**

- StartServers：代表启动 Apache 时就启动的 process 数量，所以 Apache 会用到不止一个程序。
- MinSpareServers、MaxSpareServers：代表最大与最小的备用程序数量。
- MaxClients：最大的同时连接数量，也就是 process 不会超过此一数量。现在假设有 10 个人连上来，加上前面的 MinSpareServer=5、MaxSpareServers=20，则 Apache 此时的程序数应有 15~30 个之意。而这个最终程序数不可超过 256 个（依上述设置值）。
- MaxRequestsPerChild：每个程序能够提供的最大传输次数要求。举例来说，如果有个用户连上服务器后，却要求数百个网页，当他的要求数量超过此数值时，则该程序会被丢弃，另外切换一个新程序。这个设置可以有效地管理每个 process 在系统上的存活时间。根据观察所得，新程序的效率较好。

在上面的设置中，比较有趣的是 MaxClients 这个程序模块的参数值，如同上面的说明，**这个 MaxClients 设置值可以控制同时连上 WWW 服务器的总连接要求数量，亦即可以将其看成最高实时在线人数**。不过要注意的是，MaxClients 的数量不是越高越好，因为它会消耗**物理内存（与 process 有关），所以如果你设置太高导致超出物理内存能够容许的范围，那么效率反而会降低**（因为系统会使用速度较慢的 swap），此外，MaxClients 也在 Apache 编译时就指定最大值了，所以你也无法超出系统最大值，除非你重新编译 Apache。

除非你的网站流量特别大，否则默认值已经够你使用的了。但如果你的内存不够大的话，那么 MaxClients 反而要调小一点，例如 150，否则效率不佳。那 Apache 到底是使用那个模块啊？prefork 还是 worker？事实上 CentOS 将这两个模块分别放到不同的执行文件当中，分别是：

- **/usr/sbin/httpd：使用 prefork 模块。**
- **/usr/sbin/httpd.worker：使用 worker 模块。**

那如何决定使用的是哪一个程序？你可以去查阅一下 /etc/sysconfig/httpd，就能够知道系统默认提供 prefork 模块，但可以通过修改 /etc/sysconfig/httpd 来使用 worker 模块。如果你很有好奇心，那么可以分别试着启动这两种模块。接下来，继续来看其他的服务器环境设置参数吧。

```
Listen 80
# 与监听接口有关，默认开放在所有的网络接口。也可修改端口，如 8080

LoadModule auth_basic_module modules/mod_auth_basic.so
....(下面省略)....
# 加载模块的设置项目。Apache 提供很多有用的模块 (就是外挂) 给我们使用

Include conf.d/*.conf
```

```
# 因为这一行，所以放置到 /etc/httpd/conf.d/*.conf 的设置都会被读入

User apache
Group apache
# 前面提到的 prework、worker 等模块所启动的 process 的属主与属组设置
# 这个设置很重要，因为未来你提供的网页文件能不能被浏览都与这个身份有关

ServerAdmin vbird@www.centos.vbird  <==改成你自己的E-mail 吧
# 系统管理员的E-mail，当网站出现问题时，错误信息会显示的联系邮箱(错误回报)

ServerName www.centos.vbird    <==自行设置好自己的主机名较好
# 设置主机名，这个值如果没有指定的话，默认会以 hostname 的输出为依据
# 千万记得，你填入的这个主机名要找的到 IP (DNS 或 /etc/hosts)

UseCanonicalName Off
# 是否使用标准主机名？如果你的主机有多个主机名，若这个设置为 On，
# 那么 Apache 只接受上面servername 指定的主机名连接而已。请使用 Off
```

在某些特殊的服务器环境中，有时候会想要启动多个不同的 Apache，或者是 port 80 已经被使用掉了，导致 Apache 无法启动在默认的端口。那么你可以通过 Listen 这个设置值来修改端口。这也是个很重要的设置值。此外，**你也可以将自己的额外设置指定到 /etc/httpd/conf.d/*.conf 内，尤其是虚拟主机经常使用这样的设置，在迁移时会很方便的。**

2. 针对中文 Big5 语言编码的设置参数修改

目前的因特网传输数据编码多是以万国码(UTF-8)为主，不过在中国台湾还是有相当多的网站使用的是 Big5 的繁体中文编码。如果你的 Apache 默认是以 UTF-8 编码来传输数据，但 WWW 的数据却是 Big5，那么客户端将会看到乱码。虽然可以通过调整浏览器的编码来让数据正确显示，不过总是觉得很讨厌。此时，可以调整一下下面的参数。

```
[root@www ~]# vim /etc/httpd/conf/httpd.conf
# 找到下面这一行，应该是在 747 行左右
# AddDefaultCharset UTF-8   <==请将它注释掉
```

这个设置值的意义是说，让服务器传输“强制使用 UTF-8 编码”的信息给客户端浏览器，因此不论网页内容写什么，反正在客户端浏览器都会默认使用万国码来显示。那如果你的网页使用的是非万国码的语言编码，此时就会在浏览器内出现乱码了，非常讨厌！所以这里当然需要注释掉。必须要注意的是，如果你已经在客户端上面浏览过许多页面，那么你修改过这个设置值后，**仍然要将浏览器的缓存（Cache）清除才行，否则相同页面仍可能会看到乱码**。网友们已经回报过很多次了，这不是 Apache 的问题，而是客户端浏览器的缓存所产生的。记需要处理！

语言编码已经取消默认值，那我怎么知道我的网页语言在客户端会显示哪一个呢？其实在网页里面本来就已经声明了：

```
<html>
<head>
      <meta http-equiv="Content-Type" content="text/html; charset=big5" >
        ....(其他省略)....
```

你应该要修订的是上述的特殊字体处，而不是使用 Apache 提供默认语系才对！

3. 网页首页及目录相关权限的设置 (DocumentRoot 与 Directory)

我们不是讲过 CentOS 的 WWW 默认首页放置在 /var/www/html 这个目录吗？为什么呢？因为 DocumentRoot 这个设置值的关系，此外，由于 **Apache 允许 Internet 对我们的数据进行浏览，所以当然必须要针对可被浏览的目录进行权限的相关设置，这就是 <Directory> 这个设置值的重要特色**。先让我们来看看默认的主页设置吧。

```
[root@www ~]# vim /etc/httpd/conf/httpd.conf
DocumentRoot "/var/www/html"  <==可以改成你放置首页的目录
# 这个设置值规范了 WWW 服务器主网页所放置的目录，虽然设置值内容可以变更，
# 但是必须要特别留意这个设置目录的权限以及 SELinux 的相关规则与类型(type)

<Directory />
    Options FollowSymLinks
    AllowOverride None
</Directory>
# 这个设置值是针对 WWW 服务器的默认环境而来的，因为是针对“/”的设置
# 建议保留上述的默认值 (上面数据已经是很严格的限制)，相关参数容后说明

<Directory "/var/www/html">           <==针对特定目录的限制。下面参数很重要
    Options Indexes FollowSymLinks   <==建议注释掉 Indexes 比较妥当
    AllowOverride None
    Order allow,deny
    Allow from all
</Directory>
```

这个地方则是针对 /var/www/html 这个目录来设置权限的，就是我们首页所在目录的权限。主要的几个设置项目的意义如下（这些设置值都很重要，要仔细看喔！）：

- **Options (目录参数)**

  此设置值表示在这个目录内能够让 Apache 进行的操作，也就是针对 Apache 的程序的权限设置。主要的参数值有：

  - **Indexes**：如果在此目录下找不到首页文件（默认为 index.html）时，就显示整个

目录下的文件名，至于首页文件名则与 DirectoryIndex 设置值有关。

- FollowSymLinks：这是 Follow Symbolic Links 的缩写，字面意义是让连接文件可以生效。我们知道首页目录在 /var/www/html，既然是 WWW 的根目录，理论上就像被 chroot 一般。一般来说被 chroot 的程序将无法离开其目录，也就是说默认的情况下，你在 /var/www/html 下面的连接文件只要链接到非此目录的其他地方，则该连接文件默认是失效的。但使用此设置即可让连接文件有效地离开本目录。
- ExecCGI：让此目录具有执行 CGI 程序的权限，非常重要。举例来说，之前热门的 OpenWebMail 使用了很多的 Perl 程序，你要让 OpenWebMail 可以执行，就需要在该程序所在目录拥有 ExecCGI 的权限才行。**但请注意，不要让所有目录均可使用 ExecCGI。**
- Includes：让一些 Server-Side Include 程序可以运行。建议可以加上去！
- MultiViews：这个有点像是多国语言的支持，与语言数据（LanguagePriority）有关。在错误信息的回报内容中最常见，在同一台主机中，可以依据客户端的语言而给予不同的语言显示。默认在错误回报信息当中存在，你可以检查一下 /var/www/error/ 目录下的数据。

■ AllowOverride（允许的覆盖参数功能）

表示是否允许额外配置文件 .htaccess 的某些参数覆盖。我们可以在 httpd.conf 内设置好所有的权限，不过如此一来，若用户自己的个人网页想要修改权限时将会对管理员造成困扰。因此，Apache 默认可以让用户以目录下面的 .htaccess 文件内覆盖 <Directory> 内的某些功能参数。这个项目则是在规定 .htaccess 可以覆盖的权限类型有哪些。常见的有：

- ALL：全部的权限均可被覆盖。
- AuthConfig：仅有网页认证（账号与密码）可覆盖。
- Indexes：仅允许 Indexes 方面的覆盖。
- Limits：允许用户利用 Allow、Deny 与 Order 管理可浏览的权限。
- None：不可覆盖，也就是让 .htaccess 文件失效。

这部分我们在高级设置时会再讲到的！

■ Order、allow、deny（能否登录浏览的权限）

决定此目录是否可被 Apache 的 PID 所浏览的权限设置。能否被浏览主要有两种判断的方式：

- deny,allow：以 deny 优先处理，但没有写入规则的则默认为 allow。
- allow,deny：以 allow 为优先处理，但没有写入规则的则默认为 deny。

所以在默认的环境中，因为是 allow,deny 所以默认为 deny（不可浏览），不过在下一行有个 Allow from all，allow 优先处理，因此全部客户端皆可浏览。这部分我们会在 20.3.4 节高级安全设置当中再提及。

除了这些数据之外，跟网站数据相关性高的还有下面的几个东西：

```
[root@www ~]# vim /etc/httpd/conf/httpd.conf
DirectoryIndex index.html index.html.var   <==首页“文件的文件名”设置！
```

如果客户端在地址栏只输入到目录，例如 http://localhost/ 时，那么 Apache 将拿出哪个文件来显示呢？就是拿出首页文件嘛！这个文件的文件名在 Apache 当中默认是以 index.* 为开头的，但 Windows 则以 default.* 之类的文件名为开头的。如果你想要让类似 index.pl 或 index.cgi 也可以是首页的文件名，那可以改成：

- DirectoryIndex index.html index.htm index.cgi index.pl ...

那如果上面的文件名全部存在的话，那该怎么办？就按照顺序，接在 DirectoryIndex 后面的文件名参数，越前面的越优先读取。那如果文件名全部不存在呢？就是说没有首页时，该如何读取？这就与刚刚谈到的 Options 里面的 Indexes 有关。这样有没有将两个参数串起来？

```
[root@www ~]# vim /etc/httpd/conf/httpd.conf
# Alias   网址延伸   实际 Linux 目录
Alias /icons/ "/var/www/icons/"   <==制作一个目录别名 (相当类似快捷方式)
<Directory "/var/www/icons">
    Options Indexes MultiViews
    AllowOverride None
    Order allow,deny
    Allow from all
</Directory>
```

这个 Alias 很有趣，可以制作出类似链接文件的东西。当你输入 http://localhost/icons 时，其实你的 /var/www/html 并没有 icons 那个目录，不过由于 Alias (别名) 的关系，会让该网址直链接结到 /var/www/icons/ 下。这里面默认有很多 Apache 提供的小图示，而因为设置了一个新的可浏览目录，所以多了个 <Directory> 来规定权限了。

```
[root@www ~]# vim /etc/httpd/conf/httpd.conf
# ScriptAlias   网址延伸   实际 Linux 目录
ScriptAlias /cgi-bin/ "/var/www/cgi-bin/"
<Directory "/var/www/cgi-bin">
    AllowOverride None
    Options None
    Order allow,deny
    Allow from all
</Directory>
```

与上面的 icons 类似，不过这边却是以 ScriptAlias（可执行脚本的别名）为设置值。这个设置值可以指定该目录下面为“具有 ExecCGI 能力”的目录所在。所以你可以将类似 Open webmail 的程序放置到 /var/www/cgi-bin 内，就不必额外设置其他的目录来放置你的 CGI 程序，这样大概就 OK 了。接下来准备一下看看还有哪些额外的配置文件需要处理呢?

20.2.3 PHP 的默认参数修改

我们前面稍微提过 PHP 是 Apache 当中的一个模块，那在谈了 Apache 的 httpd.conf 之后，我们并没有讲到 PHP 这个模块的设置问题。不是不讲，而是因为目前 Apache 很智能地将一些重要模块拆出来放置到 /etc/httpd/conf.d/*.conf 文件中了，所以我们必须要到该目录下才能了解到某些模块是否有被加入。下面就来看看吧!

```
[root@www ~]# cd /etc/httpd/conf.d
[root@www conf.d]# ll *.conf
-rw-r--r--. 1 root root 674 Jun 25 15:30 php.conf      <==提供 PHP 模块的设置
-rw-r--r--. 1 root root 299 May 21  2009 welcome.conf  <==提供默认的首页欢迎信息
# 如果你是按照刚刚鸟哥说的几个模块去安装的，那么这个目录下至少会有这两个数据，
# 一个是规范 PHP 设置，一个则是规范“如果首页不存在时的欢迎画面”
```

我们主要来看看关于 PHP 的配置文件吧：

```
[root@www conf.d]# vim /etc/httpd/conf.d/php.conf
<IfModule prefork.c>  <==根据不同的 PID 模式给予不同的 PHP 运行模块
  LoadModule php5_module modules/libphp5.so
</IfModule>
<IfModule worker.c>
  LoadModule php5_module modules/libphp5-zts.so
</IfModule>
AddHandler php5-script .php   <==所以扩展名一定要是 .php 结尾
AddType text/html .php        <==.php 结尾的文件是纯文本档
DirectoryIndex index.php      <==首页文件名增加 index.php
#AddType application/x-httpd-php-source .phps <==特殊的用法
```

CentOS 6.x 使用的是 PHP 5.x 版本，这个版本依据不同的 Apache 使用内存模式（prefork 或 worker）给予不同的模块。此外，为了规范 PHP 文件，因此多了最后三行，包括增加扩展名为 .php 的文件处理方式、.php 定义为纯文本档，以及首页文件名增加 index.php 等。基本上，这个文件不需要有任何的修改，保留原样即可。

1. PHP 安全方面的设定

你必须要知道 PHP 的配置文件其实是在 /etc/php.ini，这个文件内容有某些地方可以进

行一些小修改，也有某些地方必须要特别留意，免得被客户端误用你的 PHP 资源。下面先介绍一下 PHP 常见的与安全方面相关的设置。

```
[root@www ~]# vim /etc/php.ini
register_globals = Off
# 这个项目请确定为 Off (默认就是 Off)，因为如果设置为 On 时，
# 虽然程序执行不容易出问题，但是很容易不小心就被攻击

log_errors = On
ignore_repeated_errors = On  <==这个设置值调整一下 (因默认为 Off)
ignore_repeated_source = On  <==这个设置值调整一下
# 这三个设置项目可以决定是否要将 PHP 程序的错误记录起来
# 建议将重复的错误数据忽略掉，否则在很忙碌的系统上
# 这些错误数据将可能造成你的日志文件暴增，导致效率不佳 (或宕机)

display_errors = Off
display_startup_errors = Off
# 当你的程序发生问题时，是否要在浏览器上面显示相关的错误信息 (包括部分程序代码)
# 强烈建议设置为 Off。不过如果是尚未开放的 WWW 服务器，为了你的 debug
# 容易，可以暂时将它设置为 On，如此一来你的程序问题会在浏览器上面
# 直接显示出来，你不需要进入 /var/log/httpd/error_log 日志文件中查阅。
# 但程序完成后记得将此设置值改为 Off，这很重要。
```

如果你想要提供 Apache 的说明文件给自己的 WWW 服务器的话，可以安装一下 httpd-manual 这个软件，你就会发现在这个目录当中又会添加文件（manual.conf），而且从此你可以使用 http://localhost/manual 来登录 Apache 的使用手册呢！真方便！有兴趣的话可以参考与安装下面这些软件：

- **httpd-manual：提供 Apache 参考文件的一个软件。**
- **mrtg：利用类似绘图软件自动产生主机流量图表的软件；**
- **mod_perl：让你的 WWW 服务器支持 perl 写的网页程序（例如 webmail 程序）；**
- **mod_python：让你的 WWW 服务器支持 python 写的网页程序。**
- **mod_ssl：让你的 WWW 可以支持 https 这种加密过后的传输模式。**

Perl 与 Python 是与 PHP 类似的东西，都是一些很常用网页的程序语言。例如知名的 OpenWebMail（http://openwebmail.org/）就是利用 Perl 写成的。要让 WWW 支持该程序语言，就需要安装这些东西（但不是所有的软件都安装，请安装你需要的即可）。

2. PHP 提供的上传容量限制

我们未来可能会使用 PHP 写成的软件来提供用户上传/下载文件数据，那么 PHP 有没有限制文件容量呢？答案是：有的。那么容量限制是多大？默认是 2MB 左右。你可以修改它，

假设我们现在要限制成为 16MB 时，我们可以这样修改：

```
[root@www ~]# vim /etc/php.ini
post_max_size = 20M         <==大约在 729 行左右
file_uploads = On           <==一定要是 On 才行 (默认值)
upload_max_filesize = 16M <==大约在 878 行左右
memory_limit = 128M         <==PHP 可用内存容量也能修改
```

与文件上传/下载容量相关的就是这几个设置值。为什么 post_max_size 要比 upload_max_filesize 大呢？因为文件有可能也是通过 POST 的方式传输到我们服务器上，此时你的文件就需要加入 POST 信息内。因为 POST 信息可能还含有其他的额外信息，所以当然要比文件容量大才行。在设计这个配置文件时，这两个值要特别注意。

20.2.4 启动 WWW 服务与测试 PHP 模块

最单纯简单的 WWW 服务器设置得差不多了，接下来就是要启动了。启动的方法非常简单，用传统的方式来处理：

```
[root@www ~]# /etc/init.d/httpd start        <==立刻启动
[root@www ~]# /etc/init.d/httpd configtest   <==测试配置文件语法
[root@www ~]# chkconfig httpd on             <==开机启动 WWW
```

另外，其实 Apache 也自行提供一支 script 可以让我们来简单地使用，那就是 apachectl 这个程序。这个程序的用法与 /etc/init.d/httpd 几乎完全相同。

```
[root@www ~]# /usr/sbin/apachectl start  <==启动
[root@www ~]# /usr/sbin/apachectl stop   <==关闭 WWW
```

一般建议你可以稍微记一下 apachectl 这个程序，因为很多认证考试会考，而且它也是 Apache 默认提供的一个管理指令。好了，来看看有没有启动成功。

```
# 先看看 port 有没有启动
[root@www ~]# netstat -tulnp | grep 'httpd'
Proto Recv-Q Send-Q Local Address  Foreign Address State  PID/Program name
tcp        0      0 :::80          :::*            LISTEN 2493/httpd

# 再来看看登录文件的信息记录了什么。这个确实建议瞧一瞧
[root@www ~]# tail /var/log/httpd/error_log
[notice] SELinux policy enabled; httpd running as context unconfined_u:system_r:
httpd_t:s0
[notice] suEXEC mechanism enabled (wrapper: /usr/sbin/suexec)
[notice] Digest: generating secret for digest authentication ...
[notice] Digest: done
```

```
[notice] Apache/2.2.15 (Unix) DAV/2 PHP/5.3.2 configured -- resuming normal operations
# 第一行在告知有使用 SELinux(强调一下)，最后一行代表正常启动了
```

这样应该就成功启动了 Apache。比较重要的还有启动 SELinux 的相关说明，这还需要我们特别注意一下。接下来测试一下能不能看到网页。首先看看 /var/www/html 有没有数据，如果没有，没关系，因为 CentOS 为我们提供一个测试页了（Apache 的 welcome 模块功能），所以你还是在浏览器上面输入你这台主机的 IP 看看如图 20-3 所示。

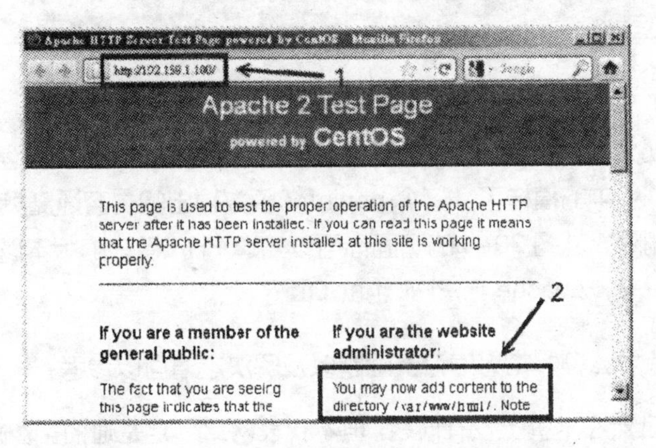

图 20-3　启动 Apache 之后，所看到的默认首页

你可以在服务器上面启动图形接口来查看，也可以通过客户端计算机来连接（假设防火墙问题已经克服了）。鸟哥这里假设服务器为 runlevel 3 的纯文本接口，因此使用外部的客户端计算机连接到服务器的 IP 上，如图 20-3 中的箭头 1 处。如果你是在服务器本机上面启动的浏览器，那直接输入“http://localhost”即可。同时看到画面中的箭头 2 所指处，你就可以发现首页的位置是在 /var/www/html/ 下面。但如果想要知道有没有成功地驱动 PHP 模块，那最好先到 /var/www/html 目录下去建立一个简单的文件：

```
[root@www ~]# vim /var/www/html/phpinfo.php
<?php  phpinfo ();  ?>
```

要记住，PHP 文件的扩展名一定要是.php 结尾的才行。至于内容中，那个“<?php ... ?>”是嵌入在 HTML 文件内的 PHP 程序语法，在这两个标签内的就是 PHP 的程序代码。那么“phpinfo ( ) ;”就是 PHP 程序提供的一个函数库，这个函数库可以显示出 WWW 服务器内的相关服务信息，包括主要的 Apache 信息与 PHP 信息等等。这个文件配置完毕后，接下来你可以利用浏览器去浏览一下这个文件，如图 20-4 所示。

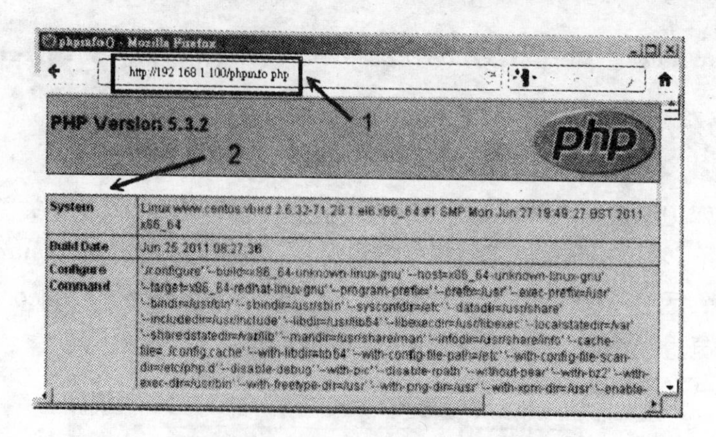

图 20-4 测试 Apache 能否驱动 PHP 模块

注意看网址的部分。因为 phpinfo.php 放置在首页目录的下面，因此整个 URL 当然就成为图 20-4 中箭头 1 当中的模样了。这个 phpinfo()函数输出的内容还挺机密的，所以测试完毕后请将这个文件删除。从图 20-4 的画面你可以知道 PHP 模块的版本以及 Apache 相关的重要数据了。如此一来，Apache 与 PHP 也就 OK 了。

那万一测试失败怎么办？常见的错误问题以及解决之道可以参考：

- **网络问题**：虽然在本机上没有问题，但不代表网络一定是通的。请确认一下网络状态，例如 Route table、拨号情况等。
- **配置文件语法错误**：这个问题很常发生，因为设置错误，导致服务无法启动成功。此时除了参考屏幕上面的输出信息外，你也可以通过 /etc/init.d/httpd configtest 测试语法，更好的解决方案是参考 /var/log/httpd/error_log 内的数据，可以取得更详尽的解决方法。
- **权限问题**：例如你刚刚在 httpd.conf 上面设置 user 为 Apache 了，但偏偏要被浏览的文件或目录对 Apache 没有可读权限，自然就无法让别人连接进去。
- **问题的解决之道**：如果还是没有办法连接上你的 Linux Apache 主机，那么请：
  - 查看 /var/log/httpd/error_log 这个文件，它应该可以告诉你很多的信息。
  - 仔细的察看一下你的浏览器上面显示的信息，这样才能够知道问题出在哪里。
  - 另一个可能则是防火墙，查看一下 iptables 的信息，也可能是 SELinux 的问题。

20.2.5 MySQL 的基本设定

在 LAMP 服务器里面，Linux、Apache、PHP 已经处理完毕，那么 MySQL 呢？所以，接下来就是要处理这个数据库软件。在启动 MySQL 前其实系统并没有帮我们建立任何的数据库。当初次启动 MySQL 后，系统才会针对数据库进行初始化的建立。不相信的话你可以先看看 /var/lib/mysql/ 这个目录，里面其实是没有任何数据的。

1. 启动 MySQL (设定 MySQL root 密码与添加 MySQL 用户账号)

首先要启动 MySQL 才行，启动的方法很简单。

```
[root@www ~]# /etc/init.d/mysqld start
[root@www ~]# chkconfig mysqld on
# 如果是初次启动，屏幕会显示一些信息且 /var/lib/mysql 会建立数据库

[root@www ~]# netstat -tulnp | grep 'mysql'
Proto Recv-Q Send-Q Local Address   Foreign Address   State   PID/Program name
tcp        0      0 0.0.0.0:3306    0.0.0.0:*          LISTEN  2726/mysqld

# 下面再测试看能否以手动的方式连上 MySQL 数据库
[root@www ~]# mysql -u root
Welcome to the MySQL monitor.  Commands end with ; or \g.
Your MySQL connection id is 2
Server version: 5.1.52 Source distribution

Type 'help;' or '\h' for help. Type '\c' to clear the current input statement.

mysql> exit
Bye
```

MySQL 默认监听的端口在 port 3306，从上面的输出来看我们的 MySQL 似乎是启动了，不过**刚刚初始化的 MySQL 数据库管理员并没有任何密码**，所以很可能我们的数据库是会被用户搞烂的。所以你最好对 MySQL 的管理员账号设置一下密码。另外，**上面那个 root 与我们 Linux 账号的 root 是完全无关的**。因为 MySQL 数据库软件也是个多用户的操作环境，只是在该软件内恰好有个管理者账号也是 root 而已。

那么如何针对 MySQL 软件内的这个管理者 root 设置它的密码呢？你可以这样做：

```
[root@www ~]# mysqladmin -u root password 'your.password'
# 从此以后 MySQL 的 root 账号就需要密码了

[root@www ~]# mysql -u root -p
Enter password:  <==你必须要在这里输入刚刚建立的密码！

mysql> exit
```

如此一来 MySQL 数据库的管理方面会比较安全些。其实更好的做法是分别建立不同的用户管理不同的数据库。举例来说，如果你要给予 vbirduser 这个用户一个 MySQL 的数据库使用权，假设你要给他的数据库名称为 vbirddb，且密码为 vbirdpw 时，你可以这样做：

```
[root@www ~]# mysql -u root -p
Enter password:  <==如前所述，你必须要输入密码
mysql> create database vbirddb;  <==注意每个命令后面都要加上分号 (;)
Query OK, 1 row affected (0.01 sec)

mysql> grant all privileges on vbirddb.* to vbirduser@localhost
identified by 'vbirdpw' ;
Query OK, 0 rows affected (0.00 sec)

mysql> show databases;
+--------------------+
| Database           |
+--------------------+
| information_schema |
| mysql              | <==用来记录 MySQL 账号、主机等重要信息的主数据库
| test               |
| vbirddb            | <==我们刚刚建立的数据库在此
+--------------------+
4 rows in set (0.00 sec)

mysql> use mysql;
mysql> select * from user where user = 'vbirduser';
# 上面两个命令在查询系统有没有 vbirduser 这个账号，若出现一堆东西，
# 那就是查询到该账号了。这样就配置妥当了

mysql> exit
```

然后你可以利用“mysql –u vbirduser –p”这个命令来尝试登录 MySQL，就知道 vbirduser 这个用户在 MySQL 里面拥有一个名称为 vbirddb 的数据库。其他更多的用法请自行参考 SQL 相关的语法，不在本文的讨论范围啦。

2. 效率调优 /etc/my.cnf

由于 MySQL 这个数据库系统如果在很多用户同时连接时，可能会造成某些效率方面的瓶颈，因此，如果你的数据库真的很大，建议可以改用 postgresql 这套软件，这套软件的使用与 mysql 似乎差异不大。不过，我们还是提供一些简单的方式来处理小站的 MySQL 效能。相关的数据鸟哥是参考这一篇简单的中文说明：

- http://parus1974.wordpress.com/2005/02/27/mysql 再调整。

```
[root@www ~]# vim /etc/my.cnf
[mysqld]
default-storage-engine=innodb
# 关于目录数据与语言的设置等
default-character-set   = utf8    <==每个人的编码都不相同，不要随意跟我一样
```

```
port                    = 3306
skip-locking
# 关于内存的设置，注意，内存的简单计算方式为：
# key_buffer + (sort_buffer + read_buffer ) * max_connection
# 且总量不可高于实际的物理内存量。所以，我下面的数据应该是 OK 的
# 128 + (2+2)*150 = 728MB
key_buffer              = 128M
sort_buffer_size        = 2M
read_buffer_size        = 2M
join_buffer_size        = 2M
max_connections         = 150
max_connect_errors      = 10
read_rnd_buffer_size    = 4M
max_allowed_packet      = 4M
table_cache             = 1024
myisam_sort_buffer_size = 32M
thread_cache            = 16
query_cache_size        = 16M
tmp_table_size          = 64M
# 由连接到确定断线的时间，原本是 28800 (sec)，约 8 小时，我将它改为 20 分钟
wait_timeout            = 1200
thread_concurrency      = 8
innodb_data_file_path = ibdata1:10M:autoextend
innodb_buffer_pool_size = 128M
innodb_additional_mem_pool_size = 32M
innodb_thread_concurrency = 16

datadir=/var/lib/mysql
socket=/var/lib/mysql/mysql.sock
user=mysql
symbolic-links=0
[mysqld_safe]
log-error=/var/log/mysqld.log
pid-file=/var/run/mysqld/mysqld.pid
```

你要注意的是，因为鸟哥的主机上面假设内存有 2GB，所以跟内存相关的数据才会写很大。请依照你实际拥有的内存量来处理，还得加上你的 Apache 本身的内存用量。所以，如果你的网站流量很大的话，在校能测试上面要很注意。

3. MySQL root 密码遗忘的紧急处理

如果你不小心忘记 MySQL 的密码怎么办？网络上有一些工具可以用来对 MySQL 数据库进行恢复。如果你的数据库内容并不是很重要，删除也无所谓的话（测试中），那么可以将 MySQL 关闭后，将 /var/lib/mysql/* 那个目录内的数据删除掉，然后再重新启动 MySQL，那么 MySQL 数据库会重建，而且 root 也没有密码了。

不过，这个方法仅适合你的数据库并不重要的时候，如果数据库很重要，那千万不要随便删除。

20.2.6 防火墙设置与 SELinux 规则的放行

设置好了 LAMP 之后，就要开始让客户端来连接。那么如何放行呢？要放行哪些端口？刚刚的 port 3306 要不要放行？这里请注意，如果是小型的 WWW 网站，事实上，Apache 是连接本机的 MySQL，并没有开放给外部的用户来连接数据库。因此，**请不要将 3306 放行给因特网连接，除非你真的知道你要给其他的服务器读取你的 MySQL。既然如此，当然只要开放 port 80 即可。**

此外，如果你的 Apache 未来还想要进行一些额外的连接工作，那么 SELinux 的一些简单规则也得先放行，否则会有问题。不过 SELinux 的问题其实都好解决，因为可以参考登录文件来修订。好了，让我们简单地来谈谈：

```
# 1. 放行防火墙中的 port 80 连接
[root@www ~]# vim /usr/local/virus/iptables/iptables.rule
iptables -A INPUT -p TCP -i $EXTIF --dport  80  --sport 1024:65534 -j ACCEPT
# 将上面这一行的注释拿掉即可
[root@www ~]# /usr/local/virus/iptables/iptables.rule
[root@www ~]# iptables-save | grep 80
-A PREROUTING -s 192.168.100.0/255.255.255.0 -i eth1 -p tcp -m tcp --dport 80
   -j REDIRECT --to-ports 3128 <==这一行是进行 squid 产生的，应该要注释掉比较好
-A INPUT -i eth0 -p tcp -m tcp --sport 1024:65534 --dport 80 -j ACCEPT
# 看到上面这行，就是将防火墙的放行加进来了，客户端应该是能够连接

# 2. 解决 SELinux 的规则放行问题：
[root@www ~]# getsebool -a | grep httpd  <==会出现一堆规则，有兴趣的如下：
[root@www ~]# setsebool -P httpd_can_network_connect=1
# 其他的规则或类型，等待后续的章节介绍再来谈
```

例题

你想要修改首页内容，且先使用 root 在 /root 下面建立了 index.html 了，这个文件将被移动到 /var/www/html 下面，请建立该文件，并且放置成首页文件，浏览看看。

答：可以通过简单的方式建立一个无关紧要的首页文件：

```
[root@www ~]# echo "This is my Home page" > index.html
[root@www ~]# mv index.html /var/www/html
[root@www ~]# ll /var/www/html/index.html
-rw-r--r--. 1 root root 21 2011-08-08 13:49 /var/www/html/index.html
# 权限看起来是 OK 的
```

现在请使用浏览器浏览一下 http://localhost，就会发现无法读取。为什么？请检查 /var/log/httpd/error_log 以及 /var/log/messages 的内容：

```
[root@www ~]# tail /var/log/httpd/error_log
[error] [client 192.168.1.101] (13)Permission denied: access to /index.html
denied
[root@www ~]# tail /var/log/messages
Aug  8 13:50:14 www setroubleshoot: SELinux is preventing /usr/sbin/httpd
"getattr"
 access to /var/www/html/index.html. For complete SELinux messages. run sealert
-l
 6c927892-2469-4fcc-8568-949da0b4cf8d
```

看到上面字体加粗的地方了吧？就是它。执行一下，你就能发现如何处理了。

20.2.7 开始网页设计及安装架站软件，如 phpBB3

基础的 LAMP 服务器架设完毕之后，基本上，你就可以开始设计你想要的网站了。编写网页的工具很多，请自行寻找吧。不过对于这个简单的 LAMP 服务器，你必须要知道的是：

- **默认的首页目录在 /var/www/html/，应该将所有的 WWW 数据都搬到该目录下面。**
- **注意你的资料权限（rwx 与 SELinux）。务必要让 Apache 的程序用户能够浏览。**
- **尽量将首页文件名定义为 index.html 或 index.php。**
- 如果首页想要建立在其他地方，你应该要修改 DocumentRoot 那个参数（httpd.conf）。
- 不要将重要数据或者隐私数据放置到 /var/www/html/ 首页内。
- 如果你需要安装一些 CGI 程序的话，建议你将它安装到 /var/www/cgi-bin/ 下面，如此一来就不需要额外设置 httpd.conf 即可顺利启动 CGI 程序了。

除了这些基本的项目之外，其实你可以使用因特网上面别人已经做好的 PHP 程序套件，例如论坛软件 phpBB3、完整的架站软件 PHPNuke 以及博客软件 lifetype 等。但这些架站套件都需要 PHP 与数据库的支持，所以你必须要将上述介绍的 LAMP 完整地安装好才行。如果你不喜欢自己写网页的话，那么这些有用的架站软件就够你用的了。鸟哥列出下面几个链接供你参考。

- phpBB 讨论区官方网站：http://www.phpbb.com/。
- phpBB 简体中文网站“竹猫星球”：http://phpbb-tw.net。
- 鸟哥的简易 phpBB 安装法：http://linux.vbird.org/apache_packages/。
- Lifetype 博客架设软件中文支持站：http://www.lifetype.org.tw/。
- Lifetype 博客架设软件官网：http://www.lifetype.net/。

- PHP-Nuke 官方网站：http://phpnuke.org/。
- xoops 官方网站：http://www.xoops.org/。

不过请注意，这些软件由于是公开的，所以有些人可能会据以乱用或乱改，因此可能会存在一些 bug。因此，你必须要取得最新的版本来玩才行，而且架设之后还需要持续地观察是否有更新的版本出现，随时去更新到最新版本才行，免得后患无穷。

20.3 Apache 服务器的高级设定

事实上，刚刚上面的基本设置已经足够朋友们架设 WWW 服务器所需了。不过，还有很多可以做的地方，例如个人用户首页、虚拟主机以及认证保护的网页等。下面我们分别来谈一谈。

20.3.1 启动用户的个人网站 (权限是重点)

每一台 WWW 服务器都有一个首页，但是如果每个个人用户都想要有可以自己完全控制的首页时，那该如何设计？Apache 早就帮我们想到了。不过新版的配置文件内常常是默认将这个功能取消的，所以必须要自行修改。

```
[root@www ~]# vim /etc/httpd/conf/httpd.conf
# 找到如下的设置项目，大约在 366 行左右
<IfModule mod_userdir.c>
    UserDir disable
    #UserDir public_html
</IfModule>
# 将它改成如下的情况
<IfModule mod_userdir.c>
    #UserDir disable
    UserDir www
</IfModule>

# 重新启动一下
[root@www ~]# /etc/init.d/httpd restart
```

这只是个范例，Apache 默认的个人首页是放置在用户主目录下的 ~/public_html/ 目录下。假如你的系统有个账号叫做 student，那么默认的属于 student 的个人首页就会放置在 /home/student/public_html/ 下面。不过，这个 public_html 实在很讨厌，看起来跟网页没有什么特殊关联性，因此鸟哥都会将这个目录改为 www，所以 student 的个人首页就会是在 /home/student/www/ 目录下，比较好记忆。

例题

如何让未来所有添加的用户默认主目录下都有个 www 的目录？

答：因为添加用户时所参考的用户主目录在 /etc/skel 目录内，所以你可以直接 mkdir /etc/skel/www 即可。若想要让用户直接拥有一个简易的首页，还可以使用 echo "My homepage" > /etc/skel/www/index.html。

下面我们来谈一谈个人首页的 URL 以及目录的权限、SELinux 设置。

现在假设我们要让已经存在系统中的 student 这个账号具有个人首页，那就需要手动去配置所需要的目录与文件才行。现在请用 student 登录，并用该账号配置下面的信息：

```
[student@www ~]$ mkdir www
[student@www ~]$ chmod 755 www   <==针对 www 目录开放权限
[student@www ~]$ chmod 711 ~     <==不要忘了主目录也要改
[student@www ~]$ cd www
[student@www www]$ echo "Test your home" >> index.html
```

由于 CentOS 默认的用户主目录权限是 drwx------，这个权限将无法让 Apache 的程序浏览，所以至少要让你的用户主目录权限成为 drwx--x--x 才行。这个很重要！那么未来只要你在浏览器的地址栏这样输入：

- **http://你的主机名/~student/**。

理论上就能够看到你的个人首页了。不过，可惜的是，我们的 SELinux 并没有放行个人首页！所以，此时你会发现浏览器出现“You don't have permission”的信息。赶紧看一下你的/var/log/messages，里面应该会教你如何进行这项工作：

```
[root@www ~]# setsebool -P httpd_enable_homedirs=1
[root@www ~]# restorecon -Rv /home/
# 第一个命令在放行个人首页规则，第二个命令在处理安全类型
```

这样就可以看到你的用户个人主页了。之后让用户自己去设计他的网站吧。现在你知道那个波浪号 (~) 在 URL 上面的意义了吧？不过，多这个波浪号就很讨厌，我可不可以将用户的个人网站设置成为：

- **http://你的主机名/student/**。

是可以的。最简单的方法是这样的：

```
[root@www ~]# cd /var/www/html
[root@www html]# ln -s /home/student/www student
```

由于我们首页的 Options 内有 FollowSymLinks 这个参数的原因，所以可以直接使用链接文件即可。另外我们也可以使用 Apache 提供的别名功能 (Alias)，例如这样做：

```
[root@www ~]# vim /etc/httpd/conf/httpd.conf
# 找个不与别人设置值有干扰的地方加入这个设置项目：
Alias /student/ "/home/student/www/"
<Directory "/home/student/www">
        Options FollowSymLinks
        AllowOverride None
        Order allow,deny
        Allow from all
</Directory>

[root@www ~]# /etc/init.d/httpd restart
```

不过，如果使用这个方法的话要特别注意，在 httpd.conf 内的 Alias 后面接的目录，需要加上目录符号（/）在结尾处，同时，网址列必须要输入 http://IP/student/。也就是结尾也必须要加上斜线才行，否则会显示找不到该 URL。

20.3.2 启动某个目录的 CGI (perl) 程序执行权限

在前几个小节里面我们曾经谈到，如果你想要 Apache 可以执行 perl 之类的网页程序时，你就得需要安装一些额外的模块才行。其中 mod_perl 与 mod_python 这两个软件建议最好安装一下。然后我们也提到想要执行 CGI 程序就得到 /var/www/cgi-bin/ 目录下去执行。如果你想要在其他目录下面执行 CGI 程序是否可以？当然可以！

1. 利用新目录下的 Options 参数设定

假设想要执行 CGI 的程序附文件名为 .cgi 或 .pl，且放置的目录在 /var/www/html/cgi/ 时，你可以这样做：

```
[root@www ~]# yum install mod_python mod_perl
[root@www ~]# vim /etc/httpd/conf/httpd.conf
# 找到下面这一行，大约在 797 行左右
#AddHandler cgi-script .cgi
# 将它改成下面的模样，让附文件名为 .pl 的文件也能执行
AddHandler cgi-script .cgi .pl

# 然后加入下面这几行来决定开放某个目录的 CGI 执行权限
<Directory "/var/www/html/cgi">
    Options +ExecCGI
    AllowOverride None
    Order allow,deny
    Allow from all
```

```
</Directory>

[root@www ~]# /etc/init.d/httpd restart
```

接下来只要让你的 CGI 程序具有 X 权限，那么就可以执行了。举例来说，你的文件在 /var/www/html/cgi/helloworld.pl 的话，那么：

```
[root@www ~]# mkdir /var/www/html/cgi
[root@www ~]# vim /var/www/html/cgi/helloworld.pl
#!/usr/bin/perl
print "Content-type: text/html\r\n\r\n";
print "Hello, World.";
[root@www ~]# chmod a+x /var/www/html/cgi/helloworld.pl
```

然后在地址栏输入"http://主机名或 IP/cgi/helloworld.pl"即可执行该文件并将结果显示在屏幕上面。

2. 使用 ScriptAlias 的功能

直接利用文件名的别名来处理即可，而且更简单呢！我们现在假设所有在 /var/www/perl/ 目录下的文件都可以是 Perl 所撰写的程序代码，那么我们可以这样做：

```
[root@www ~]# vim /etc/httpd/conf/httpd.conf
# 同样的你要先确认这一行是存在的
AddHandler cgi-script .cgi .pl

# 然后加入下面这几行来决定开放某个目录的 CGI 执行权限。
ScriptAlias /perl/ "/var/www/perl/"

[root@www ~]# /etc/init.d/httpd restart

[root@www ~]# mkdir /var/www/perl
[root@www ~]# cp -a /var/www/html/cgi/helloworld.pl /var/www/perl
```

现在，请在地址栏输入"http://IP/perl/helloworld.pl"，就能够看到刚刚的数据了。这个方法比较棒。因为该目录不需要在 Apache 首页下面也可以成功。这两个方法你可以随意取一个来处理即可，不需要两个都进行。

20.3.3 找不到网页时的显示信息通知

如果你的/var/www/html/cgi 目录下面没有任何首页文件（index.???）时，那当用户在地址栏输入"http://your.hostname/cgi"，请问结果会显示出什么呢？可能有两个：

- **如果你的 Options 里面有设置 Indexes 的话，那么该目录下的所有文件都会被列出来，提供类似 FTP 的连接页面。**
- **如果没有指定 Indexes 的话，那么错误信息通知就会被显示出来。**

事实上 CentOS 所提供的 Apache 已经规范好一些简单的错误资料网页了，你可以到 /var/www/error/ 目录下看看便知。不过该目录下的文件并没有中文信息，所以真要命！至于 Apache 的错误信息设置在这里：

```
[root@www ~]# vim /etc/httpd/conf/httpd.conf
# 大约在 875 行左右，默认是注释掉的
#    ErrorDocument 403 /error/HTTP_FORBIDDEN.html.var
#    ErrorDocument 404 /error/HTTP_NOT_FOUND.html.var
#    ErrorDocument 405 /error/HTTP_METHOD_NOT_ALLOWED.html.var
#    ErrorDocument 408 /error/HTTP_REQUEST_TIME_OUT.html.var
....(后面省略)....
```

虽然 Apache 默认提供一些额外的数据给我们使用，不过，鸟哥不是很喜欢那样的画面，反而比较喜欢像是 Yahoo 或是其他大型网站所提供的信息页面，可以提供给用户一些有效的链接，这样会比较方便用户链接到我们的网站。此时我们可以这样做：

```
[root@www ~]# vim /etc/httpd/conf/httpd.conf
# 找到下面这一段，大约在 836 行左右，先看看这些简单的范例：
#ErrorDocument 500 "The server made a boo boo."
ErrorDocument 404 /missing.html   <==将注释拿掉
#ErrorDocument 404 "/cgi-bin/missing_handler.pl"
#ErrorDocument 402 http://www.example.com/subscription_info.html

[root@www ~]# /etc/init.d/httpd restart
```

上面那个文件 /missing.html 必须要放置在首页目录下，也就是 /var/www/html/missing.html。要提醒你的是：**你的所有配置文件当中 (包括 /etc/httpd/conf.d/*.conf) 只能存在一个 ErrorDocument 404 ... 的设置值，否则将以较晚出现的设置为主。**所以你得先查找一下，尤其是很多 Linux 版本的 Apache 并没有将默认的错误信息注释。至于 404，它的意义是这样的：

100~199：一些基本的信息。

200~299：客户端的要求已成功地完成。

300~399：Client 的需求需要其他额外的操作，例如 redirected 等。

400~499：Client 的要求没有办法完成（例如找不到网页）。

500~599：主机的设置错误问题。

好了，接下来让我们编辑一下 missing.html 的文件内容。

```
[root@www ~]# vim /var/www/html/missing.html
<html>
<head>
      <meta http-equiv="Content-Type" content="text/html; charset=utf8">
      <title>错误信息通知</title>
<head>
<body>
      <font size=+2 face="标楷体">你输入的网页找不到！</font><br />
      <hr />
      亲爱的网友，你所输入的网址并不存在我们的服务器当中，
      有可能是因为该网页已经被管理原删除，
      或者是你输入了错误的网址。请再次查明后在填入网址啰！
      或按<a href="/">这里</a>回到首页。
      感谢你常常来玩！^_^<br />
      <hr />
      若有任何问题，欢迎联络管理员<a
      href="mailto:vbird@www.centos.vbird">vbird@www.centos.vbird</a>。
</body>
</html>
```

现在你如果在网址列随便输入一个服务器上不存在的网址，就会出现如图 20-5 所示的画面。

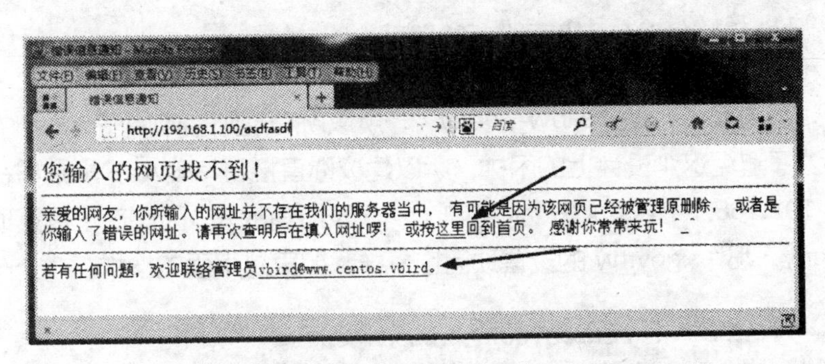

图 20-5　找不到网页时的错误通报信息

当然，你可以自行设置出符合你网页风格的数据。例如鸟哥的网站上面就列出一些基本的链接，帮助网友们可以顺利地取得他们想要的数据。这也是很重要的功能呢！

20.3.4　浏览权限的设定操作 (Order、Limit)

你该如何限制客户端对你的 WWW 连接呢？你会说，那就利用 iptables 这个防火墙吧，那有什么难的？问题是，如果同一个 IP 来源，它的某些网页可以浏览，但某些网页不能浏览时，该如何设置？iptables 仅能一口气开放或整个拒绝，无法针对 WWW 的内容来部分放行。

那该如何处理？就通过 Apache 内建的 Order 项目来处置即可。先来回忆一下 Order 搭配 allow、deny 的相关限制：

- **Order deny,allow：以 deny 优先处理，但没有写入规则的则默认为 allow。常用于：拒绝所有，开放特定的条件。**
- **Order allow,deny：以 allow 为优先处理，但没有写入规则的则默认为 deny。常用于：开放所有，拒绝特定的条件。**
- **如果 allow 与 deny 的规则当中有重复的，则以默认的情况（Order 的规范）为主。**

举例来说，如果我们的首页目录想要让 192.168.1.101 及政府部门无法连接，其他的则可以连接，由上面的说明你可以知道这是“开放所有，拒绝特定”的条件，所以你可以这样做设置：

```
[root@www ~]# vim /etc/httpd/conf/httpd.conf
<Directory "/var/www/html">
    Options FollowSymLinks
    AllowOverride None
    Order allow,deny
    Allow from all
    Deny from 192.168.1.101   <==约在 344 行添加下面两行
    Deny from .gov.tw
</Directory>

[root@www ~]# /etc/init.d/httpd restart
```

注意一下，因为 Order 是“allow、deny”，所以所有规则当中属于 allow 的都会被优先提到最上方，为了避免这个设计上的困扰，所以建议你直接将 allow 的规则写在最上方。而由于规则当中 192.168.1.101 隶属于 all 当中（all 代表所有的），因此这个设置项目则为默认值，亦即为 deny。那个 .gov.tw 的设置项目也一样。如果是下面的模样：

```
[root@www ~]# vim /etc/httpd/conf/httpd.conf
# 下面可是个错误的示范，请仔细看下个段落的详细说明
<Directory "/var/www/html">
    Options FollowSymLinks
    AllowOverride None
    Order deny,allow
    Deny from 192.168.1.101
    Deny from .gov.tw
    Allow from all
</Directory>
```

虽然 deny 会先挪到上方来处理，不过因为 192.168.1.101 是在 all 的范围内，所以发生重复，因此这个设置值将会以默认的 allow 为主，因此就无法限制住这个 192.168.1.101 的

访问。这方面很容易搞错，鸟哥也是常常搞到头昏脑胀的。

例题

如果有个应该要保护的内部目录，假设在 /var/www/html/lan/，我仅要让 192.168.1.0/24 这个网络可以浏览的话，那么你应该如何设置呢？

答：这个案例当中是“拒绝所有连接，仅接受特定连接”的情况，因此可以使用 deny,allow 那个情况，你可以这样做：

```
<Directory "/var/www/html/lan">
    Options FollowSymLinks
    AllowOverride None
    Order deny,allow
    deny from all
    allow from 192.168.1.0/24
</Directory>
```

事实上，如果想要让某个网络或者是 IP 无法浏览的话，最好还是利用 iptables 来处理比较妥当。不过如果仅是某些重要目录不想让人家来查阅的话，那么这个 allow, deny 与 Order 的设置数据可就很值得参考了。

而除了这个 Order 设置值之外，我们还有个限制客户端能进行的操作的设置，那就是 Limit 这个设置。举例来说，如果我们想要让用户在 /var/www/html/lan 这个目录下仅能进行最简单的 GET、POST、OPTIONS 功能，除了这几个之外的其他功能全部不允许，那么你可以这样做：

```
[root@www ~]# vim /etc/httpd/conf/httpd.conf
<Directory "/var/www/html/lan">
    AllowOverride none
    Options FllowSymLinks

    # 先允许能够进行 GET, POST 与 OPTIONS
    <Limit GET POST OPTIONS>
        Order allow,deny
        Allow from all
    </Limit>

    # 再规定除了这三个操作之外，其他的操作全部不允许
    <LimitExcept GET POST OPTIONS>
        Order deny,allow
        Deny from all
    </LimitExcept>
```

```
</Directory>
```

通过 Limit 与 LimitExcept 就能够处理客户端进行的操作了，也就有办法针对你的数据进行详细地保护了。这些保护非常详细，一般小网站大致上用不到 Limit 功能。

20.3.5 服务器状态说明网页

既然已经安装好了 WWW 服务器，除了提供服务之外，重要的是要如何进行维护。那么是否一定要额外安装其他的软件才能知道目前的主机状态吗？当然不需要。我们可以通过 Apache 提供的特别功能来查询主机目前的状态，那就是 mod_status 这个模块。这个模块默认是关闭的，你必须要修改配置文件来启动它才行。

```
[root@www ~]# vim /etc/httpd/conf/httpd.conf
# 先确定下面这几个项目真的有存在才行
LoadModule status_module modules/mod_status.so <==大约在 178 行，就是模块的加载

ExtendedStatus On  <==大约在 228 行，你可以将它打开，信息会比较多

# 下面的数据则大约在 924 行左右，你可以将它修改成为这样：
<Location /server-status>
    SetHandler server-status
    Order deny,allow
    Deny from all
    Allow from 192.168.1.0/24
    Allow from 127.0.0.1
</Location>

[root@www ~]# /etc/init.d/httpd restart
```

接下来你只要在地址栏输入的主机名后面加上 http://hostname/server-status 即可发现如图 20-6 所示的提示。

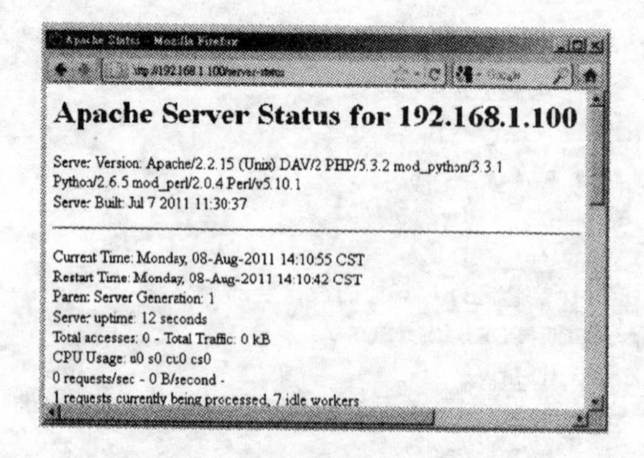

图 20-6 服务器目前的状况显示网页

输出的结果包括目前的时间以及 Apache 重新启动的时间，还有目前已经启动的程序等，还有网页最下方会显示每个程序的客户端与服务器端的连接状态。虽然显示的状况挺简单，不过该有的也都有了，可以让你大概了解一下服务器的状况。要注意，可查阅者（allow from 的参数）还是需要限制得严格一点。

20.3.6 .htaccess 与认证网页设定

对于保护 Apache 本身的数据方面，除了上述的 Order 以及 Limit 之外，还有什么方式呢？因为 Order 与 Limit 主要是针对 IP 网络或者是主机名来管理，那如果我们客户端是使用拨号方式取得 IP，那么 IP 会一直变动的，如此一来那个保护的目录用户也就不能在任何地方进入了，会造成一些问题。

此时如果能够使用密码保护的方式，让用户可以输入账号/密码即可取得浏览的权限的话，那客户端就不用受到 Order 的 allow, deny 的限制了。Apache 确实刚好有提供一个简单的认证功能，让我们可以轻松愉快地就设置好密码保护的网页了。

> 什么是受保护的数据呢？举例来说，学校老师们可能会提供一些教学教材或者是习题给同学，这些数据不想给所有人取得，那么就可以将这些数据放在特定的受保护的目录中。还有例如某些重要的 Apache 服务器分析的数据（本章后面提及的一些分析工具），这些数据配置的方法需要启用 CGI 程序，而 CGI 程序的执行是有风险的，而且那些分析所得的数据也很重要。此时，该程序与输出结果就需要放在受保护的目录了。

那么那个认证网页如何搞定？简单地说，要这样处理：

1）**建立受保护的目录**：既然我们是“单击了某个链接进入某个目录之后，才会出现对话窗口”，那么首先当然就是要将那个设置为认证网页的“目录”了。

2）**设置 Apache 所需参数**：然后，在对话窗口中，既然我们需要输入账号与密码，那么自然就需要密码文件了。另外，虽然 Apache 支持 LDAP 及 MySQL 等的认证机制，不过我们这里并不讨论其他的认证机制，完全使用 Apache 的默认功能而已，所以，下面我们会使用基本（Basic）的认证模式。

3）**建立密码文件**：处理完基本的设置后，再来则是建立登录时所需要的账号与密码。

4）最后，重新启动 Apache 即可。

其中，第二个步骤会比较有趣，我们说过，任何的设置数据都可以直接写到 httpd.conf 这个配置文件当中，所以设置保护目录的参数数据确实可以写入 httpd.conf 当中。不过，想一想，如果你的 Apache 服务器有 30 个用户具有个人首页，然后他们都需要制作保护目录，而

httpd.conf 只有身为 root 的你才能够修改，更可怕的是“每次改完都需要重新启动 Apache”。请问，你的时间精力是否会受到“很严厉的考验”？

所以，**如果我们能够通过外部的文件来取代设置在 httpd.conf 内的参数，那么是否会比较好？而且最好该文件设置能够即时生效，不需要重新启动 Apache 的话就更好了**，因为如此一来，你就可以交给用户自行管理他们的认证网页了。通过 httpd.conf 内的 AllowOverride 参数，**配合 .htaccess 这个文件的设置就可以实现上述所预想的功能**。这个设置项目与配置文件 httpd.conf 的关系如图 20-7 所示。

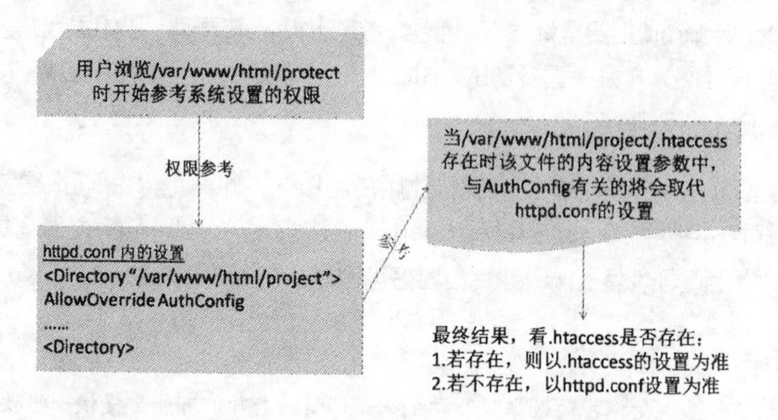

图 20-7 .htaccess 与主要配置文件 httpd.conf 的相关性

也就是说：

- **主配置文件 httpd.conf 的修改**：你必须要在 httpd.conf 这个主配置文件中先以 AllowOverride 指定某个目录下的 .htaccess 有哪些能够进行取代的参数，一般有 AuthConfig、Options 等，考虑到系统数据的安全，建议提供 AuthConfig 的项目。设置完毕后请重新启动 Apache。
- **.htaccess 放置的目录**：在受保护的目录下面务必要存在 .htaccess 这个文件，通过这个文件即可修改 httpd.conf 内的设置。
- **.htaccess 的修改**：.htaccess 设置完立刻生效，不需要重新启动 Apache，因为该文件的内容是“当有客户端浏览到该目录时，该文件才会被用来取代原有的设置”。

既然 .htaccess 的用途比较广，所以下面我们不介绍 httpd.conf 的认证参数，请自行测试。下面主要以 .htaccess 文件的设置为主。

1. 建立保护目录的数据

假设要将受保护的数据放置到 /var/www/html/protect 中，记得这个目录要让 Apache 可以浏览到才行，所以可以立刻将一些重要的资料搬移到这里来。下面我们先建立个简单的测试网页。

```
[root@www ~]# mkdir /var/www/html/protect
[root@www ~]# vim /var/www/html/protect/index.html
<html>
<head><title>这是个测试网页</title></head>
<body>看到这个画面了吗？如果看到的话，表示你可以顺利进入本受保护网页
</body></html>
```

2. 以 root 的身份处理 httpd.conf 的设置数据

这个操作仅有 root 才能做的。需要开始编辑 httpd.conf，让受保护的目录可以使用 .htaccess。

```
[root@www ~]# vim /etc/httpd/conf/httpd.conf
# 确定下面这几行是存在的，约在 400 行左右
AccessFileName .htaccess
<Files ~ "^\.ht">
    Order allow,deny
    Deny from all
    Satisfy All
</Files>

# 在某个不受影响的地方加入这一段：
<Directory "/var/www/html/protect">
    AllowOverride AuthConfig
    Order allow,deny
    Allow from all
</Directory>

[root@www ~]# /etc/init.d/httpd restart  <==重新启动，不要忘记了
```

这样就设置妥当了，很简单吧。接下来要准备建立 .htaccess。

3. 建立保护目录下的 .htaccess 文件：只要有权限建立者即可进行

要注意，这个文件是在保护目录下面的，不要放错地方。需要如下操作：

```
[root@www ~]# cd /var/www/html/protect
[root@www protect]# vim .htaccess
# 只要加入下面这几行即可
AuthName     "Protect test by .htaccess"
Authtype     Basic
AuthUserFile /var/www/apache.passwd
require user test
```

这些参数的意义是这样的：

- AuthName：在出现要你输入账号与密码的对话框中，出现的“提示字符”。
- AuthType：认证的类型，这里仅列出 Apache 预设的类型，亦即是 basic。
- AuthUserFile：保护目录所使用的账号密码配置文件，这个文件是随便设置的，当然，所有用户可以自行设置账号与密码。文件内的账号不限在 /etc/passwd 出现的用户，另外，**这个文件不要放置在 Apache 可以浏览的目录内，所以我将它放置在首页之外**，避免被不小心窃取。
- require：后面接可以使用的账号。假如 /var/www/apache.passwd 内有 3 个账号，分别是 test、test1、test2，这里只写了 test，因此 test1、test2 将无法登录此目录。如果要让该密码文件内的用户都能够登录，改成“require valid-user”即可。

设置好就立刻生效了，不需要重新启动任何东西。

4. 建立密码文件 htpasswd (只要有权限即可执行)

Apache 默认读取的账号/密码设置数据是由 htpasswd 所建立的，这个命令的语法是这样的：

```
[root@www ~]# htpasswd [-cmdD] 密码文件文件名 用户账号
选项与参数：
-c ：建立后面的密码文件。如果该文件已经存在，则原本的数据会被删除
     所以如果只是要添加用户(文件已存在时)，不必加上 -c 的参数
-m ：不使用默认的 CRYPT 加密，改用 MD5 方式加密密码
-d ：使用更复杂的 SHA 方式来加密
-D ：删除掉后面接的那个用户账号

# 1. 建立 apache.passwd，账号为 test
[root@www ~]# htpasswd -c /var/www/apache.passwd test
New password:  <==这里输入一次密码，注意，屏幕不会有任何信息
Re-type new password:  <==这里再输入一次
Adding password for user test

[root@www ~]# cat /var/www/apache.passwd
test:FIquw/..iS4yo    <==已经建立一个新用户

# 2. 在已存在的 apache.passwd 内添加 test1 这个账号：
[root@www ~]# htpasswd /var/www/apache.passwd test1
```

再次强调，这个文件名需要与 .htaccess 内的 AuthUserFile 相同，且不要放在浏览器可以浏览到的目录。这样就设置完毕了。可在浏览器地址栏输入“http://your.hostname/protect”，结果会出现如图 20-8 所示的对话框。

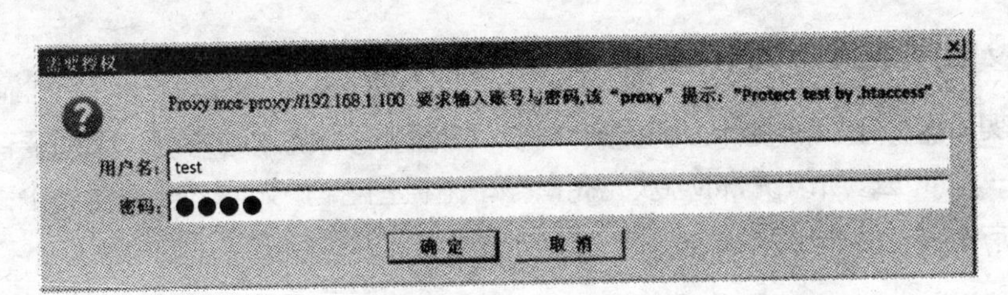

图 20-8 浏览到受保护的目录时，浏览器出现的对话框

如果你曾经浏览过这个目录了，当时可能尚未制作保护的文件，或者是文件设计错误，导致曾经可以浏览该网页，则该网页会被浏览器缓存 (Cache) 起来，所以该网页会一再地出现而不会弹出需要认证的对话框。此时可作如下操作：

- 务必将全部的浏览器都关闭，再重新启动浏览器。因为成功登录该目录后，该次登录的信息会缓存在这次的连接上。
- 可以单击浏览器上面的“reload（重新读取）”按钮，让浏览器重新读取一次，否则缓存不会更新。
- 可以将浏览器的缓存数据全部清除，关闭浏览器后再重新启动浏览器。

如果还是一直出问题，那就只好前往日志文件（/var/log/httpd/error_log）查看错误信息。常见的错误只是打错字啦！

20.3.7 虚拟主机的设定（重要！）

接下来我们要谈的是“主机代管”，即一个称为虚拟主机的东西。这东西很有用，可以让你的一台 Apache 看起来像有多个“主站首页”的感觉。

1. 什么是虚拟主机 (Virtual Host)

所谓的虚拟主机，基本上就是“**让你的一台服务器上面，有好多个‘主网页’存在，也就是说，硬件实际上只有一台主机，但是由网站网址上来看，则似乎有多台主机存在的样子**”。举个例子来说好了，鸟哥提供的网站主要有学习网站以及新手讨论区，链接如下：

- 主网站：http://linux.vbird.org。
- 讨论区：http://phorum.vbird.org。

单击进入这两个链接，会发现其实是不同的信息内容，不过，如果用 dig 之类的软件来查验 IP 的话，会发现这两个网址都指向同一个 IP。怎么会这样？没错，这就是虚拟主机的主要功能。**它可以让你的多个主机名对应到不同的主网页目录（DocumentRoot 参数），所以看起来会像有多台实际主机的样子。**

2. 架设的大前提：同一个 IP 有多个主机名

那么要架设虚拟主机需要什么前提条件呢？以刚刚鸟哥的网站为例，必须要有多个主机名对应到同一个 IP 去，所以说，你必须先拥有多个主机名才行。如何才能拥有多个主机名呢？有以下两种方法：

- 向 ISP 申请多个合法的主机名，而不自己架设 DNS。
- 自行设置经过合法授权的 DNS 主机来设置自己所需要的主机名。

相关的 DNS 申请与设置技巧我们在前几章都谈过了，你可自行去查阅。

3. 一个架设范例练习

我们在第 19 章 DNS 里面不是已经设置了多个主机名吗？那些主机名就是为了要在这里实际应用的。需要注意的是，每个主机名都必须要对应到某个主网页目录，下面则是鸟哥的一个简单范例，如表 20-1 所示。

表 20-1 主机名对应主网页目录

主机名	对应的主网页目录
linux.centos.vbird	/var/www/html
www.centos.vbird	/var/www/www
ftp.centos.vbird	/var/ftp (较特殊)

接下来就开始设置了。建议你将虚拟主机的设置建立一个新的文件在 /etc/httpd/conf.d/*.conf 当中，因为如此一来虚拟主机配置文件就可以进行迁移，修改的时候也不会影响到原有的 httpd.conf 的资料。而因为 httpd.conf 内有个 Include 的参数将 /etc/httpd/conf.d/*.conf 的文件都读入配置文件当中，所以设置上面就变得很轻便，备份与升级的时候也比较容易处理。赶紧来实验一下：

```
# 1. 先建立所需要的目录：
[root@www ~]# mkdir /var/www/www <==www.centos.vbird 所需
[root@www ~]# yum install vsftpd <==/var/ftp 可由系统软件提供
[root@www ~]# echo "www.centos.vbird" > /var/www/www/index.html
[root@www ~]# echo "ftp.centos.vbird" > /var/ftp/index.html
# 原有的首页 (/var/www/html) 就不改动了。另建两个不同的首页内容，可供测试用

# 2. 开始编辑配置文件，这里鸟哥用额外的文件来设置
[root@www ~]# vim /etc/httpd/conf.d/virtual.conf
# 下面这一行在规定“本机任何接口的 port 80 所指定的虚拟主机”的意思
NameVirtualHost *:80

# 先针对两个多出来的可浏览目录进行权限方面的规范
<Directory "/var/www/www">
    Options FollowSymLinks
```

```
    AllowOverride None
    Order allow,deny
    Allow from all
</Directory>
<Directory "/var/ftp">
    Options FollowSymLinks Indexes
    AllowOverride None
    Order allow,deny
    Allow from all
</Directory>

# 针对三台主机的 DocumentRoot 进行设置
<VirtualHost *:80>
    ServerName    linux.centos.vbird
    DocumentRoot  /var/www/html
</VirtualHost>
<VirtualHost *:80>
    ServerName    www.centos.vbird
    DocumentRoot  /var/www/www
    CustomLog     /var/log/httpd/www.access_log combined
    # 不同的主页可以指定不同的登录文件信息，这样比较好 debug 与分析
</VirtualHost>
<VirtualHost *:80>
    ServerName    ftp.centos.vbird
    DocumentRoot  /var/ftp
</VirtualHost>

[root@www ~]# /etc/init.d/httpd restart
```

需要注意的以下几点：

1）在虚拟主机的设置上还有很多可用的功能，不过，最低的限度是需要有 ServerName 及 DocumentRoot 这两个。

2）使用了虚拟主机后，原本的主机名（linux.centos.vbird）也要同时写入虚拟主机的对应中，否则这个主机名可能会不知道被丢到哪里去。

3）在 www.centos.vbird 这个主机中多了个 CustomLog，表示任何向 www.centos.vbird 要求数据的记录都会改写入 /var/log/httpd/www.access_log 中而不是默认的 /var/log/httpd/access_log。但这个新建的日志文件必须要加入 logrotate 的管理当中才行，否则日志文件会非常大。

接下来，只要你客户端的浏览器可以找到这三个主机名并连接到正确的 IP 去，这个 Apache 就可以同时提供三个网站的网址了，很方便吧。

4. 虚拟主机常见用途

虚拟主机为什么会这么热门啊？这是因为它可以进行下面的任务：

- **主机代管**

  如果你有一台很快速的计算机且网络带宽又大的话，那么你可以用这个虚拟主机的技术来“招揽生意”。因为毕竟不是所有公司都有维护服务器的能力，如果你能够提供合理的流量、亲和的数据传输接口、稳定的提供服务，并且给予类似 MySQL 数据库的支持，那么当然有可能进行“主机代管”的业务。

- **服务器数据备份系统**

  可以在两个地方放置两台主机，主机内的网页数据是一模一样的（这个可以使用 rsync 来实现的），那么你将可以利用 Apache 的虚拟主机功能，配合 DNS 的 IP 指向设置，当某一台主机宕机时，另外一台主机立刻接管 WWW 的要求。让你的 WWW 服务器不会有任何离线的危机（注：当 A 服务器宕机时，赶紧设置 DNS，让原本 A 的 IP 指定给 B，则任何向该 IP 要求的 WWW 将会被导向 B，B 有 A 的备份数据以及虚拟主机设置）。

- **将自己的数据分门别类**

如果你有几个不同的数据类型时，也可以利用虚拟主机将各种数据分门别类。例如将博客指向 blog.centos.vbird，将讨论区指向 forum.centos.vbird，将教学数据指向 teach.centos.vbird 等，这样的网址就很容易让客户端了解了。

20.4 日志文件分析以及 PHP 强化模块

除了这些基本的 Apache 使用方式之外，我们还有哪些事情可以做呢？当然还有很多。包括有趣的 PHP 效率强化模块、日志文件分析，以及了解整个 Apache 的使用情况等。让我们来了解一下。

20.4.1 PHP 强化模块 (eaccelerator) 与 Apache 简易性能测试

虽然 PHP 网页程序标榜的是速度快，不过因为 PHP 毕竟是先将一些可用函数先编译成为模块，然后当网页使用到该 PHP 程序的时候，再由呼叫 PHP 模块来实现程序所需要的行为。由于多了一道手续，所以它的执行效率还是有别于传统编译的程序语言。

那么如果可以将 PHP 程序预先转换成为可直接执行的 binary file，不就可以直接读取进而加快速度吗？没错，这东西称为预编译器。其中有一套软件称为 eaccelerator，eaccelerator 可以将你的 PHP 程序与 PHP 核心及相关函数库预先编译后暂存下来，以提供未来使用时可以直接执行，加上它可以优化 PHP 程序，因此，可以让 PHP 网页速度增快不少喔！

eaccelerator 的官方网站如下：

- http://eaccelerator.net/。

整个安装的流程很简单，先将这个软件的源代码下载下来，这里假设你将它下载到 /root 目录下，另外必须确定安装了 php-devel、autoconf、automake、m4、libtool 等软件才行。如果还没有安装，那就赶紧来安装吧（鸟哥是以 0.9.6.1 这一版为范例的）。

```
# 1. 解压缩文件，并且进行 patch 的操作
[root@www ~]# cd /usr/local/src
[root@www src]# tar -jxvf /root/eaccelerator-0.9.6.1.tar.bz2
[root@www src]# cd eaccelerator-0.9.6.1/

# 2. 利用 phpize 进行 PHP 程序的预处理
[root@www eaccelerator-0.9.6.1]# phpize
# 过程会出现一些警告信息，不要理它没关系
[root@www eaccelerator-0.9.6.1]# ./configure --enable-eaccelerator=shared \
> --with-php-config=/usr/bin/php-config
[root@www eaccelerator-0.9.6.1]# make

# 3. 将它整个安装起来
[root@www eaccelerator-0.9.6.1]# make install
# 此时这个新编译的模块会被放置到 /usr/lib64/php/modules/eaccelerator.so 中
```

将模块处理完毕之后接下来就是要让 PHP 使用这个模块。操作如下：

```
# 1. 预先加载这个 PHP 的模块
[root@www ~]# echo "/usr/lib64/php/modules/" >> \
> /etc/ld.so.conf.d/php.conf

[root@www ~]# ldconfig
# 关于 ld.so.conf 以及 ldconfig 我们在基础篇谈过了，请自行参考喔！

# 2. 修改 php.ini
[root@www ~]# vim /etc/php.ini
# 在这个文件的最下面加入这几行：
;;;;;;;;;;;;;;;;;;;;;;;;;;;;;;;;;
; http://eaccelerator.net/      ;
; 2011/08/08 VBird              ;
;;;;;;;;;;;;;;;;;;;;;;;;;;;;;;;;;
extension="eaccelerator.so"
eaccelerator.shm_size="16"
eaccelerator.cache_dir="/tmp/eaccelerator"
eaccelerator.enable="1"
eaccelerator.optimizer="1"
eaccelerator.check_mtime="1"
```

```
eaccelerator.debug="0"
eaccelerator.filter=""
eaccelerator.shm_max="0"
eaccelerator.shm_ttl="0"
eaccelerator.shm_prune_period="0"
eaccelerator.shm_only="0"
eaccelerator.compress="1"
eaccelerator.compress_level="9"

# 3. 建立 eaccelerator 的暂存数据，重点在于权限要设置正确
[root@www ~]# mkdir /tmp/eaccelerator
[root@www ~]# chmod 777 /tmp/eaccelerator
[root@www ~]# /etc/init.d/httpd restart
```

基本上这样就设置妥当了。要注意的是：**因为你的 eaccelerator 是根据目前这一版的 PHP 核心所编译出来的，所以未来如果你的 Linux distribution 开发出新版的 PHP 时，你也顺利更新到新版的 PHP 了，那你的这个 eaccelerator 就必须要自行手动再更新一次，以配合到正确的 PHP 版本，否则这个模块将不会正确运行**。这点很重要。

那如何确认这个模块是否在正确地运行呢？你可以利用 20.2.4 小节谈到的 phpinfo（）函数来查阅，通过浏览器应该会看到如图 20-9 所示的界面。

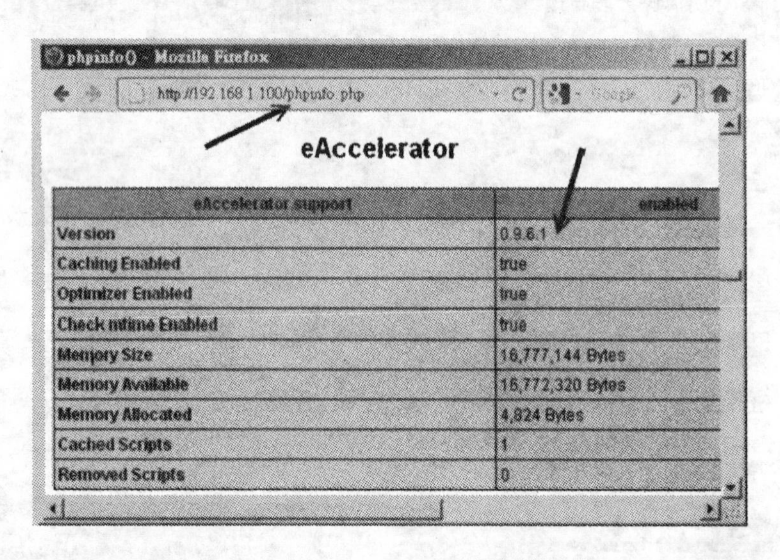

图 20-9 确定 eaccelerator 已运行的界面

如果你的 eaccelerator 没有启动的话，那就看不到图 20-9 所示的界面了。通过这个操作来测试一下吧。接下来我们利用 Apache 提供的一个小程序来测试一下我们网站的效率。这个程序叫做 ab，它可以主动向主机重复要求多个数据来确认主机的效率。

```
[root@www ~]# ab [-dSk] [-c number] [-n number] 网页文件名
选项与参数：
```

```
-d : 不要显示 saved table 的百分比数据；通常不要那个数据，所以会加 -d
-k : 还记得上面的 KeepAlive 吧，加入 -k 才会以这样的功能测试
-S : 不显示长信息，仅显示类似 min/avg/max 的简短易懂信息
-c : 同时有多少个“同时连接”的设置(可想象成同时连接的 IP )
-n : 同一个连接建立几个要求通道！(可想象成同一个 IP 要求的几条连接)
更多的信息请自行 man ab

# 针对我们刚刚测试时的 phpinfo.php 这个文件来测试
[root@www ~]# ab -dSk -c100 -n100 http://localhost/phpinfo.php
This is ApacheBench, Version 2.3 <$Revision: 655654 $>
Copyright 1996 Adam Twiss, Zeus Technology Ltd, http://www.zeustech.net/
Licensed to The Apache Software Foundation, http://www.apache.org/
....中间省略....
Document Path:          /phpinfo.php
Document Length:        54204 bytes
....中间省略....
Total transferred:      5436100 bytes
HTML transferred:       5420400 bytes
Requests per second:    39.97 [#/sec] (mean)
Time per request:       2501.731 [ms] (mean)
Time per request:       25.017 [ms] (mean, across all concurrent requests)
Transfer rate:          2122.01 [Kbytes/sec] received
....下面省略....
```

根据这个软件的输出你会知道每秒钟的传输速率、最大传输速率等，从而可以大概知道一下基本性能。不过鸟哥这个程序是在自己机器上面测试的，速度快是正常的。你可以在网络的另一头来测试一下（注：这个 ab 程序对于读取 MySQL 之类的网页似乎没有办法成功地完成测试，你应该以较简单的网页来测试）。

20.4.2　syslog 与 logrotate

请特别注意，Apache 日志文件主要记录两个东西，分别是：

- /var/log/httpd/access_log：**客户端正常要求的记录信息。**
- /var/log/httpd/error_log：**用户错误要求的数据，包括服务器设置错误的信息等。**

/var/log/httpd/error_log 可以让你处理很多设置错误的情况，包括网页找不到、文件权限设置错误、密码文件文件名填错等。至于 access_log 则可以让你分析哪个网页最热门。不过需要注意的是：**在稍有规模的网站下，Apache 的登录文件每周记录量甚至可达 1GB 以上。**以鸟哥的主网站来说，一个星期逼近 1GB 的日志文件是合理的。

不过，因为日志文件是纯文本信息，所以如果能够给予压缩的话，那么备份下来的日志文件将可以减少到数十 MB，这样可大大减少磁盘空间的浪费。当你使用默认的 Apache 来

处理你的服务器时，那么系统已经做了一个 logrotate 给你使用了，如果你是使用 Tarball 自己安装的，那么你就需要自行手动建立下面这个文件。鸟哥下面是以 CentOS 6.x 提供的文件来作说明的：

```
[root@www ~]# vim /etc/logrotate.d/httpd
/var/log/httpd/*log {
    missingok
    notifempty
    compress    <==建议加上这一段，让你的备份日志文件可以被压缩
    sharedscripts
    delaycompress
    postrotate
        /sbin/service httpd reload > /dev/null 2>/dev/null || true
    endscript
}
```

为什么这里很重要呢？鸟哥的服务器曾经出现过一个问题，就是 WWW 效率突然变得很差。后来追踪的原因竟然是/var/ 的容量被用完了，而耗掉这个 partition 的元凶竟然是 Apache 的日志文件。当时 /var/ 仅给 5GB，而每个星期的日志文件就高达 1GB 以上，备份四个星期后，/var/ 想不爆掉都很难。所以，建议你的 /var 要 10GB 以上，而且备份日志文件也最好是压缩的形式。

> 关于 syslog 与 logrotate 的详细说明请参考基础篇的内容，或者是参考下面的链接：http://linux.vbird.org/linux_basic/0570syslog.php。

此外，通过分析日志文件可以知道网站到底是哪一个网页最热门，并且也能知道客户端是来自哪里。目前针对 Apache 有很多的分析软件，我们下面仅介绍两个常见的分析软件。

20.4.3 日志文件分析软件：webalizer

事实上，CentOS 6.x 默认就提供了 webalizer 这个分析软件，你只要将这套软件安装即可。如果你不是使用 CentOS 呢？没关系，官方网站上也可以下载，安装也很简单。关于 Webalizer 的说明如下：

官方网站：http://www.mrunix.net/webalizer/。

设置难度：简单，极适合新手架设。

软件特色：大致上，所有分析的内容它都包括了，虽然图表没有那么精致。

授权模式：GPL

CentOS 6.x 提供的这个软件配置文件在 /etc/webalizer.conf，而且设置为每天会分析一

次 WWW 的日志文件，不过这个软件默认会将输出的结果放置到 /var/www/usage，并且这个目录仅有本机可以查阅。鸟哥不喜欢这样的设置。我们刚刚不是建立了一个保护目录 /var/www/html/protect 吗？我们现在就可以使用这个目录的功能。鸟哥预计将 webalizer 的输出数据放置到 /var/www/html/protect/webalizer 下面去，所有知道密码的用户都能够查阅。整个操作如下：

```
# 1. 先处理配置文件，变更指定一下要输出的目录即可
[root@www ~]# vim /etc/webalizer.conf
# 确定一下下面这几行是正确的。其他的则保留默认值
LogFile        /var/log/httpd/access_log          <==约在 28 行
OutputDir      /var/www/html/protect/webalizer    <==约在 42 行
Incremental    yes                                <==约在 60 行

# 2. 建立该保护目录的数据
[root@www ~]# cp -a /var/www/usage/ /var/www/html/protect/webalizer
[root@www ~]# /etc/init.d/httpd restart

# 3. 开始测试执行 webalizer 的分析工作
[root@www ~]# webalizer
```

在浏览器地址栏中输入 http://your.hostname/protect/webalizer，输出结果如图 20-10 所示。

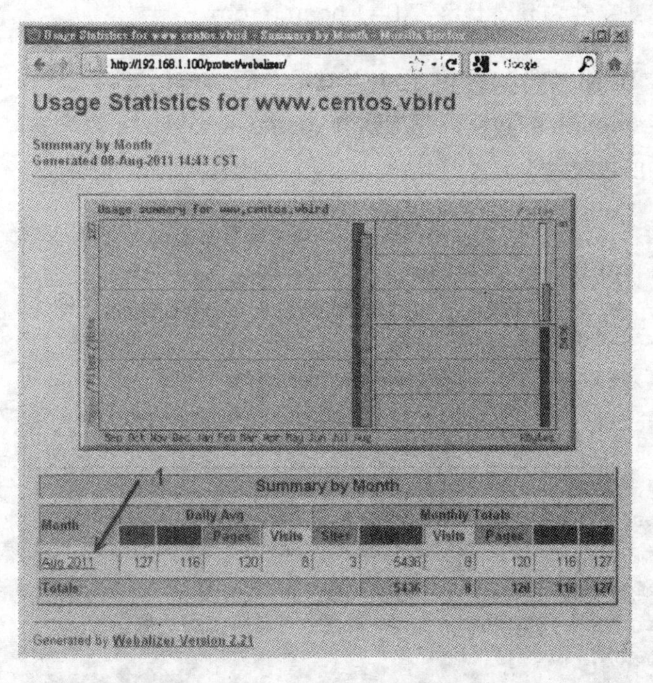

图 20-10　webalizer 分析工具所得的分析画面

你可以单击图 20-10 中的箭头 1 处，单击后系统将显示当月的各项分析结果。

20.4.4 日志文件分析软件：awstats

除了 webalizer 之外，我们还可以通过 awstats 超强的 Perl 程序来进行数据分析，由于这个软件是以 Perl 来执行的，所以请你确定 mod_perl 已经安装且 CGI 的执行权限已经启动了。这个软件的特色是：

官方网站：http://awstats.sourceforge.net/。

官方软件：http://awstats.sourceforge.net/#DOWNLOAD。

设置难度：较难，需要有点技巧！

软件特色：中文化的很完整，而且该有的都有了，相当炫的一个分析利器。

授权模式：GPL。

这套软件不但可以由系统的 cron 来进行分析，甚至还提供浏览器直接以 CGI 的方式来实时更新日志文件。真是厉害！鸟哥个人不太喜欢使用浏览器来在线更新分析结果，因为在你更新分析结果时，怎么知道系统会不会很忙碌？如果系统正在忙碌中，这套软件的分析也是很耗费系统资源的，所以建议直接以 crontab 的方式来处理即可。

目前官方网站不但提供 Tarball 甚至也提供 RPM 来给用户下载，真是方便。但是需要注意的是，这个软件曾经因为安全性的问题导致很多网站的宕机，所以建议你还是把这个软件的输出结果放置在受保护的目录中。下面鸟哥以 7.0-1 这个 RPM 版本来说明，请你自行到官方网站下载（注：文件为 awstats-7.0-1.noarch.rpm）

假设你将这个 RPM 文件放置到 /root 当中，你可以自行安装 rpm -ivh filename，因为这个 RPM 文件将 awstats 的数据通通放置到 /usr/local/awstats 当中去了。为了网页设置上的方便，建议你可以这样做：

```
# 1. 先安装后再将 awstats 提供的 Apache 设置数据复制到 conf.d 下
[root@www ~]# rpm -ivh awstats-7.0-1.noarch.rpm
[root@www ~]# cp /usr/local/awstats/tools/httpd_conf  \
> /etc/httpd/conf.d/awstats.conf
[root@www ~]# vim /etc/httpd/conf.d/awstats.conf
Alias /awstatsclasses "/usr/local/awstats/wwwroot/classes/"
Alias /awstatscss "/usr/local/awstats/wwwroot/css/"
Alias /awstatsicons "/usr/local/awstats/wwwroot/icon/"
Alias /awstats/ "/usr/local/awstats/wwwroot/cgi-bin/"
<Directory "/usr/local/awstats/wwwroot">
    Options +ExecCGI
    AllowOverride AuthConfig  <==这里改成这样，因为要保护
    Order allow,deny
    Allow from all
</Directory>
[root@www ~]# /etc/init.d/httpd restart
```

awstats 还真是挺贴心的，因为在它释出的文件当中就有关于 Apache 的设置数据，我们直接将它放到 conf.d/目录下并且更名后，重新启动 Apache 就生效了。真方便吧！然后则是要针对我们的 WWW 日志来设置了。配置文件其实是在 /etc/awstats 目录下，在该目录下有个范例文件为 awstats.model.conf，其实这个配置文件“文件名”格式为：

awstats.主机名.conf。

因为鸟哥这台主机名为 www.centos.vbird，所以假设主机名为 www，所以文件名就应该是 awstats.www.conf 了。请你将它另存为一个新文件，然后这样做：

```
[root@www ~]# cd /etc/awstats
[root@www awstats]# cp awstats.model.conf awstats.www.conf
[root@www awstats]# vim awstats.www.conf
# 找到下面这几行，并且修改一下内容：
LogFile="/var/log/httpd/access_log"   <== 51 行：确定日志文件所在的位置
LogType=W                             <== 63 行：针对 WWW 的日志文件分析
LogFormat=1                           <==122 行：Apache 的日志文件格式
SiteDomain="www.centos.vbird"         <==153 行：主机的 hostname
HostAliases="localhost 127.0.0.1 REGEX[centos\.vbird$]"
DirCgi="/awstats"                     <==212 行：能够执行 awstats 的目录
DirIcons="/awstatsicons"              <==222 行：awstats 一些小图标的目录
AllowToUpdateStatsFromBrowser=0       <==239 行：不要利用浏览器来更新
Lang="tw"                             <==905 行：重要，这是语言
```

接着开始测试一下是否可以产生正确的分析资料出来：

```
[root@www awstats]# cd /usr/local/awstats/wwwroot/cgi-bin
[root@www cgi-bin]# perl awstats.pl -config=www -update  \
> -output > index.html
# -config 后面接的就是 awstats.www.conf 的意思，会产生 index.html

[root@www cgi-bin]# ls -l
awstats082011.www.txt    <==刚刚才建立的重要数据文件
awstats.pl               <==就是刚刚我们使用的可执行文件
index.html               <==重要输出首页文件
```

接下来让我们赶紧来建立保护目录的 .htaccess 文件。请注意，鸟哥这里假设你已经有密码文件了，所以直接建立文件即可。

```
[root@www ~]# cd /usr/local/awstats/wwwroot
[root@www wwwroot]# vi .htaccess
AuthName     "Protect awstats data"
Authtype     Basic
AuthUserFile /var/www/apache.passwd
require      valid-user
```

之后，只要你输入“http://your.IP/awstats/”，就能够看到输出的图表了。

事实上，数据非常多，你可以自行查阅输出的结果。如果需要使分析的操作规定在每天三点的时候运行，可以这样做：

```
[root@www ~]# vim /usr/local/awstats/wwwroot/cgi-bin/awstats.sh
cd /usr/local/awstats/wwwroot/cgi-bin
perl awstats.pl -config=www -update -output > index.html

[root@www ~]# chmod 755 /usr/local/awstats/wwwroot/cgi-bin/awstats.sh
[root@www ~]# vim /etc/crontab
0 3 * * * root /usr/local/awstats/wwwroot/cgi-bin/awstats.sh
```

这样你就知道主机受欢迎的程度了。另外，再次强调**这个软件所在的目录务必要制作密码保护，不要随意释放出来**，甚至上面提供的一些目录的链接你都可以根据自己的主机与喜好来重新修改，这样做会比较安全。

20.5 建立连接加密网站（https）及防整站下载脚本

从本章一开始的 20.1 节就谈过 HTTP 这个通信协议是明码传送数据，而 https 才是加密传输的，加密的方法是通过 SSL，这个 SSL 就是以 openssl 软件来提供的一个加密函数库。更多与 https 有关的信息，请参考 20.1.4 节。

20.5.1 SSL 所需软件与证书文件及默认的 https

要实现让 Apache 支持 https 协议的话，必须要有 mod_ssl 这个软件才行。请先自行使用 yum 去装好这个软件，并且重新启动 httpd。同时，我们的 CentOS 6.x 也已经默认提供了 SSL 机制所需要的私钥与证书文件。相关软件提供的文件如下：

- /etc/httpd/conf.d/ssl.conf：mode_ssl 提供的 Apache 配置文件。
- /etc/pki/tls/private/localhost.key：系统私钥文件，可以用来制作证书。
- /etc/pki/tls/certs/localhost.crt：就是加密过的证书文件（signed certificate）。

既然系统都已经帮我们搞定了，那么就让我们直接来浏览一下，看看系统默认提供的 https 是什么模样吧。打开浏览器，输入“https://你的 IP”来连接看看，如图 20-11 所示。

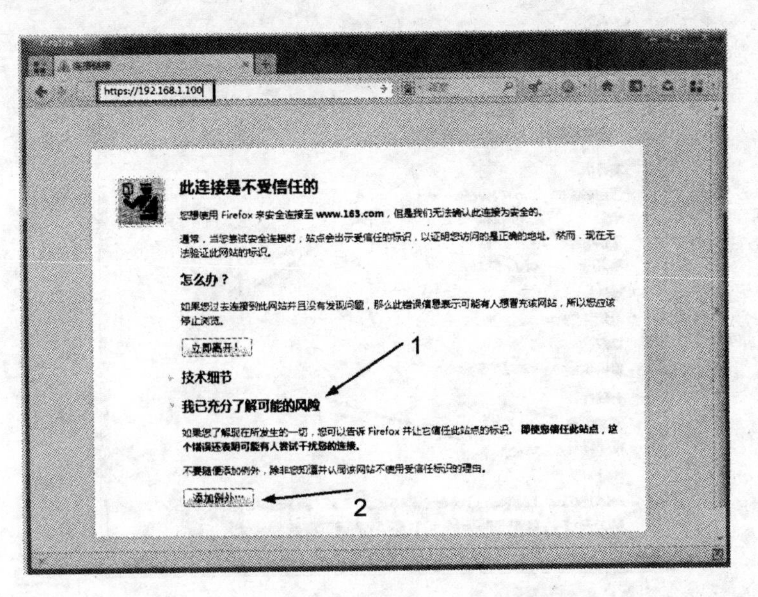

图 20-11 在 Firefox 下面看到的 SSL 安全问题图示

就如同本章 20.1.4 节谈到的，因为我们这个 Apache 网站并没有将此证书向 CA 注册，因此就会出现上述的信息了。这就类似 SSH 连接时，系统需要你输入 yes 是一样的。要接受证书后才能够进行加密的功能。所以，请单击图 20–11 中的箭头 1，此时就会延伸出箭头 2 的位置，单击“添加例外”按钮，然后就会出现如图 20–12 所示的对话框。

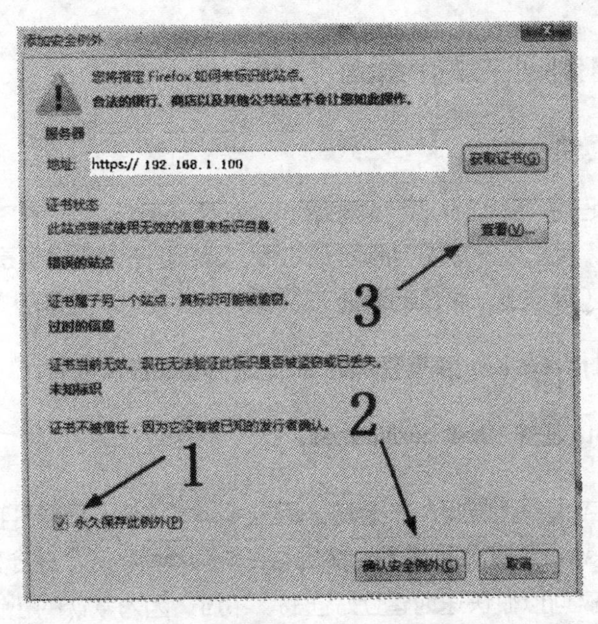

图 20-12 在 Firefox 下面接受一个私有的证书所需要的流程

如果你确定这个网站是自己的可信任网站，那就单击图 20–12 中的箭头 1 及 2 处！如果还想要看一下这个网站所提供的相关证书内容，就单击箭头 3 的地方，即可出现如图 20–13 所示的对话框。

图 20-13 在 Firefox 下面查看证书的详细内容

由于这个证书文件的配置是在第一次启动 Linux 时就安装好了的，而在 CentOS 6.x 下面，默认的证书有效期限为 1 年，所以你就会看到图 20-13 中箭头 2 所指的，签发日至到期日共有 1 年。当你按下“关闭”图标后，就能够看到实际的 https:// 提供的网站内容了。这就是默认的 SSL 网站，你的重要信息可以放在这里，让数据在网络上传输更加安全。

20.5.2 拥有自制证书的 https

1. 建立证书文件

默认的证书虽然已经可以让你顺利地使用 https 了，不过，证书的有效期仅有 1 年而已实在是有点短。所以，我们还是需要自制证书才行。这个证书的制作仅是私有 WWW 网站的用途，并没有要拿去 CA 注册。那么自制证书需要什么步骤呢？基本上需要的流程是：

1）**先建立一把 private Key 预备提供给 SSL 证书签章要求所用。**

2）**最后建立 SSL 证书（test certificates）。**

那么建立证书是不是很困难呢？不是的。因为 CentOS 6.x 已经帮我们写好了 Makefile 了。你先到 /etc/pki/tls/certs 这个目录下，然后直接输入 make 这个指令，就能够看到所有可行的目标操作，我们就可以很快速地建立好证书。不过，因为默认的私钥文件需要加上密码才能够进行建立，所以我们还需要额外进行一下操作。现在假设我们要建立的是名为 vbird 的证书，那么下面流程中所用的关键词就是 vbird。简要流程如下：

```
# 1. 先到 /etc/pki/tls/certs 去建立一把给 Apache 使用的私钥文件
[root@www ~]# cd /etc/pki/tls/certs
[root@www certs]# make vbird.key
```

```
umask 77 ; /usr/bin/openssl genrsa -aes128 2048 > vbird.key  <==其实是这个命令
Generating RSA private key, 2048 bit long modulus
.........................................................+++
............................+++
e is 65537 (0x10001)
Enter pass phrase:  <==这里输入这把私钥的密码，需要多于四个字符
Verifying - Enter pass phrase:  <==再一次

# 2. 将刚刚建立的文件中的密码取消掉。不要有密码存在
[root@www certs]# mv vbird.key vbird.key.raw
[root@www certs]# openssl rsa -in vbird.key.raw -out vbird.key
Enter pass phrase for vbird.key.raw: <==输入刚刚的密码
writing RSA key
[root@www certs]# rm -f vbird.key.raw  <==旧的密钥文件删除
[root@www certs]# chmod 400 vbird.key  <==权限一定是 400 才行

# 3. 建立所需要的最终证书文件
[root@www certs]# make vbird.crt SERIAL=2011080801
umask 77 ; /usr/bin/openssl req -utf8 -new -key vbird.key -x509 -days 365
-out vbird.crt -set_serial 2011080801  <==可以加入日期序号
You are about to be asked to enter information that will be incorporated
into your certificate request.
-----
State or Province Name (full name) []:Taiwan
Locality Name (eg, city) [Default City]:Tainan
Organization Name (eg, company) [Default Company Ltd]:KSU
Organizational Unit Name (eg, section) []:DIC
Common Name (eg, your name or your server's hostname) []:www.centos.vbird
Email Address []:vbird@www.centos.vbird

[root@www certs]# ll vbird*
-rw-------. 1 root root 1419 2011-08-08 15:24 vbird.crt  <==最终证书文件
-r--------. 1 root root 1679 2011-08-08 15:22 vbird.key  <==系统私钥文件
```

这样就建立好了证书文件，接下来就是要去处理 ssl.conf 这个设置内容了。另外，**这个证书依旧只能使用 1 年，如果你想要建立 10 年的证书，那就需要修改一下 Makefile 里面的内容，将 365 改成 3650 即可。**

> 如果你曾经多次重复进行上述的建立证书操作，会发现同一个证书内容若制作多次，则最终客户端浏览器会出现一些错误信息，导致无法连接。因此，建议多加一个序号 (Serial) 的参数，可以修订这个错误。

2. 修改 ssl.conf 的内容，使用自制证书

修改 ssl.conf 的内容也是很简单，只要修改两个地方，也就是文件名即可。

```
[root@www ~]# vim /etc/httpd/conf.d/ssl.conf
SSLCertificateFile /etc/pki/tls/certs/vbird.crt     <==约在 105 行
SSLCertificateKeyFile /etc/pki/tls/certs/vbird.key <==约在 112 行

[root@www ~]# /etc/init.d/httpd restart
```

然后再以浏览器去浏览 https:// 的网址，就能够查阅到刚刚建立的证书数据。不过，因为我们之前已经浏览过默认的证书，所以网页以及证书都被缓存过。因此，你可能需要到浏览器的隐私保护的地方将记录的证书删除，并且将网页缓存删除，这样才能够看到最终正确的证书数据，如图 20-14 所示。

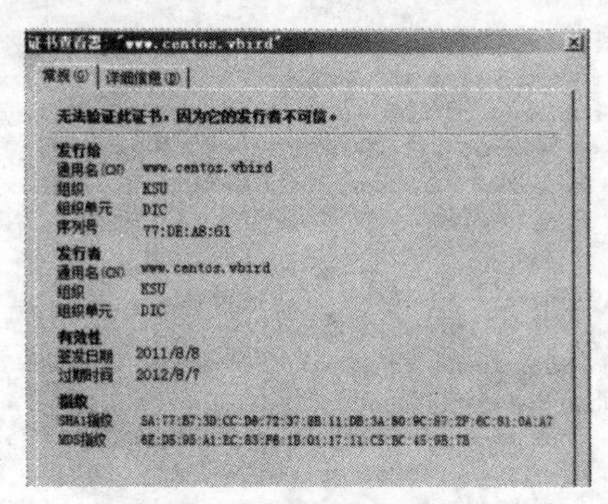

图 20-14 检查证书的详细内容

20.5.3 将加密首页与非加密首页分离

或许你已经发现一个无厘头的地方，就是我的 http:// 以及 https:// 首页是一模一样的，那么读者干嘛没事找事非得使用 HTTPs 呢？怎么强制用户使用 https:// 来查阅我的重要数据？很简单，通过虚拟主机就行了。因为 SSL 模块也是默认提供了这个功能的。修改会不会很麻烦呢？不会。你只要将 http 及 https 的首页分离即可。我们作如下假设：

- 一般明码传输的网页首页不要变更。
- https:// 的首页放置到 /var/www/https/ 目录下。

所以我们得先要设置 /var/www/https 目录才行，然后再修改 ssl.conf 文件内容即可。整个过程可以这样处理：

```
# 1. 处理目录与默认的首页 index.html 文件:
[root@www ~]# mkdir /var/www/https
[root@www ~]# echo "This is https' home" > /var/www/https/index.html

# 2. 开始处理 ssl.conf 的内容
[root@www ~]# vim /etc/httpd/conf.d/ssl.conf
Listen 443                          <==默认的监听端口，不建议修改
<VirtualHost _default_:443>         <==就是虚拟主机的设置
DocumentRoot "/var/www/https"       <==约 84 行，拿掉注释改掉目录名称
ServerName *:443                    <==拿掉注释，并将主机名设置为 *
SSLEngine on                        <==有支持 SSL 的意思
SSLCipherSuite ALL:!ADH:!EXPORT:!SSLv2:RC4+RSA:+HIGH:+MEDIUM:+LOW
SSLCertificateFile /etc/pki/tls/certs/vbird.crt
SSLCertificateKeyFile /etc/pki/tls/certs/vbird.key
</VirtualHost>

[root@www ~]# /etc/init.d/httpd restart
```

大部分都使用默认值，就是 DocumentRoot 以及 ServerName 需要留意一下。如此一来，我们就将 https、http 两个完整地分开，重要数据需要加密的，终于有个可靠的地方摆放了。

20.5.4 防整站下载软件

一些比较知名的网站管理员大概都有这样的困扰，那就是网站常被整站下载软件所暴力下载，结果造成主机的 CPU loading 过重，最后甚至会导致死机。唉，真是“人怕出名猪怕壮”，我们先来解释一下什么是整站下载吧。

所谓的“整站下载”，就是以类似多点连接下载的持续性信息传递软件进行网站数据的下载，而且，一启用该软件，该软件就将整个网站的内容都下载下来，厉害是很厉害，但是却也害死人了。怎么说呢？

因为这种软件常常会为了加快下载的速度，采用多点连接的方式，也就是会持续不断地向 Server 发出要求数据包，而由于这些数据包并不见得能够成功地让 Server 把数据传导给 Client 端，常常会无法投递。这样的结果就是造成 Server 要一直不断地响应，又无法正确地响应出去，此外，要求太过频繁，结果主机应接不暇，最后就宕机了！

鸟哥的鸟站主机很早以前，就是因为这样的原因，导致服务常常断断续续的，并且，由于 CPU loading 太高，结果让正常连接进来看数据的网友没有足够的资源，因此网页开启的速度就变得很慢。

由于这种整站下载软件很麻烦，一不注意马上就又会被托的宕机，三天两头就要重新启动一次，完全让 Linux 的稳定性无法发挥，真是气死人。后来，鸟哥就自行写了一个 scripts 来

阻挡这样的 IP。我的做法是这样的：

1）由于整站下载软件会多点连续下载，因此，同一个 IP 在同一个时间内，会有相当多的连接发生。

2）由于它是重复不断地要求连接，因此刚刚建立的连接在实现下载的目的后，会立刻死掉，而又多生出其他的连接出来，因此，这个时候它的连接情况就变得相当不正常了。

3）由于某些较旧的整站下载软件并不会"欺骗"主机，所以，会在主机的日志文件里面记录住 Teleport 的标记。

4）既然如此的话，那么我就让我的主机每分钟去检查两个东西：①先检查 log file，如果发现了相关的 Teleport 字词，就将该 IP 抵挡掉；②使用 netstat 来检查同一个 IP 的同时连接，如果该连接超过一个值（例如同时有 12 个连接）的话，那么就将该 IP 阻挡掉。

5）此外，由于上面的方案可能会将 Proxy 的 Client 端也同时阻挡掉，这个时候，这个程序就会主动地将①的情况的主机阻挡 3 天，至于②的情况则阻挡 2 小时。过了该阻挡的时限后，该 IP 即可再次连上我们的主机了。

大致上就是这样。这样的一程序需要与 iptables 相互配合，所以，请先查阅一下第 9 章的防火墙内容，然后再来下载这个程序吧。这个程序你可以在下面的网址下载喔！

- http://linux.vbird.org/download/index.php?action=detail&fileid=47。

详细的安装步骤鸟哥已经以中文写在该文件里面了，所以请先查看一下该文件前面的说明部分。此外，Study Area 的 netman 大哥也已经开发了一套很棒的防整站下载的程序，在阻挡整站下载的原理上面是完全相同的，不过写法可能不是很相同。如果有需要的话，也可以前往 StudyArea 查找一下：

- http://phorum.study-area.org/viewtopic.php?t=13643。

20.6 重点回顾

- WWW 的传输协议使用 HTTP（Hyper Text Transport Protocol），最早是由欧洲核物理实验室的伯纳斯-李所发展的。
- WWW 在 Server/Client 端主要传递的信息数据以 HTML（Hyper Text Markup Language）语法为主。
- http://www.w3c.org 为制订与发布 WWW 标准语法的组织，你撰写网页最好依据该站之标准。
- Apache 是实现 WWW 服务器的一项软件，至于客户端的浏览则使用浏览器，目前可使用 Firefox。

- 浏览器可达成的主机链接不止 HTTP，可在地址栏输入对应的“协议://主机[:port]/资源”即可取得不同的数据。
- 若要 WWW 服务器可以实现与用户信息互动，尚须要网页程序语言（如 PHP、Perl 等）以及数据库软件（如 MySQL、portgresql 等）。
- 因为 HTTP 使用的是明码传送，目前 WWW 可利用 SSL 等机制来进行数据加密的传输。
- Apache 的配置文件其实只有 httpd.conf 而已，其他的配置文件都是被 Include 进来的。
- Apache 的首页目录以 DocumentRoot 决定，首页文件则以 DirectoryIndex 决定。
- Apache 可以通过虚拟主机的设置以指定不同主机名到不同的 DocumentRoot 下。
- Apache 是多线程的软件，可以启动多个程序来负责 WWW。主要的模块有 prefork 及 worker，至于最大可连接的数量则由 MaxClients 来决定。
- 若要正确地让浏览器显示网页的编码格式，最好在网页上声明语言，并将 Apache 的配置文件 httpd.conf 内的 AddDefaultCharset 设置值取消。
- 在 Apache 可浏览的目录权限设置上（Options 参数），最好将 Indexes 拿掉。
- 通过 AllowOverride 与 .htaccess 可让用户在自己管理的目录下制订自己的风格。
- Apache 本身提供一个 apachectl 的 script 让用户得以快速管理其 Apache 的服务。
- Apache 分析的数据如果比较重要时，务必以 SSL 或者是保护目录来保护。

20.7 参考数据与延伸阅读

- 葛林·穆迪若，Linux 传奇，杜默译，时报出版。
- WWW 发展者蒂姆·伯纳斯－李的生平简介：http://zh.wikipedia.org/wiki/蒂姆·伯纳斯－李。
- W3C 标准制订与公布网站：http://www.w3c.org。
- Apache 官方网站：http://www.apache.org/。
- Mozilla 官方网站：http://www.mozilla.org/。
- PHP 官方网站：http://www.php.net/。
- MySQL 官方网站：http://www.mysql.org/。
- MySQL 中文使用手册：http://linux.tnc.edu.tw/techdoc/mysql/mysql_doc/manual_toc.html。
- Apache 1.3 版的 Tarball 安装方式：http://linux.vbird.org/linux_server/0360apache/0360apache-1.php。
- Apache 2.0 的说明文件：http://httpd.apache.org/docs/2.0/mod/core.html。
- 林彦明的 Apache SSL 实战演练：http://www.vbird.org/somepaper/20060310-https.pdf。

第21章

文件服务器之三：FTP 服务器

FTP（File Transfer Protocol）可以说是最古老的协议之一了，主要是用来进行文件的传输，尤其是大型文件的传输使用 FTP 更是方便。不过，值得注意的是，使用 FTP 来传输时，其实是具有一定程度的危险性，因为数据在因特网上面是完全没有受到保护的明文传输方式。但是单纯的 FTP 服务还是有其必要性的，例如很多学校就有 FTP 服务器的搭建需求。

21.1　FTP 的数据传输原理

FTP（File Transfer Protocol）是相当古老的传输协议之一，它最主要的功能是在服务器与客户端之间进行文件的传输。这个古老的协议使用的是明文传输方式，且过去有相当多的安全危机历史。为了更安全地使用 FTP 协议，我们主要介绍较为安全但功能较少的 vsftpd 这个软件。

21.1.1　FTP 功能简介

FTP 服务器的功能除了单纯地进行文件的传输与管理之外，依据服务器软件的配置架构，它还可以提供以下几个主要的功能：

1. 不同等级的用户身份：user、guest、anonymous

FTP 服务器在默认的情况下，依据用户登录的情况而分为三种不同的身份，分别是：①**实体用户**,real user；②**访客**，guest；③**匿名用户**, anonymous。这三种身份的用户在系统上面的权限差异很大，例如实体用户取得系统的权限比较完整，所以可以进行比较多的操作；至于匿名用户，大概我们就仅提供他下载资源的能力而已，并不允许匿名用户使用太多主机的资源。当然，这三种用户能够使用的“在线命令”自然也就不相同了。

2. 命令记录与日志文件记录

FTP 可以利用系统的 syslogd 来进行数据的记录，而记录的数据包括了用户曾经使用过的命令与用户传输数据（传输时间、文件大小等）的记录，所以你可以很轻松地在 /var/log/ 里面找到各项日志信息。

3. 限制用户活动的目录：(change root，简称 chroot)

为了避免用户在你的 Linux 系统中随意逛大街（意指离开用户主目录而进入到 Linux 系统的其他目录去），所以将用户的工作范围局限在用户主目录下面。FTP 可以限制用户仅能在自己的用户主目录当中活动。如此一来，由于用户无法离开自己的用户主目录，而且登录 FTP 后，显示的根目录就是自己用户主目录的内容，这种环境称之为 change root，简称 chroot，即改变根目录的意思。

这有什么好处呢？当一个恶意的用户以 FTP 登录你的系统当中，如果没有 chroot 的环境，他可以到 /etc、/usr/local、/home 等其他重要目录下面去查看文件数据，尤其是很重要的 /etc/ 下面的配置文件，如 /etc/passwd 等。如果你没有做好一些文件权限的管理与保护，那他就有办法取得系统的某些重要信息，用来入侵你的系统。而在 chroot 的环境下，当然就会比较安全一些。

21.1.2 FTP 的工作流程与使用到的端口

FTP 的传输使用的是 TCP 数据包协议，在第 2 章网络基础中我们谈过，TCP 在建立连接前会先进行三次握手。不过 FTP 服务器是比较麻烦一些，因为 **FTP 服务器使用了两个连接，分别是命令通道与数据流通道（ftp-data）**因为是 TCP 数据包，这两个连接都需要经过三次握手。那么这两个连接通道的关系是如何呢？下面我们先以 **FTP 默认的主动式（Active）连接**来作个简略的说明。

简单的连接流程就如图 21-1 所示，连接的步骤如下：

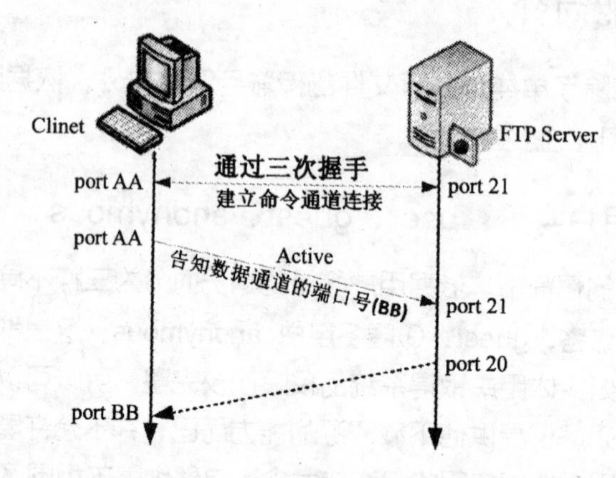

图 21-1 FTP 服务器的主动式连接示意图

- **建立命令通道的连接**

  如图 21-1 所示，客户端会随机取一个大于 1024 以上的端口（port AA）来与 FTP 服务器端的 port 21 实现连接，这个过程当然需要三次握手。实现连接后客户端便可以通过这个连接来对 FTP 服务器执行命令，查询文件名、下载、上传等等命令都是利用这个通道来执行的。

- **通知 FTP 服务器端使用 Active 且告知连接的端口号**

  FTP 服务器的端口 21 号主要用在命令的执行，但是当牵涉到数据流时，就不是使用这个连接了。客户端在需要数据的情况下，会告知服务器端要用什么方式来连接，如果是主动式（Active）连接时，客户端会先随机启用一个端口（图 21-1 中的 port BB），且通过命令通道告知 FTP 服务器这两个信息，并等待 FTP 服务器的连接。

- **FTP 服务器主动向客户端连接**

  FTP 服务器由命令通道了解客户端的需求后，会主动地由 Port 20 向客户端的 port BB 连接，这个连接当然也会经过三次握手。此时 FTP 的客户端与服务器端会建立两条连接，分别用在命令的执行与数据的传递。而默认 FTP 服务器端使用的主动连接端口就是 port 20。

这样就成功地建立起“命令”与“数据传输”两个通道。不过，需要注意的是，数据传输通道是在有数据传输的行为时才会建立的通道，并不是一开始连接到 FTP 服务器就立刻建立的通道。

1. 主动式连接使用到的端口号

利用上述的说明来整理一下 FTP 服务器端会使用到的端口号主要有：

- **命令通道的 ftp（默认为 port 21）。**
- **数据传输的 ftp-data（默认为 port 20）。**

再强调一次，这两个端口的工作是不一样的，而且，至于重要的是**两者的连接发起端是不一样的**。首先 port 21 主要接受来自客户端的主动连接，至于 port 20 则为 FTP 服务器主动连接至客户端。这样的情况在服务器与客户端两者同时为公共 IP（Public IP）的因特网上面通常没有太大的问题，不过，万一你的客户端是在防火墙后端，或者是 NAT 服务器后端呢？会有什么问题发生呢？下面我们来谈一谈这个严重的问题。

2. 在主动连接的 FTP 服务器与客户端之间具有防火墙的

回想一下第 9 章防火墙的内容。一般来说，很多的局域网络都会使用防火墙（iptables）的 NAT 功能，那么在 NAT 后端的 FTP 用户如何连接到 FTP 服务器呢？我们简单地以图 21-2 来说明。

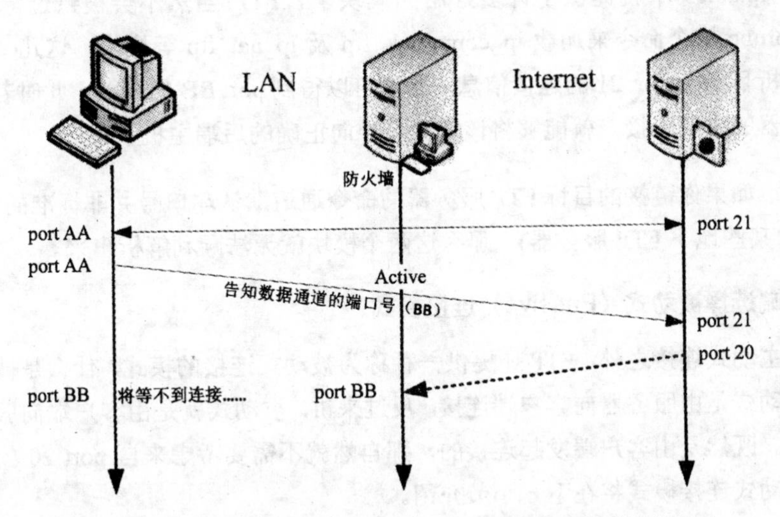

图 21-2 FTP 客户端与服务器端连接中间具有防火墙的连接状态

1）用户与服务器间命令通道的建立。

因为 NAT 会主动地记录由内部送往外部的连接信息，而由于命令通道的建立是由客户端向服务器端连接的，因此这一条连接是可以顺利建立起来的。

2）用户与服务器间数据通道建立时的通知。

同样地，客户端主机会先启用 port BB，并通过命令通道告知 FTP 服务器，且等待服务器端的主动连接。

3）服务器主动连到 NAT 等待转递至客户端的连接问题。

但是由于通过 NAT 的转换后，FTP 服务器只能得知 NAT 的 IP 而不是客户端的 IP，因此 FTP 服务器会以 port 20 主动向 NAT 的 port BB 发送主动连接的要求。但 NAT 并没有启动 port BB 来监听 FTP 服务器的连接。

了解问题的所在了吗？在 FTP 的主动式连接当中，NAT 将会被视为客户端，但 NAT 其实并非客户端，这就造成问题了。如果你曾经在 IP 路由器后面连接某些 FTP 服务器时，可能偶尔会发现明明已经连接上 FTP 服务器了（命令通道已建立），但是就是无法取得文件名的列表，而是在超过一段时间后显示 **"Can't build data connection: Connection refused，无法进行数据传输"** 之类的信息，那肯定就是这个原因所造成的困扰了。

那有没有办法可以克服这个问题呢？难道真的在 Linux NAT 后面就一定无法使用 FTP 吗？当然不是。目前有如下两个简易的方法可以克服这个问题：

- **使用 iptables 所提供的 FTP 检测模块。**

  其实 iptables 早就提供了许多好用的模块了，FTP 当然不会被错过。你可以使用 modprobe 这个命令来加载 ip_conntrack_ftp 及 ip_nat_ftp 等模块，这几个模块会主动地分析目标是 port 21 的连接信息，所以可以得到 port BB 的资料，此时若接受到 FTP 服务器的主动连接，就能够将该数据包导向正确的后端主机了。

  不过，如果你链接的目标 FTP 服务器的命令通道默认端口号并非标准的 21 端口号时 (例如某些地下 FTP 服务器)，那么这两个模块就无法顺利解析出来。

- **客户端选择被动式（Passive）连接模式。**

  除了主动式连接之外，FTP 还提供一种称为被动式连接的模式，什么是被动式呢？既然主动式是由服务器向客户端连接，反过来讲，被动式就是由客户端向服务器端发起连接。既然是由客户端发起连接的，那自然就不需要考虑来自 port 20 的连接了。关于被动式连接模式将在下一小节介绍。

21.1.3 客户端选择被动式连接模式

那么什么是被动式连接呢？我们可以使用图 21-3 来作简略的介绍。

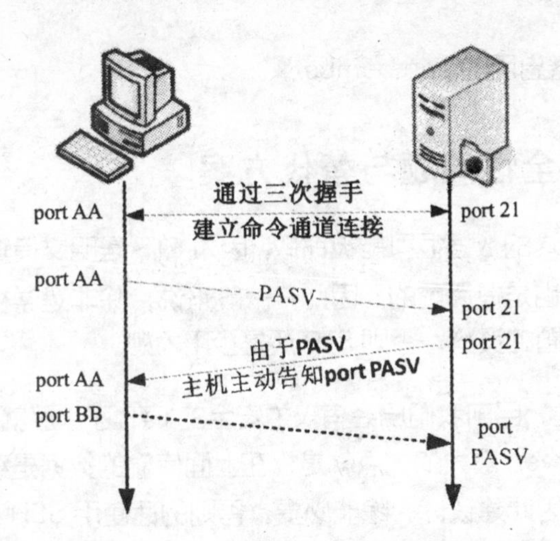

图 21-3 FTP 的被动式数据流连接流程

- **用户与服务器建立命令通道**

  同样的需要建立命令通道，通过三次握手就可以建立起这个通道了。

- **客户端发出 PASV 的连接要求**

  当使用数据通道的命令时，客户端可通过命令通道发出 PASV 的被动式连接要求（Passive 的缩写），并等待服务器的回应。

- **FTP 服务器启动数据端口，并通知客户端连接**

  如果你所使用的 FTP 服务器是能够处理被动式连接的，此时 FTP 服务器会先启动一个监听端口。这个端口号码可以是随机的，也可以自定义某一范围的端口，这要看 FTP 服务器软件而定。然后 FTP 服务器会通过命令通道告知客户端该已经启动的端口（图 21-3 中的 port PASV），并等待客户端的连接。

- **客户端随机取用大于 1024 的端口进行连接**

  然后你的客户端会随机取用一个大于 1024 的端口号来进行对主机的 port PASV 连接。如果一切都顺利的话，那么 FTP 数据就可以通过 port BB 及 port PASV 来传送了。

发现上面的不同点了吗？**被动式 FTP 数据通道的连接方向是由客户端向服务器端连接的**，如此一来，在 NAT 内部的客户端主机就可以顺利地连接上 FTP Server 了。但是，万一 FTP 主机也是在 NAT 后端那怎么办？这里就牵涉到更深入的 DMZ 技巧了，我们这里暂不介绍这些深入的技巧，先理解一下这些特殊的连接方向，这将有助于你未来服务器搭建时的考虑因素。

此外，不知你是否注意到，通过 PASV 模式，服务器在没有特别设置的情况下会随机选取大于 1024 的端口来提供客户端连接之用。那么万一服务器启用的端口被搞鬼怎么办？而且，如此一来也很难追踪来自入侵者攻击的日志信息。所以，这个时候我们可以通过 passive ports 的功能来限定服务器启用的 port number。

21.1.4 FTP 的安全性问题与替代方案

其实，在 FTP 上面传送的数据很可能被窃取，因为 FTP 是明文传输的。而且某些 FTP 服务器软件的安全历史问题也是很严重的。因此，一般来说，除非是学校或者是一些社团单位要开放没有机密或授权问题的资料，否则 FTP 还是少用为妙。

因为 SSH 技术的产生，目前我们已经有较为安全的 FTP 了，那就是 SSH 提供的 sftp 这个 Server。这个 sftp-server 最大的优点就是：在上面传输的数据是经过加密的，所以在因特网上是比较安全一些。因此建议你，除非必要，否则的话使用 SSH 提供的 sftp-server 功能即可。

然而这个功能对于一些习惯了图形接口，或者是有中文文件名的用户来说，实在是不怎么方便，虽说目前有个图形接口的 filezilla 客户端软件，不过很多时候还是会发生一些莫名的问题。所以，有的时候 FTP 网站还是有其存在的必要的。如果真的要架设 FTP 网站，那么还是得需要注意以下几个事项：

1）**随时更新到最新版本的 FTP 软件，并随时注意漏洞信息。**

2）**善用 iptables 来规定可以使用的 FTP 网络。**

3）**善用 TCP_Wrappers 来规范可以登录的网络。**

4）**善用 FTP 软件的设置来限制使用你的 FTP 服务器的用户的不同权限。**

5）**使用 Super daemon 来管理你的 FTP 服务器。**

6）**随时注意用户的用户主目录以及匿名用户登录的目录的文件权限。**

7）**若不对外公开的话，或许也可以修改 FTP 的 port。**

8）**也可以使用 FTPs 这种加密的 FTP 功能。**

无论如何，在网络上听过太多人都是由于开放 FTP 这个服务器而导致整个主机被入侵的事件，所以，安全性问题一定要注意。

21.1.5 开放什么身份的用户登录

既然 FTP 是以明文传输，并且某些早期的 FTP 服务器软件也有不少的安全漏洞，那又为何需要架设 FTP 服务器啊？因为总是有人会需要 FTP 服务器，譬如说各大专院校就提供 FTP 网站的服务，这样可以让校内的同学共同分享校内的网络资源。不过，由于 FTP 登录者的身份可以分为三种，你到底要开放哪一种身份登录呢？这个时候你可以这样简单地思考一下。

1. 开放实体用户的情况 (Real user)

很多的 FTP 服务器默认就已经允许实体用户的登录了。不过，需要了解的是，以实体用户作为 FTP 登录者身份时，系统默认并没有针对实体用户来进行限制的，所以他可以针对整个文件系统进行任何他所具有权限的工作。因此，如果你的 FTP 用户没能好好地保护自己的密码而导致被入侵，那么你的整个 Linux 系统数据将很有可能被窃取。开放实体用户时的建议如下：

- **使用替代的 FTP 方案较好**。由于实体用户本来就可以通过网络连接到主机来进行工作（例如 SSH），因此实在没有必要特别地开放 FTP 的服务，因为比如 sftp 本来就能达到传输文件的功能。
- **限制用户能力，如 chroot 与 /sbin/nologin 等**。如果确定要让实体用户利用 FTP 服务器的话，那么你可能需要让某些系统账号无法登录 FTP 才行，例如 bin、apache 等。最简单常用的做法是通过 PAM 模块来处理，譬如 vsftpd 这个软件默认可以通过 /etc/vsftpd/ftpusers 这个文件来设置不想让它具有登录权限 FTP 的账号。另外，将用户身份设置成 chroot 是相当必要的！

2. 访客身份 (Guest)

在通常会建立 guest 身份的案例当中，多半是由于服务器提供了类似个人 Web 首页的功能给一般身份用户，那么这些用户需要管理自己的网页空间。这个时候将用户的身份压缩成为 guest，并且将他的可用目录设置好，即可提供用户一个方便的使用环境了。且不需要提供他 real user 的权限。常见的建议如下：

- 仅提供需要登录的账号即可，不需要提供系统上面所有人均可登录的环境。
- 在服务器的设置当中，我们需要针对不同的访客给他们不一样的用户主目录，而这个用户主目录与用户的权限的设置需要相符合。例如要提供 dmtsai 这个人管理他的网页空间，而他的网页空间放置在 /home/dmtsai/www 下面，那就将 dmtsai 在 FTP 提供的目录仅有 /home/dmtsai/www 而已，这样做比较安全，而且也方便用户使用。
- 针对这样的用户身份，需要设置较多的限制，包括：上传（下载）文件数目与硬盘容量的限制、连接登录的时间限制、许可使用的命令限制，例如，不允许使用 chmod 等。

3. 匿名登录用户（anonymous）

提供匿名登录用户进入因特网实在不是个好主意，因为每个人都可以去下载你的数据，带宽很容易被耗尽。但如同前面讲过的，学校单位需要共享给全校同学一些软件资源时，FTP 服务器也是一个很不错的解决方案。如果要开放匿名用户的话，要注意：

- 无论如何，提供匿名登录都是一件相当危险的事情，因为只要你一不小心，将重要的资料放置到匿名用户可以读取的目录中时，那么就很有可能会泄密。与其害怕发生这样的事情，不如就不要开放匿名登录。

- 果真要开放匿名登录时，很多限制都要进行的，这包括：①允许的工作命令要减少很多，几乎就不许匿名用户使用命令；②限制文件传输的数量，尽量不要允许上传数据的设置；③限制匿名用户同时登录的最大连接数量，可以控制盗连。

一般来说，如果你是要放置一些公开的、没有版权纠纷的数据在网络上供人下载的话，那么一个仅提供匿名登录的 FTP 服务器，并且对整个因特网开放是可以的。不过，如果你预计要提供的软件或数据是具有版权的，但是该版权允许你在贵单位内传输的情况下，那么架设一个仅针对内部开放的匿名 FTP 服务器（利用防火墙处理）也就可以了。

如果你还想要让用户反馈的话，那是否要规划一个匿名用户可上传的区域呢？鸟哥的看法是：万万不可。如果要让用户反馈的话，除非该用户是你信任的，否则不要允许对方上传。所以此时就需要一个文件系统权限管理严格的 FTP 服务器，并提供实体用户的登录了。总之，要依照你的需求来思考是否有需要。

21.2 vsftpd 服务器基础设置

终于要来聊一聊这个简单的 vsftpd 了。vsftpd 的全名是“Very Secure FTP Daemon”，换句话说，vsftpd 最初发展的理念就是在建构一个以安全为重心的 FTP 服务器。我们先来聊一聊为什么 vsftpd 号称“非常安全”，然后再来谈设置。

21.2.1 为何使用 vsftpd

为了建构一个以安全为主的 FTP 服务器，vsftpd 针对操作系统的程序的权限（privilege）概念来设计，如果你读过基础篇的 17 章程序与资源管理的话，应该会知道系统上面所执行的程序都会引发一个程序，我们称它为 PID（Process ID），这个 PID 在系统上面能进行的任务与它拥有的权限有关。也就是说，PID 拥有的权限等级越高，它能够进行的任务就越多。举例来说，使用 root 身份所触发的 PID 通常拥有可以进行任何工作的权限等级。

不过，万一触发这个 PID 的程序（program）有漏洞而导致被网络黑客（cracker）所攻击而取得此 PID 使用权时，那么网络黑客将会取得这个 PID 拥有的权限。所以，近来发展的软件都会尽量将服务取得的 PID 权限降低，使得该服务即使不小心被人侵了，人侵者也无法得到有效的系统管理权限，这样就会让我们的系统较为安全。vsftpd 就是基于这种想法而设计的。

除了 PID 方面的权限之外，vsftpd 也支持 chroot 这个函数的功能，**chroot 顾名思义就是“change root directory”的意思**，root 指的是根目录而非系统管理员。它可以将某个特定的目录变成根目录，所以与该目录没有关系的其他目录就不会被误用了。

举例来说，如果你以匿名身份登录我们的 FTP 服务的话，通常你会被限定在 /var/ftp 目录下工作，而你看到的根目录其实就只是 /var/ftp，至于系统其他如 /etc\/home\/usr 等其他目录就看不到了。这样一来即使这个 FTP 服务被攻破了，没有关系，入侵者还是仅能在 /var/ftp 里面跑来跑去而已，而无法使用 Linux 的完整功能。自然我们的系统也就会比较安全了。

vsftpd 是基于上面的说明而设计的一个较为安全的 FTP 服务器软件，它具有以下特点：

- vsftpd 服务的启动者身份为一般用户，所以对于 Linux 系统的权限较低，对于 Linux 系统的危害就相对降低了。此外，vsftpd 亦利用 chroot()这个函数进行改换根目录的操作，使得系统工具不会被 vsftpd 这个服务所误用。
- 任何需要具有较高执行权限的 vsftpd 命令均以一个特殊的上层程序所控制，该上层程序享有的较高执行权限功能已经被限制得相当低，并以不影响 Linux 本身的系统为准。
- 绝大部分 FTP 会使用到的额外命令功能（dir、ls、cd 等）都已经被整合到 vsftpd 主程序当中了，因此理论上 vsftpd 不需要使用到额外的系统提供的命令，所以在 chroot 的情况下，vsftpd 不但可以顺利工作，且不需要额外功能对于系统来说也比较安全。
- 所有来自客户端且想要使用这个上层程序所提供的较高执行权限的 vsftpd 命令的需求，均被视为不可信任的要求来处理，必须要经过相当程度的身份确认后，方可利用该上层程序的功能。例如 chown()、Login 的要求等操作。
- 上面提到的上层程序中，依然使用 chroot()的功能来限制用户的执行权限。

由于具有这样的特点，所以 vsftpd 会变得比较安全一些。下面我们来谈谈如何设置。

21.2.2 所需要的软件以及软件结构

vsftpd 所需要的软件只有一个，那就是 vsftpd。如果你的 CentOS 没有安装，请利用 yum install vsftpd 来安装。软件很小，而且整个软件提供的配置文件也非常少，简单易用就是 vsftpd 的特色。这些设置数据比较重要的有以下几个：

- /etc/vsftpd/vsftpd.conf

  严格来说，整个 vsftpd 的配置文件就只有这个文件。这个文件的设置是以 bash 的变量设置相同的方式来处理的，也就是“**参数=设置值**”来设置的，注意，**等号两边不能有空白**。至于详细的 vsftpd.conf 可以使用 man 5 vsftpd.conf 来详细了解。

- /etc/pam.d/vsftpd

  这个是 vsftpd 使用 PAM 模块时的相关配置文件。主要用来作为身份认证之用，还有阻挡一些用户身份的功能，也是通过这个文件来实现的。你可以查看一下该文件：

```
[root@www ~]# cat /etc/pam.d/vsftpd
#%PAM-1.0
session optional pam_keyinit.so    force revoke
```

```
  auth   required pam_listfile.so item=user sense=deny file=/etc/vsftpd/ftpusers
onerr=succeed
  auth    required pam_shells.so
  auth    include  password-auth
  account include  password-auth
  session required pam_loginuid.so
  session include  password-auth
```

上面 file 后面接的内容是“限制用户无法使用 vsftpd”之意，也就是说，其实你的限制文件不见需要使用系统默认值，也可以在这个文件里面进行修改。

- /etc/vsftpd/ftpusers

与上一个文件有关系，也就是 PAM 模块 (/etc/pam.d/vsftpd) 所指定的那个无法登录的用户配置文件。这个文件的设置很简单，你只要将不想让它登录的 FTP 账号写入这个文件即可。一行一个账号，看起来像这样：

```
[root@www ~]# cat /etc/vsftpd/ftpusers
# Users that are not allowed to login via ftp
root
bin
daemon
....(下面省略)....
```

由上面可以看出，绝大部分的系统账号都在这个文件内，也就是说，系统账号默认是没有办法使用 vsftpd 的。如果你还想要让某些用户无法登录，写在这里是最快的。

- /etc/vsftpd/user_list

这个文件是否能够生效与 vsftpd.conf 内的两个参数有关，分别是 userlist_enable 和 userlist_deny。如果说 /etc/vsftpd/ftpusers 是 PAM 模块的阻挡访问设置项目，那么 /etc/vsftpd/user_list 则是 vsftpd 自定义的阻挡访问项目。事实上这个文件与 /etc/vsftpd/ftpusers 几乎一模一样，在默认的情况下，你可以将不允许登录 vsftpd 的账号写入这里。不过这个文件是否会发生作用由 vsftpd.conf 配置文件内的 userlist_deny={YES/NO} 决定，这需要特别留意。

- /etc/vsftpd/chroot_list

这个文件默认是不存在的，所以你必须要手动自行建立。这个文件的主要功能是可以将某些账号的用户 chroot 建立在他们的默认用户主目录下。但这个文件要生效与 vsftpd.conf 内的 chroot_list_enable、chroot_list_file 两个参数有关。如果你想要将某些实体用户限制在他们的用户主目录下而不许到其他目录去，可以启动这个设置项目。

- /usr/sbin/vsftpd

这就是 vsftpd 的主要执行文件。vsftpd 只有这一个执行文件而已。

- /var/ftp/

  这是 vsftpd 默认匿名用户登录的根目录。其实与 ftp 这个账号的用户主目录有关。

大致上就只有这几个文件需要注意，每个文件的设置都很简单，真是不错！

21.2.3　vsftpd.conf 配置值说明

事实上，/etc/vsftpd/vsftpd.conf 本身就是一个挺详细的配置文件，且使用"man 5 vsftpd.conf"则可以得到完整的参数说明。不过我们这里依旧先将 vsftpd.conf 内的常用参数写出来，以供大家参考。

1. 与服务器环境比较相关的设置值

- connect_from_port_20=YES（NO）

  记得在前一小节提到的主动式连接使用的 FTP 服务器的 port 吗？这就是 ftp-data 的端口号。

- listen_port=21

  vsftpd 使用的命令通道 port，如果你想要使用非正规的端口号，可在这个设置项目中修改。不过你必须要知道，这个设置值仅适合以 stand alone 的方式来启动（对于 super daemon 无效）。

- dirmessage_enable=YES（NO）

  当用户进入某个目录时，会显示该目录需要注意的内容，显示的文件默认是 .message，你可以使用下面的设置项目来定义。

- message_file=.message

  当 dirmessage_enable=YES 时，可以设置这个项目让 vsftpd 寻找该文件来显示信息。

- listen=YES（NO）

  若设置为 YES，表示 vsftpd 是以 stand alone 的方式来启动。默认是 NO，所以 CentOS 将它改为 YES，这样才能使用 stand alone 的方式来唤醒。

- pasv_enable=YES（NO）

  支持数据流的被动式连接模式（passive mode），一定要设置为 YES。

- use_localtime=YES（NO）

  是否使用本地时间？vsftpd 默认使用 GMT 时间（格林尼治时间），所以默认的 FTP 内的文件日期会比中国晚 8 小时，建议修改设置为 YES。

- write_enable=YES（NO）

如果你允许用户上传数据时，就要启动这个设置值。

- connect_timeout=60

单位是秒，在数据连接的主动式连接模式下，我们发出的连接信号在 60 秒内得不到客户端的响应，则不等待并强制断线。

- accept_timeout=60

当用户以被动式 PASV 来进行数据传输时，如果服务器启用 passive port 并等待 Client 超过 60 秒而无回应，那么就强制断线。这个设置值与 connect_timeout 类似，不过一个是管理主动连接，一个管理被动连接。

- data_connection_timeout=300

如果服务器与客户端的数据连接已经成功建立（不论主动还是被动连接），但是可能由于线路问题导致 300 秒内还是无法顺利地完成数据的传送，那客户端的连接就会被我们的 vsftpd 强制剔除。

- idle_session_timeout=300

如果用户在 300 秒内都没有命令操作，强制脱机！避免无用占用空间。

- max_clients=0

如果 vsftpd 是以 stand alone 方式启动的，那么这个设置项目可以设置同一时间最多有多少 Client 可以同时连上 vsftpd，限制使用 FTP 的用量。

- max_per_ip=0

与上面 max_clients 类似，这里是同一个 IP 同一时间可允许多少连接。

- pasv_min_port=0、pasv_max_port=0

上面两个是与 passive mode 使用的 port number 有关，如果你想要使用 65400 到 65410 这 11 个 port 来进行被动式连接模式的连接，可以这样设置：pasv_max_port=65410 以及 pasv_min_port=65400。如果是 0 的话，表示随机取用而不限制。

- ftpd_banner=一些文字说明

当用户连接进入到 vsftpd 时，在 FTP 客户端软件上会显示的说明文字。不过，这个设置值数据比较少，建议你可以使用下面的 banner_file 设置值来取代这个项目。

- banner_file=/path/file

这个项目可以指定某个纯文本文件作为用户登录 vsftpd 服务器时所显示的欢迎字

眼。同时，也能够放置一些让用户知道本 FTP 服务器的目录架构。

2. 与实体用户较相关的设置值

- guest_enable=YES（NO）

若这个值设置为 YES 时，那么任何实体账号，均会被假设成为 guest（所以默认是不开放的）。至于访客在 vsftpd 当中，默认会取得 ftp 这个用户的相关权限。但可以通过 guest_username 来修改。

- guest_username=ftp

在 guest_enable=YES 时才会生效，指定访客的身份。

- local_enable=YES（NO）

这个设置值必须要为 YES 时，在 /etc/passwd 内的账号才能以实体用户的方式登录我们的 vsftpd 服务器。

- local_max_rate=0

实体用户的传输速度限制，单位为 bytes/second，0 为不限制。

- chroot_local_user=YES（NO）

在默认的情况下，是否要将用户限制在自己的用户主目录之内（chroot）？如果是 YES 代表用户默认就会被 chroot，如果是 NO，则默认是没有 chroot。不过，实际还是需要下面的两个参数互相参考才行。为了安全性，这里应该要设置成 YES 才好。

- chroot_list_enable=YES（NO）

是否启用 chroot 写入列表的功能？与下面的 chroot_list_flie 有关。这个项目需要开启，否则下面的列表文件会无效。

- chroot_list_file=/etc/vsftpd.chroot_list

如果 chroot_list_enable=YES 那么就可以设置这个项目了。这个项目与 chroot_local_user 有关，详细的设置状态请参考 21.2.6 节 chroot 的说明。

- userlist_enable=YES（NO）

是否借助 vsftpd 的阻挡机制来处理某些不受欢迎的账号，与下面的参数设置有关。

- userlist_deny=YES（NO）

当 userlist_enable=YES 时才会生效的设置，若此设置值为 YES 时，则当用户账号被列入某个文件时，在该文件内的用户将无法登录 vsftpd 服务器。该文件的文件名与下列设置项目有关。

- userlist_file=/etc/vsftpd/user_list

  若上面 userlist_deny=YES 时，则这个文件就有用处了。在这个文件内的账号都无法使用 vsftpd。

3. 匿名用户登录的设置值

- anonymous_enable=YES（NO）

  设置为允许 anonymous 登录 vsftpd 主机。默认是 YES，下面的所有相关设置都需要将这个设置为 anonymous_enable=YES 之后才会生效。

- anon_world_readable_only=YES（NO）

  仅允许 anonymous 具有下载可读文件的权限，默认是 YES。

- anon_other_write_enable=YES（NO）

  是否允许 anonymous 具有除了写入之外的权限，包括删除与修改服务器上的文件及文件名等权限。默认当然是 NO。如果要设置为 YES，那么开放给 anonymous 写入的目录亦需要调整权限，让 vsftpd 的 PID 拥有者可以写入才行。

- anon_mkdir_write_enable=YES（NO）

  是否让 anonymous 具有建立目录的权限，默认值是 NO。如果要设置为 YES，那么 anony_ other_write_enable 必须设置为 YES。

- anon_upload_enable=YES（NO）

  是否让 anonymous 具有上传数据的功能，默认是 NO，如果要设置为 YES，则 anon_other_write_enable=YES 必须设置。

- deny_email_enable=YES（NO）

  将某些特殊的 E-mail address 阻挡住，不让那些 anonymous 登录。如果以 anonymous 登录服务器时，不是会要求输入密码吗？密码不是要你输入你的 E-mail address 吗？如果你很讨厌某些 E-mail address，就可以使用这个设置来取消它的登录的权限，需与下个设置项目配合。

- banned_email_file=/etc/vsftpd/banned_emails

  如果 deny_email_enable=YES 时，可以利用这个设置项目来规定哪个 E-mail address 不可登录我们的 vsftpd。在上面设置的文件内，一行输入一个 E-mail address 即可。

- no_anon_password=YES（NO）

  当设置为 YES 时，表示 anonymous 将会略过密码检验步骤，而直接进入 vsftpd 服务器内。所以一般默认都是 NO（登录时会检查输入的 E-mail）。

- anon_max_rate=0

这个设置值后面接的数值单位为 bytes/秒，限制 anonymous 的传输速度，如果是 0 则不限制（由最大带宽所限制），如果你想让 anonymous 仅有 30 KB/s 的速度，可以设置 anon_max_rate=30000。

- anon_umask=077

限制 anonymous 上传文件的权限！如果是 077 则 anonymous 传送过来的文件权限会是 -rw-------。

4. 关于系统安全方面的一些设置值

- ascii_download_enable=YES（NO）

如果设置为 YES，那么 Client 就优先（默认）使用 ASCII 格式下载文件。

- ascii_upload_enable=YES（NO）

与上一个设置类似的，只是这个设置针对上传而言。默认是 NO。

- one_process_model=YES（NO）

这个设置项目比较危险一点。当设置为 YES 时，表示每个建立的连接都会拥有一个 process 在负责，可以提高 vsftpd 的效率。不过，除非你的系统比较安全，而且硬件配备比较高，否则容易耗尽系统资源。一般建议设置为 NO。

- tcp_wrappers=YES（NO）

当然我们都习惯支持 TCP Wrappers，所以设置为 YES。

- xferlog_enable=YES（NO）

当设置为 YES 时，用户上传与下载文件都会被记录下来。记录的文件与下一个设置项目有关。

- xferlog_file=/var/log/xferlog

如果上一个设置项目 xferlog_enable=YES 的话，这里就可以设置了。这个是日志文件的文件名。

- xferlog_std_format=YES（NO）

是否设置为 wu-ftp 相同的日志文件格式，默认为 NO，因为日志文件会比较容易读。不过，如果你有使用 wu-ftp 日志文件的分析软件，这里才需要设置为 YES。

- dual_log_enable=YES、vsftpd_log_file=/var/log/vsftpd.log

除了 /var/log/xferlog 的 wu-ftp 格式日志文件之外，还可以具有 vsftpd 的独特日志文件格式。如果你的 FTP 服务器并不是很忙碌，或许订出两个日志文件的撰写（/var/log/{vsftpd.log,xferlog）是不错的。

- nopriv_user=nobody

  我们的 vsftpd 默认以 nobody 作为此一服务执行者的权限。因为 nobody 的权限相当低，因此即使被入侵，入侵者仅能取得 nobody 的权限。

- pam_service_name=vsftpd

  这个是 PAM 模块的名称，我们放置在 /etc/pam.d/vsftpd 中的即是这个。

上面这些是常见的 vsftpd 的设置参数，还有很多参数没有列出来，你可以使用 man 5 vsftpd.conf 查阅。不过，基本上上面这些参数已经够我们设置 vsftpd 了。

21.2.4 vsftpd 启动的模式

vsftpd 可以使用 stand alone 或 super daemon 的方式来启动，CentOS 默认是以 stand alone 来启动的。那什么时候应该选择 stand alone 或者是 super daemon 呢？如果你的 FTP 服务器是提供给整个因特网来进行大量下载的任务，例如各大专院校的 FTP 服务器，那建议你使用 stand alone 的方式，服务的速度上会比较好。如果仅是提供给内部人员使用的 FTP 服务器，那使用 super daemon 来管理即可。

1. 利用 CentOS 提供的 script 来启动 vsftpd (stand alone)

其实 CentOS 不用作任何设置就能够启动 vsftpd。它是这样启动的：

```
[root@www ~]# /etc/init.d/vsftpd start
[root@www ~]# netstat -tulnp| grep 21
tcp   0   0 0.0.0.0:21   0.0.0.0:*    LISTEN    11689/vsftpd
# 看到了吗，是由 vsftpd 所启动的
```

2. 自行设置以 super daemon 来启动 (有必要再进行，不用实作)

如果你的 FTP 是很少被使用的，那么利用 super daemon 来管理不失为一个好主意。不过若你想要使用 super daemon 管理的话，那就需要自行修改一下配置文件了。其实也不难，你应该要这样处理：

```
[root@www ~]# vim /etc/vsftpd/vsftpd.conf
# 找到 listen=YES 这一行：大约在 109 行左右，并将它改成：
listen=NO
```

接下来修改一下 super daemon 的配置文件，下面这个文件你必须要自行建立的，原本是不存在的：

```
[root@www ~]# yum install xinetd    <==假设 xinetd 没有安装时
[root@www ~]# vim /etc/xinetd.d/vsftpd
service ftp
{
        socket_type             = stream
        wait                    = no
        user                    = root
        server                  = /usr/sbin/vsftpd
        log_on_success          += DURATION USERID
        log_on_failure          += USERID
        nice                    = 10
        disable                 = no
}
```

然后尝试启动看看：

```
[root@www ~]# /etc/init.d/vsftpd stop
[root@www ~]# /etc/init.d/xinetd restart
[root@www ~]# netstat -tulnp| grep 21
tcp   0   0 0.0.0.0:21   0.0.0.0:*    LISTEN    32274/xinetd
```

有趣吧？两者启动的方式不一样，管理的方式就会差很多的。不管要使用哪种启动的方式，**切记不要两者同时启动，否则会发生错误的。你应该使用 chkconfig --list 检查一下这两种启动的方式**，然后依据你的需求来决定用哪一种方式启动。**鸟哥下面的设置都会以 stand alone 这个 CentOS 默认的启动模式来处理，所以赶紧将刚刚的操作改回来吧。**

21.2.5　CentOS 的 vsftpd 默认值

在 CentOS 的默认值当中，vsftpd 是同时开放实体用户与匿名用户的，CentOS 的默认值如下：

```
[root@www ~]# vim /etc/vsftpd/vsftpd.conf
# 1. 与匿名用户有关的信息:
anonymous_enable=YES           <==支持匿名用户的登录使用 FTP 功能

# 2. 与实体用户有关的设置
local_enable=YES               <==支持本地端的实体用户登录
write_enable=YES               <==允许用户上传数据 (包括文件与目录)
local_umask=022                <==建立新目录 (755) 与文件 (644) 的权限

# 3. 与服务器环境有关的设置
dirmessage_enable=YES          <==若目录下有 .message 则会显示该文件的内容
xferlog_enable=YES             <==启动日志文件记录，记录于 /var/log/xferlog
connect_from_port_20=YES       <==支持主动式连接功能
```

```
xferlog_std_format=YES          <==支持 WuFTP 的日志文件格式
listen=YES                      <==使用 stand alone 方式启动 vsftpd
pam_service_name=vsftpd         <==支持 PAM 模块的管理
userlist_enable=YES             <==支持 /etc/vsftpd/user_list 文件内的账号登录控制!
tcp_wrappers=YES                <==支持 TCP Wrappers 的防火墙机制
```

上面各项设置值请自行参考 21.2.3 节的详细说明。而通过这样的设置值我们的 vsftpd 可以实现如下的功能：

- 你可以使用 anonymous 这个匿名账号或其他实体账号（/etc/passwd）登录。
- anonymous 的用户主目录在 /var/ftp，且无上传权限，也已经被 chroot 了。
- 实体用户的用户主目录参考 /etc/passwd，并没有被 chroot，可前往任何有权限可进入的目录中。
- 任何于 /etc/vsftpd/ftpusers 内存在的账号均无法使用 vsftpd（PAM）。
- 可利用 /etc/hosts.{allow|deny} 来作为基础防火墙。
- 当客户端有任何上传/下载信息时，该信息会被记录到 /var/log/xferlog 中。
- 主动式连接的端口为 port 20。
- 使用格林尼治时间（GMT）。

所以当你启动 vsftpd 后，你的实体用户就能够直接利用 vsftpd 这个服务来传输他自己的数据了。不过比较大的问题是，**因为 vsftpd 默认使用 GMT 时间，所以你在客户端使用 ftp 软件连接到 FTP 服务器时，会发现每个文件的时间都慢了 8 小时了**。真是讨厌。所以建议你加设一个参数值，就是 use_localtime=YES。

```
[root@www ~]# vim /etc/vsftpd/vsftpd.conf
# 在这个文件当中的最后一行加入这一句即可
use_localtime=YES

[root@www ~]# /etc/init.d/vsftpd restart
[root@www ~]# chkconfig vsftpd on
```

如此一来你的 FTP 服务器不但可以提供匿名账号来下载 /var/ftp 的数据，如果使用实体账号来登录的话，就能够进入到该用户的用户主目录下面去了。真是一个简单方便的设置，且可以使用本地端时间。

另外，当你要将 FTP 开放给 Internet 使用时，请注意需要开放防火墙。关于防火墙的配置情况，由于牵涉到数据流的主动、被动连接方式，因此还需要加入防火墙模块。这部分我们在后续的 21.2.8 小节再加以介绍，反正，**最终记需要开放 FTP 的连接要求就对了。**

21.2.6　针对实体账号的设定

虽然在 CentOS 的默认情况当中实体用户已经可以使用 FTP 的服务了，不过我们可能还需要一些额外的功能来限制实体用户。举例来说，限制用户无法离开用户主目录 (chroot)、限制下载速率、限制用户上传文件时的权限（mask）等。下面我们先列出一些希望达到的功能，然后再继续进行额外功能的处理：

- **希望使用本地时间取代 GMT 时间。**
- **用户登录时显示一些欢迎信息的信息。**
- **系统账号不可登录主机（亦即 UID 小于 500 以下的账号）。**
- **一般实体用户可以进行上传、下载、建立目录及修改文件等操作。**
- **用户建立文件、目录的 umask 希望设置为 002。**
- **其他主机设置值保留默认值即可。**

你可以自行处理 vsftpd.conf 这个文件，以下则是一个范例。注意，如果你的 vsftpd.conf 没有相关设置值，请自行补上。现在让我们一步一步来依序处理。

1）**先建立主配置文件 vsftpd.conf，这个配置文件已经包含了主要设置值。**

```
[root@www ~]# vim /etc/vsftpd/vsftpd.conf
# 1. 与匿名用户相关的信息，在这个案例中将匿名登录取消
anonymous_enable=NO

# 2. 与实体用户相关的信息：可写入，且 umask 为 002
local_enable=YES
write_enable=YES
local_umask=002
userlist_enable=YES
userlist_deny=YES
userlist_file=/etc/vsftpd/user_list  <==这个文件必须存在。还好，默认有此文件

# 3. 与服务器环境有关的设置
use_localtime=YES
dirmessage_enable=YES
xferlog_enable=YES
connect_from_port_20=YES
xferlog_std_format=YES
listen=YES
pam_service_name=vsftpd
tcp_wrappers=YES
banner_file=/etc/vsftpd/welcome.txt <==这个文件必须存在。需手动建立
```

```
[root@www ~]# /etc/init.d/xinetd restart  <==取消 super dameon
[root@www ~]# /etc/init.d/vsftpd restart
```

2）建立欢迎信息。

当我们想让登录用户查看系统管理员所执行的公告事项时，可以使用这个设置。那就是 banner_file=/etc/vsftpd/welcome.txt 这个参数的用途了。我们只需编辑这个文件即可。好了，开始来建立欢迎界面吧。

```
[root@www ~]# vim /etc/vsftpd/welcome.txt
欢迎光临本小站，本站提供 FTP 的相关服务！
主要的服务是针对本机实体用户提供的，
若有任何问题，请与鸟哥联络！
```

3）建立限制系统账号登录的文件。

针对系统账号来给予阻挡的机制，其实有两个文件，一个是 PAM 模块管的，一个是 vsftpd 主动提供的。在默认的情况下这两个文件分别是：

- /etc/vsftpd/ftpusers：就是 /etc/pam.d/vsftpd 这个文件的设置所影响的。
- /etc/vsftpd/user_list：由 vsftpd.conf 的 userlist_file 所设置。

这两个文件的内容是一样的，并且这两个文件必须要存在才行。请参考你的 /etc/passwd 配置文件，然后将 UID 小于 500 的账号名称同时写到这两个文件内。一行一个账号。

```
[root@www ~]# vim /etc/vsftpd/user_list
root
bin
....(下面省略)....
```

4）测试结果。

你可以使用图形接口的 FTP 客户端软件来处理，也可以通过 Linux 本身提供的 FTP 客户端功能。关于 FTP 命令我们已经在第 5 章谈过了，你可以自行前往参考。这里直接测试一下：

```
# 测试使用已知用户登录，例如 dmtsai 这个实体用户：
[root@www ~]# ftp localhost
Trying 127.0.0.1...
Connected to localhost (127.0.0.1).
220-欢迎光临本小站，本站提供 FTP 的相关服务！   <==刚刚建立的欢迎信息
220-主要的服务是针对本机实体用户提供的，
220-若有任何问题，请与鸟哥联络！
220
Name (localhost:root): student
```

```
331 Please specify the password.
Password:  <==在这里输入密码
500 OOPS: cannot change directory:/home/student  <==给出了登录失败的原因
Login failed.
ftp> bye
221 Goodbye.
```

由于默认一般用户无法登录 FTP 的，因为 SELinux 的问题。请参考下个小节的方式来处理。然后以上面的方式测试完毕后，你可以在登录用户账号处分别填写 root 和 anonymous 来尝试登录。如果不能登录的话，那就是设置成功了（root 不能登录是因为 PAM 模块以及 user_list 设置值的关系，而匿名无法登录，是因为我们 vsftpd.conf 里设置的就是不能用匿名登录）。

上面是最简单的实体账号相关设置。那如果你还想要限制用户主目录的 chroot 或其他如速度限制等数据，就需要看看下面的特殊设置项目了。

1. 实体账号的 SELinux 议题

在默认的情况下，CentOS 的 FTP 是不允许实体账号登录取得用户主目录数据的，这是因为 SELinux 的问题。如果你在刚刚的 ftp localhost 步骤中，在 bye 离开 FTP 之前执行过 dir 的话，那你会发现没有任何资料显示出来。这并不是你错了，而是 SELinux 不太对劲的缘故。那如何解决呢？这样处理即可：

```
[root@www ~]# getsebool -a | grep ftp
allow_ftpd_anon_write --> off
allow_ftpd_full_access --> off
allow_ftpd_use_cifs --> off
allow_ftpd_use_nfs --> off
ftp_home_dir --> off              <==就是这个，但要设置成 on 才行
....(下面省略)....

[root@www ~]# setsebool -P ftp_home_dir=1
```

这样就搞定了。如果还有其他可能发生错误的原因，包括文件数据使用 mv 而非使用 cp 导致 SELinux 文件类型无法继承原有目录的类型时，请自行查阅 /var/log/messages 的内容。通常 SELinux 没有这么难处理的。

2. 对用户（包括未来新建用户）进行 chroot

在鸟哥接触的一般 FTP 使用环境中，大多数都是要开放给厂商连接来使用的，给自己人使用的机会虽然也有，不过用户数量通常比较少一些。所以，鸟哥现在都是建议**默认让实体用户全部被 chroot，而允许不必 chroot 的账号才需要额外设置**。这样的好处是，新建的账号

如果忘记进行 chroot，反正原本就是 chroot，就不用担心如果该账号是开给厂商时该怎么办的问题。

现在假设我系统里面仅有 vbird 与 dmtsai 两个账号不要被 chroot，其他如 student、smb1 等账号通通默认是 chroot 的，包括未来添加账号也全部默认 chroot。那该如何设置？很简单，三个设置值加上一个额外配置文件就搞定了。步骤如下：

```
# 1. 修改 vsftpd.conf 的参数值：
[root@www ~]# vim /etc/vsftpd/vsftpd.conf
# 添加是否设置针对某些用户来 chroot 的相关设置
chroot_local_user=YES
chroot_list_enable=YES
chroot_list_file=/etc/vsftpd/chroot_list

# 2. 建立不被 chroot 的用户账号列表，即使没有任何账号，此文件也是要存在
[root@www ~]# vim /etc/vsftpd/chroot_list
vbird
dmtsai

[root@www ~]# /etc/init.d/vsftpd restart
```

如此一来，除了 dmtsai 与 vbird 之外的其他可用 FTP 的账号，全部会被 chroot 在他们的用户主目录下，这样对系统比较好。接下来，请你自己分别使用有与没有被 chroot 的账号来连接测试看看。

3. 限制实体用户的总下载流量 (带宽)

我们都不希望带宽被用户上传/下载所耗尽，而影响服务器的其他正常服务。所以限制用户的传输带宽有时也是需要的。假设我要限制所有用户的总传输带宽最大可达 1 MBytes/秒时，这样做即可：

```
[root@www ~]# vim /etc/vsftpd/vsftpd.conf
# 增加下面这一个参数即可：
local_max_rate=1000000   <==记住，单位是 bytes/second

[root@www ~]# /etc/init.d/vsftpd restart
```

上述的单位是 Bytes/秒，所以你可以依据你自己的网络环境来限制带宽。这样就限制好了。容易吧。那怎么测试啊？很简单，用本机测试最准。你可以用 dd 做出一个 10MB 的文件放在 student 的用户主目录下，然后用 root 执行 ftp localhost，并输入 student 的账号与密码，接下来 get 这个新的文件，就能够最终知道下载的速度了。

4. 限制最大同时上线人数与同一 IP 的 FTP 连接数

如果你有限制最大使用带宽的话，那么你可能还需要限制最大在线人数才行！举例来说，当你希望最多只有 10 个人同时使用你的 FTP，并且每个 IP 来源最多只能建立一条 FTP 的连接时，你可以这样做：

```
[root@www ~]# vim /etc/vsftpd/vsftpd.conf
# 增加下面的这两个参数：
max_clients=10
max_per_ip=1

[root@www ~]# /etc/init.d/vsftpd restart
```

这样就搞定了，不会让你的 FTP 人满为患。

5. 建立严格的可使用 FTP 的账号列表

在默认的环境当中，我们是将不许使用 FTP 的账号写入 /etc/vsftpd/user_list 文件，所以没有写入 /etc/vsftpd/user_list 当中的用户就能够使用 FTP 了。如此一来，未来新建的用户默认都能够使用 FTP 的服务。如果换个角度来思考，**若我想只让某些人可以使用 FTP，也就是添加的用户默认不可使用 FTP 这个服务**的话那么应该如何操作呢？你需要修改配置文件成为这样：

```
[root@www ~]# vim /etc/vsftpd/vsftpd.conf
# 这几个参数必须要修改成这样：
userlist_enable=YES
userlist_deny=NO
userlist_file=/etc/vsftpd/user_list

[root@www ~]# /etc/init.d/vsftpd restart
```

则此时**写入 /etc/vsftpd/user_list 变成可以使用 FTP 的账号**了。所以未来添加的用户如果要能够使用 FTP 的话，就必须要写入 /etc/vsftpd/user_list 才行。使用这个机制请特别小心，否则容易搞混。

通过这几个简单的设置值，相信 vsftpd 已经可以符合大部分合法 FTP 网站的需求了。更多详细的用法请参考 man 5 vsftpd.conf。

例题

假设你因为某些特殊需求，必须要开放 root 使用 FTP 传输文件，那么你应该要如何处理？

答：由于系统账号无法使用 FTP 是因为 PAM 模块与 vsftpd 的内建功能所致，也就是

/etc/vsftpd/ftpusers 及 /etc/vsftpd/user_list 这两个文件的影响。所以你只要进入这两个文件，并且将 root 那一行注释掉，那 root 就可以使用 vsftpd 这个 FTP 服务了。不过，不建议如此操作。

21.2.7 仅有匿名登录的相关设置

虽然你可以同时开启实体用户与匿名用户，不过建议你，服务器还是依据需求，针对单一种身份来设置。下面我们将针对匿名用户来设置，且不开放实体用户。一般来说，这种设置是给类似大专院校的 FTP 服务器来使用的。

- 使用本地的时间，而非 GMT 时间。
- 提供欢迎信息，说明可提供下载的信息。
- 仅开放 anonymous 的登录，且不需要输入密码。
- 文件传输的限速为 1 Mbytes/second。
- 数据连接的过程（不是命令通道！）只要超过 60 秒没有响应，就强制 Client 断线。
- 只要 anonymous 超过 10 分钟没有操作，就予以断线。
- 最大同时上线人数限制为 50 人，且同一 IP 来源最大连接数量为 5 人。

1. 默认的 FTP 匿名用户的根目录所在：ftp 账号的用户主目录

那如何设置呢？首先我们必须要知道的是匿名用户的目录在哪里？事实上匿名用户默认登录的根目录是以 ftp 这个用户的用户主目录为主，所以你可以使用 finger ftp 来查阅。CentOS 默认的匿名用户根目录在 /var/ftp/ 中。且匿名登录者在使用 FTP 服务时，他默认可以使用 ftp 这个用户身份的权限，只是被 chroot 到 /var/ftp/ 目录中。

因为匿名用户只会在 /var/ftp/ 当中浏览，所以你必须将要提供给用户下载的数据全部放置到 /var/ftp/中去。假设你已经放置了 Linux 的相关目录以及 GNU 的相关软件到该目录中了，那我们可以这样做个假设：

```
[root@www ~]# mkdir /var/ftp/linux
[root@www ~]# mkdir /var/ftp/gnu
```

然后将 vsftpd.conf 的数据清空，重新按照以下步骤进行处理。

1）建立 vsftpd.conf 的设置数据。

```
[root@www ~]# vim /etc/vsftpd/vsftpd.conf
# 将这个文件的全部内容改成这样：
# 1. 与匿名用户相关的信息：
```

```
anonymous_enable=YES
no_anon_password=YES             <==匿名登录时，系统不会检验密码 (通常是 E-mail)
anon_max_rate=1000000            <==最大带宽使用为 1MB/s 左右
data_connection_timeout=60       <==数据流连接的 timeout 为 60 秒
idle_session_timeout=600         <==若匿名用户发呆超过 10 分钟就断线
max_clients=50                   <==最大连接与每个 IP 的可用连接
max_per_ip=5

# 2. 与实体用户相关的信息，本案例中为关闭他的情况
local_enable=NO

# 3. 与服务器环境有关的设置
use_localtime=YES
dirmessage_enable=YES
xferlog_enable=YES
connect_from_port_20=YES
xferlog_std_format=YES
listen=YES
pam_service_name=vsftpd
tcp_wrappers=YES
banner_file=/etc/vsftpd/anon_welcome.txt <==文件名有改变

[root@www ~]# /etc/init.d/vsftpd restart
```

2）建立欢迎信息与下载提示信息。

要注意，在这个案例当中，我们将欢迎信息设置在 /etc/vsftpd/anon_welcome.txt 这个文件中，至于这个文件的内容你可以这样写（这个文件一定要存在，否则会造成客户端无法连接成功）：

```
[root@www ~]# vim /etc/vsftpd/anon_welcome.txt
欢迎光临本站所提供的 FTP 服务!
本站主要提供 Linux 操作系统相关文件以及 GNU 自由软件!
有问题请与站长联络! 谢谢大家!
主要的目录为:

linux    提供 Linux 操作系统相关软件
gnu      提供 GNU 的自由软件
uploads  提供匿名的你上传数据
```

大家可以注意到，写的数据主要都是针对一些公告事项。

3）客户端的测试：密码与欢迎信息是重点。

同样的，我们使用 ftp 这个软件来测试一下吧。

```
[root@www ~]# ftp localhost
Connected to localhost (127.0.0.1).
220-欢迎光临本站所提供的 FTP 服务!    <==下面这几行中文就是欢迎与提示信息
220-本站主要提供 Linux 操作系统相关文件以及 GNU 自由软件
220-有问题请与站长联络!谢谢大家!
220-主要的目录为:
220-
220-linux    提供 Linux 操作系统相关软件
220-gnu      提供 GNU 的自由软件
220-uploads 提供匿名的你上传数据
220
Name (localhost:root): anonymous   <==一定要是匿名账号名称
230 Login successful.              <==没有输入密码即可登录
Remote system type is UNIX.
Using binary mode to transfer files.
ftp> dir
227 Entering Passive Mode (127,0,0,1,196,17).
150 Here comes the directory listing.
drwxr-xr-x    2 0        0            4096 Aug 08 16:37 gnu
-rw-r--r--    1 0        0              17 Aug 08 14:18 index.html
drwxr-xr-x    2 0        0            4096 Aug 08 16:37 linux
drwxr-xr-x    2 0        0            4096 Jun 25 17:44 pub
226 Directory send OK.
ftp> bye
221 Goodbye.
```

因为是匿名登录，所以就不需要输入任何密码了。而且，如果你以其他的账号来尝试登录时，那么 vsftpd 会立刻响应仅开放匿名的信息（530 This FTP server is anonymous only）。

2. 让匿名用户可上传/下载自己的资料 (权限开放最大)

在上列的数据当中，实际上匿名用户仅可进行下载的操作而已。如果你还想让匿名用户可以上传文件或者是建立目录的话，那你还需要额外增加一些设置才行。

```
[root@www ~]# vim /etc/vsftpd/vsftpd.conf
# 新增下面这几行
write_enable=YES
anon_other_write_enable=YES
anon_mkdir_write_enable=YES
anon_upload_enable=YES

[root@www ~]# /etc/init.d/vsftpd restart
```

如果你设置了上面四项参数，则会允许匿名用户拥有完整的建立、删除、修改文件与目录的权限。不过，**实际要生效还需要 Linux 的文件系统权限正确才行**。我们知道匿名用户取得的身份是 ftp，所以如果想让匿名用户上传数据到 /var/ftp/uploads/ 中，则需要这样做：

```
[root@www ~]# mkdir /var/ftp/uploads
[root@www ~]# chown ftp /var/ftp/uploads
```

然后你以匿名用户身份登录后，就会发现匿名用户的根目录多了一个 /upload 的目录，并且你可以在该目录中上传文件/目录。如此一来，系统的权限大开，很危险的！所以，请仔细地控制好你的上传目录才行。

不过，在实际测试当中，却发现还是没办法上传，怎么回事啊？如果你去看一下 /var/log/messages 的话，就会发现：又是 SELinux 这家伙的问题。怎么办？就通过“sealert –l ...”在 /var/log/messages 里面观察到的命令丢进去，立刻就会知道解决方案。解决方案就是放行 SELinux 的匿名 FTP 规则，如下：

```
[root@www ~]# setsebool -P allow_ftpd_anon_write=1
[root@www ~]# setsebool -P allow_ftpd_full_access=1
```

然后你再用 anonymous 登录测试一下，到 /uploads 去上传个文件，就会知道能不能成功了。

3. 让匿名用户仅具有上传权限，不可下载匿名用户上传的东西

一般来说，用户上传的数据在管理员尚未查阅过是否合乎版权等相关事宜前，是不应该让其他人下载的。然而前一小节的设置当中，用户上传的资料是可以被其他人所浏览与下载的，如此一来实在是很危险。所以如果你要设置 /var/ftp/uploads/ 内通过匿名用户上传的数据仅能上传不能被下载时，那么被上传的数据的权限就需要修改一下才行。请将前一小节所设置的 4 个参数简化成为：

```
[root@www ~]# vim /etc/vsftpd/vsftpd.conf
# 先将这几行改一改。记需要拿掉 anon_other_write_enable=YES
write_enable=YES
anon_mkdir_write_enable=YES
anon_upload_enable=YES
chown_uploads=YES          <==新增的设置值在此
chown_username=daemon

[root@www ~]# /etc/init.d/vsftpd restart
```

当然，/var/ftp/uploads/ 还是需要可以被 ftp 这个用户写入才行。如此一来被上传的文件将会被修改文件拥有者成为 daemon 这个用户，而 ftp（匿名用户取得的身份）是无法读取 daemon 的数据的，所以也就无法被下载了。

例题

在上述的设置后，我尝试以 anonymous 登录并且上传一个大文件到 /uploads/ 目录下。由于网络的问题，这个文件传到一半就断线。下次我重新上传时，却告知这个文件无法覆盖。这时该如何操作才好？

答：为什么会无法覆盖呢？因为这个文件在你脱机后，文件的拥有者就被改为 daemon 了。因为这个文件不属于 ftp 这个用户了，因此我们无法进行覆盖或删除的操作。此时，你只能更改本地端文件的文件名再次上传，重新从头一直上传。

4. 被动式连接端口的限制

FTP 的连接分为主动式与被动式，主动式连接比较好处理，因为都是通过服务器的 port 20 对外主动连接，所以防火墙的处理比较简单。被动式连接就比较麻烦，因为默认 FTP 服务器会随机取几个没有在使用中的端口来建立被动式连接，那防火墙的设置就很麻烦。

没关系，我们可以通过指定几个固定范围内的端口来作为 FTP 的被动式数据连接之用即可，这样我们就能够预先知道 FTP 数据链路的端口了。举例来说，我们假设被动式连接的端口为 65400~65410 这几个端口时，可以这样设置：

```
[root@www ~]# vim /etc/vsftpd/vsftpd.conf
# 增加下面这几行即可
pasv_min_port=65400
pasv_max_port=65410

[root@www ~]# /etc/init.d/vsftpd restart
```

按照上述的方法设置后，匿名用户大致上就能符合你的需求了。其他的设置就自己看着办吧。

21.2.8 防火墙设置

防火墙设置有什么难的？将第 9 章里面的 script 拿出来修改即可。不过，如同前面谈到的，FTP 使用两个端口，加上常有随机启用的数据流端口，以及被动式连接的服务器端口等，所以，你可能需要进行如下操作：

- **加入 iptables 的 ip_nat_ftp、ip_conntrack_ftp 两个模块。**
- **开放 port 21 给因特网使用。**
- **开放前一小节提到的 port 65400~65410 端口给 Internet 连接用。**

要修改的地方不少，那就让我们来一步一脚印地进行操作吧。

虽然 iptables.rule 已加入模块，不过系统文件还是得修改一下：

```
[root@www ~]# vim /etc/sysconfig/iptables-config
IPTABLES_MODULES="ip_nat_ftp ip_conntrack_ftp"
# 加入模块即可。两个模块中间用空格键隔开。然后重新启动 iptables 服务

[root@www ~]# /etc/init.d/iptables restart

# 2. 修改 iptables.rule 的脚本如下：
[root@www ~]# vim /usr/local/virus/iptables/iptables.rule
iptables -A INPUT -p TCP -i $EXTIF --dport  21  --sport 1024:65534 -j ACCEPT
# 找到上面这一行，并将前面的批注拿掉即可。并且增加下面这一行
iptables -A INPUT -p TCP -i $EXTIF --dport 65400:65410 --sport 1024:65534 -j
ACCEPT

[root@www ~]# /usr/local/virus/iptables/iptables.rule
```

这样就好了，同时兼顾主动式与被动式的连接，并且加入所需要的 FTP 模块。

21.2.9　常见问题与解决之道

下面说明几个常见的问题与解决方法。

- 如果在 Client 端上面发现无法连接成功，请检查：

  1. iptables 防火墙的规则当中，是否开放了 Client 端的 port 21 登录？
  2. 在 /etc/hosts.deny 当中，是否将 Client 的登录权限挡住了？
  3. 在 /etc/xinetd.d/vsftpd 当中，是否设置错误，导致 Client 的登录权限被取消了？

- 如果 Client 已经连上 vsftpd 服务器，但是却显示“XXX file can't be opend”的字样，请检查：

  最主要的原因还是在于在 vsftpd.conf 当中设置了检查某个文件，但是你却没有将该文件设置起来，所以，请检查 vsftpd.conf 里面所有设置的文件名，使用 touch 这个命令将该文件建立起来即可。

- 如果 Client 已经连上 vsftpd 服务器，却无法使用某个账号登录，请检查：

  1. 在 vsftpd.conf 里面是否设置了使用 PAM 模块来检验账号，以及利用 userlist_file 来管理账号？
  2. 请检查 /etc/vsftpd/ftpusers 以及 /etc/vsftpd/user_list 文件内是否将该账号写入了？

- 如果 Client 无法上传文件，该如何操作？

1. 最可能发生的原因就是在 vsftpd.conf 里面忘记加上“write_enable=YES”这个设置，请加入。
2. 是否所要上传的目录权限不对，请以 chmod 或 chown 来修改。
3. 是否 anonymous 的设置里面忘记加上了下面三个参数：
   - anon_other_write_enable=YES。
   - anon_mkdir_write_enable=YES。
   - anon_upload_enable=YES。
4. 是否因为设置了 E-mail 阻挡机制，又将 E-mail address 写入该文件中了，请检查。
5. 是否设置了不许 ASCII 格式传送，但 Client 端却以 ASCII 传送。请在 Client 端以 binary 格式来传送文件。
6. **检查一下 /var/log/messages，是否被 SELinux 所阻挡住了。**

上面是经常发现的错误，如果还是无法解决你的问题，请你务必分析一下这两个文件：/var/log/vsftpd.log 与 /var/log/messages，里面有相当多的重要资料，可以提供进行排错。不过 /var/log/vsftpd.log 却默认不会出现，只有 /var/log/xferlog 而已。如果你想要加入 /var/log/vsftpd.log 的支持，可以这样做：

```
[root@www ~]# vim /etc/vsftpd/vsftpd.conf
dual_log_enable=YES
vsftpd_log_file=/var/log/vsftpd.log
# 加入这两个设置值即可

[root@www ~]# /etc/init.d/vsftpd restart
```

这样未来有新连接或者是错误时，就会额外写一份到 /var/log/vsftpd.log 去。

21.3 客户端的图形接口 FTP 连接软件

客户端的连接软件主要有文字接口的 ftp 及 lftp 这两个命令，详细的使用方式请参考第 5 章常用网络命令的说明。至于 Linux 下面的图形接口软件，可以参考 gftp 这个程序，它支持图形接口，很简单。那 Windows 下面有没有相对应的 FTP 客户端软件？请看下面的说明。

21.3.1 Filezilla

上述的软件都是自由软件，那么 Windows 操作系统有没有自由软件啊？有的，你可以使用 Filezilla。关于这个软件的详细说明与下载点可以在下面的链接找到：

- 说明网站：http://filezilla.sourceforge.net/。
- 下载网站：http://sourceforge.net/project/showfiles.php?group_id=21558。

目前（截止到 2011 年 6 月）最新的稳定版本是 3.5.x 版，所以下面鸟哥就以这个版本来跟大家说明。为什么要选择 Filezilla 呢？除了它是自由软件之外，而且它竟然可以链接到 SSH 的 sftp。真是很不错哦！另外需要注意的是，下面鸟哥是以 Windows 版本来说明的，不要拿来在 X Server 上面安装（注意请下载 Filezilla Client，而不是 Server）。

因为这个程序是给 Windows 安装用的，所以按照安装提示进行安装即可。并且这个程序支持多国语言，所以你可以选择简体中文。安装完毕之后运行它，就会出现如图 21-4 的界面了。

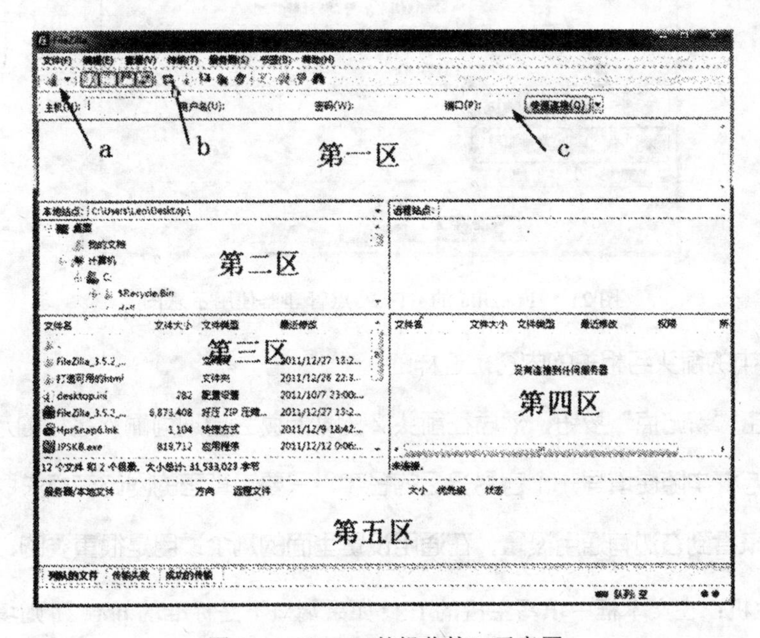

图 21-4 Filezilla 的操作接口示意图

图 21-4 中第一到五区的内容所代表的数据是：

第一区：代表 FTP 服务器的输出信息，例如欢迎信息等。

第二区：代表本机的文件系统目录，与第三区有关。

第三区：代表第二区所选择的磁盘内容为何。

第四区：代表远程 FTP 服务器的目录与文件。

第五区：代表传输时的队列信息（等待传送的数据）。

而图中的 a、b、c 则代表的是：

a：代表站点管理器，你可以将一些常用的 FTP 服务器的 IP 与用户信息记录在此。

b：代表更新，如果你的资料有更新，可使用这个按钮来同步 Filezilla 的屏幕显示。

c：代表主机地址、用户、密码与端口这四项信息可以实时连接，不记录信息。

接下来我们连接到 FTP 服务器上面去，所以你可单击图 21-4 的 a 处，会出现如图 21-5 所示的对话框。

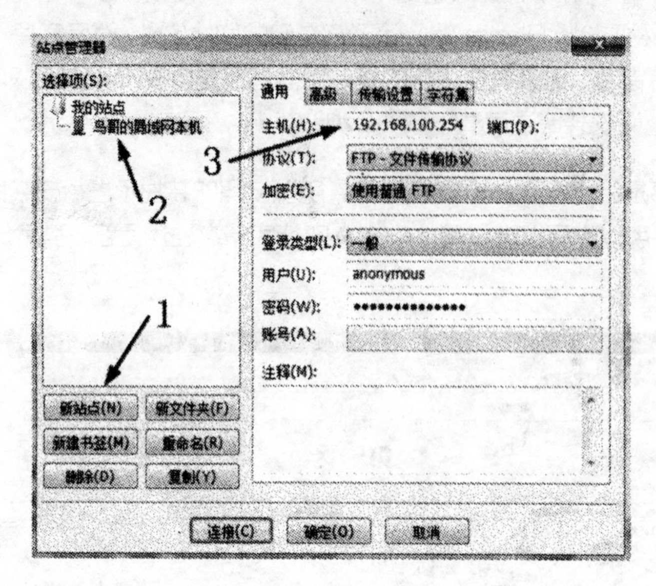

图 21-5 Filezilla 的 FTP 站点管理器使用示意图

图 21-5 中的箭头与相关的内容是这样的：

1）先单击“新站点”按钮，然后在箭头 2 的地方就会出现可输入名称的方框。

2）在该方框中随便填写一个容易记忆的名字，只要与真正的网站有点关联即可。

3）接下来看到右边有通用设置，在通用设置里面的几个项目是很重要的：

- 主机：在文本框中填写主机的 IP，如果端口不是标准的 port 21 则填写其他端口。
- 协议：主要有 FTP 及 SFTP（SSHD 所提供），我们这里选 FTP。
- 加密：是否有网络加密，新的协议中 FTP 可以加上 TLS 的 FTPS。默认为明文。
- 登录类型：因为需要账号密码，选择“一般”即可，然后下面就是输入用户、账号。

基本上这样设置完就能够连上主机了，不过，当你还想要更详细地规范数据连接的方式（主动式与被动式）以及其他资料时，可以单击“传输设置”标签，就会出现如图 21-6 所示的对话框了。

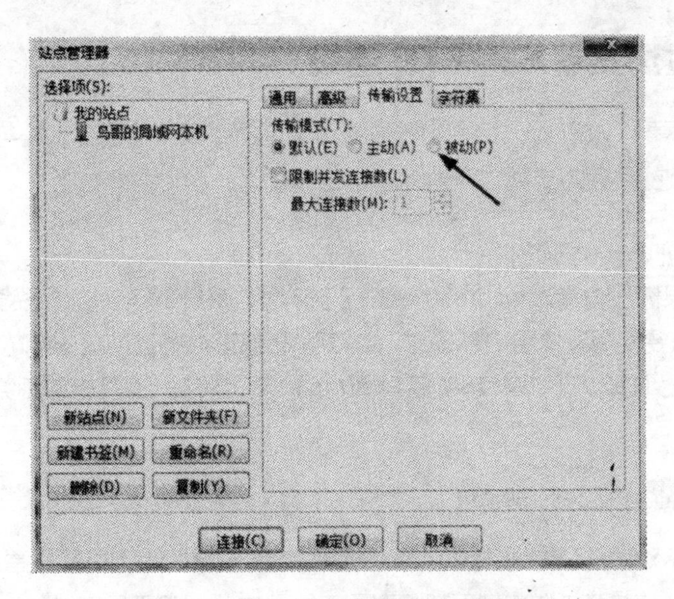

图 21-6 Filezilla 站点管理器内的传输设置

在这个界面中你可以选择是否使用被动式传输机制，还可以调整最大连接数。为什么要自我限制呢？因为 Filezilla 会主动地重复建立多条连接来快速下载，但如果 vsftpd.conf 有限制 max_per_ip 的话，某些下载会被拒绝。因此，这个时候在此将最大连接数设置为 1 就显得很重要。随时只有一个连接建立，就不会有重复登录的问题。最后请单击图 21-5 界面中的“连接”按钮，就会出现如图 21-7 所示的连接成功界面。

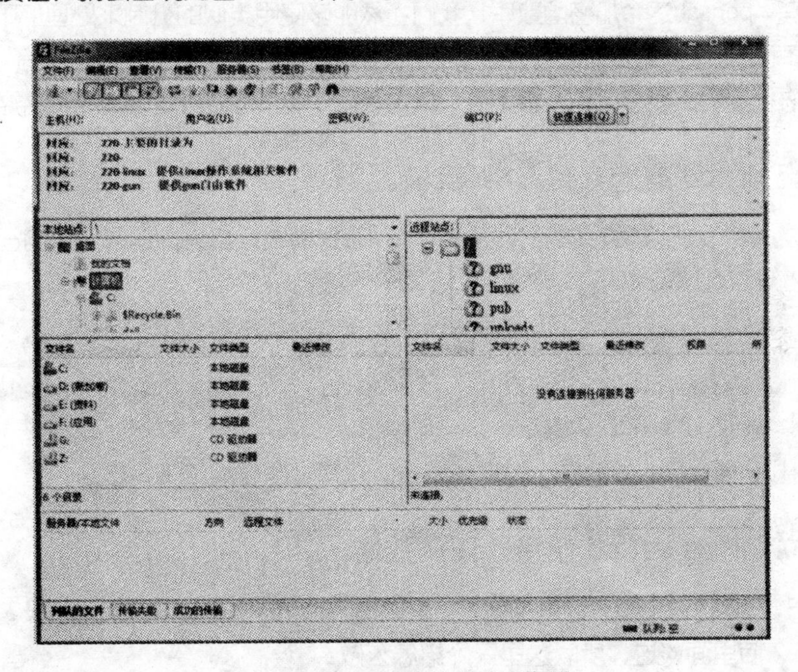

图 21-7 Filezilla 连接成功示意图

更多的用法就请你自行研究。

21.3.2 通过浏览器取得 FTP 连接

我们在第 20 章 WWW 服务器当中曾经谈过浏览器所支持的协议，其中一个就是 FTP 这个协议。这个协议的处理方式可以在地址栏中这样输入：

- ftp://username@your_ip

要记得，如果你没有输入 username@ 的字样时，系统默认会以匿名登录来处理这次连接。因此如果你想要使用实体用户连接时，就需在 IP 或主机名之前填写你的账号。举例来说，鸟哥的 FTP 服务器 (192.168.100.254) 若有 dmtsai 这个用户，那我启动浏览器后，可以这样做：

- ftp://dmtsai@192.168.100.254

然后在出现的对话框当中输入 dmtsai 的密码，就能够使用浏览器来管理我在 FTP 服务器内的文件系统了。甚至，你连密码都想要写在网址中，那就更厉害啦。

- ftp://dmtsai:yourpassword@192.168.100.254

21.4 让 vsftpd 增加 SSL 的加密功能

既然 http 都有 https 了，那么使用明文传输的 ftp 有没有加密的 ftps 呢？说的好，当然有的。既然都有 openssl 这个加密函数库，我们当然能够使用类似的机制来处理 FTP，但前提是你的 vsftpd 有支持 SSL 函数库才行。此外，我们也必须要建立 SSL 的凭证文件给 vsftpd 使用，这样才能够进行加密。明白了吗？接下来，就让我们一步一步地进行 ftps 的服务器配置。

1. 检查 vsftpd 有无支持 SSL 模块。

如果你的 vsftpd 当初编译的时候没有支持 SSL 模块，那么你就得只好自己重新编译一个 vsftpd 的软件了。CentOS 有支持吗？赶紧来瞧瞧：

```
[root@www ~]# ldd $(which vsftpd) | grep ssl
        libssl.so.10 => /usr/lib64/libssl.so.10 (0x00007f0587879000)
```

如果有出现 libssl.so 的字样，就是有支持。这样才能够继续下一步。

2. 建立专门给 vsftpd 使用的证书数据。

CentOS 给我们一个建立证书的地方，那就是 /etc/pki/tls/certs/ 这个目录。详细的说明我们在 20.5.2 节里面谈过，所以这里只介绍怎么做：

```
[root@www ~]# cd /etc/pki/tls/certs
[root@www certs]# make vsftpd.pem
----- ....(前面省略)....
```

```
State or Province Name (full name) []:Taiwan
Locality Name (eg, city) [Default City]:Tainan
Organization Name (eg, company) [Default Company Ltd]:KSU
Organizational Unit Name (eg, section) []:DIC
Common Name (eg, your name or your server's hostname) []:www.centos.vbird
Email Address []:root@www.centos.vbird

[root@www certs]# cp -a vsftpd.pem /etc/vsftpd/
[root@www certs]# ll /etc/vsftpd/vsftpd.pem
-rw-------. 1 root root 3116 2011-08-08 16:52 /etc/vsftpd/vsftpd.pem
# 要注意一下权限
```

3. 修改 vsftpd.conf 的配置文件，假定有实体、匿名账号。

在前面 21.2 节里面大多是单纯匿名或实体的账号，这里我们将实体账号通过 SSL 连接，但匿名账号则使用明文传输，两者同时提供给客户端使用。FTP 的设置项目主要是下面这样：

- 提供实体账号登录，实体账号可上传数据，且 umask 为 002。
- 实体账号默认为 chroot 的情况，且全部实体账号可用带宽为 1Mbytes/second。
- 实体账号的登录与数据传输均需通过 SSL 加密功能传送。
- 提供匿名登录，匿名用户仅能下载，不能上传，且使用明文传输（不通过 SSL）。

此时，整体的设置值会有点像这样：

```
[root@www ~]# vim /etc/vsftpd/vsftpd.conf
# 实体账号的一般设置项目：
local_enable=YES
write_enable=YES
local_umask=002
chroot_local_user=YES
chroot_list_enable=YES
chroot_list_file=/etc/vsftpd/chroot_list
local_max_rate=10000000

# 匿名用户的一般设置：
anonymous_enable=YES
no_anon_password=YES
anon_max_rate=1000000
data_connection_timeout=60
idle_session_timeout=600

# 针对 SSL 所加入的特别参数。每个项目都很重要
ssl_enable=YES              <==启动 SSL 的支持
allow_anon_ssl=NO           <==但是不允许匿名用户使用 SSL
force_local_data_ssl=YES    <==强制实体用户数据传输加密
```

```
force_local_logins_ssl=YES  <==同上，但连登录时的账密也加密
ssl_tlsv1=YES               <==支持 TLS 方式即可，下面不用启动
ssl_sslv2=NO
ssl_sslv3=NO
rsa_cert_file=/etc/vsftpd/vsftpd.pem <==默认 RSA 加密的证书文件所在

# 一般服务器系统设置的项目：
max_clients=50
max_per_ip=5
use_localtime=YES
dirmessage_enable=YES
xferlog_enable=YES
connect_from_port_20=YES
xferlog_std_format=YES
listen=YES
pam_service_name=vsftpd
tcp_wrappers=YES
banner_file=/etc/vsftpd/welcome.txt
dual_log_enable=YES
vsftpd_log_file=/var/log/vsftpd.log
pasv_min_port=65400
pasv_max_port=65410

[root@www ~]# /etc/init.d/vsftpd restart
```

4. 使用 Filezilla 连接测试。

接下来我们利用 Filezilla 来说明一下，如何通过 SSL/TLS 功能来进行连接加密。很简单，只要在站点管理器的地方选择即可，如图 21-8 所示。

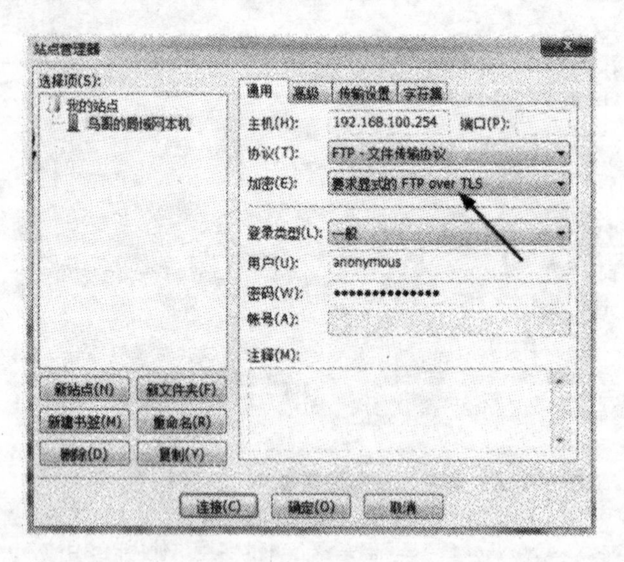

图 21-8 通过 Filezilla 连接到 SSL/TLS 支持的 FTP 方式

如图 21-8 所示，重点在箭头所指的地方，需要通过 TLS 的加密方式才行。然后，鸟哥尝试使用 student 这个一般账号登录系统，连接的时候会出现未知证书的提示。如果一切都没有问题，那么你可以选择“总是信任”的项目，如此一来，未来连接到这个地方就不会再次要你确认凭证了。很简单地解决了 FTP 连接加密的问题。

例题

想一想，既然有了 sftp 可以进行加密的 ftp 传输，那为何需要 ftps 呢?

答：因为既然要开放 sftp 的话，就需要同时放行 sshd 亦即是 SSH 的连接，如此一来，port 22 很可能会常常被检测。若是 openssl、openssh 出问题，恐怕你的系统就会被绑架。如果 ftp 真的有必要存在，那么通过 ftps 以及利用 vsftpd 这个较为安全的服务器软件来架设，理论上，是要比 sftp 来的安全些，至少对 Internet 放行 ftps 是这样。

21.5　重点回顾

- FTP 是文件传输协议（File Transfer Protocol）的简写，主要的功能是进行服务器与客户端的文件管理、传输等事项。
- FTP 的服务器软件非常多，例如 wu-ftp、Proftpd、vsftpd 等，各种 FTP 服务器软件的发展理念并不相同，所以选择时请依照你的需求来决定所需要的软件。
- FTP 使用的是明文传输，而过去一些 FTP 服务器软件也曾被发现安全漏洞，因此设置前请确定该软件已是最新版本，避免安全问题的产生。
- 由于 FTP 是明文传输，其实可以使用 SSH 提供的 sftp 来取代 FTP。
- 大多数的 FTP 服务器软件都提供 chroot 的功能，将实体用户限制在他的用户主目录内。
- FTP 这个 daemon 所开启的正规端口为 20 与 21，其中 21 为命令通道，20 为主动连接的数据传输通道。
- FTP 的数据传输方式主要分为主动与被动（Passive、PASV），如果是主动的话，则 ftp-data 在服务器端主动以 port 20 连接到客户端，否则需开放被动式监听的端口等待客户端来连接。
- 在 NAT 主机内的客户端 FTP 软件连接时可能产生问题，这可以通过 iptables 的 NAT 模块或利用被动式连接来克服。
- 一般来说，FTP 上面共有三个组，分别是实体用户、访客与匿名用户（real、guest、anonymous）。
- 可以通过修改 /etc/passwd 里面的 Shell 字段使用户仅能使用 FTP 而无法登录主机。

- FTP 的命令、与用户活动所造成的登录文件放置在 /var/log/xferlog 里面。
- vsftpd 为专门在安全问题上而发展的一套 FTP 服务器软件，它的配置文件在 /etc/vsftpd/vsftpd.conf。

21.6 参考数据与延伸阅读

- vsftpd 官方网站：http://vsftpd.beasts.org/。
- Filezilla 官方网站：http://filezilla.sourceforge.net/。
- vsftpd + ssl 功能：http://wiki.vpslink.com/Configuring_vsftpd_for_secure_connections_%28TLS/SSL/SFTP%29。
- http://beginlinux.com/blog/2009/01/secure-ftp-with-ssl-on-centos/。

第 22 章

邮件服务器：Postfix

在邮件服务器的搭建过程中，我们首先谈论 Mail 与 DNS 的重要相关性，然后依序介绍 Mail Server 的相关名词，Mail Server 的工作基本流程与协议，以及相关的 Relay 与邮件认证机制等项目。这些项目对于未来邮件服务器的管理与设置是重要的，所以不可忽略这方面问题的讨论。由于 Postfix 的配置文件内容具有亲和性，因此我们单纯介绍了 Postfix，而不再介绍 sendmail 了。

22.1 邮件服务器的功能与工作原理

电子邮件是什么东西？它是一种利用网络传递信息给远程服务器的信息传递行为。虽然信息正文是很冷很硬的计算机文字，确实比不上手写邮件来的让人温暖，但是对于具有时效性的信息来说，电子邮件可是个不可多得的好帮手！电子邮件系统的蓬勃发展被少部分的特定人士所乱用，导致垃圾邮件、色情广告等邮件的泛滥！真是伤脑筋。下面我们就先来谈一谈这个电子邮件的相关功能吧！

> 时至今日，Google 与几个大型的网络公司都已经提供免费和付费的邮件服务器。其中，免费的电子邮件账号甚至已经提供高达数个 GB 的邮件存储量，对于一般用户来说已经非常够用了。因此，除非必要，否则我们是不建议你架设 Mail server 的！因为玩过邮件主机的朋友都很清楚：在现在的环境当中想要搞定 Mail server 是很难的一件事情。除了目前网络中的广告信、垃圾信、病毒信实在多得不象话以外，各主要的 ISP 对于邮件管理上面也越来越严格，而且基本功当中的 mail vs. DNS 相关性又太高！很难理解。

22.1.1 电子邮件的功能与问题

在当今社会中，如果没有电子邮件（E-mail）似乎是一件很奇怪的事。可以说现在 E-mail 已经成为人与人之间的一个很普遍沟通渠道了，电子邮件可以很快速地帮你将文件或信息传送到地球上任何一个有网络的角落，当然，你也可以在任何有网络的地方连上 Internet 去收取你的邮件。

不过，遗憾的是，只要是有人类的地方，就会有很多你意想不到的事情出现，当然 E-mail 也不例外，怎么说呢？ 我们来慢慢地分析一下电子邮件产生的一些问题吧。

- **夹带病毒的电子邮件问题**

  你可能常常听到电子邮件可能夹带病毒，没错，利用电子邮件以及人们对于电子邮件的漫不经心的态度，使得以电子邮件为传播媒介的计算机病毒更容易深入人群当中。

- **黑客通过邮件程序入侵**

  只要在 Internet 上面运行的数据就没有绝对保密的。使用黑客软件（Cracker）就可以轻易取得用户在利用 E-mail 传送过程当中所输入的账号与密码，经过分析之后，还可能破解对方的邮件主机。真是挺可怕的。

- **广告信与垃圾信等**

这个可说是目前各大 ISP 心中一直以来的痛。这些垃圾邮件可以占掉很多的带宽，使得正常用户连接速度与质量下降，更可能造成网络的停顿。当然，常常收到垃圾邮件的你，大概日子也不好过吧。

- **主机被大量不明邮件塞爆**

  万一你没有将邮件服务器设置好，送信者可以通过你主机收信的功能，发送大量的邮件，让你“一次收个够！”塞爆你的服务器硬盘，想要不宕机都难。

- **真实社会的讨厌事情**

  “病毒邮件”，听到都会很害怕。偏偏使用 E-mail 就可以做很多的坏事，这真是太不道德了。

- **不实的邮件内容**

  只要注意消费者协会的信息就可以知道，不明来源的电子邮件的内容，不要轻易地相信，因为有很多以讹传讹，结果大家都被耍了的案例。例如，你的朋友收到一封信，认为“哇！这是大事情”，所以在没有求证的情况下，将信转发给你看，嘿！你的朋友寄给你的，当然要相信他啦！立刻再转发，如此一再地循环，这个错误内容的信息马上就让大家知道，更可怕的是还会让大家接受。所以，看到任何信息时，请千万要记得求证一下。

另外，这个 E-mail 服务器的设置与管理真的是网管人员心中永远的痛。为什么呢？因为人往往都有越便利越简单越好的心理，但越便利越不管制的邮件服务器就越容易遭到攻击或利用。反过来说，如果你针对邮件服务器管得太严厉，那就不太人性化，相信至少你的主管可能就不太满意，怎么办？

邮件服务器就是这么回事，让人又爱又怕的一个东西。搞定它，恭喜你一切顺利圆满；搞不定它，服务器被当成垃圾邮件转发站事小，丢掉工作那可是“兹事体大”了。就因为它是这么又重要又难以搞定，所以我们可得好好地学学它。

22.1.2　Mail server 与 DNS 之间的关系

既然要使用 E-mail，当然就需要邮件服务器（Mail Server）。不然你的信要怎样寄出去呢？事实上，Mail server 的原理说难不难，可说简单吗，似乎又有点难以理解，所以，下面我们要来谈一谈它的原理部分，然后再针对服务器的设置来进行说明。我们首先要讲的就是**Mail server 系统与 DNS 系统有什么关联性**？这个部分新手最容易搞混，**是否要架设 Mail server 就一定得“宿命”似的架设 DNS server 在你的主机上面吗？**

1. Mail server 与合法的主机名

事实上目前已经没有人会使用 IP 来寄信了，我们通常接收到的 E-mail 都是使用“账号@主机名”的方式来处理的。所以说，你的邮件服务器**一定要有一个合法注册过的主机**名才可以。为什么呢？因为网络恶意使用与垃圾邮件泛滥的种种因素，导致我们不被允许直接利用主机的 IP 来寄信了，因此，你想要架设 Mail server 就必须要有合法的主机名。

那好，既然我只要一个合法的主机名即可，那么就表示我不需要架设一台 DNS 主机吗？是的，你可以这样认为。只要你拥有合法的主机名，也就是在 DNS 的查询系统当中你的主机名拥有一个 A 的标志，理论上你的 Mail server 就可以架设成功。**只不过由于目前因特网上面的广告信、垃圾信与病毒信等占用了太多的带宽，导致整个网络社会消耗过多的成本在这些垃圾邮件上。**所以为了杜绝可恶的垃圾邮件，目前的大型网络供货商（ISP）都会对不明来源的邮件加以限制，这也就是说**想要架设一台简单可以工作的 Mail server 越来越难了。**

2. DNS 的反解也很重要

对于一般的服务器来说，我们只要使用正解让客户端可以正确地找到我们服务器的 IP 即可架站，举例来说 WWW 服务器就是这样。不过，由于目前收信端的邮件服务器会针对邮件来源的 IP 进行反解，而如果你的网络环境是由拨号取得而非固定的 IP 时，该种 IP 在 ISP 方面通常会主动的以 xxx.dynamic.xxx 之类的主机名来管理，偏偏这样的主机名会被主要的大型邮件服务器（例如 hotmail、yahoo 等）视为垃圾邮件，所以你的邮件服务器所发出的邮件将可能被丢弃，那可就伤脑筋了。

所以，如果你想要架设一台 Mail server 的话，请务必向你的上层 ISP 申请 IP 反解的对策，不要再使用默认的反解主机名，否则很容易导致你的邮件服务器所发出的邮件会在 Internet 上面流浪。

> 其实你还是可以不用申请 IP 的反解，不过就需要利用所谓的 relayhost 或者是 smarthost 来处理邮件传递的问题，这个部分又涉及到上层 ISP 的问题，挺复杂，我们会后续作出说明。

3. 需要 DNS 的 MX 及 A 标志（超重要的 MX）

那么我们的邮件服务器系统到底是如何使用 DNS 的信息来进行邮件的传递的？还记得在 19 章 DNS 里面谈到的 MX 这个记录类型吗？当时我们仅说过这个 MX 代表的是 Mail eXchanger，当一封邮件要发送出去时，邮件主机会先分析那封信的目标主机的 DNS，先取得 MX 标志（注意，MX 标志可能会有多部主机）然后以最优先 MX 主机为准将信发送出去。看不懂吗？没关系，我们以下面这个 DNS 范例来说明：

```
xyz.com.vbird  IN  MX 10 mail.xyz.com.vbird
xyz.com.vbird  IN  MX 20 mail2.xyz.com.vbird
xyz.com.vbird  IN  A     aaa.bbb.ccc.ddd
```

假如上述的 DNS 设置是正常的，那么：

- 当有一封信要传给 user@xyz.com.vbird 时，由于 MX 标志最低者优先，所以该封信会先传送到 mail.xyz.com.vbird 那台主机。
- 如果 mail.xyz.com.vbird 由于种种原因，导致无法收下该封信时，该封信将以次要 MX 主机来传送，那就是传送到 mail2.xyz.com.vbird 那台主机上面。
- 如果两台 MX 主机都无法负责的话，那么该封信会直接以 A 的标志，亦即直接传送到 aaa.bbb.ccc.ddd 那个 IP 上去，也就是 xyz.com.vbird 本身。

在这个过程当中，你必须要注意到：mail.xyz.com.vbird 及 mail2.xyz.com.vbird 必须要是可以帮 xyz.com.vbird 转发邮件的主机才行，也就是说，**那两台主机通常是你公司的最上游的邮件主机，并不是你随意填写的。**那两台主机还需要针对你的 xyz.com.vbird 来设置邮件转发才行，否则你的信会被踢掉的。

由于现在的很多邮件服务器会去查找 MX 这个标志来判断目标邮件服务器是否合法，所以你要搭建 Mail server。虽然不必自行设置 DNS 服务器，不过你要申请一个 MX 的标志才行。此外，**MX 标志一定要设置正确，否则你的邮件将可能会直接被 MX 服务器踢掉。**但是当我们没有上层邮件服务器时，为了要设置 MX，**你可以指定 MX 为自己，利用自己当 MX 服务器即可。**

那么你或许会想，这个 MX 有啥好处啊？一般来说，如果目标主机宕机时，你的邮件通常会直接退还给原发信人，但如果有 MX 主机时，这台 MX 主机会先将该封信放在他的队列（queue）当中，等到你的目标主机重新提供邮件服务后，MX 主机会将你的邮件发送给目标主机，如此一来你的邮件一般就不会遗失了。这样说，你可以理解吧。

4. Email 的地址写法

刚刚上头说过 E-mail 通常是使用“账号@主机名”的方式来处理的，举例来说，鸟哥的 www.centos.vbird 主机上面有个 dmtsai 的用户，则我的 E-mail 将会成为：dmtsai@www.centos.vbird，当有人要寄信给我时，它会分析 @ 后面的主机名，即 www.centos.vbird 的 MX/A 标志，然后再通过刚刚说明的流程来发出邮件。而当我的 www.centos.vbird 收到这封信时，它会将信放到 dmtsai 的邮箱当中。下面我们就来谈一谈这个流程。

22.1.3 邮件传输所需要的组件（MTA、MUA、MDA）以及相关协议

在开始介绍邮件的传送过程之前，我们先来想一想，你是如何寄出电子邮件的？假设你要寄信给一个用户，他的电子邮件是“a_user@gmail.com”，也就是说，你要寄一封信到gmail.com 这个主机上。那你的桌面计算机（举例来说，Windows 系统）是否能够将这封信直接通过网络送到 gmail.com 那个主机上？当然不行。你需要设置帮你转发的邮件服务器才行。也就是说，**你必须要先向某一台邮件服务器注册，以取得一个合法的电子邮件权限后，才能够发送邮件出去。**

所以说，你在寄出一封邮件时是需要很多接口的帮忙的，下面以图 22-1 的简单的图示来说明。

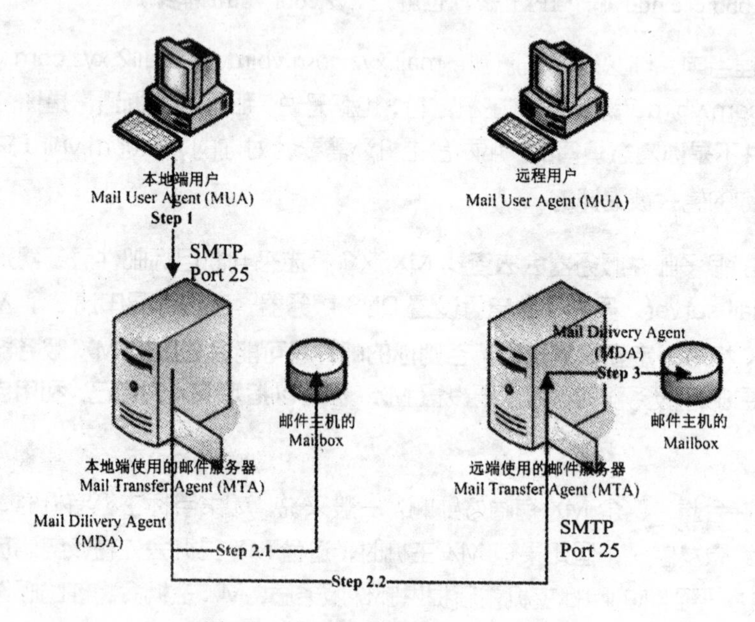

图 22-1 电子邮件的传送过程示意图

我们先来解释一些专有名词，然后再来说明传送的流程。

1. MUA（Mail User Agent）

MUA 顾名思义就是“邮件用户代理人”的意思，因为除非你可以直接利用类似 Telnet 之类的软件登录邮件服务器来主动发出邮件，否则你就需要通过 MUA 来帮你送信到邮件服务器上去。最常见的 MUA 如 Mozilla 推出的 Thunderbird（雷鸟）自由软件、Linux 桌面 KDE 常见的 Kmail 及 Windows 自带的 Outlook Express（OE）等。**MUA 主要的功能就是收取邮件主机的电子邮件，以及提供用户浏览与编写邮件。**

2. MTA（Mail Transfer Agent）

MUA 帮用户发送邮件到邮件主机上，那这台邮件主机如果能够帮用户将这封邮件寄出去，那它就是一台邮件发送主机（MTA）了。MTA 就是“邮件发送代理人”的意思。既然是“发送代理人”，那么用户发出的信，帮用户将属于该用户的邮件收下时，找它（MTA）就可以了。基本上，MTA 的功能有这些：

1）**接收邮件：使用简单邮件传送协议（SMTP）**

MTA 主机最主要的功能就是：将来自客户端或者是其他 MTA 的邮件收下来，这个时候 MTA 使用的是 Simple Mail Transfer Protocol（SMTP），使用的端口是 port 25。

2）**转发邮件**

如果该封邮件的目的地并不是本身的用户，且该封邮件的相关数据符合使用 MTA 的权力，那么 MTA 就会将该封邮件再转发到下一台主机上。这就是所谓的中继转发（Relay）的功能。

总之，我们一般提到的 Mail Server 就是 MTA。而严格来说，MTA 其实仅是指 SMTP 这个协议而已。而实现 MTA 的 SMTP 功能的主要软件包括老牌的 sendmail、后起之秀的 postfix、还有 qmail 等。下面我们来看看，在 MTA 上还有哪些重要的功能。

3. MDA（Mail Delivery Agent）

MDA 字面上的意思是“邮件传送代理人”。事实上，MDA 是挂在 MTA 下面的一个小程序，最主要的功能就是：**分析由 MTA 所收到的邮件表头或内容等数据，来决定这封邮件的去向**。所以说，上面提到的 MTA 的邮件转发功能，其实是由 MDA 实现的。举例来说，如果 MTA 所收到的这封邮件目标是自己，那么 MDA 会将这封邮件转到用户的邮箱 (Mailbox) 中去，如果不是呢？那就准备要转发出去了。此外，MDA 还有分析与过滤邮件的功能。

1）**过滤垃圾邮件**

可以根据该封邮件的表头资料，或者是特定的邮件内容来加以分析过滤。例如某个广告信的主题都是固定的，如“AV 情色...”等，那就可以通过 MDA 来过滤并删除该邮件。

2）**自动回复**

如果你出差了导致某一段时间内无法立即回复邮件时，就可以通过 MDA 的功能让邮件主机可以自动发出回复邮件，如此你的朋友就不会误会你了。

各主要的 MTA 程序（SendMail、Postfix 等）都有自己的 MDA 功能，不过有些外挂的程序功能更强大，举例来说 procMail 就是一个过滤的好帮手，另外 Mailscanner +

Spamassassion 也提供一些可以使用的 MDA。

4. Mailbox

Mailbox 就是电子邮件邮箱。简单地说，就是某个账号专用的邮件收取文件。我们的 Linux 系统默认的邮箱都是放在 **/var/spool/mail/用户账号** 中；若 MTA 所收到的邮件是本机的用户，MDA 就会将邮件送到该 MailBox 中去。

好了，那么来想一想，你如何通过 MUA 来将邮件送到对方的邮件邮箱（Mailbox）去呢？

- **Step 0：取得某台 MTA 的权限**

  如图 22-1 所示，我们本地端的 MUA 想要使用 MTA 来发送邮件时，当然需要取得 MTA 的权限。也就是通常说：我们必须要向 MTA 注册一组可使用 E-mail 的账号与密码才行。

- **Step 1：用户在 MUA 上编写邮件后，发送至 MTA 上**

  用户在 MUA 上面编写邮件，邮件的数据主要有：

  - 邮件标题：包括发件人与收件人的 E-mail 地址，还有该封邮件的主题（subject）等。
  - 邮件内容：就是你要跟对方说明的内容。

编写完毕之后只要单击发送按钮，该封邮件就会发送至你的 MTA 服务器上面了，注意：是你的 MTA 而不是对方的 MTA。如果你确定可以使用该台 MTA，那么你的这封邮件就会被放置到 MTA 的队列（queue）当中并等待发送出去了。

- **Step 2.1：如果该封邮件的目标是本地端 MTA 自己的账号**

  你是可以寄信给你自己的，所以如果你的 MTA 收到该封邮件的目标是自己的用户时，那就会通过 MDA 将这封信送到 Mailbox 去。

- **Step 2.2：如果该封邮件的目标为其他 MTA，则开始中继转发 (Relay) 的流程**

  那如果这封邮件的目标是其他的主机呢？这个时候我们的 MTA 就会开始分析该封信是否具有合法的权限，若具有权限时，则我们的 MDA 会开始进行邮件转发，也就是该封邮件会通过我们的 MTA 向下一台 MTA 的 SMTP（port 25）发送出去。如果该封邮件顺利地发送出去了，那么该封邮件就会从队列当中删除掉。

- **Step 3：对方 MTA 服务器接收邮件**

  如果一切都没有问题的话，远程的 MTA 会收到我们 MTA 所发出的那封信，并将该邮件放置到正确的用户邮箱当中，等待用户登录来读取或下载。

在这整个过程当中，你会发现邮件是由**我们的 MTA 帮忙发送出去的，此时 MTA 提供的协议是简单邮件传输协议（Simple Mail Transfer Protocol, SMTP）**，并且该封邮件最终是停留在对方主机的 MTA 上，并不是你朋友的 MUA 上。

> 为何特别强调这一点？因为以前有个朋友跟我说："鸟哥，你要发 E-mail 给我的时候记得跟我讲，那我下班前将计算机开着，以免你的邮件寄不到我的邮箱。"其实没必要。所以这里才要特别强调，你的 MUA 不必一直开着，要收信时再打开即可。

了解了发送邮件时 MTA 需要启动 SMTP（port 25）之后，我们再来谈谈这封邮件对方是如何接收的。

22.1.4　用户收信时服务器端所提供的相关协议：MRA

用户想要收信时，当然也可以通过 MUA 直接来连接取得自己的邮件邮箱内的数据，整个过程如图 22-2 所示。

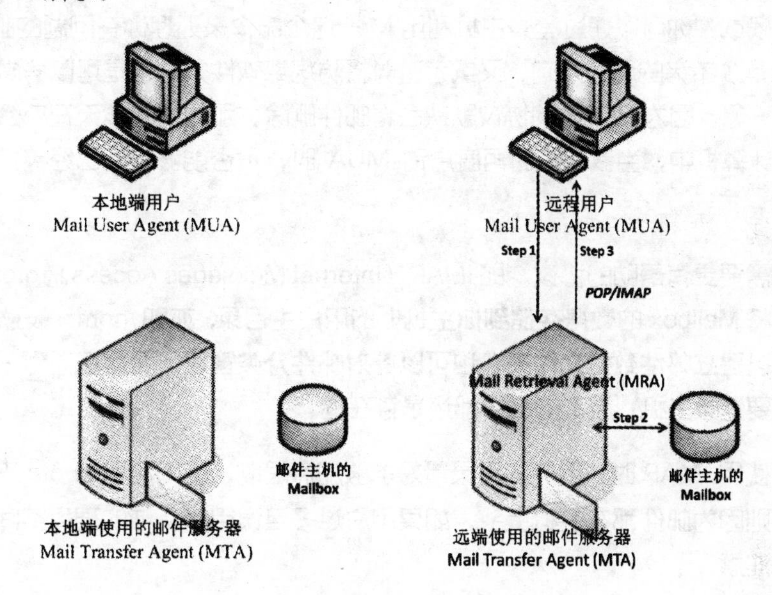

图 22-2　客户端通过 MRA 接收邮件的流程示意图

在上述的图示中，多了一个邮件组件，那就是 MRA（Mail Retrieval Agent）。

1. MRA（Mail Retrieval Agent）

用户可以通过 MRA 服务器提供的邮政服务协议（Post Office Protocol, POP）来接收自己的邮件，也可以通过 IMAP（Internet Message Access Protocol）协议将自己的邮件保留在邮件主机上面，并进一步进行建立邮件数据文件夹等高级工作。也就是说，当客户端接收邮件时，使用的是 MRA 的 POP3、IMAP 等通信协议，并非 MTA 的 SMTP。

我们先谈一谈 POP3 的收信方式。

1）MUA 通过 POP3（Post Office Protocol version 3）的协议连接到 MRA 的 port 110，并且输入账号与密码来取得正确的认证与授权。

2）MRA 确认该用户账号/密码没有问题后，会前往该用户的 Mailbox（/var/spool/mail/用户账号）取得用户的邮件并发送到用户的 MUA 软件上。

3）当所有的邮件传送完毕后，用户的 Mailbox 内的数据将会被删除。

在上述的流程当中我们知道 MRA 必须要启动 POP3 这个协议才行，不过这个协议的收件方式比较有趣，因为用户收信是由第一封邮件开始收下直到最后一封邮件传输完毕为止。**不过由于某些 MUA 程序撰写的问题，若有些邮件有病毒的可能性时，通过防病毒软件将可能导致该 MUA 软件的断线。如此一来由于传输没有完毕，因此 MRA 主机并不会将用户的邮件删除**。如果此时用户又再一次单击接收按钮，原来已接收的邮件就又会重复收到，而没有收到的还是收不到！

这个时候或许你可以通过登录主机利用 Mail 这个命令来处理你有问题的邮件，或许换一种 MUA 也是个不错的思考方向，又或者暂时将防病毒软件关掉也是可以考虑的手段之一。转头过来想一想，因为 POP3 的协议默认会将邮件删除，那如果我今天在办公室将我的信收到办公室的计算机中，当我回家时再度启动 MUA 时，是否能够收到已经被接收的邮件？当然不行。

或许你需要更有帮助的协议，即 IMAP（Internet Messages Access Protocol），**这个协议可以让你将 Mailbox 的数据存储到你主机上的用户主目录，亦即 /home/账号/ 那个目录下，那你不但可以建立邮件数据文件夹，也可以针对邮件分类管理**，而且在任何一个可连上网络的地方你只要登录主机，原本的邮件都还是存在的。

不过，使用 IMAP 时，用户的目录最好能够加点限制，例如利用 quota 来管理用户的硬盘权限，否则因为邮件都在主机上头，如果用户过多且误用时，你的硬盘空间会被耗尽，这一点请务必注意。

通过上面的说明可知，**要架设一台可以使用 MUA 进行收发邮件的 MTA、MRA 服务器，至少需要启动 SMTP 以及 POP3 这两个协议才行**。而这两个协议的启动程序并不相同，所以架设上还是需要小心。

2. POP3s、IMAPs 与 SMTP 的困扰

邮件数据在因特网上面传输时，通过的 SMTP、POP3、IMAP 等通信协议，全部是明文传输的。尤其在 POP3, IMAP 这两个通信协议中，用户必须要输入账号/密码才能收发邮件。因为涉及账号密码，所以当然需要加密这两个通信协议的数据。于是就有了 POP3s，IMAPs 通信协议的出现。通过 SSL 加密就可以了。那你会问，既然已经有 POP3s, IMAPs 了，那有没有 SMTPs 呢？答案是，当然有，只不过没人用。

从图 22-1 及图 22-2 的流程来看，POP3、IMAP 只与 MRA 及自己的用户有关，因此你只要跟你的用户说，你服务器使用的 MRA 协议为何，通知你的用户改变即可，并不会影响到其他的服务器。但是 MTA 就不同了。因为 MTA 必须与其他的 MTA 沟通，因此，若你使用了 SMTPs，那么全世界与你的 MTA 沟通者，全部需要改变为 SMTPs 通信协议才行。这个工程实在太浩大了！目前还没有任何一家 ISP 有能力进行。所以，就造成目前没有 SMTPs 的协议。

那么难道你的数据就一定要是明文吗？那倒不见得。既然你的 MTA 无法加密，那么你就自己将邮件数据加密后，再交由 MTA 传送即可。这也是目前很多急需加密数据的邮件用户所使用的手段。

22.1.5 Relay 与认证机制的重要性

当需要 MTA 帮你将邮件转发到下一台 MTA 去时，这个操作就称为邮件中继转发（Relay），那就是图 22-1 当中的 Step 2.2 那个操作啦。那么我们来想一想，**如果所有的人都可以通过这一台 MTA 帮忙进行 Relay 时，这个情况称之为 Open Relay 的操作**。当你的 MTA 发生 Open Relay 时，会有什么问题？问题可就大了。

当你的 MTA 由于设置不良的关系导致具有 Open Relay 的状况，加上你的 MTA 确实是连上因特网时，由于因特网上面用端口扫描软件的闲人太多，你的 MTA 具有 Open Relay 的功能这件事情，将会在短时间内就被很多人察觉，此时那些不法的广告信、色情垃圾邮件将会利用你的这台 Open Relay MTA 发送他们的广告，所以你会发生的问题至少有：

- 你主机所在的网络正常使用的连接速度将会变慢，因为网络带宽都被广告、垃圾信耗光了。
- 你的主机可能由于大量发送邮件导致主机资源被耗尽，容易产生不明原因宕机之类的问题。
- 你的 MTA 将会被因特网社会定义为“黑名单”，从此很多正常的邮件就会无法收发。
- 你 MTA 所在的这个 IP 将会被上层 ISP 所封锁，直到你解决这个 Open Relay 的问题为止。
- 某些用户将会对你的能力产生质疑，对你公司或者是你个人将会失去信心，甚至可能流失客源。
- 如果你的 MTA 被利用来发黑客邮件，你是找不到原发信人的，所以你这台 MTA 将会被追踪为最终站。

问题很大。所以，目前所有的 distributions 都一样，几乎都将 MTA 默认启动为仅监听内部循环接口（lo）而已，而且也将 Open Relay 的功能取消了。既然取消了 Open Relay 的功能，那么怎么使用这台 MTA 的 Relay 来帮忙转发啊？所以我们在上面才会一直说，你必须取得合法使用该 MTA 的权限。这也就是说，设置谁可以使用 Relay 的功能就是我们管理员的任务。通常设置 Relay 的方法有这几种：

- 规定某一个特定客户端的 IP 或网段，例如规定内部 LAN 的 192.168.1.0/24 可使用 Relay。
- 若客户端的 IP 不固定（例如拨号取得的非固定 IP）可以利用认证机制来处理。
- 将 MUA 搭建在 MTA 上面，例如 OpenWebMail 之类的 Web 接口的 MUA 功能。

认证机制上面常见的有 SMTP 邮件认证机制，以及 SMTP after POP 两种，不论是哪一种机制，基本上都是通过让用户输入认证用的账号与密码，来确定他有合法使用该 MTA 的权限，然后针对通过认证者开启 Relay 的支持就是了。如此一来你的 MTA 不再启动 Open Relay，并且客户端还是可以正常地利用认证机制来收发邮件，身为管理员的你可就轻松多了。

22.1.6 电子邮件的数据内容

看过上头的数据后，你应该对于 Mail server 有一定程度的认识了。再来要谈的是，一封 E-mail 的内容有哪些部分呢？就跟人类社会的邮件有信封袋以及内部的信纸一样，E-mail 也有所谓的标题（header）以及内容（body）两部分。

E-mail 的标题部分（类似邮件信封）会有几个重要信息，包括：这封信来自那个 MTA、是由谁所发送出来的、要送给谁、主题为何等，至于内容（类似信封内的信纸）则是发信者所填写的一些说明。如果你使用 dmtsai 的身份执行这个命令：

```
[dmtsai@www ~]$ echo "HaHa.." | mail -s "from vbird" dmtsai
```

然后将自己的邮箱内容调出来，如下所示：

```
[dmtsai@www ~]$ cat /var/spool/mail/dmtsai
From dmtsai@www.centos.vbird  Mon Aug  8 18:53:32 2011  <==发件人的 E-mail
Return-Path: <dmtsai@www.centos.vbird>                  <==这封信的来源
X-Original-To: dmtsai
Delivered-To: dmtsai@www.centos.vbird
Received: by www.centos.vbird (Postfix, from userid 2007)
        id 6D1C8366A; Mon,  8 Aug 2011 18:53:32 +0800 (CST) <==邮件 ID
# 这部分主要在讲这封 E-mail 的来源与目标收件人 MTA 在哪里的信息
Date: Mon, 08 Aug 2011 18:53:32 +0800      <==收到邮件的日期
To: dmtsai@www.centos.vbird                <==收件人是谁
Subject: from vbird                        <==就是邮件标题
User-Agent: Heirloom mailx 12.4 7/29/08
MIME-Version: 1.0
Content-Type: text/plain; charset=us-ascii
Content-Transfer-Encoding: 7bit
Message-Id: <20110808105332.6D1C8366A@www.centos.vbird> <==给机器看的邮件 ID
```

```
From: dmtsai@www.centos.vbird                <==发信人是谁

HaHa..
```

由原本的邮件内容我们可以看到 E-mail 确实是两部分，在标题部分记录了比较详细的收、发件者数据，以及相关的来源、目标的 MTA 信息等。但要注意的是，“Received:...”那一行数据是会变动的，如同前面谈到的 MX 标志，如果一封信由 MUA 传送到 MTA 再由 MTA 传送到 MX 主机后，才传送到最终的 MTA 时，那么这个 Received: 的数据将会记录每一台经手过的 MTA 信息。所以你可以借着这个记录数据慢慢地找回这封信的传递方向。

此外，这个邮件的标题以及内容的分析部分，你还可以通过某些分析软件来进行过滤，这部分我们将在后头再慢慢介绍给大家。先知道一封邮件至少有这些数据就可以了。

22.2 MTA 服务器：Postfix 基础设定

可实现 MTA 的服务器软件非常多，例如 CentOS 默认就提供了数十年老牌子的 SendMail（http://www.sendmail.org）以及近期以来很热门的 Postfix（http://www.postfix.org）。虽然 SendMail 曾是最为广泛使用的 Mail server 软件，但由于 SendMail 的配置文件太过于难懂，以及早期的程序漏洞问题导致的主机安全性缺失；加上 SendMail 将所有的功能都综合在 /usr/sbin/sendmail 这个程序当中，导致程序太大可能会有效率方面的疑虑等，所以新版的 CentOS 已经将默认的 Mail server 调整为 Postfix 了。我们这里也主要介绍 Postfix。当然，原理方面都一样，你也可以自己操作其他的 Mail server。

22.2.1 Postfix 的开发

Postfix 是由 Wietse Zweitze Venema 先生（http://www.porcupine.org/wietse）所发展的。早期的 Mail server 都是使用 SendMail 架设的，不过，Venema 博士觉得 SendMail 虽然很好用，但是毕竟不够安全，尤其效率上面并不十分的理想，最大的困扰是 SendMail 的配置文件 sendmail.cf 真的是太难懂了，对于网管人员来说，要设置好 sendmail.cf 这个文件，真不是人做的工作。

为了改善这些问题，Venema 博士就在 1998 年利用他在 IBM 公司的第一个休假年进行一个计划：**设计一个可以取代 SendMail 的软件套件，可以提供网站管理员一个更快速、更安全、而且完全兼容于 SendMail 的 Mail server 软件！**这个计划还真的成功了。而且也成功地用在 IBM 内部，在 IBM 内可以说是完全取代了 SendMail 这个邮件服务器。在这个计划成功之后，Venema 博士也在 1998 年首次释出这个自行发展的邮件服务器，并定名为 VMailer。

不过，IBM 的律师却发现一件事，那就是 VMailer 这个名字与其他已注册的商标很类似，这样可能会引起一些注册上面的困扰。为了避免这个问题，所以 Venema 博士就将这个邮件软件名称改为 Postfix。Post 有"在什么什么之后"的意思，fix 则是"修订"的意思，所以 postfix 有"在修订之后"的意思。

鸟哥个人认为，Venema 先生最早的构想并不是想要创造一个全新的 Mail server 软件，而是想要制造一个可以完全兼容于 SendMail 的软件，所以，Venema 先生认为他自行发展的软件应该是改良的 SendMail，所以才称为 Postfix。取其意为：改良了 SendMail 之后的邮件服务器软件。

所以，Postfix 设计的理念上面，主要是针对**想要完全兼容于 SendMail 所设计出来的一款内在部分完全新颖的一个邮件服务器软件**。就是由于这个理念，Postfix 改善了 SendMail 安全性上面的问题，改良了 Mail server 的工作效率，且让配置文件内容更具亲和力。你可以轻易地由 SendMail 转换到 Postfix 上面。这也是当时 Venema 博士最初的构想。

就是基于这个构想，所以 Postfix 在外部配置文件的支持度上与 SendMail 几乎没有两样，同样地支持 aliases 这个文件，同样地支持 ~/.forward 这个文件，也同样地支持 SASL 的 SMTP 邮件认证功能等。所以，赶紧来学一学怎样架设 Postfix 这个相当出色的邮件服务器吧。

22.2.2 所需要的软件与软件结构

由于 CentOS 6.x 默认就是提供 Postfix 的！所以根本无须调整什么东西，直接来使用就可以了。那么 Postfix 有哪些重要的配置文件呢？它主要的配置文件都在 /etc/postfix/ 当中，详细的文件内容就让我们来谈谈：

- /etc/postfix/main.cf

  这就是主要的 Postfix 配置文件，几乎所有的设置参数都是在这个文件内规范的。这个文件默认就是一个完整的说明文件了，你参考这个文件的内容就可以设置好属于你的 Postfix MTA 了。只要修改过这个文件，记需要重新启动 Postfix。

- /etc/postfix/master.cf

  主要规定了 Postfix 每个程序的工作参数，也是很重要的一个配置文件。不过这个文件默认已经很好了，通常不需要更改它。

- /etc/postfix/access（利用 postmap 处理）

  可以设置开放 Relay 或拒绝连接的来源或目标地址等信息的外部配置文件，不过这个文件要生效还需要在 /etc/postfix/main.cf 启动才行。且设置完毕后需要以 postmap 来处理成为数据库文件。

- /etc/aliases（利用 postalias 或 newaliases 均可）

  作为邮件别名的用途，也可以作为邮件组的设置。

常见的执行文件有下面这些：

- /usr/sbin/postconf（查阅 Postfix 的设置数据）

  这个命令可以列出当前你的 Postfix 的详细设置数据，包括系统默认值，所以数据量相当庞大。如果你在 main.cf 里面曾经修改过某些默认参数的话，想要仅列出非默认值的设置数据，则可以使用“postconf -n”这个选项即可。

- /usr/sbin/postfix（主要的 daemon 命令）

  此为 Postfix 的主要执行文件，你可以简单地使用它来启动或重新读取配置文件：

```
[root@www ~]# postfix check    <==检查 Postfix 相关的文件、权限等是否正确
[root@www ~]# postfix start    <==开始 Postfix 的执行
[root@www ~]# postfix stop     <==关闭 Postfix
[root@www ~]# postfix flush    <==强制将目前正在邮件队列的邮件寄出
[root@www ~]# postfix reload   <==重新读入配置文件，也就是 /etc/postfix/main.cf
```

  要注意的是，每次更改过 main.cf 后，务必重新启动 Postfix，可简单使用“postfix reload”即可。不过，鸟哥还是习惯使用“/etc/init.d/postfix reload..”。

- /usr/sbin/postalias

  设置别名数据库的命令，因为 MTA 读取数据库格式的文件效率较好，所以我们都会将 ASCII 格式的文件重建为数据库。在 Postfix 当中，这个命令主要用于转换 /etc/aliases 成为 /etc/aliases.db。用法为：

```
[root@www ~]# postalias hash:/etc/aliases
# hash 为一种数据库的格式，然后/etc/aliases.db 就会自动被更新
```

- /usr/sbin/postcat

  主要用于检查放在 queue (队列) 当中的邮件内容。由于队列当中的邮件内容是给 MTA 看的，所以格式并不是一般我们看得懂的文字数据。所以这个时候你需要用 postcat 才可以看出该邮件的内容。在 /var/spool/postfix 内有相当多的目录，假设内有一个文件名为 /deferred/abcfile，那你可以利用下面的方式来查询该文件的内容：

```
[root@www ~]# postcat /var/spool/postfix/deferred/abcfile
```

- /usr/sbin/postmap

  这个命令的用法与 postalias 类似，不过它主要用在转换 access 文件的数据库。其用法为：

```
[root@www ~]# postmap hash:/etc/postfix/access
```

- /usr/sbin/postqueue

  类似 mailq 的输出结果，例如你可以输入“postqueue -p”，看看就知道了。

整个 Postfix 的软件结构大致上就是这个样子，接下来让我们先来简单地处理一下 Postfix 的收发邮件功能。

22.2.3 一个邮件服务器的设定案例

前面谈到 Mail server 与 DNS 系统有很大的相关性，所以当你想要搭建一台可以连上 Internet 的邮件服务器时，你必须要已经取得合法的 A 与 MX 主机名，而且最好反解也已经向你的 ISP 申请修改设置了，这可是个大前提，不要忽略。在下面的练习当中鸟哥以之前 19 章 DNS 内的设置为依据，主要的参数是这样的：

- 邮件服务器的主要名称为：www.centos.vbird。
- 邮件服务器尚有别名为 linux.centos.vbird 及 ftp.centos.vbird 也可以收发邮件。
- 此邮件服务器已有 MX 设置，直接指向自己（www.centos.vbird）。
- 这个 www.centos.vbird 有个 A 的标志指向 192.168.100.254。

在实际的邮件服务器设置当中，上述的几个标志是很重要的，请自行参考 DNS 章节的介绍。下面就让我们来实际设置 Postfix 服务器。

22.2.4 让 Postfix 可监听 Internet 来收发邮件

在默认的情况下，CentOS 6.x 的 MTA 仅针对本机进行监听，测测看：

```
[root@www ~]# netstat -tlnp | grep :25
Proto Recv-Q Send-Q Local Address    Foreign Address   State    PID/Program name
tcp        0      0 127.0.0.1:25     0.0.0.0:*         LISTEN   3167/master
```

所以如果你要对整个 Internet 开放的话，就需要努力搞定几个简单的设置。而几乎所有的设置你都可以通过 /etc/postfix/main.cf 这个文件搞定。修改前你需要注意的项目有：

- “#”符号是注释的意思。
- 所有设置值以类似变量的设置方法来处理，例如 myhostname = www.centos.vbird，请注意等号的两边要给予空格符，且第一个字符不可以是空白，也就是“my..”要由行首写起。
- 可以使用“$”来延伸使用变量设置，例如 myorigin = $myhostname，会等于 myorigin = www.centos.vbird。
- 如果该变量支持两个以上的数据，则使用空格符来分隔，不过建议使用逗号加空格符来处理。例如：mydestination = $myhostname, $mydomain, linux.centos.vbird，意指 mydestination 支持三个数据内容之意。
- 可使用多行来表示同一个设置值，只要在第一行最后有逗号，且第二行开头为空格符，即可将数据延伸到第二行继续书写（所以上面第二点才说，开头不能留白）。

- **若重复设置某一项目，则以较晚出现的设置值为准！**

要让你的 postfix 可以收发邮件时，你必须要启动的设置数据有下面这些：

myhostname：设置主机名，需使用 FQDN

这个项目在于设置你的主机名，且这个设置值会被后续很多其他的参数所引用，所以必须要设置正确才行。你应该要设置成为完整的主机名。在鸟哥的这个练习当中，应该设置为：myhostname = www.centos.vbird 才对。除了这个设置值之外，还有一个 mydomain 的设置项目，这个项目默认会取 $myhostname 第一个 "." 之后的名称。举例来说上头设置完毕后，默认的 mydomain 就是 centos.vbird。你也可以自行设置它。

- **myorigin：发信时所显示的"发信源主机"项目**

  这个项目在设置"**邮件头上面的 mail from 的那个地址**"，也就是代表本 MTA 传出去的邮件将以此设置值为准。如果你在本机寄信时忘记加上 Mail from 字样的话，那么就以此值为准了。默认这个项目以 $myhostname 为主，例如：myorigin = $myhostname。

- **inet_interfaces：设置 Postfix 的监听接口（极重要）**

  在默认的情况下你的 Postfix 只会监听本机接口的 lo（127.0.0.1）而已，如果你想要监听整个 Internet 的话，请开放成为对外的接口，或者是开放给全部的接口，常见的设置方法为：inet_interfaces = all。由于如果有重复设置项目时，会以最晚出现的设置值为准，所以最好只保留一组 inet_interfaces 的设置。

- **inet_protocols：设置 Postfix 监听 IP 协议**

  默认 CentOS 的 Postfix 会去同时监听 IPv4、IPv6 两个版本的 IP，如果你的网络环境里面仅有 IPv4，那可以直接指定 inet_protocols = ipv4 就会避免看到" :::1"之类的 IP 出现了。

- **mydestination：设置"能够收信的主机名"（极重要）**

  这个设置项目很重要，因为我们的主机有非常多的名字，那么对方填写的 mail to 到底要写哪个主机名字我们才能将该邮件收下？ 就是在这里规范的。也就是说，你的许多主机名当中，仅有写入这个设置值的名称才能作为 E-mail 的主机地址。在我们这个练习当中这部主机有三个名字，所以写法为： mydestination = $myhostname, localhost, linux.centos.vbird, ftp.centos.vbird。

  如果你想要将此设置值移动到外部文件，那可以使用类似下面的做法：mydestination = /etc/postfix/local-host-names，然后在 local-host-names 里面将可收信的主机名写入即可。一般来说，不建议你额外建立 local-host-names 这个文件，直接写入 main.cf 即可。特别留意的是，**如果你的 DNS 里的设置有 MX 标志的话，那么请将 MX 指向的**

那个主机名一定要写在这个 mydestination 内，否则很容易出现错误信息。**一般来说，用户最常发生错误的地方就在这个设置里。**

- **mynetworks_style ：设置“信任网络”的一项指标**

这个设置值在规定与主机在同一个网络的可信任客户端。举例来说，鸟哥的主机 IP 是 192.168.100.254，如果我相信整个局域网络内（192.168.100.0/24）的用户的话，那我可规定此设置值为 subnet。不过，一般来说，**因为下面的 mynetworks 会取代这个设置值**，所以不设置也没有关系。如果要设置的话，最好设置成为 host 即可（亦即仅信任这部 MTA 主机而已）。

- **mynetworks ：规定信任的客户端（极重要）**

你的 MTA 能不能帮忙进行 Relay 与这个设置值有很大关系。举例来说，当我要开放本机与内部网络的 IP 时，就可以这样进行设置：mynetworks = 127.0.0.0/8, 192.168.100.0/24。如果你想要以 /etc/postfix/access 这个文件来控制 relay 的用户时，那鸟哥可以建议你将上述的数据改写成这样：mynetworks = 127.0.0.0/8, 192.168.100.0/24, hash:/etc/ postfix/access，然后你只要再建立 access 重整成数据库后，就能够设置 Relay 的用户了。

- **relay_domains ：规范可以帮忙 relay 的下一台 MTA 主机地址**

相对于 mynetworks 是针对“信任的客户端”而设置的，**这个 relay_domains 则可以视为“针对下游 MTA 服务器”而设置的。**举例来说，如果你这台主机是 www.niki.centos.vbird 的 MX 主机时，那你就需要在 relay_domains 设置针对整个 niki.centos.vbird 这个领域的目标邮件进行转发才行。在默认的情况下，这个设置值是 $mydestination。

需要注意的是，Postfix 默认并不会转发 MX 主机的邮件，即如果你有两台主机，一台是上游的 MTAup，一台是下游的 MTAdown，而 MTAdown 规范的 MX 主机是 MTAup，由 22.1.2 节谈到的 DNS 的 MX 设置值与邮件传递方向，我们知道任何想要寄给 MTAdown 主机的邮件，都会先经过 MTAup 来转发才行。此时如果那台 MTAup 没有开启帮 MTAdown 进行 Relay 的权限时，那么任何传给 MTAdown 的邮件将全部都被 MTAup 所退回，从此 MTAdown 就无法收到任何邮件了。

请你再想一想上一段的说明，因为如果你在大公司服务而且你的公司上、下游均有 Mail server 时，并且也已经设置 MX 的状况下，这个 relay_domains 就很重要。上游的 MTA 主机必须要启动这个设置。一般来说除非你是某台 MTA 主机的 MX 源头，否则这个设置项目可以忽略不设置。而如果你想要帮你的客户端转发邮件到某台特定的 MTA 主机时，这个设置项目也是可以设置的。一般情况下保留默认值即可。

- **alias_maps ：设置邮件别名**

这是设置邮件别名的设置项目，只要指定到正确的文件去即可，这个设置值可以保留默认值。

在了解上述的设置后，以鸟哥的范例来看，鸟哥对更动过或注明重要的设置值以及相关文件是这样处理的：

```
[root@www ~]# vim /etc/postfix/main.cf
myhostname = www.centos.vbird                <==约在第  77 行
myorigin = $myhostname                       <==约在第  99 行
inet_interfaces = all                        <==约在第 114 行，117 行要注释掉
inet_protocols = ipv4                        <==约在第 120 行
mydestination = $myhostname, localhost.$mydomain, localhost,
  linux.centos.vbird, ftp.centos.vbird <==约在第 165,166 行
mynetworks = 127.0.0.0/8, 192.168.100.0/24, hash:/etc/postfix/access <==约在 269 行
relay_domains = $mydestination               <==约在第 299 行
alias_maps = hash:/etc/aliases
alias_database = hash:/etc/aliases           <==约在第 389, 400 行
# 其他的设置值就先保留默认值即可

[root@www ~]# postmap hash:/etc/postfix/access
[root@www ~]# postalias hash:/etc/aliases
```

因为在 main.cf 当中我们额外加入了两个外部配置文件（mynetworks 及 alias_maps），所以才会额外进行 postmap 及 postalias。然后就准备来启动了。你可以这样处理：

```
# 1. 先检查配置文件的语法是否有错误
[root@www ~]# /etc/init.d/postfix check    <==没有信息，表示没有问题

# 2. 启动与观察 port number
[root@www ~]# /etc/init.d/postfix restart
[root@www ~]# netstat -tlunp | grep ':25'
Proto Recv-Q Send-Q Local Address   Foreign Address   State    PID/Program name
tcp        0      0 0.0.0.0:25      0.0.0.0:*         LISTEN   13697/master
```

很简单，这样就设置妥当了。假设你的防火墙已经处理完毕，那你的 Postfix 已经可以开放客户端进行转发，并且也可以接收邮件了。不过，在默认的情况下 Postfix 到底可以收下哪些邮件？又可以针对哪些设置值的内容进行转发呢？这就需要参考下一小节的说明了。

22.2.5　邮件发送流程与收信、Relay 等重要概念

相信你对于 MTA 的设置与收发邮件应该有一定程度的了解了，不过要妥善设置好你的 MTA，尤其是想要了解到整台 MTA 是如何收、发邮件时，你最好还是要知道“**MTA 如何接受来源主机所传来的邮件，以及将邮件转发到下一台主机去**”的整个流程。一般来说一封邮件传送会经过的流程为：

1）发信端与收信端两台主机间会先经过一个握手（ehlo）的阶段，此时发信端被记录为发信来源（而不是 Mail from）。通过握手后就可以进行邮件标题（header）的传送。

2）此时收信端主机会分析标题的信息，若邮件的“Mail to: 主机名”为收信端主机，且该名称符合 mydestination 的设置，则该邮件会开始被接受到队列，并进一步送到 Mailbox 当中；若不符合 mydestination 的设置，则终止连接且不会进行邮件内容（body）的传送。

3）若“Mail to: 主机名”不是收信端本身，则开始进行中继转发（Relay）的分析。

4）转发过程首先分析该邮件的来源是否符合信任的客户端（这个客户端为步骤 1 所记录的发信端主机），也就是来源是否符合 mynetworks 的设置值，若符合则开始接收邮件至队列中，并等待 MDA 将邮件再转发出去，若不符合则继续下一步。

5）分析邮件来源或目标是否符合 relay_domains 的设置，若符合则邮件将被接收至队列，并等待 MDA 将邮件再转发出去。

6）若这封邮件的标题数据都不符合上述的规范，则终止连接，并不会接收邮件的内容数据。

整个流程如图 22-3 所示。

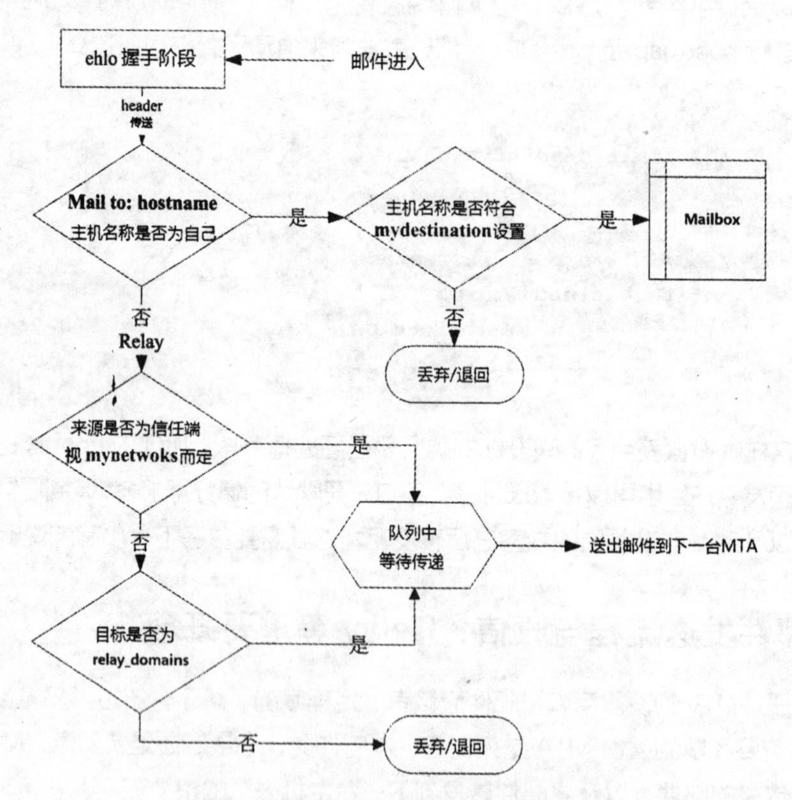

图 22-3 在本机 MTA 当中的邮件分析过程

也就是说，标题分析通过后，你的邮件内容才会开始上传到主机的队列，然后通过 MDA 来处理该邮件的流向，而不是将邮件完整地传送到主机后才开始分析。这个需要特别注意。而通过上述的流程后，在暂不考虑 access 以及 MDA 的分析机制中，一台 MTA 想要正确地收发邮件时，电子邮件必须要符合以下需求。

- 收信方面

  1. 发信端必须符合 $inet_interfaces 的设置。

  2. 邮件标题的收件人主机名必须符合 $mydestination 的设置，或者收件主机名需要符合 $virtual_maps（与虚拟主机有关）的设置。

- 转发方面（Relay）

  1. 发信端必须符合 $inet_interfaces 的设置；

  2. 发信端来源必须为 $mynetworks 的设置；发信端来源或邮件标题的收件人主机名符合 $relay_domains 的设置内容。

同样的原理与想法你可以将它用在 SendMail 的设置当中。不过很多垃圾邮件却是通过这个默认的收发渠道来发送，请看下面的例题。

例题

在我的主机上面竟然发现这样的广告邮件，即利用我的主机发送广告邮件给我自己。为什么这样也可以呢？

答：首先，你必须要熟悉一下上述的流程，由步骤 2 中我们知道，当主机收到一封邮件且这封邮件的目标是自己，并且也符合 mydestination 的设置时，该邮件就会被接收而不必验证客户端是否来自于 mynetworks 了。所以说，任何人都可以用这个流程来寄信给你。不过，你的 MTA 并不是 Open Relay，不会帮人家发送广告邮件的，不用担心。

例题

我的主机明明没有 Open relay，但很多其他的 MTA 管理员发信给我，说我的主机的某个账号持续发送广告邮件，但是我的主机明明没有那个账号。这是怎么回事？

答：仔细看一下流程的步骤 1 与 2，确认该封信能否被收下来与发信端及收信端主机名有关。而我们知道在邮件的 header 里面还有一个 Mail from 的标题设置项目，这个标题设置是我们在查阅邮件时看到的“回邮地址”，这个数据是可以伪造的。而且它与收发邮件的数据无关。所以，你应该要告知对方 MTA 管理员，请他提供详细的 log 数据，才能够判断该封信是否由你的主机所发送出去的。

一般来说，目前的广告业者很多都是利用这种欺骗的方式来处理的，所以你必须要请对方提供详细的 log file 数据以供查验才行。

22.2.6 设定邮件主机权限与过滤机制：/etc/postfix/access

基本上，**指定了 Postfix 的 mynetworks 的信任来源就能够让用户 Relay 了**，不过如果你依照鸟哥上述的方式（22.2.4 节）来设置你的 mynetworks 的话，那么我们还可以利用 access 这个文件来额外管理我们的邮件过滤。基本的 access 语法为：

```
规范的范围或规则                    Postfix 的操作 （范例如下）
IP/部分 IP/主机名/Email 等          OK/REJECT
```

假设你想要让 120.114.141.60 还有.edu.tw 可以使用这台 MTA 来转发邮件，且不许 av.com 以及 192.168.2.0/24 这个网络使用时，可以这样做：

```
[root@www ~]# vim /etc/postfix/access
120.114.141.60          OK
.edu.tw                 OK
av.com                  REJECT
192.168.2.              REJECT
# OK 表示可接受，而 REJECT 则表示拒绝

[root@www ~]# postmap hash:/etc/postfix/access
[root@www ~]# ls -l /etc/postfix/access*
-rw-r--r--. 1 root root 19648 2011-08-09 14:05 /etc/postfix/access
-rw-r--r--. 1 root root 12288 2011-08-09 14:08 /etc/postfix/access.db
# 你会发现有个 access.db 的文件才会同步更新！这才是 postfix 实际读取的
```

用这个文件设置最大的好处是，**你不必重新启动 Postfix**，只要将数据库建立好，立刻就生效了。这个文件还有其他的高级功能，你可以自行进入该文件查阅。但是高级设置还需要 main.cf 内的其他参数有设置才行。如果只有之前 $mynetworks 的设置值时，你只能利用 access.db 的方式来开放 Relay 的功能而已。不过，至少它可以让我们的设置简化。

22.2.7 设定邮件别名：/etc/aliases、~/.forward

你的主机里面不是有很多系统账号吗？例如 named、apache、mysql 等，那么以这些账号执行的程序若有信息发生时，会将该信息以 E-mail 的方式传给谁？**你会发现其实这些系统账号的信息都是丢给 root**。这是因为其他的系统账号并没有密码可登录，自然也就无法接收任何邮件了，所以若有邮件就给系统管理员。不过，MTA 怎么知道这些邮件要传给 root？这就需要 aliases 这个邮件别名配置文件来处理了。

1. 邮件别名配置文件：/etc/aliases

在/etc/aliases 文件内，你会发现类似下面的字样：

```
[root@www ~]# vim /etc/aliases
mailer-daemon:  postmaster
postmaster:     root
bin:            root
daemon:         root
....(下面省略)....
```

左边是别名，右边是实际存在的用户账号或者是 E-mail address。就是通过这个设置值，所以让我们可以将所有系统账号所属的邮件全部丢给 root。我们现在将它扩大化，假如你的 MTA 内有一个实际的账号名称为 dmtsai，这个用户还想要使用 dermintsai 这个名称来收他的邮件，那么你可以这样做：

```
[root@www ~]# vim /etc/aliases
dermintsai:     dmtsai
# 左边是你额外所设置的，右边则是实际接收这封信的账号

[root@www ~]# postalias hash:/etc/aliases
[root@www ~]# ll /etc/aliases*
-rw-r--r--. 1 root root  1535 2011-08-09 14:10 /etc/aliases
-rw-r--r--. 1 root root 12288 2011-08-09 14:10 /etc/aliases.db
```

从此之后不论是 dmtsai@www.centos.vbird 还是 dermintsai@www.centos.vbird 都会将邮件丢到 /var/spool/mail/dmtsai 这个邮箱当中，很方便。

2. /etc/aliases 实际应用一：让一般账号可接收 root 的邮件

假设你是系统管理员，而你常用的一般账号为 dmtsai，但是系统出错时的重要邮件都是寄给 root，偏偏 root 的邮件不能被直接读取，所以说，如果能够将给 root 的信也转发一份给 dmtsai 的话，那就太好了。可以实现吗？当然可以。你可以这样做：

```
[root@www ~]# vim /etc/aliases
root:           root,dmtsai    <==鸟哥建议这种写法
# 邮件会传给 root 与 dmtsai 这两个账号

root:           dmtsai         <==如果 dmtsai 不再是管理员怎么办
# 从此 root 收不到信了，都由 dmtsai 来接受

[root@www ~]# postalias hash:/etc/aliases
```

上面那两行你可以择一使用，root 要不要保留它的邮件都可以的。鸟哥建议使用第一种

方式，因为这样一来，dmtsai 可以收到 root 的信，且 root 自己也可以备份一份在它的邮箱内，比较安全。

3. /etc/aliases 实际应用二：配置组寄信功能

想象一种情况，如果你是学校的老师，只带一个班，如果有一天你要将信发给所有的学生，那在写 E-mail 的标题时，可能就会头昏昏的了 (因为联络人名单太多了)。这个时候你可以这样做(假设主机上学生的账号为 std001、std002...)：

```
[root@www ~]# vim /etc/aliases
student2011:       std001,std002,std003,std004...

[root@www ~]# postalias hash:/etc/aliases
```

如此一来只要寄信到这台主机的 student2011 这个不存在的账号时，该封信就会被分别存到各个账号里去，管理上面很方便。事实上，邮件别名除了填写自己主机上面的实体用户之外，还可以填写外部主机的 E-mail。例如你要将本机的 dermintsai 那个不存在的用户的邮件除了传给 dmtsai 之外，还要外传到 dmtsai@mail.niki.centos.vbird 时，可以这样做：

```
[root@www ~]# vim /etc/aliases
dermintasi:dmtsai,dmtsai@mail.niki.centos.vbird

[root@www ~]# postalias hash:/etc/aliases
```

很方便吧。更多的功能就请你自行发掘。

> 在这本书里面，dmtai 的用户主目录并非在正规的 /home 下面，而是放置于 /winhome 当中 (参考第 16 章的练习)，所以实际操作 mail 命令会出错。这是因为 SELinux 的原因。请参考 /var/log/messages 下面的建议操作去处理即可。

4. 个人化的邮件转递：~/.forward

虽然 /etc/aliases 可以帮我们实现邮件别名的设置，不过 /etc/aliases 是只有 root 才能修改的文件权限，那我们一般用户如果也想要进行邮件转发时，该如何操作？没关系，可以通过自己用户主目录下的 .forward 这个文件。举例来说，我的 dmtsai 这个账号所接收到的邮件除了自己要保留一份之外，还要传给本机上的 vbird 以及 dmtsai@mail.niki.centos.vbird 时，那可以这样设置：

```
[dmtsai@www ~]$ vim .forward
# 注意！我现在的身份现在是 dmtsai 这个一般身份，而且在它的用户主目录下
dmtsai
```

```
vbird
dmtsai@mail.niki.centos.vbird

[dmtsai@www ~]$ chmod 644 .forward
```

记得这个文件内容是一行一个账号 (或 E-mail)，而且权限方面非常重要。

- **该文件所在用户的用户主目录权限：其 group、other 不可以有写入权限。**
- **.forward 文件权限：其 group、other 不可以有写入权限。**

如此一来，这封信就会开始转发了。有趣吧！

22.2.8 查看邮件队列信息：postqueue、mailq

进行上述设置后，Postfix 应该可以应付一般小型企业的 Mail server 的用途了。不过，有的时候毕竟因为网络的问题或者是对方主机的问题，可能导致某些邮件无法送出而被暂存在队列中，那我们如何了解队列当中有哪些邮件呢？还有，在队列当中等待送出的邮件是如何送出的呢？

- 如果该封信在 5 分钟之内无法寄出，则通常系统会发出一封警告信给原发件人，告知该封邮件尚无法被寄送出去，不过，系统仍会持续地尝试寄出该封邮件。
- 如果在 4 小时后仍无法寄出，系统会再次发出警告信给原发件人。
- 如果持续进行五天都无法将邮件送出，那么该封邮件就会退回给原发件人。

当然，某些 MTA 已经取消了警告信的寄发，不过原则上，如果邮件无法实时寄出去的话 MTA 还是会努力尝试 5 天的，如果接下来的 5 天仍无法寄出，才会将原邮件退回给发件人。一般来说，如果 MTA 设置正确且网络没有问题，应该是不可能会有邮件被放在队列当中而发不出去的，所以如果发现有邮件在队列时，当然需要仔细检查一下。检查队列内容的方法可以使用 mailq，也可以使用 postqueue -p：

```
[root@www ~]# postqueue -p
Mail queue is empty
```

若显示以上信息时，表示没有什么问题邮件在队列当中。不过如果你将 Postfix 关闭，并尝试发一封信给任何人，那就可能会出现如下的画面：

```
[root@www ~]# /etc/init.d/postfix stop
[root@www ~]# echo "test" | mail -s "testing queue" root
[root@www ~]# postqueue -p
postqueue: warning: Mail system is down -- accessing queue directly
-Queue ID- --Size-- ----Arrival Time---- -Sender/Recipient-------
5CFBB21DB       284 Tue Aug  9 06:21:58  root
```

```
                                                root
-- 0 Kbytes in 1 Request.
# 第一行就说明了无法寄出的原因为 Mail system is down
# 然后才出现无法寄出的邮件信息，包括来源与目标
```

输出的信息主要为：

- Queue ID：表示此封邮件队列的代表号（ID），这个号码是给 MTA 看的，我们看不懂不要紧。
- Size：这封信有多大容量（bytes）的意思。
- Arrival Time：这封信什么时候进入队列的，并且可能会说明无法立即发送出去的原因。
- Sender/Recipient：送信人与收件人的电子邮件。

事实上这封信是放置在 /var/spool/postfix 里面，由于邮件内容已经编码为给 MTA 看的数据排列，所以你可以使用 postcat 来读出原邮件的内容。可以这样做（注意看文件名与 Queue ID 的对应）：

```
[root@www ~]# cd /var/spool/postfix/maildrop
[root@www maildrop]# postcat 5CFBB21DB  <==这个文件名就是 Queue ID
*** ENVELOPE RECORDS 5CFBB21DB ***       <==说明队列的编号
message_arrival_time: Tue Aug  9 14:21:58 2011
named_attribute: rewrite_context=local <==分析 named (DNS) 的特性来自本机
sender_fullname: root                  <==发件人的名字与 E-mail
sender: root
recipient: root                        <==就是收件人
*** MESSAGE CONTENTS 5CFBB21DB ***      <==下面则是邮件的实际内容
Date: Tue, 09 Aug 2011 14:21:58 +0800
To: root
Subject: testing queue
User-Agent: Heirloom mailx 12.4 7/29/08
MIME-Version: 1.0
Content-Type: text/plain; charset=us-ascii
Content-Transfer-Encoding: 7bit

test
*** HEADER EXTRACTED 5CFBB21DB ***
*** MESSAGE FILE END 5CFBB21DB ***
```

如此一来你就知道目前我们的 MTA 主机有多少未送出的邮件，同时，未送出邮件的内容你也可以追踪到。不过，如果你想要 Postfix 立刻尝试将这些在队列当中的邮件寄出去，那又该如何操作？可以通过重新启动 Postfix，也可以通过 Postfix 的操作来处理，例如：

```
[root@www ~]# /etc/init.d/postfix restart
[root@www ~]# postfix flush
```

鸟哥个人比较建议使用 postfix flush。请自行参考操作一下。接下来，让我们先来处理一下收信的 MRA 服务器，搞定后再来处理客户端的用户接口。

22.2.9　防火墙设置

因为整个 MTA 主要是通过 SMTP（port 25）进行邮件发送的任务，因此，对于 Postfix 来说，只要放行 port 25 即可。修改一下 iptables.rule：

```
[root@www ~]# vim /usr/local/virus/iptables/iptables.rule
# 找到下面这一行，并且将它的注释拿掉
iptables -A INPUT -p TCP -i $EXTIF --dport  25  --sport 1024:65534 -j ACCEPT

[root@www ~]# /usr/local/virus/iptables/iptables.rule
```

这样就放行整个 Internet 对服务器的 port 25 的读取权限了。

22.3　MRA 服务器：dovecot 设定

除非你想要在 MTA 上架设 Webmail，否则，你的 MTA 收下了邮件，你总需要连上 MTA 去收信的。那么收信要用的是哪个通信协议？就是 22.1.4 节里面谈到的 POP3 以及 IMAP。这就是所谓的 MRA 服务器。CentOS 6.x 使用的是 dovecot 这个软件来实现 MRA 的相关通信协议的。但由于 POP3/IMAP 还有数据加密的版本，下面我们就依据是否加密（SSL）来设置 dovecot。

22.3.1　基础的 POP3/IMAP 设定

启动单纯的 POP3/IMAP 是很简单的，你需要先确定已经安装了 dovecot 这个软件。而这个软件的配置文件只有一个，就是 /etc/dovecot/dovecot.conf。我们仅要启动 POP3/IMAP 而已，所以这样设置即可：

```
[root@www ~]# yum install dovecot
[root@www ~]# vim /etc/dovecot/dovecot.conf
# 找到下面这一行，大约是在第 25 行左右的地方，复制新增一行内容如下：
#protocols = imap pop3 lmtp
protocols = imap pop3

[root@www ~]# vim /etc/dovecot/conf.d/10-ssl.conf
ssl = no    <==将第 6 行改成这样
```

改完之后你就可以启动 dovecot 了。下面我们检查一下 port 110/143（POP3/IMAP）有没有启动呢？

```
[root@www ~]# /etc/init.d/dovecot start
[root@www ~]# chkconfig dovecot on
[root@www ~]# netstat -tlnp | grep dovecot
Proto Recv-Q Send-Q Local Address   Foreign Address   State    PID/Program name
tcp        0      0 :::110            :::*             LISTEN   14343/dovecot
tcp        0      0 :::143            :::*             LISTEN   14343/dovecot
```

这样就可以提供用户来接收邮件了，真是不错。不过要注意，这里只提供基本的明文 POP3/IMAP 传输而已，如果想要启动其他如 POP3s（传输加密机制）协议，就需要额外的设置了。

22.3.2 加密的 POP3s/IMAPs 设定

如果担心数据在传输过程中被窃取，或者担心你的登录信息（账号与密码）在使用 POP3/IMAP 时会被窃听，那么这个 POP3s/IMAPS 就显得很重要了。与前面的 Apache 相似，其实我们都是通过 openssl 这个软件提供的 SSL 加密机制来进行数据的加密传输。方式很简单，默认的情况下，CentOS 已经提供了 SSL 证书范例文件给我们使用了。如果你不想使用默认的证书，那么我们就来自己建一个吧。

```
# 1. 建立证书：到系统提供的 /etc/pki/tls/certs/ 目录下建立所需要的 pem 证书文件
[root@www ~]# cd /etc/pki/tls/certs/
[root@www certs]# make vbirddovecot.pem
....(前面省略)....
State or Province Name (full name) []:Taiwan
Locality Name (eg, city) [Default City]:Tainan
Organization Name (eg, company) [Default Company Ltd]:KSU
Organizational Unit Name (eg, section) []:DIC
Common Name (eg, your name or your server's hostname) []:www.centos.vbird
Email Address []:dmtsai@www.centos.vbird

# 2. 因为担心 SELinux 的问题，所以建议将 pem 文件放置到系统默认的目录去较好
[root@www certs]# mv vbirddovecot.pem ../../dovecot/
[root@www certs]# restorecon -Rv ../../dovecot

# 3. 开始处理 dovecot.conf，只要 POP3s、IMAPS 不要明文传输
[root@www certs]# vim /etc/dovecot/conf.d/10-auth.conf
disable_plaintext_auth = yes   <==第 9 行改成这样，取消注释

[root@www certs]# vim /etc/dovecot/conf.d/10-ssl.conf
ssl = required                                  <==第 6 行改成这样
ssl_cert = </etc/pki/dovecot/vbirddovecot.pem <==12, 13 行变这样
```

```
ssl_key =  </etc/pki/dovecot/vbirddovecot.pem

[root@www certs]# vim /etc/dovecot/conf.d/10-master.conf
  inet_listener imap {
    port = 0      <== 15 行改成这样
  }
  inet_listener pop3 {
    port = 0      <== 36 行改成这样
  }

# 4. 处理额外的 mail_location 设置值。很重要，否则网络收信会失败
[root@www certs]# vim /etc/dovecot/conf.d/10-mail.conf
mail_location = mbox:~/mail:INBOX=/var/mail/%u <==第 30 行改这样

# 5. 重新启动 dovecot 并且观察 port 的变化：
[root@www certs]# /etc/init.d/dovecot restart
[root@www certs]# netstat -tlnp | grep dovecot
Proto Recv-Q Send-Q Local Address   Foreign Address   State    PID/Program name
tcp        0      0 :::993          :::*               LISTEN   14527/dovecot
tcp        0      0 :::995          :::*               LISTEN   14527/dovecot
```

最终你看到的 993 是 IMAPs，而 995 则是 POP3s。这样一来，你收信时候输入的账号密码就不怕被窃取了，因为是加密后的数据了。

22.3.3　防火墙设置

因为上面的练习中，我们将 POP3/IMAP 关闭，转而打开 POP3s/Imaps 了，因此防火墙启动的端口会不一样。请依据实际的案例来设置你所需要的防火墙。我们这里主要是开放 993、995 两个端口。处理的方法与 22.2.9 节相当类似：

```
[root@www ~]# vim /usr/local/virus/iptables/iptables.rule
# 大约在 180 行左右，添加下面两行
iptables -A INPUT -p TCP -i $EXTIF --dport 993  --sport 1024:65534 -j ACCEPT
iptables -A INPUT -p TCP -i $EXTIF --dport 995  --sport 1024:65534 -j ACCEPT

[root@www ~]# /usr/local/virus/iptables/iptables.rule
```

如果你的 POP3/IMAP 还是决定不加密的话，请将上面的 993/995 改成 143/110 即可。

22.4　MUA 软件：客户端的收发邮件软件

设置 Mail server 是要好好地应用它。应用 Mail server 有两种主要的方式，你可以直接登录 Linux 主机来操作 MTA，当然也可以通过客户端的 MUA 软件来收发邮件，下面我们分

别介绍这两种方式。

22.4.1 Linux mail

在 Unix Like 的操作系统当中都会存有一个可以进行收发邮件的软件，那就是 mail 这个命令。这个命令是由 mail 这个软件所提供的，所以需要先安装这个软件才行。另外，由于 mail 是 Linux 系统的功能，所以即使你的 port 25（SMTP）没有启动，它还是可以使用的，只是该封邮件就只会被放到队列，而无法寄出去。下面我们来谈一谈最简单的 mail 用法。

1. 用 mail 直接编辑文字邮件与发送邮件

mail 的用法很简单，就是利用“mail [E-mail address]”的方式来将邮件发送出去，[E-mail address] 可以是对外的邮件地址，也可以是本机的账号。如果是本机账号的话，可以直接加账号名称即可，例如，mail root 或 mail somebody@his.host.name。如果是对外寄信的时候，邮件默认的 Mail from 就会填写 main.cf 内的 myorigin 变数的主机名。下面就来试着先寄给 dmtsai@www.centos.vbird：

```
[root@www ~]# mail dmtsai@www.centos.vbird
Subject: Just test          <==这里填写邮件标题
This is a test email.       <==下面为邮件的内容
bye bye !
.                           <==注意，这一行只有小数点，代表结束输入之意
```

这样就可以将邮件发送出去了。另外，早期的 Mail server 是可以接受 IP 寄信的，例如：mail dmtsai@[192.168.100.254]，记得 IP 要用中括号括起来。不过由于受到垃圾邮件的影响，现在这种方式几乎都无法成功地将邮件寄出了。

2. 利用已经处理完毕的“纯文本档”发送邮件

这可不是添加附件的方式。因为在 mail 这个程序里面编辑邮件是个很痛苦的差事，你不能够按方向键来回到刚刚编辑有错误的地方，很伤脑筋。此时我们可以通过标准输入来处理。如果你忘记“<”代表的意义，请参考基础篇的第 11 章 bash shell 中的数据流重定向。例如，你要将用户主目录的 .bashrc 寄给别人，可以这样做：

```
[root@www ~]# mail -s 'My bashrc' dmtsai < ~/.bashrc
```

3. 开始查阅接收的邮件

寄信还比较简单，那么收信呢？收信同样还是使用 mail。直接在提示字符之后输入 mail 时，就会主动地获取用户在 /var/spool/mail 下面的邮件邮箱 (Mailbox)，例如 dmtsai 这个账号在输入 mail 后，就会将 /var/spool/mail/dmtsai 这个文件的内容读出来并显示到屏幕上，结果如下：

```
# 注意，下面的身份使用的是 dmtsai 这个用户来操作 mail 这个命令的
[dmtsai@www ~]$ mail
Heirloom Mail version 12.4 7/29/08.  Type ? for help.
"/var/spool/mail/dmtsai": 10 messages 10 new <==邮箱来源与新邮件数
>N  1 dmtsai@www.centos.vb  Mon Aug  8 18:53  18/579   "from vbird"
....(中间省略)....
 N  9 root                  Tue Aug  9 15:04  19/618   "Just test"
 N 10 root                  Tue Aug  9 15:04  29/745   "My bashrc"
&  <==这个是 mail 软件的提示字符，可以输入 ? 来查看可用命令
```

在上面的画面中，显示 dmtsai 有一封信，且会附上该邮件的发信热人标题及收件时间等。你可以用的命令有这些：

- **读信：**（直接按 Enter 键或输入数字后按 Enter 键）

  “>”那个符号表示目前 mail 所在的邮件位置，你可以直接按下 Enter 键即可看到该封邮件的内容。另外，你也可以在“&”之后的光标位置输入号码，就可以看该封邮件的内容了(注：如果持续按 Enter 键，则会自>符号所在的邮件逐次向后读取每封邮件内容)。

- **显示标题：**（直接输入“h”或输入“h”数字）

  例如有 100 封信，要看 90 封左右的邮件标题，就输入“h90”即可。

- **回复邮件：**（直接输入“R”）

  如果要回复目前> 符号所在的邮件，直接输入“R”即可进入刚刚前面介绍过的 mail 文字编辑画面。你可以编辑邮件后传回去。

- **删除邮件：**（输入“d 数字”）

  输入“d##”即可删除邮件。例如我要删除掉第 2 封邮件，可以输入“d2”，如果是要删除第 10~50 封邮件，可以输入“d10-50”来删除。请注意，如果有删除邮件的话，离开 Mailbox 时，要使用 q 才行。

- **存储邮件到文件：**（输入“s 数字 文件名”）

  如果要将邮件资料存下来，可以输入“s ## filename”，例如我要将上面第 10 封邮件存下来，可以输入“s 10 text.txt”即可将第 10 封邮件内容存成 text.txt 这个文件。

- **离开 mail：（输入 q 或 x）**

  要离开 mail 可以输入 q 或者是 x，请注意：**输入 x 可以在不更动 Mailbox 的情况下离开 mail 程序，不管你刚刚有没有使用 d 删除数据；使用 q 才会将删除的数据移除。**也就是说，如果你不想更动 Mailbox 那就使用 x 或 exit 离开，如果想要使刚刚删除的操作生效，就要使用 q。

- **请求协助：**

  关于 mail 更详细的用法可以输入 help 就可以显现目前的 mail 所有功能。

上面是简易的 mail 收信功能。不过，我们曾经将邮件转存下来的话，那该如何读取该邮件呢？例如读取刚刚存储的 text.txt 文件。其实可以简单地使用这个方式来读取：

```
[dmtsai@www ~]$ mail -f ~/text.txt
```

4. 以“添加附件”的方式寄信

前面提到的都是邮件的内容，那么有没有可能以附件的方式来传递文件？是可以的，不过**你需要** uuencode **这个命令，在** CentOS **当中这个命令属于** sharutils，请先利用 yum 来安装它，接下来你可以这样使用：

```
[root@www ~]# [利用 uuencode 编码 ] | [利用 mail 寄出去]
[root@www ~]# uuencode [实际文件] [邮件中的文件名] | mail -s '标题' email

# 1. 将 /etc/hosts 以添加附件的方式寄给 dmtsai
[root@www ~]# uuencode /etc/hosts myhosts | mail -s 'test encode' dmtsai
```

这样就能寄出去了，不过，如果收下这封邮件呢？同样的我们需要通过译码器来解码。你要先将该文件存下来，然后这样做：

```
# 下面的身份可是 dmtsai 这个用户
[dmtsai@www ~]$ mail
Heirloom Mail version 12.4 7/29/08.  Type ? for help.
"/var/spool/mail/dmtsai": 11 messages 1 new 8 unread
    1 dmtsai@www.centos.vb  Mon Aug  8 18:53  19/590   "from vbird"
....(中间省略)....
 U 10 root                  Tue Aug  9 15:04  30/755   "My bashrc"
>N 11 root                  Tue Aug  9 15:12  29/1121  "test encode"
& s 11 test_encode
"test_encode" [New file] 31/1141
& exit

[dmtsai@www ~]$ uudecode test_encode -o decode
                            加密文件      输出文件
[dmtsai@www ~]$ ll *code*
-rw-r--r--. 1 dmtsai dmtsai  380 Aug  9 15:15 decode      <==译码后的正确数据
-rw-rw-r--. 1 dmtsai dmtsai 1121 Aug  9 15:13 test_encode <==内文会有乱码
```

虽然 mail 这个命令不是很好用，不过至少它可以为我们提供在 Linux 纯文本模式下的一个简单的收发邮件功能。不过，目前有个更棒的替代方案，那就是 mutt。

22.4.2 Linux mutt

mutt 除了可以仿真 mail 这个命令之外，它还能够通过 POP3/IMAP 之类的协议去读取外部的邮件。所以真的很不错。让我们来操作一下 mutt 这个好东西吧。在开始下面的操作前，请使用 yum install mutt 来安装。

1. 直接以 mutt 进行发送邮件的操作：含快速添加附件文件

mutt 的功能也很多，我们先来看看 mutt 的基本语法，接下来就开始进行练习吧。

```
[root@www ~]# mutt [-a 附加文件] [-i 内文件] [-b 秘密副本] [-c 一般副本] \
>  [-s 邮件标题] E-mail 地址
选项与参数：
-a 附加文件：后面就是你想要传送给朋友的文件，是附加文件，不是邮件内容
-i 内文件：就是邮件的内文部分，先编写成为文件而已
-b 秘密副本：原收件人不知道这封信还会寄给后面的那个秘密副本收件人
-c 一般副本：原收件人会看到这封信还有传给哪位收件人
-s 邮件标题：这封信的标题
E-mail 地址：就是原收件人的 E-mail

# 1. 直接在线编写邮件，然后寄给 dmtsai@www.centos.vbird 这个用户
[root@www ~]# mutt -s '一封测试信' dmtsai@www.centos.vbird
/root/Mail 不存在。建立吗？ ([yes]/no): y  <==第一次用才会出现这个信息
To: dmtsai@www.centos.vbird
Subject: 一封测试信
随便写写！随便看看～！   <==会进入 vi 画面编辑，很棒！

y:发送  q:中断  t:To  c:CC  s:Subj  a:附加文件  d:叙述  ?:求助 <==按下 y 寄出
    From: root <root@www.centos.vbird>
      To: dmtsai@www.centos.vbird
      Cc:
     Bcc:
 Subject: 一封测试信
Reply-To:
     Fcc: ~/sent
Security: 清除

-- 附件
- I     1 /tmp/mutt-www-2784-0        [text/plain, 8bit, utf-8, 0.1K]

# 2. 将 /etc/hosts 当成邮件内容发送给 dmtsai@www.centos.vbird 这个用户
[root@www ~]# mutt -s 'hosts' -i /etc/hosts dmtsai@www.centos.vbird
# 记得最终在 vim 下面要按下 :wq 来存储发送
```

与 mail 在线编写文字不一样，mutt 竟然会呼叫 vi 让你去编辑你的邮件。如此一来，当

然不需要预先编写邮件内文了。这真是让人感到非常地开心。而且整个画面非常地直觉化，相当容易处理。那么如果需要添加附件呢？尤其是添加 binary program 时，可以这样做：

```
# 1. 将 /usr/bin/passwd 当成附件添加，寄给 dmtsai@www.centos.vbird 用户
[root@www ~]# mutt -s '附件' -a /usr/bin/passwd -- dmtsai@www.centos.vbird
To: dmtsai@www.centos.vbird
Subject: 附件
不过是个附件测试!

y:发送  q:中断  t:To  c:CC  s:Subj  a:附加文件  d:叙述  ?:求助  <==按 y 送出
    From: root <root@www.centos.vbird>
      To: dmtsai@www.centos.vbird
      Cc:
     Bcc:
 Subject: 附件
Reply-To:
     Fcc: ~/sent
Security: 清除

-- 附件
- I   1 /tmp/mutt-www-2839-0   [text/plain, 8bit, utf-8, 0.1K] <==内文档
  A   2 /usr/bin/passwd        [applica/octet-stre, base64, 31K] <==附加檔
```

看到上面代码中的附件下面那两行吗？I 代表的是直接附在邮件内的内文，A 才是附加文件。不过想要使用 mutt 来附加文件时，必须要注意以下事项：

- “-a filename “这个选项必须是在命令的最后面，如果上述的命令改写成：“mutt -a /usr/bin/passwd -s "附件" ...”就不行，会失败的。
- 在文件名与 E-mail 地址之间需要加上两个连续减号“—”才行，如同上面测试的命令一样。

2. 以 mutt 来读不同通信协议的邮箱

与 mail 相比，mutt 可以直接通过网络的 POP3、IMAP 等通信协议来读信，是相当优秀的一个功能。至少鸟哥觉得真好用。同样下面先来瞧瞧可以使用的语法，然后再来看一些练习。

```
[root@www ~]# mutt [-f 邮箱位置]
选项与参数:
-f 邮箱位置：如果是 IMAPs 的邮箱，可以这样：“-f imaps://服务器的 IP”

# 1. 直接用 dmtsai 的身份读取本机的邮箱内容
[dmtsai@www ~]$ mutt
q:离开  d:删除  u:撤销  s:存储  m:邮件  r:回复  g:组  ?:求助
....(中间省略)....
  11 O + Aug 09 root             (  12) test encode
```

```
  12 O + Aug 09 root              (   1) 一封测试信
  13 O + Aug 09 root              (   8) hosts
  14 O + Aug 09 root              ( 604) 附件

---Mutt:          /var/spool/mail/dmtsai          [Msgs:14          Old:11
74K]---(date/date)-------(all)--
```

```
# 2. 在上面的邮件 14 号内容反白后，直接按下 Enter 会出现如下画面：
i:离开  -:上一页  <Space>:下一页 v:显示附件。 d:删除  r:回复  j:下一个 ?:求助
Date: Tue, 9 Aug 2011 15:24:34 +0800
From: root <root@www.centos.vbird>
To: dmtsai@www.centos.vbird
Subject: 附件
User-Agent: Mutt/1.5.20 (2009-12-10)

[-- 附件 #1 --]
[-- 种类：textplain，编码：8bit，大小：0.1K --]

不过是个附件测试！           <==邮件的内文部分



[-- 附件 #2: passwd --]      <==说明邮件的添加附件部分
[-- 种类：applicationoctet-stream，编码：base64，大小：41K --]

[-- application/octet-stream 尚未支持 （按 'v' 来显示这部分） --]

-O +- 14/14: root              附件                          -- (all)

# 3. 在上面画面按下 v 后，会出现相关的附件数据：
q:离开      s:存储   |:管道  p:显示   ?:求助
  I       1 <no description>                    [text/plain, 8bit, utf-8,
0.1K]
  A       2 passwd                               [applica/octet-stre,
base64, 41K]
# 反白处按下 s 就能够存储附加文件
```

最后离开时，一直按下 q，然后参考出现的信息来处理即可，这就是本机邮件的收信方式。非常简单。附加文件的存储方面也很容易，真是非常开心。那如果是外部邮箱呢？举例来说，我用 root 的身份去收 dmtsai 的 IMAPs 邮件，会是怎样的情况呢？

```
# 1. 在服务器端必须要让 mail 这个组能够使用 dmtsai 的用户主目录，所以要这样：
[dmtsai@www ~]$ chmod a+x ~

# 2. 开始在客户端登录 IMAPs 服务器取得 dmtsai 的新邮件与邮件文件夹
[root@www ~]# mutt -f imaps://www.centos.vbird
q:离开  ?:求助
```

```
这个验证属于:
   www.centos.vbird  dmtsai@www.centos.vbird
   KSU
   DIC
   Tainan  Taiwan

这个验证的派发者:
   www.centos.vbird  dmtsai@www.centos.vbird
   KSU
   DIC
   Tainan  Taiwan

这个验证有效
   由 Tue, 9 Aug 2011 06:45:32 UTC
     至 Wed, 8 Aug 2012 06:45:32 UTC
SHA1 Fingerprint: E86B 5364 2371 CD28 735C 9018 533F 4BC0 9166 FD03
MD5 Fingerprint: 54F5 CA4E 86E1 63CD 25A9 707E B76F 5B52

-- Mutt: SSL Certificate check (certificate 1 of 1 in chain)
(1)不接受, (2)只是这次接受, (3)永远接受 <==这里要填写 2 或 3 才行!
在 www.centos.vbird 的用户名称: dmtsai
dmtsai@www.centos.vbird 的密码:
```

在密码设置正确后，你最终就会看到刚刚我们所看到的邮件了。不过要注意的是，如果你的用户主目录在非正规目录，那么可能会出现 SELinux 的错误，这时就需要重新修订一下你的 SELinux 安全文本的类型了。如此一来，我们就直接以文本模式来取得网络邮件邮箱，这实在是非常方便的一件事，只是没有图文并茂罢了。

22.4.3 好用的跨平台 (Windows/Linux X) 软件：Thunderbird

自由软件最大的好处之一就是该软件大多可以进行移植，也就是在任何操作系统上面几乎都能够执行该软件。因此学习自由软件的好处就是，你不必因为转换操作系统而学习不同的操作环境。MUA 也有自由软件，那就是 Mozilla 基金会推出的 ThunderBird（雷鸟）这个好用的软件，你可以在下面的网址中找到中文的软件：

- **http://www.mozilla.org/zh-CN/products/thunderbird/**

有鉴于目前客户端还是以 Windows 操作系统为主流，所以下面的说明主要是在 Windows 7 上的安装与设置为主。目前（截止到 2011 年 8 月）最新的 Thunderbird 已经推出 5.x 了，所以鸟哥以中文的 5.x 为范例来介绍。下载完毕的安装过程鸟哥省略了，直接跳到第一次启动 Thunderbird 的介绍，希望对大家有帮助。鸟哥是以 dmtsai@www.centos.vbird 这个账号为范例来说明的，初次启动界面会出现如图 22-4 所示。

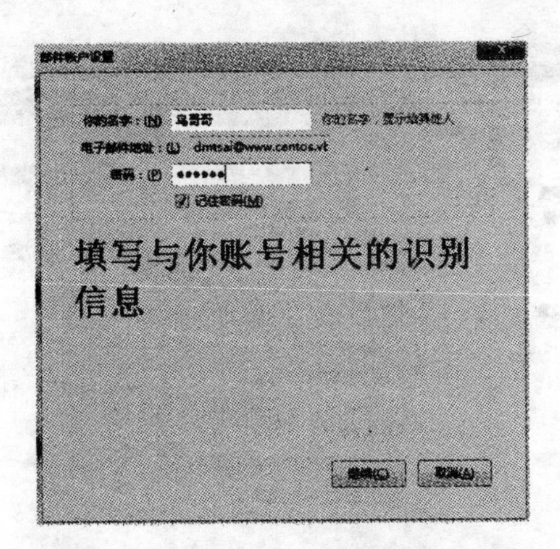

图 22-4 第一次启动 Thunderbird 的界面

由于是第一次启动，所以 thunderbird 里面没有任何识别数据。此时你可以填写你要在 E-mail 上面让别人看到的数据，以及包括你登录远程邮箱的账号密码等信息。图 22-4 中鸟哥的昵称为“鸟哥哥”，而 E-mail 是要给收件人看到的，密码当然就是自己的不外流。填完之后单击“继续”按钮，打开如图 22-5 所示的界面。

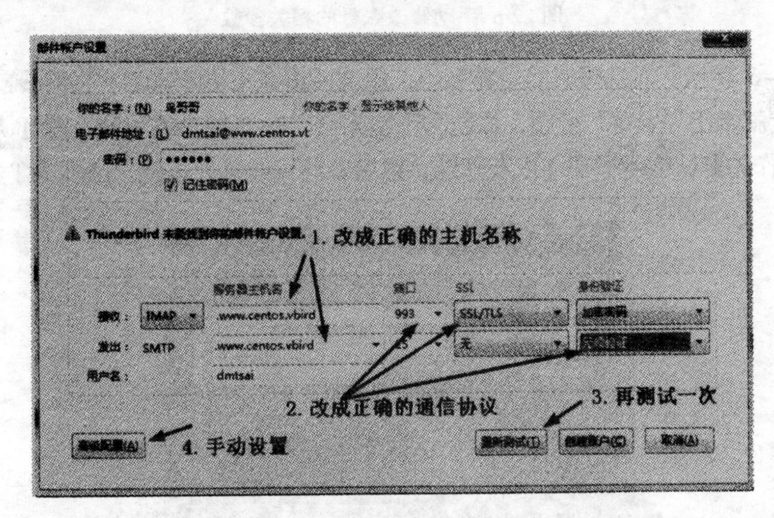

图 22-5 Thunderbird 主动的以用户信息尝试登录服务器

由于刚刚在图 22-4 中输入了账号与密码信息，因此，在这一个步骤中，Thunderbird 会主动尝试登录远程邮箱。不过，好像会获取错误的信息的样子。如果真的获取错了，请修改箭头 1 指的服务器主机名，以及通信协议的相关设置值，单击“重新测试”按钮，确定获取的数据是正确了，再单击“创建账号”或“高级设置”按钮（箭头 4 指的地方）即可。如果你单击箭头 4 指的地方，会出现如图 22-6 所示的详细资料：

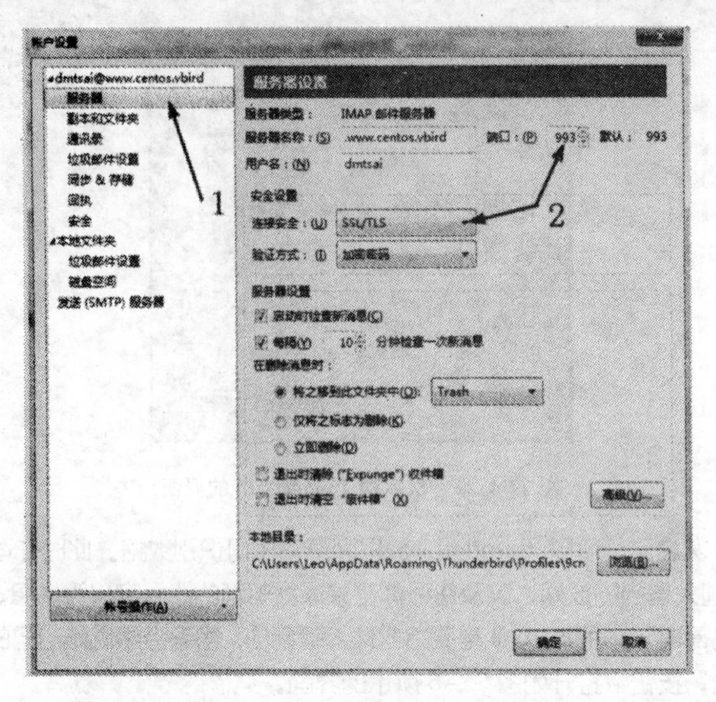

图 22-6 手动修改账号的相关参数

如图 22-6 所示，点选服务器设置项目，然后去查阅一下收信的服务器设置是否正确？若正确的话，就单击“确定”按钮，然后会出现如图 22-7 所示的界面，要你确定是否使用 Thunderbird 作为默认的电子邮件收发软件。直接单击“确定”按钮，进入下个步骤。

图 22-7 建立默认的 MUA 软件示意图

由于 Thunderbird 会尝试使用你输入的账号密码去登录远程服务器的 IMAPs 服务，所以就会出现一个证书取得示意图（如图 22-8 所示），这时就确认永久存储了该证书。

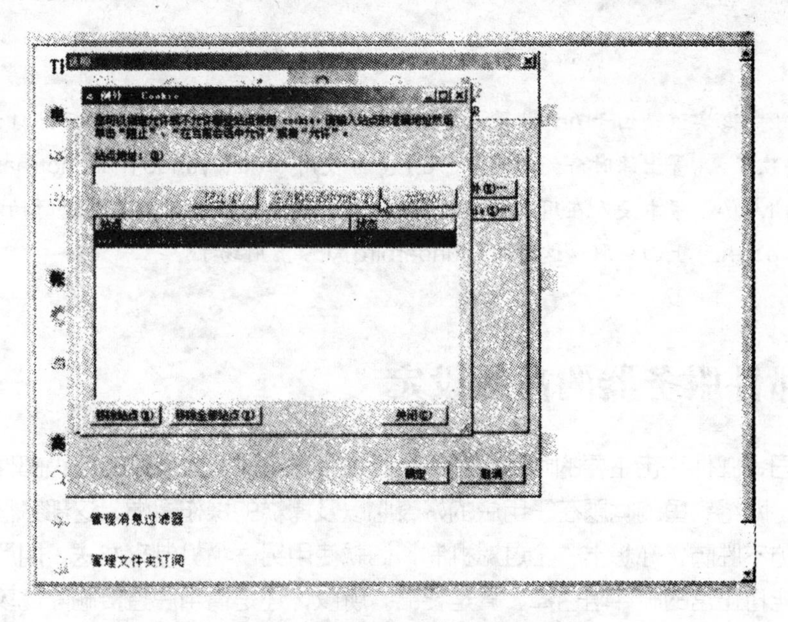

图 22-8 取得凭证的示意图

完成确定证书、设置好账号密码，就可以开始使用 Thunderbird 了。正常使用的图示如图 22-8 所示。

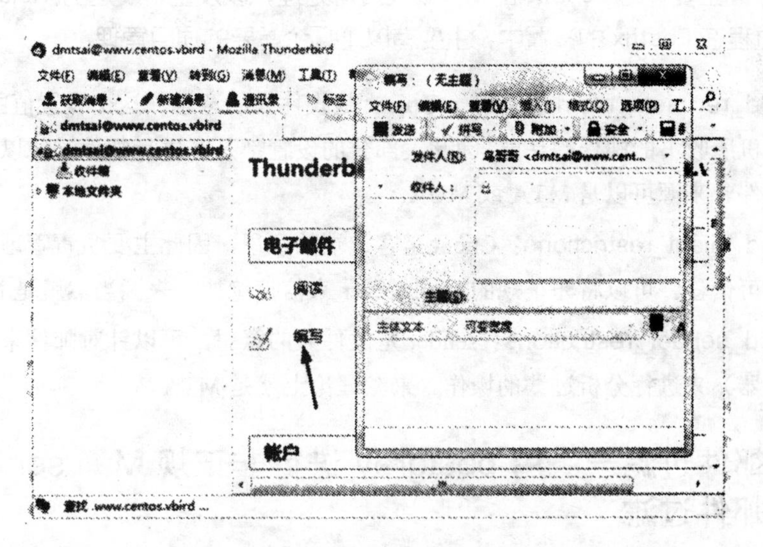

图 22-9 Thunderbird 正常操作示意图

如果一切顺利，那么你应该会看到如图 22-8 所示的画面了。回到刚刚我们查询到的标题名为“附件”的邮件，查阅一下内容，你会看到内文与附件都是正常的。而且更开心的是，由于是 IMAPs 的通信协议，因此 Thunderbird 的内容会与服务器上面的 /var/spool/mail/dmtsai 这个邮箱内容同步，不像 POP3 下载到本地就删除服务器的邮件。真是好用的软件！

老实说，由于 gmail 等免费邮件的盛行，目前连 Open webmail 自由软件都很少人安装了。鸟哥上课时看到的同学，几乎全部使用 gmail、yahoo mail、hotmail 等的 web 接口的 MUA，根本没人在用本机端的 MUA 了。但是，某些时刻某些过时的邮件还是需要从 web mail 上面获取，这时，Thunderbird 就派上用场了。

22.5 邮件服务器的高级设定

时至今日，邮件攻击主要的问题已经不是病毒与木马了，大多数的垃圾邮件多是钓鱼以及色情广告。网络钓鱼的问题在于用户的好奇心以及糟糕的操作习惯，这部分很难处理。色情广告则是防不胜防，你想出一个过滤机制，他就使用另一个机制来发送。用严格的过滤机制吗？又可能将正常的邮件阻挡掉，真是要命。所以，还是请用户直接删除比较好。因此，在这一小节当中，关于收信的过滤机制方面，鸟哥删除了前一版介绍的病毒扫瞄以及自动学习广告机制了。如果你还是有相关的需要，请自行查查相关的官方网站。

另外，下面主要针对 Postfix 的邮件收件过滤处理，以及重新发送的 Relay 过程进行介绍。这两个过程在 Postfix 的设置中，主要有以下几个重要的项目管理：

- smtpd_recipient_restrictions：recipient 是收件人的意思，这个设置值主要负责管理由本机所收下的邮件的功能，因此大部分的设置都是在进行邮件过滤以及是否为可信任邮件。来源可以是 MTA 或 MUA。
- smtpd_client_restrictions：Client 是客户端的意思，因此主要负责管理客户端的来源是否可信任。可以将非正规的 Mail server 来信拒绝掉。来源当然就是 MUA。
- smtpd_sender_restrictions：sender 是发件人的意思，可以针对邮件来源（对方邮件服务器）来进行分析过滤的操作。来源理论上就是 MTA。

22.5.1 邮件过滤一：用 postgrey 进行非正规 Mail server 的垃圾邮件过滤

早期的广告信很多都是通过僵尸计算机（已经被当作跳板但管理员却没有发现或没有处理的主机）来发送的，这些僵尸计算机所发送的邮件有个很明显的特色，就是**它只会尝试传送该封电子邮件一次，不论是否成功，该封信就算发出去了，故该邮件将被从队列中删除。**不过，合法的 Mail server 工作流程就如 22.2.8 节分析的一般，在邮件无法顺利寄出时该邮件会暂时放置到队列中一段时间，并一直尝试将邮件寄出的操作，默认直到五天后若还是无法寄出才会将邮件退回。

根据这个合法与非法的邮件服务器工作流程而发展出一套所谓的曙光 (postgrey) 软件，

你可以参考下面的几个链接中的说明来了解这个软件：

- http://isg.ee.ethz.ch/tools/postgrey/。
- http://www.postfix.org/SMTPD_POLICY_README.html。

基本上 postgrey 主要的功能是记录发信来源而已，**若发信来源同一封信第一次寄来时，postgrey 默认会过滤他，并且将来源地址记录起来，在约 5 分钟后，若该邮件又传来一次时，则该邮件会被收下来**。如此则可以杜绝非发邮件服务器单次发送的问题。但对于你确定合法的主机则可以开放所谓的"白名单 (whitelist)"来优先通过而不过滤。所以说，它主要是这样进行的(参考 http://projects.puremagic.com/greylisting/whitepaper.html)：

1）确认发信来源是否在白名单中，若是则予以通过。

2）确认收信者是否在白名单中，若是则予以通过。

3）确定这封信是否已经被记录起来。放行的依据是：

- 若无此邮件的记录，则将发信地址记录起来，并将邮件退回。
- 若有此邮件的记录，但是记录的时间尚未超过指定的时间（默认 5 分钟），则依旧退回邮件。
- 若有邮件的记录，且记录时间已超过指定的时间，则予以通过。

整个过程简单地说就是这样。不过为了要快速实现 postgrey 的"记录"能力，所以数据库系统又是不可避免的东西。且 postgrey 是由 perl 写成的，你可能也需要加入很多相关的 perl 模块才行。总的来说，你需要的软件至少要有：

- Berkeley DB：包括 db4, db4-utils, db4-devel 等软件。
- Perl：使用 yum install perl 即可。
- Perl 模块：perl-Net-DNS 是 CentOS 本身有提供的，其他没有提供的可以到 http://rpmfind.net/去查找下载。

1. 安装流程

因为 CentOS 官方已经提供了一个链接可以找到所有的在线 yum 安装方式，你可以参考：

- 官网介绍：http://wiki.centos.org/HowTos/postgrey。
- 在线安装软件：http://wiki.centos.org/AdditionalResources/Repositories/RPMForge。

鸟哥假设你已经下载了 http://packages.sw.be/rpmforge-release/rpmforge-release-0.5.2-2.el6.rf.x86_64.rpm 这个软件且放置到 /root 下面，然后这样做：

```
[root@www ~]# rpm --import http://apt.sw.be/RPM-GPG-KEY.dag.txt
[root@www ~]# rpm -ivh rpmforge-release-0.5.2-2.el6.rf.x86_64.rpm
[root@www ~]# yum install postgrey
```

上述的操作在于进行数字签名文件的安装、yum 配置文件的建置，以及最终将 postgrey 通过网络安装起来。整个流程非常简单。最重要的是，找到适合你的 yum 配置文件软件来安装就是了。

2. 启动与设置方式

因为 postgrey 是额外的一个软件，因此我们还是需要将它视为一个服务来启动，同时 postgrey 是本机的 socket 服务而非网络服务，它只提供给本机的 Postfix 来作为一个外挂，因此观察的方式并不是查看 TCP/UDP 之类的连接。下面让我们来瞧瞧启动与查看的过程：

```
[root@www ~]# /etc/init.d/postgrey start
[root@www ~]# chkconfig postgrey on
[root@www ~]# netstat -anlp | grep postgrey
Active UNIX domain sockets (servers and established)
Proto RefCnt Type      State       PID/Program  Path
unix  2 STREAM LISTENING 17823/socket /var/spool/postfix/postgrey/socket
```

上表中最重要的就是那个输出的 path 项目。/var/spool/postfix/postgrey/socket 是用来作为程序之间的数据交换，这也是 Postfix 要将邮件交给 postgrey 处理的一个相当重要的接口。有了这个数据后，接下来我们才能够开始修改 postfix 的 main.cf。

```
[root@www ~]# vim /etc/postfix/main.cf
# 1. 更改 postfix 的 main.cf 主配置文件资料：
# 一般来说，smtpd_recipient_restrictions 需要手动加入才会更动默认值
smtpd_recipient_restrictions =
   permit_mynetworks,                    <==默认值，允许来自 mynetworks 设置值的来源
   reject_unknown_sender_domain,         <==拒绝不明的来源网络 （限制来源 MTA ）
   reject_unknown_recipient_domain,      <==拒绝不明的收件人 （限制目标 MTA）
   reject_unauth_destination,            <==默认值，拒绝不信任的目标
   check_policy_service unix:/var/spool/postfix/postgrey/socket
# 重点是最后面那一行。就是指定使用 unix socket 来连接到 postgrey 之意
# 后续我们还有一些广告邮件的过滤机制，特别建议你将这个 postgrey 的设置值写在最后，
# 因为它可以算是我们最后一个检验的机制

# 2. 更改 postgrey 的过滤秒数，建议将原本的 300 秒 （五分钟） 改为 60 秒较佳：
[root@www ~]# vim /etc/sysconfig/postgrey   <==默认不存在，请手动建立
OPTIONS="--unix=/var/spool/postfix/postgrey/socket --delay=60"
# 重点是 --delay 要阻挡几秒钟，默认值为 300 秒，我们这里改为 60 秒等待

[root@www ~]# /etc/init.d/postfix restart
[root@www ~]# /etc/init.d/postgrey restart
```

由以往的经验指出，等待 5 分钟有时候会让某些正常的 Mail server 也会被拒绝好久，对于紧急的邮件来说，这样有点不妥。因此，CentOS 官网也建议将这个数值改小一点，例如 60

秒即可。反正，不正常的邮件第一次寄就会被拒绝，等多久似乎也不是这么重要了。然后，在 Postfix 的设置中，默认值仅有允许本机设置（permit_mynetworks）以及拒绝非信任的目标（reject_unauth_destination），鸟哥根据经验，先加入拒绝发件人（MTA）的不明网络以及拒绝收件人的不明网络的邮件了，这样也能够减少一堆不明的广告邮件。最终才加入 postgrey 的分析。

要注意的是，smtpd_recipient_restrictions **里面的设置是有顺序之分的。以上面的流程来说，只要来自信任用户，该封邮件就会被收下并转发，然后不明的来源与目标会被拒绝，不受信任的目标也会被拒绝，这些流程完毕之后，才开始正常邮件的 postgrey 机制处理**。这样其实已经可以克服一堆广告邮件了。接下来，让我们测试看看 postgrey 有没有正常工作。请在外部发送一封邮件到本机来，例如寄给 dmtsai@www.centos.vbird，然后查一下 /var/log/maillog 的内容看看：

```
Aug 10 02:15:44 www postfix/smtpd[18041]: NOQUEUE: reject: RCPT from vbirdwin7[192.168.100.30]: 450 4.2.0 <dmtsai@www.centos.vbird>: Recipient address rejected: Greylisted, see http://postgrey.schweikert.ch/help/www.centos.vbird.html; from=<dmtsai@www.centos.vbird> to=<dmtsai@www.centos.vbird> proto=ESMTP helo=<[192.168.100.30]>
```

鸟哥事先取消 permit_mynetworks 之后才开始测试。测试完毕后又将 permit_mynetworks 加回来，这样才能看到上述的资料。这表示 postgrey 已经开始顺利工作了。并且来源主机的相关记录也已经记载在 /var/spool/postfix/postgrey/ 目录下了。如此一来你的 postfix 将可以通过 postgrey 来过滤掉一些莫名其妙的广告邮件了。

3. 设置不受管制的白名单

不过 postgrey 也是有缺点的，怎么说呢？因为 postgrey 默认会先将邮件退回去，所以你的邮件就可能会发生延迟的问题，延迟的时间可能是数分钟到数小时，视你的 MTA 设置而定。如果你想要让某些信任的邮件主机不需要经过 postgrey 的过滤机制时，就需要开放白名单。

白名单的开启也很简单，直接编写 /etc/postfix/postgrey_whitelist_clients 这个文件即可。假设你要让鸟哥的邮件服务器可以自由地将邮件发送到你的 MTA 的话，那么你可以在这个文件内加入这一行：

```
[root@www ~]# vim /etc/postfix/postgrey_whitelist_clients
mail.vbird.idv.tw
www.centos.vbird
# 将主机名写进去

[root@www ~]# /etc/init.d/postgrey restart
```

如果你还有更多信任的 MTA 服务器的话，将它写入这个文件当中，那它就可以略过 postgrey 的分析了。更高级的用法就需要靠你自己去发掘了。

22.5.2 邮件过滤二：关于黑名单的过滤机制

还记得 22.1.5 节讲到的 Open Relay 的问题吗？你的 MTA 可千万不能成为 Open Relay 的状况，否则对你的网络与信用影响很大。一般来说，只要是 Open Relay 的邮件 MTA 都会被列入黑名单当中，例如中国台湾地区的学术网络黑名单以及因特网上提供的黑名单数据库：

- http://rs.edu.tw/tanet/spam.html。
- http://cbl.abuseat.org/。

既然黑名单数据库里面的 Mail server 本身就是有问题的邮件主机，那么当黑名单里面的主机想要跟我的 Mail server 连接时，我当然可以合理地怀疑该邮件是有问题的。所以来自黑名单或者是要发送到黑名单的邮件最好是不要接受。

你当然可以自行前往该网站将有问题的主机列表加入自己的邮件主机过滤机制当中，不过就是不太人性化。既然因特网上已经提供了黑名单数据库了，我们就可以利用这个数据库来阻挡。在决定是否进行 Relay 之前，先要求 Postfix 前往追踪黑名单的数据库，若目标的 IP 或主机名是黑名单的一员，则我们就将该邮件拒绝。

Postfix 设置黑名单检验真的很简单，你只要这样做即可：

```
[root@www ~]# vim /etc/postfix/main.cf
smtpd_recipient_restrictions =
   permit_mynetworks,
   reject_unknown_sender_domain,
   reject_unknown_recipient_domain,
   reject_unauth_destination,
   reject_rbl_client cbl.abuseat.org,
   reject_rbl_client bl.spamcop.net,
   reject_rbl_client cblless.anti-spam.org.cn,
   reject_rbl_client sbl-xbl.spamhaus.org,
   check_policy_service unix:/var/spool/postfix/postgrey/socket
# 请注意整个设置值的顺序。在 postgrey 之前先检查是否为黑名单

smtpd_client_restrictions =
     check_client_access hash:/etc/postfix/access,
     reject_rbl_client cbl.abuseat.org,
     reject_rbl_client bl.spamcop.net,
     reject_rbl_client cblless.anti-spam.org.cn,
     reject_rbl_client sbl-xbl.spamhaus.org
# 这个设置项目则是与客户端有关的设置。拒绝本身就是黑名单的一个客户端
```

```
smtpd_sender_restrictions = reject_non_fqdn_sender,
   reject_unknown_sender_domain
# 此项目则在过滤不明的发件人主机网络。与 DNS 有关系

[root@www ~]# /etc/init.d/postfix restart
```

上表当中的加粗字体部分“reject_rbl_client”是 Postfix 内的一个设置项目，后面可以接因特网上提供的黑名单。需要注意的是，这个黑名单数据库可能会持续地变动，请你先以 dig 的方式检查每个数据库是否真的存在，如果存在才加以设置在你的主机上（因为因特网上很多文献所提供的黑名单数据库似乎已经不再持续服务了）。

- **检查一下你的邮件服务器是否在黑名单当中。**

既然黑名单数据库所记录的是不受欢迎的来源与目标 MTA，那么你的 MTA 当然最好不要在该数据库中。同时这些数据库通常也都有提供检测的功能，所以你也可以用该功能来检查你的主机是否“记录在案”呢？你可以这样处理：

1）**是否已在黑名单数据库中。**

确认的方法很简单，直接登录 http://cbl.abuseat.org/lookup.cgi，输入你的主机名或者是 IP，就可以检查是否已经在黑名单当中。

2）**是否具有 Open Relay。**

如果要测试你的主机有没有 Open Relay，直接登录 http://rs.edu.tw/tanet/spam.html 这个网页，在这个网页的最下方可以输入你的 IP 来检查，注意，不要使用别人的 E-mail IP。此时该主机会发出一封 Mail 的测试信看看你的 Mail server 会不会主动地转发，然后将结果返回给你。要注意的是，返回的网页可能有编码的问题，如果出现乱码时，请调整为中文编码即可。

3）如何删除。

如果被检查出，你的主机已经在黑名单当中，那么请立刻将 Open Relay 的功能关闭，改善你的 Mail Server 之后，你可能还要到各个主要的 Open Relay 网站进行删除的工作。如果是学术网络的话，请与你单位的管理员联系。至于一般常见的黑名单数据库则通常会主动帮你移除，只不过需要一些时间的测试就是了。

总之你必须要确定你不在黑名单当中，且最好将黑名单的来源给拒绝掉。

22.5.3 邮件过滤三：基础的邮件过滤机制

在整封信的传送流程当中，客户端若通过主机的重重限制后，最终应该可以到达邮件队列当中。而由队列当中要送出去或者是直接送到 Mailbox 就需要通过 MDA 的处理。MDA 可

以加挂很多机制，尤其是它可以过滤某些特殊字眼的广告邮件或病毒邮件。MDA 可以通过分析整封邮件的内容（包括标题以及内容）来摘取有问题的关键词，然后决定这封信的命运。

Postfix 已经有内建可以分析标题或者是内容的过滤机制了，那就是 /etc/postfix/ 目录下的 header_checks 以及 body_checks 这两个文件。在默认的情况下这两个文件不会被 Postfix 使用，你需要用下面的设置来启用它：

```
[root@www ~]# vim /etc/postfix/main.cf
header_checks = regexp:/etc/postfix/header_checks
body_checks = regexp:/etc/postfix/body_checks
# regexp 代表的是“使用正规表示法”的意思

[root@www ~]# touch /etc/postfix/header_checks
[root@www ~]# touch /etc/postfix/body_checks
[root@www ~]# /etc/init.d/postfix restart
```

接下来你需要自行处理 header_checks 以及 body_checks 的规则设置，在设置前请你确认你对于正规表示法是熟悉的才行，因为很多信息都必须要通过正规表示法来处理。然后开始设置的依据是：

- 只要是 # 代表该行为批注，系统会直接略过。
- 在默认的规则当中，大小写是视为相同的。
- 规则的设置方法为：

  /规则/ 操作 显示在登录文件里面的信息

  请注意，要使用两个斜线“/”将规则括起来。举个例子来说明：例如我想要①过滤掉标题为 A funny game 的邮件，②并且在登录文件里面显示 drop header deny，则可以在 header_chekcs 文件中可以这样写：

  /^Subject:.*A funny game/ DISCARD drop header deny

- 关于操作有下面几个操作：
  - REJECT：将该封邮件退回给原发件人。
  - WARN：将邮件收下来，但是将该封信的基本数据记录在登录文件内。
  - DISCARD：将该封邮件丢弃，并不给予原发件人回应。

鸟哥自己曾经作过一些规则的比对，只不过效率不好。如果你有兴趣的话，可以自行下载来看看，不过，使用的后果请自行评估，因为每个人的环境都不一样。

- header: http://linux.vbird.org/linux_server/0380mail/header_checks。
- body: http://linux.vbird.org/linux_server/0380mail/body_checks。

记得，如果你自行修改过这两个文件后，务必要检查一下语法才行。

```
[root@www ~]# postmap -q - regexp:/etc/postfix/body_checks \
> < /etc/postfix/body_checks
```

如果没有出现任何错误，那就表示你的设置值应该没有问题了。另外，你也可以使用 procmail 这个过滤的小程序来处理。不过，鸟哥觉得 procmail 在大型邮件主机当中，分析的过程太过于繁杂，会消耗很多 CPU 资源，因此后来都没有使用这东西了。

22.5.4 非信任来源的 Relay：开放 SMTP 身份认证

在图 22-1 的流程当中，由 MUA 通过 MTA 来发送邮件时（具有 Relay 的操作时），理论上 MTA 必须要开放信任用户来源才行，这就是为啥我们必须要在 main.cf 里设置 smtpd_recipient_restrictions 这个设置项目的原因了（mynetworks）。不过人总有不方便的时候，举例来说，如果你的客户端使用的是拨号机制的 ADSL，所以每次取得的 IP 都非固定，那如何让你的用户使用你的 MTA？这个时候 SMTP 认证或许有点帮助。

什么是 SMTP 呢？就是让你在想要使用 MTA 的 port 25（SMTP 协议）时，需要输入账号密码才可以。既然有了这个认证的功能，于是，你就可以不用设置 MTA 的信任用户项目。举例来说，在本章提到的环境下，你可以不用设置 mynetworks 这个设置值，启动 SMTP 认证，让你的用户需要输入账号密码才能 Relay。那如何让 SMTP 支持身份认证？ CentOS 已经提供有内建的认证模块，那就需要 Cyrus SASL 这个软件的帮忙了。

Cyrus SASL（http://cyrusimap.web.cmu.edu/）是 Cyrus Simple Authentication and Security Layer 的缩写，它是一个辅助的软件。在 SMTP 认证方面，Cyrus 主要提供了 saslauthd 这个服务来进行账号密码的比对操作。也就是说，**当有任何人想要进行邮件转发功能时，Postfix 会联系 saslauthd 请其代为检查账号密码，若比对通过则允许客户端开始转发邮件。**

如果你想要使用最简单的方式，即直接通过 Linux 自己的账号密码来进行 SMTP 认证功能，而不使用其他如 SQL 数据库的身份认证时，在 CentOS 当中你应该要这样做：

1）安装 cyrus-sasl、cyrus-sasl-plain、cyrus-sasl-md5 等软件。

2）启动 saslauthd 这个服务。

3）设置 main.cf 让 postfix 可以与 saslauthd 联系。

4）客户端必须要在寄信时设置邮件主机认证功能。

如此一来客户端才能够启动 SMTP AUTH。关于软件安装方面，请直接使用 yum 安装。下面我们由启动 saslauthd 这个服务开始谈起吧。

1. 启动 saslauthd 服务：进行 SMTP 明文身份验证功能

saslauthd 是 Cyrus SASL 提供的一个账号密码管理机制，它能够进行很多的数据库验证功能，不过这里我们仅使用最单纯简单的明文验证（PLAIN）。如果我们想要直接使用 Linux 系统上面的用户信息，也就是 /etc/passwd、/etc/shadow 所记载的账号密码相关信息时，可以使用 saslauthd 提供的 shadow 这个机制，当然也能使用 pam。更多的 saslauthd 连接到 MTA 的机制请 man saslauthd 来查阅吧。由于我们的账号密码可能来自网络其他类似 NIS 服务器，因此这里建议可以使用 pam 模块。

saslauthd 的启动很简单，首先需要选择密码管理机制，这个可以使用下面的方式处理：

```
# 1. 先了解 saslauthd 有支持哪些密码管理机制：
[root@www ~]# saslauthd -v
saslauthd 2.1.23
authentication mechanisms: getpwent kerberos5 pam rimap shadow ldap
# 上列的加粗字体部分就是有支持的！我们要直接用 Linux 本机的用户信息，
# 所以用 pam 即可，当然也能够使用 shadow

# 2. 在 saslauthd 配置文件中，选定 pam 的验证机制：
[root@www ~]# vim /etc/sysconfig/saslauthd
MECH=pam   <==其实这也是默认值
# 这也是默认值，有的朋友喜欢单纯的 shadow 机制，也可以

# 3. 那就启动吧
[root@www ~]# /etc/init.d/saslauthd start
[root@www ~]# chkconfig saslauthd on
```

之后我们必须要告知 Cyrus 使用来提供 SMTP 服务的程序为 saslauthd 才行，设置的方法很简单：

```
[root@www ~]# vim /etc/sasl2/smtpd.conf
log_level: 3                  <==登录文件信息等级的设置，设置 3 即可
pwcheck_method: saslauthd     <==就是选择什么服务来负责密码的比对
mech_list: plain login        <==那么支持的机制有哪些之意
```

我们可以使用 mech_list 列出特定支持的机制。而且 saslauthd 是个很简单的账号密码管理服务，你几乎不需要进行什么额外的设置，直接启动它就生效了。

2. 更改 main.cf 的设置项目：让 postfix 支持 SMTP 身份验证

那 Postfix 该如何处理呢？其实设置很简单，只要这样做：

```
[root@www ~]# vim /etc/postfix/main.cf
# 在本文件最后添加这些与 SASL 有关的设置资料：
```

```
smtpd_sasl_auth_enable = yes
smtpd_sasl_security_options = noanonymous
broken_sasl_auth_clients = yes
# 然后找到跟 relay 有关的设置项目，添加一段允许 SMTP 认证的字样：
smtpd_recipient_restrictions =
     permit_mynetworks,
     permit_sasl_authenticated,  <==重点在这里。注意顺序
     reject_unknown_sender_domain,
     reject_unknown_recipient_domain,
     reject_unauth_destination,
     reject_rbl_client cbl.abuseat.org,
     reject_rbl_client bl.spamcop.net,
     reject_rbl_client cblless.anti-spam.org.cn,
     reject_rbl_client sbl-xbl.spamhaus.org,
     check_policy_service unix:/var/spool/postfix/postgrey/socket

[root@www ~]# /etc/init.d/postfix restart
```

上面关于 SASL 的各个项目的意义是这样的：

- **smtpd_sasl_auth_enable**

  就是设置是否要启动 sasl 认证的意思，如果设置启动后 Postfix 会主动去加载 cyrus sasl 的函数库，而该函数库会依据 /etc/sasl2/smtpd.conf 的设置来链接到正确的管理账号与密码的服务。

- **smtpd_sasl_security_options**

  由于不想要让匿名用户可以登录使用 SMTP 的 Relay 功能，于是这个项目中只要设置 noanonymous 即可。

- **broken_sasl_auth_clients**

  这个是针对早期非正规 MUA 的设置项目，因为早期软件开发商在开发 MUA 时没有参考通信协议标准，所以造成在 SMTP 认证时可能会发生的一些问题。这些有问题的 MUA，例如 MS 的 Outlook Express 第四版就是这样！后来的版本应该没有这个问题，所以这个设置值你也可以不用设置。

- **smtpd_recipient_restrictions**

  最重要的就是这里。我们的 sasl 认证可以放在第二行，在局域网这个可信任区域的后面加以认证。上面代码的设置意义是：局域网内的 MUA 不需要认证也能够进行 Relay，而非局域网内的其他来源才需要进行 SMTP 认证之意。

设置完毕也重新启动 Postfix 之后，我们先来测试看看是否真的提供认证了？

```
[root@www ~]# telnet localhost 25
Trying 127.0.0.1...
Connected to localhost.localdomain (127.0.0.1).
Escape character is '^]'.
220 www.centos.vbird ESMTP Postfix
ehlo localhost
250-www.centos.vbird
250-PIPELINING
250-SIZE 10240000
250-VRFY
250-ETRN
250-AUTH LOGIN PLAIN       <==你需要看到这两行才行
250-AUTH=LOGIN PLAIN
250-ENHANCEDSTATUSCODES
250-8BITMIME
250 DSN
quit
221 2.0.0 Bye
```

3. 在客户端启动支持 SMTP 身份验证的功能：以 thunderbird 设置为例

既然已经在 MTA 设置了 SMTP 身份验证，那么我们 MUA 当然要传送账号、密码给 MTA 才能通过 SMTP 的验证啊！所以，在 MUA 上面就需要加上一些额外的设置才行。我们依旧以 Thunderbird 来作为介绍，请打开 Thunderbird，依次执行“工具”→“账号设置”后会出现如图 22-10 所示的对话框。

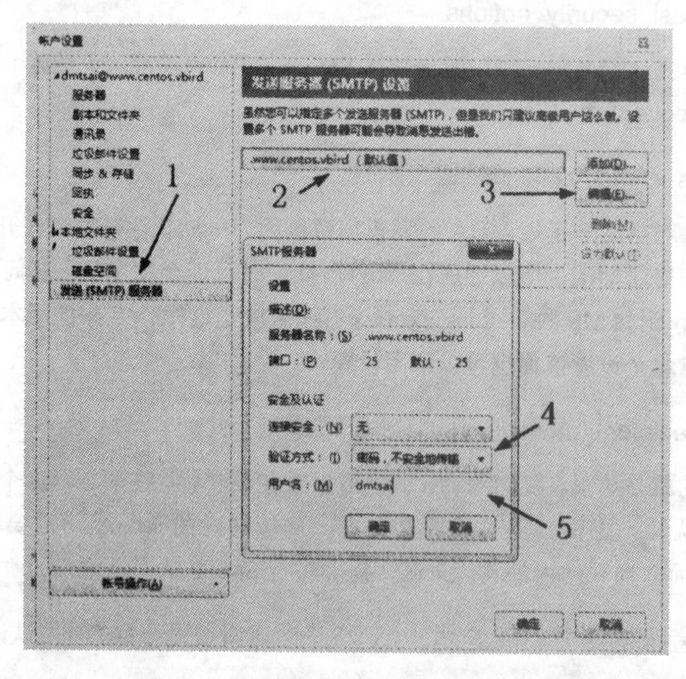

图 22-10 在 Thunderbird 软件中设置支持 SMTP 验证的方式

请依据图 22-10 中的箭头号码来指定，先选择（1）“发送（SMTP）服务器”，然后选择所需要的发送 SMTP 服务器后，单击（3）“编辑”按钮，就会出现图 22-10 中的对话框项目。选择（4）密码，不安全地传输，在（5）填入你要使用的账号即可。如果要测试的话，记得此客户端不要在局域网络内，否则将不会经过认证的阶段，因为我们的设置以信任网络为优先。

如果一切都顺利的话，那么当客户端以 SMTP 来验证时，你的日志文件中应该会出现类似下面的信息：

```
[root@www ~]# tail -n 100 /var/log/maillog | grep PLAIN
Aug 10 02:37:37 www postfix/smtpd[18655]: 01CD43712: client=vbirdwin7
[192.168.100.30], sasl_method=PLAIN, sasl_username=dmtsai
```

22.5.5　非固定 IP 邮件服务器的福音：relayhost

我们上面提到，如果你要架设一台合法的 MTA 最好还是需要申请固定的 IP 以及正确对应的反解比较恰当。但如果你一定要用浮动 IP 来架设你的 MTA 的话，也不是不可以，尤其今年（2011 年）光纤入户已经可达 50M/5Mbps 的下载/上传速度了。你当然可以用家庭网络来架站，只不过你就需要通过上层 ISP 所提供的 Relay 权限了。这是怎么回事啊？让我们通过如图 22-11 所示的一个实际案例来说明。

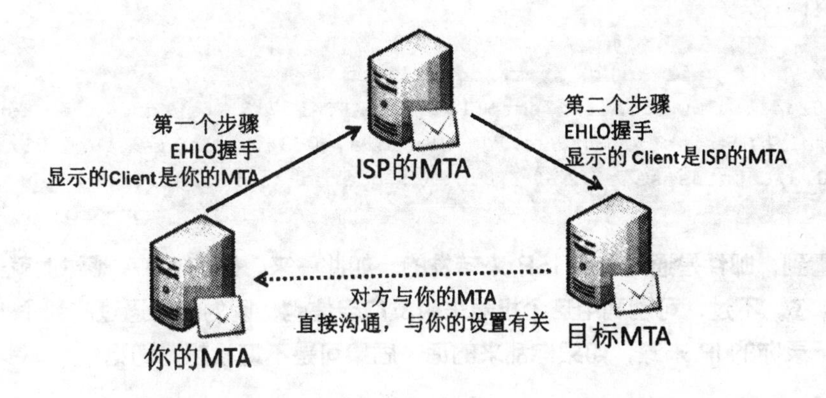

图 22-11　relayhost：利用 ISP 的 MTA 进行邮件转递

当你的 MTA 要发邮件给目标 MTA 时，如果直接传给目标 MTA，由于你的 IP 可能是非固定的，因此对方 MTA 恐怕会把你当成是垃圾来源。那如果我们通过 ISP 进行转发呢？从图 22-11 来看，当你要传给目标 MTA 时：①先将邮件交给你的 ISP，因为你是 ISP 的客户，通常来信都会被 ISP 接受，因此这个时候这封信就会被你的 ISP 给 Relay 出去；②被 ISP 所 Relay 的邮件到目标 MTA 时，对方会判断是来自那台 ISP 的 MTA，当然是合法的 Mail server，所以该封邮件就毫无疑问地被收下了。

不过想要以此架构来架设你的 MTA 仍有许多需要注意的地方：

■ **你还是需要有一个合法的主机名，若要省钱，可以使用 DDNS 来处理。**

■ **你上层的 ISP 所提供的 MTA 必须要有提供你所在 IP 的 Relay 权限。**

你不能使用自定义的内部 DNS 架构了，因为所有 Relay 的信都会被送至 ISP 的 MTA。

尤其是最后一点，**因为所有外送的邮件全部都会被送到 ISP 处，所以像我们之前自己玩的 centos.vbird 这种非合法的域数据就没用了。**为什么呢？你想想看，如果你要将邮件送给 www.centos.vbird，但由于上述 relayhost 的功能，所以这封信会被传到 ISP 的 MTA 来处理，但 ISP 的 MTA 是不会认识你的 centos.vbird 的。

说是挺难的，做起来却很简单，只要在 main.cf 里面加设一段数据即可。假设你的环境是中国台湾地区的 hinet 所提供的用户，而 hinet 提供的邮件主机为 ms1.hinet.net，则你可以直接这样设置：

```
[root@www ~]# vim /etc/postfix/main.cf
# 加入下面这一行就对啦，注意那个中括号
relayhost = [ms1.hinet.net]

[root@www ~]# /etc/init.d/postfix restart
```

之后你只要尝试发一封邮件出去，就会了解这封信是如何发送的了。看一下日志文件的内容会像这样：

```
[root@www ~]# tail -n 20 /var/log/maillog
Aug 10 02:41:01 www postfix/smtp[18775]: AFCA53713: to=<qdd@mail.ksu.edu.tw>,
relay=ms1.hinet.net[168.95.4.10]:25, delay=0.34, delays=0.19/0.09/0.03/0.03,
dsn=2.0.0, status=sent (250 2.0.0 Ok: queued as F0528233811)
```

可以看到，邮件是通过上层 ISP 来转发的。如此一来，你的 MTA 感觉上就似乎是台合法的 MTA 了。不过，**可别利用这个权限来滥发广告信啊，因为你所通过的那个 ISP 邮件主机可是会记录你的 IP 来源，如果你乱来的话，后果可是不堪设想。切记！**

22.5.6 其他设置小技巧

除了之前谈到的几个主要的设置之外，postfix 还提供有一些不错的设置给大家使用。我们可以一个一个来来看看：

1. 单封邮件与单个邮件邮箱的大小限制

在默认的情况下，Postfix 可接受的单封邮件最大容量为 10MB，不过这个数值我们是可以更改的，操作很简单：

```
[root@www ~]# vim /etc/postfix/main.cf
message_size_limit =   40000000
[root@www ~]# postfix reload
```

上面的单位是 bytes，所以我将单封邮件可接受大小改为 40MB 了。请按照你的环境来规定这个数值。而从前我们要管制 /var/spool/mail/account 大多是使用文件系统内的 quota 来实现，现在的 Postfix 不需要了。可以这样做：

```
[root@www ~]# vim /etc/postfix/main.cf
mailbox_size_limit = 1000000000
[root@www ~]# postfix reload
```

我给每个人 1GB 的空间。

2. 发件备份：SMTP 自动转发一份到备份文件夹

收件备份我们知道可以使用 /etc/aliases 来处理的，但是如果想让发件也备份呢？利用下面的方式即可：

```
[root@www ~]# vim /etc/postfix/main.cf
always_bcc = some@host.name
[root@www ~]# postfix reload
```

如此一来任何人寄出的邮件都会复制一份给 some@host.name 邮箱。不过，除非你的公司很重视一些商业机密，并且已经公告过所有同仁，否则进行这个设置值，鸟哥个人认为是严重侵犯隐私权。

3. 配置文件的权限问题：权限错误会不能启动 Postfix

这部分我们以 SendMail 官方网站的建议来说明。其实也适用于 Postfix 的。其中，大部分是在于“目录与文件权限”的设置要求上面：

- 请确定 /etc/aliases 这个文件的权限，仅能由系统信任的账号来修改，通常其权限为 644。
- 请确定 Mail server 读取的数据库（多半在 /etc/mail/ 或 /etc/postfix/ 下面的 *.db 文件），例如 mailertable、access、virtusertable 等，仅能由系统信任的用户读取，其他一概不能读取，通常权限为 640。
- 系统的队列目录（/var/spool/mqueue 或 /var/spool/postfix）仅允许系统读取，通常权限为 700。
- 请确定 ~/.forward 这个文件的权限也不能设置成为任何人均可查阅的权限，否则你的 E-mail 数据可能会被窃取。

- 总之，一般用户能不用 ~/.forward 与 aliases 的功能就不要使用。

不过整体的使用上还是需要网站管理员多费心，多查看一下日志文件。

4. 备份资料：与 mail 有关的目录有哪些

不管什么时候，备份总是重要的。那么如果我是单纯的 Mail Server 而已，我需要的备份数据有哪些呢？

- /etc/passwd, /etc/shadow, /etc/group 等与账号有关的资料；
- /etc/mail, /etc/postfix/ 下面的所有文件数据；
- /etc/aliases 等等 MTA 相关文件；
- /home 下面的所有用户数据；
- /var/spool/mail 下面的文件与 /var/spool/postfix 邮件队列文件；
- 其他如广告软件、病毒扫描软件等等的设置与定义文件。

5. 错误检查：查出不能启动 Postfix 的问题流程

虽然 Mail 很方便，但是仍然会有无法将邮件寄出的时候。如果你已经设置好 MTA 了，但是总是无法将邮件寄出去，那可能是什么问题呢？你可以这样追踪：

- **关于硬件配备**

  例如，是否没有驱动网卡，是否调制解调器出问题，是否 Hub 过热了，是否路由器停止服务等。

- **关于网络参数的问题**

  如果连不上 Internet，那么哪里来的 Mail Server 呢？所以请先确认你的网络已经正常地启用了。关于网络的确认问题，请查阅第 6 章网络排错来处理。

- **关于服务的问题**

  请务必确认与 Mail server 有关的端口已经顺利启动，例如 port 25、110、143、993、995 等，使用 netstat 命令即可了解是否已经启动该服务。

- **关于防火墙的问题**

  很多时候，很多朋友使用 Red Hat 或者其他 Linux distribution 提供的防火墙设置软件，结果忘了启动 port 25 与 port 110 的设置，导致无法收发邮件。请特别留意这个问题。可以使用 iptables 来检查是否已经启用该 port。其余请参考第 9 章防火墙设置。

- **关于配置文件的问题**

  在启动 postfix 或者是 SendMail 之后，在日志文件当中仔细看看有无错误信息发生。

通常如果设置数据不对，在登录文件当中都会有记载错误的信息。

■ **其他文件的设置问题**

①如果发现只有某个 domain 可以收信，其他的同一主机的 domain 无法收信，需要检查 $mydestination 的设置值才行；②如果发现邮件被挡下来了，而且老是显示 reject 的字样，那么可能被 access 挡住了；③如果发现邮件队列（mailq）存在很多的邮件，可能是 DNS 死掉了，请检查 /etc/resolv.conf 的设置是否正确。

■ **其他可能的问题**

最常发生的就是认证的问题了。这是由于用户没有在 MUA 上面设置“我的邮件需要认证”的选项。请让你的用户赶紧勾选吧。

■ **还是不知道问题的解决方案**

如果还是查不出问题的话，那么请务必检查你的 /var/log/maillog（有的时候是 /var/log/mail，这个要看 /etc/syslog.conf 的设置），当你发出一封邮件的时候，例如 dmtsai 寄给 bird2@www.centos.vbird 时，那么 maillog 文件里面会显示出两行，一行为 from dmtsai 一行为 to bird2@www.centos.vbird，也就是我由哪里收到信，而这封信会寄到哪里去，由这两行就可以了解问题了。尤其是 to 的那一行，里面包含了相当多的有用信息，包括邮件无法传送的错误原因的记录。如果你对于日志文件不熟，请参考基础学习篇里面的第 19 章认识日志文件吧。

22.6 重点回顾

- 电子邮件服务器的设置需要特别留意，以免被作为广告邮件与垃圾邮件的跳板。
- Mail server 使用的主机名至少需要 A 的 DNS 标志，不过最好能够具有 MX 标志，且正反解最好成对，比较可以避免大型 Mail server 的过滤。
- 邮件服务器主要是指 SMTP（简单邮件传送协议）而已，不过要架设一台可利用类似 Thunderbird 收发的邮件服务器，最好能够具有 SMTP 以及 POP3 等通信协议。
- 电子邮件传送的组件，主要有 MUA、MTA、MDA 以及最终的 Mailbox 等。
- 电子邮件服务器最需要搞定的地方其实是 Relay 的功能，千万不可 Open Relay。
- 一封电子邮件至少含有 header 以及 body 等数据在内。
- 常见的可以启动 SMTP 的软件有 SendMail、postfix 及 qmail 等。
- 为避免收到大量的广告邮件，建议你不要将 E-mail address 放在因特网上，若需要某些功能必须将邮件地址放在网络上时，最好能够拥有两个邮件地址，一个用来公开，一个则用来作为自己的主要联系之用。

22.7 参考数据与延伸阅读

- Sendmail 官方网站：http://www.sendmail.org。
- Postfix 官方网站：http://www.postfix.org。
- Cyrus-SASL 官方网站：http://asg.web.cmu.edu/cyrus/download/sasl/doc/。
- Procmail 官方网站：http://www.procmail.org。
- Study Area 的邮件架设：http://www.study-area.org/linux/servers/linux_mail.htm
- SMTP 认证系统的建置：http://beta.wsl.sinica.edu.tw/~ylchang/Email/sendmail-auth/。
- 台湾学术网络黑名单网页： http://rs.edu.tw/tanet/spam.html。
- 卧龙小三的 Procmailrc 范例：ftp://ftp.tnc.edu.tw/pub/Sysop/MAIL/procmailrc。
- 林克敏主任文件集的 Procmail 范例：http://freebsd.lab.mlc.edu.tw/procmail.htm。
- Postgrey 官方网站：http://isg.ee.ethz.ch/tools/postgrey/。
- Postfix 针对 Postgrey 的设置：http://www.postfix.org/SMTPD_POLICY_README.html。
- 一些 postfix 的 relay 机制设置： http://jimsun.linxnet.com/misc/postfix-anti-UCE.txt。
- 小州的 postfix 设置： http://phorum.study-area.org/viewtopic.php?t=30716。
- Ralf Hildebrandt/Patrick Koetter 合著，POSTFIX 技术手札，上奇出版，2005 年。
- TWU2 兄在酷学园所发表的自制邮件过滤软件：
- http://phorum.study-area.org/viewtopic.php?t=38649。
- Amavis-new 一个在 MTA 与队列间的服务：http://www.ijs.si/software/amavisd/。
- 广告邮件分析软件：http://spamassassin.apache.org/index.html。
- Steven 的垃圾邮件过滤机制：
  http://www.l-penguin.idv.tw/article/postfix_spam-spamassassin.htm。